AUTRE-MONDE

AUTRE-MONDE

Premier cycle :

      Livre 1 : L'Alliance des Trois.
      Livre 2 : Malronce.
      Livre 3 : Le Cœur de la Terre.

Deuxième cycle :

      Livre 4 : Entropia.
      Livre 5 : Oz.

Maxime Chattam
AUTRE-MONDE

* * * * *
Oz

ROMAN

ALBIN MICHEL

Pour Clara
Bienvenue dans un Autre-Monde

1.

Le sacrifice des Longs Marcheurs

Rhonda tira sur sa cape vert foncé pour masquer ses flancs meurtris. Elle ne voulait pas que les gardes de la porte nord se précipitent pour l'emmener à l'infirmerie. Son message était trop important pour attendre. Elle pouvait encore tenir, après tout, cela faisait déjà plusieurs jours qu'elle galopait sur son chien géant, elle n'était plus à une heure près, elle s'était habituée à la douleur et n'en était plus étourdie à chaque mouvement.

Brulgur trottait à bonne vitesse pour les conduire au centre d'Eden, et Rhonda sentait les regards admiratifs et inquiets sur elle et sa puissante monture. Les Longs Marcheurs suscitaient toujours beaucoup de curiosité sur leur passage, chacun savait qu'ils transportaient les informations du monde, colporteurs de grandes découvertes, de mauvaises nouvelles, témoins des dernières créations animales et végétales depuis la Tempête ; chaque arrivée d'un Long Marcheur signifiait des soirées à écouter les récits et à en discuter entre Pans.

Rhonda fila devant le Salon des souvenirs avec une pointe au cœur, c'était là qu'elle avait passé sa dernière soirée avant de partir en mission, presque deux mois plus tôt. Il lui semblait que c'était il y a deux ans ! Que la route avait été longue, que de nuits à s'endormir en grelottant, plus à cause de la peur que du froid, et que de kilomètres parcourus dans la solitude. Elle avait parfois croisé les nouvelles patrouilles de soldats Pans qui sillonnaient les routes du nord, mais leurs échanges avaient été brefs, elle n'avait pas le temps de s'arrêter, sa mission était urgente.

Brulgur passa sous l'immense pommier, au cœur d'Eden, et s'arrêta devant le Hall des Colporteurs. Rhonda serra les mâchoires pour descendre sans trahir la douleur de ses blessures encore suintantes. Un garçon d'à peine plus de dix ans passa la main sous la gueule de Brulgur pour l'inviter à le suivre vers les niches des chiens, afin qu'il soit débarrassé de sa selle, entièrement brossé, nourri, et qu'il puisse se reposer enfin.

Rhonda, elle, fit signe à l'un des Pans en charge de l'administration du bâtiment des Longs Marcheurs.

– Je suis Rhonda Nkalu, j'ai un message urgent pour le Conseil, dit-elle en détachant ses longues nattes noires.

– Ambre Caldero est à l'étage, suis-moi.

Rhonda frissonna. Elle ignorait si c'était à cause de ses blessures ou du nom d'Ambre. Tout le monde la connaissait à Eden. Et même bien au-delà. La fille qui avait assimilé le Cœur de la Terre. Pour bien des Pans elle était plus que le symbole de leur survie, plus que l'instrument de leur victoire face aux Cyniks, elle était un leader. Derrière les palissades d'Eden, la plupart des Pans pensaient que le Conseil d'Eden était au service d'Ambre, qu'elle était devenue une sorte de présidente, voire une reine. Et ça leur allait bien. Chaque fois que Rhonda avait tenté d'expliquer que Ambre ainsi que Matt et Tobias étaient des membres comme les autres du Conseil, on lui avait répliqué que ça ne pouvait pas être, qu'ils étaient l'Alliance des Trois, ceux qui avaient fait la différence face aux Cyniks, et grâce à qui les Pans étaient encore tous libres, donc cela faisait d'eux des membres à part, exceptionnels. Des chefs de guerre, des modèles à suivre, des sages à écouter. Il y avait beaucoup de fantasmes là-dedans, Rhonda le savait, elle avait souvent essayé de corriger cette vision idéalisée, sans grand succès. Les enfants et les adolescents avaient besoin de figures fortes, d'incarnations parentales pour remplacer les adultes en qui on ne pouvait guère avoir confiance, même si sur ce plan-là, les relations tendaient à s'améliorer.

Rhonda ne se faisait elle-même aucune illusion sur la normalité de l'Alliance des Trois, et pourtant, au moment de rencontrer pour la première fois Ambre, elle se sentit brusquement toute chose, les jambes en coton, les mains moites.

On lui ouvrit la porte d'une petite pièce éclairée à la bougie et elle découvrit Ambre Caldero assise à une table, en train de rédiger des lettres. Ample chevelure blonde tirant sur le roux, pommettes hautes et regard d'émeraude perçant. Ambre se tenait droite dans son fauteuil, avec le charisme et la prestance d'une reine.

Une reine ! C'était dit ! Rhonda elle-même se prenait au jeu. C'était en même temps une évidence lorsqu'on observait Ambre de si près. On ne pouvait le nier, il y avait quelque chose d'exceptionnel en elle, une lumière qui brillait dans ses pupilles, une personnalité qui remplissait l'espace, si bien que la Long Marcheur se sentit soudain toute petite et humble.

Ambre se leva et, instinctivement, Rhonda baissa la tête pour la saluer.

— Pas de ça, s'il te plaît, je n'ai aucun statut particulier, fit Ambre presque lassée. Tu es Rhonda Nkalu, revenue d'une mission d'observation au Nord, n'est-ce pas ?

— Oui.

11

Ambre tira une chaise vers elle.

— Assieds-toi. Tu dois être épuisée. À vrai dire, tu n'as pas l'air bien.

Rhonda vérifia que sa cape était bien refermée sur son torse et déclina l'invitation d'un signe de tête. Elle craignait que le changement de position ne lui arrache un cri de douleur.

— Je préfère rester debout, ça me dégourdit les jambes.

— Tu es la première de nos trois éclaireurs qui rentre.

— Et je peux déjà vous dire qu'au mieux deux seulement rentreront. J'ai découvert le corps de Nick aux abords du Canada. J'ignore ce qui l'a tué, mais même son chien n'a pas survécu. Ça ressemblait à l'attaque d'un Rôdeur Nocturne.

Ambre baissa les yeux et secoua doucement la tête.

— J'ai vu Entropia, ajouta aussitôt Rhonda.

Ambre se raidit et la fixa.

— Elle a progressé vers le sud, vers nous ?

— Oui. Elle avance lentement, mais elle avance.

— Et tu as croisé des Tourmenteurs ?

— Non, je n'en ai pas vu. Ni aucune des patrouilles avec lesquelles j'ai discuté.

— C'est déjà un bon point. Et tu as vu les éclairs rouges et bleus, le cœur d'Entropia ?

— Je l'ai deviné au loin, dans la brume, mais j'ai suivi les consignes : je ne suis pas entrée *dans* la brume.

— C'est pour ça que tu es encore en vie.

— Il y a autre chose…, ajouta Rhonda, un peu intimidée. Je crois que… Je crois que j'ai remarqué une faiblesse d'Entropia.

— Une faiblesse ?

Ambre croisa les bras sur sa poitrine, intriguée.

— Eh bien… Je suis restée plusieurs jours cachée, à bonne distance de la brume, pour l'observer, pour vérifier si elle progressait, ou si quelque chose en sortait. Et j'étais de l'autre côté d'un fleuve. J'ai remarqué que Entropia n'aime pas l'eau. Enfin, je ne sais pas trop si je peux parler de cette brume comme d'une créature, mais en tout cas, quoi que ce soit, ça n'est pas à l'aise avec l'eau.

— Qu'est-ce qui te fait dire ça ?

— Je l'ai observée pendant cinq jours, la brume a tenté à plusieurs reprises de recouvrir le fleuve, mais à chaque fois elle finissait par reculer, comme un animal qui n'ose pas poser une patte dans l'eau.

— Elle n'a pas dépassé le rivage ?

— Si, mais ç'a été laborieux, et elle est passée par le pont. Un matin, la brume était sur le pont et deux jours plus tard elle avait fait le tour du fleuve. Là elle a commencé à le recouvrir totalement. Mais pour ça il lui a fallu passer sur l'autre rive par un endroit sec. Je ne dis pas qu'elle est incapable de traverser l'eau s'il le faut vraiment, mais en tout cas elle n'aime pas ça. Vous n'êtes pas choquée si j'en parle comme d'une bête ?

— Non, Rhonda. Bien au contraire. Entropia est bien une créature, mais une créature sans vie.

— De quoi est-elle faite ?

— Du concentré de tout ce qui faisait les excès de notre ancien monde. De pollution, de déchets synthétiques, de machines, d'électricité… Et sa conscience est l'ancien maillage d'intelligence artificielle qui existait avant.

— Internet ?

— Oui, essentiellement. Nous pensons que lorsque la Tempête a frappé, elle a non seulement bouleversé l'ADN des plantes – ce qui expliquerait leur impressionnante croissance –, celui des animaux, ainsi que le nôtre, ce qui a entraîné l'apparition de nos altérations, mais elle a aussi opéré une sorte de « grand nettoyage » pour libérer la Terre de tous nos excès. Ce faisant, tout ce qui était contre-nature, industriel à outrance, pollution, etc., tout ça a été concentré par la Tempête et isolé en un point de la Terre, tout au nord. Sauf que la Tempête n'était probablement qu'une sorte de... réaction de la planète à nos excès, sans véritable conscience, comme les globules blancs de nos organismes s'attaquent à un virus qui serait entré dans notre corps. Ils agissent sans intelligence, comme des programmes. Eh bien, la Tempête a fait de même. La conséquence imprévisible a été qu'il existait dans le monde une forme de préconscience artificielle, Internet et tous les réseaux informatisés du monde. Et tout cela ne s'est pas évaporé pendant la Tempête, mais s'est concentré avec les autres excès ; tout a fusionné pour devenir une entité avec un corps et une forme de conscience : Entropia.

— La Tempête a donc donné naissance à quelque chose de pire que ce qui existait avant, songea Rhonda à voix haute. Parce que Entropia détruit toute vie sur son passage. Et si on la laisse faire, bientôt le monde entier sera un désert de brume peuplé de créatures hideuses.

— La Tempête est un mécanisme de défense, elle n'a pas agi avec intelligence, elle ne pouvait pas prévoir.

— Si elle n'était pas intelligente, pourquoi avoir séparé les enfants des adultes ?

Ambre haussa les épaules, un petit sourire au coin des lèvres.

— Ce sont là toutes les limites de ce que nous savons aujourd'hui.

Rhonda fixait Ambre avec attention. Son cœur battait plus vite. Ses blessures lui faisaient à nouveau très mal.

– Est-ce que… Est-ce que nous allons tous mourir ? Les patrouilleurs disent qu'on ne peut lutter contre Entropia. Que tôt ou tard, elle nous assimilera.

– C'est pour cela que nous organisons une expédition en Europe. Pour trouver les autres Cœurs de la Terre.

– On dit qu'un bateau grand comme Eden a été construit, c'est vrai ?

Ambre acquiesça.

– Nous partons dans trois jours pour les côtes d'où le navire va bientôt jeter l'ancre.

– Emmenez-moi, fit Rhonda avec un soupir de douleur.

– Rhonda ? Qu'est-ce que tu… Oh ! ta cape !

Rhonda baissa les yeux et découvrit la large auréole sombre qui maculait le devant de sa cape.

Ambre recula en découvrant tout le sang qui imbibait les vêtements de la Long Marcheur.

– Mais tu dois être soignée !

– Je voulais vous transmettre mes informations avant.

– Rhonda, c'est très grave, tu as perdu beaucoup de sang !

– La survie d'Eden et des Pans passe avant tout.

Ambre prit la jeune femme par les épaules, la força à s'allonger sur la table, entre deux candélabres, et commença à soulever le pull et le T-shirt tout poisseux.

– Qui t'a fait ça ?

– Une Souffrance. Il y en a de plus en plus. Elles descendent du nord, elles fuient Entropia.

– C'est un miracle que tu sois encore en vie après l'avoir rencontrée.

– C'est Brulgur qui m'a sauvée.

– Reste allongée, je vais chercher de l'aide.

Rhonda saisit la main d'Ambre avant qu'elle puisse s'éloigner.

– Je sais qu'avec vous je ne crains plus rien. Vous avez le pouvoir de guérir tous les maux, c'est ce que disent les Pans.

Ambre parut soudain désespérée. Ses yeux s'emplirent de tristesse.

– Non, c'est une légende, Rhonda. Je pouvais autrefois guérir certaines blessures mais c'est fini. Je ne peux plus utiliser la force du Cœur de la Terre sans attirer Entropia sur moi, ses Tourmenteurs me repéreraient aussitôt. Je ne peux plus mettre ma vie et celle d'Eden en péril.

– Ce n'est pas grave. Je suis en sécurité maintenant, je suis avec vous. Je suis rentrée à Eden. Plus rien ne peut m'arriver.

Ambre serra la main de la jeune fille.

– Attends-moi, je reviens très vite, et surtout ne bouge pas. Tu saignes beaucoup trop.

Rhonda regarda Ambre sortir à toute vitesse de la petite pièce.

Les flammes des bougies au-dessus d'elle dansaient au rythme à peine perceptible de leurs crépitements. Elle avait tellement froid que les regarder lui faisait du bien.

Ambre Caldero était en vérité unique. Les fantasmes à son sujet n'étaient pas infondés. Elle dégageait quelque chose de singulier, de presque magique. Il y avait autant d'émotions, de fragilité et d'empathie que de force et d'assurance en elle. Près d'elle, Rhonda en était certaine, elle ne craignait plus rien, elle pouvait s'abandonner à l'épuisement. Ambre la protégerait. Comme elle protégeait tous les Pans.

Elle ferma les yeux. Un frisson la parcourut depuis le bas du dos et lui arracha une grimace de douleur.

Lorsque Ambre pénétra dans la pièce, accompagnée par deux Pans aux altérations de soins, Rhonda était toujours allongée sur la table, mais à présent tournée sur le flanc. Ambre fit le tour pour lui parler et découvrit ses paupières fermées.

Elle posa la main sur sa joue et comprit qu'il ne servait plus à rien de se hâter.

Rhonda était morte.

2.

Ajustements

Matt se prit la tête dans les mains. Il n'en pouvait plus, il sentait une barre naître derrière son front et ses tempes bourdonnaient de plus en plus. Ses longues mèches brunes tombèrent devant ses iris noisette.

– Un problème ? lui demanda Tobias.

– J'ai mal au crâne. Je crois que je sature. Un mois entier à ce rythme-là, ça me rend dingue.

Il passait ses journées à rencontrer des dizaines de Pans différents pour constituer l'équipage qui allait les accompagner Deux mois plus tôt, il avait envoyé un peu partout des messagers pour réclamer des volontaires ayant de préférence une certaine habitude de la navigation, ou au moins l'ayant déjà pratiquée, pour s'assurer qu'ils n'avaient pas le mal de mer. Il fallait de tout, des Pans aptes au combat, d'autres à la cuisine, à la pêche, des Pans capables d'entretenir des lopins de terre – car le bateau disposait de petites parcelles cultivables –, d'autres encore pour réparer toute avarie potentielle. Et il en fallait un maximum capables de parler des langues étrangères. Espagnol, français, allemand, italien... Car personne ne savait ce qui les attendait là-bas.

Bien que Matt ne l'ait pas encore vu, il savait que le navire construit par les Kloropanphylles était gigantesque. Le peuple de la Forêt Aveugle fournissait un équipage réduit pour le diriger, mais une expédition vers l'Europe exigeait plusieurs centaines de Pans à bord, pour faire face à toute éventualité.

Les derniers détails de construction du navire avaient pris plus de temps que prévu, ainsi que l'élaboration du moyen d'acheminer le bateau depuis le cœur de la forêt des Kloropanphylles jusqu'à l'Océan. Un mois et demi de retard déjà. Ce qui avait arrangé Eden pour s'organiser, déterminer qui partait et ce qu'il fallait emporter.

Et pendant ce temps-là, Entropia menaçait depuis le nord.

Matt se leva.

– J'ai besoin d'une pause, je vais prendre l'air, dit-il à Tobias et Melchiot qui sélectionnaient l'équipage avec lui.

– Moi aussi ! s'écria Melchiot. Je suis vidé.

Les trois garçons sortirent pour faire quelques pas sur la grande place, sous l'ombre du pommier géant. Matt les dominait d'une bonne tête et d'une carrure. Son altération de force avait peu à peu modifié son physique, ouvrant son torse et dessinant une fine musculature. Il allait sur ses seize ans, et le garçon frêle aux joues roses des débuts de cette nouvelle vie se transformait peu à peu en un jeune homme ; il s'en rendait compte lui-même, parfois avec une certaine inquiétude. Ambre, qui avait un an de plus, était déjà devenue une vraie femme, cela ne faisait pas l'ombre d'un doute lorsqu'il la voyait passer dans les rues d'Eden. Son assurance, sa maturité, et les courbes de son corps... Qu'allaient-ils devenir ? Devraient-ils un jour quitter les Pans pour rejoindre les terres Maturs ? C'était ce qui se passait pour les Pans qui devenaient adultes. Venait le moment où ils ne se sentaient plus à leur place parmi les enfants et les adolescents... Matt craignait cet instant plus que tout. Il ne voulait pas se séparer des siens.

Un éclat doré attira son attention.

Le fleuve qui scindait Eden en deux coulait un peu plus loin, capturant la lumière du soleil pour la fragmenter en centaines de petits miroirs qui s'agitaient à sa surface. Matt aperçut une dizaine d'adolescents qui s'affairaient autour de cannes à pêche en bambou. Plus loin, derrière les maisons, un autre groupe décrochait les draps des fils de séchage, tandis qu'une vingtaine de Pans revenaient de la cueillette en longeant les berges, leurs paniers d'osier bien remplis. La vie s'était organisée ici, Eden les protégeait, et ils avaient tout ce qu'il fallait pour grandir sereinement. Depuis que la menace Cynik n'existait plus, il y avait eu quelques dissensions, certains rechignaient devant les corvées, mais dans l'ensemble, tout fonctionnait bien. Bien que constituée d'enfants et d'adolescents, Eden était une ville prospère, sûre, où il faisait bon vivre.

Pour combien de temps encore ? se demandait chacun d'eux en scrutant le ciel vers le nord...

Matt se rendit compte que son esprit partait dans tous les sens, il ne parvenait plus à se concentrer, divaguait d'un sujet à l'autre.

— Tu es bien songeur, fit Melchiot.

Matt prit une profonde inspiration et regarda son compagnon, un peu plus âgé que lui, cheveux courts, traits anguleux et regard d'un bleu intense.

— Tu penses à Entropia ? devina Tobias qui connaissait son ami par cœur.

— Oui. À notre équilibre ici.

Tobias lui donna l'accolade.

– On va trouver une solution, t'en fais pas. On trouve toujours une solution, pas vrai ?

Comment Tobias pouvait-il être si souvent de bonne humeur ? Matt l'observa, détaillant la cicatrice rose qui descendait du front jusqu'à la joue, contrastant avec sa peau noire. Sa chair aussi avait été meurtrie ; chaque matin en se levant, Tobias ne pouvait oublier la guerre faite aux adultes, les hommes qu'il avait dû tuer, et pourtant, il continuait de faire le pitre.

Matt acquiesça sans joie. Il ne partageait pas le même enthousiasme. Il n'était sûr de rien. Il avait vu l'intérieur d'un Tourmenteur, il savait de quoi était fait leur ennemi. De vide. De chaos. D'entropie. La source même de la brume d'Entropia était une créature synthétique, Matt en était convaincu, un être artificiel.

Ggl.

GA-GUEU-LLE.

Rien que de la détermination à tout assimiler. Sans pitié. Sans trêve. Sans hésitation.

– Il nous manque combien de personnes pour embarquer ? demanda Tobias.

– Tout est bon, répondit Melchiot. Maintenant c'est vraiment du surplus, selon les altérations de chacun, celles qui pourraient nous être utiles.

– Combien ça fait ?

– Presque mille Pans.

Tobias siffla.

– J'espère qu'il est aussi grand qu'on l'affirme, ce bateau ! ajouta-t-il.

– Là-dessus faut se fier à Orlandia, c'est elle qui nous a dit combien de personnes il fallait recruter.

Melchiot se tourna vers Matt.

21

— Les hommes de Balthazar seront au rendez-vous ?

— Ambre a reçu un message de Zélie et Maylis depuis la forteresse de la Passe des Loups, a priori le roi des Maturs supervise en personne l'acheminement du Testament de roche. Nous ne devrions avoir aucun imprévu de ce côté-là.

— Tout fonctionne ? Tout est parfait ? C'est louche ! plaisanta Melchiot. D'habitude il y a forcément quelque chose qui coince, sinon c'est que c'est un rêve ! Vous voulez pas me pincer ?

— Nous avons déjà six semaines de retard sur ce qui était prévu, je n'appelle pas ça la perfection.

Tobias fit la moue.

— Toi tu es de mauvais poil. C'est quoi le problème ?

Matt soupira.

— Désolé les gars. C'est vrai, je suis sur les nerfs. Presque trois mois que nous sommes rentrés du nord, trois mois de préparatifs sans être dans l'action, je commence à perdre patience. J'ai besoin de bouger, d'être sur le terrain.

— Ça recommence, railla Tobias. Tu ne tiens plus en place !

— Je suis impatient de partir. Je n'aime pas savoir qu'un danger plane au-dessus de nos têtes et rester là. Je me sens inutile.

— Tu es trop impulsif, intervint une voix féminine dans leur dos.

Ambre s'approcha en nouant ses longs cheveux avec une barrette de bois.

— J'aime me sentir utile, corrigea Matt.

— Tu aides ici, à ta manière. Si tu sors tout le temps, tu finiras mal. Comme beaucoup de ceux qui sacrifient leur vie pour notre communauté.

Matt lut de l'amertume et de la tristesse sur le visage de la jeune femme.

— Nous avons encore perdu quelqu'un, c'est ça ?

— Oui. Rhonda Nkalu.

— Une Long Marcheur, se souvint Melchiot. Je la connaissais un peu.

— Elle est morte ce midi en nous rapportant des nouvelles du Nord. Entropia avance. L'eau semble la ralentir, mais elle continue à descendre vers nous. D'après les relevés de Rhonda, Entropia a parcouru près de quatre cents kilomètres depuis que nous l'avons localisée. Mais sa progression est inconstante.

— Elle pourrait être là d'ici trois à quatre mois, estima Matt. Peut-être six avec de la chance.

— Ou moins, fit Ambre. Rhonda a donné sa vie pour nous renseigner. Tout comme Nick Rhinner.

— Il y aura un bûcher pour eux ce soir ? demanda Matt qui devinait à quel point Ambre était affectée.

Matt ignorait si c'était la guerre, l'épisode du Raupéroden et de Malronce, ou même son voyage en Entropia, mais il se sentait de moins en moins sensible lorsqu'on lui annonçait la mort d'un Pan. Bien sûr, une petite boule se formait dans son ventre, il était triste, mais ce n'était plus l'accablement qu'il éprouvait auparavant. La mort faisait désormais partie de leur existence, et aussi cynique que cela puisse paraître, il s'y habituait.

— Demain soir Rhonda sera célébrée, et Nick aussi, même si nous n'avons pas son corps.

— On sera là, assura Tobias au nom des trois garçons, comme une évidence.

Ils demeurèrent un instant sans parler, mal à l'aise, à sentir la petite brise de printemps balayer leurs cheveux et caresser leur peau. L'été approchait, ils étaient à la fin du mois de mai, et il semblait que l'hiver n'était pas passé sur Eden tant il avait fait bon. Même les champs s'y étaient perdus, à donner leur récolte par deux fois dans la même saison.

— La bonne nouvelle, c'est l'absence de Tourmenteur sur nos routes, rappela Melchiot. Aucune de nos patrouilles n'en a repéré.

— Je n'utilise plus que mon altération naturelle, dit Ambre, sans puiser dans la force du Cœur de la Terre. Tant que je m'en tiens à cette règle, je pense que je suis à l'abri. Ggl ne doit plus savoir où je me trouve maintenant.

Matt haussa les épaules :

— Ou bien il a retenu la leçon lorsque j'ai détruit le Tourmenteur de l'intérieur, et il se méfie assez de nous désormais pour élaborer une autre stratégie afin de t'assimiler et s'emparer du Cœur de la Terre.

— De toute façon nous quittons le continent, trancha Ambre. Tout est prêt pour le recrutement de l'équipage ?

Melchiot hocha la tête.

— Oui, nous en sommes à tester les altérations des derniers volontaires, au cas où nous tomberions sur quelque chose d'exceptionnel, mais sinon nous sommes prêts. Le matériel est rassemblé, il ne manque plus que les provisions du voyage jusqu'à l'Océan. Tout sera terminé et empaqueté demain soir, le départ est donc confirmé.

— Tout est en place pour la suite de la vie à Eden ? s'enquit Matt.

Ambre désigna Melchiot :

— Oui, dit-elle. Comme prévu, Mel va prendre les choses en main ici en ville. Il fera le relais entre le Conseil d'Eden et les ambassadrices de la Passe des Loups, je vais leur envoyer un messager demain pour confirmer notre départ.

– Alors c'est sûr, Zélie et Maylis ne viendront pas avec nous ? déplora Tobias qui s'était entiché de Zélie lors de sa dernière venue à Eden.

Ambre le confirma.

– Elles restent pour garantir les bonnes relations entre les Pans et les Maturs. Elles avaient très envie de nous accompagner, mais leur rôle ici est primordial, elles connaissent mieux que personne les tractations diplomatiques entre les adultes et notre peuple. Ce sera d'autant plus important si Entropia finit par gagner Eden, car il faudra migrer vers le sud, se faire accueillir par les Maturs.

– Tant pis.

Melchiot lui donna une tape amicale sur l'épaule.

– T'en fais pas, il y a plein de jolies filles qui partent avec vous !

– Oh, c'est pas ce que je voulais dire…

– Bien sûr…

Ambre profita de l'échange entre Tobias et Melchiot pour se rapprocher de Matt.

– J'ai passé une soirée formidable hier.

Matt se passa la main dans les cheveux, un peu nerveux.

– Moi aussi.

Ambre s'était absentée pendant presque un mois et demi pour veiller sur les derniers préparatifs du navire des Kloropanphylles.

– Ce que je t'ai dit hier était vrai, tu sais ? Tu m'as vraiment manqué. Je n'aime pas me séparer de toi.

– On va faire en sorte que ça n'arrive plus.

Leurs retrouvailles, une semaine plus tôt, avaient été un peu particulières, pas aussi festives et amoureuses que Matt l'avait espéré. La distance et le temps avaient distendu leurs liens, leur complicité, et il avait fallu un moment pour que les deux adolescents retrouvent un peu de familiarité, qu'ils soient à nouveau à l'aise dans l'intimité, qu'ils osent s'embrasser passionnément. La veille, ils avaient passé toute la soirée ensemble, main dans la main, à admirer les étoiles près du fleuve, à se retrouver enfin, se serrer, s'enlacer.

— On va avoir du temps pour se rattraper, ajouta Ambre. Maintenant, on ne se quitte plus.

Elle lui adressa un clin d'œil et Matt répondit de la même façon.

— Ce soir nous allons enfin effectuer le dernier test dans l'église avant de partir. Tu veux te joindre à nous ?

— Bien sûr !

En plus des relations avec les Kloropanphylles, Ambre supervisait un projet mené en toute discrétion aux abords d'Eden, une opération que les quelques Pans concernés avaient baptisée « Apollo ».

— Ce soir nous allons tenter de devenir amis avec les morts, Matt, ce sera une grande première. Et un moment crucial pour notre avenir. Si nous y parvenons, ça pourrait bien changer le monde.

3.
La voix des morts

Les Longs Marcheurs avaient découvert l'église par hasard, en explorant les ruines d'une ancienne bourgade isolée, à l'est d'Eden, lors de la recherche de matériel encore utilisable, voire de quelques denrées.

C'était un bâtiment assez étroit, mais avec un immense clocher entièrement recouvert de lierre et de mousse, colonisé de bas en haut par les ronces.

Une procession s'en approchait tandis que le ciel finissait d'étaler le vermillon du crépuscule entre les nuages. Une demi-douzaine de Pans marchaient une lanterne à la main, emmitouflés dans leurs capes, capuches rabattues sur leurs visages. Les deux premiers dégagèrent l'accès à coups d'épée, pour tailler un chemin au milieu des fougères et des épineux qui repoussaient en quelques jours seulement, puis ils ouvrirent les portes. La capuche glissa du crâne rasé d'un des deux garçons : Floyd se tourna vers ses compagnons pour les faire entrer avant de refermer derrière eux.

– Je l'ai nettoyée au mieux, avec Tania et Chen, dit-il, mais tout repousse tellement vite !

Une partie des bancs seulement était accessible sous la

masse de végétation qui s'était emparée du lieu de culte, mais l'autel et l'ensemble du chœur étaient épargnés.

Les capes tombèrent les unes après les autres et Ambre, Matt, Chen, Tania et une adolescente du nom d'Aly se postèrent au fond de l'église.

— Pour ceux qui ne la connaissent pas encore, commença Ambre, je vous présente Aly. C'est elle qui sera en charge du projet Apollo quand nous serons partis.

Aly acquiesça, un peu gênée. Elle avait presque seize ans, était un peu ronde, et ses cheveux châtains étaient coupés au carré.

— Qui a choisi ce nom ? demanda Matt.

— C'est moi, répondit Chen. Apollo en souvenir du voyage vers la Lune. C'est un peu ce que nous faisons ici depuis quelques semaines, nous essayons de quitter la Terre pour explorer une autre planète. Celle des morts.

— Vous avez effectué beaucoup de tentatives ?

— Pas tant que ça, intervint Tania. En l'absence d'Ambre nous avons préféré rester prudents. Et puis ça ne marche pas à la demande, c'est très étrange.

— En fait, reprit Chen, c'est comme si l'église était branchée sur une prise mal enfoncée. Parfois le courant passe pendant quelques minutes, et parfois il n'y a plus rien pendant des jours et des jours.

— Alors pourquoi sommes-nous ici ce soir en particulier ?

— La nuit, ça marche plus souvent, commença Chen.

— Et en présence d'Ambre aussi, continua Tania, ça fonctionne plus facilement. La présence du Cœur de la Terre doit déclencher une réaction.

— Il faut que nous parvenions à comprendre, que nous établissions un contact précis, poursuivit Ambre, et qu'une fois en Europe nous puissions nous servir des églises pour envoyer des messages jusqu'ici.

Matt se souvenait de leur expérience dans une autre église, presque cinq mois plus tôt, les voix dans les bibles…

— Vous avez déjà identifié des décédés ?

— Plusieurs, oui, confirma Tania. En fait, quand l'église s'anime, il suffit de tourner les pages d'une bible pour tomber chaque fois sur un fidèle différent. Beaucoup s'expriment dans des langues étrangères, mais il y a pas mal d'Américains, et l'essentiel de notre mission jusqu'à présent a été de localiser quelqu'un qui était venu dans *cette* église.

— Et vous avez trouvé ? s'enthousiasma Matt.

Tania eut un sourire et pivota vers Chen.

— Chen a fini par discuter avec un homme d'une église de Saint-Louis, qui n'est pas loin, et lui a parlé de Caseyville — c'est comme ça qu'elle s'appelait avant. On se disait que les deux églises n'étant pas éloignées, peut-être que l'homme pourrait nous aider à localiser un esprit proche géographiquement. Ça n'a rien donné, parce que les esprits sont assez peu curieux et serviables, mais en revanche Chen s'est rendu compte de quelque chose de très précieux !

Chen enchaîna :

— Quand tu ouvres une bible, si tu te concentres sur toi, sur ta personne, ton emplacement, ta culture, tu contactes plus facilement des gens qui parlent notre langue, et surtout qui fréquentaient des églises très proches. Je suis certain qu'avec un peu de persévérance on peut accéder directement à un fidèle de cette église par exemple.

— Et quand tu discutes avec quelqu'un en ouvrant une page, si la semaine suivante tu reprends la bible à la même page, tu tombes sur la même personne ? demanda Matt.

29

– Non. Rien n'est figé. Les esprits sont en perpétuel mouvement, les bibles ne sont, je crois, qu'un transmetteur, un peu comme un combiné de téléphone. C'est à toi de te connecter au bon numéro. Pour l'instant ça appelle un numéro au hasard, mais en se préparant bien, on doit pouvoir composer celui qu'on veut. Mentalement.

Matt se tourna vers l'entrée où Floyd restait debout sous l'éclairage tamisé de sa lanterne.

– Tu ne te joins pas à nous ?

– Non, je suis là pour la sécurité de tout le monde. Se balader en dehors des remparts d'Eden la nuit, ça n'est pas très sûr. Je préfère garder un œil sur ce qui se passe à l'extérieur.

Les cinq Pans concernés par l'expérience s'assirent sur les premiers bancs, une bible à la main, leur petite lanterne posée à leurs pieds, et attendirent. Chen et Ambre étaient concentrés, les paupières closes.

Après une heure, Matt se pencha vers Tania. Les yeux de la grande brune pivotèrent sous sa frange comme ceux d'un hibou.

– Ça peut durer longtemps ? chuchota le jeune homme.

– Toute la nuit. Parfois il ne se passe rien du tout. Parfois ça n'arrête pas.

Un long grincement les fit alors sursauter. La porte de la sacristie s'ouvrait lentement, comme sous l'effet d'un courant d'air.

Matt se leva, son épée à la main, et s'approcha sans faire de bruit. Il sentait les regards de ses camarades sur sa nuque.

Il brandit sa lanterne en arrivant sur le seuil d'un couloir étroit et découvrit un mur de ronces noires qui lui barrait le passage.

– Bon, au moins personne ne peut passer par là, dans un sens comme dans l'autre, dit-il pour lui-même.

À cet instant toute l'église s'illumina brièvement, un flash intense crépita depuis le tabernacle et toutes les bibles s'ouvrirent en même temps, les pages défilant à toute vitesse, tandis que des centaines de murmures se télescopaient. Plusieurs flashes jaillirent, puis des voix résonnèrent à l'unisson dans toute la nef pour entonner un chant religieux presque aussitôt interrompu.

Matt vit que Chen et Ambre gardaient les paupières closes, concentrés sur leur mission, repliés sur eux-mêmes.

Puis les flashes cessèrent, et il ne resta que les murmures, tout doux, comme des dizaines et des dizaines de personnes se parlant tout bas, sous les bancs.

Matt retourna auprès de Tania et Aly et ouvrit une bible au hasard. Une voix plus distincte que les autres se mit à lui parler dans une langue qu'il ne connaissait pas. Il tourna les pages et plusieurs personnes se succédèrent, jusqu'à ce qu'il tombe sur un accent anglais.

– Vous m'entendez ? demanda-t-il.

– Qui parle ?

– Moi, Matt Carter.

– Je suis Jane, de Southampton.

– Et vous êtes à Southampton ?

– Je... je l'ignore.

– Où êtes-vous alors ?

– Je suis... je ne sais pas. Tout est noir.

Matt se souvint de sa première expérience. Les esprits n'avaient plus la notion du temps ni de l'espace. Ils paraissaient flotter dans l'éternité.

– Il y a d'autres personnes avec vous ? demanda l'adolescent.

– Je crois.

– Vous pouvez leur parler ?

– Peut-être, je n'ai pas essayé.

– Allez-y, tentez le coup.

– Pour dire quoi ?

– Je ne sais pas, ce que vous voulez ! Par exemple, demandez comment s'appelle la personne la plus proche.

Il y eut un silence de plusieurs secondes, puis la voix de Jane de Southampton revint :

– Il y a Archie de Southampton avec moi.

– Et c'est tout ?

– Je n'ai pas demandé aux autres.

– Eh bien posez la question !

Jane se tut un instant.

– Melinda de Southampton, Jeffrey de Southampton, Ned de Southampton et Clarice de Southampton sont là aussi. Et il y en a d'autres encore.

– Est-ce que vous pouvez sentir des gens qui seraient beaucoup plus loin ?

– Oui. Il y en a, beaucoup plus loin.

– Essayez de vous adresser à l'un d'entre eux.

– Je viens de le faire. Avec Peter de Netley Abbey.

Matt se tourna vers Tania et Aly.

– Je suppose que Netley Abbey est tout proche de Southampton, dit-il.

Il allait enchaîner lorsqu'il vit que Chen levait la main pour demander le silence.

Chen ouvrit la bible qu'il tenait sur ses genoux et prit une profonde inspiration.

– Est-ce que vous m'entendez ?

– Oui. Qui est-ce ?

– Je suis Chen.

– Et moi je suis James, de Mascoutah dans l'Illinois.

Tania attrapa la main de Matt et la serra, emportée par son excitation.

— Mascoutah est tout près d'ici ! murmura-t-elle. Chen a presque réussi !

— Je cherche quelqu'un de Caseyville, demanda Chen.

— Je connais Caseyville, répondit la voix.

— Vous y êtes déjà allé ?

— Je ne sais plus. Je crois. Peut-être. Mais je connais.

Tania se pencha vers Matt :

— Ils n'ont plus de mémoire. Quand on les sollicite, seules des bribes remontent, mais ça ne dure pas.

Matt hocha la tête, il se souvenait de cette particularité des morts.

De son côté, Chen insistait :

— Et il y a quelqu'un de Caseyville autour de vous, maintenant ?

— Je l'ignore.

— Vous ne pouvez pas chercher ? Demander ?

— Je ne sais pas.

Chen referma la bible en soupirant.

— Ça m'énerve ! soupira-t-il. Il faut tout leur dire et ça peut durer des heures... J'y étais presque ! Mascoutah est tout près !

Aly lui désigna Ambre du menton et Chen se tut pour la regarder.

Ambre ouvrit sa bible, gardant les paupières fermées.

— Je suis Ambre de Eden, en Autre-Monde. Qui êtes-vous ?

— Je ne connais pas Eden, répondit une voix féminine.

— C'est normal, fit Ambre sur un ton posé, rassurant, c'est une nouvelle ville. D'où êtes-vous ?

— Je suis Patricia de Caseyville dans l'Illinois.

Tous les Pans de l'église se regardèrent avec un sourire

de triomphe. Le premier palier était franchi. Restait à présent le plus difficile. Ambre se lança sans plus tarder :

– Patricia de Caseyville, j'ai besoin de votre aide pour contacter quelqu'un comme vous, mais beaucoup plus loin. Pouvez-vous m'aider ?

– Je ne sais pas. J'ignore comment faire.

– Il faudrait que vous passiez le message autour de vous. Il faudrait dire à tous ceux qui sont là que vous cherchez Jane de Southampton, en Angleterre. Pour qu'elle puisse répéter mon message.

– Et quel est le message ?

– Que Ambre va bien, et qu'elle s'apprête à partir pour l'Europe. Il faudrait qu'elle répète ce message à Matt. Vous pouvez le transmettre ?

– Je vais essayer. Je vais le faire passer autour de moi.

La voix dans la bible se tut.

Ambre se tourna vers ses amis.

– Tu avais raison, Chen, en se concentrant énormément, ça marche !

– Tu as activé le Cœur de la Terre pour y arriver ?

– Non, bien sûr que non. Matt, tu es toujours en contact avec Jane de Southampton ?

Matt approuva d'un signe.

– Maintenant, il n'y a plus qu'à croiser les doigts, murmura Aly. Si ça marche, vous pourrez nous donner des nouvelles une fois en Europe.

– Il faut que ça marche, insista Tania. Il le faut. Sans communication, ce voyage pourrait ne servir à rien.

La voix de Patricia de Caseyville résonna à nouveau dans l'église :

– J'ai passé le message à tout le monde autour de moi.

– Merci Patricia, répondit Ambre avant de déposer délicatement la bible sur le banc, sans perdre la page. Maintenant, les amis, il n'y a plus qu'à attendre...

Ce qu'ils firent pendant toute la nuit. Régulièrement, Matt demandait à Jane de Southampton si elle avait un message pour lui mais Jane ne comprenait pas et la conversation s'arrêtait là.

Puis tous les murmures s'interrompirent à l'approche de l'aube.

Cette fois c'était terminé.

Les Pans avaient somnolé, et ils rentrèrent à Eden un peu abattus, et très fatigués.

Tout n'était pas perdu, ils le savaient, mais il y avait encore beaucoup de travail, et ils devaient partir pour un long voyage.

Sur le chemin du retour, Ambre s'approcha d'Aly.

— Tu vas devoir constituer une équipe, chacun occupera l'église à tour de rôle. Pour écouter les bibles, chercher des messages. Nous tenterons de cibler Patricia de Caseyville.

— Nous serons à l'écoute. Jour et nuit.

— Prévois du monde, et aussi quelques gardes pour vous protéger. Floyd a raison, ce n'est pas un endroit sûr, surtout la nuit.

— Ne t'en fais pas, si vous envoyez un message depuis l'Europe, je ferai tout pour que nous le trouvions.

Bien des espoirs reposaient dans ces petites bibles. Dont celui de ne pas rompre le lien avec les leurs. Car tous ceux qui partaient savaient que c'était peut-être pour un aller sans retour. Personne ne se faisait d'illusions. Ils s'en allaient par-delà l'Océan, vers des terres inconnues, pour plusieurs mois, peut-être des années.

Et même s'ils devaient revenir un jour, ce serait en adultes.

C'était probablement ça le pire.

4.

Une question de point de vue

Une armée entière occupait la plaine à l'est d'Eden.

Des dizaines de chariots remplis de balles fermées par de la corde, de coffres en osier, de caisses en bois, prêts à être tirés par des mules dessinaient un second rempart à la cité des Pans. Près d'une centaine de chiens de la taille de chevaux formaient la cavalerie, et le millier de volontaires sélectionnés pour traverser l'Océan commençaient à se rassembler, leurs affaires sur le dos.

La plupart étaient armés de petites lames, de hachettes, parfois de gourdins hérissés de piques, le voyage jusqu'aux côtes allait être long, et tous s'attendaient à affronter des dangers sous une forme ou sous une autre.

Au final, le plus difficile était de ne pas savoir ce qui les attendait en Europe. Ils ignoraient s'ils partaient pour mener une guerre, une longue exploration, ou pour entamer des relations diplomatiques avec un nouveau peuple. Personne ne savait même si la Tempête avait frappé là-bas, s'il y avait des survivants, si les Pans et les Maturs sur place vivaient en harmonie, ou s'il s'agissait encore de Cyniks : des adultes sans mémoire, cruels et belliqueux.

Matt chevauchait Plume, et ils trottaient à bonne distance du grand rassemblement, dominant la plaine depuis le sommet d'une longue colline. Tobias était à ses côtés, sur Gus, le saint-bernard.

— C'est plus long que je ne le pensais, déplora Matt.

— Beaucoup de monde, beaucoup de matériel. Nous serons prêts d'ici une bonne heure, je pense.

— Il va falloir instaurer un système de messagers pour faire circuler les ordres depuis la tête du convoi jusqu'à l'arrière.

— Je vais m'occuper de ça avec Floyd. On se servira de la cavalerie canine.

— En tout cas, nous ne passerons pas inaperçus.

— Est-ce un problème ?

— La bonne nouvelle c'est que ça devrait suffire à repousser la plupart des prédateurs, la mauvaise c'est que n'importe qui pourra suivre nos traces.

— Tu penses à qui ? Nous n'avons plus d'ennemi, maintenant.

— Nous avons toujours des ennemis, Toby.

— Pourquoi ? On ne fait de mal à personne !

— Nous prenons de la place, nous sommes certainement jalousés par certains, et parmi les Maturs des gens pensent encore que le Buveur d'Innocence avait raison, que l'Alliance avec les Pans est une mauvaise idée, que nous devrions être leurs esclaves. Il y a les Gloutons, personne ne sait à quel point ils se sont développés, nous savons seulement qu'ils vivent à présent en tribus sauvages. Sans compter les Tourmenteurs de Entropia, rappelle-toi ce qu'ils ont fait des Pans de Fort Punition !

— Jon et les siens..., se souvint Tobias d'une voix triste. Leur peau grise aux veines noires, et leurs yeux d'ébène.

– Qui nous dit qu'il ne reste pas des Pans ainsi possédés dans les forêts que nous allons traverser, pour renseigner Ggl, pour nous pister, voire nous attaquer ?

– Et le Buveur d'Innocence ? Tu crois qu'il est toujours après nous ?

– Si j'étais lui, je chercherais surtout à me faire oublier, avant que le roi Balthazar ne me mette la main dessus. S'il n'est pas fou, à l'heure qu'il est le Buveur d'Innocence vit loin, très loin au sud, ou à l'ouest, terré dans son trou.

– Avec lui, on ne sait jamais...

– C'est pour ça que j'ai demandé à Zélie et Maylis d'être très prudentes à la forteresse de la Passe des Loups. Elles vont être vigilantes, et elles peuvent compter sur le soutien de Balthazar, c'est un bon point.

Plume ralentit pour grimper sur un petit éperon rocheux qui dominait toute la plaine, et Gus la suivit.

Une fois en haut, Matt et Tobias découvrirent une vue à couper le souffle : au-delà de la plaine et des palissades, ils pouvaient admirer tout Eden. Ses toits pentus, les toiles tendues entre certaines maisons pour former les bazars, le grand pommier au centre, le fleuve d'argent qui passait au milieu, les vergers, les bois, et même la colline de l'amphithéâtre qui rappela de mauvais souvenirs à Matt.

– Elle va me manquer, fit Tobias. Je m'étais bien habitué à notre vie ici. Pas toi ?

Tobias observa son ami qui contemplait le paysage d'un air déterminé, sans mélancolie apparente.

– Non, pas toi, comprit Tobias. Tu es dans l'action, tu as tout le temps besoin de bouger.

– Le monde le réclame, il y a encore tant à faire pour que nous y fassions notre place.

– Ça ne te fait pas peur ? Jamais tu ne te demandes ce

que tu feras quand on aura tout exploré, qu'on sera enfin tranquilles, en paix ?

— Il faudra plus d'une vie pour cela.

Matt tourna la tête vers Tobias et lui adressa enfin un sourire complice.

— Nous, ajouta-t-il, nous sommes les pionniers, c'est à nous de préparer le terrain pour les générations à venir.

Tobias haussa les sourcils, pas très enthousiaste.

— Générations à venir ça signifie grandir, devenir adulte, avoir des enfants... Je ne suis pas sûr d'en avoir très envie.

Matt ricana doucement.

— Attends un peu qu'une jolie fille t'ensorcelle et tu verras !

— Mouais... si c'est ça tomber amoureux, alors j'ai pas envie.

Matt sourit.

Les deux compagnons observèrent la marée humaine qui se déversait peu à peu dans la plaine. Puis, avant de repartir, Tobias demanda :

— À ton avis, ça va nous prendre combien de temps pour rejoindre la côte ?

— Il faut compter plus d'un mois de marche.

— Tant que ça ? Et la traversée de l'Océan ?

— Ça je l'ignore, peut-être autant.

— T'as pas peur de ce qu'on va découvrir là-bas ?

— Si, un peu. Mais nous avons un objectif.

— Les autres Cœurs de la Terre, murmura Tobias.

— Les deux autres, oui.

— Tu crois qu'Ambre peut les assimiler sans... sans risque ?

— Je l'espère.

— Quand j'y pense, je me dis que c'est tellement d'énergie que... que j'ai peur qu'elle n'explose !

Matt se mordilla les lèvres. Il n'aimait pas cette idée, même s'il devait bien avouer qu'il y songeait souvent lui aussi. Quand il voyait toute l'énergie que représentait déjà le Cœur de la Terre que Ambre portait en elle, il craignait qu'un second ne soit de trop, qu'elle ne devienne folle ou que cela ne la ronge de l'intérieur.

— Il faut le faire, pourtant, admit-il.

— Et si toute cette force ne suffisait pas à repousser Ggl ?

— Je préfère ne pas y penser, Toby.

— Parfois je me dis que ce qu'on fait n'a pas de sens. Ggl a cherché par tous les moyens à capturer Ambre, pour ce qu'elle abrite. C'est donc qu'il le veut, pas qu'il le craint !

— Il faut faire confiance à Ambre. Elle a senti que le Cœur de la Terre faisait peur aux Tourmenteurs. C'est une énergie colossale. Si c'est nous qui l'utilisons, peut-être qu'on réussira à détruire Ggl. Mais s'il l'atteint avant nous, il assimilera l'Énergie Source comme il l'appelle, et c'est lui qui deviendra plus puissant encore. Alors nous serons condamnés.

Tobias laissa échapper un petit gémissement. Il n'aimait pas du tout cette idée.

— Si les choses tournent mal en arrivant en Europe, poursuivit Matt, nous formerons un petit groupe pour nous concentrer sur notre mission, pendant que tous les autres géreront la situation, diplomatiquement ou militairement. Mais si nous ne rencontrons aucun obstacle, alors nous débarquerons tous. Quoi qu'il en soit il faut s'attendre à un périple éprouvant.

— Surtout, on ne se sépare pas, toi, Ambre et moi. Si nous restons ensemble, on peut tout réussir, pas vrai ?

Tobias guettait l'assentiment de Matt avec une pointe d'anxiété. Il avait besoin d'être rassuré. Ce voyage lui faisait peur.

Matt hocha la tête.

– L'Alliance des Trois, dit-il.
– L'Alliance des Trois, répéta Tobias.

À moins d'un kilomètre de là, à l'orée d'une immense forêt, un chariot bâché attendait, entouré de plusieurs chevaux sellés.

À l'intérieur, dans la pénombre, un homme tout sec, à la fine moustache blanche, se redressa après avoir donné une petite tape amicale sur la joue d'un adolescent qui ne broncha pas. Ses petits yeux brillaient d'une malice et d'une perversité malveillantes.

– Je vous alimenterai avec soin pendant tout le voyage, dit-il. Allez, allonge-toi dans cette caisse.

Le garçon obéit et s'étendit sur la couverture, dans ce qui ressemblait à un cercueil. À côté de lui, dans une boîte similaire, une adolescente attendait également, sans dire un mot.

L'homme fit craquer ses cervicales en se tordant le cou et fit face aux deux hommes qui l'accompagnaient. Deux Maturs en armures sombres, dont l'un arborait l'écusson du roi Balthazar.

– Ne restez pas plus longtemps, je ne veux surtout pas que les gamins d'Eden vous remarquent. Foncez auprès de Colin et notre flotte, dites-lui que je rejoins le convoi des gamins comme prévu. Nous communiquerons par le biais des oiseaux.

– Maître, vous n'allez pas vous frotter tout seul aux gamins quand même ?

Le Buveur d'Innocence se fendit d'un rictus grotesque.

– Vous me prenez pour un idiot ?

Il passa la main sous la chemise sale de l'adolescent et saisit l'anneau ombilical planté dans son nombril pour le tourner dans la chair de son esclave. Le garçon eut à peine un froncement de sourcils sous la douleur, et soudain le Buveur d'Innocence devint flou avant de rapetisser. En une seconde il se transforma et prit les traits du garçon. Seuls ses vêtements d'adulte le trahissaient encore.

Les deux Cyniks reculèrent, surpris.

— Apprends à te servir des forces de tes ennemis, dit le Buveur d'Innocence avec la voix de l'adolescent.

Les deux soldats étaient stupéfaits.

— De la magie ! dit le premier.

— Non, l'altération des gamins, corrigea le Buveur d'Innocence. Ce garçon ainsi que la fille ont la faculté de me donner leur apparence. Je pourrai ainsi passer de l'un à l'autre sans me faire remarquer.

— Ça veut dire que pendant tout le voyage vous n'aurez plus votre vrai... visage ?

— Tant que je nourrirai ces deux-là, je serai eux. Personne ne le saura. Je vais cacher leurs caisses bien à l'abri dans les cales du navire.

— Tout seul, c'est un peu risqué, non ?

— J'ai un espion parmi les gamins ! C'est comme ça que je sais ce qu'ils font. Allez, partez, il faut que je mette des vêtements à ma nouvelle taille.

Les deux hommes soulevèrent la bâche à l'arrière du chariot et sautèrent pour en sortir.

— Vous serez à bord de mes trois navires, rappela le Buveur d'Innocence, non loin de moi, je ne serai pas vraiment seul.

— Et pour les messagers que vous avez envoyés au nord, comment vont-ils nous retrouver ?

— Oui, si l'être qui vient du nord, dans la brume, souhaite prendre contact avec vous, comment ferons-nous ? insista le second.

– Si les émissaires que j'ai expédiés là-haut ne sont pas morts depuis le temps, ils sauront où aller, ils connaissent nos plans. Ayez confiance, mes amis, votre maître a tout prévu… Tout.

Les deux Cyniks grimpèrent sur leurs chevaux et adressèrent un salut respectueux à l'adolescent qui les toisait.

– Bientôt, dit-il, nous serons en Europe, et là je saurai faire ce qu'il faut pour trouver de nouveaux alliés. Soyez rassurés. Nous vivons de sombres heures, mais bientôt nous serons à nouveau en position de force. Et cette fois, je ne laisserai pas un seul gamin m'échapper. Pas un seul.

Les deux soldats approuvèrent, galvanisés par cette idée.

– Je vais commencer par décapiter l'ennemi, ajouta le Buveur d'Innocence. Pendant cette traversée de l'Océan, je vais me débarrasser des trois têtes pensantes.

Les soldats se regardèrent. L'adolescent devenait effrayant. Il y avait un enjeu personnel là-dessous, une affaire à régler, cela ne faisait aucun doute.

Ils éperonnèrent leurs montures et s'élancèrent à travers les fougères en direction du sud.

L'heure de la vengeance allait sonner.

Pour tous les Cyniks qui ne se reconnaissaient pas en Balthazar, tous ceux qui rêvaient de réduire les Pans en esclavage. Pour tous ceux enfin qui considéraient les enfants comme une menace.

Il était temps de s'insurger, de suivre le Buveur d'Innocence.

Lui seul pouvait les mener à la victoire.

5.

Sur la route

Le plus impressionnant, c'était la poussière que soulevait le convoi.

Une ligne de fumée brune qui s'élevait haut dans le ciel, étirée sur plusieurs centaines de mètres, avant de se dissiper progressivement, longtemps après le passage du dernier chariot.

Presque un kilomètre séparait la tête, constituée du gros de la cavalerie canine, de la queue, avec ses marcheurs et les dernières carrioles qui transportaient les vivres.

À l'avant, Matt, Ambre et Tobias recevaient les informations que rapportaient les éclaireurs qui ouvraient le chemin et les relayaient auprès de Clara et Archibald, les deux Pans nommés pour diriger l'exploration.

Aucun des membres de l'Alliance des Trois n'avait voulu de cette responsabilité. Ils estimaient qu'ils devaient rester à part, surtout s'ils venaient à quitter le groupe à un moment ou un autre pour partir en petit comité vers les Cœurs de la Terre. Il fallait que des leaders s'imposent, il fallait quelqu'un pour diriger, prendre les décisions et imprimer le rythme. Un vote avait été organisé à Eden, pour choisir, parmi les volontaires, un garçon et une fille qui représenteraient tout le monde, investis de la pleine confiance de tous.

Clara et Archibald étaient sortis du lot parce qu'ils étaient populaires, aimés de la plupart, sages au quotidien. Ils avaient tous deux seize ans, ce qui était jeune en soi, mais pour des Pans, c'était l'âge de raison, juste ce qu'il fallait pour être plus sérieux qu'un enfant, et pas assez mûr pour devenir un Matur.

Clara avait davantage de responsabilités humaines, la charge de gestion des équipages, des conflits internes, de l'organisation, tandis qu'Archibald assumait la logistique, les mouvements. Mais pour les questions militaires, tant que l'Alliance des Trois était présente, Clara et Archibald en référaient essentiellement à Matt, lui demandant son avis chaque fois qu'un danger était repéré par les éclaireurs. Ils le savaient, leur véritable rôle prendrait tout son sens lorsqu'ils atteindraient les côtes européennes.

Pour ce qui touchait à la diplomatie, tous deux étaient mandatés pour parler au nom du peuple Pan dans son ensemble, et cette énorme responsabilité pesait sur leurs épaules.

Clara était aussi brune et mate de peau qu'Archibald était blond et pâle. Elle était capable de colère là où lui demeurait flegmatique. Elle avait une vision d'ensemble des problèmes quand lui décortiquait une question à la fois, mais de fond en comble. Tous deux parlaient plusieurs langues, s'entendaient à merveille, se montraient patients et à l'écoute. Ils formaient un duo rassurant et équilibré.

Le midi du cinquième jour de voyage, un énorme terre-neuve approcha par l'avant du convoi en galopant. Son cavalier, un Pan du nom de Devon, s'arrêta à la hauteur de Matt.

– Nous avons repéré toute une colonie de Gloutons droit devant ! À environ trois kilomètres.

– Combien sont-ils ?

– Plusieurs centaines, je n'en avais jamais vu autant à la fois depuis la guerre !

Matt serra les poings. Malronce était autrefois parvenue à rassembler bon nombre de tribus de Gloutons en leur offrant de la nourriture, en se comportant comme un dieu qu'ils avaient servi, aveuglément jusqu'à se jeter dans la bataille contre les Pans. Ils étaient tous morts ou presque. Les survivants étaient retournés dans leurs tribus pour ne plus approcher les adultes, et depuis, plus personne n'avait entendu parler d'eux. Les savoir à nouveau rassemblés en si grand nombre n'était pas bon signe. Les Gloutons commençaient à comprendre que l'union fait la force.

– Nous sommes tellement nombreux que ça devrait les dissuader d'attaquer, intervint Tobias.

– Pas sûr, répliqua Matt. Les Gloutons sont parfois très bêtes, au point de ne pas savoir se retenir s'il leur vient l'envie de nous planter sur des piques pour nous rôtir ce soir. Il serait préférable de les contourner.

– Ça signifie passer le long d'une immense forêt, rapporta Devon.

– Un gros détour ?

– D'après les Longs Marcheurs qui m'accompagnent, au moins une semaine de plus.

Matt soupira. Il savait que le temps leur était compté avec la menace Entropia qui fondait sur Eden.

– Merci, Devon, je vais en informer Clara et Archibald qui prendront la décision finale.

Le gigantesque terre-neuve fit demi-tour et bondit en arrachant des mottes d'herbe.

46

– Gloutons ou pas Gloutons ? demanda Tobias.

– Une semaine c'est beaucoup trop, on ne peut plus se permettre un autre retard. Je vais préconiser de ne pas dévier de notre trajectoire, mais nous enverrons nos chiens sur les flancs du convoi, pour le protéger. Prépare les archers et disperse-les par petits groupes de dix ou quinze, tous les cent mètres à l'intérieur de la caravane. Personne ne bouge, mais si les Gloutons attaquent, pas de pitié. Je ne veux pas qu'ils nous approchent de trop près.

Tobias esquissa un bref signe d'assentiment et tira sur les poils de Gus, à droite du garrot. Le chien vira aussitôt sur la droite.

Matt le regarda s'éloigner.

Ils n'avaient pas encore quitté le continent que déjà les ennuis commençaient.

Les Gloutons s'étaient amassés sur le bord de l'ancienne route que les Pans empruntaient pour gagner l'océan Atlantique. Ils étaient environ trois cents. Grands, larges, gras pour certains, et puissants, couverts de pustules. La peau flasque, tombant sur le visage, le regard vide. La plupart brandissaient des bouts de bois en forme de gourdins, d'autres des pioches ou des pelles rouillées. Les premiers avaient manifesté des signes d'agressivité qui s'étaient aussitôt dissipés lorsqu'ils avaient découvert que ce n'était pas trois ou quatre adolescents qui trottaient sur le dos de leurs chiens géants, mais une bonne trentaine, suivis par près d'un millier de Pans escortés de toute part par des cavaliers canins. Les archers, au milieu de tout ça, ne se cachaient pas, flèches encochées, il ne manquait plus qu'à bander l'arc et viser.

Alors les Gloutons baissèrent les bras et se mirent à observer cet improbable défilé militaire. Chacun se toisait avec méfiance. L'air était électrique. Il aurait suffi de pas grand-chose pour que la confrontation silencieuse ne dégénère.

Pourtant le convoi passa, sans qu'un cri résonne, sans qu'une arme soit levée. Dans le plus grand silence.

Le soir même, Archibald demanda qu'on avance encore durant deux bonnes heures, afin qu'un maximum de distance sépare le bivouac des Gloutons, et personne ne trouva à redire malgré la fatigue.

La majorité des Pans n'avaient pas l'habitude de marcher autant, ils avaient les pieds douloureux, des ampoules énormes. Matt et ses amis le savaient, eux. Le pire serait bientôt les crevasses sous la plante des pieds, et les crampes dans les mollets et les cuisses après dix jours de marche. Mais tous s'y feraient, ils n'avaient pas le choix. Il fallait avancer, à tout prix. Chacun y allait de son bandage, de ses pansements, de ses baumes d'herbes séchées ou de miel.

Le dernier soir de la première semaine de marche, Ambre s'approcha du feu où Matt, Tobias, Floyd et Chen s'étaient regroupés.

– Je peux me joindre à vous ? demanda-t-elle.

– Bien sûr, fit Matt en se poussant pour lui laisser une place.

– Bah moi je tombe de fatigue, avoua Tobias en se levant, je vous laisse en amoureux.

– Ouais, très bonne idée, intervint Floyd.

– Moi aussi ! ajouta Chen.

En l'espace de dix secondes, Matt et Ambre se retrouvèrent seuls.

– J'espère que ce n'est pas moi qui les fais fuir ! s'étonna Ambre.

Matt ne dissimula pas son amusement.

— Non, je crois qu'ils voulaient seulement nous laisser un peu tous les deux.

— Je m'entretiens beaucoup avec Clara, elle n'arrête pas de me poser des questions sur ce qu'elle devra faire quand nous serons arrivés là-bas.

— Et tu lui réponds quoi ?

— Que je n'en sais rien ! Je ne sais même pas ce qui nous attend ! Mais nous parlons, de tout et de rien, et je crois que ça lui fait du bien.

— Tout le monde est anxieux, c'est normal.

— Tu l'es aussi ?

— Bien sûr.

— Tu ne le montres pas beaucoup.

Matt haussa les épaules.

— Tu me connais, je n'exprime pas toujours ce que je ressens.

Ambre posa sa main sur celle de Matt.

— Je sais que pour accéder au vrai Matt, là, dit-elle en posant un doigt sur le cœur de l'adolescent, il faut le mettre en confiance, il faut un peu de temps chaque fois.

— C'est vrai…

Matt était conscient d'être le plus renfermé des deux. Lorsqu'ils passaient un moment ensemble, Ambre était tout de suite à l'aise, franche dans ses contacts physiques, elle se posait moins de questions, prenait l'initiative. À Matt il fallait un temps d'adaptation, pour oser, pour parler sans retenue, pour la prendre dans ses bras. C'était d'autant plus vrai lorsqu'ils ne se voyaient pas pendant plusieurs jours. Matt devait alors prendre sur lui pour redevenir naturel avec Ambre. Ne plus craindre de la froisser, ne plus avoir peur de ses réactions, intégrer qu'elle aussi voulait cette intimité.

Matt serra plus fort la main de la jeune fille.

Il prit une bonne inspiration pour se donner du courage et, sans rien ajouter, se pencha vers elle pour l'embrasser doucement.

Ambre parut surprise, mais ses lèvres s'entrouvrirent aussitôt, et elle se rapprocha de lui. Leurs langues se caressèrent timidement, puis fougueusement. Matt sentit la chaleur monter en lui.

Il y avait comme des crépitements dans son cerveau, tels ceux d'un feu d'artifice éblouissant.

Lorsqu'il se redressa pour la regarder, il la vit plus belle encore qu'il ne l'avait jamais contemplée. Ses mèches de cheveux ondulées, comme la surface de la mer au large, encadraient son beau visage, les flammes du feu accentuant ses reflets roux. Matt adorait aussi ses yeux, se perdait dans leur émeraude pendant de longues minutes, et ne se lassait jamais de la petite étincelle qui les animait quand Ambre et lui se fixaient.

Elle était son point d'ancrage. Quand les choses allaient mal, il lui suffisait de songer à Ambre et il savait pourquoi il devait se lever, agir, se battre, ou prendre une décision difficile.

— Je ne veux pas te perdre, avoua-t-il d'une petite voix.

— Me perdre ? Pourquoi dis-tu ça ?

Il hésita, chercha comment formuler ses sentiments.

— Ce voyage... Les Cœurs de la Terre. Entropia. Tout ça. J'ai peur de ce qui va arriver.

Ce fut au tour d'Ambre de lui serrer la main plus fort.

— Sois confiant, le rassura-t-elle, tout se fera naturellement.

— Tu as déjà pris tant de risques... Parfois je me demande pourquoi c'est encore à nous de poursuivre. Pourquoi ne pas s'arrêter, vivre ensemble loin de toute cette agitation, et laisser les autres prendre la relève ?

— D'abord parce que tu ne tiendrais pas en place six mois.

Matt fit la moue.

— Avec toi, c'est différent…

— Ne te mens pas, Matt. Tu as besoin d'être dans l'action. Et puis de toute manière la question ne se pose pas. La vie a voulu que ça tombe sur nous dès le début. Malronce et le Raupéroden étaient les parents d'un enfant, il fallait bien que ce soit quelqu'un, cet enfant, et c'était toi. Tobias et moi t'avons suivi par amitié, mais maintenant nous sommes tous impliqués. Si un jour on devait raconter l'histoire des Pans, ce serait certainement à travers toi, à travers nous. Parce que le hasard a voulu que ce soient tes parents à toi.

— Je me demande souvent pourquoi la Tempête a choisi mon père et ma mère. Pourquoi leur avoir donné cette forme…

— Le hasard encore une fois. Tout simplement. Il en fallait un. Ç'a été toi. Notre chance c'est que tu as su te montrer à la hauteur, te hisser face à eux, ne pas abdiquer, ne pas être lâche, encaisser, et te battre, avec intelligence.

— À Eden, quand on parle de la Tempête, on dit qu'elle n'a pas de conscience, qu'elle agit comme les globules blancs d'un organisme qu'ils protègent. Mais alors, comment expliquer la forme de mes parents ?

— Je crois qu'ils ont cristallisé des courants, des symboles. Quand la Tempête a concentré toute la pollution du monde pour la rejeter loin au nord et donner naissance à Entropia, elle a probablement fait de même avec beaucoup d'autres choses. Comme l'inconscient collectif, les cauchemars communs de notre civilisation, nos peurs, tout ce qu'il y avait de sombre, d'incompris, de non maîtrisé dans notre ancienne société, tout ça s'est concrétisé dans la forme du Raupéroden. Les frustrations, les déséquilibres, la colère, eux, se sont incarnés dans ta mère. Lorsque Malronce et le Raupéroden se sont retrouvés, lorsqu'ils ont fusionné, je ne crois pas que ça a seulement permis à leur forme terrestre de s'unir et de se dissoudre dans une sorte d'équilibre essentiel, je crois qu'à ce moment nous avons aussi réparé certains excès du monde.

– C'est ce que je me suis dit.

– Je le crois. Tu n'as pas perdu tes parents ce jour-là, tu les as sauvés, et tu as pansé notre monde. Nous avons contribué à corriger certaines erreurs du passé. C'est aux enfants à présent de payer pour les fautes de leurs parents.

Matt approuva doucement.

– Quelle aventure quand on y pense ! dit-il avec un peu d'émotion dans la voix.

– Oui.

Ambre posa une main sur son ventre.

– Tu portes l'énergie de la Terre, dit Matt tout bas.

Elle était belle, même ici, loin de chez eux, après une semaine de voyage. Elle était même magnifique.

– Et si je te perdais dans l'affrontement avec Ggl ?

Ambre lui rendit son sourire tendre, plein de douceur et d'amour.

– Tu ne me perdras pas. Il y aura tant d'énergie en moi que Ggl sera repoussé, voire détruit. Ne t'inquiète pas.

Mais Matt n'était pas dupe, il entendait derrière les mots apaisants qu'elle n'en savait pas plus que lui, et qu'une pointe d'angoisse surnageait au milieu de son attitude protectrice.

Et Ambre, qui portait le Cœur de la Terre, ne pouvait se mentir.

Si toute l'énergie qu'elle s'apprêtait à absorber ne la tuait pas, ou ne la rendait pas folle, alors il faudrait encore affronter Entropia.

Il y aurait tôt ou tard un prix à payer pour tout cela.

Et ce serait à elle de s'en acquitter.

6.

De souvenirs et d'espoirs

Le voyage depuis Eden vers l'océan Atlantique dura presque un mois et demi.

Le convoi avançait inexorablement, malgré les maladies, la fatigue, les blessures par morsure de serpent, piqûres d'insectes étranges, ou tout simplement parce que la route leur avait mis les pieds en sang. Ils n'avaient subi aucune attaque de prédateurs, le convoi avait certainement dissuadé toutes les créatures, mais on déplora tout de même plusieurs pertes à cause des fièvres. Leurs tombes furent creusées le soir même et on alluma des bougies à leur mémoire.

Mais la caravane repartit aussitôt.

Ils traversèrent des plaines immenses, où paissaient des troupeaux de bisons si vastes que le regard ne pouvait en mesurer les limites.

Ils marchèrent au milieu d'une forêt de marguerites plus hautes que des immeubles, et quand les rafales de vent arrachaient un pétale, celui-ci tombait comme une immense voile de bateau, dans un feulement qui soulevait un impressionnant nuage de poussière. Ils assistèrent à de nombreux ballets nocturnes de Luminobellules, ces formidables papillons aux ailes brillant tels des néons aux couleurs éclatantes. Ils firent quelques détours pour franchir rivières et fleuves sur des ponts endommagés, recouverts de végétation, et passèrent au milieu des ruines de nombreuses villes presque ensevelies elles aussi sous d'épaisses couches de feuilles, de lianes, de racines et de terre.

Les Longs Marcheurs qui guidaient la troupe firent un travail remarquable en ne perdant jamais le convoi, se guidant à l'aide de vieilles cartes froissées, et de croquis dressés lors de missions antérieures. Ils privilégièrent les anciennes routes, à présent recouvertes de mousse, parce qu'elles dessinaient encore des sillons à peu près repérables au milieu des forêts et des collines escarpées.

Et à trois reprises, ils croisèrent des autoroutes de Scararmées lumineux.

Les petits insectes bleus filaient tous dans un sens, du même côté, tandis que sur l'autre voie fonçaient les rouges. Une marée infinie de petites diodes qui couraient, en bon ordre, vers un destin dont personne ne savait rien. Il était facile de savoir qu'on les approchait lorsque l'atmosphère se remplissait du cliquetis de leurs pattes.

— Ils ont obligatoirement une fonction, avait dit Clara. C'est forcé ! On en trouve pas partout, sans raison !

— D'autant qu'ils sont gorgés d'énergie, avait rappelé Ambre.

— Personne ne les a jamais suivis ? Pour savoir où ils vont ?

— Des Longs Marcheurs ont rapporté que c'était un circuit fermé. Lorsque les Scararmées arrivent au bout de l'autoroute, alors ils passent sur la voie d'à côté et changent de couleur, tout simplement.

— C'est tout ? s'était étonnée Clara.

– Apparemment.

– Sans rien d'autre ?

– Non, sans rien d'autre. Ils tournent en rond, si on peut dire.

La première fois que le convoi les avait rencontrés, la question du franchissement s'était posée, avant qu'un éclaireur montre qu'il suffisait de s'avancer sur l'autoroute pour que les insectes s'arrêtent et laissent passer. Toute la caravane avait franchi le passage avant que les Scararmées ne reprennent leur marche aveugle, comme si rien ne les avait perturbés.

Personne ne remarqua l'adolescent qui, en douce, attrapa une pleine poignée de Scararmées pour les enfermer dans une boîte qu'il fit disparaître dans ses affaires, à l'arrière d'un chariot bâché.

Les petits insectes eux, continuaient leur curieuse danse, inlassablement, tassés sur l'autoroute comme les fantômes des voitures d'autrefois.

Autre-Monde conservait bien des mystères.

Un matin de début juillet, le convoi perçut une différence notable dans l'air. Il y avait davantage de vent, et celui-ci était plus humide, chargé d'embruns iodés. Le paysage aussi était plus vallonné que la veille, bordé de hautes falaises.

C'est en parvenant au sommet d'une butte qu'ils découvrirent l'ombre au loin.

Une forme arrondie, colossale, qui occupait tellement d'espace sur l'horizon qu'elle semblait être une anomalie du regard.

Tout l'après-midi, à mesure qu'ils s'en approchaient, les Pans ne cessaient de s'ébahir devant l'ampleur de cette immense tache noire.

Puis ils aperçurent l'Océan, cette plaque bleutée qui tranchait les perspectives de sa linéarité. L'odeur de la mer envahit leurs narines.

Et surtout, ils prirent conscience que la forme noire occupait encore plus d'espace qu'ils ne l'avaient imaginé. Monumentale.

Elle ressemblait à un vaisseau spatial posé sur la surface de l'eau. Si vaste qu'il pouvait être le fragment d'une lune échouée là.

Ambre la première posa un mot sur ce qu'ils voyaient :

– Voici notre nouvelle maison pour les semaines à venir. Voici notre navire. Le Vaisseau-Vie.

Près d'un millier de Pans s'étaient regroupés sur la plage et installaient leur long campement pour la nuit.

Non loin de là, dans une anse de la côte, des tentes formaient un cercle, et leurs occupants, des Maturs, assistaient à l'arrivée des Pans, impressionnés par leur nombre.

Quand le bivouac fut prêt, un vieil homme aux cheveux blancs, aux joues creuses, approcha du convoi avec son escorte. Il salua Clara et Archibald et adressa un sourire franc et chaleureux à l'Alliance des Trois.

Le roi Balthazar pointa le doigt vers l'ombre majestueuse qui occupait une partie du paysage à l'est, sur l'eau.

– J'ai tenu parole, dit-il, le Testament de roche est arrivé et a été livré à bord.

– Nous vous sommes reconnaissants, roi Balthazar, le remercia Clara. Pour votre assistance et pour votre soutien de toujours.

– Êtes-vous sûrs de ne pas vouloir embarquer des soldats à moi ? J'ai trois cents guerriers solides et valeureux derrière les dunes. Ils sont tous fidèles et prêts à vous aider.

Clara jeta un coup d'œil à Archibald, qui ne savait quoi répondre non plus, et chercha de l'aide auprès de Matt.

Ce fut Ambre qui répondit avant les autres :

– C'est très aimable à vous, mais nous préférons partir seuls. La présence d'adultes à bord pourrait compliquer les choses, je crois que personne, chez vous comme chez nous, n'est vraiment prêt à une longue cohabitation. Les souvenirs de la guerre sont encore trop vivaces, il faut du temps pour que la confiance se tisse, et que nous soyons à l'aise ensemble. Et ce voyage sera un long périple, serrés les uns contre les autres.

– Je comprends. Pour être franc, je m'attendais à cette réponse, mais je me devais de poser la question.

– Merci de vous être déplacé en personne.

– Vous ne partez pas pour sauver seulement votre peuple, rappela-t-il, car si la menace dont vous m'avez parlé est bien réelle, alors les miens seront tout aussi en danger. C'est notre avenir à tous qui repose entre vos mains. Un homme, tout roi qu'il est, ne peut que venir saluer ceux qui vont mettre leurs vies en péril pour sauver leurs semblables.

Matt et Ambre se regardèrent. Bien des choses s'étaient passées depuis l'arrière-boutique du vieux Balthazar à Babylone.

– Faites bon voyage, dit le roi. Pourvu que les adultes de l'autre côté de l'Atlantique n'aient pas été aussi stupides que nous l'avons été.

– Pourvu qu'ils n'aient pas perdu la mémoire, rétorqua Ambre. C'est ce qui fera toute la différence.

Balthazar eut un sourire triste. Il posa la main sur l'épaule de la jeune femme.

– Si tel est le cas, vous saurez la leur faire revenir, j'en suis sûr.

– Espérons-le.

Le roi Balthazar et ses hommes se retirèrent et les Pans se tournèrent vers leur avenir.

Le Vaisseau-Vie était si grand qu'il ne pouvait approcher trop près des côtes. Il était prévu que trois navires – des voiliers imposants qui pourtant semblaient minuscules dans son ombre – serviraient à acheminer les troupes et le matériel dès l'aube.

Juste avant le crépuscule, les trois voiliers jetèrent l'ancre à moins de deux cents mètres du rivage, et une barge à fond plat quitta le premier pour cracher trois adolescents sur le sable. La plus grande d'entre eux rejoignit le bivouac de Clara, Archibald et l'Alliance des Trois. Elle avait les cheveux verts, épais et torsadés, comme les toisons des rastafari, ses yeux brillaient de la même couleur, semblables à des pierres précieuses, et ses lèvres ainsi que ses ongles étaient sombres, comme s'ils étaient sculptés dans le jade.

Orlandia, la Kloropanphylle, salua les deux émissaires Pans avant de se courber plus solennellement devant Ambre.

– Nous sommes prêts à appareiller dès que tout le monde sera à bord. Les cales sont pleines de vivres, les carrés de culture sont ensemencés, les réserves d'eau potable à leur maximum, nous n'attendions plus que vous.

– L'acheminement du Vaisseau-Vie jusqu'ici n'a pas été trop compliqué ? s'informa Ambre.

– Sur la mer Sèche pas du tout, mais la descente a été plus complexe à négocier. On a eu quelques avaries, toutes réparées pendant que nous vous attendions, rassurez-vous.

– Il est énorme ! jeta Tobias encore sous le choc de ce qu'il avait contemplé toute la journée.

– C'est une demi-coquille de noix qui flotte. Nous l'avons entièrement aménagée. Vous verrez, vous y serez bien.

– Votre équipage est exclusivement composé de Kloropanphylles ? demanda Clara.

– Oui. Cent cinquante personnes en tout, dont les deux tiers sont aussi des combattants.

– Nous espérons ne pas en avoir besoin, s'empressa de dire Archibald.

– Il fait quelle taille votre bateau ? continua Tobias.

– Environ huit cents mètres de long sur une centaine de haut, et cinq cents de large.

– Ouah ! Ça c'est une sacrée coquille de noix, dis donc !

– C'est la plus grosse que nous ayons trouvée. Au cœur même de la mer Sèche. Huit mois de travail acharné pour la transformer. C'est notre plus belle réussite, notre joyau.

– Et nous sommes honorés que vous la partagiez avec nous, ajouta Ambre.

– C'est parce que l'âme de l'Arbre de vie est en toi, qu'il t'a choisie pour nous guider.

Orlandia se pencha de nouveau pour saluer Ambre, puis s'éloigna vers ses deux compatriotes.

Un peu plus tard, Matt proposa à Ambre une petite marche digestive, et ils firent quelques pas sur la plage. Ils virent les trois Kloropanphylles à genoux dans le sable, en train d'embrasser le sol.

– Ils disent au revoir à la terre nourricière, expliqua la jeune fille à voix basse.

– Tu connais bien leurs rituels, maintenant.

– À force d'aller les voir, je commence à en avoir une certaine expérience. Les Kloropanphylles sont vraiment très proches de la nature. Beaucoup plus que nous. Ils considèrent que ce qui s'est passé avec la Tempête était une action de Gaïa, l'âme de la planète.

– On se ressemble pas mal, c'est juste qu'ils sont parfois un peu sauvages, déplora Matt.

– Rappelle-toi qu'avant ils étaient tous des enfants malades. La plupart ont vécu enfermés pendant des années, éloignés des autres, affaiblis, privés de bien des plaisirs. La Tempête en a fait des êtres forts, en pleine santé, les bouleversements génétiques qui ont eu lieu à ce moment les ont tous sauvés. Ce n'est pas rien. Avant ils étaient mourants, à présent ils vivent sur le toit du monde.

– Et ils t'ont acceptée dans leur famille.

– On peut dire ça. Même si je suis toujours aussi mal à l'aise d'être une sorte d'élue à leurs yeux...

Elle posa la tête contre l'épaule de Matt, et ils restèrent ainsi un long moment, à écouter le bruit du ressac, dans les ombres de la nuit, sous un filet d'étoiles.

Le voilier qui entraînait l'Alliance des Trois vers le Vaisseau-Vie était un trois-mâts tout en bois. Il fendait l'écume, chargé à ras bord de Pans et de chiens, le vent faisant claquer sèchement ses grandes voiles.

Matt se tenait à la proue, savourant la fraîcheur de l'Océan qui se déposait en fines gouttelettes sur son visage.

En quelques secondes, le soleil disparut totalement, ils étaient entrés dans l'ombre du Vaisseau-Vie.

La coquille de noix était encore plus impressionnante de près.

Elle était percée de toutes parts de balcons en bois, de passerelles qui jalonnaient sa coque, d'avancées qui dominaient le vide, ce n'était pas une simple structure rigide et fermée sur les côtés.

En s'approchant, Matt remarqua les centaines de petites ouvertures en guise de hublots, et parfois même ce qui ressemblait à de longues baies vitrées dans les hauteurs.

Un peu partout, des silhouettes s'agitaient pour préparer le départ.

Le navire entama les dernières manœuvres pour s'arrimer au Vaisseau-Vie, et un grand pan de la coque s'ouvrit soudain et disparut à l'intérieur de la noix, libérant un vaste plateau en bois qui commença sa descente, grâce à un complexe système de treuils.

Tandis que les Pans et les chiens débarquaient sur la plateforme qui paraissait flotter dans les airs contre le navire, Tobias désigna l'immense structure qui les surplombait telle une montagne :

— J'arrive pas à croire que ça va pouvoir avancer ! C'est déjà un miracle qu'il ne coule pas !

Ambre lui donna une tape amicale dans le dos :

— Fais confiance aux Kloropanphylles.

— Y a intérêt, on leur confie nos vies ! Dans quelques jours on sera tellement loin de la côte, que s'il se passe quoi que ce soit nous serons tous morts !

Puis ce fut leur tour de monter sur l'ascenseur au milieu d'une centaine de leurs camarades. Lorsqu'il se mit à grimper dans les airs, Tobias se rapprocha de Matt et Ambre, pas rassuré.

Le temps que Tobias rouvre les yeux, ils pénétraient dans les entrailles du Vaisseau-Vie où ils furent séparés en petits groupes.

Un Kloropanphylle accompagnait vingt Pans pour leur expliquer brièvement l'essentiel de ce qui allait être leur nouvelle maison.

Matt retint le plus important : les niveaux les plus bas servaient logiquement de cales, à mi-hauteur se trouvaient les appartements, et dans la partie supérieure tous les lieux de vie, pour bénéficier du maximum de lumière. Car le principal problème à bord c'était d'y voir clair. Le navire était si large qu'il suffisait de s'éloigner de quelques mètres du bord pour que la lumière du jour ne puisse plus pénétrer. Les Kloropanphylles avaient installé des lanternes en bois tous les cinq mètres dans les coursives, alimentées par la substance molle, une gelée froide qui irradiait une lumière blanche s'activant aux vibrations des pas ou des voix.

L'odeur était le plus marquant. Un parfum de noix omniprésent, entêtant tout d'abord, avant qu'on s'y habitue.

Matt était stupéfait par l'architecture intérieure. Des rampes en pente douce, des escaliers, des monte-charges sur poulies, des couloirs partout, s'ouvrant sur de grandes salles communes qu'ils découvraient depuis la mezzanine qui en faisait le tour, dominée par un lustre à substance molle. Et dès qu'ils s'enfoncèrent dans le Vaisseau-Vie, Matt constata avec surprise que le fruit de la noix était encore présent. Les Kloropanphylles l'avaient creusé de toutes parts, se servant de ses vides pour créer des puits de lumière larges parfois de cinquante mètres, où l'on pouvait apercevoir les nombreux étages en se penchant, et admirer les balcons, les passerelles et les fenêtres qui s'alignaient sur une centaine de mètres de hauteur.

Le Vaisseau-Vie était un trésor à lui seul, une merveille à explorer pendant des jours et des jours.

Les appartements étaient prévus pour deux, aussi Tobias se joignit-il à Matt dans une chambre munie d'un hublot pour apercevoir l'Océan.

Quant à Ambre, les Kloropanphylles avaient tenu à ce qu'elle soit près d'Orlandia, leur chef, à l'arrière du bateau, dans une suite spécialement aménagée pour elle, avec de l'espace, un véritable balcon, et de larges baies laissant pénétrer le soleil. Ambre ne put refuser malgré sa gêne, et elle installa ses affaires tout en regrettant d'être aussi éloignée de ses deux amis.

En fin d'après-midi, les trois voiliers avaient terminé de charger les Pans, la plage était vide. D'énormes poulies sortirent des flancs du Vaisseau-Vie et vinrent récupérer les voiliers pour les hisser à bord, dans leurs abris au niveau des cales.

Le ciel se teintait peu à peu d'orangé lorsque Orlandia vint chercher Ambre et les deux garçons qui l'accompagnaient, afin de les guider vers le pont principal.

– Nous allons prendre le large, dit-elle simplement.

Elle les entraîna dans des coursives plus larges, empruntant de vastes escaliers sculptés dans la chair de la noix, au milieu de vastes halls traversés par des dizaines de Pans et de Kloropanphylles occupés à leur expliquer ce qu'ils allaient devoir faire à bord.

Après avoir emprunté un dédale de rampes et de couloirs, Orlandia poussa une dernière porte et ils pénétrèrent au sommet d'une tourelle qui offrait une vue panoramique sur l'arrière du Vaisseau-Vie. Une vingtaine de Kloropanphylles s'attelaient à leurs tâches, actionnant des leviers, parlant dans des cornets en coquillage, tournant des molettes ou tirant des cordages.

— Voici le poste de manœuvre, expliqua Orlandia. À l'avant, nous avons le poste de pilotage, qui s'assure que la route est dégagée, qui établit notre position et notre trajectoire, et d'ici nous actionnons toute la machinerie qui nous permet d'avancer.

— Comment communiquez-vous ? demanda Ambre.

— Par le biais des trompettes nacrées que vous voyez là, ce sont des coquillages qui transportent les vibrations du son. Si vous parlez dedans, la personne à l'autre bout du coquillage vous entendra parfaitement. Nous sommes parvenus à en assembler de très importantes longueurs, mais ils sont fragiles, c'est le seul problème.

— Et comment va-t-on avancer ? s'enquit Tobias.

— Venez, dit Orlandia en les invitant à approcher de la baie qui dominait le pont supérieur.

Sous leurs pieds courait un gigantesque espace de tours, de puits, de larges terrasses, et surtout d'énormes zones blanches, construites avec symétrie et qui, vues d'en haut, ressemblaient à des champs de coton.

— Machine avant, ordonna Orlandia.

Dans son dos, l'équipage actionna une machinerie, et les champs blancs se mirent à frémir.

Des fragments de nuages se soulevèrent.

— Qu'est-ce que c'est que ce truc ? s'émerveilla Tobias.

De petites voiles grimpaient vers le ciel comme des cerfs-volants. Des dizaines, bientôt des centaines.

Plus elles prenaient de l'altitude, plus le vent s'engouffrait dedans et les emportait vite et haut, tirant sur les fils qui les retenaient au navire.

Les fils se tendirent et entraînèrent d'autres voiles plus larges, qui prirent le même chemin, et qui elles-mêmes tirèrent sur des surfaces trois à quatre fois plus étendues.

– Ce sont des pétales de fleurs géantes, précisa Orlandia.

Matt se souvint des forêts de marguerites qu'ils avaient croisées, hautes comme des immeubles.

De fil en aiguille, des centaines et des centaines de pétales emplirent le ciel, si nombreux qu'ils formèrent une immense masse translucide rivalisant avec les nuages.

Et le Vaisseau-Vie se mit en mouvement, tracté dans le ciel par les fleurs.

– En route pour le nouveau monde ! annonça Orlandia.

Matt gagna l'arrière du poste de manœuvre et grimpa sur un petit balcon.

Il observa la terre. Ses collines, ses falaises, et le tapis végétal qui couvrait l'horizon. Sur la plage, les Maturs s'étaient rassemblés le matin même pour assister au départ des Pans. Le roi Balthazar et les siens avaient longuement salué ceux qui partaient. Ces adolescents en qui ils plaçaient leurs chances de survie.

Matt les distinguait encore, petites taches noires sur le rivage blanc. Il avala sa salive avec difficulté.

Ils quittaient leur territoire.

Ils quittaient ce qui avait été l'Amérique.

Ils emportaient avec eux leurs souvenirs.

Et leurs espoirs.

7.

De nouveaux amis

Le crépuscule passa rapidement du mordoré à un liséré bleuté.

Colin et sa troupe de Cyniks avaient installé leur camp en bordure de forêt, là où le fleuve était assez large, et surtout assez profond pour que les trois bâtiments de guerre puissent accoster.

Ils n'étaient qu'à deux kilomètres de l'Océan, prêts à appareiller pour prendre en chasse le titanesque navire des enfants. Avec une masse pareille, il serait aisé de le suivre en restant à distance. Colin comptait sur son altération pour missionner des oiseaux et ainsi savoir à tout moment où se trouvait le bateau des gamins. Mais s'ils pouvaient se guider à vue, c'était aussi bien, à condition de ne pas se faire repérer. Ils aviseraient une fois en haute mer.

– Capitaine, demanda l'un des soldats, faut-il faire sortir tous les esclaves de leurs cales ?

Colin frissonna de satisfaction. Il ne s'habituait pas à ce titre, si doux à entendre. *Capitaine.* Lui. C'était formidable. Si seulement son père avait pu voir ça. Lui qui avait passé sa vie à le traiter de bon à rien et à lui taper dessus. Là, il aurait été fier.

Le soldat attendait une réponse. Colin se racla la gorge pour prendre sa voix autoritaire :

– Non, laissez-les. Nous allons embarquer dans la soirée, il ne faut pas laisser trop de distance entre nos adversaires et nous. Que les gamins se reposent pour l'instant, il faudra qu'ils soient en forme tout à l'heure pour ramer jusqu'à l'estuaire.

– Comme il vous plaira.

Le garde le salua et partit au pas de charge relayer ses ordres.

Colin adorait commander. Il se sentait important. Il avait trouvé sa place, son rôle dans la vie.

Il regagna la chaleur du petit foyer qui terminait de consumer sa bûche, au centre d'un rond de pierres, et admira les braises crépitantes pendant de longues minutes.

Autour de lui, on terminait de démonter le campement. Les tentes retournaient dans leurs malles, avec les chaudrons, les broches à volailles, les râteliers à lances et épées, les torchères, les couvertures…

Colin, lui, était plongé dans ses pensées. Il ne parvenait pas à oublier son père. Il se demandait pourquoi il cherchait encore la reconnaissance d'un homme qui ne lui avait jamais témoigné le moindre amour, qui avait été violent avec lui…

Colin en était là de ses réflexions lorsqu'il crut entendre un sifflement provenant de l'intérieur de la forêt.

La nuit s'était emparée des ombres, et au-delà des dernières torches encore allumées, il faisait tout noir entre les arbres et les parterres de fougères.

« Colin… »

Cette fois le jeune homme se raidit. C'était une voix lointaine, pas un sifflement ! Et elle l'appelait !

« Colin… »

Elle l'appelait lui ! Une voix familière…

Son père.

Colin avala sa salive avec peine, le souffle court.

Puis, au milieu des ombres il aperçut un mouvement, et crut discerner une silhouette humaine qui se dressait à l'orée de la forêt.

– Papa ? C'est toi… ?

Colin n'en revenait pas. C'était impossible. Son père avait disparu au moment de la Tempête, comme la plupart des gens…

Il commença à se rapprocher.

Quelque chose bougeait tout autour de la silhouette, comme si la marée était parvenue jusque-là, comme si l'Océan envahissait lentement et sans bruit la forêt.

« Colin… »

C'était bien la voix de son père.

Aussi fou que cela puisse paraître, Colin eut envie d'y croire. Au moment même où il pensait à lui !

En passant devant une torchère plantée dans la terre, il s'en empara pour éclairer sa route. Il s'écarta d'une vingtaine de mètres du campement et avança entre les premiers arbres.

L'homme était là, devant lui.

Silhouette massive, grande, robuste.

Comme son père.

Colin leva la torche pour mieux voir.

Les flammes tremblèrent et faillirent s'éteindre avant de reprendre leur danse.

Colin étouffa un cri de terreur.

Et recula d'un pas.

Ce n'était pas son père. C'était un soldat en armure légère, faite de cuir noir, de plaques de métal sur la poitrine et les épaules, équipée de jambières et de gantelets remontant jusqu'aux coudes. Il ne portait plus de casque et son crâne chauve n'en était que plus effrayant. Car l'homme avait la peau aussi blanche que la neige, sous laquelle couraient d'énormes veines d'ébène, et ses yeux paraissaient obscurcis par une encre d'un noir profond comme les ténèbres.

Il respirait difficilement, en sifflant comme un asthmatique en pleine crise, et pourtant demeurait parfaitement stoïque.

Ce que Colin avait d'abord pris pour l'Océan se répandant dans la forêt était une épaisse brume qui stagnait derrière l'homme, roulait sur elle-même mais n'avançait plus, semblable à une créature mue par une volonté propre.

Colin eut envie de hurler mais aucun son ne sortit de sa gorge. Il était paralysé par la terreur.

L'homme posa une main sur la poignée de l'épée qui pendait à sa ceinture.

Ce visage, bien que déformé par ce qu'il avait subi, n'était pas inconnu à Colin. Il l'avait déjà vu aux côtés de son maître…

Un des messagers ! comprit-il soudain. *C'est un des messagers partis pour le nord ! Pour rencontrer l'entité ! Pour lui proposer un pacte !*

Tout lui revenait à l'esprit. L'espion Pan qui renseignait le Buveur d'Innocence lui avait tout relaté. La force supérieure qui hantait les terres les plus au nord, qui voulait mettre la main sur les gamins, et son maître qui espérait faire de cette menace un allié potentiel !

— Ne… ne me faites pas de mal…, gémit Colin.

L'homme n'arborait aucune expression, comme s'il était vidé de toute émotion.

Un liquide noir se mit à couler de sa bouche, glissant entre ses lèvres, et l'homme parla d'une voix sifflante et monocorde :

— Nous voulons la même chose.

— Les... les enfants ?

— L'Énergie Source.

— L'Énergie Source ? Qu'est-ce que... qu'est-ce que c'est ? demanda Colin d'une voix chevrotante.

— Elle est dans la fille.

— Si c'est une fille que vous voulez, nous pouvons vous la donner.

— Aidons-nous, fit la voix devenue presque gutturale.

— Mon... mon maître vous propose son aide...

— Ggl accepte.

Il avait prononcé un nom. Il l'avait dit avec la gorge, en aspirant les voyelles, comme si elles n'existaient pas. GA-GUEU-LLE.

Tout à coup le rideau de brume se souleva derrière l'homme, et dix formes humanoïdes surgirent dans leurs manteaux aux capuches profondes et vides, tels des avatars de la mort en personne.

Dix Tourmenteurs.

L'homme fit un pas vers Colin.

— Emmenez-nous, dit-il.

Et cette dernière phrase résonna comme un ordre.

8.
Une désagréable surprise

Les premiers jours à bord furent essentiellement consacrés à trouver ses repères. Le Vaisseau-Vie était si vaste que les Pans s'y perdaient régulièrement. Il semblait évident que nul n'en aurait fait le tour avant la fin du voyage.

Orlandia prit le temps de faire visiter le plus important et le plus spectaculaire à Ambre, accompagnée par Matt et Tobias. Aussi virent-ils les parcelles cultivables : des bandes de terre disposées entre les champs de voiles ; ils descendirent jeter un coup d'œil aux cales : des hangars sans fin remplis de caisses et balles de toile ; ils passèrent par le niveau inférieur du bateau : de longues étendues plongées dans l'obscurité, humides et sentant la moisissure, où poussaient des champignons sur le sol en terre et sur les parois. Une réserve de nourriture fraîche facile à renouveler. Avec le système de drainage qui permettait de récupérer l'eau de pluie dans les réservoirs, placés sur le pont supérieur afin d'avoir de la pression dans les étages inférieurs, le Vaisseau-Vie pouvait rester en mer pendant de longues périodes sans avoir besoin d'accoster. Orlandia les rassura sur ce point : s'il fallait faire demi-tour en découvrant ce qu'était devenue l'Europe, sans même refaire le plein de vivres, ça ne serait pas un problème.

— Lorsque nous approcherons des côtes, nous mouillerons les trois voiliers pour lancer une première mission de reconnaissance, proposa-t-elle, il est préférable de garder le Vaisseau-Vie à bonne distance, tant que nous ne savons pas ce qui nous attend.

— Très bonne idée, approuva Matt. Le Vaisseau-Vie servira de point d'appui, d'arrière-base.

— Vous voudriez débarquer vos troupes rapidement ?

Matt scruta Ambre pour connaître l'avis de la jeune femme.

— Non, d'abord un petit groupe discret, répondit-elle, et si nous pouvons faire débarquer nos ambassadeurs, alors nous le ferons. Gardons le gros des troupes au chaud, si c'est vraiment nécessaire.

— Vous ferez partie des premiers explorateurs ?

— Certainement, confirma Matt. Dans l'idéal, si l'accueil n'est pas trop froid, nous laisserons ensuite nos ambassadeurs faire le travail et nous filerons vers le sud, pour gagner l'emplacement du second Cœur de la Terre.

— Vous avez constitué un groupe ?

— Un commando devrait-on dire ! intervint Tobias. Avec Tania, Chen et Floyd.

— Je souhaiterais me joindre à vous, répliqua Orlandia avec détermination. Pour accompagner l'élue.

Matt haussa les épaules.

— Si vous voulez. Mais ce sera peut-être dangereux, tout dépendra de l'accueil…

— Raison de plus. Vous savez où se trouve le Cœur de la Terre ?

— Le Testament de roche va nous le révéler pendant la traversée.

Matt et Ambre échangèrent un regard complice.

– J'ai montré à Ambre où il est entreposé, il est à vous quand vous le désirez, bien entendu. Ce navire est le vôtre.

Ambre baissa les yeux. Elle n'était pas très à l'aise avec cette idée, qui signifiait se mettre nue, comme la première fois.

Le soir du quatrième jour, Matt vint toquer à la porte d'Ambre.

– Je peux entrer ?

Il pénétra dans la vaste suite toute boisée, et vit le soleil couchant l'embraser à travers la baie vitrée.

– Je voulais te dire que pour le Testament de roche, si tu préfères y aller seule ou avec quelqu'un d'autre, une fille, je comprendrais…

– Matt, tu sais bien que j'ai besoin de quelqu'un pour lire la carte, je ne peux pas être allongée et observer en même temps. Et je veux que ce soit toi, personne d'autre. Nous trouverons le bon moment, c'est tout.

Elle déposa un tendre baiser sur ses lèvres et lui caressa la joue du revers de la main.

– Comment va Tobias ? demanda-t-elle. Il s'habitue au navire ?

– Il est surexcité ! Il n'arrête pas de se promener. Il dit aussi que c'est injuste d'être dispensé de corvée à cause de notre statut, donc il file un coup de main un peu partout. Tu connais Toby, toujours hyperactif !

Ils parlèrent ainsi de tout et de rien pendant un petit moment, puis Matt fit mine de vouloir s'en aller. Ambre lui saisit la main et l'entraîna vers le lit.

– Reste encore un peu, dit-elle tout bas. Viens, viens m'embrasser. Cela fait longtemps que nous n'avons plus eu un vrai moment rien qu'à nous.

Et Matt resta. Ils échangèrent de longs baisers tendres, puis un peu plus enflammés, serrés l'un contre l'autre.

Un long moment plus tard, ils finirent par s'enlacer, et s'endormir ainsi, bercés par le souffle de l'autre. Des étoiles plein le ciel veillant sur leur sommeil.

Au petit matin, lorsque Matt regagna sa cabine, il passa par des coursives et des rampes quasi désertes, éclairées par les lampes à substance molle, et à plusieurs reprises il se retourna avec la désagréable sensation d'être suivi. La substance molle ne s'éteignait pas après son passage, comme si elle percevait les vibrations d'une autre personne.

C'est à cause du bateau, l'eau le fait vibrer, c'est pour ça. Les lampes doivent être déboussolées, se répéta Matt pour s'apaiser. Il ne voulait surtout pas tomber dans la paranoïa. *Et puis ces machins ne s'éteignent qu'après un moment je crois. Oui, ça doit être ça. Il n'y a personne derrière moi... Personne.*

Pourtant il parcourut les derniers mètres au pas de charge et entra rapidement dans ses appartements.

Tobias leva la tête de son oreiller, tout endormi.

– C'est à cette heure-là que tu rentres ? dit-il la voix enrouée de sommeil.

– J'ai l'impression d'entendre mon père.

– T'as une sale tronche, on dirait que t'as pas dormi de la nuit ! C'est pour ça que je veux pas tomber amoureux, j'aime trop dormir, j'aime trop mon lit !

Tobias se retourna et se couvrit la tête avec l'oreiller.

À midi, Tobias et Matt déjeunaient dans un des réfectoires – ces halls de huit mètres de hauteur dont un pan de mur était fait d'une matière translucide comme le verre, et qui dominait l'Océan – lorsque Floyd s'approcha avec un garçon d'environ quinze ans, brun, les cheveux en bataille et la tête ronde, et une fille un peu plus âgée, une petite métisse aux longues tresses.

– Je vous présente Maya et Randy. Maya parle cinq langues, et Randy connaît très bien l'Europe, il y vivait avant la Tempête.

– Ma mère était anglaise, et mes parents travaillaient dans le commerce entre Londres, Paris, Milan, Barcelone et Berlin, alors je suis un habitué, dit le jeune garçon aux joues de poupon.

Floyd enchaîna :

– Tous les deux sont sportifs, endurants, motivés, et n'ont pas peur facilement. Ils pourront nous accompagner pour nous aider. On aura besoin de leurs compétences une fois en Europe.

– Rassurez-moi, fit Matt à l'attention des nouveaux venus, pour qu'il en sache autant sur vous, Floyd ne vous a pas poussés à bout, j'espère !

Maya et Randy sourirent.

– Un peu quand même, répondit Maya. Mais nous sommes volontaires. On veut aider.

– Alors bienvenue à vous dans le groupe !

– Je leur ai proposé de traîner avec nous pour qu'on apprenne à se connaître, souligna Floyd.

– Ils vont pas être déçus, railla Tobias.

– Cet après-midi, j'organise un entraînement avec des armes en bois, les informa Floyd. Chen et Tania y seront, si ça vous tente.

– Excellente idée, il ne faut pas se rouiller, nous manquons d'exercice, s'enthousiasma Matt.

Ainsi en alla-t-il de la vie à bord du Vaisseau-Vie pendant les heures qui suivirent. Un mélange de joies, de fausse nonchalance, de doutes, d'angoisses sur l'avenir. Mais la démesure de leur abri rendait les Pans plus sereins. Ils étaient en confiance, même si les Kloropanphylles leur paraissaient parfois hautains. Ils se mélangeaient assez peu, mais il fallait leur reconnaître un génie et une habileté exceptionnelle pour avoir bâti pareille merveille, si vite, et la partager sans retenue.

Les choses changèrent en fin de journée.

Le lieutenant d'Orlandia, un Kloropanphylle que l'Alliance des Trois connaissait bien, Torshan, vint les trouver tandis qu'ils prenaient l'air sur le pont supérieur. C'était un grand adolescent, beau et musclé, dont l'émeraude des yeux brillait avec une intensité particulière.

— Il y a eu un incident. Nous devons parler, dit-il sobrement.

Tous se levèrent, Floyd, Chen, Tania, Randy et Maya compris.

Torshan désigna l'Alliance des Trois :

— Eux seulement.

— Pourquoi ? s'étonna Matt. Nous n'avons aucun secret pour nos amis !

— C'est une affaire délicate.

— Alors il faut en parler devant Clara et Archibald, dit Tobias.

— Non, juste vous.

— Mais pourquoi ? insista Matt.

Torshan guetta un instant la réaction d'Ambre.

— Parce que nous avons confiance en vous. En elle tout particulièrement. Allons, venez, nous avons du chemin à parcourir.

Torshan les entraîna dans les profondeurs du Vaisseau-Vie, empruntant des accès de plus en plus étroits, moins éclairés, où ils ne croisèrent personne. Il y faisait même beaucoup plus frais qu'en surface.

– Je ne connais pas cette partie du navire, fit remarquer Ambre, où sommes-nous ?

– Presque tout en bas, au centre, expliqua Torshan. C'est normal que vous ne connaissiez pas, nous ne l'avons fait visiter à personne.

Après une dizaine de rampes et le double de couloirs, un monte-charge les descendit de plusieurs niveaux d'un coup. Ayant emprunté un dernier escalier en vis, ils découvrirent Orlandia flanquée de deux gardes Kloropanphylles devant une grosse porte fracturée et entrouverte.

– Que s'est-il passé ? demanda Ambre.

– Quelqu'un a forcé l'accès, répondit Orlandia en désignant l'imposant battant brisé au niveau de la serrure, et complètement fendu sur toute sa largeur.

– Une intrusion à bord ? s'étonna Ambre.

– Quelqu'un d'assez costaud, souligna Matt. Cette marque carrée, là, dans le bois de la porte, on dirait l'empreinte d'une masse.

Ambre s'approcha pour jeter un regard dans la pièce.

– Qu'y a-t-il derrière cette porte ?

– Le système de sécurité du Vaisseau-Vie.

Ambre pivota vers Orlandia.

– Un système de sécurité ?

– Oui. C'est une construction si formidable que si elle venait à tomber entre de mauvaises mains, elle deviendrait une arme redoutable. C'est pourquoi nous avons préféré la munir d'un système d'autodestruction. Si nous venions à être débordés, nous n'aurions plus qu'à l'armer et alors...

– Tout exploserait ? s'étonna Tobias, entre effarement et excitation.

– Oui.

– Mais c'est dingue ! Pourquoi avoir fait ça ?

– Vous avez pu constater la richesse, les dimensions et les possibilités du Vaisseau-Vie. Si des ennemis venaient à s'en emparer, il deviendrait une forteresse mobile imprenable. Nous ne pouvions prendre ce risque. Mieux vaut prévenir que guérir...

– Comment avez-vous pu fabriquer des explosifs ? demanda Matt.

– C'est un mélange de plantes macérées et distillées. Tout prendrait feu, et la dentelle de noix qu'on trouve partout à l'intérieur est un combustible très réactif.

Ambre secoua la tête de dépit.

– Qui était au courant de ce dispositif ?

– Tous les miens. Mais aucun n'aurait fait ça. Nous n'avons pas de traître parmi nous.

Tobias s'avança :

– Tu es bien sûre de toi.

– Le peuple de Gaïa vit en harmonie. Il est soudé.

Ambre jeta un coup d'œil à ses deux camarades :

– Les Pans sont nombreux, on ne les connaît pas tous personnellement.

– Mais pourquoi faire ça ? demanda Matt. Pourquoi agir de la sorte ? Nous sommes tous embarqués dans la même aventure !

– Un espion à la solde des Maturs qui refusent de soutenir Balthazar, ceux qui suivaient le Buveur d'Innocence ? proposa Ambre.

– Quoi qu'il en soit, reprit Orlandia, maintenant il sait comment nous détruire.

79

— À moins d'être kamikaze, il ne passera pas à l'acte, enchaîna Matt. Mais nous avons un ennemi à bord, et désormais il connaît notre point faible.

— Je vais mettre deux gardes en permanence, j'aurais dû le faire dès le départ, j'ai naïvement pensé que nous étions en sécurité entre nous.

Ambre posa une main sur le bras de la Kloropanphylle qu'elle devinait très nerveuse.

— Je suis désolée, dit-elle. Au nom des Pans, je suis désolée. Mais ce n'est pas parce qu'il y a un ver dans une pomme qu'il faut jeter le panier tout entier. Nous sommes avec vous, d'accord ? En confiance.

Orlandia acquiesça mollement.

— Nous allons enquêter de notre côté, fit Matt, et ouvrir l'œil. S'il se passe quoi que ce soit d'étrange à bord, fais-le-nous savoir.

— Comptez sur moi.

— Il n'y a rien eu d'autre pour l'instant ? insista Ambre.

Torshan prit la parole :

— Hier, on a retrouvé un sac de nourriture dans un hangar. Ainsi qu'une lanterne abandonnée dans un coin et une couverture. Manifestement, un de vos gars squatte les cales. Je doute que ça ait un lien, mais puisque vous le demandez…

— Pourquoi tout de suite « un de nos gars » ? s'indigna Tobias.

— Le peuple de Gaïa est discipliné, répliqua sèchement Torshan.

— Peut-être que vous avez un dissident, insista Tobias, et qu'il…

— Peu importe, coupa Matt. La nourriture est en libre accès, personne n'a de raison d'aller en voler. J'aimerais visiter ce hangar.

– Je t'y conduirai, affirma Torshan.

Matt désigna la porte endommagée.

– Je peux entrer ?

Orlandia repoussa le battant et la substance molle des lanternes entra en vibration, déclenchant la lumière blanche, presque argentée.

Un système de briquet avec deux silex et une mèche occupait un petit réceptacle au centre. Dans la cuvette flottait un liquide poisseux, sombre, qui sentait assez fort l'alcool. La cuvette rejoignait, par un conduit sur le sol, une citerne, et plusieurs tubes partaient dans toutes les directions, à l'intérieur même de la structure du Vaisseau-Vie.

Il suffisait d'un geste pour que tout s'embrase.

Matt soupira.

– Faites réparer la porte, dit-il sombrement. Mettez un cadenas si c'est possible, et laissez deux gardes en permanence.

– Tu crois que nous sommes en danger ? questionna Tobias.

– Cet endroit est isolé, celui qui est arrivé ici a cherché longtemps. La porte est massive, il a fallu de la détermination pour entrer, ce n'est pas un accident. Cette personne n'a pas de bonnes intentions.

Ambre ajouta, depuis le seuil de la pièce :

– Nous avons un traître parmi nous.

9.

Hangar 18

Torshan, Tobias et Matt arpentaient les niveaux les plus bas. Matt posa le pied sur la dernière marche de l'escalier et la substance molle des lampes entra en vibration, illuminant de proche en proche tout le couloir, long de plusieurs centaines de mètres.

– Wouah, laissa échapper Tobias, impressionné.

Une double porte perçait l'interminable passage tous les vingt mètres, avec un numéro inscrit au-dessus.

– Ce sont les hangars. Celui qui nous intéresse est le 18.

– Comment vous êtes-vous rendu compte qu'il y avait un squatteur ? demanda Matt. Vous organisez des patrouilles ?

– Oui, pour vérifier l'absence de fuites, nous sommes sous le niveau de l'eau.

Le couloir semblait sans fin, les lampes blanches brillaient les unes derrière les autres, dans une perspective étourdissante.

Les trois garçons finirent par s'arrêter devant la porte surmontée du chiffre 18.

Torshan entra le premier dans un hall que Matt devina être gigantesque. Il n'en voyait pourtant rien tant il y faisait sombre, mais l'écho de leurs pas résonnait. Le Kloropanphylle avait pris une lampe au mur du couloir et la leva devant lui. Des caisses apparurent, entreposées les unes sur les autres, arrimées par des cordages noués au sol dans des cercles d'acier. Matt ne distinguait pas le plafond, perdu dans les ténèbres.

— C'est immense, non ? demanda-t-il.

— Oui. On y stocke assez de bois pour réparer n'importe quelle avarie, assez de cordages pour faire le tour de la terre, des pétales géants de rechange, des vivres en quantité astronomique, vos chariots, votre matériel, bref, de quoi vivre à bord longtemps et explorer tous les continents de la planète.

Tobias siffla d'admiration.

— Et encore, plus de la moitié des hangars sont vides, ajouta fièrement Torshan. La place ne manque pas.

Ils filèrent entre les rangées de caisses, seulement guidés par le cercle blanc de la lanterne tenue par Torshan. Après quelques hésitations, le Kloropanphylle retrouva l'emplacement dont il avait parlé.

Une couverture froissée et un sac de vivres vide gisaient dans un renfoncement entre des caisses en bois.

Matt se pencha pour les examiner.

— Des miettes, dit-il.

— Il ou elle est revenu, annonça Torshan. Il manque la lampe. Elle était là hier, j'en suis sûr, je l'ai vue.

Matt leva les yeux vers les hauteurs mais la pénombre lui masquait tout.

— Pourquoi rester caché ici ? s'interrogea Tobias. Un passager clandestin ? Quand serait-il monté ?

— C'est improbable, répondit Torshan. À moins qu'il ne se soit mêlé à la foule de vos troupes pendant l'embarquement.

– C'est plausible, avoua Matt. Nous étions nombreux, les voiliers ont fait plusieurs allers et retours... Mais on en revient à la première question : qui et pourquoi ?

– Un espion ? s'inquiéta Tobias.

– Ou un Pan très motivé que nous avons écarté lors des sélections. Tout est possible.

– Et il aurait défoncé la porte du système de sécurité ? demanda Tobias. S'il ne veut pas se faire remarquer, c'est plutôt idiot !

– Les deux ne sont peut-être pas liés. Torshan, approche ta lanterne, je vois quelque chose là...

Le Kloropanphylle et Tobias se resserrèrent autour de Matt qui attrapa un bout de corde tranchée.

– C'est ce qui sert à sangler chaque pile de caisses pour éviter qu'elles ne se renversent si le Vaisseau-Vie tangue pendant une tempête, expliqua Torshan.

– C'est coupé net, examina Matt, avec une lame. Ce n'est pas un accident.

– Pour quoi faire ? C'est dangereux...

Un grincement de bois résonna dans les ténèbres au-dessus d'eux et quelque chose siffla aussitôt.

Une ombre bascula brutalement sur les trois garçons et ils comprirent avec un temps de retard qui allait être fatal : une grosse malle leur fonçait dessus.

Tout se précipita : l'information du danger parvint à leur cerveau et celui-ci répliqua en ordonnant aux muscles de se contracter pour bondir sur le côté, mais la malle allait plus vite. Ils surent tout de suite que c'était trop tard, qu'ils ne pouvaient plus éviter l'impact. Ils commencèrent à lever les mains pour essayer de se protéger, même si c'était vain face à un poids pareil lancé à grande vitesse. Leurs os allaient se briser en centaines de fragments. S'ils survivaient, ce serait pour passer des mois sur un lit de douleur.

Le choc fut instantané.

Et latéral.

Matt en eut le souffle coupé et le bruit effroyable de la malle s'explosant contre le sol le terrorisa. Le hangar tout entier se renversa sur le côté tandis qu'il cherchait à inspirer à nouveau de l'air. Il se sentait comme un poisson échoué sur le parquet. Il cligna les yeux pour comprendre, et avala une grande bouffée d'oxygène.

Il était renversé sur le sol. Un peu sonné mais pas agonisant. Il se redressa doucement. La malle gisait en morceaux à ses pieds, des bouts d'armure répandus au milieu du foin censé les protéger.

Torshan se releva également, en titubant.

Tobias était entre eux. Il les avait sauvés.

Avec son altération de vitesse, il était parvenu à les pousser avant l'impact.

— Qu'est-ce qui s'est passé ? demanda Torshan en reprenant ses esprits.

Tobias pointa l'index vers le sommet de l'entassement de caisses qui les surplombait.

— Il y a quelqu'un là-haut !

— Ce n'est pas un accident, pesta Matt.

Un choc sourd retentit à quelques mètres et Matt comprit que quelqu'un venait de sauter d'assez haut.

— Il s'enfuit ! aboya-t-il en saisissant la lampe renversée aux pieds de Torshan.

Matt se jeta de toutes ses forces en direction du son qu'il venait d'entendre, la lampe brandie devant lui. Il s'était relevé si vite que sa tête se mit à tourner. Il se rattrapa à ce qu'il put, prit une grande inspiration pour se remettre, et fonça.

Une ombre fusa entre deux montagnes de colis entassés les uns sur les autres.

– Là ! s'écria Matt en la pourchassant.

Il perçut dans son dos les pas de ses deux compagnons qui accouraient dans son sillage et redoubla de motivation pour ne pas se laisser distancer.

Il avait du mal à courir avec une lampe à la main, et se demandait comment son agresseur pouvait foncer si vite sans le moindre éclairage.

Une altération de vue ? Vision nocturne ?

Possible. Il connaissait plusieurs Pans capables de voir aussi bien la nuit que le jour.

Matt reconnut soudain le claquement d'une corde tendue qu'on tranche net. Elle rebondit en frappant le sol.

L'adolescent freina aussitôt sa course, s'attendant à voir une masse d'objets lui tomber dessus.

Quelqu'un devant lui donna des coups contre une surface en bois et un sinistre grondement monta.

– Poussez-vous ! hurla Matt. En arrière ! En arrière !

Torshan et Tobias butèrent contre lui et il les repoussa brutalement.

Devant eux, la pyramide de caisses s'effondrait dans un fracas assourdissant, dont plusieurs roulèrent jusqu'aux pieds des trois adolescents.

Matt se redressa, le cœur battant à tout rompre.

Il aperçut alors une ombre plus loin, qui semblait les observer. Elle était éclairée par le bas, grâce à une lanterne à peine visible entre les pans d'un manteau long.

Avant même que Matt ne puisse se relever, la silhouette fit volte-face et recouvrit la lumière de ses vêtements pour disparaître dans l'obscurité.

Ce n'est pas une altération de vue, comprit Matt. Il voulut repartir à la chasse à l'agresseur lorsqu'il entendit Torshan gémir.

Il leva la lampe et vit qu'une caisse écrasait la jambe du Kloropanphylle qui ne parvenait pas à se dégager. Du sang imbibait son pantalon déchiré.

– Bouge pas, dit-il, je vais t'aider. Tobias, prépare-toi à le tirer.

– Quand tu veux, répondit l'intéressé.

Matt prit le bloc de bois à deux mains et souleva de toutes ses forces. Son altération de puissance l'aida à arracher la caisse du sol et Tobias fit glisser Torshan sur un mètre. Le container retomba lourdement.

Au loin, la porte du hangar se referma en claquant.

Matt soupira.

Ils l'avaient raté.

– Ça va aller ? demanda-t-il au Kloropanphylle.

– J'espère que ma jambe n'est pas cassée, gémit-il.

– On va te porter.

Matt regarda Tobias.

– Au moins maintenant nous n'avons plus de doute, ce n'est pas un simple passager clandestin.

– Non, c'est un ennemi.

10.
Feu d'artifice sous-marin

Pendant plusieurs jours, Matt multiplia les discussions avec Orlandia à propos de la sécurité du Vaisseau-Vie ; l'agression dans le hangar l'avait profondément marqué. Il ne se sentait plus serein, et craignait à tout moment qu'on ne sonne l'alerte. Il envisageait le pire à chaque réveil, un sabotage, une nouvelle intrusion ou un crime. Déambuler au milieu des Pans tout en sachant que l'un d'eux était peut-être un traître prêt à tout le révulsait. Ambre tenta de l'apaiser avec ses mots, sa douceur, mais il restait aux aguets, scrutant tout le monde, les nerfs à fleur de peau. Les Kloropanphylles positionnèrent des gardes aux endroits stratégiques, et formèrent des patrouilles pour arpenter les couloirs, mais le navire était bien trop grand, ce n'était qu'une mesure de dissuasion.

Le soir du dixième jour, Ambre vint chercher Matt et Tobias pour qu'ils l'accompagnent dans sa suite. Elle les poussa devant la baie vitrée sans dire un mot.

La nuit était tombée, et pourtant l'Océan émettait une lumière étrange. Plusieurs grandes flaques multicolores frôlaient la surface. Des cercles bleus, roses, orange ou verts palpitaient, comme des nappes de produits radioactifs, lumineux comme des néons liquides.

Puis Tobias pointa du doigt la tache rouge la plus proche :

— C'est vivant ! s'exclama-t-il avec l'émerveillement d'un enfant. C'est une bestiole géante !

Les trois compagnons se collèrent à la vitre pour découvrir que Tobias disait vrai. Il s'agissait de créatures rondes, aux corps presque transparents, qui nageaient juste sous la surface, comme des méduses dont la chair luisait dans la nuit.

— Il y en a plein ! s'écria Ambre.

— Et certaines sont gigantesques ! ajouta Tobias.

— J'espère qu'elles ne sont pas agressives, intervint Matt, plus sombre. Elles sont partout, elles nous entourent.

— Non, regarde, c'est nous qui passons au milieu, elles vont dans la direction opposée.

On frappa à la porte et Orlandia en personne les salua.

— Je voudrais vous montrer quelque chose, dit-elle.

— Vous avez vu ces méduses lumineuses ? demanda Tobias.

— Justement, venez.

Orlandia les entraîna vers une série d'escaliers. Un monte-charge leur fit descendre quinze niveaux d'une traite, puis ils parcoururent plusieurs coursives étroites et désertes et enchaînèrent sur d'autres escaliers en colimaçon. La Kloropanphylle poussa une porte, puis une seconde, qui se révélèrent être un sas d'étanchéité, et ils entrèrent par un balcon dans une large salle très humide dont les murs tremblaient et brillaient sous l'effet d'une lueur bleue zébrée d'argent. Tout en bas, au centre, un cercle d'eau éclairé par des lanternes à substance molle immergées projetait ses reflets sur toutes les parois. Une très grosse poulie retenait un tuyau-câble d'un mètre cinquante de diamètre qui s'enfonçait au centre du bassin, dans les profondeurs de l'Océan, et deux immenses soufflets se contractaient en rythme pour pulser de l'air.

– Vous n'êtes pas claustrophobes ? demanda Orlandia.

Les trois adolescents secouèrent la tête.

Deux Kloropanphylles les attendaient en bas du balcon et les conduisirent près du tuyau. L'un des deux garçons aux cheveux verts disposa une passerelle en bois, comme un plongeoir, au-dessus de l'eau pour rejoindre le gros câble, et tira sur une poignée afin d'ouvrir une écoutille.

– C'est un passage vers la Nacelle, expliqua Orlandia. Je passe la première pour vous guider, suivez-moi.

Elle enjamba le rebord de l'écoutille et se glissa dans le câble, bientôt imitée par Matt.

– Bon, puisqu'il faut y aller, dit Ambre en s'élançant sur la passerelle.

Tobias était juste derrière, il guettait l'eau du bassin qu'il surplombait. Les lanternes formaient un cercle afin de rendre l'eau plus accueillante, plus translucide, mais il voyait bien qu'au-delà, l'eau redevenait aussi noire qu'une mer d'encre. Le câble dans lequel il comptait se faufiler plongeait vers les profondeurs.

– Et ça va loin comme ça ? demanda-t-il à l'un des Kloropanphylles.

– Tout dépend de la profondeur qu'on demande, répondit-il en désignant la grosse poulie au-dessus de leurs têtes.

– Ah. Et là, on a demandé beaucoup ?

– Non, une vingtaine de mètres seulement, rassure-toi.

– Mouais… Je sais pas si ça me rassure tant que ça.

Constatant qu'Ambre avait déjà disparu, il marcha jusqu'au câble et se hissa à son tour à l'intérieur via la petite écoutille.

Le tube était muni de barreaux d'échelle. Il tombait à pic. La chevelure d'Ambre était trois mètres plus bas.

– Woh ! s'écria Tobias. Faut pas riper !

Sa voix résonna dans toute la colonne creuse.

– Non, répondit Orlandia beaucoup plus bas, il ne faut pas !

Des morceaux de substance molle étaient incrustés dans de minuscules capsules transparentes tous les trois barreaux, si bien qu'on y voyait assez bien.

Soudain le câble grinça et Tobias le sentit qui bougeait et se courbait légèrement.

– Qu'est-ce qui se passe ? s'écria-t-il sous l'effet de la peur.

– Ce n'est rien, ce sont les courants et la vitesse du Vaisseau-Vie qui entraînent notre conduit vers l'arrière, tout va bien, lui assura Orlandia.

Tobias voulait la croire sur parole, mais ses sensations lui dictaient le contraire. Il n'aimait pas du tout cet endroit.

Il s'efforça cependant de poursuivre la descente, longue et désagréable, avant que les barreaux se transforment en une échelle en métal. Le tube débouchait sur une pièce circulaire d'une demi-douzaine de mètres de diamètre entièrement vitrée. Une lanterne au centre diffusait sa lumière.

– Bienvenue dans notre nacelle d'observation sous-marine, lança Orlandia en tournant le clapet de la lanterne pour occulter la lumière.

Plongé dans le noir complet, Tobias eut un nouvel accès de panique. Il n'aimait pas l'idée d'être coincé dans une bulle à plusieurs dizaines de mètres sous la surface de l'Océan. L'air lui paraissait plus dense, il faisait humide, chaud, et il ne respirait pas aussi bien qu'à l'air libre.

Mais à peine la lumière s'était-elle éteinte que les profondeurs s'illuminèrent autour d'eux.

Des méduses phosphorescentes apparurent. De toutes les couleurs. De toutes les tailles. Certaines pas plus grandes qu'un ballon de foot, d'autres plus étendues qu'un stade tout entier. Et à toutes les profondeurs.

Brusquement, Tobias se sentit moins nerveux.

— Elles sont combien ? demanda-t-il doucement. Des milliers, non ?

Elles illuminaient l'Océan.

— On se croirait sur Time Square, commenta Matt, admiratif. Le jour en pleine nuit.

Une toute petite méduse bleue passa devant la nacelle et se posa sur le verre avant de glisser dessus.

Ambre mit la main au même endroit pour l'accompagner du geste. La méduse se mit à palpiter, sa lumière gagnant et baissant en intensité comme si elle pouvait sentir le contact de la main humaine de l'autre côté de la paroi.

— Tu crois qu'elle communique ? interrogea Tobias.

— En tout cas elle réagit, répondit la jeune femme.

— Oh ! Regardez ! s'écria Tobias en tapant du doigt contre la vitre.

Dans la clarté d'une vaste méduse violet et rose, ils virent une ombre imposante, majestueuse, donner un coup de queue pour avancer, une silhouette aussi volumineuse que gracieuse : une baleine.

— Oh ! Une autre là-bas ! nota Ambre.

Soudain la nacelle trembla et des centaines de triangles irisés l'encerclèrent comme si elle passait au milieu d'une masse compacte.

— C'est... ce sont des poissons ! s'écria Tobias.

Ils furent bientôt si nombreux qu'ils bouchèrent la sphère d'observation, et ses quatre occupants ne purent que deviner l'impressionnante foule qu'ils traversaient, la percevant grâce aux vibrations.

Ils se dissipèrent aussi vite qu'ils étaient apparus.

Les méduses reprirent leur place dans ce ciel de couleurs, glissant en silence dans le presque vide des abysses. Par moments, des formes familières passaient tout près d'elles, des dauphins, des thons, des espadons, des poissons par bancs entiers.

Matt se tourna vers Orlandia.

— C'est formidable ! Merci de nous avoir fait découvrir cet univers.

— La plupart du temps l'eau est trop sombre pour qu'on puisse y voir quoi que ce soit, mais ce soir, cette nacelle prend tout son sens.

— Peut-être qu'on pourra apercevoir des requins pendant la traversée ? s'enthousiasma Tobias.

Matt ne réagit pas à la joie de son ami. Il voyait bien qu'Orlandia n'était pas ici seulement pour partager ce spectacle fantastique.

— Un problème ? questionna-t-il.

— Je l'ignore. C'est à elles qu'il faudrait le demander, dit Orlandia en désignant les méduses.

Matt contempla à nouveau l'Océan multicolore qui les entourait et sa vie grouillante qui filait sous leurs yeux ébahis.

Soudain il comprit.

— Les méduses, comme les poissons, vont tous dans la même direction, c'est ça ?

— En effet. Tous.

— Comme s'ils migraient, fit Tobias en songeant aux oiseaux. Sauf que là ils migrent tous en même temps, dans la même direction...

— Ou comme s'ils fuyaient tous le même danger.

Tobias se retourna pour observer Matt.

– Hey, mais ils vont dans le sens opposé ! Si c'est ça, on fonce droit vers ce qu'ils cherchent à éviter !

Orlandia acquiesça.

– Ils fuient l'est, dit-elle.

– Une tempête ? supposa Matt. Un ouragan ?

Ambre continuait d'admirer le paysage envoûtant. Elle parla d'un ton posé :

– Je n'y connais rien en vie sous-marine, mais en cas de forte tempête, la faune ne déserte pas la zone, si ?

– Non, bien sûr que non, répondit Tobias. Au pire elle s'enfonce plus profondément.

– Alors qu'est-ce qu'ils peuvent bien fuir, tous ?

– Soit c'est vraiment très gros, dit Tobias, soit c'est vraiment très agressif.

– De toute façon nous n'avons pas le choix, nous devons poursuivre vers l'est, trancha Matt.

– Peut-on au moins mettre des vigies à l'avant ? demanda Ambre.

– C'est déjà fait, répondit Orlandia. Avec des longues-vues. Mais ils ne peuvent distinguer plus loin que l'horizon.

– À moins qu'ils ne soient encore plus haut, suggéra Tobias. Avec la voilure dont nous disposons, on pourrait fabriquer une sorte de radeau aérien, porté par les pétales géants, et qui flotterait comme un cerf-volant, avec une cabine pour transporter deux observateurs. Si on les fait grimper de cinquante mètres ils pourront voir encore plus loin. Ça nous laissera le temps de nous préparer s'ils remarquent quelque chose.

Matt leva le pouce pour approuver cette idée.

– Le Vaisseau-Vie est équipé pour se défendre ? demanda-t-il.

– Oui, mais c'est rudimentaire.

Ambre se rapprocha de ses camarades.

– Je ne veux pas vous effrayer, dit-elle, mais s'il existe bien quelque chose droit devant, et si c'est capable de faire fuir toute la faune de l'Océan, je doute qu'on puisse l'arrêter avec nos petites armes bricolées.

Les quatre adolescents se regardèrent. Leurs visages étaient illuminés de bleu, de vert, de rouge, de violet, tout un feu d'artifice silencieux qui les avait hypnotisés de beauté un instant plus tôt, et qui à présent leur donnait des réactions de peur.

Les animaux marins fuyaient, terrorisés par une menace inconnue.

Et le Vaisseau-Vie fonçait à pleine vitesse droit dessus.

11.

Sinistre crépuscule

Matt retourna à sa cabine, épuisé. Il venait de passer la journée à entraîner des Pans et des Kloropanphylles au maniement de l'épée et il ne se sentait plus aucune force.

Il n'avait jamais pris de cours lui-même, ne s'estimait pas plus compétent qu'un autre, mais il commençait à avoir un peu d'expérience dans l'art de se battre avec une lame, et Floyd ainsi que Tobias avaient lourdement insisté pour qu'il la partage.

Au final, Matt avait centré une large partie de son entraînement sur le déplacement du corps. Pour lui, c'était le plus important, bien plus que de savoir positionner son épée. Savoir à quel moment déclencher une attaque ou éviter un coup grâce à la gestion des distances était vital. Si un combattant régissait bien son espace, c'était déjà un avantage sur son adversaire. Savoir se mouvoir, ne jamais rester statique. Ensuite il avait insisté sur la nécessité d'esquiver le coup plutôt que de le parer avec son arme. Car le corps imprimait du mouvement pour faire tomber les repères de l'agresseur, et si ce mouvement était bien pensé, il pouvait se mettre en position pour riposter aussitôt. Parer avec son arme, au contraire, immobilisait celle-ci et faisait entrer en ligne de compte les forces de chacun. Un adolescent face à un adulte ou à une créature puissante risquait de ne pas avoir la force de dévier le coup. C'était prendre le risque de se faire désarmer, voire se faire embrocher. Enfin, Matt avait terminé par le timing. Frapper dès qu'une fenêtre de tir s'ouvrait, et ne pas attendre « le moment idéal » car celui-là n'existait pas. Combattre c'était avant tout maîtriser ses nerfs, gérer sa peur, faire avec la perte de moyens, avec la surprise. Et un affrontement était bref, un ou deux coups, loin, très loin de ce qu'ils voyaient autrefois dans les films ou les jeux vidéo. Matt insista sur ce point : bien souvent, celui qui frappait le premier était celui qui touchait et qui repartait sur ses deux jambes.

Quand il avait quitté le hall d'entraînement, la plupart des adolescents avaient perdu leur enthousiasme, leur excitation. Ils avaient lu en Matt, et compris que s'ils devaient faire usage de leurs armes, ce serait pour voir le sang couler. Le leur ou celui d'un autre être vivant. Qu'il y aurait des cris, de la souffrance, de la terreur, de l'horreur. C'était ça se battre. La violence.

Certains l'avaient déjà vécue lors de la Grande Bataille contre les Cyniks. Pour les autres, ceux qui n'avaient pas été en première ligne, ce n'était qu'un récit, un fantasme. Quant à ceux qui n'avaient pas participé à la guerre, ils n'avaient que leur imagination pour se faire une idée. Mais les mots et le regard de Matt les avaient calmés. Ils comprirent qu'il fallait s'entraîner pour être prêts à tout, mais dans l'espoir de ne surtout pas avoir besoin de se servir de leur apprentissage.

Matt avait passé sa journée dans la concentration, à parler, répéter les mêmes gestes, affronter chacun, les uns après les autres, pour montrer l'exemple.

Il poussa la porte et s'effondra sur son lit, le visage dans l'oreiller.

— Ah ! S'ils te voyaient maintenant ! se moqua Tobias gentiment. Tous les gars qui parlent de toi comme d'un grand général de guerre, vaillant, héroïque, indestructible !

— Je suis tellement fatigué que je pourrais dormir deux jours ! avoua Matt dans l'oreiller.

— Quatre mois à ne rien faire et voilà, on n'est plus habitués à se bouger... Ils disent pas ça dans les grands récits d'aventures ! Ils racontent pas comment les héros s'encroûtent... On dit toujours qu'ils rentrent à la maison, célébrés comme des dieux, qu'ils se marient et ont plein d'enfants... Mais on ne raconte jamais qu'ils finissent par divorcer, prendre trente kilos, devenir myopes, moches, et qu'au final, ils meurent seuls et pathétiques.

Matt leva la tête de son oreiller pour toiser son ami :

— Dis donc, t'es d'humeur joyeuse et optimiste, toi !

— Je crois que j'ai pas le moral.

— Pourquoi ? demanda Matt en s'asseyant dans son lit.

— Je sais pas...

— Tu n'entraînes plus les archers ?

— Si, sur le pont principal, mais avec le vent c'est pas facile.

— On ne peut pas être en forme tout le temps.

— Sûrement...

— Tu as vu Ambre ?

— Non, mais on a rendez-vous avec elle au coucher du soleil, ça ne devrait plus tarder.

Matt laissa tomber sa tête dans ses mains.

— Oh ! J'avais complètement oublié cette réunion, gémit-il.

— T'es pas content de la voir ?

— Si, mais pas dans ces circonstances... Là on va encore parler pendant des heures de logistique. Je crois que je suis fatigué de tout ça, d'imaginer, de prévoir, de supposer... J'ai envie d'arriver, de vivre les choses plutôt que de les anticiper.

– T'es décidément un homme de terrain, toi.

Matt haussa les épaules.

Puis les deux garçons bavardèrent de futilités, se remémo-rèrent un moment leurs meilleurs souvenirs d'avant la Tempête, notamment leur ami Newton, qui leur manquait. Faisait-il partie de ces millions de gens qui avaient disparu cette nuit-là ? Vaporisés par les éclairs ? Pourquoi eux ? Com-ment s'était opéré le choix de la Tempête ? Par hasard ? Matt aimait la théorie, qui circulait de plus en plus parmi les Pans, selon laquelle les personnes qui ne vivaient qu'à moitié, qui étaient déjà presque des fantômes de leur vivant, celles-là avaient été vaporisées. La Tempête n'étant qu'un accéléra-teur, un révélateur. Mais l'hypothèse était parfois dure à accepter, surtout pour les Pans dont la famille tout entière avait disparu, comme Tobias.

Dès que le soleil commença à changer de couleur et à enta-mer la dernière partie de sa descente, Matt et Tobias se ren-dirent au centre du Vaisseau-Vie, à l'Arbre-Fontaine.

C'était une vaste place, traversée par un immense puits de lumière sur douze niveaux et autant de balcons qui en fai-saient le tour, entièrement sculptés dans la dentelle de noix, et qui se terminait par un impressionnant dôme en matière transparente semblable à du verre. Les Kloropanphylles l'obte-naient en faisant bouillir la sève de certains conifères de la mer Sèche. Au milieu de la place, un arbre taillé dans la chair de la noix occupait le centre d'un bassin, et l'eau qui jaillissait du faîte de l'arbre ruisselait sur son tronc.

Des dizaines de bancs et de tables, eux aussi taillés dans la chair de noix, délimitaient un espace de détente autour de la fontaine, et les deux garçons trouvèrent Ambre assise là.

– J'ai pris de la salade de quinoa et des fruits, dit-elle, pour combler vos estomacs.

– Pourquoi les filles pensent-elles toujours « salade » ? demanda Tobias. Et pourquoi pas pizza ou hamburger ?

Ambre secoua la tête, amusée.

Matt s'assit près d'elle et Ambre lui caressa le dessus de la main d'un geste tendre mais discret.

– J'ai discuté avec Orlandia. Si tout se passe bien, nous devrions accoster au nord-ouest de la France. D'après Randy, nous serons en Bretagne.

– C'est sûr ? interrogea Matt.

– Orlandia et les Kloropanphylles se fient aux étoiles et aux anciennes cartes, rien n'est certain, c'est une science qu'ils ne maîtrisent pas à la perfection, et quand le ciel est nuageux, nous naviguons à vue, avec une simple boussole.

Tobias intervint :

– Et le Cœur de la Terre que nous allons chercher, il est où ?

Ambre et Matt se regardèrent, un peu gênés.

– Nous ne le savons pas encore, avoua Ambre. Il faut que nous allions dans la chambre du Testament de roche.

– Est-ce que tout le monde débarque ou seulement un petit groupe ?

– D'abord, expliqua Matt, les trois voiliers seront remis à l'eau pour approcher des côtes, le Vaisseau-Vie est trop gros. Ces trois navires seront une base mobile. De là, nous enverrons un commando de reconnaissance. Et ensuite on expédiera nos troupes. Les Kloropanphylles resteront à bord pour garder le Vaisseau-Vie.

– Orlandia voudra certainement envoyer un ou deux émissaires à elle, le coupa Ambre.

– Je n'y vois aucun inconvénient. Nous ne serons pas loin de mille à traverser la France, de quoi dissuader pas mal d'agresseurs potentiels.

– Mais pas discrets, répliqua Tobias.

– D'où l'importance d'avoir de bons rapports avec ceux qui occupent cette terre. Qu'ils soient Maturs, Pans, les deux, ou tout autre chose encore. Tant qu'on ne sait pas comment la Tempête a frappé en Europe et ce que sont devenus tous ces gens depuis, il va falloir compter sur notre faculté d'adaptation et notre art de la diplomatie.

Tobias pouffa.

– On laissera Ambre parler, alors ! dit-il. Parce que toi et moi, c'est pas notre point fort...

– Ce sera le rôle de Clara et d'Archibald, rappela Ambre. Et puis nous...

Un sifflement sec stria l'air et Ambre se raidit sur son tabouret. Elle sursauta comme si un être imaginaire venait de lui taper dans le dos. Ses sourcils se froncèrent, elle ne comprenait pas, le sang se mit à couler entre ses lèvres, en fines gouttelettes qui laissaient un terrifiant sillon jusqu'au menton.

Matt bondit de son siège.

Ambre bascula et s'effondra sur le sol mais Tobias, d'un geste extrêmement rapide, la retint pour l'accompagner dans sa chute.

Un trait noir sortait du dos de l'adolescente. Une auréole pourpre grandissait à vue d'œil tout autour, imbibant l'arrière de son T-shirt. Matt la prit dans ses bras. Il craignait le pire, c'était la zone des poumons, du cœur.

– Non ! Ambre ! Non !

Elle clignait des yeux, sa bouche s'ouvrait mais elle avait du mal à respirer.

Ses pupilles trouvèrent celles de Matt.

– Sers-toi du Cœur de la Terre, implora-t-il, reste consciente, concentre-toi sur ton énergie, soigne-toi avec la puissance du Cœur de la Terre, je sais que tu peux y arriver.

Mais Ambre était parcourue de spasmes. Dans son dos, Matt sentait sa main se couvrir de plus en plus de sang.

Soudain un autre sifflement sec résonna dans le hall et Matt n'eut que le temps de voir la main de Tobias fendre l'air à la vitesse improbable que lui conférait son altération et saisir en plein vol un carreau d'arbalète dont la pointe s'immobilisa à vingt centimètres de l'œil de Matt.

Tobias étouffa un cri de douleur et du sang perla entre ses doigts. Il ouvrit la main et le carreau tomba au sol. Sa paume était brûlée par la vitesse du projectile, et entaillée sur toute la longueur.

Matt sonda les alentours, avec la détermination de l'homme qui vient de voir celle qu'il aime se faire attaquer. La colère grondait en lui. Elle montait.

Il repéra la silhouette recroquevillée derrière le balcon du deuxième étage, le bout de son arbalète dépassant de la rambarde.

Dans ses bras, Ambre fut traversée d'un violent frisson.

Elle agrippa le col de Matt et le tira vers elle. Il se pencha.

– Je... je t'ai...

Mais elle ne put terminer sa phrase. Ses paupières tombèrent comme le rideau d'un théâtre clôt un beau spectacle, et elle perdit connaissance.

La colère de Matt se mua en rage.

Il déposa délicatement la jeune fille sur le flanc.

– Reste avec elle, ordonna-t-il à Tobias. Si quiconque l'approche, tue-le.

Matt était aveuglé par ses émotions. Ce torrent de sentiments qui le noyait, il fallait le canaliser, pour survivre. Et il ne voyait qu'un moyen pour cela, qu'un objectif. Un seul.

Attraper celui qui avait tiré.

Matt bondit tel un félin qui jaillit de sa cachette pour attaquer sa proie et fendit la grande place en sprintant.

Deux niveaux plus haut, la silhouette lâcha son arbalète et fila vers le couloir le plus proche.

Matt gagna la porte de l'escalier et dans sa rage la brisa en la poussant, sans mesurer son altération de force. Il gravit les marches trois par trois, en apnée, obnubilé par l'idée de retrouver le coupable.

Il atteignit le deuxième étage

Personne.

Il perçut un claquement de talons derrière lui, au détour d'un couloir. Il s'élança.

Vit les lanternes à substance molle défiler de part et d'autre, à toute vitesse.

Trois marches qu'il enjamba d'un saut. Une nouvelle porte qu'il enfonça, projetant des esquilles de bois un peu partout dans son sillage.

L'agresseur était tout près. Matt le devinait, il entendait ses pas précipités. Nouveau virage serré.

Il déboucha sur une longue mezzanine qui surplombait un des bassins servant de piscine et de réserve pour les douches. La lumière du couchant tombait du plafond ouvert et teintait la surface comme si elle s'embrasait.

Une ombre se dressa sur le côté et le temps que Matt se retourne il encaissa un violent coup qui lui bloqua le souffle. Il tituba. Le tabouret qui avait servi à le frapper avait explosé sous l'impact.

La seconde suivante il se sentait projeté contre la rambarde de la mezzanine et son assaillant lui attrapait les jambes pour le faire basculer dans le vide.

Matt, encore étourdi, leva le bras pour cogner de toutes ses forces. Avec son altération il savait que ça pouvait être suffisant pour briser tous les os que son poing rencontrerait.

Un coup de coude le cueillit à la mâchoire au même moment.

Matt vit le paysage tournoyer, il perdit ses repères et sentit qu'on le poussait.

Il frappa au hasard, dans un geste désordonné et désespéré.

Son agresseur avait plus de force qu'il ne s'y était attendu.

Matt décolla du sol. Il était encore sonné par les coups et avait des difficultés à comprendre ce qui se passait mais une alarme se déclencha dans son esprit.

Il ne fallait surtout pas qu'il bascule. Il fallait se retenir, coûte que coûte. Il attrapa les vêtements de son adversaire et reçut un nouveau coup en plein visage.

Il était face à quelqu'un de sournois, de fort, un être déterminé.

Les doigts de Matt se refermèrent sur la gorge de son ennemi.

S'il pressait, il pouvait le tuer.

C'était ça ou il allait y passer.

Son hésitation lui fit perdre l'avantage. Un nouveau coup de coude en pleine tempe sonna Matt qui lâcha prise.

L'instant d'après il était soulevé et passait par-dessus la rambarde.

Son agresseur n'eut aucune hésitation.

Il laissa Matt tomber de plus de vingt-cinq mètres.

12.
Le traître et la mouette

Matt sentit le vertige de la chute, et tout le décor défila en un instant devant ses yeux écarquillés.

Puis l'impact fut brutal.

Il s'enfonça de plusieurs mètres sous la surface de l'eau.

Le choc lui fit presque perdre connaissance, mais la fraîcheur de l'eau le réveilla en même temps. Il se débattit.

Il n'avait plus d'air dans les poumons. À peine plus de conscience. Il devinait qu'il risquait de s'abandonner à tout instant à la paix que lui commandait son organisme traumatisé. Mais il lutta. Vaciller maintenant c'était mourir. Se noyer.

Alors il épuisa ses dernières forces à nager, remonter vers la lumière rougeoyante qu'il devinait au-dessus de lui.

Et sa tête creva la surface en même temps qu'il aspirait tout l'oxygène du monde.

Plusieurs niveaux plus haut, une silhouette se pencha pour l'observer. Matt essaya de distinguer son visage mais il était enfoncé dans une large capuche. La silhouette frappa du poing contre une colonne de bois qui soutenait la mezzanine et recula précipitamment pour s'enfuir.

Matt cogna la surface d'un poing rageur.

Trop tard. Il ne pouvait plus rien faire pour rattraper le tueur.

Plusieurs Pans et Kloropanphylles accouraient sur les bords du bassin.

Même en sonnant l'alerte, l'agresseur avait huit étages d'avance, il était tout près de coursives passantes, de halls immenses, de chambres par centaines, jamais on ne pourrait l'attraper avant qu'il ne se mêle à la foule.

Matt s'était fait battre.

Et s'il n'y avait pas eu l'eau pour amortir sa chute, il serait mort.

Alors le jeune homme ne pensa plus qu'à une chose.

Retrouver Ambre.

La suite était occupée par une douzaine de Pans, tous très inquiets et nerveux. Dès que Matt entra, il fit sortir Floyd, Chen, Tania, Randy et Maya pour ne garder qu'Orlandia, Tobias et les cinq Pans ayant une altération de guérison que Toby avait fait quérir aussitôt.

Ambre était allongée sur le flanc, au milieu de son lit. Son T-shirt blanc était à présent d'un bordeaux sinistre, le carreau encore fiché dans son dos, enfoncé d'un bon tiers.

— Soignez-la, ordonna Matt aux guérisseurs.

Le plus âgé eut l'air profondément pessimiste.

— Nous ne faisons pas de miracle, Matt, dit-il.

— À cinq, vous pouvez la sauver.

— Si la colonne vertébrale est touchée, nous ne pourrons certainement rien pour elle. Si elle survit, elle restera paralysée pour le restant de ses jours.

— Elle ne pourra plus jamais marcher ? répéta Tobias, horrifié.

Le Pan âgé désigna le carreau.

106

— J'en ai bien peur.

— Et les dégâts internes ? insista Matt.

— Nous allons faire de notre mieux, tous ensemble. Mais là encore, si un organe vital est touché, il est peu probable que nous puissions la sauver.

— Ça prendra combien de temps ?

— Aucune idée. Peut-être plusieurs heures. Nous devons commencer maintenant.

— Si vous avez besoin de n'importe quoi, vous demandez, ordonna Matt. N'importe quoi.

Sur ce, il sortit avec Tobias et Orlandia.

Ambre était entre les mains des guérisseurs du navire.

Tant qu'elle serait inconsciente, Matt le savait, elle ne pourrait utiliser le Cœur de la Terre pour se soigner elle-même.

Ils ne pouvaient pas la perdre.

Matt refusait de l'envisager.

Ambre était immortelle.

Il le fallait.

Sinon ce serait lui qui en mourrait.

Orlandia faisait les cent pas dans une des salles des cartes sous le poste de pilotage.

— Et tu n'as pas pu voir son visage ? demanda-t-elle une fois de plus.

— Non, pesta Matt.

— C'était un garçon ou une fille ? interrogea Tobias.

— Un garçon certainement. Il avait une force surprenante.

— Une altération comme la tienne ? s'étonna Tobias, troublé.

— Je ne sais pas. Tout est allé tellement vite, je n'en sais rien. Je ne crois pas. C'est juste que… je ne m'attendais pas à rencontrer beaucoup d'opposition, et en fait il était bien plus fort que je ne l'avais imaginé. Je l'ai sous-estimé. C'est ma faute.

Orlandia prit un objet qui était emballé dans un linge blanc et le déposa sur la table centrale. Elle tira sur l'étoffe et dévoila une arbalète à double tir, deux arcs montés l'un au-dessus de l'autre pour tirer deux carreaux rapidement.

– On l'a retrouvée là où le tireur s'était positionné, expliqua-t-elle.

– C'est un modèle Cynik, constata Tobias. La double arba-lète, ils sont les seuls à savoir en construire.

– Ce qui ne veut pas dire qu'ils sont derrière cette attaque, modéra Matt. N'importe qui a pu s'en procurer une pendant la Grande Guerre. J'en ai déjà vu à Eden. Chen en a une dans le même genre, plus petite.

– En tout cas cette personne a eu Ambre et elle a essayé de te tuer, rappela Orlandia. C'est vous les cibles.

– Tu veux dire… comme si c'était personnel ? releva Tobias.

– Ou qu'on cherche à se débarrasser d'une menace.

– Ça survient juste après l'épisode du hangar 18, rappela Matt. Nous avons peut-être dérangé la mauvaise personne…

– Un passager clandestin qui en plus nous en veut person-nellement ? s'étonna Tobias. Ça fait beaucoup !

– Je n'arrête pas de penser à cette corde qui était tranchée quand on est arrivés dans le hangar.

– Un piège !

Matt secoua la tête.

– Non, plus j'y pense et plus je me dis que ça ne tient pas la route. Il ne pouvait pas savoir qu'on allait arriver. La corde était déjà coupée, sinon on l'aurait entendu, elles sont tellement tendues qu'elles claquent quand on les sectionne, c'est comme ça que j'ai compris que ça allait nous tomber dessus quand on s'enfuyait. Non, je crois que la corde était déjà coupée.

— La seule raison de faire ça, c'est de vouloir renverser les caisses.

— Ou d'accéder à du matériel, dit Orlandia.

Matt approuva :

— Oui, je crois bien que notre passager mystère ne cherchait pas au hasard. Il serait bien d'y retourner et de vérifier s'il ne manque pas quelque chose. Toby, tu peux t'en charger ?

— Bien sûr. Et toi, tu vas faire quoi ?

— Veiller sur Ambre. Je veux être à son chevet.

Orlandia demanda :

— Et pour l'attaque, tout le monde va en parler à bord. Il faut que nous communiquions. Que voulez-vous qu'on dise ?

— Pour l'instant on ne parle pas de traître mais d'un clandestin dangereux. Que tout le monde garde l'œil ouvert.

— Et pour Ambre, que dit-on ?

— Qu'elle a été blessée, rien d'autre. Toby, prends des gardes avec toi, évitons autant que possible de nous promener seuls tant qu'on n'en saura pas plus.

Matt avisa la main toute bleue de Tobias et se souvint qu'il lui avait sauvé la vie. Avec l'adrénaline et ce qui était arrivé à Ambre, il l'avait totalement oublié.

— Merci, Toby, dit-il en le fixant droit dans les yeux. Merci pour tout à l'heure.

Tobias haussa les épaules, comme si c'était naturel.

— Oh, c'est rien. T'aurais fait la même chose à ma place…

— Tu devrais aller faire soigner cette main avant que ça ne s'infecte.

— Y a pas d'urgence, ça fait mal mais c'est pas grave. Toi aussi t'es amoché, je sais pas si t'as vu ta tête, mais t'as quelques bleus !

Matt effleura sa tempe et sa joue du bout des doigts. Il perçut la douleur, mais il était tellement obsédé par Ambre et son agresseur qu'il ne se souciait même plus de lui-même.

On cogna à la porte et un Kloropanphylle apparut. C'était l'un de ceux qui montaient la garde devant la suite d'Ambre.

— Les guérisseurs m'envoient vous dire que c'est plus grave qu'ils ne le pensaient, annonça-t-il sombrement.

— Mais... ils vont la sauver, non ? jeta Tobias, les traits crispés par l'angoisse.

— La colonne vertébrale est touchée, ajouta le Kloropanphylle. Même si elle survit, elle ne marchera plus jamais.

Plus bas, dans le Vaisseau-Vie, un Pan se glissa sur un des balcons qui dominaient l'Océan et observa la ligne d'horizon. La lune se reflétait sur la surface lisse, allongée comme si elle avait été écrasée par une machine extraordinaire. Le vent soufflait assez fort et le Pan dut plisser les yeux.

Il venait ici au moins deux fois par jour pour s'assurer qu'il n'avait pas de message. Il fallait attendre, vérifier qu'aucun oiseau ne s'approchait. De nuit, il lui semblait que c'était plus improbable, mais avec la magie des gamins, tout était possible, alors il décida d'attendre dix minutes encore.

Il était anxieux. D'abord parce qu'il n'avait plus reçu aucun message depuis quatre jours, ce qui n'était pas bon signe, et puis à cause de l'attaque de ce soir. Tout ne s'était pas passé comme il l'avait espéré. Certes, il avait bien touché la fille, et avec un peu de chance elle allait y passer, mais il avait raté Matt. Il l'avait bien vu remonter à la surface après sa spectaculaire chute dans le bassin. Ce gosse était terriblement résistant ! La plupart des gens se seraient assommés au moment de l'impact, mais pas lui. Tout était à refaire. Et maintenant ils allaient être méfiants.

Un mouvement capta son attention sur le côté et une forme surgit brusquement dans la pénombre. Les ailes déployées, elle fondait sur lui.

Le Pan lâcha un cri avant de constater que c'était une mouette qui se posait sur le rebord du balcon.

– Satanée bestiole ! s'énerva-t-il avant de remarquer qu'elle transportait un petit rouleau de papier noué à la patte.

Le garçon s'approcha doucement et l'oiseau se laissa faire.

Le Pan déplia le message et reconnut l'écriture un peu grossière de Colin.

« *Maître,*

Comme vous le souhaitiez, nous sommes à quelques kilomètres à l'est, derrière vous. Les oiseaux me renseignent sur votre position. Nous sommes invisibles pour les Pans.

Comme vous le disait mon dernier message, depuis qu'ils se sont imposés à bord, les émissaires de Ggl n'avaient plus dit un mot... Les choses ont changé ce midi ! Ils se sont mis à parler. Je crois que d'une certaine manière, ils communiquent encore avec leur maître, de l'intérieur... Ils veulent notre assistance pour récupérer l'Énergie Source. Ils veulent la fille ! Ambre. Ils la veulent vivante. Et ils ne veulent plus attendre. Ils exigent mais ne donnent rien en échange !

J'ignore quoi faire, Maître. Leur présence à bord est angoissante. Ils sont effrayants. Ils ne bougent pas, jamais, et restent debout dans un coin. Et parfois ils redressent leur capuchon comme s'ils se réveillaient, alors il y a plein de chuchotements entre eux, des bruits étranges, et il se met à faire froid dans tout le bateau ! Nous sommes obligés de leur demander de changer de place régulièrement, sinon le bois sous leurs pieds commence à pourrir !

Ils m'ont demandé dans combien de temps nous vous aurons rattrapé, j'ai dit que ce n'était pas le but, mais ils n'étaient pas contents. Ils veulent vous rejoindre, pour récupérer la fille...

Votre présence nous manque, Maître. J'ignore combien de temps encore je pourrai les faire patienter. J'ai le sentiment qu'à tout moment ils peuvent décider de prendre le contrôle, et qu'alors nous ne pourrons rien faire pour leur résister.

J'attends vos ordres.

Colin. »

Le garçon grimaça. Les choses ne s'engageaient pas bien ! Pas bien du tout ! Il ne fallait surtout pas que les émissaires de Ggl prennent le contrôle du navire de Colin. Ils risquaient de saboter son plan !

Quelle poisse ! Et dire qu'il venait juste d'attaquer Ambre...

Le garçon prit le temps de réfléchir et se protégea du vent en lui tournant le dos pour écrire à son tour un petit mot à Colin.

Il fallait du même coup gagner du temps avec les émissaires de Ggl, et faire en sorte que tout le monde soit satisfait. Une fois en Europe, il s'arrangerait pour leur livrer ce qu'ils voulaient, en signe de bonne volonté. Peut-être pourraient-ils ensemble bâtir une alliance, afin de lui permettre de prendre le pouvoir. Si c'étaient des enfants qu'ils voulaient, il pourrait leur en donner !

112

« *Colin,*

Ton maître est tout près, n'aie crainte. Je suis moi-même parfaitement intégré parmi les enfants, sous mes deux apparences, que j'alterne pour ne pas éveiller les soupçons. J'ai pris soin de déplacer les deux caisses avec les Pans d'un hangar vers un autre, et ainsi éviter d'être démasqué. Je suis invisible.

Dis aux émissaires que je me charge de neutraliser la fille qu'ils recherchent. Elle sera à eux dès que nous gagnerons la côte européenne. D'ici là, qu'ils patientent. Le Vaisseau-Vie est trop vaste et trop peuplé pour qu'ils prennent le risque d'une attaque frontale. Avec moi, il n'y aura aucun danger.

Mais en échange, je veux leur assistance, une fois à terre, pour neutraliser les compagnons d'Ambre. Ils ne seront pas nombreux, je les isolerai des autres. Donnant-donnant. Et je veux que leur maître, Ggl, s'engage à ne pas attaquer ce qui se trouve en Europe, qu'il me laisse ce territoire. Le reste sera à lui.

Quant à toi, maintiens notre flotte à bonne distance, comme prévu. Nous serons bientôt rendus. »

Il roula le mot et l'accrocha à la patte de la mouette.

Si les émissaires jouaient le jeu, il n'aurait plus à prendre de risque jusqu'à l'arrivée. Et ils allaient accepter, il en était certain. Après tout, ils n'avaient rien à perdre. Un combat contre le Vaisseau-Vie était inutile, surtout s'ils avaient la garantie d'obtenir ce qu'ils voulaient d'ici à quelques jours.

Restait maintenant à s'assurer que Ambre Caldero n'allait pas mourir !

Et ce n'était pas le plus simple.

13.
Murs d'incertitudes

Matt tenait la main d'Ambre dans la sienne.

La jeune femme n'avait pas repris connaissance.

Cinq guérisseurs se succédaient à son chevet en usant de leur altération jusqu'à l'épuisement. Ils avaient extrait le carreau d'arbalète, appliqué leurs mains contre la plaie pour stopper l'hémorragie, puis ils avaient projeté toute leur énergie, les uns après les autres, pour essayer de réparer les tissus endommagés, mais surtout soigner la vertèbre touchée, celle qui faisait craindre que la moelle épinière ne fût sectionnée.

Le plus âgé d'entre eux, un garçon prénommé Duncan, secoua la tête.

— Je suis désolé, dit-il, mais c'est impossible.

— Est-ce que je peux vous aider ? demanda Matt. En vous donnant toute mon énergie, par exemple.

— Non, ça ne marche pas comme ça. J'ignore même si nous avons réparé tous les dégâts internes. Il est possible que ce soit le cas, qu'elle n'ait aucune séquelle, mais il se peut également que nous n'ayons pas été assez performants, et qu'une artère soit encore sectionnée, ou que le cœur soit endommagé.

— Quand le saura-t-on ?

– Au fil des heures. Si son état se dégrade ou s'améliore.

– Et pour ses jambes ?

– Je crains que ce ne soit hélas définitif. Réparer la moelle épinière est trop complexe. Nous n'y arrivons pas.

– Si je vous trouve des livres de médecine qui détaillent la procédure, vous pourriez le faire ?

– D'abord, je ne crois pas que ce soit possible, et puis de toute façon ça ne marche pas comme ça. Nous ne savons pas *exactement* ce que nous faisons, nous transmettons notre énergie à la plaie pour aider le corps à se régénérer tout seul. Ce n'est pas une intervention chirurgicale comme le faisaient nos parents.

Matt hocha la tête.

– Je comprends, dit-il, abattu.

Duncan lui posa une main sur l'épaule.

– Je suis désolé, il n'y a rien de plus que nous puissions faire. Sinon attendre de voir comment elle réagit au traitement.

– Elle n'acceptera jamais de ne plus marcher…

– Hélas, elle n'aura pas le choix.

Matt serra la main de la jeune femme, et déposa un baiser sur son front brûlant.

Duncan, malgré les énormes cernes qui plombaient son regard, proposa de rester près d'elle et les autres guérisseurs partirent se reposer, totalement épuisés. Il s'écroula dans un fauteuil à l'écart et s'endormit aussitôt.

Tobias entra dans la suite vers deux heures du matin, lui aussi l'air fatigué. Avisant que Matt ne dormait pas, allongé contre Ambre, il s'approcha et chuchota :

– On a fouillé tout le hangar 18, et en particulier la pile de caisses qui avait été libérée de son cordage avant notre arrivée. Rien. Ce n'est que du matériel pour la mission d'exploration.

– Tu es sûr ? Vous avez bien tout vérifié ?

Tobias leva un long index noir devant lui, avec l'air de celui qui s'est gardé la meilleure carte dans la manche.

– Cependant j'ai trouvé des traces. Des stries dans le plancher, la poussière avait été effacée par un colis qu'on a tiré. Quelqu'un a pris une caisse et l'a sortie du hangar.

– Tu as pu suivre la trace ?

L'air satisfait de Tobias s'effaça subitement.

– Hélas non ! Ça se dirige vers la porte, et ensuite plus rien. Le gars a fait attention.

– C'est étrange. Qu'est-ce qu'il pouvait bien y avoir dans cette caisse de si important qu'il fallait la récupérer avant la fin de la traversée ?

Tobias tendit le poing et l'ouvrit. Un insecte en partie écrasé occupait le centre de sa paume.

Un scarabée.

– Je l'ai trouvé pas loin de là où se trouvait le passager clandestin.

– Il est gros, et alors ? Des tas de bestioles sont à bord, Toby !

– T'es bête ou quoi ? C'est pas n'importe quel insecte ! C'est un Scararmée ! Regarde ! Son abdomen est plus gros et translucide, s'il était vivant il pulserait sa lumière magique !

Matt rapprocha son nez du petit cadavre de chitine.

– Bien vu, Toby.

– Et si notre clandestin était venu récupérer ça ? Des Scararmées ?

– Un clandestin qui aurait une altération ?

– Et qui voudrait la rendre encore plus puissante.

– C'est pas bon ça. C'est pas bon…, marmonna Matt, à la fois furieux et inquiet.

Tobias désigna Ambre du menton :

– Comment va-t-elle ?

– La blessure cicatrise, du moins en apparence. Maintenant il faut savoir si à l'intérieur les dégâts sont réparés aussi.

– Et... elle remarchera ?

Matt secoua la tête avec accablement. Les yeux pleins de larmes.

Tobias proposa de rester avec lui pour le reste de la nuit, mais Matt le renvoya vers leur cabine pour qu'il se repose. Orlandia avait disposé un garde devant la porte, il savait que son ami serait en sécurité là-bas aussi.

Matt somnola durant une heure, et fut sorti de son sommeil par trois petits coups secs contre la porte.

Un des soldats Kloropanphylles s'excusa et dit :

– C'est une fille, elle dit qu'elle est guérisseuse. Une très bonne soigneuse. Elle a insisté pour vous parler.

– Qu'elle entre.

Une grande adolescente d'environ seize ans salua Matt. Une jolie métisse aux cheveux capturés sur la nuque par un large ruban et ramassés dans un chignon de tresses.

– Je m'appelle Dorine. C'est ma colocataire qui m'a réveillée en revenant de son service de nuit, et elle m'a raconté que vous avez été attaqués et que Ambre est blessée. J'ai vu Benny et Logan dans les couloirs, ils allaient se coucher, je sais que ce sont des guérisseurs, et vu leur tête, j'ai compris que ça va plus mal qu'on ne le dit. Pas vrai ?

– Si tu es guérisseuse, pourquoi n'as-tu pas été appelée tout à l'heure ?

– J'ai été sélectionnée parce que je parle plusieurs langues, que je suis très sportive, que j'ai pratiqué les sports de combat pendant des années, pas pour mon altération. Je crois même qu'elle n'est pas répertoriée.

Matt se souvenait vaguement d'elle à cause de son physique un peu hors normes, mais pas de ses compétences. À une certaine période, il avait vu défiler tellement de candidats qu'il avait saturé, et fait du remplissage, il fallait bien l'avouer.

— Et tu te dis douée en soins ?

— Je le crois, oui. C'est pour ça que je suis venue. Ma mère était vétérinaire, j'ai passé mon enfance à soigner les animaux, et j'ai continué après la Tempête, du coup mon altération s'est développée en ce sens.

Matt s'écarta pour montrer Ambre qui dormait.

— A priori ses blessures sont pansées. C'est la moelle épinière qui est touchée.

Dorine vint à son chevet.

— Je peux ? demanda-t-elle en désignant la jeune femme inconsciente.

Matt acquiesça, et Dorine prit le poignet d'Ambre, tâta son pouls. Puis elle souleva le drap afin d'inspecter le cercle de sang séché qui dessinait un œil au centre du dos.

— Ça a l'air propre, dit-elle. Ils ont fait du bon boulot.

— Tu peux faire mieux ?

— Je ne peux pas refaire ce qui a été fait, même en mieux. En revanche, je peux user de mon altération pour lui redonner des forces, son cœur est faible.

— Et pour sa vertèbre, tu peux agir ?

— Je vais essayer d'agir sur l'os, pour le réparer. Mais la moelle épinière, c'est autre chose. Personne n'est jamais parvenu à en réparer une.

Matt la regarda agir, et ses gestes sûrs mais attentionnés le rassurèrent. Peu à peu, gagné par la confiance, il finit par la laisser faire.

Après avoir disposé un linge humide sur le front d'Ambre, Dorine s'assit à côté d'elle et passa une main sous son dos.

– J'ai une méthode douce, dit-elle, qui peut prendre des heures, tu devrais aller te reposer.

Matt ne tenait plus debout. Pourtant il voulait rester près de son amie.

– Je vais me mettre dans le fauteuil là-bas. Si je m'endors et que tu as besoin de quoi que ce soit, réveille-moi.

Dorine lui adressa un sourire bienveillant, comme sa mère lorsqu'il disait quelque chose de touchant. Puis elle se concentra sur sa patiente.

Matt ouvrit les paupières d'un coup.

Comme si tout son corps avait deviné le danger. Comme si sa chair avait *flairé* la présence menaçante.

La suite était nimbée d'une lumière pâle, une lumière vive mais très blanche. Matt songea à un petit matin, au soleil masqué par un nuage de brouillard.

Il se leva et vit que Dorine était allongée à côté d'Ambre. Les yeux de la guérisseuse s'ouvrirent et elle leva la main pour saluer Matt, mais sans prononcer un mot. L'adolescent vit alors qu'elle appliquait toujours sa paume contre la blessure d'Ambre.

Il se tourna vers la baie vitrée. Duncan n'était plus là, il était reparti dans la nuit, rassuré par la présence de Dorine.

Dehors l'horizon avait disparu.

Englouti par un mur de brume.

Une brume grise, épaisse.

À l'intérieur de laquelle se devinaient des dizaines d'éclairs bleus.

Matt fit un pas en arrière, le corps hérissé par la chair de poule.

Entropia était juste là, devant eux.

14.

Le septième continent

Matt et Tobias entrèrent dans le poste de pilotage, au sommet de la proue du Vaisseau-Vie : une salle arrondie, sur deux niveaux, avec des longues-vues partout, des cartes sur les tables et divers instruments de navigation anciens, comme des sextants et des boussoles.

Orlandia et Torshan attendaient là, ainsi qu'Archibald et Clara.

L'immense baie qui occupait la moitié avant de la salle surplombait l'Océan, donnant l'illusion de voler à cent mètres au-dessus de la surface.

Face au navire, le mur de brume barrait la ligne d'horizon plein est.

— Nous sommes à l'arrêt ? demanda Matt.

— Oui, confirma la capitaine. Dans l'attente de prendre une décision.

Clara salua Matt.

— Vous êtes nos conseillers pour ce qui concerne Entropia, dit-elle.

— Depuis quand est-elle là, face à nous ?

Orlandia prit la parole :

— Les guetteurs installés dans le radeau volant inventé par Tobias ont deviné quelque chose en fin de nuit, mais ça ne s'est confirmé qu'au petit matin, quand nous avons pu distinguer ce que c'était.

— On estime qu'elle est à moins de cinq kilomètres, ajouta Torshan.

— La question est de savoir si nous entrons dedans ou pas, conclut Archibald.

— C'est bien Entropia, dit Matt. La brume avec des éclairs bleus à l'intérieur, ça ne fait aucun doute.

— Et on peut en faire le tour ? demanda Tobias.

— Elle barre tout l'horizon, nous n'en voyons pas la fin, répondit Orlandia. Si nous choisissons de piquer plein sud, il faudra d'abord espérer que cette brume finisse quelque part pour la contourner, et aussi qu'elle se déplace plus lentement que nous, sinon ça ne servira à rien.

— Ça peut prendre des semaines, voire des mois, grinça Matt. Sans garantie de succès.

Torshan pointa un doigt vers l'écran gris-blanc.

— Si vous voulez atteindre l'Europe, j'ai bien peur que notre chemin passe à travers cette purée de pois.

Orlandia fixa Archibald et Clara.

— À vous de prendre la décision.

Les deux ambassadeurs s'observèrent et Clara demanda à Matt et Tobias :

— Que risque-t-on de rencontrer là-dedans ?

— Tout, répliqua Matt. Peut-être une faune monstrueuse, peut-être des Tourmenteurs… En fait je n'en ai aucune idée, ça dépend du pouvoir d'Entropia en pleine mer.

— En pleine mer justement ! Qu'est-ce que Entropia fait là ?

— Je ne sais pas. C'est Ambre qui devine le mieux ce genre de chose.

— A-t-elle repris connaissance ?

— Hélas non, toujours pas.

Orlandia reprit son rôle de capitaine :

— Il faut se décider, nous ne pouvons pas rester là indéfiniment.

— Avons-nous le choix ? résuma Archibald.

— Je ne crois pas, dit Matt.

— Alors vous avez ma réponse. Clara ?

L'ambassadrice hésita, puis approuva, sans conviction.

— Mais préparez toutes les défenses du navire, précisat-elle. Nous allons demander à tous les Pans de se tenir parés. Que les archers soient en alerte, ainsi que ceux qui ont des altérations destructrices.

— Je vous conseille aussi de fermer toutes les écoutilles, préconisa Matt, ainsi que les balcons et les fenêtres, et aussi de faire descendre les garçons du radeau volant. Il est préférable de sécuriser au maximum tout le bateau.

Tobias hocha vivement la tête.

— Parce que nous allons traverser l'enfer, dit-il.

Il savait de quoi il parlait.

Le Vaisseau-Vie reprit sa route, toutes voiles dehors, et ne tarda pas à s'enfoncer dans le mur de brume.

À bord, tout le monde s'était préparé au pire. Tellement de légendes circulaient à propos d'Entropia qu'ils s'attendaient à ce que des squelettes surgissent de la brume, ainsi que des monstres sanguinaires. Mais l'immense bateau pénétra dans la ouate grise sans un ralentissement, sans un cri, sans le moindre signe de danger.

Seuls les flashes des éclairs, au loin, embrasaient les volutes d'humidité en suspension. Ils illuminaient l'atmosphère sans un son, comme les stroboscopes dans une discothèque dont la musique serait tombée en panne.

Pendant toute la journée, le Vaisseau-Vie poursuivit son chemin sans autre problème que l'angoisse de ses passagers.

Matt revenait régulièrement au chevet d'Ambre pour constater que Dorine ne la quittait pas, la main toujours plaquée contre son dos. La guérisseuse avait les traits tirés, mais elle rassurait Matt en lui disant qu'Ambre reconstituait ses forces. Pour autant, elle n'avait pas encore repris connaissance.

En fin de journée, le navire sembla ralentir, comme si l'eau qu'il traversait n'avait plus la même densité.

Matt retrouva Orlandia sur le pont supérieur tandis qu'elle se précipitait vers le poste de manœuvre.

— Que se passe-t-il ? demanda-t-il.

— Je l'ignore. On dirait que nous rencontrons un courant contraire.

Ils entrèrent dans la grande salle, et Orlandia écouta les rapports des différents observateurs en collant son oreille contre les trompettes en nacre.

— Nous avons un problème, annonça-t-elle en revenant vers Matt. Viens.

Elle l'entraîna au pas de course vers les niveaux inférieurs avant de parvenir dans un réfectoire ouvert sur les flots par plusieurs baies, à moins de deux mètres au-dessus de la surface.

Un Kloropanphylle les attendait juste devant les ouvertures. Il pointa son doigt sur l'extérieur et recula, mal à l'aise avec ce qu'il voyait.

Matt se pencha.

Il vit surtout la brume, partout

Puis l'Océan sous leurs pieds

Et l'Océan brillait étrangement, couvert de reflets argentés qui ondulaient au gré de la houle.

– Des poissons morts, comprit-il. Des milliers de poissons morts...

L'Océan en était tapissé. Partout. Des poissons de toutes tailles, de toutes espèces. Tout ce qui vivait autrefois dans ces eaux était à présent en train de flotter, le ventre à l'air, l'œil vide.

– C'est l'œuvre d'Entropia, murmura Matt. Elle tue tout ce qui vit, elle détruit tout ce qui ne lui sert à rien. Et elle assimile le reste.

– Cette chose n'a aucun respect pour la vie, pesta Orlandia.

– Non, elle est faite de ce qui n'était pas vivant, de matières synthétiques, de déchets, de pollution, d'intelligence artificielle.

Le garçon Kloropanphylle soupira.

– Pourvu qu'on sorte vite de là, dit-il avec dégoût.

Lorsque la nuit tomba sur le Vaisseau-Vie, l'angoisse redoubla d'intensité à bord. Chacun craignait que des créatures n'en profitent pour venir les attaquer, et les gardes redoublèrent de vigilance, tout comme les vigies, emmitouflées dans leurs capes, sur les balcons en hauteur.

Pourtant la nuit fut calme, tout autant que l'Océan.

Mais le lendemain midi, Torshan vint chercher Tobias. Matt, lui, refusait de quitter le chevet d'Ambre, sauf en cas d'urgence, car d'après Dorine elle avait repris connaissance à plusieurs reprises pendant son absence, avant de retomber dans une profonde léthargie.

Tobias suivit le Kloropanphylle qui claudiquait à cause de sa blessure à la jambe.

– Qu'est-ce qui se passe ? demanda le Pan.

– Le guetteur sous-marin a vu des « fantômes de pois-sons » tout autour du Vaisseau-Vie. Il dit qu'il y en a partout et qu'ils nous encerclent !

– Des fantômes de poissons ? J'espère que c'est le guetteur qui a pété les plombs parce que si c'est vrai on est mal.

Les deux garçons se glissèrent dans le tuyau et descendirent les barreaux à toute vitesse pour entrer dans la nacelle d'observation sous-marine, plongée à une vingtaine de mètres de profondeur. Là, le guetteur, un Kloropanphylle pas rassuré, referma une partie des clapets de la lampe à substance molle pour que la pénombre leur permette de voir au-delà des énormes vitres.

Les formes spectrales apparurent les unes après les autres dans la mer obscure.

Des silhouettes de toutes les formes, blanchâtres, qui flot-taient autour d'eux.

Le Kloropanphylle avait dit la vérité. Ils étaient encerclés par des fantômes de poissons.

– Tu as mis les lanternes à l'eau pour avoir plus de lumière ? s'enquit Torshan.

– Non. J'ai eu peur de les attirer.

Torshan actionna un levier et des écoutilles s'ouvrirent sur les côtés de la nacelle. De la substance molle apparut et entra en vibration avec l'eau, projetant sa lumière argentée.

Les fantômes s'agitaient dans le courant et les remous pro-voqués par la coque du navire.

Ils devinrent encore plus étranges. Leurs corps étaient déchirés, comme des lambeaux de vêtements troués.

– Ce ne sont pas des fantômes, devina Tobias.

– Non, ce sont... des sacs en plastique. Des centaines. En morceaux...

– Des milliers même.

Ils traversaient un interminable banc de sacs en plastique qui glissaient dans l'eau telles des méduses albinos.

Soudain tout le navire trembla et un choc violent le ralentit, projetant les occupants de la nacelle contre le verre.

Tobias se releva, en alerte.

– On a percuté quelque chose ! On va couler !

– Non, dit Torshan. C'était plus progressif qu'un choc direct. Comme si nous nous étions enfoncés dans du sable.

Pourtant, de là où ils étaient, aucune terre n'était en vue, rien que les abysses pollués et leurs ténèbres hantées.

Ils remontèrent aussi vite que possible et regagnèrent le poste de pilotage à la proue. Ils y entrèrent en sueur, hors d'haleine.

– Qu'est-ce qui s'est passé ? demanda Torshan.

Orlandia surgit au milieu de ses officiers de bord.

– Nous avons heurté une terre.

– Une terre ? Mais il n'y a rien en dessous ! Nous étions dans la nacelle d'observation.

– Alors c'est une terre flottante. Et nous nous sommes encastrés dedans. Le navire ne bouge plus.

– Nous avons atteint l'Europe ? s'étonna Tobias. Déjà ?

– Non, pas encore. C'est autre chose, qui ne devrait pas être là, nous sommes encore en plein océan Atlantique.

– Quoi donc ? questionna Torshan. Pour que ça nous stoppe en plein élan ça doit être énorme, sinon nous l'aurions traversé !

– Regarde.

Orlandia poussa vers lui une longue-vue et Tobias en attrapa une autre, afin de scruter la surface de l'eau à travers les filets de brume.

Là où aurait dû clapoter la houle, il distingua des formes géométriques grises, blanches et noires.

Il reconnut des bidons d'essence, par centaines, des bouteilles agglutinées les unes aux autres, des cartons, des récipients, le tout à moitié fondu, couvert de débris et de sacs en plastique. Et si la brume lui masquait la vue à courte distance, il devinait des collines d'ombres à travers le brouillard. C'était une terre entière qui les retenait. Une terre de détritus.

– Je crois que, cette fois, il faut aller chercher Matt, dit Tobias. Là, c'est une urgence.

Entropia était en train de conquérir les océans.

Non seulement elle y détruisait toute forme de vie, mais elle recouvrait peu à peu la surface de ses immondices.

À cet instant, Tobias ne pensait plus qu'à une chose.

Il espérait de tout son cœur que l'humanité ancienne n'ait pas produit de son vivant assez de matériaux nocifs ou polluants pour recouvrir toute la surface de l'Océan.

Sinon l'humanité nouvelle ne tarderait pas à en payer le prix fort.

Et définitif.

15.

Flaques de mort

Tobias n'était pas rassuré.

— Tu es sûr que c'est une bonne idée ? insista-t-il. Moi je le sens pas.

Matt termina de sangler le baudrier de son épée sur son dos, afin que la poignée soit à bonne hauteur, entre ses omoplates.

— Si tu en as une meilleure, je prends ! Je n'ai pas plus envie que toi d'y aller, mais le bateau est immobilisé.

— Et descendre explorer cette terre de pollution va nous permettre de dégager le Vaisseau-Vie ?

— Je n'en sais rien. Mais il faut comprendre ce que nous avons en face de nous. De toute manière nous sommes coincés, on ne peut pas attendre de miracle.

— Moi je dis qu'on est plus en sécurité à bord.

— Pour combien de temps ? Et si nous restions prisonniers à jamais ? Tu n'es pas obligé de venir si tu n'en as pas envie.

Tobias fit une grimace de garçon blasé, comme si, de toute façon, il n'avait pas le choix. Il souleva le sac en toile à ses pieds et en sortit son arc et un carquois de flèches.

Puis ils rejoignirent Floyd, Chen et Tania ainsi que trois

Kloropanphylles volontaires pour descendre : Rordan, Ti'an et Tikanush, deux garçons et une fille aux corps sculptés par le sport. Les trois guerriers aux cheveux verts, revêtus d'une armure blanche en chitine de fourmi, étaient armés de bâtons taillés en pointe et d'un arc dans le dos.

On fit ouvrir une écoutille à quelques mètres de la surface et ils descendirent par une échelle de corde.

En tête, Matt posa le pied sur la matière synthétique de ce sol bizarre. Il s'était attendu à ce que l'amas de plastique s'enfonce sous son poids, mais il n'en fut rien. Lorsque les huit explorateurs furent débarqués, l'échelle remonta et Matt désigna ce qui devait être le centre de l'activité de cette étrange île : les éclairs bleus qui coloraient le ciel de brume.

– Suivons cette direction, si nous pouvons découvrir quelque chose, ce sera là-bas.

– On n'entend pas le tonnerre qui devrait accompagner les éclairs, commenta Chen, ça voudrait pas dire qu'ils sont en fait très très loin d'ici ?

– Peut-être. Mais s'il existe une chance pour nous de comprendre ce qu'est cette chose et comment en sortir, elle se trouve sûrement là-bas. Tania, tu as la boussole pour que nous puissions revenir ?

– Oui, je vous guiderai au retour.

Ils avancèrent d'abord d'un pas assez lent – ils craignaient de se tordre une cheville – le sol était irrégulier, des fragments de bidons, de bouteilles, de cartons et de millions d'objets en plastique entremêlés, fondus ensemble, constituaient un parterre chaotique et dangereux. Il fallait enjamber, s'accrocher, éviter les trous, les objets pointus, les blocs, les surfaces molles qui ressemblaient à des mares d'hydrocarbures... Puis le petit groupe finit par s'habituer et trouva son rythme, progressant en file indienne.

Chacun partageait son attention entre le sol et l'environnement, se méfiant du peu de visibilité dont ils disposaient. À tout moment, ils s'attendaient à voir surgir une silhouette menaçante et à devoir se battre.

Pourtant cette étendue ne semblait abriter aucune forme de vie. Aucun mouvement, aucun bruit. Et c'était ça le plus troublant : l'absence de son. Pas même celui de la mer. Rien sinon leurs pas, le frottement de leurs semelles lorsqu'ils dérapaient, et le rythme de leurs souffles.

Peu à peu, néanmoins, sans qu'ils s'en rendent compte, la matière de ce continent synthétique s'éveillait sur leur passage. Des fissures se prolongeaient brusquement. Des morceaux de plastique se mettaient à s'enfoncer dans leur dos, et finissaient aspirés, pour ne laisser qu'un trou à la place. Les flaques noires se mettaient à onduler, comme si un mouvement agitait leurs profondeurs.

À mesure que les adolescents avançaient, l'île s'éveillait.

Ils avaient parcouru près de deux kilomètres lorsque Floyd les stoppa. Il mit la main sur la poignée de son épée.

– Ça bouge ! prévint-il. Je viens de voir quelque chose s'enfoncer dans le sol !

Tous dégainèrent leurs armes et se rapprochèrent les uns des autres pour former une colonne unie.

Brusquement, le paysage tout entier se mit à bouger, des dizaines d'objets furent happés d'un coup pour laisser place à un puits sans fond, des fissures apparurent et la terre trembla.

Un jerrican aux pieds de Matt se mit à fondre sous l'effet d'une brusque chaleur invisible, et une petite radio jaillit de ses entrailles, comme si le sol de plastique la régurgitait. Sans qu'elle s'allume, un son résonna depuis le haut-parleur, un crachouillis inaudible aussitôt suivi d'une voix lointaine :

— *Inertiens, laissez-vous assimiler. Pour vous répandre dans le Réseau.*

Tous les trous qui venaient de se former autour des adolescents se remplirent alors d'un liquide noir et visqueux.

La voix, sans aucun ton, aucune émotion, ajouta :

— *Plongez. Rejoignez le Réseau.*

Matt fit un pas en arrière et buta contre Tobias.

— Hors de question que je saute là-dedans, fit ce dernier.

— On va se noyer si on va dans ce truc ! grommela Chen d'un air dégoûté.

— On dirait du pétrole, ajouta Tania.

— Personne ne saute, ordonna Matt.

— *C'est votre programme. Vous devez rejoindre le Réseau.*

— Nous voulons parler à Ggl, dit Matt en haussant la voix.

L'île sembla se figer. Plus rien ne bougea dans ses profondeurs.

Puis la voix répondit, toujours aussi lointaine, crachée par le petit poste de radio :

— *Vous n'êtes pas habilités à entrer dans le Réseau Source.*

Aussitôt des bruits de succion brisèrent le silence et des pseudopodes de plastique aggloméré surgirent des flaques noires pour s'agiter dans l'air.

— Oh, non, gémit Tobias. Pas bon signe ça.

— On se tire d'ici ! s'écria Matt. Au bateau ! Vite !

Une demi-douzaine de tentacules se mirent à tournoyer au-dessus de leurs têtes et un premier s'abattit si rapidement qu'aucun adolescent ne put réagir. Le bout du pseudopode s'abattit sur la tête de Rordan et l'avala d'un coup, tandis qu'un liquide visqueux et noir dégoulinait sur les épaules du Kloropanphylle. L'appendice se souleva et emporta avec lui le pauvre garçon qui s'agitait dans la brume sans même pouvoir crier.

Ti'an leva le bras vers son compagnon et un éclair blanc fusa depuis le bout de sa main pour transpercer le pseudopode qui fut sectionné en deux. Le corps de Rordan tomba de plusieurs mètres au milieu des débris de sacs en plastique. Mais avant même que les deux Kloropanphylles ne puissent accourir pour le dégager, un autre pseudopode l'attrapa par la tête et se rétracta pour disparaître dans une flaque d'hydrocarbures avec sa proie humaine.

La surface du liquide émit quelques bulles, s'agita, puis ce fut le silence.

Les adolescents étaient sous le choc.

Mais ils reprirent leurs esprits lorsque deux autres pseudopodes foncèrent sur eux.

Le premier fut traversé de trois flèches tirées à toute vitesse par Tobias, puis par une quatrième venue de Tania, tandis que Ti'an et Tikanush délivraient leurs éclairs blancs sur le second, aussitôt mis en pièces.

En revanche les flèches n'affectèrent en rien la créature qui ne ralentit même pas et s'abattit sur Floyd pour le saisir de son extrémité noire et collante. Le Pan décolla du sol, attrapé par le dos, comme une mouche sur un ruban de Scotch. Matt trancha l'extrémité du tentacule d'un ample coup d'épée rageur.

L'effet collant disparut immédiatement et Floyd fut libéré.

– Courez ! aboya Matt. Courez jusqu'au bateau !

Les sept adolescents filèrent à toute vitesse, sautant pardessus les obstacles, trébuchant, roulant parmi les détritus de plastique et se relevant dans la foulée. Stimulés par la peur, ils fusaient alors que les sombres tentacules fouettaient l'air juste au-dessus de leurs têtes.

Tobias continuait de décocher ses tirs en courant, il allait beaucoup plus vite que ses camarades et du coup se permettait de s'arrêter pour tirer en visant la tache noire au bout des pseudopodes, sans que cela semble les affecter.

Soudain Tania fut saisie par les cheveux et s'envola en hurlant.

Chen fit un bond impressionnant pour se jeter sur le pseudopode, et usant de son altération, Gluant grimpa à toute vitesse sur le tentacule et parvint à son extrémité avant que celle-ci ne disparaisse dans une flaque de pétrole. Il plongea sa dague effilée de toutes ses forces dans la tête de plastique et la découpa net avant que Tania ne se décolle et chute de plusieurs mètres. Elle heurta le sol dans le fracas du plastique. Chen bascula en arrière et, d'un mouvement parfaitement maîtrisé, tourna sur lui-même pendant qu'il tombait pour atterrir sur ses pieds.

Floyd aida Tania qui se relevait avec peine, et Tikanush trancha en deux à l'aide de ses éclairs blancs un tentacule qui se précipitait vers eux.

Les adolescents dévalaient la pente de détritus, et en cet instant il leur sembla improbable qu'ils puissent survivre. Des pseudopodes surgissaient au fur et à mesure qu'ils avançaient, toujours plus nombreux, et le Vaisseau-Vie leur paraissait toujours plus loin.

La seule arme efficace était celle des deux Kloropanphylles qui du coup contraient la plupart des attaques. Ils parvenaient à repousser avec leurs éclairs les longues colonnes de plastique qui les assaillaient, tout en sprintant, mais il devenait évident que leurs forces s'épuisaient.

Matt arrivait par moments à trancher une créature avec son épée lorsqu'elle s'approchait trop près, mais les autres ne pouvaient que courir, le plus vite possible, en s'efforçant de ne pas trébucher.

Les Pans et les Kloropanphylles n'avaient plus de souffle, les poumons en feu, ils haletaient, la sueur dégoulinant dans leurs yeux, les aveuglant d'une brûlure salée. Ils perdaient de leur lucidité, s'écorchaient les mains en se retenant in extremis, se cognant contre les blocs, à bout, hors d'haleine, incapables de résister plus longtemps.

Plusieurs pseudopodes fendirent alors la brume devant eux, formant un tapis de vers grouillant au sol.

Tikanush et Ti'an dépassèrent leurs compagnons et crachèrent leurs éclairs blancs pour ouvrir la voie. Ils y mirent leurs dernières forces, et sectionnèrent la plupart des vers qui leur barraient la route.

Mais l'un d'entre eux surgit dans le dos de Tikanush et l'attrapa avant de se rétracter aussitôt. Ti'an n'eut pas le temps de réagir, il vit son amie s'élever en criant, aspirée dans une flaque de pétrole où elle disparut aussitôt.

– Tikanush ! hurla-t-il. Tikanush ! Non !

Il voulut s'élancer vers la flaque mais Floyd le retint.

– Ne fais pas ça ! C'est trop tard ! Tu n'y gagneras que ta propre mort.

Ti'an était épuisé, il titubait. Floyd n'eut aucune peine à l'entraîner avec lui.

Dans leur dos, d'autres pseudopodes rampaient vers eux, comme une meute affamée.

Ils n'allaient pas survivre, songea Floyd. C'était impossible.

Cinq autres monstres se dressèrent devant lui.

Puis d'autres encore, sur les côtés.

Matt en repoussa deux avec son épée, Tania et Tobias tiraient autant de flèches qu'ils le pouvaient, sans grand effet.

Ti'an était vidé, il ne parvenait plus à déclencher le moindre tir.

Chen se rapprocha de Floyd.

– J'ai été heureux de faire ta connaissance, dit-il, résigné.

– Moi aussi, Gluant. Moi aussi.

Ils étaient encerclés.

Cette fois, c'était la fin.

Matt s'acharnait avec l'énergie de celui qui refuse l'évidence. Qui veut y croire jusqu'au bout. Il frappait, encore et encore, décapitait tous les pseudopodes à sa portée. Mais pour un abattu, deux nouveaux accouraient.

Alors un étrange son s'éleva. Semblable à un cor de chasse avant l'hallali.

Et soudain des dizaines d'éclairs argentés fendirent la brume.

Une petite armée de silhouettes blanches, en armure de chitine, arrivait au galop sur les chiens géants.

À leur tête : Orlandia sur le dos de Plume.

16.
Tout donner

L'assaut fut bref.

Des dizaines d'éclairs crépitèrent dans l'atmosphère, laissant une odeur d'ozone dans leur sillage, et les pseudopodes tombèrent les uns après les autres, permettant à Matt et ses compagnons de rejoindre la protection de la cavalerie canine.

Orlandia tendit la main à Matt qui sauta sur le dos de Plume.

Un tentacule surgit brusquement d'une flaque toute proche, Plume fit un bond pour l'éviter et d'un coup de mâchoire féroce déchiqueta ce monstre de plastique sur plus d'un mètre.

Lorsque tous les explorateurs furent en selle derrière un Kloropanphylle, la cavalerie s'élança pour regagner le bateau.

Le Vaisseau-Vie apparut à travers la brume un instant plus tard.

Mais le sol se mit à gronder.

Quelque chose se déchirait dans les profondeurs du continent de synthèse. Des crevasses s'ouvrirent et s'élargirent de part et d'autre de la cavalerie qui accéléra encore.

Une énorme créature souterraine se rapprochait. Matt pouvait la deviner sous la patte de sa chienne. Une forme colossale qui remontait à la surface. Rapidement.

Les rochers de plastique se désolidarisaient de leur sol et se mettaient à rouler au gré des tremblements, des geysers de liquide poisseux et noir explosèrent un peu partout.

L'ouverture avant du Vaisseau-Vie était béante, sur la proue, et la passerelle descendait jusqu'à la terre. Un groupe d'archers Pans se tenait en haut, près à décocher leurs flèches.

Les premiers chiens parvinrent au pied de la passerelle lorsqu'un immense ver fendit la croûte plastique pour grimper vers le ciel.

Il semblait aussi long qu'un train et plus large qu'un bus.

Sa gueule s'ouvrit en plusieurs triangles, comme les pétales d'une fleur mortelle, et il se contorsionnait au-dessus des Kloropanphylles qui évacuaient les explorateurs.

Il allait retomber, gueule béante, et aspirer tout ce qui serait sur sa trajectoire.

Les Kloropanphylles déclenchèrent en même temps leur tir, et un flash aveuglant illumina la brume tandis que de nombreux éclairs frappaient leur cible.

Le ver géant se cabra et s'agita tout entier avant de retomber brusquement dans son orifice. Il venait de prendre une décharge incroyable.

Les chiens remontaient la passerelle au galop, Matt et Orlandia supervisaient la retraite, parmi les derniers, lorsqu'ils perçurent de nouveaux tremblements dans le sol.

– Si cette monstruosité revient, s'écria Orlandia, il va vite falloir trouver un moyen de la détruire, nous ne pourrons pas user de nos pouvoirs très longtemps. Cela nous épuise !

Les derniers chiens traversèrent la brume et montèrent sur la passerelle.

Le continent de synthèse s'ouvrit à nouveau, et un ver semblable au précédent s'éleva vers le ciel comme une tour s'érigeant d'un seul coup par magie.

Juste derrière lui, un autre apparut.

Puis un troisième sur le côté. Et le sol tremblait encore.

– C'est plus le moment de traîner ! s'écria Matt.

Orlandia tira sur le poil de Plume pour l'inviter à se mettre en action, la chienne semblait tout aussi médusée par ce qu'elle voyait. Puis elle poussa sur ses puissantes pattes et ils remontèrent la passerelle en un rien de temps. Les portes coulissaient déjà dans leur dos tandis que les derniers chiens les rejoignaient.

Torshan se précipita vers Orlandia, malgré sa claudication :

– Les archers sont déployés sur le pont supérieur et aux différents postes de défense. Les arbalètes sont armées.

– Flèches et carreaux ne sont d'aucune utilité contre ces bestioles, répliqua Matt. Il faut un maximum de vos lanceurs d'éclairs, et tous les Pans dont l'altération est guerrière. Les cracheurs de flammes ou de glace, les contrôleurs de vent ou d'eau, bref, tous ceux qui peuvent en venir à bout !

Tout le Vaisseau-Vie fut alors frappé d'une violente secousse et la noix craqua autour d'eux.

– Les vers ! cria un garde. Ils nous attaquent !

Orlandia pivota vers Torshan :

– Tous nos tireurs en position, aussi fatigués soient-ils ! Feu à volonté !

Dans le hall les cavaliers sautaient de leurs chiens géants pour se précipiter vers les plates-formes des niveaux supérieurs. Matt et Orlandia, accompagnés par ce qu'il restait des explorateurs, se précipitèrent à leur tour sur un des balcons qui dominaient le continent de synthèse.

Dehors, dix énormes vers frappaient la coque du Vaisseau-Vie comme d'improbables gourdins. À chaque choc, tout le navire tanguait et craquait. Des canalisations se brisaient, inondant les planchers, des escaliers s'effondraient, coupant les passages entre certains niveaux, et tout ce qui n'était pas bien arrimé à bord s'envolait pour s'écraser contre les murs.

Matt vit un ver frapper de face, perforer l'avant du bateau et s'y enfoncer d'une vingtaine de mètres avant d'en ressortir.

Les éclairs s'abattaient sur les créatures, mais il en fallait une telle quantité pour repousser un seul ver, que pendant ce temps les autres pouvaient frapper. Des gerbes de feu et de glace perforaient l'épaisse croûte qui servait de peau aux vers, les Pans participaient à la défense avec leurs altérations.

Mais après plusieurs minutes de combat, Matt comprit que les forces des adolescents déclinaient rapidement et qu'en face, les vers étaient encore plus nombreux. Quatre d'entre eux étaient parvenus à frapper la coque et à la perforer. Chaque fois les dégâts étaient considérables. Par chance, ils n'avaient encore frappé qu'au-dessus du niveau de l'eau, toutefois il suffisait d'une avarie sous la ligne de flottaison pour que le Vaisseau-Vie ne soit en péril.

– Nous ne tiendrons plus longtemps, lança rageusement Orlandia.

– Il faut sortir les voiles de pétales, toutes, insista Matt. Il faut se dégager de là.

– Nous avons déjà essayé, le bateau est enfoncé dans cette matière sur une trop longue distance. Nous sommes coincés !

– Si nous n'en sortons pas, nous serons bientôt tous morts !

– Je sais, Matt, je sais. Mais il nous faut une autre idée.

L'adolescent serra les mâchoires. Il n'en avait pas. Il ne voyait pas comment se sortir de ce traquenard. Ils n'étaient pas assez nombreux pour repousser les vers plus longtemps. Mais il refusait de baisser les bras et de s'avouer vaincu.

Il voyait les vers heurter le navire avec de plus en plus de violence, et sentait la noix se fendre sous ses pieds.

À chaque impact, plusieurs adolescents passaient par-dessus bord depuis les terrasses, balcons, passerelles, d'où ils tiraient avec leurs altérations. On les voyait chuter en criant, disparaître dans l'eau sombre, et aucun ne remontait à la surface.

Le plafond et les murs se zébrèrent de petites veines creuses…

— Oh non, fit Chen, tout est en train de se briser.

— Je vais aller auprès d'Ambre, annonça Matt, si nous coulons il faudra qu'on la sorte de là.

— Je t'accompagne, lança Tobias.

Deux nouveaux coups puissants contre le Vaisseau-Vie le firent tanguer et les deux garçons réussirent in extremis à ne pas passer par-dessus bord.

— Ces vers nous mettent en pièces, enragea Floyd.

Orlandia acquiesça en silence, réduite à l'impuissance. Des larmes coulaient sur ses joues tandis qu'elle voyait son magnifique navire se faire détruire peu à peu sans pouvoir repousser les attaques.

Au loin, les éclairs bleus d'Entropia étaient plus nombreux et semblaient se rapprocher, alertés par cette activité.

Puis l'air devint brusquement électrique.

Tous le perçurent et s'arrêtèrent un court instant.

L'air devint plus froid, puis plus chaud.

Et de grandes vagues se formèrent, et vinrent se briser contre les côtes synthétiques.

De plus en plus hautes.

Les vers ralentirent, comme intrigués.

Alors l'Océan se souleva d'un coup, un mur d'eau jaillit, surplombé d'une écume tourbillonnante, et il monta encore et encore, l'eau parut aspirée vers le sommet, et le mur se dressa de part et d'autre du Vaisseau-Vie, comme pour le protéger.

Et il s'abattit brutalement sur la terre de synthèse. Non comme l'eau aurait glissé du sommet d'un immeuble, mais avec une force semblable à la main d'une mère qui veut protéger son enfant.

L'Océan donna une gifle impressionnante à Entropia.

Et les vers furent aussitôt balayés, arrachés à leurs terriers.

Tous à bord fixaient la scène de leurs yeux écarquillés, sans comprendre ce qu'ils voyaient.

Seuls ceux qui se trouvaient à l'avant, sur le pont supérieur, virent deux Pans qui portaient un large fauteuil.

Ambre était assise, les mains levées au-dessus de sa tête.

L'air tremblait autour d'elle, comme sur une route d'asphalte par une journée de canicule.

Elle avait d'énormes cernes. Ses bras retombèrent.

Extrêmement pâle, Ambre serra pourtant les poings et se concentra à nouveau.

Le Cœur de la Terre se mit à tournoyer en elle, une fois encore.

Elle puisa dans ses dernières forces, et dans celle de cette énergie incommensurable qui vivait à présent en elle.

Et tout le Vaisseau-Vie trembla.

Il se mit à reculer, son étrave glissa hors de l'étau de plastique qui le retenait prisonnier.

Le navire prit de la vitesse.

Ambre vit la menace qui reculait. Entropia s'éloignait d'eux.

Il ne restait que l'enveloppe de brume.

Elle avait accompli son devoir. Soudain ses yeux se révulsèrent, et elle s'effondra dans son siège.

Dorine accourut pour la retenir avant qu'elle ne tombe.

Elle chercha son pouls.

Mais cette fois, elle ne le trouva pas.

17.
L'électricité primale

Ambre était allongée sur son lit.

Ses mains croisées sur la poitrine, dans une robe blanche en satin, sa préférée.

Plus tard, Dorine raconta à Matt qu'Ambre s'était réveillée au début de la bataille contre les vers géants. Elle avait demandé qu'on lui explique ce qui se passait et, au moment de se lever, la douleur l'avait foudroyée. Elle avait rapidement pris conscience de la gravité de son état, et compris que plus jamais elle ne marcherait. Pourtant ses états d'âme étaient passés au second plan. Elle avait exigé d'être conduite sur le pont.

Bien que Dorine le lui eût fortement déconseillé, Ambre avait puisé dans ses forces et dans celles du Cœur de la Terre pour réveiller l'Océan et l'utiliser comme la force supérieure capable de protéger le Vaisseau-Vie.

Elle avait tout donné. Tout. Pour sauver ses compagnons, pour dégager le bateau de sa gangue de plastique, jusqu'à en perdre son souffle. Sa vie.

Matt posa un genou à terre devant la jeune femme et baissa la tête.

142

Elle venait d'être allongée là. Dorine avait tout fait, mais ça n'avait pas suffi. Ambre était partie.

Les larmes glissaient en silence sur les visages. Matt était accablé. Terrassé. Il refusait d'y croire, malgré l'évidence.

Une partie de lui entendait et subissait, l'autre n'était pas là, pas dans cette pièce, et vagabondait parmi les souvenirs qu'il avait d'Ambre, les espoirs, les projets, les émotions. Cette partie-là de lui n'était pas prête à entendre la vérité.

Ambre ne pouvait pas mourir.

C'était impossible. Ils étaient l'Alliance des Trois, et ça ne pouvait fonctionner qu'avec Tobias et elle. Et il y avait tout ce qu'ils n'avaient pas fait ensemble, tout ce qu'ils ne s'étaient pas dit.

Ambre ne pouvait pas être partie comme ça, si vite, sans accomplir ce qui l'attendait.

Alors Matt se redressa et déposa un long baiser sur ses lèvres.

Il lui prit les mains.

Elles étaient chaudes.

Dans son dos, Orlandia, Dorine, Tobias, Clara et Archibald regardaient, impuissants.

Matt sentait la vie en elle. Elle tournoyait comme un courant marin, imperturbable. Une force supérieure à celle qui anime un corps humain.

Le Cœur de la Terre.

Matt le savait, il était là, il habitait Ambre. Et tant que son enveloppe physique serait apte à le protéger, il alimenterait Ambre. Parce qu'il était la matrice de la vie terrestre. Le courant originel, l'arc électrique de la vie. L'Énergie Source.

Matt sentit la peau d'Ambre frissonner. Il lui caressa le front et l'observa avec les yeux de l'amour. Elle était belle comme un tableau de maître. Même inconsciente, une grâce

143

exceptionnelle habitait l'adolescente. Ses cheveux brillaient dans la lumière du jour, comme saupoudrés de paillettes. Son nez remontait juste ce qu'il fallait pour conférer à son visage délicat un air mutin. L'ourlet de ses lèvres appelait Matt, doux et accueillant, tendre et apaisant.

Il constata que les joues pâles reprenaient un semblant de couleur, une timide pointe de rose.

— Elle n'est pas morte, murmura-t-il, comme s'il le savait depuis le début.

Tobias s'approcha.

— C'est vrai ? Je le savais ! Elle ne peut pas mourir, pas elle, pas comme ça !

Matt serra les mains de la jeune femme.

— Tu ne peux pas nous quitter, lui chuchota-t-il. Tu m'entends ? Tu ne peux pas nous lâcher !

Il l'embrassa à nouveau et glissa son nez dans le cou de son amie. Sa peau exhalait un parfum léger, un peu sucré, comme du pain d'épice. Une odeur familière, rassurante. Matt l'inspira à pleins poumons.

— Reviens-nous, lui murmura-t-il au creux de l'oreille. Nous sommes là pour toi. *Je* suis là.

Il demeura ainsi un moment, assistant au retour de la vie. Il vit sa poitrine se soulever à nouveau, progressivement, un souffle court mais régulier. Il perçut les battements de son cœur, timides, à travers la fine peau de son cou. Elle était de retour.

Matt lui déposa un baiser sur le front et se tourna vers Dorine.

— Elle est très faible, il faut l'hydrater, mais elle va vivre.

C'était à présent Dorine qui était pâle comme un spectre.

— Mais… son pouls… il…

— Le Cœur de la Terre vit en elle, expliqua Matt. Peut-être que pendant un moment elle a été… morte. Mais l'énergie de la vie est en elle. Elle la protège. Je le savais.

144

– Ambre est... immortelle ? demanda Clara.

– L'âme de l'Arbre de vie l'habite, expliqua Orlandia. Tant qu'il sera en elle, rien ne pourra lui arriver.

– Je crois que la source d'énergie qui bouillonne en elle la préserve, dit Matt. Du moins dans une certaine limite. Tant que son intégrité physique n'est pas menacée. La chair reste fragile.

– En revanche, elle peut libérer autant d'énergie qu'elle le veut ? questionna Archibald. Sans limite ?

– La preuve que si. Lorsqu'elle va trop loin, elle en paye le prix fort. Je crois qu'elle a vraiment été morte, pendant un court moment. Avant que la vie ne se fraye un chemin jusqu'à son esprit, son cœur. Il ne faut pas qu'elle pousse trop, qu'elle prenne le risque qu'un jour l'énergie ne suffise plus, ou que ça ne marche plus. Je ne crois pas que ce soit systématique.

– Elle a été choisie par l'âme de l'Arbre de vie, rappela Orlandia. Il a su détecter en elle une force singulière, un être à part. Capable de le transporter.

– Et de l'unifier à ses autres fragments, ajouta Tobias.

– Mais alors, enchaîna Archibald, quand elle va absorber les autres Cœurs de la Terre, elle va devenir quoi ? Un être... exceptionnel ! Presque comme un dieu !

– Si toute cette énergie et ce pouvoir ne la rendent pas folle, compléta Clara.

– Nous verrons en temps et en heure, dit Matt avant de pivoter vers Dorine. Reste à son chevet. J'ai confiance en toi, je t'ai vue à l'œuvre, je sais que tu es attentionnée. Elle va avoir besoin de soins, qu'on veille sur elle. Ambre doit être dans un état de fatigue extrême. Il faudra peut-être plusieurs jours avant qu'elle puisse s'éveiller. Je reviendrai souvent, mais fais-moi prévenir si elle rouvre les yeux.

– Tu parles comme quelqu'un qui s'en va pour une longue mission ! s'étonna Tobias. Qu'est-ce que tu as en tête ?

– Nous avons beaucoup de travail, en effet. Il faut contrôler l'état du navire. Si Ambre nous a tirés de la terre synthétique, ça ne signifie pas pour autant que nous sommes en sécurité. Il faut faire le point complet de nos avaries. Puis trouver un moyen de contourner cette terre ignoble. Nous sommes loin d'être tranquilles.

– Nos voiles n'ont pas souffert de l'attaque, l'informa Orlandia. En revanche les dégâts de la coque sont nombreux.

– Il faut en faire l'inventaire, voir ce que nous avons perdu. Et s'assurer que nous sommes encore capables de naviguer, même en cas de forte tempête. Et surtout veiller à ne plus nous échouer dans Entropia.

– Et il y a autre chose, rappela Tobias. N'oubliez pas que nous avons toujours un espion à bord. Et qu'il a déjà essayé de nous tuer.

– Et il prépare probablement un sale tour, déclara Matt en songeant au Scararmée retrouvé par Tobias.

– Les gardes ne quitteront pas la porte de cette chambre, lança Orlandia. Et ils vous accompagneront aussi, Tobias et toi, Matt.

– Je n'en veux pas, répondit Matt.

– Pourquoi ?

– Parce que nous ne pourrons jamais remonter jusqu'à lui, il y a trop de monde à bord, et il est trop prudent pour avoir laissé des indices derrière lui, c'est ce que Tobias a constaté en fouillant le hangar 18. Donc le seul moyen de le démasquer avant qu'il ne commette un acte de sabotage qui pourrait être fatal à cette mission, c'est de le laisser venir jusqu'à moi.

Tobias fixa son ami.

C'était une très, très mauvaise idée.

18.
L'envie du sang

Le Vaisseau-Vie avait subi des avaries multiples. Une quinzaine de trous perçaient la coque, parfois sur plus de vingt mètres de profondeur. Le vent de l'Océan s'y engouffrait en sifflant, tourbillonnant dans les niveaux inférieurs comme un diable jouant à décoiffer tous les adolescents à bord.

De très nombreuses fissures lézardaient la structure.

Mais par chance, aucune brèche sous la ligne de flottaison. Le Vaisseau-Vie pouvait naviguer sans prendre l'eau. Cependant il fallait prier pour ne pas croiser une tempête et des creux de plusieurs mètres, car l'étanchéité ne serait alors plus du tout garantie.

Une grande quantité de vivres avaient été perdus, ainsi que du matériel destiné à l'exploration de l'Europe : des armes, des chariots essentiellement. Par miracle, tous les chiens se trouvaient dans le hall de débarquement au moment de l'attaque, et non dans leur chenil qui avait été mis à mal. Les Kloropanphylles en improvisèrent un nouveau dans deux réfectoires des niveaux supérieurs.

Au rang des mauvaises nouvelles, la destruction des voiliers dans les cales hangars. Sur les trois, deux avaient tellement souffert qu'ils étaient irrécupérables. Le dernier nécessitait des réparations mais pourrait reprendre la mer.

Orlandia organisa les travaux en fonction des priorités, dont la sécurité du navire, et tous les Pans qui n'étaient pas en service furent réquisitionnés.

Dans le même temps, on doubla le nombre de guetteurs aux postes de vigies. On sélectionna ceux qui avaient une altération de vue capable de voir loin ou la nuit. La brume masquait l'horizon et il était difficile de guider le Vaisseau-Vie avec si peu de visibilité. Il était primordial de ne plus s'échouer sur le continent de synthèse.

Le navire voguait à petite allure. Après avoir piqué plein sud, ils avaient remis cap à l'est en croisant les doigts pour que Entropia ne se soit pas étendue. Si la brume omniprésente les oppressait toujours, ils commencèrent néanmoins à reprendre espoir après deux jours de navigation sans menace.

Ambre n'avait pas repris connaissance, mais Dorine veillait sur elle, se chargeant de l'hydrater. Matt passait la voir régulièrement. Il lui parlait avec douceur, s'asseyait près d'elle sur le lit, l'embrassait sur le front.

Pendant ces deux jours, il multiplia les allers et retours, se montra souvent en public, sans aucune garde rapprochée. Il voulait être vu, que sa vulnérabilité devienne évidente pour celui qui avait tenté de le tuer. Il était pourtant vigilant, prêt à tout moment à se jeter au sol pour éviter un projectile ou riposter. Il ne se promenait pas avec son épée qu'il jugeait trop voyante, mais gardait un couteau dissimulé sous son pull.

Pourtant il ne détecta pas la moindre menace. Aucune présence dans son dos, ni durant la journée, lorsqu'il empruntait des accès isolés, ni le soir lorsqu'il rentrait à ses appartements.

Matt avait insisté pour que Tobias et lui ne dorment plus

dans la même chambre. Il ne voulait pas mettre son ami en danger et il n'était parvenu à le convaincre qu'en prétextant qu'à deux cela dissuaderait leur agresseur d'intervenir, et donc compromettrait le plan de Matt. Du coup Tobias dormait dans une autre cabine, surveillée en permanence par des gardes Kloropanphylles.

Un matin, Matt se rendit dans la suite d'Ambre pour prendre de ses nouvelles, lorsqu'il la trouva assise dans son lit.

Il se jeta à son cou.

– Doucement…, fit-elle en souriant, je ne suis pas encore solide.

– Si tu savais ce que tu nous as fait peur !

Elle posa sur lui un regard tendre, plein d'amour.

– Tu ne croyais tout de même pas que j'allais partir comme ça, sans un au revoir ?

– Ne me refais jamais un coup pareil ! Si tu meurs, j'irai te chercher, tu m'entends ?

Ils rirent ensemble, brièvement, avant que le regard de Matt ne tombe sur les jambes de son amie. Son sourire se figea.

– Ne t'en fais pas, dit-elle en comprenant.

– Je… je suis désolé.

– Ne le sois pas.

– Tu sais, ça ne change rien pour moi, même si tu ne peux plus marcher, nous…

Ambre posa son index sur les lèvres de Matt.

– Ne dis rien.

Elle l'embrassa lentement, un baiser chaud, sa langue caressant celle de Matt, une main sur sa joue.

– Maintenant file, je sais que tu as beaucoup à faire, Dorine m'a raconté. Moi je dois me reposer, je ne suis pas encore remise. Reviens me voir ce soir.

Matt sortit de la suite avec un curieux sentiment. Le cœur

à la fois léger de bonheur, et en même temps lourd de tristesse. Ambre ne marcherait plus jamais, et il ne parvenait pas à le concevoir.

Il éprouva alors une terrible envie de vengeance.

Faire payer ce drame à celui qui avait tiré sur Ambre.

Matt se mit plus que jamais à déambuler dans les halls, dans les coursives.

En espérant de toutes ses forces qu'on vienne l'attaquer.

Le Buveur d'Innocence était furieux.

Il ferma à clé la porte de sa chambre et alla s'asperger le visage d'eau fraîche. Il ne supportait plus ce corps d'adolescent. C'était usant à la longue d'habiter la peau d'un autre. Pratique, mais épuisant.

Et le gamin, lui, était-il épuisé de se servir de son altération pour maintenir le Buveur d'Innocence dans cette apparence ? C'était une question qui taraudait le Buveur d'Innocence. Il craignait que son déguisement ne se volatilise brusquement. Pourtant il tenait bon. Même s'il alternait, passant de celui de l'adolescent à celui de l'adolescente, pour les reposer, jamais il n'avait perçu de défaillance. C'était extraordinaire, la force et l'endurance de ces gosses… Et l'anneau ombilical y était pour beaucoup. Il les rendait capables de s'épuiser jusqu'à en mourir plutôt que de désobéir à un ordre. Il les avait totalement asservis.

Quelle découverte que cet anneau ! Quel progrès !

Le Buveur d'Innocence s'assit à un petit bureau et prit de quoi écrire.

Il n'était pas près d'oublier ce qu'il avait vécu ! L'attaque du navire par ces vers géants ! Ils n'étaient pas passés loin de la catastrophe !

Il commença sa rédaction :

« *Colin,*

Je n'ai pas pu t'écrire depuis que nous nous sommes échoués. Tes oiseaux espions n'auront pas manqué de te tenir informé de notre départ depuis.

Je veux que tu dises aux émissaires de Ggl que leur maître doit garantir ma sécurité ! Ses créatures ont attaqué le bateau et il s'en est fallu de peu que nous soyons tous détruits !

J'ai promis de lui livrer la fille avec le Cœur de la Terre dès que nous serons en Europe ! Qu'il me fasse confiance ! Une fois là-bas, Ggl n'aura plus aucun autre allié que moi, il sera seul, sans moyen. Je peux être ses yeux, ses oreilles, mais je veux qu'il me protège en échange ! Je serai intégré au cœur des forces vivantes d'Europe, je peux lui rendre de précieux services.

Lorsque nous débarquerons, je veux que ses émissaires me suivent à bonne distance. Je communiquerai avec eux via tes oiseaux espions. Dès qu'une opportunité se présentera, je les appellerai pour qu'ils me débarrassent des gamins et ils pourront partir avec la fille. Mais ce sera à mon commandement.

Cela me laissera le temps de juger des forces en présence. De trouver le meilleur moyen de nous positionner. Je vais gagner la confiance des ambassadeurs Pans, pour pouvoir les influencer. S'il y a encore des adultes en Europe, je ferai tout pour me rapprocher d'eux, et conclure une alliance, contre les enfants. Tout dépendra de ce que nous allons trouver sur place.

Sois prudent, Colin, et méfiant.

Ggl et ses émissaires ne servent qu'eux-mêmes.

S'ils ont l'opportunité de prendre ce qu'ils convoitent sans rien donner en échange, je suis sûr qu'ils le feront. Garde l'œil ouvert. Nous ne pouvons pas avoir confiance en eux.

Je ne suis pas loin de toi, mon serviteur. »

Le Buveur d'Innocence plia le petit papier, le roula et s'approcha du balcon. L'oiseau était là, posé sur le bastingage.

Le Buveur d'Innocence noua le message à sa patte, regarda la mouette s'envoler et disparaître dans la brume. Il ignorait comment elle se repérait, mais Colin les avait parfaitement dressées, elles remplissaient leur mission.

Maintenant il lui restait à prendre une décision importante.

Matt Carter et son arrogance le défiaient un peu plus chaque jour, tandis qu'il se promenait seul, sûr de sa force. Mais si vulnérable.

Il devait faire son choix.

Sauter sur l'occasion de se débarrasser d'un des Pans les plus influents et puissants, ou prendre son mal en patience et faire confiance aux émissaires de Ggl qui s'en chargeraient une fois à terre ?

Le Buveur d'Innocence ouvrit une petite malle et en sortit une arbalète à deux tirs.

L'opportunité ne se présenterait peut-être pas deux fois.

Et il avait un compte personnel à régler avec Matt.

Mais la prudence lui commandait d'attendre.

Il hésita.

Ses doigts se crispèrent sur l'arme.

19.
Corps à cœur

Matt reçut une convocation de la main d'un Kloropanphylle pour rejoindre la chambre du Testament de roche, au crépuscule.

Il s'y rendit dès que la lumière, à travers la brume, changea de couleur et se teinta d'orange.

Lorsqu'il entra dans la salle, il constata avec étonnement qu'il n'y avait personne, alors qu'il s'était attendu à y trouver Orlandia, probablement les ambassadeurs Pans et Tobias, voire Ambre si elle avait assez de forces pour être transportée jusque-là.

La salle était mal éclairée : deux lampes à substance molle brillaient à l'entrée, et un grand vitrail rond tamisait la lumière du soir, au fond, au-dessus de l'estrade sur laquelle reposait le lourd bloc de roche noire.

— Ferme à clé derrière toi, dit une voix familière, depuis la pénombre d'un recoin.

Matt n'en crut pas ses oreilles. Il reconnaissait le timbre d'Ambre.

Il obéit et avança vers l'alcôve.

Elle apparut, vêtue d'une large robe beige, les épaules recouvertes d'une étole de soie blanche.

Elle marchait.

Matt en resta bouche bée.

– Nous ne pouvons plus attendre, dit-elle. Si nous parvenons à sortir de cette brume, nous serons bientôt face aux côtes d'Europe. Il faut localiser le second Cœur de la Terre.

– Mais… tu marches !

Ambre s'approcha et Matt remarqua que sa démarche était étrange. Parfaitement fluide, coulée. Sans déhanchement.

– Non, répondit-elle, je triche.

Elle souleva sa robe pour dévoiler ses pieds qui flottaient à cinq centimètres du parquet.

– Tu lévites ?

– Je me sers de mon altération. Au lieu de déplacer un objet, je me déplace moi-même.

– Ce n'est pas épuisant ?

– Non. Tant que je ne cherche pas à me projeter trop vite, c'est même assez simple.

– Mais tu n'es pas en état de faire…

– Je vais bien, rassure-toi.

Elle pivota vers le Testament de roche.

Matt ne parvenait pas à détacher son regard de la silhouette flottante.

– Es-tu prêt à m'aider ? demanda-t-elle. Comme la première fois ?

– Oui.

– Il y a trois Cœurs de la Terre. Celui que nous avons trouvé, l'un en Europe, et l'autre plus loin en Orient. Concentrons-nous sur celui de l'Europe. Il faut essayer de le localiser le plus précisément possible.

Ambre regarda le gros bloc de pierre noire, puis Matt. Elle prit une profonde inspiration et posa les mains sur les bretelles de sa robe.

Matt se tourna. Il entendit le glissement du tissu sur la peau de la jeune femme, avant de tomber au sol.

L'idée de la redécouvrir nue fit frissonner Matt. Il n'était pas très à l'aise malgré leur relation et il éprouvait beaucoup de gêne. Ce n'était pas comme ça qu'il voulait découvrir le corps d'Ambre. Alors il songea à la première fois qu'ils avaient exploré le Testament de roche, et il entreprit de se déshabiller à son tour, pour qu'elle ne soit pas seule dans cette troublante nudité. Pour l'accompagner jusqu'au bout. Ses vêtements sur le parquet, Matt se retourna doucement.

Elle était là, face à lui, son corps parfait dans la pénombre, la lumière argentée des lampes luisant sur sa peau. Elle avait les bras contre les flancs, ne cherchant pas à se dissimuler à lui. Matt approcha et lui prit les mains pour la guider vers la table de lave séchée. Ambre flottait à quelques centimètres du sol, et elle suivit, légère comme une plume.

Le Testament de roche était parcouru de lignes, de points, qui, réunis, dessinaient une carte du monde gravée en détail, avec une étoile en son centre. Là où le nombril devait se superposer. Le symbole de la vie, le cordon de la mère à l'enfant, de la Terre à l'Homme.

Matt se souvenait des trois grains de beauté principaux. Sous le sein gauche : le Cœur de la Terre qui était au Nid, chez les Kloropanphylles. À l'intérieur de la cuisse droite, celui qui les intéressait. Quant au dernier, il était… quelque part dans l'intimité d'Ambre. Et celui-là mettait Matt particulièrement mal à l'aise.

Il l'aida à s'allonger sur la pierre froide, et Ambre fut saisie de chair de poule. Il la guida pour que son nombril recouvre avec précision l'étoile. Avec des gestes maladroits. Matt n'était plus du tout sûr de lui. La toucher lui procurait d'étranges pics de chaleur, et sa peau douce...

Ambre lui attrapa la main.

– Ne sois pas intimidé, dit-elle. Mon corps est le prolongement du tien.

Elle guida sa main vers son sein gauche. La paume de Matt se referma sur la sphère de chair rose qui se contracta aussitôt.

Dessous, le cœur d'Ambre battait fort.

Elle frissonna mais aucun trouble ne se lut sur son visage. Elle gardait la maîtrise de ses émotions.

– Sens-tu ? demanda-t-elle. Il bat pour nous.

Matt acquiesça en silence. Aucun son ne sortait. Seule une chaleur enivrante tourbillonnait en lui. Qui lui envahit l'esprit, et commença à le détendre.

– Je veux que mon corps ne te fasse pas peur, murmura Ambre.

Elle fit glisser la main de l'adolescent sur son ventre.

– Je veux que tu l'aimes sans le craindre. Qu'il soit comme le tien, familier, rassurant, apaisant.

Puis elle attira sa main vers son intimité, et les doigts de Matt se posèrent sur son pubis.

– Nos corps doivent s'aimer, apprendre à se connaître. Sans gêne, sans peur. Détends-toi.

Elle lui lâcha la main et Matt demeura ainsi un moment, avant de se redresser, les joues en feu, les tempes bourdonnantes. Son propre corps était en émoi, aussi tendu que sa peau était bouillante de désir.

– Guide-nous, dit Ambre. Montre-nous le chemin à suivre.

Matt prit une profonde inspiration et se pencha pour scruter le nombril de la jeune femme. Il savait que de nombreuses taches de rousseur constellaient sa peau, et il ne fallait pas se tromper. Il ne faisait pas assez clair pour y voir parfaitement, alors il attrapa une des lampes et l'approcha du nombril de la jeune femme.

— Je suis désolé, c'est pour distinguer...

— Ne t'excuse pas, le coupa-t-elle.

Matt posa son index sur le nombril d'Ambre et, du bout du doigt, suivit les nombreuses petites taches semblables à des éclats de fond de teint. Il y en avait partout.

Il se souvint alors qu'elles avaient un sens, une forme légèrement allongée, et en y prêtant attention cela lui sauta aux yeux : elles ressemblaient à des gouttes prises dans le vent. Toutes emportées dans la même direction. Trois amas se détachaient. Il fallait bien observer pour les distinguer des taches de rousseur normales. De l'extrémité du doigt il suivit celles qui filaient vers la cuisse droite.

Il était tellement penché sur Ambre qu'il pouvait deviner son propre souffle contre la peau de la jeune femme, qui frémissait à chaque expiration.

L'index filait sur le léger duvet de ses cuisses, et il plongea dans l'intérieur de la jambe. Ambre se laissait faire sans rien dire, elle attendait d'en savoir plus, les yeux grands ouverts.

— Je... je suis désolé, fit Matt, je crois qu'il faut que... que tu écartes un peu les jambes. Pour qu'elles soient dans l'alignement des grandes stries. Je crois que c'est à ça qu'elles servent, elles épousent parfaitement les contours de ton corps et ne représentent rien sur le planisphère, aucune terre. Je crois que c'est pour délimiter l'emplacement de ton corps sur le Testament.

Ambre obtempéra sans un mot, et Matt avala sa salive avec peine. Il était encore plus désemparé que la première fois. Peut-être parce que depuis il s'était encore rapproché d'Ambre, qu'ils s'étaient embrassés souvent, que leurs corps se désiraient. Cette proximité l'affolait. Il parvenait avec peine à contrôler ses élans d'amour. Et le désir qui bouillonnait en lui comme une brume voilait la réalité, brouillait sa vision, emmêlait ses pensées.

Matt respirait fort, l'émotion lui donnait le vertige.

Il trouva le grain de beauté, plus gros que les autres, juste au milieu de la cuisse.

– Je l'ai, dit-il, presque soulagé.

Il fit glisser son doigt le long de la peau jusqu'à atteindre la roche, juste en dessous, dans l'alignement du grain de beauté.

– Tu vas pouvoir te lever, je marque l'endroit.

Ambre lui tendit une petite pierre bleue, un minuscule saphir qu'elle tenait dans la main depuis le début.

– Pose-le à l'emplacement.

Ce qu'il fit. Le saphir s'incrusta parfaitement dans un petit trou qui marquait l'emplacement du deuxième Cœur de la Terre.

– Puisque nous sommes là, tu veux qu'on s'occupe du dernier ? demanda Matt d'une voix presque chevrotante, le cœur affolé.

– Tu sais où il se trouve ? fit Ambre.

Matt comprit que ce n'était pas une vraie question. Elle aussi savait où était situé le dernier grain de beauté. Il y avait tellement de sens dans cette interrogation, tellement de sous-entendus.

Matt avait du mal à déglutir.

Ambre lui prit la main et l'attira à elle. Ils se retrouvèrent presque l'un sur l'autre, le visage de Matt au-dessus de celui de la jeune femme.

– Tu es prêt à aller jusque-là ? demanda-t-elle tout bas.

Matt respirait par la bouche. Le souffle court.

— Je... je ne sais pas.

— Alors attendons. Rien ne presse. Rien. Nous avons tout le temps.

Ambre attira sa bouche et l'embrassa tendrement. Le buste de Matt se posa contre les seins de la jeune femme et ils frissonnèrent tous deux. Puis elle le repoussa lentement.

— Aide-moi à me relever.

Matt lui tendit la main, afin qu'elle puisse s'asseoir sur le rebord du Testament de roche. Ils se rhabillèrent avant de regarder la carte de l'Europe.

La pression de leurs émois retombait peu à peu, et Matt se sentait redevenir maître de son corps, de ses envies. La température retombait en lui. Il avait les tempes humides.

Le saphir était posé en France. Matt n'était pas un as de la géographie, encore moins de celle de l'Europe, mais il n'avait aucune peine à reconnaître cet emplacement-là.

— Je crois que c'est Paris, dit-il.

— C'est exactement ça, confirma Ambre. Le deuxième Cœur de la Terre se trouve dans la Ville-Lumière.

Ambre flottait à nouveau dans sa robe beige. Elle lui prit la main.

— Merci de m'avoir guidée, confia-t-elle.

Matt haussa les épaules, encore un peu gêné.

— Je sais que ce n'est pas évident pour toi non plus, ajouta-t-elle. Mais nous nous rapprochons. Progressivement, nous allons vers notre objectif final.

Matt hocha la tête.

— Je sais.

— Il faut de la patience. Notre heure approche.

Elle serra sa main.

Matt n'était pas sûr de savoir s'ils parlaient bien de la
même chose. Mais pour l'heure, il préféra se dire qu'ils
avaient une destination précise, et c'était déjà beaucoup.
Ils devaient mettre le cap sur Paris.

20.
Un accueil chaleureux

Le matin du seizième jour en mer, le Vaisseau-Vie fendit la brume d'un coup, et le soleil d'été vint souligner la blancheur des immenses pétales-voiles qui tractaient le navire, aveuglant tout le monde à bord.

Il n'en fallut pas plus pour qu'un sentiment de joie se diffuse rapidement, des cris de triomphe montèrent des différents ponts, ainsi que des chansons entonnées par des groupes entiers de Pans que le soleil galvanisait enfin.

C'était comme de sortir d'un long hiver froid et sombre pour redécouvrir la caresse de la lumière sur la peau et ses effets bénéfiques sur le moral.

Ils virent la brume d'Entropia qui les suivait lentement, et tous se rassurèrent en la voyant distancée au fil des heures. En fin de journée, elle n'était plus qu'un trait sur l'horizon, à l'ouest et au nord, un mur lointain, qu'ils allaient s'efforcer d'oublier, même s'il était aussi, pour certains, le symbole d'amis perdus, leurs morts, ces adolescents happés par Entropia pendant l'attaque des vers géants. Ce mur serait leur tombe, un cimetière qui se répandait peu à peu sur le monde.

Le soir même, au crépuscule, Matt promenait Plume sur

le pont supérieur, entre les rectangles de terre cultivable, une main enfouie dans l'épais pelage du chien géant. Tobias s'accouda au bastingage. Le vent soulevait les cheveux trop longs de Matt, mais se heurtait à l'imposante toison de Tobias comme à un casque, ce qui fit rire les deux garçons. Lorsqu'ils eurent bien décompressé de toute la tension accumulée depuis l'accident d'Ambre, Tobias redevint sérieux et demanda :

— Tu crois qu'elle va supporter sa nouvelle condition ?

— Ambre ? Je ne sais pas. J'imagine qu'elle va faire comme toujours : rester positive.

— Son altération tiendra le coup ? Elle ne peut pas se porter en permanence !

— Je l'ignore, Toby. Je l'ignore… Et en même temps, a-t-elle le choix ?

— C'est injuste. Elle a tellement fait pour nous tous. Et c'est elle qui… J'aimerais tellement qu'on attrape celui qui a fait ça !

— Moi aussi. Mais il ne se montre pas. Pourtant je lui ai offert un paquet d'occasions de me tomber dessus, et rien. Il se méfie.

— Un traître à la solde de Ggl ?

— Je ne sais pas.

— Et tu crois que les Tourmenteurs vont nous retrouver, maintenant que Ambre a utilisé le Cœur de la Terre pour nous sauver ? Ils auront senti sa présence à coup sûr !

— S'ils sont loin, ils ne pourront rien faire. Un Océan nous sépare, ne l'oublie pas.

— Je sais, mais je fais des cauchemars presque toutes les nuits. Je suis nerveux en ce moment.

— Je vois ça…

— Pourquoi ?

— Tu n'arrêtes pas de parler, de poser des questions. Nous allons bientôt accoster en France, et nous mettre en marche, ça te changera les idées.

— C'est vrai qu'on s'ennuie un peu...

Plume tourna la tête et donna un grand coup de langue à Tobias, ce qui revint à lui doucher le visage.

— Oh, merci Plume... Maintenant je sens bon le chien !

La chienne le fixait de ses prunelles bienveillantes. Elle avait l'air de trouver ça bien.

Le soir même, tandis que Matt et Tobias dînaient avec Ambre dans sa suite, Torshan entra, essoufflé.

— Nous ne sommes plus très loin des côtes ! lança-t-il. Les vigies ont repéré de plus en plus de mouettes ! Et d'autres oiseaux encore. Nous approchons.

Matt regarda ses compagnons.

— Il faut préparer le voilier. Dès que nous serons en vue du littoral, nous partirons pour la mission d'exploration.

— Nous sommes sur le coup. Nous rassemblons l'équipage. Et pour ce qui est du commando ?

— Le groupe d'exploration est constitué. Des volontaires seulement.

Torshan acquiesça.

— Je me joindrai à vous, dit-il avant de repartir.

Tobias observa Ambre.

— Je viens, l'informa-t-elle en devinant ce qu'il pensait.

— Mais tu...

— L'Alliance des Trois, tu te rappelles ? On ne discute même pas. Vous n'aurez pas à vous occuper de moi, je gère toute seule.

— Et si c'est dangereux ? Et si...

— Ce sera dangereux, forcément. Le monde est devenu dangereux. Mais vous aurez besoin de moi.

Tobias ouvrit la bouche pour argumenter, mais Matt intervint :

— Ambre sera des nôtres, fin de la discussion. Maintenant allons nous coucher. Ce sera peut-être notre dernière nuit à bord. Autant en profiter.

Tobias regarda son ami se lever d'un bond.

À l'approche de l'aventure, il redevenait sûr de lui, déterminé.

Les affaires reprennent, songea-t-il. Sauf que personne n'avait la moindre idée du genre d'affaires qui les attendait sur la terre ferme, de ce côté de l'Atlantique. Et c'était bien ce qui perturbait Tobias. Ne pas savoir. Imaginer le plus terrible. Et affronter pire encore.

Les vigies avec leur altération de vue repérèrent la terre avant midi. Orlandia fit stopper le Vaisseau-Vie peu après, lorsqu'une fine bande noire se détacha sur l'horizon au nord-est.

Le voilier était prêt, chargé de vivres et de tout l'équipement nécessaire. On fit monter à bord les chiens de la petite équipe d'explorateurs, en même temps que l'équipage, et les immenses trappes sur le côté du Vaisseau-Vie s'ouvrirent pour permettre aux poulies de descendre le voilier à l'eau.

Matt avait constitué son groupe.

En plus de Tobias et Ambre, il emmenait avec lui ceux qu'il connaissait le mieux. Floyd, Chen et Tania. Dorine également les accompagnait pour ses capacités de soin, ainsi que Randy pour sa connaissance géographique, Maya pour sa maîtrise des langues, et un nouveau venu : Elliot, dont l'altération avait convaincu Matt de le prendre. Côté Kloropanphylles, Torshan et Ti'an se joignaient à la bande de Pans. Leur commando se composait de douze membres. À bord du voilier, Clara et Archibald attendaient leur retour avant de débarquer, afin de nouer les premiers contacts diplomatiques. À condition de rencontrer des êtres civilisés et enclins à discuter.

Tout le monde embarqua en milieu d'après-midi, sous les yeux brillants d'espoir des Pans et des Kloropanphylles qui restaient à bord du Vaisseau-Vie. Tous étaient impatients de savoir ce qui les attendait sur le vieux continent.

Orlandia serra dans ses bras chaque membre de l'exploration, puis la passerelle du voilier remonta doucement, tandis que les poulies l'éloignaient des entrailles du Vaisseau-Vie pour le suspendre au-dessus de l'Océan.

Le voilier toucha la houle, et ses voiles se gonflèrent aussitôt. Matt regarda l'immense coque de noix qui les dominait, et ils commencèrent à prendre de la distance.

Avec l'équipage, ils étaient environ soixante à bord. Soixante adolescents qui fixaient la bande de terre avec autant de curiosité que d'appréhension.

Le navire se rapprocha des côtes en même temps que le soleil déclinait. À l'est, le ciel s'était couvert de nuages gris menaçants au-dessus de la terre.

La vigie appela le capitaine, un Kloropanphylle du nom de Royar'dan, qui fit venir à son tour Matt, Tobias, Ambre et les deux ambassadeurs Pans.

— De la vie droit devant, dit-il en tendant la longue-vue à Ambre.

Après s'être fait guider par la vigie, elle parvint à distinguer une tour en pierre, une vieille construction médiévale d'avant la Tempête. Elle était toute moussue, et son toit en ardoise virait au vert. Dans la lumière déclinante du crépuscule, les torches non loin de ses ouvertures brillaient comme de minuscules phares.

— Vous avez vu des silhouettes ? demanda Ambre.

— Personne, répondit la vigie, un garçon d'à peine douze ans doté d'une altération de vue remarquable.

— C'est une tour de garde, annonça Ambre pour les autres. Avec une vue pareille sur la mer, s'ils ne nous ont pas encore repérés, ça ne tardera pas.

— Machine arrière, ordonna Matt.

— Maintenant ? s'étonna Royar'dan.

— Nous ne savons pas s'ils sont bien intentionnés. Je n'ai pas envie de prendre de risques. Nous débarquerons en pleine nuit, à bonne distance de cette tour.

Archibald s'invita dans la discussion :

— Cette tour est l'occasion de nouer un premier contact.

— Pas tant que nous ne saurons pas qui l'habite. Nous allons la surveiller.

— C'est plus sûr, approuva Clara.

Royar'dan attacha ses cheveux verts avec un ruban qu'il noua sur sa nuque.

— Combien de temps pensez-vous rester à terre ?

— Je l'ignore, répondit Matt. Nous avons plusieurs objectifs. D'abord repérer les occupants du pays, définir leur comportement à notre égard. Et aussi localiser une église pour tenter d'établir un contact avec Eden. Puis, dès que nous serons prêts, notre petit groupe vous laissera pour gagner Paris le plus vite possible.

— Et si les adultes d'ici se montrent agressifs ?

Matt se tourna vers Clara et Archibald.

— Nos ambassadeurs tenteront de les raisonner.

— Ça peut virer à la mission-suicide !

166

– À nous d'être perspicaces et convaincants, dit Archibald.

– Pour nous, ça ne changera rien, ajouta Matt. Nous devrons tout de même aller récupérer le Cœur de la Terre, avant que Entropia ne le fasse.

Royar'dan fit la moue.

– J'espère pour nous tous que les adultes d'Europe n'ont pas subi le même sort que ceux d'Amérique.

– On va vite le savoir, fit Tobias en regardant la tour au loin, tandis que le soleil disparaissait.

Le voilier se rapprocha des côtes vers vingt-trois heures. On mit à l'eau les six chaloupes – il fallait bien ça pour transporter les douze explorateurs et leur équipement, mais surtout les onze chiens. Ils se mirent à ramer, par deux, pour gagner la terre, et virent le pont du voilier s'éloigner dans la nuit, seulement éclairé par quelques lampes à substance molle.

Il faisait nuit noire. D'épais nuages masquaient la lune. Sans éclairage, on n'y voyait pas à dix mètres.

Lorsque la chaloupe de Tobias racla les galets du rivage, le garçon sauta pour tirer leur embarcation et aider Tania à descendre, ainsi que Lady, sa chienne, qui occupait la moitié de la barque.

Les premiers pas furent étranges, Tobias tituba. Il n'était plus habitué à marcher sur la terre ferme.

Les douze Pans se rejoignirent et tirèrent les chaloupes sur les galets pour les abriter derrière de gros rochers.

Puis ils cherchèrent un passage vers l'intérieur des terres. Ils avaient accosté dans une anse dominée par de hautes falaises, et ils mirent plus d'une heure pour dénicher dans l'obscurité ce qui ressemblait à un chemin serpentant le long de la pente. Ils allumèrent leur lanterne en laissant les volets de côté fermés, afin que la lumière filtre par le bas, et éclaire leurs pieds sans être trop visible.

Ils remontèrent sur les hauteurs de la côte, par ce qui était un ancien chemin de douanier, en file indienne, Matt en tête, suivi par Randy et Ambre qui chevauchait Gus pour ne pas avoir à user de son altération. Floyd et Chen fermaient la marche. Chaque chien suivait son maître en silence.

Des rafales fraîches se plaquaient contre leurs visages, leur poitrine, pour les repousser vers l'intérieur des terres, et les explorateurs ne tardèrent pas à s'emmitoufler dans leurs manteaux.

Randy estimait qu'ils n'étaient plus qu'à un kilomètre de la tour, lorsque Ti'an leva son bâton vers la mer.

— C'est pas notre voilier qui brille là-bas ?

La colonne s'immobilisa pour scruter la nuit.

Plusieurs flashes bleus illuminèrent la flaque de ténèbres qui coulait à leurs pieds. Ils provenaient bien de leur voilier. Et dans la brève clarté de chaque éclair, ils virent qu'il était encadré par deux gros navires noirs, semblables aux galères romaines d'autrefois, mais plus imposants. Des dizaines et des dizaines d'ombres s'agitaient sur les ponts.

— Qu'est-ce que ça veut dire ? lança Maya.

— Les Kloropanphylles sont en pleine attaque, commenta Ambre.

— Tu es sûre ?

Les éclairs cessèrent.

Pendant plusieurs minutes, les adolescents se demandèrent s'ils n'avaient pas rêvé, tant il n'y avait plus le moindre mouvement au loin. Puis une flamme apparut, de plus en plus haute, et en quelques secondes seulement elle se transforma en un brasier infernal.

Leur voilier prenait feu.

— Oh non ! gémit Maya.

Dans l'embrasement du navire, ils aperçurent les deux grosses galères noires qui repartaient lentement.

Les Pans demeurèrent silencieux, pendant que leur bateau se transformait en torchère.

Puis il sombra d'un coup dans la mer noire, avant que les ténèbres reprennent leur droit.

Le premier, Torshan, rompit le silence :

— J'espère qu'ils auront fait des prisonniers.

— Archibald aura préféré se rendre plutôt que de risquer la vie de tout le monde à bord, affirma Tobias.

— S'il a eu l'opportunité de hisser le drapeau blanc. J'ai l'impression que tout a été très vite.

— Il faut être optimiste, coupa Ambre. Pour nos amis.

Matt se tourna vers le chemin qu'ils empruntaient. La tour se dressait un peu plus loin. Il avait subitement les mains moites.

— Nous sommes coincés ici ! s'affola alors Maya. Comment va-t-on regagner le Vaisseau-Vie ? Il est beaucoup trop gros, il ne pourra jamais approcher des côtes !

— Du calme, l'interrompit Matt. Nous verrons en temps et en heure.

Torshan soupira.

— Maintenant nous savons que nous ne sommes pas les bienvenus, dit-il.

Et dans le groupe, chacun mesura ce que cela impliquait.

21.
Différentes stratégies

Ils rampaient au milieu des buissons d'épineux, se faufilant dans l'herbe humide, plaqués au sol par les rafales de vent, invisibles au milieu de cette nuit sans lune.

Matt, Tobias, Floyd et Tania progressaient sans un bruit pour atteindre le bord de la falaise.

La tour apparut en contrebas, sur son éperon rocheux, haute de vingt bons mètres, les flammes de ses lanternes brillant derrière ses fenêtres profondes.

Floyd désigna une petite cabane en bois avec un enclos sur le côté, au pied de la tour.

— Ils ont une écurie, donc ils montent à cheval ! Ce ne sont pas des Gloutons, c'est déjà ça !

— Et un chemin file derrière cette colline, releva Tobias.

— Regardez ! s'exclama Tania un peu trop fort.

Elle pointait le doigt vers la mer : des signaux lumineux clignotaient en direction de la tour.

— Ils communiquent en morse ?

— Peut-être, hasarda Matt. Ce sont les bateaux qui ont attaqué notre voilier.

– Et ils vont derrière la colline, nota Tobias. Certainement un village ou une base.

Matt commença à se replier pour retourner vers le reste du groupe lorsque Floyd l'arrêta :

– On ne va pas explorer la tour ?

– Non, trop risqué.

– Moins que d'entrer dans une ville ennemie sans rien savoir de ce qu'ils sont !

– Pénétrer dans cette tour, c'est un acte d'agression, et c'est trop petit pour qu'on ne se fasse pas repérer à un moment ou à un autre. Ça risque de finir en affrontement direct. Avec des blessés, ou pire.

– Ces gens viennent de brûler notre navire, Matt ! Ils ont peut-être tué tous nos amis à bord !

– Justement, on n'en sait rien. Peut-être qu'on a mal interprété ce qu'on a vu. Je veux d'abord aller jeter un œil à cette ville. Voir si nos amis sont prisonniers là-bas avant de faire quoi que ce soit.

Floyd secoua la tête de dépit.

– Tu raisonnes trop... Mais c'est toi qui décides.

Ils rejoignirent leurs camarades et le convoi se mit en route. Lorsque le chemin qu'ils suivaient bifurqua, ils prirent la direction de la colline derrière laquelle avaient disparu les deux galères. Aucun arbre sur cette lande aride, rien que des massifs de buissons labyrinthiques, des champs de ronces desséchées, traversés de bandes d'herbes jaunies, sillons de terre parsemés de grosses pierres sur lesquelles les Pans trébuchaient, se rattrapant à leurs chiens.

– Au moins la végétation n'a pas repoussé comme chez nous, nota Tobias. Sinon ce serait un monde d'épines, des murs entiers jusqu'au pied des falaises !

171

— Peut-être que la Tempête n'a pas frappé ici ! lança Maya avec une pointe d'espoir.

— T'emballes pas, répliqua Floyd, après ce qu'on a vu de l'accueil, j'ai peu d'espoir.

Ils marchèrent sur deux kilomètres, avant de franchir un petit col rocailleux derrière lequel le relief s'ouvrait complètement pour laisser apparaître des dizaines de points lumineux, plus bas, près de l'Océan.

De là où ils se tenaient, cela ressemblait davantage à un village qu'à une ville, les lumières ne s'étendaient pas beaucoup. En revanche, deux silhouettes imposantes se découpaient sur le port : les deux galères dont les ponts étaient illuminés par des lanternes et des torches, tandis qu'on s'agitait dans tous les sens pour débarquer.

Chen sortit de sa besace une longue-vue qu'il déplia pour y coller son œil. Tobias de son côté fit de même avec sa paire de jumelles.

— Je vois Archibald et Clara ! dit-il après un moment. Ils sont en train de descendre la passerelle.

— Oui, des membres de notre équipage sont avec eux, confirma Chen.

— Ils sont tous là ? demanda Floyd.

— Je l'ignore, c'est difficile à dire. Une bonne partie en tout cas. Tiens, regarde.

Chen lui tendit sa longue-vue.

— Ça n'a pas l'air très amical, on dirait, commenta Tobias.

— À quoi ressemblent les occupants des galères ? demanda Matt. Des hommes ?

— On dirait bien. En armure noire. Enfin, il me semble. Pas une armure identique à l'autre. Ils sont nombreux.

Tobias tendit les jumelles à Matt.

Des adultes guidaient sans ménagement leurs prisonniers, pour qu'ils remontent le quai et grimpent dans des chariots bâchés. Ils étaient armés de lances, d'épées, et parfois même d'arcs et d'arbalètes. Un océan les séparait des Cyniks de Malronce, et pourtant ils se ressemblaient beaucoup. À peine les hommes avaient-ils perdu leurs repères qu'ils s'étaient rassemblés en armée, pour fondre du métal et se fabriquer des armes rudimentaires, les plus faciles à produire vite et en masse, ainsi que des protections élémentaires pour affronter les nouveaux dangers du monde.

— Alors, c'est bien des Maturs ? questionna Dorine.

— Non, je dirais plutôt des Cyniks, corrigea Floyd. Ils n'ont rien d'amical avec les Pans. Au contraire.

Matt observa le débarquement jusqu'à ce que les chariots s'ébranlent et traversent le village pour s'arrêter devant des hangars de tôles dans lesquels on fit entrer l'équipage du voilier, avant de refermer les portes et de placer des gardes en armure.

— Au moins nous savons où ils sont, dit-il en rendant ses jumelles à Tobias.

Floyd fit craquer ses phalanges.

— On descend les sortir de là ? demanda-t-il.

— Oui, répondit Matt, mais pas comme tu l'entends.

En arrivant aux abords du village, Matt approcha de Gus qui portait Ambre.

— Ambre, est-ce que tu peux te servir de ton altération en plus de te faire léviter ?

— Je ne ferai pas des miracles, mais pour des choses simples, ça doit être possible.

— Très bien. Alors, nous y allons ensemble, toi, Toby et moi. Et il nous faudra l'aide de Maya également, pour traduire.

– Qu'est-ce que tu comptes faire ? s'inquiéta Torshan.

– Négocier.

Floyd s'agita d'un coup :

– Tu es fou ? Nous avons l'avantage de la surprise ! Ils ne s'attendent pas à nous voir attaquer, il faut en profiter !

– Je ne veux pas que notre première confrontation avec les adultes d'Europe soit guerrière.

– C'est eux qui ont commencé !

– Je leur laisse le bénéfice du doute. Ils ont peut-être eu peur, ou ils ignorent qui nous sommes. Je veux mettre les choses au clair.

– Mais ils vont vous mettre en pièces ! Ne prends pas ce risque, Matt !

Les deux garçons se fixaient, aussi déterminés l'un que l'autre.

– Tant que nous ne saurons pas qui ils sont et ce qu'ils veulent, il est hors de question de les affronter, répondit Matt, sûr de lui. Je ne déclencherai pas une guerre sur un malentendu, par ignorance. Je vais leur parler. Tout leur expliquer. Ce sont des adultes, ils vont comprendre. Ils doivent comprendre.

– Tu es trop confiant en la nature humaine, répliqua Floyd avec dépit. Fais comme tu veux, c'est toi qui mènes notre équipe. Mais je pense que tu as tort. Ce sont des Cyniks, ils sont comme ceux que nous avons affrontés à l'époque de Malronce. Des hommes qui ont perdu la mémoire, qui ont peur, et qui écoutent le premier tyran assez malin pour les rassembler. Ils sont dangereux et bornés, parce qu'il n'y a plus de raison en eux, plus de souvenirs, rien que la peur et maintenant l'endoctrinement.

– Peut-être, mais je veux encore y croire. Au moins essayer.

Tandis que Matt prenait son épée qu'il accrochait avec son baudrier entre ses omoplates, Tobias s'approcha de Floyd.

– Ne lui en veux pas, il a vu trop de nos amis mourir pendant la guerre, il est prêt à tout pour éviter la violence, murmura-t-il.

– Moi aussi, Tobias, moi aussi. Mais là c'est de la folie. Il ne pourra pas les raisonner ! Ce sont des Cyniks !

– Laisse-le essayer. S'il n'y arrive pas… Eh bien il aura la conscience tranquille s'il doit se battre.

– Mais nous n'aurons plus aucune chance de libérer nos amis !

– Fais-lui confiance.

Floyd hocha la tête, pas convaincu.

Matt monta sur le dos de Plume et aida Maya à grimper derrière lui, tandis que Tobias rejoignait Ambre sur Gus. Au moment de partir, Floyd posa une main sur la botte de Matt :

– Bonne chance. Faites gaffe à vous.

Matt le salua et ils s'élancèrent en direction du village.

Ils allaient se livrer à l'ennemi.

Floyd les observa jusqu'au dernier moment. Il espérait que Matt savait vraiment ce qu'il faisait. Puis il se tourna vers la troupe qui restait. Tous guettaient son ordre.

– Matt a son plan, moi j'ai le mien. Alors on file se mettre en place.

Torshan fronça les sourcils :

– Es-tu sûr que c'est une bonne idée ? Nous devrions les attendre ici.

– Si Matt est un éternel optimiste, moi je suis lucide : je ne crois pas au malentendu avec les Cyniks. Cette nuit va être agitée. Croyez-moi, mieux vaut prendre les devants. Allez, venez, suivez-moi !

Floyd resserra sa cape verte sur ses épaules et tapota affectueusement le museau de Marmite, son chien, avant de quitter le chemin pour s'enfoncer entre les ombres des buissons.

Les autres hésitèrent. D'un côté ils pouvaient obéir à Matt et à ses espoirs de paix en restant là, de l'autre ils pouvaient craindre le pire, et suivre Floyd en espérant qu'ils ne fassent pas tout capoter.

Les Pans et les Kloropanphylles se regardèrent, pris de doute.

Il fallait faire un choix.

22.
Un pouvoir inattendu

Les deux chiens géants n'avaient pas parcouru trente mètres dans le village que deux gardes en armure noire surgirent avec des lances.

Le premier aboya un ordre dans une langue que Matt ne comprenait pas.

— Il nous ordonne de nous arrêter, traduisit immédiatement Maya.

Les quatre Pans avaient remonté leurs capuches, si bien que leurs visages étaient invisibles.

— Maya, dis-leur : Nous sommes venus en paix, dit Matt, sûr de lui. Conduisez-nous auprès de celui qui dirige le village.

Le second garde répondit, manifestement pas rassuré par la taille des chiens.

— Il veut qu'on descende de nos montures, répéta Maya.

Le premier ajouta autre chose avec beaucoup d'agressivité.

— Il exige qu'on lâche nos armes, ajouta Maya.

— Nous ne déposerons rien. Emmenez-nous à votre chef.

À peine Maya avait-elle traduit les propos de Matt que le garde se mit à crier avec autorité, mais sa phrase mourut dans sa gorge : Plume tourna sa large gueule vers lui, ses babines se soulevèrent sur des crocs impressionnants, en même temps qu'un grondement rauque jaillissait de sa gorge.

Le garde recula de deux pas, sa lance se mit à vaciller.

– Nous ne vous voulons aucun mal, reprit Matt, mais ne nous donnez pas d'ordres. Nous sommes venus pour discuter. À présent conduisez-nous auprès de votre chef. Laissez-le prendre la bonne décision.

Les deux gardes se regardèrent, indécis. Plume ne les lâchait pas du regard.

Un des soldats hocha la tête et aussitôt l'autre approuva, rassuré.

– Suivez-nous, traduisit Maya.

– C'est du français ? demanda Tobias.

– Oui. Randy avait raison, nous sommes en France. Probablement en Bretagne, comme prévu.

Ils remontèrent la rue principale, jusqu'à une petite place, et entrèrent dans un bâtiment de pierre en mauvais état qui autrefois avait dû être une mairie. Les quatre Pans descendirent de leurs montures et suivirent les gardes. Les deux chiens baissèrent la tête pour entrer à leur tour.

De grosses bougies étaient disposées un peu partout, et les deux soldats entraînèrent les adolescents vers le premier étage où régnait une certaine agitation.

En arrivant sur le seuil d'une grande pièce, Matt perçut la voix grave d'un homme. Maya s'empressa de lui traduire à l'oreille tout ce qu'elle entendait :

– Comment ça, il n'y a que des enfants ? Aucun adulte, vous êtes sûr ?

– Catégorique, Maester. Rien que des ados. Une dizaine ont péri pendant l'assaut. Ils doivent être une quarantaine.

– Des fuyards des mines ?

178

– Certainement pas. Ils sont en bonne forme. Et autre chose, Maester. Ils... ils ont utilisé leurs pouvoirs pour se défendre.

– Les parasites ! Ils ont osé ? Malgré l'Interdit ?

Les deux gardes pénétrèrent dans la salle et la discussion s'interrompit. Avant même qu'ils puissent s'exprimer, Matt entra à son tour et leva la main devant lui en signe de paix :

– Je crois que nous vous devons des explications, dit-il, aussitôt traduit par Maya.

Six hommes en armure se retournèrent brusquement, avant que le septième, vêtu d'une ample tunique de lin, se contente d'incliner la tête avec curiosité. Il avait une quarantaine d'années, les cheveux clairsemés, une importante fossette au milieu du menton, et un regard extrêmement sévère. Rien en lui n'inspirait la douceur, l'insouciance.

Lorsque les deux derniers Pans surgirent, accompagnés par leurs immenses chiens, il ne laissa apparaître aucune émotion, alors que ses hommes reculaient.

– Nous venons de très loin pour vous parler, continua Matt.

Maya commença sa traduction, mais l'homme leva la main pour la faire taire.

– Je parle la langue de la Grande-Île, dit-il froidement en anglais.

– Ce sera plus simple ainsi.

– Qui êtes-vous ?

– Je suis Matt Carter, et voici mes compagnons, Ambre, Tobias et Maya. Nous venons des États-Unis.

Cette fois l'homme fronça les sourcils.

– Je ne connais pas. C'est un royaume rattaché à celui de la Grande-Île au nord ? Vous vous êtes enfuis ?

Matt ne releva pas. L'homme avait certainement perdu l'essentiel de sa mémoire avec la Tempête, comme la plupart des adultes. Il supposa que la Grande-Île au nord était la Grande-Bretagne.

— Non, nous sommes venus vous proposer notre aide, et réclamer la vôtre.

L'homme ouvrit grands les yeux, et s'adressa à ses compagnons, manifestement pour traduire. Tous se mirent à rire, entre stupéfaction et incrédulité.

— Vous ne manquez pas de culot, répondit l'homme en tunique de lin.

— Je ne veux pas vous manquer de respect, pardonnez-moi si je n'ai pas été très méticuleux dans le suivi de vos règles, mais nous venons de loin et nous ignorons tout de vos habitudes.

— Nos habitudes ? Mais à ce qu'il me paraît, ce sont les mêmes que sur la Grande-Île ! Pour commencer, jamais un garçon de ton âge ne s'adresse à un adulte sans d'abord baisser la tête ! Et il attend qu'on l'autorise à parler !

Matt serra les dents pour se contenir, et ses mâchoires se contractèrent.

— De là où nous venons, les adultes et les plus jeunes vivent ensemble, du moins en paix.

L'homme fit un pas vers Matt pour le dominer d'une tête.

— Quel triste monde que le tien, dit-il sans une once d'humour.

Il fit un signe de la main et deux soldats approchèrent.

— As-tu tout oublié ? insista-t-il. Qu'il est interdit à un jeune de porter une arme ?

Les deux guerriers approchèrent dans le dos de Matt pour saisir son épée.

D'un bond Matt leur fit face, mains levées vers le ciel pour les stopper et les avertir :

— Ne me touchez pas ! Je suis venu en paix, mais je ne vous autorise pas à me prendre mes affaires.

Matt défit le baudrier et fit coulisser les sangles pour déposer son épée sur le sol, à ses pieds.

— Voilà qui devrait vous rassurer, dit-il.

— Je ne comprends pas ce que tu veux…, affirma l'homme en tunique. Vous vous enfuyez, et vous revenez nous voir ? Les hommes de la Grande-Île sont-ils si terribles que vous préfériez nos mines et nos champs aux leurs ?

— Nous ne venons pas du nord, insista Matt. Mais de loin à l'ouest. Et nous venons vous prévenir : une terrible menace se rapproche. Elle sera bientôt sur vous, et si nous ne nous entraidons pas, bientôt nous serons tous morts.

L'homme secoua la tête d'un air déçu, et dit quelque chose en français. Maya s'empressa de le traduire pour Matt :

— Il dit que tu es fou. Que nous sommes une bande de dingues.

Matt fit un pas vers lui.

— Je vous dis la vérité ! Vous devez me croire !

L'homme, agacé, ordonna à ses gardes d'intervenir.

Matt se jeta sur le premier avant que celui-ci ne puisse dégainer son épée et lui bloqua la main sur le fourreau avec son altération de force, et de l'autre main lui décocha un puissant direct du droit en pleine mâchoire qui l'expédia au tapis.

Le second avait à peine armé son coup en levant sa lame que Matt l'attrapait par le plastron pour le soulever et le projeter contre le mur. Les parois tremblèrent, les trophées de chasse dégringolèrent et toute la salle s'immobilisa, figée devant la force de l'adolescent.

L'homme parut brusquement aussi fasciné qu'intéressé.

— Ton pouvoir de force est exceptionnel, dit-il dans un anglais impeccable. Je le veux !

Il tendit une main vers Matt, et celui-ci ramassa son épée sur le sol avant de reculer.

— Je peux vous aider si vous nous faites confiance, répéta Matt.

— Je n'ai pas besoin de ton aide. Je n'ai qu'à prendre ce que je veux. Tu oublies ce que tu es ? Un enfant !

Trois soldats se précipitèrent vers Matt, armes levées devant eux.

Et soudain ils rebondirent contre une surface invisible, comme un mur de verre, et s'effondrèrent, le nez ou le poignet cassé. Matt vit du coin de l'œil Ambre qui baissait la main.

L'homme s'approcha de Matt et, avant que ce dernier ne puisse agir, son épée sortit de son fourreau et la pointe vint se coller sous son menton. Matt en resta coi.

— Rendez-vous tout de suite, vous n'êtes pas de taille à lutter contre nous.

L'homme faisait bouger ses doigts dans l'air et manipulait l'épée à distance, comme l'aurait fait Ambre.

Les trois derniers gardes se préparaient à fondre sur les adolescents. Tobias leva son arc et, en l'espace de deux secondes, décocha trois traits qui se fichèrent dans le pied de chacun, rivant les bottes et leur contenu au parquet, dans un concert de cris aigus.

La lame recula dans l'air pour prendre son élan et se précipita pour fendre la gorge de Matt.

La pointe s'immobilisa à un centimètre de sa peau.

Matt devinait une force autour de lui, comme de l'électricité statique qui saturait l'air. Les cheveux sur sa nuque se dressèrent. Ses vêtements se mirent à crépiter, couverts de minuscules arcs électriques.

L'homme vêtu de lin recula d'un pas, déstabilisé.

– Qui ? balbutia-t-il.

Il n'était pas habitué non seulement à rencontrer une altération semblable à la sienne, mais encore moins qu'elle soit plus puissante que la sienne.

Matt profita de la seconde de flou pour passer sur le côté d'un bond rapide et attraper son arme par la poignée. Puis, usant de toute son altération de force pour briser le charme, il la fit tournoyer, pointe tendue vers l'œil de l'homme.

Qui recula, avant de se retrouver coincé contre la cheminée.

Matt était sur lui, l'arme menaçante.

– J'ai essayé d'être diplomate, dit-il avec colère. S'il faut utiliser la force pour que vous m'écoutiez, alors soit. Qui dirige votre terre ?

L'homme semblait perdu, ses yeux s'affolaient, cherchant une explication, ou de l'aide.

– Comment faites-vous cela ? demanda-t-il, effrayé. Comment faites-vous pour avoir des pouvoirs aussi puissants ?

– Réponds à ma question ! insista Matt en rapprochant l'épée de son menton.

– C'est Oz, c'est Oz !

– Oz ? répéta Tobias. C'est un nom ça ?

– C'est l'empereur de toutes les terres de l'ouest, expliqua l'homme.

– Où vit-il ? demanda Matt.

– Dans son domaine, à Castel d'Os, sur la Grande-Île.

– Et qui gouverne la ville de Paris ?

– Je ne connais pas cet endroit.

Matt, excédé, enfonça la pointe dans la peau. Une perle de sang apparut.

— Je vous le jure ! Je ne connais pas !

— La grande ville avec la Tour Eiffel ! Une immense tour de fer, pointue ! Ils parlent la même langue que toi.

— La Tour-Squelette ! C'est de la Tour-Squelette dont vous parlez ! C'est la cité Blanche ! À l'est d'ici ! La cité de l'énergie lumière !

Matt jeta un rapide coup d'œil à ses camarades. L'énergie lumière ! Le Cœur de la Terre !

— Qui dirige la cité Blanche ?

— Un Maester comme moi, mais un Maester très puissant, un proche de l'empereur Oz. Il s'appelle Luganoff. Le Maester Luganoff. Un homme cruel !

— N'y a-t-il aucun enfant libre dans tout l'Empire ?

— Vous… vous avez vraiment tout oublié ? Vous ne savez plus rien ?

— Réponds à ma question ! s'énerva Matt en enfonçant un peu plus la pointe de son épée.

Le sang dessinait une larme rouge sur le menton du Maester.

— Vous êtes nos esclaves ! s'empressa-t-il de rappeler. Vous n'avez aucun droit ! Mais si vous arrêtez maintenant, je vous promets de vous laisser repartir, je ferai comme si je n'avais rien vu. Vous pourrez repartir de l'autre côté de la mer, sur la Grande-Île. Vous n'aurez rien à craindre de moi !

— Vous avez capturé nos compagnons sur le voilier que vous avez brûlé cette nuit. Je veux qu'ils soient libérés.

— Ce sont des esclaves en fuite, ils n'ont pas le droit de circuler librement ! Vous ne ferez pas un jour de marche tous ensemble sans vous faire repérer ! Partez tous les quatre tant que c'est encore possible, et oubliez vos camarades. Ils sont perdus.

— Tu n'es pas en position de nous dire quoi faire. Tout à l'heure tu as utilisé une altération de télékinésie, comment as-tu fait ?

— Mon pouvoir ? Mais… j'ai bu de l'Élixir de jouvence, pardieu ! Comme tous les combattants !

— Tu veux dire que tous les adultes ont des capacités comme toi ?

— Bien sûr !

Matt était dépité. Si tous les Cyniks d'Europe avaient une altération, alors ce voyage allait se révéler beaucoup plus compliqué que prévu.

Soudain il entendit des cris à l'extérieur. Plusieurs exclamations. On sonnait l'alerte. Puis des hurlements guerriers. On s'affrontait.

Tobias se précipita à la fenêtre.

— Je crois que ça vient de derrière le bâtiment, tout au bout.

— Le hangar où sont enfermés les Pans ! comprit Ambre.

— J'ai bien peur que ce soit Floyd, révéla Tobias. Il ne sait pas obéir.

Matt laissa son arme contre le menton du Cynik et jeta un œil par la fenêtre. Il vit le ciel s'illuminer brièvement, et songea à un tir d'éclair, comme les Kloropanphylles savent en faire.

— S'il a attaqué les gardes du hangar sans se douter qu'ils ont aussi une altération, ça risque d'être une boucherie ! gronda Matt.

Il attrapa le Maester du petit village.

— Tu vas nous guider jusque là-bas.

Et il le poussa devant lui.

23.

Une alliance possible...

Un soldat crachait des flammes par le bout de ses mains tandis qu'un autre projetait des éclairs en direction du petit groupe guidé par Floyd.

Pour l'heure, les Pans s'étaient recroquevillés derrière un muret de pierre et serraient les dents sous chaque nouvelle salve. Ils transpiraient autant à cause des flammes que de la peur. Ils s'étaient attendus à peu de résistance, il n'y avait qu'une poignée de gardes, et Floyd avait compté sur l'effet de surprise pour les désarçonner et prendre le dessus sans affrontement. Au lieu de quoi les Cyniks avaient répliqué en dégainant leur propre altération de combat.

Floyd avait usé de sa faculté pour allonger son bras et pousser Randy en dehors de la trajectoire d'un premier jet de flammes avant qu'ils ne se retrouvent acculés.

Les gardes se rapprochaient, et à mesure qu'ils sonnaient l'alerte, Floyd pouvait en entendre d'autres accourir. Il fallait se rendre à l'évidence : ils étaient coincés.

Tania se redressa un bref instant pour décocher une flèche en pleine cuisse du soldat le plus proche qui tomba en criant avant qu'une gerbe de feu ne s'abatte sur la position de l'adolescente.

Tania eut à peine le temps de rouler au sol qu'elle sentit le brasier la raser. Les pointes de ses cheveux grésillèrent.

Ti'an la tira vivement à l'abri du muret.

— C'est pas passé loin, dit-il.

Tania hocha la tête, incapable de prononcer un mot, la peur lui remplissant la gorge. Elle avait vu le jet de flammes bouillonner dans sa direction et, pendant une seconde, s'était vue mourir brûlée vive.

Elliot se leva à son tour. Avant que ses compagnons puissent l'en empêcher, il fixa l'un des gardes qui se tournait vers lui. Le Cynik pointa sa main vers le jeune garçon blond et s'apprêtait à déclencher son tir pour l'électrocuter.

Leurs regards se croisèrent.

L'électricité commença à se former au bout des doigts du Cynik.

Les pupilles noires d'Elliot entrèrent dans son esprit.

Elliot ferma le poing devant lui, les paupières de l'homme s'abattirent brusquement, et il s'effondra. Elliot se jeta à couvert.

Floyd, qui avait tout vu, lui donna un petit coup sur le bras.

— Incroyable ! Comment as-tu fait ?

— C'est mon altération, avoua Elliot sans joie. Je peux endormir qui je veux, rien qu'en croisant son regard.

— Et tu peux tous les atteindre comme ça ?

— Hélas ! Je ne peux pas le répéter trop, ça m'épuise. Et certaines personnes n'y sont pas sensibles. Mais si vous me couvrez, d'ici une minute ou deux je pourrai recommencer.

— On n'a pas une minute ou deux ! grogna Torshan.

Deux éclairs frappèrent le muret en claquant, projetant des fragments de calcaire dans les airs, forçant les Pans à rentrer la tête dans les épaules.

– Floyd ! aboya Randy. On ne va pas tenir longtemps ! Il faut se rendre !

– Où est Chen ? s'inquiéta soudain Tania. Il n'est pas là !

– Je l'ai vu sauter sur le mur du hangar au moment de l'attaque, dit Dorine.

Tous entendirent alors le martèlement des bottes qui accouraient vers eux. Une troupe entière.

– On est mal, gémit Randy.

Floyd risqua un œil au-dessus du muret.

Une douzaine de soldats arrivaient au pas de course pour prêter main-forte à leurs camarades.

Floyd frappa la terre du plat de la main. Il enrageait.

S'ils ne se rendaient pas maintenant, ils allaient se faire mettre en pièces.

C'était à lui de prendre la décision. C'était lui qui les avait entraînés dans cette galère.

Floyd leva les bras et commença à se lever pour sortir du couvert du muret.

– Nous nous rendons, cria-t-il. Ne tirez plus !

Il était debout lorsqu'il vit le Cynik en face de lui, celui qui projetait des jets de flammes, se fendre d'un rictus cruel. L'homme le pointa du doigt.

Pas pour le désigner.

Mais pour le carboniser.

L'index se recourba et une lueur rouge comme une braise incandescente apparut sous la peau.

Floyd n'eut pas le temps de réagir.

Les flammes jaillirent comme un geyser.

Et l'homme s'envola dans le ciel, déviant par la même occasion son tir. Il s'éleva de plusieurs mètres, sa gerbe de flammes s'arrondissant au passage pour dessiner une arabesque rougeoyante qui vint frapper la terre aux pieds de Floyd, médusé.

Les deux acolytes du Cynik firent volte-face en comprenant qu'un nouveau danger venait de surgir. Ils reçurent chacun une flèche en pleine poitrine, parfaitement ajustée, comme s'il s'agissait d'une cible de tir. Tobias et Ambre apparurent dans la clarté des torches, sur le dos de Gus.

Un quatrième Cynik se prépara à faire feu lorsqu'un carreau le cloua entre les omoplates.

Chen venait de riposter à l'arbalète, accroché au toit du hangar par son altération.

Les renforts sortaient leurs épées, haches et autres gourdins hérissés de clous tout en cherchant à identifier d'où provenait le danger, quand une masse de poils de la taille d'un cheval les renversa, projetant plusieurs d'entre eux dans les airs.

Les autres eurent à peine le temps de comprendre ce qui leur arrivait que Plume faisait face, babines retroussées sur ses crocs luisants. Un grondement menaçant résonnait dans sa gorge.

Les Cyniks connurent plusieurs secondes de flottement, cherchant comment réagir. Ils n'eurent pas le temps de se ressaisir.

La voix de Matt sonna, puissante, devant le hangar :

— Lâchez vos armes ! Lâchez-les ou c'est votre Maester qui paiera pour vous.

Il apparut dans la lumière des torches, tenant l'homme en tunique de lin devant lui, le tranchant de l'épée posé contre sa gorge.

Les Cyniks eurent une brève hésitation, avant d'abandonner leurs armes. Leurs regards témoignaient de leur effarement. Jamais des adolescents ne s'étaient montrés si hardis, si organisés.

Jamais des enfants ne s'étaient rebellés.

– Ouvrez les portes du hangar ! ordonna Matt avec la même autorité impérieuse dans la voix.

Les hommes n'étaient pas sûrs d'eux. Ils s'observèrent pour savoir s'ils devaient obéir.

– Faites ce qu'il vous dit ! grogna le Maester.

Peu à peu les Pans et les Kloropanphylles traqués se mirent à sortir dans la nuit, hagards. Floyd entreprit aussitôt de les guider, imité par ses compagnons. Torshan et Ti'an, eux, grimpèrent sur le muret pour s'assurer que les Cyniks obéissaient sans tenter le moindre coup tordu.

Lorsque tout le monde fut sorti, Matt ordonna que les soldats Cyniks entrent dans le hangar, et Tobias verrouilla les lourdes chaînes et les cadenas.

– Où sont les enfants que vous gardez dans le village ? demanda Matt au Maester.

– Nous… nous n'en avons presque pas, avoua-t-il, la plupart ont été réquisitionnés pour les mines de fer.

– Où sont-ils ? insista Matt en plaquant la lame contre sa peau.

– Je vais vous montrer !

Ils traversèrent une partie du village, dont les fenêtres s'étaient allumées pendant l'appel de la garde, et ils marchèrent sous les regards effarés des Cyniks qui ne comprenaient pas ce qu'ils voyaient. Certains sortaient sur le pas de leur porte et, constatant qu'il s'agissait d'une horde d'enfants armés, s'empressaient de rentrer en s'enfermant à double tour.

Le Maester les conduisit jusqu'à une étable dans laquelle dormaient une petite dizaine de garçons et filles de huit à quinze ans.

Tobias, Ambre et Tania les firent sortir en les rassurant, mais aucun ne comprenait ce qui se passait. Ils avaient peur, surtout du Maester qu'ils ne lâchaient pas du regard.

– Vous allez payer pour tout ça, dit l'homme à Matt.

– Je suis venu à vous en paix, je vous ai tendu la main, ne l'oubliez pas ! C'est vous qui avez refusé !

– Vous êtes des esclaves, garçon, et les esclaves n'ont pas à donner des ordres à leurs maîtres.

– Les temps changent, Maester. Vous devriez vous en rendre compte. Car bientôt il sera trop tard. La mort descend du nord à l'instant où nous parlons. Elle sera bientôt sur vous.

Matt guida toute sa bande jusque sur le quai, et les quatre soldats de faction ne purent que reculer en voyant surgir près de soixante gamins dont les meneurs étaient armés.

Les Pans prirent place à bord de la galère et préparèrent l'appareillage. Lorsque tout fut prêt, Matt relâcha le Maester, la pointe de son épée brandie vers son visage.

– N'oubliez pas que mon message était un message de paix. Nous n'avons fait que répondre par la force à la force que vous avez employée. Il est toujours possible de nous allier. Faites circuler l'information ! Nous ne sommes pas venus de l'autre côté de l'Océan pour vous faire la guerre. Nous devons nous entraider.

Le regard du Maester changea. Matt comprit que pour la première fois, l'homme envisageait qu'il était peut-être non pas face à des enfants fous, mais à de véritables voyageurs. Alors Matt reprit espoir.

Peut-être qu'une alliance deviendrait possible, peu à peu, avec les Cyniks d'Europe. Il fallait espérer que ce premier contact serait le pire. Il devait faire confiance à cet homme. À sa capacité à vouloir le mieux pour tous, à espérer la paix. À son intelligence.

Matt fit remonter la passerelle, et la galère commença à s'éloigner doucement.

– Nous avons besoin les uns des autres ! cria-t-il.

Et la galère prit le chemin de la mer.

Le Maester ne bougea pas pendant plusieurs minutes, plongé dans ses pensées.

Un de ses gardes approcha.

– Maester, ils n'ont même pas sabordé notre autre navire ! Voulez-vous que je sonne l'embarquement ? Nous pouvons les prendre en chasse ! Ils ne sauront pas manœuvrer aussi bien que nous !

– Non, c'est inutile.

– Mais ils…

– J'ai dit non. Ils reviendront. Ici ou ailleurs, mais ils reviendront. Ces enfants-là ne fuient pas. J'ignore ce qui les anime, mais il y a une profonde conviction dans ce qu'ils font. Nous les reverrons sur nos terres. Très bientôt. Je vais faire prévenir le Maester de Cytadel. Préparez nos messagers, je veux qu'ils partent cette nuit même.

Un autre soldat le rejoignit et baissa la tête en guise de salut.

– Un des gamins a fait tomber ça tout à l'heure en embarquant, dit-il en tendant une pierre à son maître.

Un morceau de papier était enroulé autour, à la va-vite, tenu par un élastique.

Le Maester le déplia et découvrit une écriture maladroite, des mots jetés là dans la précipitation.

Lorsqu'il releva la tête, il affichait une mine rassurée et mystérieuse. La galère n'était plus visible que par les minuscules points lumineux de ses lanternes.

— Tout va bien, Maester ?

— En définitive, peut-être que ces enfants ont dit la vérité.

— Vous voulez dire... qu'ils viennent vraiment de l'autre côté de l'Océan ?

— C'est possible. Mais il semblerait que tous parmi eux ne partagent pas leurs idées. Nous avons un allié dans leur groupe. Faites seller mon cheval, je vais à la cité Blanche.

— Seul, Maester ?

— Il se trame quelque chose. D'importantes choses. J'ai commis l'erreur de sous-estimer ces gosses. Je pars avant l'aube. Je veux rendre visite à Maester Luganoff.

— Bien, Maester.

— Et s'il arrive le moindre message de notre nouvel ami, faites-moi prévenir aussitôt ! Envoyez les pigeons voyageurs pour ne pas perdre de temps. Mon intuition me dit que nous devons faire vite.

Le soldat recula d'un pas et s'inclina.

La détermination de son maître l'inquiétait.

24.
Un ciel de mauvais augure

Le jour se levait à peine quand la vigie de la galère cria pour prévenir qu'il avait repéré le Vaisseau-Vie. Sans lune, ils avaient été incapables de retrouver leur base d'attache, et s'étaient contentés de jeter l'ancre pour la fin de nuit, le temps de pouvoir s'orienter.

Ils accostèrent et firent débarquer l'équipage entier, avec Clara et Archibald encore secoués par la nuit qu'ils venaient de passer, suivis des dix nouveaux venus, tout penauds et terrorisés.

Le plus âgé, un brun d'environ quinze ans aux cheveux hirsutes et à la bouille toute ronde, s'approcha de Matt.

— C'est toi le chef ? demanda-t-il avec un fort accent français.

— Tu parles notre langue ! Parfait, tu vas pouvoir nous aider avec tes amis.

— Vous faites partie de la rébellion ?

— Quelle rébellion ?

Le garçon se renfrogna.

— Alors c'est vrai ce que vous nous avez raconté tout à l'heure à bord du bateau ? Vous venez vraiment de loin ?

– Oui.

– Vous allez libérer tout le pays ?

Matt ne sut que répondre. Il balbutia.

– Nous… En fait nous devons atteindre Paris. C'est un peu compliqué comme ça…

– Vous voulez retourner sur la terre ? Pourquoi ne pas rentrer chez vous ? C'est dangereux dans le pays ! Il y a des adultes partout.

– Nous ne pouvons pas rentrer. Notre pays est menacé. Le monde entier l'est à vrai dire.

– Mais les adultes sont une plus grande menace encore.

– Je ne crois pas.

– Parce que tu ne sais pas de quoi ils sont capables, fit le garçon d'un air sombre.

– De toute façon nous n'avons pas le choix. Je dois y retourner. Nous allons naviguer le plus longtemps possible le long des côtes, et lorsque nous serons au plus près de la cité Blanche, nous débarquerons pour la rejoindre par la terre. Nous aurions bien besoin d'un guide. L'un d'entre vous pourrait-il nous assister ?

Le garçon secoua la tête doucement, d'un air attristé.

– Vous ne savez pas ce que vous faites. Les hommes sont cruels. Personne ne voudra y retourner. Personne.

Puis le garçon partit rejoindre ses camarades.

Ambre posa une main sur le bras de Matt.

– Tu ne pourras pas les convaincre, dit-elle, ils ne savent pas ce que nous avons vu.

– Manifestement il pense la même chose de nous.

– Nous connaissons les Cyniks. Eux n'ont jamais affronté Entropia. Laisse-les.

– Quand veux-tu repartir ? demanda Torshan.

– Ce midi. Équipage minimum. Nous ne pouvons plus perdre de temps.

– Je vais organiser les préparatifs, faire charger les vivres.

Floyd s'approcha à son tour, il attendait depuis un moment derrière Matt.

– Merci pour cette nuit, dit-il, embarrassé.

– Pas de problème.

– Je suis désolé.

– Pas la peine. Tu as fait ce que tu croyais bon, comme moi. Aucun de nous n'avait raison. Personne n'est blessé, c'est le principal.

– C'est pas passé loin pour Tania et moi. On aurait pu y rester.

Matt le gratifia d'un sourire amical.

– Te prends pas la tête. T'as écouté ton instinct, c'est tout. La prochaine fois on réfléchira plus longtemps, toi et moi, avant de prendre une décision.

Floyd hocha la tête, et Matt lut le doute dans son regard.

– Tu repars avec nous ? interrogea-t-il.

– Bien sûr.

– Tu n'es pas obligé.

– Je sais. Mais je viens quand même. Je ne vous lâche pas.

Matt le prit par les épaules. Floyd était un garçon courageux, ils auraient besoin de lui et de son tempérament de feu avant d'atteindre Paris, Matt n'en doutait pas une seconde.

À midi, la galère fut prête à repartir.

Matt salua Clara et Archibald – cette fois il était plus prudent de partir sans eux. Le moment n'était pas à la diplomatie, les Cyniks l'avaient hélas prouvé. Leur heure viendrait, il fallait être patient. Matt voulait un commando discret, qui pourrait se faufiler à travers le territoire adulte sans se faire remarquer, et gagner Paris au plus vite pour récupérer le Cœur de la Terre. Une fois cette mission remplie, lorsque Entropia serait aux portes des Cyniks, Matt ne doutait pas une seconde que les adultes changeraient radicalement d'attitude, et que le temps de la paix pourrait s'imposer tout seul. L'Alliance des Trois s'était résolue à ne compter que sur elle-même, pour un moment encore.

Ils étaient sur le point de lever la passerelle lorsque le garçon brun à la tête ronde arriva en courant.

– Que fais-tu ? s'étonna Tobias.

– Je viens avec vous.

– Tu sais qu'on retourne là-bas ?

– Oui. Et vous aurez besoin d'un mec comme moi, qui connaît bien ces terres, annonça-t-il dans son anglais chantant.

– Tu es sûr ? demanda Matt. Ce sera intense.

Le garçon haussa les épaules.

– Si personne ne le fait, que deviendront tous les esclaves comme moi ?

Tobias et Matt échangèrent un regard entendu.

– Bienvenue à bord, dit Matt.

– J'ai toujours voulu rejoindre la rébellion de toute façon.

– C'est quoi cette rébellion ? insista Tobias.

– Des mecs et des filles comme vous, qui refusent l'autorité de l'Empire.

– Ils sont nombreux ?

– J'en sais rien. À vrai dire, j'en ai jamais vu. C'est une rumeur.

– Ils sont à la cité Blanche ? demanda Matt.

– Aucune idée. Je sais qu'ils habitent une forteresse cachée dans la forêt, loin à l'est, c'est tout ce que j'ai entendu dire, et qu'ils font des sorties pour attaquer l'Empire. Voilà tout.

— Comment peut-on les contacter ? questionna Tobias, plein d'espoir.

— Alors ça...

— S'ils existent vraiment, modéra Matt. En temps d'oppression les rumeurs les plus folles peuvent circuler. Surtout celles qui rassurent.

Le garçon renifla et haussa les épaules.

— Moi j'y crois à la rébellion, dit-il. Au fait, je m'appelle Léo.

Il leur tendit la main, et scella l'alliance avec ses nouveaux amis.

Aucun d'entre eux ne vit l'oiseau étrange qui flottait à quelques mètres au-dessus de la galère.

Un oiseau noir, au plumage maculé de goudron séché. Ses deux yeux étaient fixes, tels deux trous d'ombre.

Un oiseau mort qui planait comme un satellite espion.

Matt s'endormit dans l'après-midi, sur le pont, contre Plume roulée en boule près d'une pile de cordages. Le soleil fendit les nuages et vint les réchauffer. La plupart des Pans qui avaient participé à l'expédition nocturne somnolaient aussi, profitant de cette accalmie, convaincus que bientôt le sommeil se ferait plus difficile et plus rare.

L'équipage manœuvra en silence, laissant les gréements grincer dans le vent, les voiles claquer lorsque la brise se réveillait et le bois de la coque craquer au gré de la houle. Ils voguaient à bonne distance de la côte, fin ruban sombre sur l'horizon, assez près pour naviguer à vue, assez loin pour ne pas être repérables.

La nuit tomba rapidement, et un étrange phénomène perturba tout le monde à bord. Ambre, Tobias et Matt se retrouvèrent à la proue pour l'observer.

Le nord rougeoyait. Le ciel brûlait d'une lueur inquiétante, comme si d'immenses incendies ravageaient toute la Grande-Bretagne. C'était une lumière d'un rouge intense, lointaine et permanente, qui occupait tout le ciel à bâbord.

— C'est le monde qui brûle ? demanda Tobias, pas rassuré.

— Ça me rappelle le château de Malronce, murmura Matt, les volcans qui crachaient leur lave.

— L'Angleterre devenue une terre volcanique ? répéta Ambre. Pourquoi pas...

Matt posa sa main sur la cuisse de la jeune fille, assise sur un tonneau.

— Comment vas-tu ?

Elle hocha la tête, un peu trop vivement pour être crédible.

— Si je peux t'aider, n'hésite pas à...

— Je le ferai. Mais ça va.

Matt et Tobias connaissaient assez leur amie pour percevoir que ce n'était pas le cas, mais il était délicat d'insister si elle ne voulait pas se confier.

— Ç'a été une attaque violente, continua Matt. Nous n'en avons pas reparlé, et je crois que ce serait bien de...

— De quoi ? D'avoir des regrets ? le coupa Ambre. Non, trop tard pour ça. Nous pourrions en parler des heures, mes jambes ne fonctionneraient pas mieux. Ce qui est fait est fait. Maintenant il faut aller de l'avant...

— C'est tout de même un traumatisme, tenta Tobias, et en parler pourrait...

— Nous faire perdre du temps, trancha Ambre. Ce qui compte, c'est d'identifier celui qui nous a fait ça pour qu'il ne puisse plus recommencer, hélas ça n'a pas été possible.

— Orlandia a doublé les effectifs autour des points stratégiques du Vaisseau-Vie. Maintenant c'est à elle de jouer.

Ambre fixa les cieux carmins.

Matt pouvait voir ses mâchoires crispées. Elle éprouvait de la colère, ou plus certainement de la frustration. Ce qui lui arrivait était d'une injustice intolérable. Matt savait qu'il ne servait à rien de s'en vouloir, il n'avait rien pu faire, l'attaque avait été brutale, inattendue. Il songea de nouveau à ce bref affrontement, ce corps à corps au cours duquel il avait sous-estimé son adversaire, il s'était laissé surprendre par sa force… comme s'il s'était agi d'un adulte.

Ou d'une force surnaturelle… Entropia ? Non, peu probable…

Ggl n'avait aucun moyen de placer ses espions parmi les Pans, c'était impensable.

Restaient les Cyniks, les derniers traîtres à la solde du Buveur d'Innocence…

Il a disparu, s'il est malin, il est déjà loin, très loin, pour éviter les représailles du roi Balthazar ! Ça ne peut pas être lui !

Matt réprima un profond soupir. Il ne supportait pas de l'avoir laissé s'échapper. Et n'aimait pas l'idée que Ambre vienne avec eux, dans cet état. En même temps, se séparer d'elle lui était insupportable.

Et la convaincre de ne pas venir serait suicidaire ! Jamais elle n'acceptera de rester à bord.

— Randy a préparé l'itinéraire ? demanda-t-elle après un long silence.

— Oui. Nous avons récupéré une carte du nord de la France. D'après lui, selon l'état du chemin on devrait mettre entre cinq et sept jours pour atteindre la cité Blanche.

— Nous resterons hors des routes ?

– Aussi souvent que possible, mais si le pays est dans le même état que le nôtre, il sera difficile de progresser à travers la végétation. On improvisera.

– Et puis il faudrait trouver une église sur le chemin, rappela Tobias. Pour essayer de prendre contact avec Eden.

Matt vit le regard triste de son ami.

– Ils te manquent ?

– Je m'inquiète pour eux. J'espère que Entropia n'est pas déjà sur notre ville.

Matt le prit par l'épaule, pour le réconforter.

– On va y arriver. Dès que nous serons à Paris, Ambre absorbera le Cœur de la Terre, et je suis prêt à parier ce que tu veux que Ggl n'osera plus nous affronter de face. Quand j'étais dans le Tourmenteur, j'ai senti combien il désirait assimiler Ambre, et en même temps il la craint énormément. Alors imagine quand elle aura le double de puissance en elle !

– Et si on se trompait ? Si tout ce qu'il voulait justement c'était l'assimiler avec toute son énergie pour devenir lui-même indestructible ?

– S'il m'atteint c'est ce qu'il fera, intervint Ambre. Mais si je ne me laisse pas faire et que je retourne la force de la Terre contre lui, alors je pense que je peux détruire Entropia.

Tobias émit un petit râle qui ressemblait à une plainte.

– J'espère qu'on ne se trompe pas, dit-il.

– De toute façon, nous n'avons pas d'autre option, rappela Matt. Il faut y croire.

Ambre prit la main de Tobias.

– Fais-moi confiance. Je sens des choses en moi. Des changements, des influences. J'ai perçu la peur des Tourmenteurs. Cette énergie, ils veulent l'absorber pour ne pas qu'elle puisse les détruire. Aide-moi à rallier le deuxième Cœur de la Terre et je vous protégerai. Plus aucun Tourmenteur ne pourra nous faire du mal. Je te le jure.

Tobias retrouva un léger sourire. Pas vraiment rassuré pour autant, mais avec l'envie de l'être.

– Alors je vais nous mettre des coups de pied aux fesses tous les matins pour avancer plus vite sur la route de Paris.

Ils sourirent ensemble.

Sous le ciel rougeoyant du nord.

En pleine nuit, une silhouette se détacha du pont pour faire descendre le plus discrètement possible un petit canot. La vigie avant était trop loin pour le voir, et celle de l'arrière gisait, assommée.

Dans le canot, une caisse en bois occupait presque toute la longueur de la frêle embarcation.

La silhouette détacha le dernier cordage et regarda le canot s'éloigner lentement au gré des courants.

Le ciel rouge au-dessus de l'Angleterre ne l'inquiétait pas. C'était le signe que les temps changeaient. Une révolution était en marche. Les hommes libres prenaient enfin le pouvoir. Affranchis de leurs anciennes traditions, des liens de toute sorte. À présent plus aucun homme ne serait obligé d'avoir des enfants, ou de les éduquer, ils ne devraient plus rien. À personne. Plus de dépendance. Fini les jérémiades, les caprices, les droits des enfants. L'existence était trop courte pour la sacrifier aux enfants.

Les hommes redevenaient les seuls maîtres de leur vie, servis par des petits esclaves.

Le Buveur d'Innocence se frotta les mains.

Un oiseau tournait au-dessus de la barque. Il allait guider Colin jusqu'à elle, afin que l'adolescent récupère sa précieuse cargaison.

Le Buveur d'Innocence avait un plan. Un plan terrible. Mais pour qu'il fonctionne, Colin allait devoir faire vite. Tout était une question de vitesse et d'organisation.

Tant qu'ils pourraient dialoguer et se concerter, pour tout préparer, le plan fonctionnerait.

Alors les Pans n'y verraient que du feu.

Non seulement ils le conduiraient jusqu'au Cœur de la Terre, pour satisfaire Ggl, mais en plus ils se jetteraient dans la gueule de l'Empire.

Et lui, le Buveur d'Innocence, il en tirerait profit d'une manière ou d'une autre. Il n'avait aucun doute à ce sujet.

Tout était dans le timing. Attendre le bon moment pour intervenir. Pour tout faire basculer.

Jouer avec les deux camps, celui de Ggl et celui de l'Empire.

Le Buveur d'Innocence tenait sa revanche.

25.
La fumée des morts

La galère se rapprochait des falaises, en même temps que le soleil blanchissait peu à peu le rideau céleste, éteignant les dernières étoiles.

Matt aurait voulu débarquer en pleine nuit, mais ils avaient tardé à atteindre le point indiqué par Randy pour accoster.

— Tu ne préfères pas attendre la nuit prochaine ? demanda Tobias. Là avec l'aube on risque de se faire repérer.

— Je prends le risque, tant pis. Nous ne pouvons plus attendre.

Torshan rejoignit les deux garçons à la proue du navire.

— Il nous manque une chaloupe, les informa-t-il d'un air contrarié.

— Comment ça ? s'étonna Matt.

— Il en manque une, c'est tout. Le cordage qui la retenait est rompu, j'ignore s'il a cassé ou s'il a été tranché.

— Pourtant la mer a été calme cette nuit, non ? rappela Tobias.

— Oui. Mais la vigie arrière s'est endormie, il n'a rien pu voir.

— Endormi ? répéta Matt.

— Oui. Enfin, il dit qu'il s'est cogné, que c'est un gréement qui a tourné avec le vent et l'a assommé.

— Et il ne manque rien d'autre à bord ? demanda Matt, soupçonneux. Ni personne ?

— Je viens de vérifier. Rien. L'équipage est au complet.

Matt fit la moue. Il n'aimait pas ça. Mais il avait d'autres préoccupations en tête pour l'heure.

— Torshan, dit-il, rassemble notre groupe, nous allons bientôt embarquer dans les chaloupes pour gagner la terre. Je vais faire monter les chiens.

Les douze Pans et Kloropanphylles qui avaient constitué le premier commando ainsi que leurs onze chiens occupèrent bientôt le centre du pont supérieur, auxquels s'ajouta Léo qui allait monter avec Randy sur Chunk, un bâtard au poil long et aux oreilles pointues continuellement dressées. Chacun avait vérifié son paquetage, pour s'assurer qu'il emportait les vivres nécessaires, les ustensiles pour cuisiner, un sac de couchage, une provision d'eau pour au moins deux jours, des vêtements de rechange, et les armes qu'ils avaient astiquées, aiguisées et précieusement rangées dans leurs protections de voyage. Les trousses de premiers soins et le matériel particulier, comme les pelles pliables, ou les mini-tentes, étaient répartis entre les membres en fonction de leur gabarit et de leur force.

L'équipage les salua avec beaucoup de solennité, comme s'ils craignaient de ne plus jamais les revoir.

Ou comme s'ils savaient l'importance de ce que nous nous apprêtons à faire, songea Matt. Car en effet cette mission était primordiale. Retrouver le Cœur de la Terre allait leur donner un avantage considérable sur Entropia.

Si les Cyniks ne leur mettaient pas de bâtons dans les roues.

La galère s'éloigna peu à peu.

Elle allait regagner le large, puis le Vaisseau-Vie. Elle ne devait revenir que dans dix jours et attendre leurs signaux de fumée pour accoster.

Matt espérait que, dans dix jours, il se tiendrait sur cette plage, occupé à allumer un immense feu, l'excitation au ventre, Ambre galvanisée par l'énergie de la Terre, et tous leurs espoirs restaurés.

Lorsqu'il posa le pied sur les galets humides, il eut une sensation de déjà-vu. Deux jours plus tôt, ils avaient investi la plage par une nuit noire, curieux et anxieux de ce qu'ils allaient découvrir...

— Nous marchons dans les pas de nos ancêtres, s'écria Floyd par-dessus le bruit du ressac. Nos grands-parents et nos arrière-grands-parents ont débarqué sur ces plages de Normandie avant nous pour libérer l'Europe de l'occupation tyrannique ! Soyons fiers !

— Je vois pas ce qu'il y a de réjouissant là-dedans, maugréa Tobias. C'est juste la preuve que l'homme est capable de répéter ses pires bêtises !

— Et qu'il en existera toujours d'autres pour s'opposer à l'oppression.

Seul Floyd semblait optimiste, les autres mesuraient surtout le danger qui les attendait.

Ils tirèrent les barques, les cachèrent dans un recoin de la falaise, et ramassèrent autant d'algues que possible pour les recouvrir. Puis ils marchèrent vers ce qui ressemblait à un vieil escalier taillé dans la pierre et gagnèrent les hauteurs, afin de s'engager dans l'arrière-pays.

En parvenant au sommet, Matt fut soulagé de ne découvrir aucune patrouille de Cyniks. En débarquant au petit matin ils avaient pris le risque d'être repérés.

Le vent soufflait, et lorsque les Pans enfourchèrent leurs montures, ils durent se recroqueviller pour lui offrir le moins de prise possible, afin de ne pas être déséquilibrés. Les chiens s'élancèrent, Matt en tête, avec Randy à ses côtés pour le guider, Ambre et Tobias sur Gus, l'impressionnant saint-bernard, en troisième position. Les deux Kloropanphylles fermaient la marche sur leurs bergers malinois. Ni Torshan ni Ti'an n'avaient revêtu leur armure en chitine de fourmi, à la blancheur et à la fluorescence trop repérables. Ils s'étaient emmitouflés dans des vêtements de cuir renforcé, recouverts d'une cape brune à large capuchon pour dissimuler leurs visages si particuliers, au cas où ils croiseraient des Cyniks.

Les premiers kilomètres, à travers le bocage normand, furent assez aisés. Ils traversaient de vastes prairies d'herbes si hautes qu'elles dépassaient le garrot des chiens, puis franchissaient de petits bosquets d'arbres et de buissons, ou les contournaient quand c'était possible.

Chen sonna l'alerte le premier :

– Aïe ! Oh non ! Regardez ma jambe !

Une excroissance beige clair dépassait de son mollet droit, grosse comme une balle de golf.

– Une tique ! s'écria Tania d'un air dégoûté. Et elle est énorme !

Chen releva son pantalon sur l'autre jambe et en découvrit deux plus petites.

– Je crois que je vais m'évanouir, dit-il.

– Jamais vu des tiques aussi grosses, avoua Tobias, et pourtant avec les campements scouts j'en ai vu !

– Elles vont te vider de ton sang, intervint Ambre qui ne prenait pas du tout la menace à la légère, il faut les brûler tout de suite !

Elle commença à chercher un briquet dans ses affaires, mais Ti'an guida son chien à la hauteur de Chen et posa le bout de son index tout près de la première tique.

Un minuscule éclair jaillit de son ongle et la tique se contracta.

Chen étouffa un gémissement de douleur, la boule beige se mit à flétrir tandis que du sang s'écoulait par les côtés de son corps difforme. La tique finit par se décrocher. Ti'an répéta l'opération sur l'autre jambe et, pendant que Chen vérifiait qu'il n'en portait pas d'autres, le Kloropanphylle descendit de sa monture pour inspecter Zap, le berger australien de Chen. Il en repéra quatre rivées au pauvre chien, et les fit tomber de la même manière.

– C'est dégueu ! lâcha Maya en s'examinant attentivement.

Personne d'autre n'avait été victime de ces vampires infects et ils purent repartir d'un bon pas.

– Inspection des chiens à chaque pause, recommanda Matt.

Ils parvinrent à une rivière qui roulait des eaux marron, et ils durent la longer sur une dizaine de kilomètres avant de parvenir à un pont de pierre recouvert de lierre. À son approche, Matt fit ralentir tout le monde et termina les cent derniers mètres seul, en marchant devant Plume, pour vérifier qu'aucune présence ne rôdait aux alentours.

Ne voyant personne, il fit signe aux autres de le rejoindre sur le pont.

Une route le traversait avant de filer droit vers le sud, l'itinéraire qu'ils devaient suivre. Les ornières creusées par le passage répété des chevaux et des chariots prouvaient qu'elle était régulièrement utilisée.

– On ira beaucoup plus vite par là, indiqua Chen qui en avait assez de servir de garde-manger aux insectes.

– Elle sert encore, indiqua Matt, c'est risqué. Si on tombe sur une escouade de soldats Cyniks sans avoir le temps de se cacher, ça posera problème. Je préfère que nous restions loin des axes de circulation tant que c'est possible.

Ils franchirent la vieille construction sans s'attarder et repartirent à bonne vitesse à travers les champs d'herbes folles. Chen inspectait ses jambes et ses bras toutes les demi-heures, de crainte d'être à nouveau infesté de tiques, et ses camarades en firent autant, dégoûtés par ce qu'ils avaient vu sur ses mollets.

À mesure qu'ils s'éloignaient de la côte, le vent retombait, et le soleil refaisait son apparition entre deux trouées dans les nuages gris qui défilaient au-dessus de la Normandie.

Les chiens trottaient à bonne allure, engloutissant les kilomètres. Ils firent une pause à l'heure du déjeuner, se contentant d'un repas froid pour ne pas avoir à sortir les ustensiles de cuisine, et sondèrent la fourrure de leurs animaux, à la recherche des tiques. Ti'an avec ses doigts électriques servit d'instrument de pointe.

Dans l'après-midi, ils repérèrent une fumée opaque au loin, un bouquet noir qui se désagrégeait dans le ciel. Matt décida de ne pas l'éviter pour découvrir ce qui devait être une ville Cynik.

Il interpella Léo, qui chevauchait tout près, derrière Randy :

– Tu sais quelle ville c'est ?

– Encore trop tôt pour être Cytadel, l'ancienne ville de Caen. Et puis on la repérerait de loin avec tous ses clochers…

– Une cité avec beaucoup d'églises ? demanda Tobias.

– Oui, énormément. Elles sont recouvertes par la végétation, mais on en distingue encore les toits.

— On cherche une église, l'informa Matt.

— Eh ben là vous en aurez ! Sauf que… c'est en plein territoire de l'Empire. Il y a un château sur la colline qui domine la ville, et il est occupé par les adultes.

— Avec la végétation, on pourrait s'approcher sans risques ?

— J'imagine, mais faudra être discret…

— Si nous ne trouvons pas d'église avant, nous tenterons notre chance, conclut Matt. Randy, tu prépares la route pour Cytadel ?

Randy déplia sa carte qu'il tenait contre lui dans une besace de cuir.

— C'est l'ancienne ville de Caen, dis-tu ? C'est sur notre route. Si on continue comme ça, on peut y être demain.

— Parfait. Alors gardons le cap.

— Par contre, je crois pouvoir nous positionner sur la carte et je ne vois rien qui puisse correspondre à cette fumée. Quoi que ce soit, c'est nouveau.

— Raison de plus pour aller voir, dit Matt en scrutant le panache obscur.

Une heure plus tard, ils remontaient une colline couverte de tilleuls et de houx qui bruissaient dans le vent. Derrière, la fumée ondulait en deux larges rubans fuligineux. C'était bien plus gros que ce que Matt avait cru. Il s'était attendu à une auberge, puis à des feux de forêt, mais à présent il devinait une dimension industrielle dans ces colonnes qui grimpaient sans fin jusqu'aux nuages.

Lorsqu'ils eurent presque gravi la colline, Matt descendit de sa monture, imité par ses camarades, et approcha du sommet en baissant la tête.

Plus bas, dans la plaine, il découvrit un spectacle qui le glaça d'effroi. Ses mains se mirent à trembler.

Une construction longue comme un paquebot et haute comme un building semblait écraser le paysage de sa pierre noircie. D'étroites fenêtres en perçaient les flancs, munies de barreaux. Un mur de barbelés entourait l'édifice, sorte de bunker colossal, et deux immenses cheminées culminant à près de cent mètres crachaient leur poison. La masse semblait hésiter entre son rôle de prison ou d'usine.

À peine s'était-il approché que Léo poussa un cri de terreur qui fit bondir tout le monde. Ambre glissa d'un coup vers lui pour le faire taire, une main sur sa bouche.

– Qu'y a-t-il ? s'alarma Floyd. Ambre, laisse-le parler !

Léo fixait l'incroyable rectangle noir, les yeux affolés, comme s'il contemplait l'enfer.

– C'est une usine à Élixir, finit-il par cracher, blême.

– Il va falloir nous expliquer, lui demanda Floyd d'un ton qu'il voulait le plus rassurant possible, alors qu'il était lui-même perturbé par la peur du garçon.

– J'en avais entendu parler mais je n'en avais jamais vu…

– Et c'est quoi ? insista Chen.

– C'est là que les Ozdults fabriquent l'Élixir.

– Ozdults ? C'est ainsi que vous appelez les adultes de l'Empire ? devina Tania.

Léo acquiesça.

– Et cet Élixir, dit Matt, c'est celui qui leur donne leurs pouvoirs, c'est ça ?

– Exactement.

Tous devinrent curieux d'un coup. La marche en file indienne les avait un peu éteints, elle n'incitait pas vraiment à la discussion. Depuis que Léo et les siens avaient rejoint les Pans, personne n'avait eu le temps de converser, pris par la fuite, les préparatifs et la fatigue. Ambre demanda :

– Tous les adultes en boivent ?

— Les chefs, oui. Et les officiers. Il n'y en a pas assez pour tout le monde heureusement. Et l'effet ne dure pas longtemps, quelques heures au plus, selon la qualité et la concentration de l'Élixir.

— Mais ils le produisent comment ? demanda Randy.

Léo avala sa salive avec difficulté.

— En prenant leur pouvoir aux enfants. Ils les capturent, les font venir ici, et... j'ai entendu dire qu'ils distillent leur sang.

— Ils le *distillent* ? répéta Tobias, incrédule. Comme de l'alcool ?

— Oui, ils le font bouillir dans des alambics, pour en récupérer une sorte de suc qu'ils diluent ensuite pour obtenir l'Élixir.

— Donc en fonction du sang de l'enfant, ils parviennent à un Élixir différent ? comprit Ambre. Selon le pouvoir de l'enfant ?

— C'est ça. Un enfant qui a une vue exceptionnelle va donner un Élixir de vue parfaite. Un autre qui serait capable de cracher des flammes produira un Élixir de feu, et ainsi de suite...

Matt, qui ne parvenait pas à lâcher la fumée du regard, demanda :

— Et qu'arrive-t-il aux enfants ensuite ?

Léo prit une profonde inspiration. Son visage se leva vers les cheminées.

— Ils sont vidés de leur sang. Ensuite on brûle leurs corps dans de gigantesques fourneaux.

Un murmure d'horreur parcourut le groupe.

— Ce sont des vampires, dit Torshan tout bas. Ces adultes sont des monstres.

– Regardez ! fit Dorine en désignant l'extrémité de la route qui arrivait jusqu'à l'usine.

Plusieurs cavaliers en armure noire apparurent, suivis de six créatures de la taille d'éléphants, mais ressemblant à des bisons au pelage blanc, qui tiraient de longs chariots bâchés reliés entre eux par des cordages. Un autre groupe de cavaliers fermait le convoi.

– Qu'est-ce que c'est ? s'inquiéta Chen.

– De la matière première, j'en ai bien peur, murmura Léo.

– Tu veux dire que... ces chariots sont bourrés d'enfants ? Matt ! On ne peut pas laisser faire ça !

Matt avait son visage des mauvais jours. Il fixait les troupes Ozdults d'un air totalement fermé. Il serrait les dents de colère. Ses yeux lançaient des éclairs de rage.

– Ils sont une vingtaine, dit-il, c'est faisable.

Floyd lui posa la main sur le bras.

– Tu oublies les soldats à l'intérieur de l'usine. Ils ne manqueront pas d'accourir... je ne suis pas sûr que ce soit une bonne idée.

– Fermer les yeux sur l'existence de cet endroit n'en est pas une non plus.

– C'est une forteresse. Regarde ! Il y a des barbelés partout, presque aucune ouverture et elles sont toutes en acier ! Jamais on ne pourra entrer là-dedans par la force ! Et vu la taille de cette chose, ça doit grouiller de Cyniks à l'intérieur ! On n'y arrivera pas.

Ambre approcha.

– J'ai bien peur que Floyd ait raison, Matt.

– Vous voulez passer votre chemin et oublier ce qu'on vient de voir ? Toute cette fumée qui... qui répand des filles et des garçons comme nous dans l'air ? On les respire, bon sang ! On ne peut pas laisser faire ça !

– À treize nous ne servirons à rien, insista Ambre. Notre mission est ailleurs. Là où nous pouvons réussir. Nous fermerons cette usine en temps et en heure, dès que nous serons en mesure de dialoguer avec les Cyniks, de les contraindre à nous écouter.

– Ambre et Floyd disent vrai, fit Tobias à son tour.

Matt respirait par le nez, ses narines se contractaient de rage.

– Léo, dit-il en desserrant les mâchoires, il y en a d'autres des usines comme celle-là ?

– Hélas oui. Plusieurs en Europe, mais j'ignore où.

– Alors quand Ambre aura assimilé le Cœur de la Terre et que nous engagerons le dialogue avec les Cyniks, je veux les voir toutes fermer, je reviendrai jusqu'ici pour qu'on la détruise.

– Je serai avec toi, murmura Chen.

Ambre repoussa les garçons, pour retourner vers les chiens.

– Ne restons pas là, ce n'est pas un lieu où il faut s'attarder.

Matt jeta un dernier regard au convoi qui se rapprochait de l'énorme bâtiment.

Ses cheminées crachaient plus de fumée que celles d'un navire en pleine mer.

Et les âmes de centaines de Pans se déversaient en même temps à travers les nuages.

26.
Confidences et curiosité !

Sans en avoir reçu l'ordre, les chiens filaient à bonne allure pour mettre un maximum de distance entre eux et l'usine à Élixir, comme s'ils avaient perçu la malignité de l'endroit.

La lumière du jour déclina au fil des heures, et la végétation devint de plus en plus dense. Le bocage se transformait en bois touffus ou en petites forêts pleines de fougères qu'il devenait difficile de traverser.

Lorsqu'ils croisèrent une route, Matt hésita longuement avant d'accepter de l'emprunter. Floyd partit en éclaireur pour ouvrir la voie, et Ti'an se positionna à cinq cents mètres derrière le groupe pour prévenir de toute arrivée.

Matt était resté silencieux depuis l'épisode de l'usine. Ses convictions étaient blessées, une part de ses espoirs s'était évanouie face à ce spectacle. Ambre le sentait. Il avait placé tellement d'attentes en ces adultes d'Europe, misant sur l'idée que tous ne pouvaient avoir basculé dans la même folie guerrière que leurs comparses américains. Constater qu'ils n'étaient pas meilleurs, mais pires, l'avait bouleversé.

Ambre savait qu'il comptait sur le Cœur de la Terre, à Paris, et la menace d'Entropia pour provoquer un électrochoc, mais après ce qu'ils avaient découvert, il devait douter de tout. Une telle haine de l'enfant dépassait tout ce qu'ils avaient connu dans leur propre pays. En Amérique, Malronce avait rassemblé tous ces amnésiques terrifiés derrière ses propres obsessions d'un dieu réclamant le sacrifice ultime, celui de leur progéniture, pour gagner leur salut, comme Abraham dans la Bible. Ici, cela semblait relever seulement de la haine. Profonde et terrifiante. Le désir de destruction. Un reniement de toute humanité dans ce qu'elle avait de cyclique. Le refus de tout renouveau.

Chez les Cyniks d'Europe, les Ozdults, la volonté d'auto-destruction relevait du fanatisme.

Le message de la Tempête dans son extrême.

L'homme est mauvais et destructeur. Il doit disparaître.

Ambre profita que Tobias somnolait sur Gus pour donner un léger coup de talon au chien et lui intimer d'avancer plus vite, jusqu'à atteindre le même niveau que Léo et Randy.

— Est-ce que tu sais ce que veulent les Ozdults ? questionna-t-elle.

— Ce qu'ils veulent ? Non. Le pouvoir je suppose. Survivre dans ce monde chaotique et dangereux.

— Mais ils ont bien un but, une obsession ? Leur empereur, Oz, il a une doctrine ?

— À part celle d'asservir tout ce qui a moins de vingt ans ? Je ne crois pas.

— Et ils n'ont pas d'enfants eux-mêmes ? Il n'y a plus de femmes ?

— Si, il y en a encore bien sûr. Mais...

Le visage de Léo s'assombrit.

— Eh bien ? insista Ambre. Quoi ?

— On voit souvent des femmes enceintes, mais elles partent avant le terme et reviennent plus tard, sans enfant.

216

– Tu crois qu'ils… qu'ils les tuent ?

– Je l'ignore. Quand on connaît l'existence des usines à Élixir, on peut craindre le pire.

Ambre demeura songeuse un moment. Une espèce animale incapable de garder sa progéniture était condamnée à disparaître en très peu de temps. Que voulaient les Ozdults ? Éteindre la race ?

– Et vous avez tous des pouvoirs ? interrogea-t-elle. Tous les enfants ?

– La plupart. Mais comme il nous est interdit de les utiliser sans qu'un Ozdult nous le demande, on ne sait pas s'en servir.

– Comment se passe la vie pour vous ? Vous êtes enfermés et vous devez obéir aux ordres ?

– Oui, à peu de choses près. Et de temps en temps le Maester de notre village vient nous prendre un par un pour nous forcer à utiliser notre pouvoir. Et quand celui-ci lui plaît, alors le garçon ou la fille disparaît et on ne le revoit jamais. Ils vont à l'usine d'Élixir pour en récupérer l'énergie, pour le Maester. Je le sais. C'est pour ça que la plupart des enfants refusent leur pouvoir. On fait semblant de ne pas en avoir ou de ne pas réussir à s'en servir.

– Et ça marche ?

– Jusqu'à un certain point. Ils nous torturent pour nous obliger… Et s'il ne se passe rien, on finit par être expédiés vers les mines de fer.

Ambre secoua la tête avec dégoût.

– Je déteste ces gens.

– Nous aussi. Mais nous n'avons pas le choix.

– Vous n'avez pas essayé de vous révolter ? De vous battre ?

– Au début si. Quand on s'est tous réveillés après la tempête d'éclairs, les enfants et les adolescents se sont rassemblés et ont essayé de survivre ensemble. Puis les adultes sont venus, cruels et jaloux. Nous avons voulu les approcher pour qu'ils nous aident, on s'est cru sauvés au début... Avant de comprendre qu'il n'y avait plus aucun amour en eux, ni aucune mémoire. Ils sont arrivés d'un peu partout. D'abord ils nous ont ignorés, on leur faisait peur, je crois. Puis Oz a rassemblé les adultes sur la Grande-Île, l'Angleterre. Et il a conquis la France, puis le reste de l'Europe. Ce n'était pas bien dur, les autres adultes n'étaient pas organisés, ils étaient même terrifiés par ce nouveau monde. Alors ils lui ont obéi. Il a inventé des règles. Et c'est là qu'ils se sont mis à nous traquer. Pour faire de nous des esclaves. On s'est battus mais nous n'étions pas assez forts, pas assez nombreux.

– Et la rébellion est née à ce moment ?

– Oui, à peu près.

– Tu crois vraiment qu'elle existe ? Ce n'est pas une légende que les enfants se racontent pour entretenir l'espoir ?

Léo haussa les épaules.

– Je n'en sais rien. J'espère que non.

Tobias émergeait de sa torpeur.

– J'ai entendu parler de rébellion ? dit-il.

– Léo me raconte à quoi ressemble leur vie ici.

– Vous avez des anneaux ombilicaux ? voulut savoir Tobias. C'est le pire truc que les adultes ont inventé !

– Non, j'ignore ce que c'est.

– T'as de la chance ! C'est une horreur.

Ambre tapota l'épaule de Tobias.

– Je ne crois pas que leur vie soit plus enviable pour autant.

– Ça va changer, tout ça.

Léo avisa Tobias.

– Tu le crois vraiment ?

– Oui, avec Ambre et Matt, tu vas voir, les choses vont s'améliorer.

– Ne dis pas ça, Toby, le gronda Ambre. Ne nous fais pas porter autant de responsabilités, il y en a déjà bien assez. Trouvons le Cœur de la Terre pour commencer, et nous verrons ensuite.

– Si on pouvait s'allier à la rébellion, ce serait bien, commenta Tobias.

– Encore faut-il les trouver, dit Léo. J'ai entendu dire que leur base est dans une immense forêt à l'est, mais c'est peut-être encore une rumeur.

– Alors on fera en sorte qu'ils nous trouvent.

– Comment ça ?

– Si on fait assez de bruit et de dégâts chez les Ozdults, la rébellion ne manquera pas de s'intéresser à nous.

– Toby, ne lui donne pas de faux espoirs. Nous ne sommes pas venus pour ça. Rappelle-toi. C'est affronter Entropia la priorité. Sinon, d'ici quelques mois il n'y aura plus personne ni ici ni ailleurs.

Léo observa Ambre, et ils en restèrent à ces mots tandis que le soleil se couchait dans leur dos.

Ambre resta pensive un moment. Mille questions se télescopaient sous son crâne. À commencer par ce qu'elle et Matt allaient devenir. L'aimerait-il encore, maintenant qu'elle ne pouvait plus marcher ? Son altération pouvait faire illusion, la tenir debout, mais ce n'était pas pareil. Ses jambes ne répondaient plus du tout. Elles étaient comme deux bûches molles et inutiles.

Son cœur se serra, sa gorge devint douloureuse. Les larmes n'étaient pas loin.

Elle avait toujours refusé de pleurer en public, ce n'était pas maintenant qu'elle craquerait. Elle se concentra pour étouffer ses émotions. D'un discret revers de la main elle effaça les larmes aux coins de ses yeux.

Aujourd'hui il prétend que ça ne change rien, mais viendra un jour où il se lassera de moi, de mon handicap. Il regardera les filles normales et voudra partager avec elles ce que les couples partagent habituellement. Il voudra une existence banale, sans les contraintes de ma colonne vertébrale brisée.

Ambre serra les poings. Combien de temps encore Matt se montrerait-il patient avec elle ?

Un mouvement sur les bas-côtés attira son attention.

Pendant une seconde elle crut voir une silhouette entre les branches d'un cyprès. Le temps qu'elle cligne des paupières et il n'y avait plus rien.

Puis une tête réapparut plus loin, entre les branches.

On les observait.

Ambre voulut secouer la manche de Tobias mais Plume bondit d'un coup, tandis que Matt dégainait son épée et jaillissait sur le bord de la route.

– Sors de là ! s'écria-t-il.

Maya s'empressa de traduire d'une voix chevrotante, surprise par la soudaine panique du convoi.

Tania et Tobias avaient déjà sorti leurs arcs et encoché une flèche.

La silhouette s'avança prudemment hors de sa cachette.

C'était une adolescente, dans les quatorze ou quinze ans, cheveux châtain clair, reflets dorés, au visage maculé de saleté, les traits tirés par l'épuisement. Elle titubait.

Matt inspectait la forêt à la recherche d'autres personnes, mais voyant qu'elle était seule, il fit passer Plume derrière elle.

– Qui es-tu ?

Maya répéta ses mots en français.

La jeune fille était maigre. Très maigre.

Elle guettait la horde de chiens géants avec effroi.

Lorsque Plume approcha son museau pour la renifler, l'adolescente voulut s'enfuir, mais l'émotion et l'effort furent comme un raz de marée et elle ne fit pas trois pas avant de s'effondrer.

Inconsciente.

Matt se tourna vers ses compagnons.

– C'est sûrement une fuyarde, intervint Léo. C'est rare, mais il arrive que des enfants parviennent à s'enfuir.

Ambre glissa de sa monture et survola le sol de quelques centimètres jusqu'à la fillette.

– Elle est à bout de forces. Dorine, tu peux t'en occuper ?

– Bien sûr.

Chen demanda :

– On établit un camp pour la nuit ?

– Non, contra Matt. Il est trop tôt, nous devons encore avancer. Jusqu'à ce qu'il fasse nuit. Chaque heure compte.

– Matt, fit Ambre, on ne peut pas la laisser là. Elle mourra.

– C'est pour ça qu'on l'emmène avec nous. On verra ce qu'on fait d'elle quand elle se réveillera.

Dorine s'approcha d'elle et lui passa la main sur le front.

– Elle est brûlante de fièvre, dit-elle.

La fillette ne reprit pas connaissance, elle grelottait malgré la couverture dans laquelle elle avait été emmitouflée. Dorine veillait sur elle, après l'avoir installée contre elle sur le dos de Safety, son bobtail.

La nuit était tombée, et les Pans s'en remettaient à présent aux yeux de leurs chiens pour suivre la route. Tous commençaient à trouver le temps long et attendaient le repos avec impatience.

Matt commençait à faire ralentir la troupe pour chercher un endroit où bivouaquer, lorsque Floyd revint au galop.

– Cytadel est juste là, après cette forêt ! s'écria-t-il. Elle brille de partout ! C'est magnifique ! J'ai vu les clochers ! Il y en a plein !

Matt mit pied à terre.

– Alors profitons de la nuit pour dénicher une église, dit-il. Il est temps de communiquer avec Eden.

Personne ne remarqua l'oiseau goudronné qui les observait de sa branche, en silence. Un oiseau aux yeux morts qui tournait la tête pour ne rien rater de ce qui se faisait et se disait plus bas.

27.
Quand tout va pour le mieux...

Un ancien château fort dominait le paysage, du haut de sa colline, le contour de ses murailles et de ses tours souligné par des centaines de torches qui brûlaient dans la nuit.

Il était surtout construit en largeur. Pas de tourelles dominantes ou de donjons élancés, rien que des murs épais et interminables qui épousaient parfaitement le dernier tiers de l'éminence. Il ressemblait à un gigantesque boa de pierre lové contre sa proie.

À ses pieds, une ville de toits pentus, de cheminées étroites, de façades moussues l'encerclait. Des lanternes se balançaient au-dessus de chaque porte, aux intersections, arrimées à des mâts tous les vingt mètres, projetant des ombres mouvantes dans toutes les rues, faisant ressembler la bourgade à un théâtre d'ombres dans lequel se produiraient des fantômes. Et pas âme qui vive.

Matt sondait le moindre recoin avec les jumelles de Tobias, et ne distinguait personne.

– Ils dorment tous ?

– Faut croire, répondit Tobias.

— C'est à cause des Raptors, expliqua Léo. La région de Cytadel est réputée pour ça.

— Des Raptors ? répéta Tobias, effrayé. Tu veux parler des dinosaures ?

— C'est un peu ça, oui. De gros lézards rapides et très dangereux. Ils sortent la nuit pour chasser. La lumière les tient à distance, mais les Ozdults préfèrent ne pas prendre de risques, et ils ne sortent plus hors des remparts du château après le crépuscule.

— C'est maintenant que tu nous préviens ?

— Je n'y pensais plus…

Ignorant la conversation, Matt se concentrait sur les clochers qui dépassaient de la forêt tout autour de la ville de Cytadel. Il en voyait des dizaines. L'ancienne cité de Caen croulait sous une impressionnante toison végétale. Le centre était à présent le bastion des Ozdults, mais le reste avait été colonisé par les racines, le lierre, les lianes, les fougères et un épais tapis de mousse. Les arbres poussaient un peu partout dans les rues, et parfois à travers les fenêtres, faisant s'écrouler les immeubles et les maisons. Restaient debout toutes les églises qui lui avaient valu autrefois le surnom de « ville aux cent clochers » et qui à présent perçaient ce plafond vert pour former une chaîne de fines montagnes sauvages qui entouraient le château et ses faubourgs.

— Matt ! Matt ! insista Tobias pour le sortir de ses pensées. Et si on mettait en place deux tours de garde, pour ne prendre aucun risque. On se relaiera…

— Pour ceux qui restent là, pourquoi pas. Mais moi je vais dans une de ces églises là-bas.

— En pleine nuit ? Tu veux pas attendre le jour ? Avec cette histoire de Raptors, je…

– Non ! Au moins on est sûrs que les Cyniks ne nous approcheront pas si on y va maintenant.

– À choisir, je crois que je préfère les hommes aux Raptors..., fit Tobias en jetant un regard désespéré à Léo.

– Je vais avoir besoin d'aide, l'informa Matt. Floyd va rester, il surveillera le bivouac et la fille inconsciente.

– Je savais que tu allais dire ça. Je vais voir avec Tania et Chen s'ils nous accompagnent.

– Propose à Ambre, elle voudra venir.

Sur quoi Matt remit les jumelles pour localiser l'église la plus proche. S'il fallait traverser le territoire de chasse des prédateurs nocturnes, autant parcourir le moins de distance possible.

L'Alliance des Trois, suivie par Tania, Chen et Ti'an, se faufilait entre les troncs en s'éclairant avec le champignon lumineux de Tobias. Ils limitaient au maximum les lampes pour ne pas attirer l'attention de la faune. Randy, Maya et Léo avaient voulu se joindre à eux mais Matt avait refusé, pour qu'ils se reposent, et que leur groupe soit le plus restreint et discret possible. Ils disposaient d'une puissance de frappe suffisante pour se défendre le cas échéant, et restaient mobiles en cas de fuite.

Tandis qu'ils progressaient dans la forêt pour se rapprocher des ruines de la ville, Matt remarqua que les yeux de Ti'an étaient légèrement phosphorescents dans l'obscurité, émettant un halo vert.

– Est-ce que tu vois dans l'obscurité ? demanda-t-il.

– Un peu. Mieux que les Pans, je crois, mais ce n'est pas parfait non plus.

– Je l'ignorais.

– Il y a beaucoup de choses que vous ignorez sur mon peuple. Les Kloropanphylles, comme vous nous appelez, sont les enfants de la forêt. Nous sommes silencieux sur son ventre, et invisibles si besoin est.

Sur quoi Ti'an sauta de Kolbi, son chien, et s'enfonça dans le creux d'un tronc. Il baissa la tête et sa chevelure en dreadlocks verdâtres retomba sur son buste. À cet instant Matt dut reconnaître que s'il ne l'avait vu faire, jamais il n'aurait pu le distinguer.

— Pas mal, avoua-t-il.

Ti'an sauta avec agilité sur le dos de Kolbi, un large sourire aux lèvres.

— Et notre peau n'a pas d'odeur animale. Si nous restons immobiles, les animaux ne nous détectent pas, ajouta-t-il fièrement.

— Je suis bluffé.

— C'est vrai qu'avant la Tempête vous étiez tous des enfants malades dans un immense hôpital ? demanda Chen sans le moindre tact.

Ti'an haussa les épaules d'un air bougon.

— Peu importe. Ce qui compte c'est que Mère-Gaïa nous ait choisis pour être son peuple.

— Le peuple élu, c'est ça ? insista Chen maladroitement.

— Exactement.

— C'est pas cool pour nous, pour tous les autres. Ça signifie qu'on ne compte pas ?

— Si. Mais nous sommes là pour vous montrer la voie. Pour vous guider. C'est pour ça que Gaïa nous a donné toutes nos facultés.

— Mouais…

Chen n'était pas convaincu, et il allait poursuivre le débat lorsque Ambre les fit taire :

— Silence ! Nous arrivons dans la ville.

Les premières ombres rectangulaires de leur ancienne vie se profilèrent devant eux, au milieu des troncs et des parterres de fougères. La petite troupe progressa entre les façades éboulées, les squelettes d'immeubles, les vestiges de stations à essence, de parkings, de supermarchés et de lotissements englués dans des nasses de racines, lianes et autres végétaux qui ressemblaient à d'interminables toiles d'araignées complexes et inextricables.

Il n'y avait plus de ciel, rien qu'un treillis de feuilles et de branchages pendouillant, qui filait d'un toit à l'autre, s'accrochant au passage sur les vieux lampadaires, les pylônes électriques et les panneaux publicitaires aux couleurs délavées, aux photos rongées par l'humidité. Les Pans n'avaient que leur champignon lumineux et sa clarté argentée pour se guider.

Même le bitume avait disparu sous un tapis de mousse qui absorbait le son de leurs pas.

Comme aux États-Unis, les voitures avaient fondu sous la puissance des éclairs, il n'y avait plus la moindre trace d'épave, rien que des gravats ou des échafaudages effondrés pour leur barrer la route.

Tania repéra ce qui ressemblait à une église dans une rue adjacente, et ils se faufilèrent jusqu'à son parvis. Là elle sortit son arc, imitée par Tobias, et ils entrèrent prudemment dans l'édifice.

– Tania, ferme derrière nous, on ne sait jamais, commanda Matt.

À peine les six Pans et leurs chiens avaient-ils franchi le seuil que deux cierges s'allumèrent comme par magie de part et d'autre de l'allée centrale.

– Wow ! fit Chen. Ça c'est pas normal !

— Avec toutes les églises que tu as explorées aux alentours d'Eden, demanda Matt, tu n'as jamais vu un phénomène de ce genre ?

— Non, jamais !

— C'est cette église, dit Ambre. Elle est réceptive.

— Tu traduis ? demanda Tobias.

— Elle est pleine d'énergie. Notre arrivée fait un peu l'effet d'une étincelle sur une nappe d'essence, si tu préfères.

— Elle est gavée d'âmes, c'est ça ? Et elles vont s'embraser ? Super ! ironisa l'adolescent.

Chen hocha la tête.

— C'est vrai, je le sens. On dirait de l'électricité statique, dit-il.

— Nous ne devrions avoir aucun mal à établir le contact, ajouta Ambre en remontant vers l'autel.

Des bibles recouvraient les bancs et les dalles de pierre du sol. Il y en avait partout.

Ambre flotta jusqu'aux marches de l'autel et s'assit pour se concentrer sans plus attendre. Chen la suivit dans sa méditation, même s'il savait qu'avec le Cœur de la Terre en elle et sa faculté à concentrer ses pensées, Ambre était celle qui avait le plus de chances de nouer le contact.

Le tabernacle s'illumina brusquement et projeta plusieurs flashes violents, aveuglants, en même temps que toutes les bibles s'ouvraient et que les pages se mettaient à tourner. Un murmure général s'éleva dans la nef. Des centaines de personnes parlaient tout bas, dans toutes les langues.

Matt, Tobias, Tania et Ti'an n'étaient même pas encore assis que déjà l'église communiquait.

— Dis donc, on a enfin un peu de bol ou elles sont toutes comme ça en Europe ? chuchota Tobias à l'attention de Matt.

– C'est une église qui devait être très visitée. Ou peut-être qu'au moment de la Tempête elle était pleine et qu'elle est saturée d'âmes maintenant.

– Je pense que la présence d'Ambre, avec l'énergie qu'elle transporte, doit jouer aussi.

Tobias vit une bible à ses pieds qui tremblait tellement que ses pages défilaient. Il la ramassa et aussitôt une voix à l'accent très prononcé lui parla :

– Je m'appelle Kestie de Perth.

Accent australien, comprit Tobias.

– Je suis Tobias. Vous m'entendez ?

– Oui. Il fait noir chez vous aussi ?

– Euh... non, pas tout à fait.

– Moi, il fait noir, et je crois que je stagne dans l'air. Je ne sens rien. Plus rien.

– Et... il y a du monde autour de vous ?

– Oui, je crois. Il y a d'autres voix.

Tobias jeta un œil à Matt.

– Perth, c'est beaucoup trop loin d'Eden, dit ce dernier, laisse tomber.

Tobias hésita, il ne savait pas comment mettre un terme à cette conversation sans être impoli.

Ambre releva la tête. La bible qu'elle tenait sur les genoux lança un flash de lumière.

– Je suis Ambre Caldero, est-ce que vous êtes Patricia de Caseyville ?

– Non. Je suis Loïs de Caseyville.

Tobias claqua sa bible.

– Impressionnant, dit-il tout bas, elle est allée super vite !

– Je cherche Patricia. Est-ce que vous pouvez demander aux autres voix qui sont à côté de vous ?

– Oui. Je peux.

Moins d'une minute plus tard, une voix féminine sortit du petit livre de cuir :

— Je suis Patricia de Caseyville.

Tobias donna un coup de coude amical à Matt. Leur plan fonctionnait, et mieux encore qu'ils ne l'avaient espéré.

— J'en reviens pas, triompha-t-il. D'habitude ça marche jamais comme on voudrait ! Et là, du premier coup ! En cinq minutes !

— Je suis Ambre Caldero. Est-ce que vous pouvez retenir un message à transmettre à mes amis d'Eden ?

— Oui, je crois.

— Dites-leur que nous sommes en Europe. Dites-leur que les Cyniks contrôlent le pays. Nous sommes en route pour Paris, afin de récupérer le Cœur de la Terre. Vous pouvez le leur transmettre ?

— Je vais essayer. Mais comment je fais ? Où sont-ils ?

— Ils vont vous interroger. Tout ce que vous devez faire, c'est retenir mon message et le répéter quand on vous le demandera.

— Attendez… Je me souviens. Aly, d'Eden, c'est bien ça ?

— Oui ! s'enthousiasma Ambre. C'est elle !

— Elle m'a parlé. Aly d'Eden. Elle a dit que Eden se prépare.

— Se prépare à quoi ?

— Attendez, j'essaie de me souvenir… Eden se prépare à évacuer.

Tous les Pans dans l'église se raidirent.

— La brume approche, ajouta la voix de Patricia. La brume descend du nord. Une question de semaines.

— C'est tout ? insista Ambre. C'est tout ce qu'Aly vous a dit ?

— Oui. C'est tout ce dont je me souviens.

— Alors mémorisez bien mon message et faites-le-lui passer quand elle reviendra vous interroger, c'est d'accord ?

— Oui : un message de Ambre Caldero. Je lui dirai.

Ambre allait refermer sa bible lorsque Chen leva la sienne devant lui.

Une étrange voix en sortait, parasitée par un son désagréable, comme celui d'une télé mal réglée. Le signal était entrecoupé de blancs et de sons numériques distordus.

Puis soudain les pages s'embrasèrent et Chen jeta le livre en reculant précipitamment.

— On a un problème ! s'écria Tania.

Tous se retournèrent et virent que les bibles s'enflammaient les unes après les autres.

Tobias lâcha la sienne.

— Chen, qu'est-ce que t'as fait ?

— Rien ! C'est pas moi !

— À quoi tu pensais ?

— Je me concentrais !

— Mais sur quoi ?

— Sur nous, sur Eden, sur l'église de Caseyville, sur Patricia ! Je vous jure !

Toutes les bibles prenaient feu.

Les Pans se regroupèrent et commencèrent à battre en retraite vers la sortie.

— T'es sûr que tu pensais à rien d'autre ?

— Oui !

— Même pas une pensée polluante ? questionna Ambre.

— Non... enfin, peut-être si...

— À quoi ?

— En me concentrant sur Eden, j'ai songé à Entropia qui se rapprochait... mais pas longtemps ! Je vous jure !

— Oh non, maugréa Tania. Manquait plus que ça.

Tobias contempla les livres qui se transformaient en torches.

– C'est Entropia qui a fait ça ? Elle est connectée aussi avec le monde des esprits ?

– C'est pas l'au-delà Toby, corrigea Ambre, je crois que c'est une sorte de pellicule entre notre monde et autre chose de plus éthéré. Et tous les gens qui étaient dans les églises au moment de la Tempête pour prier, ont été enfermés dedans. À force de croire en quelque chose, tous de la même manière, j'ai l'impression qu'ils ont fini par créer une force parallèle dans laquelle leurs pensées, leurs esprits se sont emprisonnés au moment où les éclairs vaporisaient leurs corps.

Matt tirait tout le monde vers la sortie, les chiens attendaient, l'œil inquiet.

Les flammes grandissaient à vive allure, les bancs commençaient à prendre feu et plusieurs tentures accrochées aux piliers de la nef se mirent à flamber à leur tour.

– Tout le monde dehors ! ordonna Matt.

Mais Plume lui barra le chemin.

Elle fixait la grande porte en bois, la truffe en l'air, ses narines noires palpitantes.

– Quoi ? Qu'est-ce qu'elle a ? s'inquiéta Ti'an.

– Elle sent quelque chose.

– Et alors ?

– Pour qu'elle nous bloque ici, c'est que l'odeur ne lui plaît pas. Pas du tout.

La porte s'enfonça d'un coup. Pas assez pour la briser, mais assez pour faire sursauter toute l'assemblée.

Quelque chose de lourd venait de la heurter.

Et cette chose recommença, en prenant de l'élan cette fois, et la porte craqua, prête à céder.

Puis tous les Pans entendirent ce qui ressemblait à des griffes qui raclaient le battant.

Alors un grondement animal monta à l'extérieur.

Un grondement sinistre.

Et d'autres créatures répondirent.

28.

Du sang dans la nuit

Le feu se propageait de plus en plus rapidement dans l'église. Le bois sec des bancs partait en fumée comme autant d'allumettes.

— Nous n'avons pas le choix, s'écria Tania par-dessus les crépitements de l'incendie. Il faut sortir !

— Avec ces trucs qui nous attendent ? grimaça Chen.

Matt prit les choses en main :

— Tania, Toby et Chen préparez vos flèches. Ti'an, tu ne déclenches tes éclairs qu'en dernier recours, ça risque d'attirer l'attention.

Le Kloropanphylle acquiesça et serra son bâton devant lui. Les chiens se rassemblèrent aux côtés de Plume.

Puis Matt défit le verrou de la porte et tira sur les battants, une main sur la poignée de son épée, prêt à la brandir.

La gueule d'un lézard apparut dans le halo du champignon lumineux que Tobias venait de planter au bout de son arc. Il était plus haut qu'un homme et dressé sur ses pattes arrière. Sa mâchoire s'ouvrit sur plusieurs rangées de dents pointues et sa langue fourchue balaya l'air.

— Un Raptor, annonça Tobias.

Deux de ses congénères se dandinèrent derrière lui pour approcher du festin qui s'offrait à eux.

Puis un quatrième et un cinquième, plus loin dans la rue.

Chen n'attendit pas plus longtemps. Il déclencha les deux tirs de son arbalète, et Tania suivit. Tobias fut plus lent à se décider, mais lorsqu'il entra en action, quatre flèches fusèrent presque instantanément si bien que Ambre, avec son altération, ne put en guider que deux.

La premier Raptor encaissa cinq projectiles et tituba en vociférant.

Ses cris résonnèrent dans la ville, plus forts qu'une sirène.

Un deuxième Raptor bondit dans l'église, mais au moment où il dépliait son cou pour saisir Matt à la tête, Plume referma ses crocs sur la nuque du reptile, le fit décoller du sol et le secoua contre les murs de l'entrée jusqu'à ce que ses os se fracassent.

Matt accueillit le suivant en esquivant la gueule pour mieux lui trancher la tête en frappant de toutes ses forces.

D'autres Raptors accouraient, ameutés par les cris.

– En selle ! hurla Matt en constatant qu'ils allaient être débordés par le nombre.

Les chiens jaillirent hors de l'église en même temps qu'une salve de tirs lancée pour éclaircir le passage.

Plume repoussa d'un violent coup de griffes un Raptor qui tentait de la mordre à la patte et Matt le neutralisa d'un moulinet du poignet.

Il en arrivait de partout.

Des dizaines.

Derrière, l'incendie de l'église projetait une lumière qui faisait fuir les moins téméraires, mais ce n'était pas suffisant.

Les mâchoires claquaient tout autour des Pans et les chiens se mirent à galoper comme le vent.

Tobias enchaînait les tirs. Ses flèches traversaient la nuit comme des spectres s'enfonçant dans la chair des vivants pour leur aspirer toute vie. Ambre veillait à corriger le maximum de tirs avec son altération pour que les pointes s'enfoncent de préférence dans les yeux ou la gorge.

Les cordes de Chen et Tania claquaient également à la chaîne.

Mais pour un Raptor qui tombait, deux le remplaçaient aussitôt.

Matt comptait sur la vitesse de leurs montures pour distancer les lézards, il voulait éviter à tout prix que Ti'an n'use de son altération. Il se savait beaucoup trop proche de Cytadel pour que les gardes sur les remparts ne les remarquent pas.

Pourtant, après deux cents mètres de course, il dut se rendre à l'évidence : les Raptors surgissaient de partout. Ils devaient être plus d'une centaine à grouiller dans les bas-fonds de la ville, à attendre qu'une proie s'aventure sur le territoire, et ils attaquaient avec la pugnacité et l'efficacité d'un prédateur né pour tuer.

Lorsqu'il eut frôlé de peu la morsure, ne devant son salut qu'à l'adresse de Plume, Matt se tourna vers Ti'an et cria :

– Maintenant !

Alors le Kloropanphylle leva une main et la foudre s'abattit sur les sauriens.

Trois tombèrent dans des gerbes d'étincelles avant que la meute ne finisse par ralentir, effrayée par les flashes des éclairs.

Ti'an en foudroya deux autres.

Puis les Raptors cessèrent la poursuite aussi vite qu'ils l'avaient entamée. Ils se glissèrent dans les ruelles, par les ouvertures sombres des bâtiments, sautèrent dans ce qui devait être des bouches d'égout béantes.

En un instant, la ville se vida de ses monstres.

Les chiens ne ralentirent pas pour autant et évacuèrent les adolescents au grand galop à travers la forêt avant que les ronces, les branches basses et le feuillage des épineux ne les obligent à marcher.

Les Pans demeuraient silencieux, éprouvés par ce qu'ils venaient de vivre.

– Tu crois que les Cyniks nous ont repérés ? demanda Chen à Matt.

– Avec le boucan qu'on a fait et les éclairs, il faudrait être aveugle pour passer à côté.

– Nous ne devrions pas dormir dans le secteur, conseilla Ti'an.

– Tu as raison. On rejoint les autres et on plie bagages.

– Attention à ne pas nous épuiser, le modéra Ambre. Tout le monde est à bout. Si nous ne dormons pas, nous n'irons pas loin.

– On se reposera avant l'aube. Lorsque nous aurons mis quelques kilomètres entre cette forteresse Cynik et nous.

Ils retrouvèrent le bivouac, guidés par le flair des chiens.

Matt s'attendait à devoir réveiller ses camarades en sautant du dos de Plume, alors qu'il ne trouva qu'un cercle de cendres à l'emplacement du feu de camp, et des sacs de couchage vides.

Ti'an, Chen et Tania sautèrent de leurs montures pour faire le tour des fourrés alentour.

– Rien ! fit l'adolescente.

– Ils sont partis à toute vitesse, conclut Tobias.

Le Kloropanphylle posa un genou à terre :

– Ou ils ont été enlevés. Il y a du sang !

Matt accourut pour découvrir plusieurs taches autour d'un sac de voyage. Il reconnut celui de Floyd.

Et les taches se multipliaient plus loin.
Ils étaient blessés.
Mais quand il vit les flaques qui imbibaient la terre, il eut un funeste pressentiment.

29.
Halte

Des projections de sang tapissaient les feuillages sur plusieurs mètres, des branchages cassés jonchaient le sol et la terre était toute retournée.

Un combat avait eu lieu.

Chen fit une grimace, effrayé.

— Et maintenant on fait quoi ? demanda-t-il. On part à leur recherche dans quelle direction ?

— Soit ils sont partis précipitamment, avança Matt, et dans ce cas il faut qu'on parvienne à les retrouver, soit ils ont été capturés par les Cyniks et ils sont en route vers Cytadel.

— Avec les Raptors dehors, suis pas sûr que les Ozdults sortent de chez eux la nuit ! C'est ce que Léo avait l'air de dire...

Matt répliqua :

— Ils évitent d'errer la nuit dans les rues, mais de là à rester terrés, j'ai un doute... Il faut faire attention, notre présence à l'église a probablement alerté leurs vigies, évitons de leur donner envie de venir jusqu'à nous. Ti'an, tu as repéré une piste ?

Le Kloropanphylle revint avec sa lanterne.

– Oui, c'est truffé de traces par là-bas, vers l'ouest. Empreintes de chiens – il y en a partout – mais aussi de pattes à trois doigts, massives.

– Raptors ? lança Tobias en frissonnant.

– J'en ai bien peur.

Matt désigna l'ouest :

– En selle, on remonte la piste. Prenons toutes les affaires laissées ici. Et soyez vigilants. Préparez vos armes. Ces créatures sont agressives, j'ignore si en plus elles sont fourbes et capables d'attendre cachées dans les fourrés, ne prenons aucun risque.

Ils allumèrent plusieurs lanternes pour se repérer et les chiens s'élancèrent, guidés par Ti'an sur le dos de Kolbi.

Le Kloropanphylle s'arrêtait régulièrement pour sauter à terre et inspecter les traces, avant de repartir en suivant tout autant les branchages cassés que les empreintes.

Ambre repéra plusieurs taches sombres sur les feuilles.

– Du sang, dit-elle tout bas.

Puis soudain Kolbi s'immobilisa, et Ti'an leva son bâton devant lui.

Des bruits étranges leur parvinrent. Droit devant. Des grondements sinistres, des roucoulements gutturaux. Et le bruissement de la végétation quand des formes filaient entre les troncs et les buissons.

– Des Raptors, murmura Tobias.

– Une dizaine au moins, compléta Chen.

Les chiens se rapprochèrent les uns des autres, les babines retroussées sur leurs crocs, prêts à défendre leurs maîtres.

Et toute la ligne se mit à avancer doucement.

Les Raptors fusaient dans la nuit, changeant de position, comme pour mieux distinguer ce qui approchait, ou pour les impressionner par une sorte de danse guerrière.

Un des sauriens se mit alors à crier, un long râle aigu, répété par un autre plus lointain, puis un troisième.

Alors les lézards détalèrent brusquement, à toute vitesse, dans la nuit.

– C'est nous qui les avons effrayés ? commença à se réjouir Tania.

– Je crois bien…, répondit Ti'an.

Tobias, lui, restait attentif au moindre signe :

– Dans les films, c'est là que surgit un monstre encore plus gros…

Mais aucune créature n'apparut.

Jusqu'à ce que des yeux s'illuminent dans l'obscurité. Face à eux.

Une dizaine. La lumière des lanternes se réfléchissant sur les pupilles jaunes.

Des yeux plus grands que ceux d'un homme.

Comme des loups géants.

Les gueules sortirent peu à peu de l'obscurité.

Et les attitudes changèrent.

Les oreilles s'affaissèrent, les babines retombèrent et les regards s'adoucirent.

Marmite, Chunk, Safety, Nak et les autres chiens s'approchèrent.

Mais il n'y avait personne sur leur dos.

Draco, le chien d'Elliot, apparut à son tour, il boitait et son poil était maculé de sang sur tout le flanc droit.

Gus fit un bond pour surgir à ses côtés et lui donner un coup de langue sur la truffe.

– Où sont Floyd et les autres ? s'inquiéta Matt en descendant de sa monture.

Il dépassa les chiens et explora les environs, une lanterne à la main.

Il vit des lueurs et des ombres. Et le flash du métal qui prend la lumière.

Une lame !

Matt saisit la poignée de son épée.

Puis il reconnut Floyd et son crâne rasé. Il peinait à tenir debout, l'arme dressée devant lui.

— Floyd ? C'est moi, Matt !

— Matt ?

Le Long Marcheur tituba jusqu'à lui.

Il avait deux longues entailles, l'une sur le bras, l'autre sur la poitrine, et il saignait abondamment.

— On a été attaqués, souffla-t-il. J'ai fait tout ce que j'ai pu.

Il s'effondra et Matt le retint in extremis pour l'asseoir contre un arbre.

Derrière lui, Randy serrait son arc en tremblant. Maya et Léo s'appuyaient l'un contre l'autre, Torshan était couvert d'écorchures, son bâton prêt à frapper tout ce qui approcherait. L'adolescente inconsciente était allongée dans l'herbe, là où un chien l'avait déposée avant de repartir au combat.

Ils sont presque tous là, constata Matt avant de comprendre qu'il en manquait deux.

Il les repéra à l'écart, grâce à la lanterne posée à leurs pieds.

Dorine se tenait à califourchon sur le corps d'Elliot dont les cheveux blonds étaient à présent rougis. Le jeune garçon était inconscient, et en voyant ses blessures, Matt comprit qu'il n'en avait plus pour très longtemps.

Dorine n'abandonna pas. Elle s'acharna pendant deux heures à l'aide de son altération, pour sauver Elliot. Ses mains étaient plaquées sur les joues du garçon, et elle lui transmettait toute son énergie pour qu'il survive.

Pendant ce temps, Tania, assistée par Ambre, prit du fil et une aiguille et, après avoir nettoyé les plaies, elle s'efforça de les recoudre le plus proprement possible.

Le pauvre garçon était blessé au ventre, sur les bras et le long du crâne, au-dessus de l'oreille. Cette dernière blessure était la plus grave. Il s'en était fallu d'une seconde qu'un Raptor ne vienne enfoncer ses dents dans le crâne d'Elliot. Floyd était intervenu pour le sauver, mais pas assez vite.

Pendant ce temps, Matt multiplia les rondes dans les alentours, sur le dos de Plume, avant d'être relayé par Tobias sur Gus.

Les Pans craignaient tout autant un retour des Raptors qu'une patrouille Cynik alertée par le bruit et la lumière. Mais l'état des blessés interdisait tout transport.

Lorsque Elliot fut recousu, Ambre vint au chevet de Floyd et apposa ses mains sur les entailles qui le faisaient souffrir. Elle ferma les yeux et Floyd sursauta.

— Je sens… je sens de la chaleur ! balbutia-t-il.

— C'est l'énergie du Cœur de la Terre, expliqua Matt. Ambre est en train de te soigner.

— Mais… ça va attirer les Tourmenteurs d'Entropia, non ?

— Si elle l'utilise trop longtemps. Mais ils sont loin, nous aurons le temps de bouger d'ici à ce qu'ils nous trouvent.

— Je l'espère…, murmura Floyd en se laissant aller contre un tronc.

Il était à bout de forces.

Quand elle eut terminé avec Floyd, elle vint près de Dorine et Elliot.

— Laisse-moi prendre le relais. Tu es épuisée, dit-elle.

Dorine lâcha son patient et manqua s'effondrer en se relevant. Elle était livide. Mais Elliot était toujours en vie.

Ambre posa ses mains sur le visage du garçon et se concentra.

Elle resta près d'une heure ainsi, jusqu'à ce que Matt vienne l'interrompre :

– Tu dois arrêter maintenant. On a besoin de toi. Et si tu prolonges trop, tu sais que Entropia va te sentir.

Ambre acquiesça et passa la main dans les cheveux d'Elliot.

– Il faut le veiller. Il va s'en sortir.

– Je m'en occupe, dit Léo en mouillant un linge pour commencer à nettoyer le sang qui maculait les cheveux de son compagnon de route.

Matt attira Ambre près des chiens qui se reposaient, côte à côte, se léchant les pattes, leurs petites blessures.

– Draco est en mauvais état. Si tu ne peux rien faire pour lui, il aura du mal à nous suivre. Il nous ralentira.

– Nous ne laisserons pas l'un de nos chiens derrière nous, dit Ambre, catégorique. Je m'en occupe.

Matt lui posa une main sur l'épaule.

– Garde un peu de force pour toi.

– Ne t'en fais pas.

– C'est promis ?

Matt savait qu'elle pouvait tout donner pour aider les autres, surtout s'il s'agissait des Pans ou des animaux. Il craignait qu'elle n'aille trop loin, qu'elle perde de nouveau connaissance durant plusieurs jours, ou pire...

– C'est promis, dit-elle en s'asseyant près de Draco, qui leva les yeux vers elle sans trouver la force de bouger.

Ambre appliqua ses mains sur les flancs de l'animal, et le processus de guérison monta du Cœur de la Terre.

L'aube se levait, accompagnée par le chant des premiers oiseaux. Un ciel blanc recouvrait la forêt.

Matt avait peu dormi, montant la garde avec Chen et Tobias. Ce dernier se réveillait à peine. Il ouvrit les paupières et aperçut son ami assis sur un minuscule rocher.

– Comment vont les blessés ? demanda-t-il en s'étirant.

Il était courbatu par la fatigue et la dureté du sol.

– Dorine a fait du beau boulot, et Ambre a terminé le travail, ça devrait aller. Ils vont avoir besoin de repos maintenant.

– Sauf qu'on n'a pas le temps !

– C'est tout le problème. Ambre et Dorine ne tiennent plus debout, Elliot et Floyd ne sont pas mieux. Torshan a reçu quelques mauvais coups qu'il va falloir surveiller, et chez les chiens plusieurs sont amochés. Rien de grave, mais ils ne sont pas vaillants.

– Draco ? Il va s'en sortir ?

– Oui. Ambre fait des miracles.

– Mais à quel prix, murmura Tobias en la voyant assoupie plus loin, pâle comme un spectre et respirant difficilement.

Matt hocha la tête, la mine grave.

– Nous ne pouvons plus nous permettre ce genre d'affrontement. On finira par tous y passer, et ils nous font perdre un temps précieux.

– La fuite à tout prix, dit Tobias tout bas.

– Ce sera plus malin que d'aller au combat.

– Quand repart-on ?

Matt jeta un coup d'œil au campement. Tous ou presque dormaient, certains gémissaient, les chiens ronflaient, épuisés.

– Pas aujourd'hui. Personne n'est en état.

Tobias ouvrit la fermeture Éclair de son sac de couchage.

— On va distribuer les tours de garde.

— Inutile. Maintenant qu'il fait jour nous allons rester ensemble ici. On sera silencieux et attentifs. Je préfère que tu te reposes. Nous serons bientôt à la cité Blanche. Là-bas nous aurons besoin d'être particulièrement en forme.

Le regard de Matt s'arrêta sur la silhouette de l'adolescente inconnue. Elle avait été emmitouflée dans des couvertures pour la nuit.

— Qu'est-ce qu'on va faire d'elle ? demanda Tobias.

Matt haussa les épaules.

— Si je le savais…

Une heure plus tard, Chen descendit de l'arbre où il était monté grâce à son altération. Il rangea sa longue-vue et vint s'entretenir avec Matt.

Quelques minutes plus tard, ce dernier réveilla tout le monde :

— On remballe tout, dit-il, il faut changer de place.

— Pourquoi ? s'étonna Torshan, nous sommes à l'abri dans la forêt.

— Chen a repéré des Cyniks sur le sentier. Ils patrouillent. Les traces de votre fuite d'hier sont visibles, on peut remonter jusqu'ici très facilement, c'est d'ailleurs ce que nous avons fait. Nous allons nous éloigner un peu, par prudence. Nous ne pouvons nous permettre un nouveau combat. Pas dans cet état. Tobias et moi nous serons derrière, nous veillerons à couvrir les traces.

Ils rangèrent leurs affaires à contrecœur, englués dans la torpeur, installèrent les blessés sur le dos des chiens, avant de se glisser entre les arbres en quête d'un autre emplacement pour bivouaquer.

Ils marchèrent moins d'une heure.

Torshan et Ti'an trouvèrent la ruine d'un ancien moulin, au bord d'une petite rivière et, au final, l'effort fut bénéfique. Ils avaient des murs pour s'abriter du vent, et de l'eau fraîche à profusion. Ils investirent le rez-de-chaussée et ressortirent les sacs de couchage et les ustensiles de cuisine. On alluma un petit feu pour faire chauffer de l'eau, et tous s'allongèrent contre leurs chiens, savourant ce repos.

Dorine et Ambre se relayaient auprès d'Elliot et de Floyd, mais les deux garçons dormaient profondément, engoncés dans leurs bandages.

Léo caressait Draco en lui murmurant des gentillesses en français, pour réconforter le golden retriever qui gémissait dans son sommeil. Maya vint lui tenir compagnie, et tous deux se racontèrent leur vie dans la langue de Molière.

Tobias descendit vers la rivière pour se laver. Il se mit en slip et commença à s'asperger d'eau. Elle était tellement froide qu'il y allait timidement. Un peu sous les aisselles, un peu sur la nuque…

Soudain quelque chose le poussa et il chuta dans l'eau.

Lorsqu'il sortit la tête de l'eau, le souffle coupé, il poussait des petits cris de chiot.

Et vit Matt, hilare, sur la berge.

– J'ai senti que t'osais pas te lancer, cria-t-il.

– Elle est glaciale !

– Ça va te réveiller !

– J'aimerais t'y voir, toi !

– OK. S'il n'y a que ça pour te faire plaisir…

Matt se déshabilla rapidement et sauta pour rejoindre Tobias.

Il remonta aussitôt à la surface, les traits déformés par la stupeur.

— Elle est super froide ! s'écria-t-il.

Et Tobias éclata de rire à son tour.

Quand les deux garçons remontèrent se sécher, Tobias lui donna une bourrade amicale.

— Merci, dit-il.

— Pour t'avoir poussé ?

— Ben ouais. Ça faisait longtemps qu'on n'avait plus ri tous les deux.

— C'est vrai.

Matt lui ébouriffa les cheveux, la main dans l'épaisse toison crépue.

— Oh ! mon Dieu, ma main ! railla-t-il. Jamais je ne vais la retrouver !

— Pffff. Toujours aussi con quand tu veux ! Mais moi au moins, je ressemble pas à un vieux Bee Gees !

— Arg…

Matt mima un coup en plein cœur et chancela avant de tomber à genoux.

— Là, tu viens de tuer mon amour-propre.

En riant, les deux garçons regagnèrent le moulin. Ils déjeunèrent de rations lyophilisées, l'esprit léger.

En début d'après-midi, Tania, Chen et Ti'an se levèrent pour aller chasser, dans l'espoir de mettre du gibier au menu du dîner.

Tobias essaya comme tous les autres de profiter de leur halte forcée pour faire une sieste, mais ne trouvant pas le sommeil il se leva pour marcher un peu.

Il aperçut l'adolescente, toujours inconsciente, et vint s'agenouiller à son côté. Il avait vu Ambre l'hydrater dans la journée et il entreprit d'en faire autant. Il imbiba un linge d'eau pour lui laver le visage, avant de faire couler quelques gouttes dans sa bouche. Elle était plutôt jolie, débarrassée de sa saleté.

Il pivota pour reprendre un peu d'eau, et lorsqu'il se retourna vers elle, les yeux de la fille étaient grands ouverts. Surpris et effrayés.

– Oh ! Bonjour. Tu reviens à toi ? Je m'appelle Tobias.

Se souvenant alors qu'ils n'étaient plus en Amérique, Tobias se désigna de la main :

– Tobias.

L'adolescente fouilla du regard autour d'elle, paniquée. Mais lorsqu'elle vit les chiens qui dormaient avec les adolescents, elle s'apaisa, son souffle se calma.

– Relax, relax. Tu connais ce mot, non ? Cool. Pas peur.

Tobias faisait de son mieux pour essayer de se faire comprendre, mais il n'était pas certain qu'elle l'écoutait vraiment.

– Où suis-je ? dit-elle avec un accent britannique.

– Oh, tu… parles anglais ? C'est génial.

– Où sommes-nous ?

– Quelque part en Normandie, en Europe.

– En France ?

– Oui.

L'adolescente s'assit sur son lit de fortune.

– Qui êtes-vous ?

– Nous venons de l'autre côté de l'Océan. Nous sommes des Américains. Enfin, j'ignore si ça signifie quelque chose désormais. Et toi, qu'est-ce que tu faisais là dans les fourrés ?

– Je…

Elle porta la main à son front et grimaça de douleur.

– Tu t'es enfuie ?

– Je crois… je ne me souviens plus très bien. J'étais… j'étais enfermée. Par les adultes. Une esclave. Je devais obéir. À tout ce qu'ils voulaient.

– Ici, en France ?

– Oui, je crois bien.

– Comment tu as atterri là ?

– Je… je ne suis pas sûre…

– Et tu t'es échappée quand ?

– Je ne sais pas. J'ai perdu la notion du temps. Je me souviens d'avoir frappé mon maître et d'avoir couru, couru, couru tellement longtemps !

– Tu te souviens de ton prénom ?

– Katie.

– Bienvenue parmi nous, Katie.

– Qui êtes-vous ? Pourquoi il n'y a pas d'adultes avec vous ?

– Nous sommes libres. Nous sommes des Pans. Enfin, sauf ces deux là-bas, avec les cheveux bizarres, comme des lianes, et les yeux verts. Eux ce sont des Kloropanphylles. Nous nous sommes dégagés de la tyrannie des Cyniks, pardon, des Ozdults. Et nous vivons librement.

– Mais c'est impossible !

– Chez nous ça l'est devenu. Au prix d'une guerre terrible, mais ça l'est devenu.

Katie secoua la tête.

– Ici c'est impossible. Ils vont nous rattraper, et ils nous puniront et nous…

Sentant que ses peurs les plus primitives remontaient à la surface, Tobias voulut la calmer en posant ses mains sur ses épaules mais l'adolescente le repoussa violemment.

– Excuse-moi, je voulais juste te rassurer.

Katie replia ses jambes contre elle et enserra ses genoux avec ses bras.

– Personne ne nous punira, parce que nous ne nous laisserons pas faire. Nous sommes ici en mission. Nous devons retrouver quelque chose de très important. Un objet puissant. Et quand nous l'aurons, tu verras, les choses changeront. Tu vas venir avec nous, de toute façon tu n'as pas le choix, tu ne peux pas rester seule ici, dans la forêt. Et bientôt, tu verras, on sera tous face aux Ozdults et les choses vont changer. Fais-moi confiance.

Katie avait le regard perdu dans le vague.

– Tu vas venir avec nous, d'accord ?

Katie ne répondit pas.

– Tu me fais confiance ?

L'adolescente leva les yeux pour l'observer.

Puis elle fixa les chiens.

– Ils... ils ne sont pas dangereux ?

– Eux ? Certainement pas ! Viens.

Il la prit par le poignet, et cette fois elle se laissa faire. Il l'entraîna vers Gus qui ronflait doucement et posa la main de la jeune fille sur le poil du saint-bernard.

– Tu sens comme il est doux ?

Gus ouvrit un œil, vit Tobias et Katie, soupira et se rendormit aussitôt.

– Tu vois, rien à craindre.

Un début de sourire émergea au coin des lèvres de l'adolescente.

– Ce sont nos chevaux. Ils sont incroyables, tu verras.

– Il est tout doux...

Tobias la regarda prendre peu à peu confiance, en caressant le chien. Ils commençaient à être nombreux. La mission commando ne pourrait supporter d'autres recrutements intempestifs du même genre. S'ils devaient croiser d'autres enfants en fuite, comment feraient-ils ?

Tobias préféra ne pas y penser. Bientôt ils seraient à Paris, la cité Blanche, et alors il leur faudrait récupérer le deuxième Cœur de la Terre. Ce ne serait pas une partie de plaisir, il l'imaginait sans peine. Mais la mission accomplie, les forces en présence s'équilibreraient. D'ici à ce que Entropia tombe sur les Ozdults, ces derniers prendraient peur. Ils n'auraient d'autre choix que de s'allier aux Pans. Pour être sauvés. Alors ils verraient que les enfants n'étaient pas leurs ennemis. Ils comprendraient qu'il ne fallait pas les craindre.

Oui, ils verront... À ce moment-là ils nous comprendront. Ils nous accepteront. Et la guerre sera finie.

Tania apparut brusquement à l'entrée de la ruine, le front en sueur :

– Une patrouille Cynik ! hurla-t-elle. Ils arrivent !

Katie se raidit. Terrorisée.

Matt ouvrit les paupières et bondit de son sac de couchage, déjà armé.

Il dormait avec son épée.

30.
Cheminement

Chen et Ti'an entrèrent dans la ruine du moulin et désignèrent la forêt sur la colline :

— Ils arrivent ! cria le premier.

— Une dizaine de cavaliers ! ajouta le second.

Les chiens se redressèrent, l'œil aux aguets.

— On peut filer en longeant la rivière ! proposa Matt.

— Non, répliqua Tania aussitôt. Ils nous verraient, la rivière est dominée par le chemin et plus loin elle est à découvert. Ils seront là dans une minute ou deux, nous n'avons pas le temps de partir !

— Alors on se prépare à l'assaut, fit Torshan en attrapant son bâton.

Matt inspecta la ruine.

— On se cache, lança-t-il. Si les cavaliers ne font que passer, nous avons une chance de passer inaperçus.

Torshan ne partageait pas cet avis :

— S'ils entrent, nous serons faits comme des rats !

— Il faut tenter le tout pour le tout. Planquez-vous ! Vite !

Tous les Pans se jetèrent sur leur matériel pour le tirer dans l'ombre ou sous la végétation et ils se plaquèrent derrière les murets du vieux moulin gagné par la mousse et les feuillages. Matt renversa de l'eau sur le petit foyer et se hâta de disperser la fumée avec les pans de son manteau. Tobias et Ambre poussèrent les chiens dans la pièce du fond, celle qui n'avait aucune fenêtre, et leur ordonnèrent de se coucher.

Chen se frotta les mains et se mit à escalader le mur le moins abîmé de la ruine, ce qu'il fit aisément. Il se plaça le plus haut possible, près de ce qui avait été le faîtage, et se cacha derrière la maçonnerie de la cheminée.

La fumée du feu s'était dissipée et Matt se trouvait encore au milieu de la pièce lorsqu'ils entendirent les sabots des chevaux qui approchaient au trot.

Matt roula en direction de l'angle où Tobias et Ambre s'étaient dissimulés et tira la couverture marron sur eux. Avec les fougères qui poussaient partout dans la ruine, ils pouvaient rester invisibles en cas d'inspection rapide. Mais le subterfuge ne tiendrait pas si l'un des Ozdults entrait dans le moulin.

Les cavaliers ralentirent.

— Il y a nos traces dehors ? s'inquiéta Ambre.

— Non, la rassura Matt, on a effacé l'essentiel.

Tobias gémit :

— Oh non ! Le bain de ce matin ! Je n'ai rien nettoyé !

— Moi non plus, avoua Matt.

— Nos empreintes sont restées sur la berge !

— Tant pis. C'est trop tard maintenant.

Les cavaliers étaient devant le moulin, ils parlaient entre eux, en français.

— C'est là que j'aimerais être avec Maya ! fit Tobias.

— Chut, commanda Ambre. Écoute leurs intonations…

Les hommes s'exprimaient d'une voix forte. Certains mirent pied à terre et leurs voix trahirent un déplacement rapide.

— Ils inspectent..., devina Ambre.

Un garde cria, assez loin, près de la rivière. Il avait trouvé quelque chose.

— Merde, pesta Tobias. Nos traces...

Aussitôt un cavalier s'approcha du moulin. On pouvait entendre le bruit de ses bottes, les boucles de son baudrier qui cliquetaient et les pièces de son armure qui s'entrechoquaient à chaque pas.

Il était juste au-dessus de Matt, Tobias et Ambre, ses gants d'acier résonnèrent quand il agrippa les rebords de la fenêtre, à quelques centimètres de leurs têtes.

Il regardait l'intérieur du moulin.

Il renifla, plusieurs fois.

Puis cria en français avant de repartir aussi vite qu'il était arrivé.

Les Cyniks se rassemblèrent au pas de course et firent claquer les rênes de leurs chevaux qui partirent au galop le long de la rivière.

Matt attendit une bonne minute avant de ressortir de la couverture.

Les autres en firent autant, attentifs.

— Maya, appela-t-il, qu'est-ce qu'ils ont dit ?

— Ils ont découvert des traces près de la rivière. Un des gars a passé la tête ici, et il a dit que ça sentait encore le feu de bois. Alors leur chef a crié que nous ne devions pas être loin, qu'il fallait suivre la rivière pour nous intercepter plus haut sur la route.

Tobias et Matt se regardèrent.

— Ils nous pensent sur la route, se félicita ce dernier. C'est déjà un bon point.

— Sauf que maintenant ils savent que nous sommes dans le secteur ! déplora Léo.

– Après ce qui s'est passé cette nuit et notre première soirée dans leur village sur la côte, notre présence dans la région n'est plus un mystère pour personne.

Ambre posa la main sur le bras de Matt.

– Nous ne sommes pas prêts à repartir. Il nous faut encore un peu de repos.

– Je sais. Nous allons rester ici. Ils ne reviendront probablement pas sur leurs pas, ils pensent que nous sommes en route pour la cité Blanche, ils nous chercheront devant, à l'ouest, pas derrière eux.

Chen, qui redescendait de sa position stratégique, trois mètres au-dessus de ses camarades, annonça :

– Je vais monter la garde dans le grand arbre.

Matt enchaîna :

– Profitez tous de ces quelques heures, nous repartons demain avant l'aube et nous ne nous arrêterons plus jusqu'à Paris.

Matt endossait à nouveau le rôle du rabat-joie, et il n'aimait pas ça. Mais les choses s'étaient faites ainsi, naturellement, tout le monde lui demandait sans cesse de prendre des décisions, de dire quoi ou comment faire. Quand il fallait choisir, c'était vers lui qu'on se tournait. Alors il s'était habitué, et il essayait tant bien que mal de rassurer, de rassembler, de se responsabiliser. D'être un leader en somme. Il remplissait ce rôle du mieux qu'il pouvait, sans en tirer beaucoup de satisfaction, sinon celle de se dire qu'ils allaient dans la bonne direction, avec Ambre et Toby.

Il guetta les réactions de ses camarades et constata que personne ne remettait en question ses décisions. Ils allaient tirer avantage le plus possible de ces quelques heures de répit supplémentaire, et lorsque Matt leur dirait de braver la fatigue et les souffrances, ils se lèveraient sans rechigner, et ils se mettraient en marche. Tous savaient que cette aventure mettait leur vie en péril, qu'ils en souffriraient, que ce serait dur, et que ceux qui reviendraient seraient marqués à jamais.

Pourtant ils étaient tous là. Ses amis. Fidèles comme toujours à l'appel.

Il les observa s'installer pour dormir, discuter tout bas, finir de nettoyer leur équipement. Certains allaient peut-être y laisser la vie. Comme tous les Pans qu'il avait côtoyés et qui étaient morts. Amy, CPO, Mia, Jon, Horace, Luiz, Neil et Ben… Ainsi que tous ceux dont le visage ne s'imposait pas à sa mémoire, mais dont il avait partagé un bout d'existence.

Matt inspira un grand coup.

Une boule au ventre.

La chaleur semblait monter de la terre elle-même. La température avait grimpé en quelques heures, à mesure que le soleil s'élevait dans le ciel bleu, sans aucun nuage à l'horizon.

Les Pans avançaient à bonne allure, sur le dos de leurs chiens. Dorine avait pris Katie en croupe sur son bobtail, Safety. Ils étaient partis très tôt, après que Ambre eut soigné Elliot et Floyd, ainsi que Draco le chien. Ce dernier gambadait sans ralentir malgré les blessures qui boursouflaient ses flancs. Ambre et Dorine avaient accompli beaucoup en peu de temps. Floyd était conscient, bien que fragile, et Elliot, qu'ils avaient cru perdu pendant un moment, se remettait peu à peu d'avoir frôlé la mort de si près.

Mais les deux jeunes femmes étaient épuisées, elles vacillaient sur leurs montures, luttant pour ne pas s'endormir après avoir puisé dans leurs réserves d'énergie pendant près de trente-six heures.

Les jeunes cavaliers avaient retiré leurs capes, leurs manteaux, pour ne garder qu'un T-shirt ou une chemise. Même Matt avait finalement ôté son gilet en Kevlar. Ils suivaient la route pour ne pas perdre de temps lorsque la végétation était trop dense, quitte à progresser à découvert. Mais par prudence, Chen ou Ti'an ouvraient la route à cinq cents mètres devant, et Torshan ou Tania la fermaient pour avoir le temps de prévenir le groupe en cas de patrouille ennemie.

À midi, le soleil au zénith tapait très fort et ils traversaient de longues étendues d'herbes hautes, de petits étangs et de collines sans ombre, durant plusieurs heures.

Les chiens finirent par haleter, malgré les pauses près des cours d'eau pour les faire boire, et ils ralentirent l'allure en début d'après-midi, lorsque la chaleur les épuisa.

À deux reprises, l'éclaireur revint au galop pour ordonner à la colonne de se cacher. La première fois ils virent passer, depuis les fourrés, un chariot tiré par deux bœufs et conduit par deux Ozdults. La seconde, un groupe de cinq cavaliers en armure noire remonta la route au trot. Personne ne bougea et les soldats passèrent sans rien remarquer. Le plus dur fut de ressortir des orties et des ronces, couverts de piqûres et d'écorchures.

Le soir, ils s'éloignèrent du chemin pour établir leur campement près d'une rivière protégée par une falaise entourée de bois. Ils allumèrent un feu pour cuire les deux lièvres que Plume et Kolbi avaient rapportés, et Elliot donna de vrais signes de santé en mangeant de bon appétit malgré le bandage qui ceignait son crâne comme un bonnet.

Tobias s'éclipsa pour digérer, et il revint après une vingtaine de minutes.

— Tu ne devrais pas t'éloigner seul, le réprimanda Matt. La nuit est tombée en plus !

— J'avais besoin d'air.

— Peut-être, mais dans ce cas tu pars avec quelqu'un, jamais seul !

— Hey, ça va, m'engueule pas !

Ambre intervint et posa la main sur le bras de Matt pour le faire taire :

— Il s'est inquiété pour toi, Toby, c'est tout.

Tobias donna un coup amical à son ami.

— Je sais. Désolé. Il y a une ville pas loin, de l'autre côté de la rivière.

Matt ouvrit grands les yeux, surpris.

— Et c'est maintenant que tu me le dis ?

— Bah ! Tu m'as pas laissé le temps de…

— Ils pourraient avoir vu notre feu ? s'inquiéta Floyd.

— Non, elle est bien assez loin, aucun risque.

— On l'évitera demain, ajouta Randy. Ce doit être l'ancienne Rouen. J'ignore ce qu'elle est devenue, mais inutile de l'approcher.

— C'est une garnison de soldats et une région entourée de mines de pierre, expliqua Léo.

— Raison de plus pour la contourner, trancha Matt.

— Autre chose, ajouta Tobias. Une autoroute passe derrière la colline. Enfin, ce qu'il en reste. Elle est couverte de scararmées, ce sont leurs lumières rouges et bleues qui ont attiré mon attention.

— Alors il en existe ici aussi, dit Ambre, songeuse.

Tobias se tourna vers Léo et Katie, les deux Européens du groupe :

— Des scarabées lumineux qui grouillent sur les anciennes autoroutes, ça vous dit quelque chose ?

— Les Flotgrouillants, confirma Léo. C'est le nom qu'on leur donne.

– Vous avez trouvé ce qu'ils font ? demanda Ambre.

– Non. Ils grouillent et avancent sans arrêt, comme des flots, c'est tout... En même temps, ça ne semble pas intéresser les Ozdults et nous autres, on ne sait pas grand-chose.

– Pardon, dit Ambre, confuse d'avoir oublié que la vie des Pans d'Europe ne ressemblait en rien à celle qu'elle connaissait.

Pendant le dîner, Tobias essaya de lier connaissance avec Katie, qui n'avait pas décroché un mot de la journée, mais l'adolescente ne semblait pas encline à la confidence. Elle observait tout le monde, aidait pour installer le camp, ou découper les lièvres, mais elle ne manifestait aucune curiosité particulière, et encore moins le besoin de se livrer. Tobias alla se coucher un peu déçu, mais il estima qu'il lui fallait du temps. La pauvre fille devait se débattre avec elle-même pour tenter de renouer avec ses souvenirs, et recouvrer la mémoire de ce qu'elle avait vécu. Viendrait un temps où elle serait plus disponible et désireuse de partager.

Ils se relayèrent pour la garde de la nuit, et repartirent au petit matin, dès que le ciel, à l'est, se mit à blanchir.

La route se scindait en deux après la rivière et le pont de pierre qu'ils avaient traversé avec la crainte d'être surpris au milieu par des Cyniks. Randy se repéra avec sa vieille carte et sa boussole. Il estima que celle de droite devait descendre vers l'ancienne Rouen, et celle de gauche partir vers la cité Blanche. Il ne comprit son erreur qu'après trois heures, lorsqu'ils durent partir à travers les hautes herbes des plaines pour tenter de rectifier l'axe plein ouest, vers le sud-ouest.

Ils finirent par apercevoir les clochers de Rouen au loin, tandis qu'ils filaient sur la crête d'une colline abrupte Toute la ville ou presque était recouverte de végétation, sauf son centre, d'où s'échappaient de nombreuses fumées.

Les chiens purent reprendre une meilleure cadence lorsqu'ils retrouvèrent une route plus au sud, mais après trois plongeons dans les fourrés pour éviter des charrettes, les Pans décidèrent qu'il serait plus commode d'avancer en parallèle, dans le sous-bois qui n'était pas trop fourni.

Le rythme était soutenu, mais la monotonie du voyage endormait tout le monde, et ils finirent par ne plus échanger le moindre mot.

La nuit les surprit alors qu'ils traversaient une interminable étendue herbeuse sans aucun repli de terrain pour s'abriter. Ils décidèrent de continuer, aussi longtemps que possible, profitant de la lune qui éclairait leurs pas.

Deux heures plus tard, ils parvenaient à une région boisée, où une petite trouée dominait l'ancien bassin parisien. Ils se regroupèrent au sommet d'un escarpement qui tombait à pic sur près de trente mètres.

Tout en bas, le bassin qui entourait la cité Blanche courait à perte de vue, entre les anses d'un fleuve noir sous la lune.

Et loin au sud-ouest, brillait une intense lumière rouge et bleue.

Comme un phare gigantesque dominant la région, pour prévenir des dangers des récifs urbains.

La Tour-Squelette.

Leur destination étincelait de sa bichromie mystérieuse.

Comme un appel mystique dans le silence de la nuit.

31.
Technique d'approche

Le champignon lumineux de Tobias lui éclairait le visage par en dessous, lui faisant des yeux un peu effrayants.

Il parlait tout bas, pour ne pas réveiller les Pans qui dormaient :

– Comment va-t-on approcher de la cité Blanche ?

Léo eut une moue chagrinée.

– C'est tout le problème, j'ai entendu dire que la ville est fortifiée, dit-il. Et ce n'est pas tout : avant même d'y pénétrer, il faut l'atteindre ! En bas, dans le bassin, ce ne sont que des garnisons et des villages Ozdults partout, ainsi que des fermes, des champs, et donc beaucoup de circulation. Nous ne pourrons pas rester discrets très longtemps.

– Il faut se séparer, conclut Matt.

Les trois garçons se regardèrent.

– Est-ce qu'on peut circuler librement en ville quand on est un adolescent ? questionna Tobias.

Léo hocha la tête :

– Oui. En étant calme. Tu te fais passer pour un esclave qui remplit une tâche pour son maître.

— Aucun jeune ne passe du côté Ozdult ? Des traîtres de la rébellion par exemple !

— Certains se sont ralliés à Oz dès le début, mais ils sont rares.

— On pourrait se faire passer pour des gars de ce genre, proposa Tobias.

— En étant peu nombreux, ça peut fonctionner.

— Il nous faut un groupe passe-partout, intervint Matt.

— Ambre voudra en être, devina Tobias.

— Avec sa démarche flottante, c'est impossible, elle attirera l'attention !

— Tu crois vraiment qu'elle va nous laisser entrer dans la cité Blanche sans elle ? se moqua Tobias. Tu la connais ! Tu devrais savoir qu'elle n'acceptera jamais de rester à l'écart.

— Juste le temps que nous repérions le Cœur de la Terre. Une fois qu'on saura où il se trouve et comment l'atteindre, on reviendra la chercher. Mais tant que nous devrons nous promener en ville et poser des questions, il ne faut pas qu'elle soit là. Elle va nous faire repérer.

— C'est toi qui te charges de lui annoncer alors !

— Autre chose, murmura Léo, les chiens ne pourront pas venir non plus. Il n'en existe pas des comme ça ici.

Matt acquiesça à contrecœur, en jetant un regard à Plume qui dormait, épuisée par ces longues journées de marche.

— Demain nous allons nous poster près d'une route, expliqua Matt, et nous attaquerons un chariot pour nous l'approprier.

— Attaquer ? répéta Tobias, mal à l'aise. Tu veux dire qu'on va... tuer ses occupants ?

Non ! Ils seront nos prisonniers. Sous la garde de ceux qui resteront là. Nous les libérerons au retour.

— Je préfère ça... Je me voyais pas assassiner quelqu'un de sang-froid, même un Cynik !

— Il faut que Maya nous accompagne, pour traduire. Ce ne sera pas simple de passer par elle chaque fois...

— La langue officielle des Ozdults est devenue l'anglais, le rassura Léo, mais elle n'est pas encore utilisée partout. À la cité Blanche ça devrait être le cas. Oz a rassemblé les adultes de toute l'Europe ou presque, il a bien fallu imposer une langue commune. Il a des gens de tous les pays dans la ville, ils circulent beaucoup.

— Tu sais à quoi ressemble le monde à l'est ? demanda Matt.

— Je sais que loin à l'est, vers l'ancienne Russie, le froid est descendu et a repoussé beaucoup de monde vers l'ouest. Et les pays de l'est sont saturés de bêtes sauvages, on parle même de loups-garous et de vampires ! Mais je suppose que ce sont des légendes.

— Aux États-Unis on en a des vampires ! contra Tobias en frissonnant. Ils s'appellent les Mangeombres.

Un froid s'installa entre les garçons, et chacun songea à ces créatures et aux légendes les plus sinistres qui couraient sur leur compte.

— Léo, interpella Matt pour changer de sujet, est-ce que tu as une idée de la façon dont nous pourrions débusquer le Cœur de la Terre dans la ville ?

— Ils l'appellent l'énergie lumière. Ça ne devrait pas être trop difficile, tout le monde doit le savoir. Soit nous allons dans une auberge et on fait parler les ivrognes, soit nous nous rendons directement à l'office d'intégration.

— C'est quoi l'office d'intégration ? demanda Tobias.

— Il y en a dans toutes les villes importantes Ozdults, c'est là que vont les nouveaux venus quand ils sont perdus et qu'ils cherchent de l'aide pour s'y retrouver, une affectation, des contacts, du travail, etc.

— Et comment font les adultes en Europe pour commercer ? Par le troc ou un système d'argent ?

— Ils frappent leur monnaie. Des pièces en or je crois.

— Il nous en faudra un peu.

— Dans ce cas il vous faudra un boulot...

— Nous verrons sur place.

— Les armes sont autorisées en ville ? s'inquiéta Tobias.

— Pas pour les esclaves, répondit Léo en secouant la tête.

— Nous nous ferons passer pour des jeunes convertis à la cause de Oz, expliqua Matt. J'ai un visage qui peut faire dix-huit ans.

— Ils vont se méfier de vous, les avertit Léo, vous paraissez jeunes, ils n'aiment pas ça. Ils n'auront pas confiance.

— De toute manière nous n'avons pas le choix, conclut Matt.

Il se leva pour retourner vers son sac de couchage.

— Il est temps de dormir, les gars, demain une journée capitale nous attend.

Les trois garçons se couchèrent, mais ne parvinrent pas à s'endormir tout de suite. Trop d'images tourbillonnaient dans leurs esprits. La cité Blanche, les Cyniks, et les ombres de créatures monstrueuses en arrière-plan.

Et lorsqu'ils parvinrent enfin à sombrer, leur nuit fut peuplée de vampires et de loups-garous.

Ambre se tenait au bord de la falaise, contemplant l'immense plaine qui courait à ses pieds. Au loin, elle pouvait deviner le sommet de la Tour-Squelette, une petite pointe noire qui se détachait sur le ciel bleu.

Elle avait une boule dans la poitrine. Un poids qui pesait de plus en plus lourd.

Elle comprenait Matt, il avait raison quand il lui disait que sa démarche n'était pas naturelle et que ça allait se voir, mais elle ne pouvait s'empêcher de lui en vouloir de la contraindre à rester ici avec les autres. Ce n'était pas sa faute si elle ne pouvait plus marcher. Elle était la première à en souffrir, il ne s'en rendait pas compte. Chaque matin, en ouvrant les yeux, pendant trois ou quatre secondes, elle serrait les poings très fort en priant pour que ça ne soit qu'un cauchemar. Puis elle essayait de s'asseoir en bougeant les jambes, mais rien ne se passait et elle réprimait ses larmes de rage.

Il lui arrivait de s'endormir en pleurant, et elle devait se retourner dans ses couvertures pour que personne ne la voie étouffer ses sanglots dans la boule de vêtements qui lui servait d'oreiller.

Ambre maudissait cette injustice, qui aujourd'hui la reléguait à l'arrière-plan. Elle était obligée d'attendre avec les autres, de se séparer de Matt et Tobias. De les laisser prendre tous les risques sans elle. C'était humiliant. Insupportable.

Et effrayant.

Ambre prit soudain conscience de l'étrange sentiment qui l'étreignait. Une forme de désir de protection totale, absolue.

Le besoin de tout contrôler pour être sûre qu'il ne va rien leur arriver, c'est une obsession. La volonté d'être à leurs côtés pour les protéger, les guider, m'assurer que personne ne leur fera du mal.

Ambre secoua la tête.

Je déteste ce sentiment. Il me rend folle. Il me renvoie à mon impuissance. À mon inutilité.

Cette émotion la dépassait. Elle la devinait très féminine, obsédante.

266

L'instinct maternel ? C'est ça ? Je déteste... Ça me rend fragile et inefficace.

– Je suis désolé, fit Matt dans son dos.

Elle pivota dans les airs. Sa longue robe masquait l'espace de dix centimètres entre le sol et ses pieds, mais le mouvement était tellement fluide qu'il trahissait l'absence de mécanique naturelle. Quiconque la regarderait se déplacer comprendrait qu'il y avait une étrangeté là-dessous.

– Crois-moi, insista le jeune homme, je préférerais mille fois t'avoir à nos côtés.

Ambre glissa jusqu'à lui et, en guise de réponse, ses lèvres cherchèrent les siennes, sa langue s'invita à la caresse.

Lorsqu'elle s'écarta, Ambre lui dit :

– Fais ce que tu dois, mais ne prends aucun risque inutile. Lorsque tu auras localisé le Cœur de la Terre et trouvé un moyen de l'approcher, reviens me chercher, nous y accéderons la nuit. Fais attention à toi, c'est tout ce que je te demande.

Matt demeura plusieurs secondes sans voix, admiratif, et Ambre lut beaucoup d'amour dans ce regard. Ses pupilles brillaient.

Alors il la prit dans ses bras et la serra fort contre lui.

Elle enfouit sa tête dans son cou et le respira autant qu'elle put.

La tiédeur de sa peau était rassurante. Elle y colla sa joue.

Elle ne se sentait nulle part aussi bien qu'en cet endroit.

C'était son sanctuaire.

Une larme coula lentement jusqu'à mouiller la peau de Matt.

Il n'était pas encore parti qu'il lui manquait déjà.

Un chariot tiré par deux mules approchait sur la route. Un Ozdult tenait les rênes en somnolant, insensible à la poussière que soulevaient les sabots de son attelage.

Lorsque le chariot passa à travers le bosquet qui masquait le virage, Tobias, Chen et Tania surgirent, leurs flèches braquées sur le conducteur. Matt se posta au milieu du chemin, l'épée posée sur l'épaule.

– Halte ! aboya-t-il.

Le Cynik releva la tête, surpris, et avisa la troupe avec stupeur.

– Arrête-toi, cria Maya en français.

L'homme fronça les sourcils, ne comprenant pas ce qu'une bande d'adolescents pouvait lui vouloir avec autant d'arrogance.

Il se pencha pour attrapa un gourdin et les toisa avec méchanceté.

Matt s'écarta et fit signe à Elliot d'intervenir :

– Vas-y, entraîne-toi, dit-il.

Le jeune blondinet coiffé de son casque de bandages se concentra et leva les mains devant lui.

Il fixait le conducteur du chariot, les yeux grands ouverts, sans ciller.

L'homme finit par croiser son regard, et fut pris de tressautements cependant que ses yeux se fermaient et qu'il tombait à la renverse, inconscient.

– J'adore ton truc ! s'écria Tobias à l'attention d'Elliot.

Tania et Chen grimpèrent sur le chariot en marche et le stoppèrent. Matt saisit le Cynik sous les bras, le fit descendre et l'installa sur le dos de Plume.

– Retournez au campement, dit-il à l'attention de Chen et Tania. Gardez le Cynik en permanence, qu'il ne puisse surtout pas s'enfuir. Et souhaitez-nous bonne chance.

Tobias et Elliot sautèrent à l'arrière du chariot, sous la bâche, tandis que Matt prenait les rênes, Maya à ses côtés.

Le groupe s'était constitué selon les besoins de la mission. Maya parce qu'elle parlait français, et Elliot, compte tenu de son altération, pouvait être précieux pour éviter les ennuis tout en restant discret.

Tobias rangea son arc, et le véhicule se mit à cahoter.

– Ça te vient d'où cette altération ? s'enquit-il.

– Mon père était psy, et il pratiquait l'hypnose. Je lui ai souvent demandé de me montrer, et à l'école je m'entraînais sur mes copains. Ça marchait jamais, mais j'essayais... Je suppose que mon don vient de là.

– C'est génial. Tu peux endormir tout le monde ?

– Si on croise mon regard. Parfois ça ne fonctionne pas, des gens résistent.

– Et sur dix personnes à la fois tu pourrais ?

– Je ne crois pas. Chaque fois que j'endors quelqu'un, je me sens moi-même un peu groggy. Si je le fais trop sans me reposer, je finis par m'évanouir.

– Et le plus que tu as fait d'une seule traite c'est combien ?

– À l'académie de l'altération, une fois j'en ai endormi six de suite avant de m'effondrer. Ensuite j'ai dormi pendant vingt-quatre heures !

– Tu étais à l'académie à Eden ? Tu as connu Ambre là-bas ?

– C'était ma professeur.

– Dis pas professeur devant elle, elle serait folle !

– En tout cas c'est elle qui m'a aidé à exploiter mon altération. Elle ne s'en souvient sûrement pas, elle a eu tellement de gens les premiers temps, mais moi je me souviens très bien d'elle. Tout le monde l'admirait énormément. Et ensuite j'ai eu Melchiot comme prof, c'était un bon lui aussi.

Tobias soupira.

– Eden me manque. Le Salon des Souvenirs, le grand pommier, les siestes dans le verger...

Elliot approuva d'un hochement de tête convaincu.

– Moi aussi. Vivement qu'on rentre.

Brusquement les deux garçons glissèrent vers l'avant du chariot.

Ils entamaient la descente vers le bassin de la cité Blanche.

Malgré la chaleur, Matt remit sa cape sur ses épaules et baissa la capuche pour masquer son visage, aussitôt imité par Maya.

– Difficile de croire qu'on approche d'une grande ville, s'étonna-t-il.

Après avoir traversé, pendant plus de six heures, des champs et des prairies où paissaient des bœufs, des moutons et des chevaux, ils roulaient sur une route au milieu d'une forêt interminable qui venait enfin de s'ouvrir sur une vue plus dégagée. Ils dominaient un fleuve que traversait un pont gardé par deux tours en pierre, flanquées de gardes en armure noire. Au-delà, la route se continuait vers un canyon d'immeubles couverts de lianes et de branchages, quand ce n'était pas des montagnes de ronces dégoulinant des portes, des fenêtres et même des toits.

Au loin, d'anciens buildings jaillissaient de la végétation, vitres et structures couvertes de champignons et de mousse, leur donnant l'apparence d'antiques monolithes titanesques plantés là plusieurs siècles plus tôt par une civilisation disparue. Des nuées d'oiseaux tournoyaient autour de ces rectangles dressés vers les cieux.

La Tour-Squelette régnait un peu plus loin, dans le vent, comme l'étendard de la cité Blanche.

Le chariot cahota sur la pente, jusqu'à ralentir devant les gardes qui régulaient le passage du pont. Ils étaient six en train de discuter et un seul s'écarta de ses compagnons pour s'intéresser à la voiture qui approchait.

Matt tira sur les rênes pour stopper les mules. Le soldat lui parla en français et avant que Maya ne puisse traduire, Matt répondit en anglais :

– Pardon ?

– Qu'est-ce que vous transportez ? s'enquit le soldat en approchant de Matt sans même le regarder.

– Deux esclaves.

– Pour quoi faire ?

– Ils viennent de notre Maester, à Cytadel, en cadeau à son ami le Maester Luganoff.

À ces mots le soldat sembla impressionné.

– Pour Maester Luganoff ? Rien que ça...

Cette fois il dévisagea attentivement Matt qui soutint son regard.

Matt avait affronté bien assez de périls, de batailles, il avait vu la mort de près, et même fixé des hommes dans les yeux au moment où sa lame s'enfonçait dans leur chair. Il avait soutenu bien des regards, dans les pires instants de l'existence, et quand ses prunelles se calèrent sur celles du garde, elles dégageaient une telle assurance que l'homme finit par cligner des paupières et passer à Maya qu'il vit à peine.

Matt avait certes le physique d'un adolescent, à peine un jeune homme, mais ce qui émanait de ses yeux forçait le respect.

– Vous avez un accent fort, dit le garde.

– Vous aussi.

L'homme émit un rire gras, saccadé, qui trahissait son malaise.

— Allez-y, fit le Cynik en joignant le geste à la parole. Vous connaissez le chemin ?

— Non, c'est la première fois.

— Suivez la route jusqu'à la Patte d'Oie du destin, il y a trois embranchements. Là, soit vous prenez tout droit pour entrer par l'avenue de l'Empereur, soit vous passez par la droite pour entrer par les quartiers marchands, si vous voulez d'abord vous reposer. Le palais est au centre de la ville, vous ne pourrez pas le manquer.

— Et la troisième route ? demanda Maya. Vous avez mentionné trois embranchements à la Patte d'Oie.

— Vous l'oubliez. La gauche part vers le cloaque des Dieux, dit le garde en désignant les anciens buildings. Ne songez même pas à y pénétrer. Plus personne n'y entre. Bonne route !

D'un mouvement du poignet, Matt ordonna aux mules de repartir et ils traversèrent le pont, attentivement observés par les soldats.

Le chariot fila ensuite sur la route, tandis que Matt et Maya scrutaient les façades ravagées par la nature.

— Tout va bien ? fit la voix de Tobias depuis l'arrière.

— Vous êtes officiellement nos deux esclaves.

— C'est toujours la même chose ! Les Noirs sont enfermés au service des petits Blancs ! plaisanta Tobias. Attends un peu que je te fasse ma révolution !

— On est en ville ? demanda Elliot.

— Dans ce qui était, autrefois, les faubourgs de Paris. Maintenant on dirait une interminable ruine hantée et dévorée par les plantes.

Ils croisèrent plusieurs autres charrettes, des cavaliers et plusieurs adultes à pied, portant des sacs ou des baluchons. Il y avait assez de trafic pour rassurer Matt sur la sécurité des lieux. C'était certes à l'abandon, mais manifestement pas infesté de prédateurs.

Il n'était pas difficile de se repérer. Malgré les voies qui partaient dans tous les sens, les tunnels, les ponts, les carrefours et les impasses, Matt n'avait qu'à suivre la seule route entretenue.

Après une heure, ils débouchèrent sur la Patte d'Oie du destin, et Matt fit ralentir l'attelage.

— Je propose qu'on évite l'avenue de l'Empereur, dit-il, rien qu'au nom ça m'a tout l'air d'être un grand truc, j'ai pas envie qu'on nous guette de tous les côtés.

— Va pour les quartiers marchands, avec un peu de chance il y aura tellement de monde qu'on passera inaperçus, approuva Maya.

Matt jeta un regard sur le chemin qui partait à gauche.

Après seulement une centaine de mètres, l'herbe, les fougères et les ronces la recouvraient. Au loin, la rue descendait en passant sous une énorme construction en béton qui avait dû être un centre commercial ou un parking. Au-dessus, les buildings couvraient de leurs longues ombres toute l'esplanade. Les oiseaux continuaient de s'agiter dans les hauteurs mais, au niveau du sol, aucun mouvement n'était perceptible, aucun bruit.

— J'aime pas cet endroit, avoua Maya.

— Moi non plus. On dirait que plus rien n'y vit. Même les oiseaux n'osent pas s'y poser.

— Pourtant ils sont nombreux. Beaucoup trop, même.

La tête de Tobias apparut entre deux pans de la bâche.

— C'est glauque ! C'est ça le cloaque des Dieux ? Pour une fois, je suis content d'aller dormir dans une cité Cynik ! Pas envie de m'assoupir ce soir avec cet endroit à proximité !

Matt tira sur les rênes et le chariot vira à droite. Ce faisant, il crut apercevoir une ombre fugitive à l'entrée du souterrain, mais ce fut si rapide et lointain qu'il n'était sûr de rien et s'il fallait en croire le garde, personne ne vivait là. Qui pourrait s'installer dans un endroit pareil, alors qu'une ville, avec son confort et sa sécurité, s'étendait à proximité ?

Une impression de malaise planait. Comme si tout ce qui devait s'oublier du passé y était entreposé. Un cimetière de souvenirs.

De mauvais souvenirs.

Matt vit les gratte-ciels s'éloigner, et il s'en félicita. C'était viscéral, il détestait ce lieu, comme tous ses compagnons.

Ils pouvaient oublier le cloaque des Dieux. Leur mission n'avait rien à y faire.

Et c'était bien mieux ainsi.

32.
L'âme d'Oz

Paris, la ville-lumière, était devenue la cité Blanche, quatre vastes quartiers parfaitement nettoyés de toute la pollution végétale qui avait dévoré et qui recouvrait à présent les trois quarts de ce qui avait été autrefois la capitale de la France. Les murs des maisons et des immeubles, propres et régulièrement raclés, réfléchissaient le soleil, et cette blancheur donnait son nom à la cité.

Le quartier de l'Empereur coupait la ville en deux, avec son large boulevard au sommet duquel l'Autel Impérial plantait ses quatre colossaux pieds de pierre, zone administrative qui se terminait par le palais du Maester Luganoff. Au nord, le quartier des églises, trop peuplé, des ruelles étroites, des passages couverts, des entrepôts, le tout organisé autour de trois édifices religieux reconvertis en temples à la gloire de l'empereur Oz.

De l'autre côté du fleuve, tout autour de la Tour-Squelette, s'étendait le quartier militaire, avec ses casernes et ses terrains d'entraînement.

Enfin, au sud de l'avenue de l'Empereur, le quartier des marchands s'ouvrait d'abord en artères assez larges, où la lumière baignait aisément chaque façade, avant de se transformer en venelles sinueuses où il fallait emprunter des escaliers abrupts, passer par des monte-charges, afin de gagner les bords du fleuve, face à la Tour-Squelette où le port de la cité s'était établi, le long de jetées et de hangars en bois.

Matt entraînait leur chariot au milieu de ce quartier populeux, l'obligeant à circuler lentement pour se frayer un passage entre les passants, les étals des boutiques qui débordaient sur la chaussée, les entassements de barriques et les ânes chargés de sacs de céréales. Parfois, une autre carriole les coinçait, qu'il fallait contraindre à reculer, à moins d'y parvenir soi-même.

Entrer dans la ville n'avait pas été difficile. Les quatre quartiers étaient ceints d'une muraille fabriquée avec les immeubles en ruine, une fortification élevée qui servait de barrage à la végétation contagieuse.

Le chariot des Pans avait été arrêté à la porte du quartier des marchands, et Matt avait prétexté devoir vendre ses deux esclaves pour son Maester, et on les avait laissé passer après avoir vérifié l'arrière du chariot. Cette fois il avait préféré ne pas mentionner le nom de Luganoff qui avait trop impressionné le premier garde. Il avait craint qu'on ne leur propose une escorte jusqu'au palais.

— Il nous faut trouver de l'argent, pesta Tobias. Il fera nuit dans pas longtemps et nous n'avons aucun point de chute !

— Si on peut garer la charrette dans un coin tranquille, nous pourrions y dormir, suggéra Elliot.

— Pas très discret, répondit Matt. J'ai une autre idée.

— Qui paye vite j'espère ! ironisa Tobias en levant le nez vers le soleil qui déclinait déjà.

Lorsqu'ils aperçurent une petite place pleine de bestiaux et de véhicules semblables au leur, Matt sauta sur le pavé et héla les marchands d'animaux.

Tobias le regarda faire par une fente de la bâche. Il vit son ami vendre le chariot pour quelques pièces, après une courte négociation avec un bonhomme grassouillet qui s'exprimait dans un anglais approximatif.

Matt et Maya firent sortir leurs deux « esclaves » de l'arrière et Matt fit rebondir la petite bourse dans sa paume.

– J'ai vendu au plus offrant, dit-il, j'espère que j'ai ramassé de quoi tenir plusieurs jours, je ne connais rien aux prix !

– Si tu t'es fait arnaquer, dit Tobias, on aura l'air fins !

– Trouvons une auberge pour la nuit, il est trop tard pour commencer à chercher le Cœur de la Terre.

– On pourra toujours poser des questions ce soir aux marchands, proposa Tobias.

Elliot se pencha vers lui :

– Tu es censé être un esclave comme moi, faut pas parler fort et pas avoir l'air libre.

Maya approuva vivement :

– Et je suis désolée mais ce soir vous resterez dans la chambre.

– J'en étais sûr..., grommela Tobias. Je déteste ce rôle.

Matt et Maya marchaient devant, pendant que Tobias et Elliot, l'air accablé, les suivaient sans lever les yeux.

Ils déambulaient dans les rues du secteur alimentaire, parmi les odeurs d'épices, de maïs grillé, de soupes de fleurs qui sentaient la lavande ou la rose, et les fumets de poulet rôti ou de ratatouille.

Les immeubles s'élevaient sur plusieurs étages, Tobias en compta parfois plus de dix, assez bien entretenus dans l'ensemble, et le décalage entre l'aspect moyenâgeux des habitants et les façades haussmanniennes typiques de l'ancien Paris surprenait Tobias.

Matt désigna l'enseigne d'une auberge et Maya s'arrêta pour demander à l'un des vendeurs de fruits :

— Nous cherchons un lieu pour la nuit, est-ce que la réputation de cet endroit est bonne ?

Elle avait parlé en se donnant un maximum d'assurance, en plaçant sa voix sur un ton grave, ce qui ne la rendait pas très naturelle.

Le vendeur la toisa, méfiant, avant de répondre :

— Le Coq Noir est très bien, comme tous les établissements de la cité. Il faut être bien jeune et naïve pour douter de la qualité de nos auberges.

Maya le salua d'une révérence un peu moqueuse et désigna la porte surmontée d'une lanterne.

— Au moins on sait qu'on ne met pas les pieds dans un coupe-gorge !

Ils entrèrent dans une grande salle qui sentait fort un mélange de bière rance, de feu de cheminée et un soupçon de viande grillée. Des tables rondes tachées de cire de bougie occupaient l'espace, et, au fond de la pièce, un bar était surmonté de tonneaux. Des trophées sortaient des murs beiges, des renards, des sangliers, des chevreuils et même des cerfs. Puis d'autres créatures plus étranges. Un blaireau à la gueule couverte d'écailles, un sanglier blanc avec des cornes semblables à celles d'un rhinocéros, et même la tête terrifiante d'une araignée avec ses chélicères pendantes, de la taille du loup tout proche.

— Charmant, lâcha Tobias du bout des lèvres.

Matt se rendit au bar derrière lequel un homme ventripotent, aux joues marbrées de couperose, rangeait des bouteilles sans étiquettes pleines d'un liquide ambré.

— Nous cherchons une chambre.

– Ça tombe bien, j'en loue, ricana-t-il d'entrée. Pour combien ? demanda l'homme dans un anglais parfait.

– Nous deux, dit Matt en désigna Maya du pouce, et nos deux esclaves.

L'homme parut surpris.

– Vous voulez dire que vous voulez une place dans le foin pour vos deux servants ?

Matt se reprit aussitôt, avec tout l'aplomb dont il était capable :

– Bien sûr !

– Pour combien de nuits ?

– Au moins une, nous aviserons demain.

– Ça fera 12 faces d'Oz.

– Très bien.

– Payable d'avance, ajouta le tenancier en ouvrant la main.

Matt prit douze pièces dans sa bourse et les déposa dans la paume pleine de corne.

– Et les repas sont en sus, dit l'homme en prenant une clé sous le bar. Chambre 21, deuxième étage.

Il siffla et un garçon d'environ dix ans accourut aussitôt.

– Conduis les deux grouillots vers l'étable et montre-leur un morceau de paille.

Tobias jeta un regard désespéré à Matt avant de partir avec Elliot dans l'arrière-salle.

– Et si j'ai besoin d'eux ? demanda Matt.

– Ils seront au fond de la cour. Demandez à n'importe quel grouillot, j'en ai six dans tout l'établissement, ils iront vous les chercher. On sert le dîner à partir du couchant.

Matt et Maya prirent possession de la chambre, un petit réduit avec un grand lit double et une armoire. Un seau d'eau fraîche avec une vasque servait aux ablutions.

– Bon ben… on va dormir ensemble, dit Maya. J'espère que tu ronfles pas !

– Je n'aime pas l'idée de savoir Toby et Elliot seuls là-bas.

– C'est pas comme si on pouvait faire autrement.

Matt se débarbouilla après Maya, faillit conserver sa cape, mais il craignait que cela paraisse étrange dans l'auberge. Il l'abandonna sur le lit et s'observa dans le morceau de miroir cassé au-dessus de la vasque.

Quand il restait sérieux, il pouvait paraître plus âgé que ses bientôt seize ans, mais dès qu'il se déconcentrait et souriait, alors son adolescence réapparaissait aussitôt. Ce n'était pas le cas de Maya, surtout quand elle détachait ses tresses.

– Allons dîner, proposa-t-il. Et prends de la nourriture, on l'apportera aux garçons.

Ils descendirent dans la salle commune qui s'était remplie. Les bougies sur les tables étaient allumées et un porcelet grillait sur la broche dans la cheminée.

Matt et Maya prirent une table assez proche des autres pensionnaires pour écouter leurs conversations, et se firent servir une assiette de cochon grillé avec des flageolets et de la salade. Deux gobelets de bière atterrirent devant eux en même temps. Les deux adolescents mangèrent en dissimulant des morceaux de viande pour les apporter plus tard à Tobias et Elliot.

La plupart des gens parlaient français et Matt devait tout se faire traduire par Maya. Rien d'intéressant en définitive.

Matt, qui ne voulait pas éveiller les soupçons, but sa bière en dînant et à un moment, galvanisé par l'alcool qui lui montait à la tête, il se tourna vers ses voisins les plus proches pour leur demander s'ils connaissaient bien la ville, mais ils n'étaient que de passage et la discussion tourna court. Il essaya avec un homme seul, derrière Maya, sans plus de succès. Alors il recommença avec une table plus fournie :

— Dites-moi les amis, vous parlez anglais ? La langue de l'empereur ?

Les hommes le toisèrent sans bienveillance.

— Oui, pourquoi ? fit un blond aux longs cheveux et à l'épaisse moustache.

— Nous sommes dans la cité Blanche pour quelques jours et nous avons entendu parler de l'énergie lumière, vous savez ce que c'est ?

Les hommes se regardèrent, puis le moustachu s'exclama :

— Tout le monde connaît, pardi !

— Apparemment. Nous en entendons beaucoup parler et nous nous interrogions, qu'est-ce que c'est exactement ?

— Tu parles de l'âme d'Oz.

— Une boule de lumière qui tourne sur elle-même si j'ai bien compris ? demanda Matt.

— J'ignore à quoi elle ressemble, mais c'est le cœur de la cité Blanche !

— À quoi sert-elle ?

— Elle ne sert pas, elle est. C'est l'âme de l'empereur.

— Comment le sait-on ?

— C'est Oz en personne qui l'a décrété. Personne n'a le droit de la toucher.

— Et de la voir ?

— Le Maester Luganoff, et personne d'autre.

Matt serra les dents. Il vit que Maya faisait de même.

— L'âme est conservée au palais du Maester ?

— En effet. Pourquoi ? Vous comptez la voler ?

Matt se crispa sur sa chaise en bois.

Et les hommes se mirent à rire, des rires gras d'hommes ivres.

Rassuré et un peu trop confiant à cause de la bière, Matt insista :

– Mais si moi je voulais approcher l'énergie lumière, comment je pourrais faire ? Parce qu'elle doit être magnifique ! J'aimerais beaucoup la contempler.

– À moins d'être un fidèle de Luganoff... Impossible ! Allez, arrête tes questions et viens donc à notre table avec ta mignonne. C'est notre tournée de bière !

Matt voulut refuser mais il se retrouva sur un tabouret, tout comme Maya, avec un gobelet sous le nez. Les hommes les forcèrent à boire tout en les interrogeant sur leur origine et la raison de leur présence ici. Matt s'en sortit en répondant brièvement, quelques mots sur Cytadel, puis prétexta venir de la Grande-Île pour expliquer son accent. Par chance aucun n'était suffisamment brillant en anglais pour tiquer sur l'accent américain. L'amnésie de leur ancienne vie se révélait pratique.

Matt tenta bien d'obtenir d'autres informations sur le Cœur de la Terre, sans résultat.

Et entre deux questions, il voyait son gobelet se remplir à nouveau. Déjà Maya était verte.

Mais lorsque le moustachu se pencha vers Matt pour lui demander si Maya était sa femme, Matt comprit qu'elle était en danger et il eut la présence d'esprit d'acquiescer vivement et de l'embrasser. L'adolescente ouvrit de grands yeux, et se laissa faire.

Lorsqu'il parvint à s'extraire de ce traquenard, Matt dut se tenir à la table pour se lever. Il avait la tête qui tournait et se savait incapable de regagner la chambre sans tituber.

Le moustachu, qui avait bu bien plus que de raison, lui attrapa le bras :

– Toi qui veux tant voir l'énergie lumière, sais-tu au moins d'où elle vient ?

– Non. Elle n'est pas d'ici ?

— Elle dort désormais dans le palais, mais au départ elle n'était pas là.

— J'ignorais qu'on pouvait la déplacer...

— Oh que si ! Au tout début, quand les premiers hommes se sont réveillés, à la naissance de notre monde, avant même que l'empereur rassemble tous les hommes, l'énergie lumière était le soleil des ténèbres !

— Je ne comprends pas bien, balbutia Matt que les vapeurs de l'alcool empêchaient de raisonner.

— Ben, au début, les premiers hommes ont découvert l'énergie lumière dans un sous-sol. Et puis la cité est née, et ensuite Luganoff a prêté allégeance à l'armée d'Oz, et ils ont fait venir l'énergie lumière dans le palais du Maester, pour l'offrir à Oz. Elle a descendu l'avenue de l'Empereur, et là Oz en personne a déclaré que c'était son âme ! C'est la dernière fois que le peuple a vu l'énergie lumière, avant qu'elle n'entre dans le palais et qu'ils la gardent pour eux.

— Et au départ, ils l'ont trouvée dans les égouts ? demanda Matt.

— Non, dans un endroit apaisant. Calme. Et qui maintenant est devenu un enfer.

— Le cloaque des Dieux, comprit Matt.

— Exactement ! Et en prenant la lumière, Luganoff et Oz ont fait venir les ténèbres ! Et un jour, quand la lumière sera fatiguée de tourner ainsi, elle abandonnera la cité Blanche. Et ce jour-là, les ténèbres du cloaque ramperont jusqu'ici.

Le moustachu parlait à Matt en le fixant de ses grands yeux bleus.

Il semblait convaincu par son récit, et terrorisé.

Alors il lâcha le poignet de Matt et vida son gobelet d'une traite.

33.
Un plan pour la nuit

Matt avait mal aux cheveux. Et Maya n'allait guère mieux.

Ils avaient eu toutes les peines du monde à se lever tôt après une nuit dans un vrai lit, et surtout après avoir ingurgité l'alcool qu'on leur avait servi la veille.

Ils retrouvèrent Tobias et Elliot qui, eux, n'avaient pas eu ce plaisir en dormant dans la paille de l'étable, avec le bruit et l'odeur des chèvres, vaches, poules et chevaux.

— La prochaine fois, c'est vous qui jouerez le rôle des esclaves, dit Tobias, et nous qui glanerons les informations. Mais on fera en sorte de pas finir dans votre état !

La rue était bondée de Cyniks pressés, qui semblaient converger vers le quartier des marchands avec une certaine excitation, une gaieté nouvelle. Matt finit par en interpeller un :

— Que se passe-t-il ? Pourquoi tout le monde se dirige vers la sortie de la ville ?

— C'est le jour des combats ! Dans l'arène des Maesters ! Vous devriez y aller, c'est gratuit, toute la ville se déplace !

— Des soldats s'affrontent ?

— Oui, et face à des créatures lâchées dans l'arène ! C'est épique ! C'est sanglant !

L'homme s'éloigna aussitôt pour ne pas manquer le début.

— Du pain et des jeux, déclara Tobias, nous sommes retournés dans l'Antiquité romaine. Le peuple a ce qu'il veut, alors il obéit aveuglément.

— Tant mieux pour nous, répondit Matt, il y aura moins de monde en ville.

Ils n'eurent aucune peine à trouver l'office d'intégration dont Léo leur avait parlé, et entrèrent dans un immense bâtiment à colonnades surmonté d'un fronton. Il ressemblait à un temple grec, et avait dû être une église autrefois. L'intérieur était entièrement éclairé à la bougie, et il y faisait frais.

Des guichets encadraient toute l'aire centrale et Matt, qui avait laissé ses camarades dehors, se dirigea vers le premier disponible.

— Bonjour, je suis nouveau en ville, vous parlez anglais ?

— Bien sûr ! C'est la langue de l'empereur, voyons ! Que pouvons-nous pour vous, jeune homme ?

Le guichetier portait des lunettes rondes, un reste de cheveux, et transpirait jusque sur la lèvre supérieure.

— Je suis en ville pour vendre des esclaves et j'entends beaucoup parler de l'énergie lumière. On m'a dit que c'est l'âme de l'empereur en personne, et j'aimerais beaucoup pouvoir la contempler.

— C'est impossible ! L'énergie lumière est conservée au palais et seul notre Maester y a accès.

— Personne ne peut l'admirer alors ? Jamais ?

— Vous pouvez apercevoir sa lumière le soir en passant près du palais. Sous les arches, si vous regardez bien, vous verrez une puissante lumière blanche qui émane d'une pyramide de verre. C'est l'âme de l'empereur.

— C'est dommage que nous, ses fidèles, nous ne puissions la contempler.

– Ce n'est pas un pèlerinage ! C'est son âme ! C'est intime ! Et c'est aussi la lumière de notre cité ! C'est le lien entre notre ville et l'empereur ! Pas une œuvre d'art !

– Et l'accès au palais ? Il est réglementé ou bien n'importe qui peut s'y rendre pour espérer rencontrer le Maester ?

– Sur demande exceptionnelle uniquement ! Le Maester est un homme très occupé.

Matt salua le guichetier transpirant, retrouva ses camarades sur le parvis de l'office d'intégration, et les conduisit vers le quartier de l'Empereur. Là les rues se transformaient en avenues, en boulevards, tellement larges que l'absence de circulation donnait l'impression d'errer dans une ville fantôme. Quelques passants filaient sur les grands trottoirs ou passaient d'un immeuble à l'autre. Derrière ces fenêtres, toute l'administration du territoire régie par le Maester Luganoff grouillait pour conférer au pays son organisation, une unité centralisée.

Le soleil brûlait les toits de la ville, dans un ciel parfaitement dégagé, et les quatre Pans marchaient en longeant les murs pour glaner un peu d'ombre. Si la ville était plus calme à cause des jeux de l'arène des Maesters, ce secteur était silencieux et désert. Les quatre adolescents parvinrent en bas de l'avenue de l'Empereur, et l'absence de vie devint encore plus flagrante. Les anciens Champs-Élysées projetaient leur ruban de pavés gris jusqu'à l'Autel Impérial sur lequel tremblait la bannière d'Oz : un drapeau vert foncé avec un O doré en son centre. Pas une âme n'y circulait.

– Quel gâchis, grommela Tobias.

De l'autre côté de la grande place qu'ils traversaient, le fleuve séparait la cité Blanche des ruines de Paris, désormais ensevelies sous des chapes de végétations qui rendaient la ville méconnaissable.

Un pont courait sur une vingtaine de mètres, avant de s'effondrer dans l'eau verte. Un peu plus loin, un autre subissait le même sort. Plus aucun accès n'était libre entre les deux berges. Les Ozdults s'étaient retranchés dans la portion de cité qu'ils étaient parvenus à sauver. Au moment où il observait l'autre rive, Matt aperçut une meute de chiens sauvages qui jaillissaient d'un massif pour se précipiter sous un taillis.

La vie continuait de l'autre côté, avec ses règles, ses espèces animales, tout un autre monde complexe qui ne cessait de muter, mois après mois. Matt se demanda si tout cela allait se figer un jour, afin que les êtres humains puissent y retrouver leur place.

Ce temps-là est terminé, comprit-il aussitôt. *L'humanité au sommet de la chaîne alimentaire est révolue, nous en avons abusé, nous nous sommes comportés comme si tout nous était dû, sans respect, en détruisant, et en polluant, en vidant les réserves, comme les parasites que nous étions devenus. Maintenant la Tempête a redonné une impulsion à l'écosystème de la planète, pour qu'il puisse rivaliser avec nous, voire nous dépasser. La végétation pousse plus vite, les animaux mutent à la vitesse de la lumière pour s'adapter, et nous, nous ne sommes plus que des éléments parmi tant d'autres de ce nouveau territoire. À nous de nous adapter, de nous faire une petite place, ou de disparaître.*

Si Entropia leur en laissait le temps.

Des drapeaux vert et doré flottaient par dizaines au sommet d'un mur et les Pans devinèrent que c'était le début du palais, du moins ses jardins. Ils longèrent les grilles et remontèrent une rue qui bordait le fleuve. En croisant plusieurs hommes bien vêtus, ils surent qu'ils approchaient.

Le palais n'était pas aussi démesuré que Matt l'avait supposé. C'était un bâtiment assez ancien, d'une trentaine de mètres de haut tout au plus, aux murs brunis de saleté, et aux hautes fenêtres. En revanche il était très étendu, plusieurs ailes couraient sur des centaines de mètres, encadrant une vaste place uniquement visible à travers une série d'arches.

— C'est l'ancien musée du Louvre, expliqua Tobias. Il s'embête pas, Luganoff !

— T'en sais des choses, s'extasia Maya.

— En même temps, il suffit d'avoir un peu de culture ! La Joconde ! Le Da Vinci Code ! Enfin ! Vous faisiez quoi de votre vie avant la Tempête ?

La tentative d'humour de Tobias tomba à plat quand Elliot répondit :

— J'étais heureux.

Matt désigna les arches :

— C'est gardé. Nous n'entrerons pas comme ça.

— Et le Cœur de la Terre est au centre du palais, t'es sûr ? demanda Tobias.

— Sous une pyramide de verre. Il se voit la nuit.

Matt avisa la hauteur des façades.

— Si Chen était là il pourrait nous grimper ça sans problème, dit-il, et nous dire ce qu'il y a dans la grande cour au centre.

— Avec de la corde et un grappin, ça peut se faire, non ? suggéra Maya.

Tobias étouffa à peine sa surprise.

— On voit que t'as jamais essayé de monter un mur au grappin !

— Tobias a raison, confirma Matt, nous n'y arriverons pas facilement, pas sans nous faire repérer en tout cas.

Elliot pointa le doigt vers les quatre soldats sous l'arche.

— Je peux les endormir.

— Et s'il en survient d'autres ? envisagea Matt.

– Il faudra bien essayer, non ?

La contrariété se lisait sur le visage de Matt.

– Nous pourrions le faire une fois, et encore, dit-il. Mais au moment de revenir avec Ambre, ils auraient compris qu'ils ont été visités et les patrouilles seraient doublées. Non, il faut une méthode qui ne laisse aucune trace.

– Tu penses à quelque chose ? s'enquit Tobias.

– Hélas non ! Une diversion serait risquée : on nous enfermerait sans possibilité de ressortir, et nous n'avons aucun moyen d'approcher par les airs.

– Alors il reste *sous* la terre, proposa Elliot.

Les trois Pans se tournèrent vers lui.

– Tu veux creuser un tunnel ? railla Tobias sans y mettre le ton. On n'a pas deux ans devant nous !

– Mais non, idiot, c'est une cité bâtie sur les vestiges d'une ancienne ville humaine, il existe encore tout un réseau d'égouts !

– Rien ne nous dit qu'ils communiquent avec le palais, remarqua Maya.

– C'était le musée du Louvre, rappelez-vous ! dit Tobias. Pas le genre d'endroit à multiplier les accès faciles !

– Et avant ça c'était un palais, insista Elliot, avec des souterrains. À nous de les trouver. Je ne dis pas que ce sera simple, mais il doit y en avoir. Il n'y a plus d'alarme désormais et Matt a une altération de force, je suis convaincu qu'on peut y arriver.

Tobias pivota vers Matt.

– Qu'est-ce que tu en penses ?

– Qu'on n'a pas mieux. Il faut essayer.

Ils longèrent le fleuve, pour repérer sous leurs pieds un quai vers lequel ils descendirent pour inspecter la berge.

Le fleuve écoulait sans un bruit, deux mètres plus bas, son eau verte et poisseuse, sans aucune transparence.

— Je ne veux même pas savoir ce qui nage là-dedans, dit Tobias d'un air dégoûté.

Elliot remarqua une ouverture sous le quai et se pencha au-dessus de l'eau.

— Il y a un accès là ! Une sortie d'égout !

Matt et Tobias se mirent à genoux pour regarder à leur tour.

— Et des barreaux, pesta Tobias.

Matt ne semblait pas aussi pessimiste que son ami :

— Avec mon altération je peux peut-être les desceller s'ils sont anciens.

— Hey ! cria une voix en surplomb. Qu'est-ce que vous faites là ? C'est dangereux ! Remontez ! Remontez tout de suite !

Un garde Ozdult, accompagné de deux soldats en armure, leur faisait des signes.

Matt attrapa Tobias par le col et le força à se relever sans ménagement, puis il le poussa devant lui comme s'il était son prisonnier.

Les quatre Pans remontèrent par l'escalier et les gardes les entourèrent, soudain soupçonneux en constatant qu'ils étaient très jeunes.

— Vous êtes fous ? Vous ne savez pas que ce quai n'a aucun guetteur ?

— Guetteur ? répéta Maya. Nous sommes nouveaux en ville, nous ignorons ce que...

— Le fleuve est plein de monstres carnivores ! Les guetteurs les voient approcher et ils sont armés de piques pour les repousser des jetées. Ici, il n'y a personne ! Vous auriez pu vous faire happer !

— C'est mon esclave ! s'énerva Matt en s'efforçant de prendre un air furieux. Il a voulu boire l'eau du fleuve !

– Ces grouillots, tous plus bêtes les uns que les autres, ricana l'un des gardes, amusé.

Le chef du groupe, lui, ne semblait pas intéressé par l'affaire de l'esclave, mais bien par toute la bande.

– D'où venez-vous ? demanda-t-il. Je ne reconnais pas cet accent.

– D'une région au nord de la Grande-Île. Nous sommes là pour vendre nos deux esclaves. Nous travaillons avec le Maester de Cytadel.

– Vous êtes bien jeunes tous les deux ! s'étonna le garde en désignant Matt et Maya.

– Nous étions parmi les premiers à rallier la cause de l'empereur pourtant, fit Matt sans se démonter.

– Qu'est-ce que vous faites là, près du palais ?

– Nous espérions voir l'énergie de lumière, ma compagne et moi sommes très curieux. Tout le monde en parle en ville et même à Cytadel !

Le garde se doutait de quelque chose, Matt le devinait à son regard. Il allait les faire arrêter. Il scrutait les quatre adolescents avec méfiance, cherchant à déceler le moindre détail louche.

Elliot fixa l'un des gardes, celui qui avait ri, et soudain ce dernier tourna de l'œil et s'effondra dans le fracas de son armure heurtant le pavé. Du sang se mit à couler de son heaume ouvert, il s'était fracturé le nez.

Aussitôt ses comparses l'entourèrent, désemparés.

– C'est la chaleur, fit Matt. Avec tout votre équipement ça doit être insupportable.

Les hommes essayèrent d'asseoir le blessé, mais il était trop lourd. Matt s'approcha du chef.

– Peut-on vous aider ?

L'homme, agacé, agita la main devant lui :

— Non, circulez, allez ! Et tenez vos esclaves !

Matt adressa un clin d'œil à Elliot et ils s'en allèrent à bonne allure.

— Rassure-moi, fit Matt en marchant, le type que tu viens d'endormir, il ne saura pas que c'est toi qui l'as estourbi ?

— Non. Au pire il se souviendra que la dernière chose qu'il a vue c'étaient mes yeux, c'est tout.

— Parfait.

Ils retrouvèrent la grande place, en bas de l'avenue de l'Empereur, et Tobias désigna les jetées et les entrepôts au loin, dans le quartier des marchands.

— Est-ce qu'on va voler une barque ou autre chose ?

— Attendons le soir, dit Matt. Ce sera plus discret.

— Et ce que les gardes ont dit à propos du fleuve ? demanda Maya.

— Nous n'avons pas d'autre option, conclut Matt. Ce soir, non seulement il faudra se méfier des Cyniks, mais aussi de ce qui nous guette dans l'eau.

Elliot haussa les sourcils, l'air désespéré.

— Et après ça on pénètre dans les égouts d'une ville comme celle-là ! Avec tout ce qui doit y grouiller ? Je me demande pourquoi j'ai eu cette idée.

Matt lui donna une tape dans le dos :

— Parce que si notre plan fonctionne, cette nuit nous rejoindrons les autres, et d'ici deux jours, le Cœur de la Terre sera à nous.

— Alors le monde sera sauvé, ajouta Tobias, plein d'espoir.

Depuis qu'il était dans la cité Blanche, Tobias se sentait moins sûr de lui. Ses certitudes se muaient en doutes.

34.
Tunnels

Matt et Tobias ramaient, en s'efforçant de faire le moins de bruit possible.

La lune éclairait leur chemin comme un champignon argenté suspendu à un plafond invisible. Et la Tour-Squelette y ajoutait son halo bleu et rouge qui palpitait à son sommet tel un étrange gyrophare.

La ville s'était endormie après une journée d'émotions, de combats dans l'arène, de paris, de beuveries. Les quatre adolescents n'avaient eu aucune peine à se faufiler jusqu'au port pour subtiliser une barque sans se faire remarquer. Ils n'avaient croisé presque personne, et à coup sûr aucun individu sobre, à part une patrouille de deux gardes qu'ils avaient soigneusement évitée.

L'embarcation glissait en silence sous l'arche d'un pont qui s'écroulait un peu plus loin dans l'eau.

Maya et Elliot scrutaient attentivement la berge nord pour s'assurer qu'aucun Cynik ne les repérait, tandis que les deux rameurs vérifiaient la surface du fleuve, guettant le moindre remous suspect.

Le quartier des marchands s'éloignait, ils longeaient la

grande place en bas de l'avenue de l'Empereur. Elle était déserte.

Les lumières du palais brillaient au loin.

En se rapprochant, ils remarquèrent qu'une fenêtre rayonnait de lumière, plus que toutes les autres. C'était au centre du palais, dans la cour.

La pyramide. Ils ne pouvaient la distinguer, mais l'énergie lumière était bien là, à pulser ses rayons vers les étoiles. Chaque habitant de la cité Blanche qui le désirait pouvait approcher les abords du palais et la deviner. L'âme de leur empereur. Une clarté rassurante qui veillait sur eux.

– On y est presque, chuchota Tobias.

Maya et Elliot vérifièrent pour la cinquième fois qu'ils avaient bien leur poignard à la ceinture, sous leur cape, pour se rassurer.

Le cercle noir des égouts ressemblait à un œil fixé sur eux. D'un coup de rame, Matt fit pivoter la barque et ils entrèrent doucement dans le petit tunnel. Tobias sortit son champignon lumineux de sous sa cape. Au-delà de la herse, un accotement étroit ruisselait d'eau sur la droite, comme un petit trottoir.

La proue vint cogner contre les barreaux.

– À toi de jouer, chuchota Elliot en poussant Matt vers l'avant.

Matt prit une profonde inspiration. Tout reposait à présent sur ses épaules. Il ne pouvait se rater. Même s'il devait y perdre ses forces et y passer la nuit, il fallait qu'il descelle au moins un barreau pour créer un passage. C'était son objectif.

Il se concentra et posa les mains sur l'acier froid. Il était tout rouillé, au point de s'émietter sous ses paumes. Matt ferma les yeux et soudain tira de toute sa puissance.

Il bascula aussitôt en arrière, sur Tobias qui le retint et

empêcha la barque de chavirer en calant aussitôt, avec son altération de vitesse, une rame contre la paroi du tunnel.

Matt tenait des fragments de la grille entre ses doigts.

Il s'était attendu à un effort colossal, mais elle était si rongée par l'humidité qu'elle avait cédé sans la moindre résistance.

– Bien joué ! s'exclama Elliot.

– Bah… j'ai pas fait grand-chose…

Maya était déjà en train de tirer à son tour sur la grille pour finir d'ouvrir la voie. Elle amarra la barque à l'un des barreaux et posa le pied sur le rebord du tunnel.

Les trois autres suivirent, éclairés par le fragment de champignon que Tobias tenait devant lui. Les murs étaient couverts d'un limon séché qui sentait la pourriture et l'ammoniaque.

– Vous croyez qu'ils servent encore, ces égouts ? demanda Maya.

– Pour le palais peut-être, répondit Tobias en inspectant l'eau sombre sous leurs pieds.

Il était surpris de ne pas avoir dû sortir les armes lors de la traversée du fleuve après ce que leur avaient dit les gardes dans la journée.

Ils parvinrent à une fourche et Tobias indiqua la voie de droite, pour continuer en direction du palais.

Matt, lui, comptait ses pas. Lorsqu'il eut atteint soixante, il pointa son index vers la voûte.

– À partir de maintenant, nous devrions être sous le domaine de Luganoff.

– J'espère qu'on n'aura pas à creuser jusqu'à la surface, grinça Tobias.

Des canalisations d'une vingtaine de centimètres se rattachaient au collecteur principal dans lequel ils évoluaient, et certaines déversèrent un liquide malodorant.

– Tu te demandais s'ils servaient encore ? interrogea Elliot.

— Je crois que je vais vomir, déclara Maya en se couvrant la bouche.

Un raclement résonna dans le corridor. Lointain.

Il se répéta, deux fois, semblable au bruit d'un objet tranchant qui s'enfoncerait dans la pierre. Puis, loin devant, un grondement sourd monta de l'obscurité.

— Oh non, murmura Elliot.

— On dirait que c'est gros, dit Maya.

— Très gros, ajouta Tobias.

Matt les poussa en avant.

— Alors ne perdons pas de temps.

Tobias prit son arc et planta son bout de champignon au sommet. Il encocha une flèche, prêt à tirer.

Le tunnel s'arrêta soudain en T.

— Droite, commanda Tobias. Pour aller sous la cour.

— T'es sûr ? demanda Maya. J'ai l'impression que c'est de là que venait le grondement...

Matt la plaqua contre le mur pour passer devant elle et prit à droite.

Il tenait son épée devant lui.

Un peu plus loin, ils croisèrent une autre grille, fermant un puits inondé d'immondices.

Ils marchèrent prudemment sur une centaine de mètres, avant d'entendre à nouveau le grognement.

Beaucoup plus près cette fois. Derrière eux.

— Merde, lâcha Tobias. C'est dans notre dos. Il ferme le chemin du retour.

— Je préfère ça plutôt que de l'avoir devant, lança Matt sèchement.

Le jeune homme s'impatientait de ne pas trouver le moindre accès vers la surface.

Mais son angoisse s'apaisa lorsqu'il vit la lueur du champignon se refléter dans le métal d'une porte, un peu plus loin. Avant de constater qu'il s'agissait d'une porte blindée.

– Nous ne pourrons jamais forcer un truc pareil, se désespéra Tobias. C'est là que Ambre nous manque.

Matt jeta un œil à Maya.

– Je réalise que je ne t'ai jamais demandé ce qu'était ton altération.

L'adolescente baissa les yeux.

– Je lis très vite, dit-elle, penaude. Vachement pratique ici.

Matt cogna contre le battant pour en jauger la solidité. Il tenta d'enfoncer la pointe de son épée entre la porte et le chambranle mais se ravisa aussitôt.

Il donna un coup de paume rageur contre la porte.

– Forcément, c'était un des plus grands musées du monde, s'énerva Tobias. C'était couru d'avance que tous les accès seraient sécurisés.

Elliot pointa le tunnel aveugle, d'où ils venaient.

– Il reste cette petite conduite qu'on a croisée. J'imagine qu'avant, quand Paris était une ville normale, le niveau d'eau devait être plus élevé que maintenant, la conduite devait être inondée en permanence. On ne la voyait pas. Une grille en empêche l'accès, mais est-ce qu'ils sont allés jusqu'à poser une porte blindée ?

– Ça suppose de descendre dans cette eau dégoûtante ! gronda Maya.

– Et de revenir sur nos pas, vers ce qui grogne, rappela Tobias.

– Elliot a raison, trancha Matt. Il faut tenter notre chance.

À contrecœur, ils rebroussèrent chemin, et ils n'avaient pas fait cinq mètres que la chose dans les ténèbres émit un nouveau souffle rauque. Elle se rapprochait.

Matt donna plusieurs coups rapides sur l'épaule d'Elliot qui était en tête.

– Dépêche-toi ! lui chuchota-t-il avec autorité.

Ils retrouvèrent la grille à demi immergée et Matt se glissa dans l'eau. Il grimaça à cause du froid et de l'odeur, et avança jusqu'à saisir la grille.

Une série de reniflements, puis un puissant ronronnement, inquiétant, leur parvinrent. La chose était toute proche. Tobias leva son champignon pour tenter de voir le plus loin possible.

– Matt, dépêche-toi !

Il avait l'impression que quelque chose se rapprochait. Que les ombres en face bougeaient.

C'était énorme. Remplissant une bonne partie du tunnel.

– Magne-toi ! insista Tobias.

Matt tira de toutes ses forces, trois fois de suite, et la grille bougea un peu.

Cette fois, tous les Pans entendirent distinctement les raclements sur la pierre. Comme de longues griffes.

– Vite !

Matt insista à nouveau, avec un maximum d'énergie. La grille céda, tout aussi usée et fragile que la précédente.

Le ronronnement s'interrompit et la créature émit un long grognement agressif, avant de s'élancer vers eux. Ils pouvaient entendre le choc de ses pattes et de son poids massif contre les parois.

Maya et Elliot se jetèrent à l'eau derrière Matt.

Tobias était comme hypnotisé par les ténèbres.

Il ne parvenait plus à bouger. Attendant de voir l'horreur surgir et le happer.

– Toby ! aboya Matt.

Le cri suffit à sortir l'adolescent de sa catatonie, il devina la chose toute proche, décocha un tir, puis très vite deux autres, à l'aveugle.

Le monstre lâcha un rugissement furieux, semblable à celui d'un tigre, et chargea.

Tobias sauta dans l'eau et fonça vers le petit boyau.

Dans son dos une silhouette énorme se déployait pour le saisir.

Les autres Pans ne virent que deux pattes crochues et ce qui ressemblait à trois yeux dont le champignon lumineux renvoyait le reflet, presque rouge.

Matt saisit Tobias par le col et le tira brutalement à l'intérieur.

L'air fut fouetté derrière lui et les quatre Pans reculèrent instinctivement dans l'étroit boyau où ils tenaient à peine debout. Ils avaient de l'eau jusqu'à la taille.

Une forme lourde tomba dans l'eau et quelque chose se glissa à leur suite.

Matt donna deux coups d'épée dans le vide avant de comprendre que c'était une patte. Large et couverte de griffes et de pointes comme des ronces.

Le monstre était trop gros pour entrer.

Matt repoussa ses compagnons.

– On file ! Vite !

Ils se mirent à courir du mieux qu'ils pouvaient, jusqu'à ce que la tête leur tourne à cause de l'odeur d'ammoniaque et à force d'être pliés en avant.

Maya demanda enfin :

– C'était quoi ?

– Je l'ignore, répondit Matt. Mais c'était énorme. Et furieux.

— Ou affamé, dit Tobias en levant son champignon vers un reflet qui venait de capter son attention.

Une trappe les surplombait. Elle était en fer, mais n'avait rien d'un accès blindé.

Matt se hissa et tenta de la repousser. Elle était verrouillée.

Alors l'adolescent déploya toute sa force et le mince sas ne résista pas très longtemps.

Matt avait les paumes écorchées, rouges et tremblantes.

Mais l'accès était ouvert.

Il fit une traction pour passer la tête et, après s'être assuré qu'il n'y avait personne, il se hissa dans la pièce.

Lorsque son visage réapparut au-dessus de ses amis, il avait retrouvé son petit sourire malicieux.

— Je crois que nous sommes dans le palais.

Il leur adressa un clin d'œil.

35.

Sous la pyramide...

Matt força deux autres portes en bois qui n'étaient que verrouillées par une serrure standard. Ils étaient entrés par les locaux techniques, une vieille réserve à charbon oubliée depuis longtemps, où les toiles d'araignées ressemblaient à ces draps blancs qu'on dispose sur les meubles d'une maison inoccupée. Puis ils passèrent par une immense chaufferie qui n'avait pas fonctionné non plus depuis une éternité, longèrent une série de couloirs poussiéreux, royaume des rats dont certains étaient aussi gros que des chats, et débouchèrent dans un hall de marbre où brûlaient des torches accrochées aux murs.

— C'est un vrai labyrinthe ! s'inquiéta Elliot. Vous êtes sûrs qu'on va retrouver le chemin pour rentrer ?

— On n'est pas pressés, rappela Tobias, faut déjà que la chose en bas nous oublie et s'en aille de notre tunnel !

— Et comment on va s'orienter dans le palais ? C'est immense !

Maya indiqua un couloir qui partait vers l'est.

— Par là.

Elle s'engagea, sous le regard dubitatif de ses compagnons, jusqu'à tapoter un ancien panneau scellé dans le mur sur

lequel ils purent lire en plusieurs langues, dont l'anglais :
« Pyramide du Louvre » suivi d'une flèche.

— Faut toujours une femme dans le groupe, s'amusa
Tobias. Elles sont meilleures observatrices que nous.

Le palais était d'un calme étonnant. Ils marchaient avec
précaution dans ces vastes couloirs, tout en marbre beige, où
flottait l'odeur un peu entêtante de l'huile des torches, et ils
ne croisèrent personne. Matt craignait de tomber face à une
patrouille et de ne pouvoir trouver de cachette – il voulait à
tout prix éviter le recours à la force, faire un passage éclair
et totalement indécelable afin de pouvoir revenir avec Ambre
par le même chemin.

Ils étaient dans le sous-sol du palais, et apparemment, en
pleine nuit, personne ne s'y promenait.

— Vous ne trouvez pas étonnant qu'il n'y ait aucun garde ?
demanda Tobias.

— Ils sont à l'entrée du palais, et probablement à tous les
accès sensibles, fit remarquer Matt, mais pourquoi iraient-
ils poster des hommes à l'intérieur si personne ne peut y
entrer ?

— Tout de même ! On approche de leur si précieuse énergie
lumière !

— Justement, j'ai l'impression qu'ils sont tellement respectueux et admiratifs qu'il ne viendrait à l'idée de personne de
s'en approcher.

— Moi, ce qui m'angoisse, c'est de devoir revenir ici avec
Ambre, avoua Elliot. Ç'aurait été tellement plus facile si elle
était venue avec nous.

— Si elle avait pu marcher, sois certain qu'elle serait là,
répliqua Tobias.

Matt leva le bras pour les faire taire et les immobiliser.

Le couloir descendait en pente douce et s'élargissait encore par une mezzanine qui ouvrait sur un lieu plus vaste masqué par un angle.

Une lumière blanche et très vive baignait tout le sous-sol.

Un garde se tenait appuyé contre un mur, le casque penché sur le plastron, en train de somnoler debout.

– C'est le Cœur de la Terre, murmura Matt, fasciné.

– Faut déjà passer ce gars-là, dit Tobias, pragmatique. Elliot, tu peux t'en charger ?

– S'il relève le museau et croise mon regard, oui.

Matt les arrêta.

– Et à son réveil il se souviendra de toi. Et tout le palais saura qu'ils ont été visités. Nous ne pouvons pas nous le permettre. Ce n'est qu'une mission de reconnaissance pour ouvrir la voie à Ambre.

– Et comment veux-tu qu'on passe alors ? demanda Tobias.

– Il est presque assoupi. Vous savez être discrets ? Il va falloir le prouver.

Matt s'élança le premier, en marchant sur la pointe des pieds.

Tobias secoua la tête de dépit.

– Quelle tête de mule celui-là, grinça-t-il entre ses dents avant de le suivre.

Elliot lui emboîta aussitôt le pas en se concentrant. Si le garde devait s'éveiller, mieux valait se trahir plutôt que de déclencher l'alerte.

Une fois sur la mezzanine, ils durent se protéger les yeux de la main tant la lumière était vive dans le hall en contrebas.

Matt avisa le soldat assoupi. Il n'avait pas bougé de sa position, le casque sur ses yeux.

Une dizaine de marches conduisaient vers le centre du grand hall.

Au milieu, sous la pyramide de verre qui jaillissait au cœur de la cour du palais, une puissante lumière étincelait.

Matt s'approcha.

Il ne comprenait pas bien ce qu'il voyait.

Ce n'était pas la boule d'énergie pure qu'il avait vue tournoyer chez les Kloropanphylles.

Un garçon d'à peine dix ans était assis dans un fauteuil, des sangles aux bras et aux jambes. Il avait les yeux ouverts face à un petit miroir orienté, monté sur un bras articulé. Ses deux pupilles lançaient un faisceau blanc lumineux, comme deux petites lampes de poche, sauf que le miroir les réfléchissait vers un miroir plus grand, qui lui-même donnait sur un autre plus grand encore, et ainsi de suite, jusqu'à former une véritable structure s'achevant par un ovale de plus de deux mètres, braqué vers le plafond de verre. Non seulement l'assemblage décuplait la taille du faisceau de départ, mais en plus il l'orientait vers le ciel, pour illuminer la pyramide, afin que tous puissent l'apercevoir depuis l'entrée du palais.

– C'est ça le Cœur de la Terre ? s'étonna Maya. Un garçon ?

Matt secoua la tête.

– Non, ce n'est pas ça. Il ne dégage aucune force, aucune énergie.

– Et s'il l'avait déjà absorbée ? suggéra Tobias. Comme Ambre…

Matt était sceptique. La lumière qui sortait des yeux du garçon n'était pas particulièrement puissante.

– Vous croyez qu'il peut nous entendre ? demanda Elliot.

– Je n'en ai pas l'impression, répondit Tobias. On dirait qu'il est hypnotisé ou en transe.

Matt fit quelques pas dans sa direction.

Il ne comprenait plus rien.

Si le Cœur de la Terre a déjà été absorbé comment allons-nous faire ?

Il était au bord du désespoir.

Rien ne pouvait être pire.

Jusqu'à ce qu'il entende le claquement des bottes de toute une unité de soldats qui accouraient des portes latérales.

En un instant, la salle fut encerclée par une trentaine de lanciers.

Puis un homme entra, la démarche tranquille. Il était assez petit, les cheveux blancs et bouclés, le nez crochu. Il portait une tunique noire sur des vêtements de cuir, et une houppelande d'un beau tissu satiné, avec de nombreux plis et rabats d'où surgirent ses mains couvertes de bagues.

— Tiens, tiens, tiens, dit-il assez fort en anglais pour que sa voix résonne dans tout le hall de marbre. Alors c'est bien vrai ! Des gamins insoumis et si effrontés qu'ils se croient capables d'arriver jusqu'ici ? Pour me dérober mon précieux trésor ?

Matt n'avait même pas porté la main à la poignée de son épée, il savait que la fuite était préférable au combat.

Les soldats étaient bien trop nombreux.

— Comme vous pouvez le constater, ce n'est pas tout à fait ce à quoi vous vous attendiez, dit le Maester Luganoff. L'énergie lumière n'est plus ce qu'elle était.

Les quatre Pans se rapprochèrent les uns des autres.

— Je le savais que c'était trop facile, maugréa Tobias. C'est jamais si simple...

Ils étaient tombés dans un piège. Les Ozdults les attendaient.

Comment avaient-ils su ?

Matt s'en voulut aussitôt d'avoir été si naïf, de s'être promené partout en posant des questions sur l'énergie lumière, en croyant qu'on ne remarquerait pas son manège. Il avait misé sur l'immensité de la ville, sur le flux d'étrangers, la curiosité des uns et l'indifférence des autres.

Il avait péché par excès de confiance.

Et il en faisait payer le prix fort à ses compagnons.

Soudain le Maester Luganoff s'écarta, et le Maester à la tunique en lin apparut, une petite cicatrice rouge sur le menton.

— Ce n'était qu'une question de temps avant que nous nous retrouvions, dit-il en se frottant les mains. Maintenant nous allons voir si vous êtes toujours aussi sûrs de vous.

Les soldats commencèrent à se rapprocher.

Sur ce, d'autres accoururent par des accès latéraux, et cette fois, Matt comprit qu'il n'y avait plus rien à espérer.

36.
Dialogue de sourds

Les quatre Pans furent poussés sans ménagement dans une longue salle tapissée de bois, avec des tableaux anciens sur les murs. Ils avaient été escortés jusque dans les étages du palais après avoir été désarmés.

Une douzaine de gardes restaient autour d'eux.

Maester Luganoff demeurait prudent. Son acolyte l'avait bien renseigné, et prévenu des capacités exceptionnelles de ces adolescents frondeurs.

Des serviteurs allumèrent toutes les bougies, et Luganoff entra.

– Le Maester Mercier de Port-Roc a insisté pour me convaincre que vous venez de… d'un autre monde !

Luganoff émit un gloussement qui se voulait proche du rire.

L'homme en tunique de lin s'approcha en acquiesçant.

– De l'autre côté de l'Océan, compléta-t-il.

– C'est vrai, intervint Matt. Nous venons de très loin. Et nous venons en paix.

Luganoff gloussa à nouveau.

– En paix ? Mais pour faire la paix, il faut être en mesure

d'en imposer à son adversaire, mon jeune garçon... Pourquoi m'inclinerais-je alors que je n'ai rien à perdre ?

— Parce que nous n'avons aucune intention agressive à votre égard.

— Et c'est normal ! Vous n'êtes qu'une bande de grouillots séditieux ! s'énerva Luganoff. Qui vous autorise à me demander de vous épargner ? Vous n'êtes que des esclaves ! Rien d'autre !

Tobias se pencha vers Matt :

— Ce sont des fanatiques, murmura-t-il, laisse tomber.

— Tu as mieux à proposer ? répondit Matt entre ses dents.

— Je préfère encore me laisser enfermer que d'entendre ses...

La tête de Tobias partit en arrière brutalement, puis celle de Matt.

Ils avaient reçu une puissante gifle sans que personne approche.

Luganoff tendait la main dans leur direction :

— Je n'autorise pas vos conciliabules.

Il avait une altération semblable à celle d'Ambre ! Puis Matt se souvint aussitôt de l'usine à Élixir. Luganoff avait bu sa potion...

— D'ailleurs, ajouta le Maester de la cité Blanche, vous devriez être à genoux devant moi !

Une force invisible vint taper derrière les jambes des Pans et ils tombèrent à genoux en faisant grincer le parquet.

— Voilà qui est mieux... D'où venez-vous ?

— De l'autre côté de l'Océan, confirma Matt. C'est vrai.

— Dans un pays où les grouillots vivent avec les adultes, sur un pied d'égalité, répéta le Maester Mercier en se souvenant des mots qu'il avait déjà entendus.

Luganoff secoua la tête, dégoûté.

– Vous êtes des esclaves. Il ne peut en être autrement. Vous êtes plus faibles, plus sournois, dociles et nombreux. Des serviteurs parfaits.

– Pourquoi cette haine des enfants ? demanda Tobias.

– C'est vrai, on ne vous a rien fait ! Vous êtes nos... parents d'une certaine manière ! ajouta Elliot.

Le visage de Luganoff se congestionna de colère :

– Ne dis pas de sottises ! Vous étiez là au Grand Réveil, pour nous servir ! C'est un cadeau du ciel !

Tobias jeta un regard à Matt. Les Ozdults n'avaient aucune mémoire d'autrefois. La vie avait commencé après la Tempête, par ce qu'ils semblaient appeler le Grand Réveil. Il allait être difficile de leur faire entendre raison...

– Et vos femmes enceintes ? interrogea Matt. Elles donnent naissance à des enfants, non ? Vous ne mettez pas au monde que des esclaves ! Mais aussi vos descendants ! Qui grandiront, qui deviendront un peu vous, vos enfants ! Et qui vous aideront quand vous serez vieux...

Une nouvelle gifle invisible fit reculer Matt.

– Tu es très impertinent, jeune homme !

– Où sont les autres ? questionna Mercier. La fille avec les cheveux blonds roux ?

– Je l'ignore, mentit Matt. Nous nous sommes séparés avant d'atteindre la cité.

– Pourquoi êtes-vous venus jusqu'ici ? voulut savoir Luganoff. Qu'est-ce qui vous attire tant avec l'énergie lumière, hein ? Vous pensiez la détruire ? Ébranler l'âme d'Oz ?

– Non. Nous en avons besoin pour sauver nos vies ainsi que les vôtres.

– Rien que ça ? (Il pivota vers Mercier.) Ils sont simplement fous, je crois.

– Non ! s'écria Matt avec aplomb. Une force terrible approche de vos côtes et descend également par le nord ! Une puissance contre laquelle toutes vos armées ne pourront rien. Il n'y a que l'énergie lumière qui puisse nous aider.

– Et quelle est cette force qui t'effraie tant ?

– Entropia et son seigneur : Ggl.

– Quel nom étrange…

Luganoff était partagé entre l'amusement et la lassitude, Matt le devinait. Il ne tenait qu'à un fil qu'il leur tourne le dos d'un instant à l'autre en ordonnant de les enfermer ou pire…

– C'est ce garçon que nous avons vu, l'énergie lumière ? L'âme de votre empereur, c'est un enfant ?

– Bien sûr que non ! se moqua Mercier.

Luganoff le fit taire d'une main sur l'épaule et approcha des Pans.

– Alors qui est-ce ?

– Ce n'est pas ton problème, fit Luganoff en sortant une boule de velours de sa houppelande. Nous allons bien voir si vous êtes aussi exceptionnels que semble le penser le Maester Mercier.

Luganoff déplia son épais mouchoir sur une boule de cuivre patiné de la taille d'une pomme. La moitié était transparente, un verre bombé protégeait un cadran jauni par le temps. Une aiguille pouvait remonter sur une échelle allant de 0 à 12.

Mercier manqua s'étouffer en découvrant l'objet.

– C'est l'astronax ?

– Lui-même.

– Alors il existe vraiment ? Je croyais que c'était une rumeur ! Est-ce vrai ce qu'on dit ? C'est en le trouvant que vous êtes devenu Maester du pays ?

– Il était à mes pieds lors du Grand Réveil.

Matt, qui n'avait pas le même respect et encore moins de dévotion pour Luganoff, avait le sentiment que l'homme mentait. C'était une ruse pour asseoir son autorité.

– Comment fonctionne-t-il ? demanda Mercier.

Luganoff caressa la petite sphère comme s'il s'agissait de son enfant, avec une certaine méfiance vis-à-vis de son vassal puis, comme s'il daignait lui accorder un immense privilège, il lui fit signe d'approcher.

– L'aiguille indique la quantité de pouvoir qui existe chez un individu. Un être vivant normal affiche 2. Un mort est entre 1 et 0, selon s'il est décédé depuis longtemps ou non. Un buveur d'Élixir varie entre 3 et 4 selon la pureté et la concentration de l'Élixir. Les grouillots sont entre 3 et 5 selon la qualité de leurs pouvoirs, mais j'ai déjà vu l'astronax grimper jusqu'à 6. Un enfant particulièrement doué. Nous allons voir ce que valent vos si précieux révoltés, mon cher.

Luganoff approcha la boule de Matt, et ce dernier crut percevoir un très faible bourdonnement.

Le visage du Maester de la cité Blanche se décomposa. Celui de Mercier s'illumina.

– C'est formidable ! s'enthousiasma-t-il. Il est à 7 !

Les prunelles de Luganoff remontèrent vers Matt.

– Montre-moi ce dont tu es capable.

Matt secoua la tête.

– Je vous montrerai tout ce que vous voulez mais, s'il vous plaît, écoutez-nous ! Nous sommes là pour vous aider ! Ne faites pas de nous vos prisonniers !

– Montre-moi, j'ai dit !

Matt leva le menton, en signe de défi.

– Vous n'obtiendrez rien de moi de cette manière.

– Il faut nous croire ! s'emporta Tobias. Le danger, ce n'est pas nous ! Il va arriver par la mer et par le nord ! Laissez-nous vous aider !

– Nous aider ? railla Luganoff. Décidément, ceux-là sont irrécupérables.

– Ils sont hors normes, Maester, rappela Mercier.

– J'ai assez entendu leurs sornettes. Mercier, conduisez-les à l'usine. Je veux boire l'Élixir de celui-là, dit-il en pointant son index sur Matt. Je veux tester l'astronax sur moi !

– Ne faites pas ça ! supplia Maya. Nous sommes votre dernière chance face à Entropia !

– Je dois avouer que vous ne manquez pas de certitudes, s'amusa Luganoff. Et d'un certain panache pour avoir osé vous aventurer jusqu'ici. Maintenant vous allez me nourrir.

Il tourna les talons et Tobias l'interpella :

– Vous allez commettre votre plus grande erreur ! Nous sommes la solution contre Entropia ! Et contre la rébellion ! Ils nous écouteront si vous nous laissez leur parler ! Nous pouvons vous débarrasser d'eux ! Si vous nous laissez partir, nous les rejoindrons pour qu'ils nous aident à lutter contre Entropia et plus contre vous !

Luganoff se mit à sourire à pleines dents.

– La rébellion ? dit-il en revenant sur ses pas. Alors la légende a pris ? Elle s'est propagée ?

Tobias ne comprenait pas. Il regarda l'homme revenir vers lui.

– La rébellion des enfants, répéta Tobias comme s'ils ne parlaient pas de la même chose.

– Je sais très bien ce qu'est la rébellion ! Et sais-tu pourquoi ? Parce que c'est moi qui l'ai inventée !

Il gloussa à nouveau, fier de lui.

— C'est moi qui ai lancé les premières rumeurs, précisat-il, pour que les esclaves se raccrochent à un espoir. Parce qu'un esclave qui n'en a aucun est dangereux. Alors que là, ils espèrent à tout moment que la rébellion viendra les sauver, viendra changer le monde ! Et donc ils attendent sagement que leurs « héros » surgissent. Jour après jour ! J'ai créé la meilleure des prisons mentales ! L'espoir d'être sauvé par un autre ! Pourquoi prendre tous les risques quand on sait que d'autres vont les prendre pour nous ?

— C'est machiavélique, gronda Elliot.

Luganoff était fier de lui, sa joie et son orgueil transpiraient par tous les pores de sa peau.

— Vous avez cru en un mythe inventé de toutes pièces. Et manifestement il a tellement bien pris que vous vous êtes senti pousser des ailes ! La rébellion n'existe pas. Vous êtes les seuls esclaves mutinés. Et tout va s'arrêter là. Gardes ! Faites-les partir pour l'usine. Je veux leur Élixir !

Luganoff se retourna et s'éloigna d'un pas décidé, sa houppelande bruissant au passage.

Mercier fixait Matt avec le sourire de celui qui tient sa vengeance.

Soudain, la porte principale s'ouvrit et un garde de l'entrée principale du palais glissa sur le parquet à travers toute la pièce jusqu'à s'immobiliser aux pieds de Luganoff.

Plusieurs pas lourds résonnèrent sur le seuil.

Matt aperçut de grosses pattes velues du coin de l'œil.

Des yeux jaunes brillaient dans la pénombre.

37.
Improvisations sur improvisations

Quatre chiens géants grognaient sur le seuil de la grande pièce.

Ambre, Chen, Floyd et Tania sur leur dos.

Les gardes se précipitèrent en dégainant leurs épées, haches et masses d'armes et, lorsqu'ils furent dans l'encadrement de la porte, Ambre leva les mains devant elle et tous s'envolèrent pour aller s'écraser contre les tableaux de maîtres.

Luganoff écarquilla les yeux, stupéfait.

— Je veux boire l'Élixir de cette fille, dit-il tandis que tous ses soldats tombaient les uns après les autres.

Mercier, lui, reculait, effrayé.

Matt profita de la confusion pour bondir vers le tas d'affaires qui leur avait été confisqué et brandit sa lame.

Lorsqu'il se retourna, tous les gardes étaient au sol en train de gémir ou inconscients.

Les chiens entrèrent dans la salle.

— Ouvrez-nous la voie vers l'énergie lumière, ordonna Ambre à Luganoff.

— Ambre, dit Matt, j'ai peur qu'il y ait un problème avec le Cœur de la Terre.

314

– Lequel ?

– Est-ce que tu peux l'absorber s'il est déjà dans quelqu'un ?

Ambre se décomposa.

– Non ! Il faut que ce soit une boule d'énergie pure !

Luganoff, sans se départir de son sang-froid, approcha vers eux tandis que Tania et Chen pointaient leurs flèches dans sa direction.

– Je veux ton pouvoir, dit-il à Ambre.

Il leva la main pour utiliser sa propre altération mais Ambre la contra mentalement sans un geste. Luganoff la regarda avec surprise et admiration.

Il y avait du désir dans ses yeux.

– Conduis-nous à l'énergie lumière ! insista Ambre sur un ton tranchant.

D'un coup Luganoff s'effondra, plaqué au sol sans parvenir à bouger. Le choc avait été brutal, du sang se mit à couler de l'arrière de son crâne et l'astronax glissa de sa paume.

– Tu n'es pas en mesure de refuser, ajouta l'adolescente.

– Le Cœur de la Terre est au sous-sol, lança Tobias. Mais c'est pas comme celui qu'on a vu au Nid. C'est un... un garçon.

Matt ramassa l'astronax et vint se poster au-dessus de Luganoff. Mercier s'était discrètement assis dans un coin en espérant se faire oublier.

– Qui est ce garçon en bas ? demanda Matt d'un air sévère.

Luganoff le fixait avec dédain et détermination.

Il ne dirait rien, Matt le comprit. Alors il se tourna vers Mercier. Il pointa l'extrémité de son épée vers lui :

– Vous avez déjà vu de quoi nous sommes capables. Donnez-nous l'énergie lumière et nous repartirons aussitôt.

– Elle n'est plus là, lâcha Mercier entre ses dents.

— Quoi ? s'étonna Tobias.

— Vous croyez que notre empereur laisserait une chose si fantastique loin de lui ?

— Baratin…, s'énerva Tobias en saisissant son arc.

Il fonça vers Mercier en encochant une flèche. Matt ne l'avait jamais vu aussi déterminé.

— Non ! C'est la vérité ! insista Mercier en comprenant qu'il risquait gros. Ce garçon n'est qu'un leurre ! Il a le pouvoir de faire de la lumière avec son corps et il nous sert à maintenir l'illusion que l'énergie lumière est encore dans notre ville ! Cela rassure le peuple !

— Elle n'est plus là ? répéta Tobias prêt à tirer sur Mercier en plein visage.

Le Maester répondit à toute vitesse, le front en sueur :

— Non, l'empereur l'a emportée avec lui, à Castel d'Os bien sûr ! Pour ses expériences ! Ce que vous cherchez n'est plus ici depuis longtemps !

— Je veux m'en assurer moi-même, commanda Ambre.

— Il dit la vérité, confirma Matt. J'ai vu ce garçon. Maintenant je me souviens que j'ai trouvé ça étrange. Il n'y avait pas d'électricité statique autour de lui, aucune puissance, aucune présence. J'ai senti qu'il y avait un problème…

Des portes claquaient au loin et les soldats accouraient sur les parquets.

Luganoff enrageait depuis sa prison mentale.

— Il faut se tirer avant que les renforts arrivent ! lança Floyd.

— Pas sans ce garçon ! répliqua Maya.

Tobias se mordit la lèvre, hésitant.

— Il ne sera pas seul. Il y en aura d'autres. Peut-être beaucoup d'autres à libérer. On ne peut pas le faire. Pas ce soir.

Pas comme ça. Sinon nous ne sortirons jamais d'ici et il y aura des morts parmi eux.

Matt l'attrapa par le bras pour l'éloigner de Mercier.

— Toby a raison, ce n'est pas l'heure. Pensons d'abord à sauver nos vies.

Mercier soupira de soulagement en voyant le jeune archer s'éloigner et grimper derrière Ambre sur le dos de Gus.

Ambre se tourna vers Luganoff.

— Nous ne sommes pas vos ennemis, vous devez le comprendre.

Et elle le libéra en lançant Gus à pleine vitesse à travers la salle.

Le chien fonça vers le Maester de la cité Blanche qui cria en se protégeant le visage. Gus sauta par-dessus sans le toucher, et Ambre fit exploser l'immense fenêtre. Les quatre chiens dérapèrent sur le balcon d'où ils bondirent sur le suivant, un peu plus bas, avant d'atterrir sur le pavé de la cour intérieure.

À l'étage, Luganoff surgissait parmi ses soldats, le poing rageur brandi vers le ciel comme une menace divine.

— Je les veux vivants ! hurla-t-il dans la nuit.

Matt, qui était derrière Floyd, désigna le jardin droit devant.

— Par là ! Il y a moins de gardes que sous les arches et les chiens pourront sauter la grille.

Floyd passa en tête avec Marmite.

— Qu'est-ce que vous faites là ? demanda Matt.

— C'est Ambre ! Pas la peine de me sermonner ! Elle a dit que c'était trop dangereux de vous laisser seuls. On ne pouvait pas la laisser partir sans nous quand même !

— Vous auriez pu faire échouer notre plan !

— Aux dernières nouvelles, votre plan avait échoué et vous étiez sur le point de finir dans une éprouvette, je me trompe ? Ambre était sûre que c'était trop risqué. Elle a préféré qu'on entre de nuit dans la ville, avec les chiens. Son plan c'était de foncer dans le tas !

— Tu parles d'une bonne idée !

— Foncer dans le tas pour absorber le Cœur de la Terre. Là elle aurait été assez puissante pour tous les calmer d'un coup. C'était pas idiot !

Matt était en colère contre son amie qui n'en avait fait qu'à sa tête. Mais en même temps il devait reconnaître que sans son caractère de femme déterminée, à l'heure qu'il est il serait sur la route de l'usine à Élixir...

Les chiens parvinrent au bout des jardins et Marmite sauta sur une grosse vasque pour s'élancer par-dessus la grille. Matt se cramponna à Floyd et ils furent bien secoués au moment de rebondir sur la place, mais ils étaient passés.

Sans perdre une seconde, les quatre chiens fusèrent sous la frondaison des quelques arbres et remontèrent l'avenue de l'Empereur, à en perdre haleine.

La cavalerie apparut depuis une des rues perpendiculaires, deux cents mètres plus bas, constituée d'une vingtaine d'hommes.

Les chiens étaient fatigués d'avoir forcé le passage dans le palais et fui du jardin, si bien que les chevaux gagnaient du terrain à mesure qu'ils fonçaient droit vers les arches de l'Autel Impérial.

Les sabots des chevaux martelaient le pavé, comme le tonnerre d'un orage. Ils se rapprochaient de plus en plus.

Une pluie de flèches s'abattit tout autour des Pans et l'une d'elles atteignit Chen dans le dos. Le garçon cria et Maya, qui était derrière lui, n'eut pas le temps de faire quoi que ce soit, la flèche se décrocha d'elle-même. La pointe était arrondie, émoussée.

— On dirait qu'ils ne tirent pas pour blesser ! Juste pour nous écorcher ! s'écria-t-elle.

À ces mots, Chen se mit à chanceler et Maya le rattrapa in extremis avant qu'il ne bascule dans le vide.

— C'est un sédatif ! hurla-t-elle. Ne vous faites pas toucher par les flèches !

Une nouvelle volée de projectiles se mit à pleuvoir.

Au moment de l'impact toutes les flèches rebondirent contre un dôme invisible. Matt se tourna vers Ambre.

Elle les sauvait depuis le début mais à ce rythme-là non seulement elle allait s'épuiser mais elle risquait d'attirer les Tourmenteurs d'Entropia, car il ne faisait aucun doute qu'elle puisait dans l'énergie du Cœur de la Terre pour parvenir à de telles prouesses.

Il n'y en a pas en Europe ! se rassura Matt. *Il n'y a encore aucun Tourmenteur par ici, ça va aller...*

Mais il n'était pas rassuré pour autant.

Ils étaient parvenus au sommet de l'avenue de l'Empereur et la cavalerie n'était plus qu'à une dizaine de mètres derrière, lorsque les deux gigantesques bannières vertes et or se décrochèrent des piliers et tombèrent comme les voiles d'un navire. Elles flottèrent tels des deltaplanes, guidées par une force surnaturelle qui les fit s'abattre sur les cavaliers.

Les chiens filèrent sous l'Autel Impérial pour redescendre vers les remparts tandis que les chevaux ralentissaient en hennissant.

La porte dans le mur, entre deux tours, était ouverte mais la herse était en place. Alertés par le bruit des sabots, plusieurs soldats se tenaient devant, une torche ou une lanterne dans une main, l'autre prête à dégainer l'épée.

Tobias et Tania décochèrent quelques flèches pour les éloigner et Ambre usa à nouveau de son pouvoir pour faire plier la herse.

Ils étaient quasiment au rempart mais la herse leur barrait toujours le chemin. Ambre se concentra davantage et soudain la grille se plia en deux et un morceau s'arracha dans un fracas assourdissant.

Les chiens donnèrent tout ce qu'ils avaient pour traverser le passage comme des fusées sous le regard médusé des gardes qui ne comprenaient rien à ce qui se passait.

Derrière, d'autres cavaliers galopaient, toutes les garnisons de la cité Blanche étaient en alerte.

– Comment va Chen ? demanda Tania lorsque Lady fut au niveau de Zap.

Maya, qui le tenait contre elle, leva le pouce.

– Je crois qu'il est juste endormi.

Les quatre chiens soulevaient un nuage de poussière en galopant plein ouest, lorsqu'ils stoppèrent à une fourche.

– Où sont les autres ? demanda Matt.

– À l'abri, là où nous les avions laissés ensemble.

– Alors c'est par là, dit Tania en désignant la voie du milieu.

Des centaines de torches apparaissaient sur les remparts et les Pans pouvaient entendre des hordes de cavaliers se déverser sur la ville pour les prendre en chasse, accompagnés par des meutes de chiens aux aboiements excités.

– Les chiens sont épuisés, nota Ambre, accablée, ils ne pourront pas distancer les chevaux !

– Allons dans la forêt, quittons la route, proposa Tobias.

– Les chiens flaireront notre piste, intervint Floyd.

– Je ne peux pas affronter autant de monde, dit Ambre, je me suis déjà beaucoup donnée, je n'en aurai pas la force.

– Ce sera inutile, dit Matt en regardant vers le nord. Nous allons nous cacher là où ils n'oseront pas nous suivre.

Tobias blêmit.

– Oh non… tu penses à…

– Le cloaque des Dieux, oui.

Il montra la voie de droite à Floyd.

– C'est pas rassurant, ta proposition, commenta l'adolescent. On dirait qu'il y fait encore plus noir qu'ailleurs.

Marmite s'engagea dans le chemin, les oreilles levées, la truffe palpitante. Droit devant eux, les silhouettes massives des anciens buildings les dominaient en silence. Pas un bruit. Pas même un hibou ou le bruissement d'un chevreuil se déplaçant dans les fourrés.

Les Pans le devinaient, ce n'était pas un lieu comme les autres.

Le poil des quatre chiens se hérissa.

Même les bêtes sentaient que cet endroit n'était pas normal.

38.
La faim des ténèbres

Les quatre chiens s'immobilisèrent devant la rampe d'un ancien parking souterrain.

— Il faut vraiment entrer là-dedans ? dit Tania en grimaçant.

Ils levèrent la tête vers les hauts immeubles de verre et d'acier qui les surplombaient. La lune se cachait à moitié derrière l'un d'entre eux, semblable à un œil les guettant depuis sa cachette.

Derrière, au loin, ils apercevaient les torches de la cavalerie qui se rapprochaient à grande vitesse, et ils pouvaient entendre les aboiements hystériques des meutes de chiens.

— Matt, t'es sûr qu'ils ne viendront pas nous chercher dans ces ruines ? s'assura Floyd.

— Ils en ont trop peur.

— Alors est-ce une si bonne idée d'y aller ?

— Tu préfères te rendre ?

Floyd grogna pour la forme, et donna l'impulsion à Marmite pour qu'elle avance.

Tobias sortit son champignon lumineux.

Des racines, des ronces et du lierre couraient sur le béton, s'enroulant autour des piliers.

— Il faut s'enfoncer si on veut s'assurer que les Cyniks n'oseront pas nous suivre, conseilla Matt.

Remarquant une porte qui s'ouvrait sur un escalier, Floyd guida son chien pour qu'il s'y engage et descende deux niveaux.

Ils pénétrèrent dans un parking portant un 2 peint en bleu au fronton. L'air était plus frais, sentait le renfermé, et les chiens soulevaient de la poussière à chaque pas.

— Cet endroit devait être plein de bagnoles avant la Tempête, commenta Floyd. Et elles ont toutes disparu. C'est dingue quand même !

— Comme dans notre pays, souligna Tobias.

— Toute cette matière qui se volatilise, non mais vous imaginez la puissance qu'elle devait avoir cette Tempête ?

— Rien ne s'est volatilisé, rappela Ambre. Tout a été concentré, déplacé. Toutes ces carcasses ont fondu instantanément, et se sont retrouvées compactées loin, très loin, toutes rassemblées au même endroit, avec le concentré de pollution, les excès de l'industrialisation. La Tempête a procédé comme une centrifugeuse. Elle a séparé les différentes couches du monde et les a rassemblées selon leur densité et leur nature.

— Et tu crois que les adultes qui ont survécu sont un peu les débris passés au travers des mailles du filet ?

— Peut-être.

Matt et Floyd s'écartèrent du groupe, et ce dernier alluma sa lanterne pour explorer l'extrémité du niveau où ils étaient descendus.

— Nous sommes sous terre, confirma Matt. Pas de fenêtres.

— Dans une impasse ? demanda Elliot.

— Pas une impasse, dit Maya en désignant des flèches au sol. Il y a un centre commercial par là.

— Et donc une sortie, ajouta Matt tandis que Gus suivait les flèches.

Tania se hissa au niveau de Maya. Elle s'inquiétait toujours pour Chen.

— Comment est-il ?

— Toujours la même respiration lente et profonde. Qu'est-ce qu'il est lourd par contre !

Tania arrêta son chien.

— Viens, grimpe sur Lady, je vais m'occuper de Chen. Si ça se passe mal, laisse la chienne te guider, elle est très intelligente et maligne comme tout.

Tania passa derrière Chen et palpa son cou pour vérifier son pouls. Tout semblait normal. Elle souleva ses paupières. La pupille répondit à la lumière en se contractant. Chen dormait vraiment, prisonnier d'un puissant sédatif.

Tania l'entoura de ses deux bras pour le maintenir contre elle, et ils rejoignirent le reste du groupe.

Ils traversèrent plusieurs rangées de stationnement, colonisées par les racines et la poussière, avant de pénétrer dans un passage plus étroit qui aboutit à un escalator vétuste et une rampe d'escalier. Les chiens hissèrent leurs maîtres jusqu'à un vaste patio dominé par des balcons circulaires, autant d'étages de boutiques abandonnées, surplombé par un dôme transparent d'où tombait un bout de lune.

— Traversons le centre commercial pour ressortir au nord, loin de la ville, indiqua Matt. Les Cyniks ne nous chercheront pas là-bas.

— Hey les filles, désolé mais on ne s'arrête pas pour faire du shopping, on n'a pas le temps, lança Tobias sans réussir à détendre l'atmosphère.

Floyd et Matt ouvraient la voie sur le dos de Gus, et tentaient d'imprimer une bonne cadence à leur groupe. Matt n'était pas rassuré. Il savait que la plupart des rumeurs et des légendes effrayantes reposaient désormais sur un soupçon de vérité et il n'avait pas envie de découvrir pourquoi le cloaque des Dieux effrayait tant les Ozdults.

Pour ce qu'il en distinguait, à travers le faible éclairage de sa lanterne, il n'y avait que des allées désertes où se mêlaient la mousse, les plantes atrophiées, les détritus et beaucoup de vêtements en vrac. Les vitrines présentaient encore leurs produits, intacts, ainsi que des affiches de promotions. Pour tous les goûts. Et Matt se remémora les premiers jours dans New York, après la Tempête, en compagnie de Tobias. Ils avaient survécu à cela. Ils s'étaient équipés pour quitter la ville, pour échapper aux Échassiers du Raupéroden, et ils en étaient là à présent. Un sacré chemin parcouru...

Après un moment, il constata qu'il y avait vraiment beaucoup de vêtements sur le sol. Et aussi des montres, des bijoux, des lunettes, des sacs...

— Dites, ça vous évoque quoi tous ces trucs par terre ? s'inquiéta Tobias.

— Je pensais à la même chose, confirma Matt. Comme si les gens avaient disparu d'un coup, laissant tomber ce qu'ils portaient.

— J'aime pas trop ça...

Gus accéléra encore.

L'allée semblait interminable. Puis elle formait un coude avant de se prolonger, toujours aussi longue.

— Nous sommes au niveau - 1, lut Maya sur un panneau en passant. Il faudra remonter pour trouver un accès sur l'extérieur.

Des murmures sortirent des côtés, de part et d'autre de la file indienne des chiens. Des voix basses, qui parlaient en même temps, en français. Si nombreuses qu'il était impossible de comprendre ce qu'elles disaient, même pour Maya.

— C'est quoi ce délire ? s'alarma Elliot.

— Je sais pas mais il y a du monde ! lança Tobias avec des trémolos dans la voix.

Il se tourna sur la droite pour tenter de distinguer quelque chose qui l'aiderait à comprendre, son champignon lumineux bougea avec lui, et un cône de lumière se déplaça.

Pendant une seconde, il sembla à Tobias que des ombres de petits bras s'étaient prises dans la clarté...

— Ça va ? demanda Ambre. Tu respires fort !

— Je sais pas... J'ai cru voir...

— Quoi donc ?

Tobias pivota sur la gauche et cette fois il aperçut nettement des ombres de mains qui se replièrent aussitôt dans l'obscurité, tandis que les murmures cessaient.

— Oh merde ! Nous ne sommes pas seuls ! Il y a... il y a des trucs avec nous ! Dans l'ombre !

— Des Mangeombres ? s'écria Matt, paniqué.

— Non, je ne crois pas, autre chose...

Marmite se mit à trotter, ils ne pouvaient prendre le risque d'aller plus vite sans visibilité, et les autres lui emboîtèrent le pas.

Tobias inspectait frénétiquement autour de Gus, balançant des éclats de champignon lumineux dans tous les sens.

Les murmures venaient et repartaient. Toujours plus nombreux.

Soudain, Tobias vit l'ombre d'un bras très long, très maigre, presque un squelette, terminé par une main encore plus difforme, avec des doigts interminables qui s'ouvraient pour saisir la patte de Lady.

Tobias cria et brandit son champignon pour élargir le cercle de lumière.

Aussitôt le bras se rétracta et les murmures s'éloignèrent de ce côté, tandis que d'autres gagnaient en intensité sur la droite, et cette fois Tobias crut y déceler une pointe d'agacement, sinon de colère.

— Qu'est-ce qu'il y a ? hurla Maya qui sentait la panique la gagner.

— Ça sent pas bon, les amis ! s'écria Tobias. Des ombres approchent de tous les côtés !

— Dis-moi ce que je peux faire, Toby ! implora Ambre. Je ne les vois pas !

— Là ! fit Tobias en tournant le cône de lumière qui fit surgir plusieurs mains spectrales aussitôt disparues.

— Oh non ! lâcha Ambre. On dirait des spectres !

Soudain Lady se mit à couiner, comme si elle venait de se prendre la patte dans un piège, et Tobias tendit son champignon vers elle.

La lumière s'arrêtait juste devant lui.

Un mur de ténèbres au travers duquel rien ne passait leur barrait la route. Ni Lady, avec Maya et Elliot, ni Gus avec Floyd et Matt n'étaient visibles.

— Qu'est-ce que c'est que ce délire ?

Ambre leva la main pour se préparer à frapper, même si elle ignorait quoi faire et contre qui.

Maya se mit à hurler, puis Elliot. Des cris d'effroi pur.

Aussitôt suivis par des plaintes de souffrance.

— Maya ! s'écria Tobias.

Tania apparut au niveau de Tobias.

— Comment percer ce rideau d'obscurité ? demanda-t-elle, paniquée.

Ambre attrapa le champignon et se concentra.

La clarté argentée qui s'en dégageait s'intensifia. De plus en plus puissante, telle une lampe halogène. Jusqu'à devenir aveuglante.

Les ténèbres se mirent à reculer, peu à peu, et Ambre força Gus à avancer.

Elliot et Maya poussèrent un long cri, en même temps que Lady gémissait, et soudain tout fut silencieux, les murmures eux-mêmes s'évanouirent.

Le champignon illumina alors l'allée sur plusieurs dizaines de mètres.

Là où se tenait Lady un moment plus tôt, il n'y avait plus que les sacoches qu'elle transportait, renversées sur le sol, ainsi que les vêtements de Maya et ceux d'Elliot.

— Non, murmura Ambre, non, non, pas ça !

Elle se laissa glisser à terre et flotta jusqu'aux affaires.

Matt, un peu plus loin devant, sortit son épée.

— J'ai peur que ça ne serve à rien, constata Tobias. Je ne crois pas que ce soit quelque chose de... de concret.

— Je ne crois pas aux fantômes !

Agenouillée, Ambre serrait les habits de Maya dans ses mains.

— Ils sont tout chauds !

— Ils ne doivent pas être loin, dit Floyd. Peut-être qu'on peut encore les retrouver !

Tobias secoua la tête.

— Non, je ne crois pas. Ils... ils sont partis.

— Comment ça partis ? gémit Tania qui était restée bouche bée depuis le départ des ténèbres.

— Je crois qu'ils ont été vaporisés.

— Lady ?

Tobias lut autant de désespoir que de rage sous la frange de l'adolescente. Elle lâcha Chen qui tint en équilibre sur l'encolure de Zap et attrapa son arme, pour y encocher une flèche.

— Pas Lady, non…

Ambre se releva et baissa la puissance du champignon pour scruter la pénombre.

— Ils sont là, dit-elle, les ombres du centre commercial. Je les sens à travers l'énergie du Cœur de la Terre.

— Et Lady, et Elliot et Maya ? demanda Tania. Tu les sens ?

Ambre serra les lèvres.

— J'ai bien peur que non.

— Qui sont-ils ? s'exclama Matt.

— Je l'ignore. Je ne sens que leur présence, de la même nature que le Cœur de la Terre, mais moins concentrée. Et elle n'est pas pure. Ils sont partout. Dans les murs ! Je les devine. Et d'autres arrivent, d'autres accourent depuis les tours au-dessus de nous, des milliers ! Ils se précipitent !

Matt rangea son épée dans le baudrier et indiqua le chemin à Floyd.

— On file ! Maintenant !

— Et Lady ? cria Tania. Et les autres ? Nous ne pouvons pas les abandonner !

Ambre remonta sur Gus.

— Ils ne sont déjà plus parmi nous, dit-elle avec une voix aussi douce que les circonstances le lui permettaient. Je suis désolée.

— Non, fit Tania tout bas en essayant de contenir les pleurs qui lui brûlaient les paupières.

Les murmures reprirent, de partout à la fois, et Ambre plissa les yeux pour se concentrer et redonner au champignon un éclat aveuglant.

Les murmures se transformèrent d'un coup en cris de rage et de douleur avant que d'autres murmures ne se mélangent aux premiers. Ils s'agglutinaient, enflaient, à tous les niveaux, derrière toutes les portes, toutes les vitrines, sous chaque banc. Dans la moindre poche d'ombre.

Gus détala brusquement, en soulevant un nuage de poussière.

Ambre s'efforça de maintenir la lumière aussi forte qu'elle le pouvait afin que les trois chiens soient pris dans son rayon.

Des doigts sans fin s'accrochaient au passage dans la lumière, suivis de cris de douleur. Les créatures se rassemblaient, de plus en plus nombreuses.

Marmite galopait à présent, engloutissait les marches d'un escalator sous les chuchotements, protégé des dévoreurs par le seul champignon que tenait Ambre.

– Il en vient des milliers ! s'alarma l'adolescente. Je ne vais pas tenir longtemps !

Les bras commençaient à s'allonger. Les ombres faisaient masse, dès que l'une esquivait la lumière, trois autres prenaient sa place.

Les chiens haletaient, l'écume aux babines.

Marmite défonça la porte, tête baissée, et fit voler l'un des battants en jaillissant sur un vaste parvis sous la clarté de la lune.

Zap suivit avec Tania et Chen sur le dos, et Gus était presque sorti lorsque Ambre devina les ombres qui convergeaient vers la porte pour la bloquer. Elles étaient tellement nombreuses que leur densité ternissait l'éclat du champignon. Peu à peu, le cercle blanc qui la protégeait s'étrécissait.

Les spectres étaient peut-être des millions.

Affamés.

Ambre serra la main de Tobias contre elle et pria pour que Gus atteigne l'ouverture avant les ombres.

Avant que leur lumière ne soit vaincue par les ténèbres.

Le passage se rétrécissait à vue d'œil.

Ambre percevait les ombres qui affluaient sur les côtés, dévalaient depuis les tours au-dessus d'elle, sprintaient dans les allées du centre commercial pour festoyer.

Le champignon ne brillait presque plus.

Tobias était cramponné à Ambre. Il invoquait tous les dieux connus en fermant les yeux.

Ils y étaient presque. Plus que dix mètres.

Puis les chuchotements se multiplièrent tellement qu'ils devinrent sons. Et progressivement, ils commencèrent à se coordonner, à se superposer.

Pour ne former qu'une seule voix. Prononcer un seul mot.

Cinq mètres.

Ambre ne parlait pas français, mais ce mot-là n'était pas difficile à comprendre.

« Manger. »

« Manger. »

« Manger. »

Les voix le répétaient, encore et encore, jusqu'à l'obsession.

Trois mètres.

Soudain les ombres obscurcirent totalement le passage et Ambre comprit qu'ils ne passeraient pas.

Les ténèbres venaient de condamner la sortie.

La seconde suivante, elles buvaient le dernier scintillement du champignon que tenait l'adolescente, comme s'il était leur seul espoir.

Ce qu'il était en réalité.

39.
Magie d'adultes

Matt, Floyd et Tania fixaient la porte du centre commercial avec appréhension.

Elle était brusquement devenue toute noire.

– J'y retourne ! cria Matt en voulant descendre de Marmite.

Floyd le retint.

– Il se passe quelque chose, souffla-t-il.

Cela ressemblait au phare d'un métro tout au fond du tunnel, qui se rapproche de plus en plus vite. Un tunnel obscurci par une fumée compacte, retenant la lumière.

La main de Floyd commençait à glisser sur l'épaule de Matt.

Gus émergea de l'obscurité.

Ambre tenait le champignon contre son cœur, et il pulsait une faible lueur. Des centaines de mains aux doigts comme des griffes surgirent dans le sillage du chien. Elles fouettaient l'air pour tenter, dans un dernier geste désespéré, de saisir au moins Tobias.

Mais elles se refermèrent sur le néant, Gus était rapide, et elles se rétractèrent dans l'obscurité aussi vite qu'une araignée dans sa tanière.

Les trois chiens se tenaient en face de l'accès ouvert, montrant les crocs.

– C'était quoi ? s'écria Tobias. C'étaient quoi ces horreurs ?

Matt secouait la tête. Il n'en savait rien. Comme ses camarades.

– Ambre, tu as perçu quelque chose ? demanda-t-il, très pâle.

– Je crois que… j'ai senti des êtres primaires. Sans rien dedans. Juste une fonction. Un besoin. Se nourrir. Absorber. Et rien d'autre à l'intérieur.

– Ouais, bah moi ça me suffit comme explication, lança Floyd en orientant Marmite pour filer vers le nord. Je ne tiens pas à m'attarder.

– Et les autres alors ? implora Tania. On les abandonne ici ?

Matt, qui était juste à côté, posa une main sur son bras.

– C'est fini, Tania. On ne peut plus rien faire pour eux.

– Qu'est-ce que tu en sais ? Ils sont peut-être prisonniers là-dedans ! À attendre qu'on les sauve !

Ambre fit signe que non. Sa peine pouvait se lire sur ses traits.

– J'ai ressenti ces choses à travers l'énergie du Cœur de la Terre, Tania. Crois-moi, c'est fini. Elliot, Maya et Lady ne sont plus.

Tania plaqua ses paumes sur ses yeux pour stopper le flot de larmes qui noyait déjà ses joues.

– Je suis désolé, dit Matt.

Tous se regardèrent, malheureux et coupables à la fois.

– Il faut y aller, ajouta Matt. Rester là ne ferait que nous exposer au danger. Allons-nous-en.

Marmite manœuvra pour partir, et Zap suivit, portant un Chen inconscient et une Tania dévastée par le chagrin.

Gus se mit derrière pour fermer la marche.

Ils quittèrent le parvis par une série d'escaliers qui les conduisit en pleine forêt, au milieu d'une jungle compacte de feuillages enchevêtrés, de buissons et de jeunes arbres.

Toute la nuit, les chiens se frayèrent un passage, jusqu'à atteindre enfin une route, au petit matin. À plusieurs reprises, ils durent se jeter dans les fourrés pour éviter les messagers lancés au galop, les patrouilles ou les marchands.

La journée suivante, ils voyagèrent vers les falaises qui encadraient le bassin parisien.

Chen se réveilla vers midi, avec un mal de crâne épouvantable. Ambre lui fit le récit de leur fuite pendant une pause, en murmurant, afin de ne pas rappeler à Tania ce qui la faisait tant souffrir.

Chen n'en revint pas. Pour une fois, il était presque content de n'avoir aucun souvenir de l'épisode, et il comprit pourquoi personne ne parlait, pourquoi les visages étaient à ce point fermés et affligés.

Tania pleura en silence jusqu'au soir. Les autres n'étaient guère plus joyeux, les cris de leurs compagnons disparus les hantaient.

Le soleil se couchait, tirant dans son sillage une traîne de sang, lorsqu'ils retrouvèrent Randy, Dorine, Léo, Katie et les deux Kloropanphylles.

Matt commença par annoncer la disparition d'Elliot, de Maya, et de la chienne Lady. Dorine proposa une prière à leur mémoire.

Puis Matt expliqua tout ce qu'il avait entendu dans le palais du Maester Luganoff. La rébellion qui n'existait pas, et surtout la présence du Cœur de la Terre en Angleterre, à Castel d'Os.

— Alors qu'est-ce qu'on fait ? demanda Léo, abattu.

— Nous retournons sur la côte. Nous allons en Angleterre, pardi ! s'exclama Matt. La question ne se pose même pas.

Il guetta le ciel qui s'obscurcissait, et frissonna.

La nuit lui rappelait les ombres dans le cloaque des Dieux.

Il éprouva un profond malaise.

C'était la première fois depuis longtemps que la nuit lui faisait peur.

Ils chevauchaient sous le soleil d'août, au milieu de collines verdoyantes, de bois frais pleins de framboises savoureuses, et traversaient des rivières à l'eau claire et poissonneuse. Ils auraient dû éprouver du plaisir à parcourir ainsi ce monde, un enchantement à contempler ces paysages, à écouter le babil de ces oiseaux, à apercevoir au loin un cerf, ou même un ours. Et pourtant il n'en était rien.

Les adolescents avaient le moral plombé. Par la mort de leurs amis, par l'échec de leur mission, par l'absence de tout espoir d'alliance avec une rébellion inexistante, et même avec des Ozdults totalement bornés et fanatiques. Les adultes vouaient une haine féroce aux enfants, comme si ces derniers étaient la cause de tous leurs malheurs, au point de ne voir en eux que les esclaves qu'ils étaient, et non leur progéniture.

Matt, Tobias et Ambre se croyaient revenus un an en arrière. Lorsque Malronce exerçait sa tyrannie sur les Cyniks. Et rien que de penser à tout ce qu'il avait fallu faire pour changer l'ordre des choses, à tous les sacrifices, à la guerre qu'ils avaient dû mener, les trois amis se sentirent découragés, au pied d'un mur insurmontable.

Mais après chaque pause qui s'éternisait, lorsqu'ils éprouvaient des difficultés à se lever et à repartir, Matt était là pour les motiver. Pour trouver les mots, les encouragements. C'était là sa force. Ne jamais faiblir. Du moins en apparence. Même s'il était lui-même à bout moralement. Il en fallait un pour guider les troupes, Matt le savait, et comme personne n'endossait ce rôle, il se sentait obligé de le remplir.

En fin d'après-midi du deuxième jour, après qu'ils s'étaient tous rassemblés et remontaient une piste sinueuse sur le flanc d'une butte couverte de forêt, Matt guida Plume au niveau de Gus. Il profita que Tobias chevauchait derrière Floyd pour s'entretenir tranquillement avec Ambre.

Il sortit l'astronax de sa besace en cuir et le montra à la jeune femme.

– Je serais curieux de le tester sur toi, tu n'y vois pas d'inconvénient ?

– C'est le fameux appareil que tu as pris à Luganoff ? Comment fonctionne-t-il ?

– Il indique la quantité d'énergie que tu possèdes en toi. Un homme est à 2. Un Pan entre 4 et 5, voire un peu plus si son altération est bien développée. J'étais à 7 ! Je l'ai essayé ce matin sur les autres, ils sont entre 4 et 5, et Toby oscille entre 5 et 6 avec des pointes à 7, sans que ça réussisse à se fixer.

– Pourquoi ça ne m'étonne pas de lui ? plaisanta Ambre.

– Tu permets que je te teste ?

Ambre acquiesça, et Matt approcha la petite sphère de cuivre de l'adolescente.

L'aiguille grimpa d'un coup. Elle dépassa le 10, Matt ne put réprimer un rire de fierté, puis le 11 et s'arrêta, bloquée, après le 12.

— Tu es officiellement hors normes, dit-il, la voix pleine de satisfaction.

— Comment les Ozdults se sont-ils retrouvés avec un appareil comme celui-là entre les mains ?

— Luganoff affirme s'être réveillé avec, mais je n'y crois pas. Je pense que ça fait partie de son mythe. Il cachait quelque chose.

— Si les Cyniks sont capables de fabriquer une machine qui détecte l'énergie, c'est qu'ils en savent beaucoup plus qu'on ne le croyait, et même plus que nous !

Matt acquiesça.

— Luganoff est peut-être dans le secret, mais pas Mercier, donc pas la plupart des Ozdults.

— L'empereur doit savoir.

— Ça tombe bien, Castel d'Os est notre prochaine étape.

Ambre attrapa son ami par le bras.

— Matt, ce n'est pas un jeu.

— Je le sais.

— Je m'inquiète, c'est tout. Je n'ai pas supporté d'être séparée de vous.

— C'était une mauvaise chose de ne pas respecter le plan. Tu n'aurais pas dû venir dans la cité Blanche.

— Si je ne l'avais pas fait, nous ne serions pas là à discuter, vous croupiriez dans une geôle ou pire : vous seriez en train de vous vider de votre sang dans une usine à Élixir ! Ne me reproche pas de vous avoir sauvé la mise. Je l'ai senti comme ça, il fallait que je vienne. C'était plus fort que moi. Voilà.

Matt approuva d'un signe de tête.

— C'est vrai. Mais tu as mis ta vie en péril, et tu ne le dois pas. N'oublie pas qui tu es désormais : la porteuse du Cœur de la Terre. Tu es notre seul espoir. Tu es plus importante que Tobias et moi réunis. Pour tous les Pans, pour le monde entier.

Ambre lui attrapa la main et la serra très fort contre elle.

— Je me fous de ce que je suis pour le monde. Je t'aime. C'est toi que je ne veux pas perdre. C'est toi mon monde.

Elle se pencha, et ils s'embrassèrent longuement. Passionnément, comme s'ils s'étaient perdus pendant des semaines.

Le lendemain après-midi, au détour d'un bois impénétrable, la mer étala sa perspective bleutée sous un ciel pur.

Les Pans retrouvèrent la plage de galets sur laquelle ils avaient débarqué presque dix jours plus tôt, et surtout les barques sous leur camouflage végétal.

Ils entassèrent toutes les algues sèches et y mirent le feu. Dès que la fumée devint dense, Floyd et Tania donnèrent des coups de cape pour envoyer des signaux qui se déployèrent dans les cieux.

— Pourvu que notre bateau soit aux aguets, pria Tobias, parce que si les Cyniks voient le feu avant eux, nous sommes mal.

— Toby a raison, déclara Matt, un tour de garde pour couvrir les environs. Je prends l'ouest en haut de la falaise, Torshan prend l'est de l'autre côté. On se relaye toutes les trois heures.

Plus tard, Tania vint voir Ambre et s'agenouilla à côté d'elle.

— Je voulais te demander…, dit-elle, embarrassée. Est-ce que tu sais ce qu'étaient ces choses dans le centre commercial ?

Ambre lut tout le désespoir de Tania et lui prit les mains.

— Des choses sans substance, c'est tout ce que j'ai senti.

– Mais d'où viennent-elles ?

– Je l'ignore. La Tempête a engendré bien des curiosités et des atrocités. Tous ces changements ont été si brutaux que beaucoup de choses ne sont pas… équilibrées. Ce sont les ratés de la Tempête, les anomalies.

– Comme les Mangeombres ?

– Oui. J'imagine que ces choses que nous avons vues dans le centre commercial sont le pendant des Mangeombres, ils sont l'âme, et les Mangeombres sont le corps.

Tania essuya une larme.

– Tu crois que Lady et les copains ont souffert ?

– Tout a été très vite.

– Ils sont au Paradis maintenant, non ?

– Si pareil endroit existe, oui, je l'espère.

Tania hocha la tête.

– Merci de me mentir, dit-elle. Je sais que ce n'est sûrement pas vrai, mais j'avais besoin de l'entendre.

Ambre la retint :

– Ne dis pas ça, personne ne le sait. Tout est possible.

Tania désigna le monde autour d'eux.

– Dieu n'aurait jamais fait une chose pareille !

– S'il existe, et donc si la Bible dit vrai, il l'a déjà fait. Rappelle-toi le Déluge.

– Il avait sauvé Noé et sa famille, au moins il n'avait pas tout détruit ! Et c'était pour épurer l'humanité, non ?

Ambre ouvrit les mains sur leur campement.

– Et que sont les Pans d'après toi ?

Tania secoua la tête avec véhémence.

– Non, je n'y crois pas une seconde. Nous sommes seuls. Et nous ne pouvons compter que sur nous-mêmes. C'est la leçon que je retiens. Merci quand même.

Ambre la regarda s'éloigner, et marcher dans l'eau en séchant ses larmes. Comment la convaincre de quelque chose qu'elle-même n'était pas du tout sûre de croire ?

Depuis la Tempête, ses convictions religieuses s'étaient étiolées. Elle privilégiait l'hypothèse d'une force supranaturelle, une dynamique cosmique qui échappait à l'entendement des hommes, et de moins en moins celle d'un être supérieur qui tirait les fils du destin selon son bon vouloir.

Mais il était difficile de vivre au quotidien avec si peu d'espoir. Ambre comprenait toutes celles et tous ceux qui trouvaient un réconfort dans la religion. Et elle comprenait Tania qui, dans sa colère, rejetait tout.

Ambre regarda ses jambes inertes, et sa poitrine se serra. Le chagrin monta dans sa gorge. C'était difficile pour elle aussi. Elle ne savait plus comment affronter l'avenir. Tout lui paraissait de plus en plus sombre.

J'ai peur de ne pas être à la hauteur. J'ai peur d'échouer. Avec les autres. Avec le Cœur de la Terre. Avec Matt.

Alors elle s'allongea contre Gus et ferma les paupières.

Dormir, si elle le pouvait, serait toujours mieux que pleurer.

Le soleil fila sur son axe, avant d'entamer sa descente. La fumée grimpait toujours, comme un appel à l'aide, tandis que Ti'an et Léo prenaient position pour le guet, avant que la nuit ne tombe et que Tobias et Chen ne les remplacent.

Les autres somnolaient entre deux rochers, plus bas sur la plage. Le vent entretint le feu jusqu'à ce qu'il n'ait plus de combustible, et il mourut au milieu de la nuit.

Tobias avait de plus en plus de mal à tenir ses paupières ouvertes. Il était presque au bout de ses trois heures de garde, et il espérait qu'Ambre ou Randy n'oublierait pas de se

réveiller pour venir le relayer. Il n'était pas sûr que cette surveillance nocturne soit bien utile, il n'y avait plus de feu,
plus de fumée, et aucun Ozdult n'avait été aperçu au loin.
C'était une zone isolée, loin de tout campement Cynik, les
Pans pouvaient dormir sur leurs deux oreilles.

Tobias observa le bocage qui courait à ses pieds, sur des
kilomètres. Il commençait à le connaître par cœur. Sous
l'éclairage de la lune, les arbres formaient des ombres
bizarres, parfois comiques. Tobias en avait repéré trois qui
l'amusaient. Le premier dessinait une sorte de visage de
clown, comme ces masques de la commedia dell'arte, les
branches qui servaient de bouche s'étiraient à la manière d'un
sourire généreux. Le second ressemblait à un lion menaçant,
ses pattes griffant la prairie. Le troisième était celui que
Tobias aimait le moins : une sorte de grosse araignée dont
les pattes bougeaient à la moindre rafale de vent.

Les trois arbres lui servaient de point de repère. Chacun
était au cœur d'un secteur que Tobias contrôlait du regard.

Il vérifia celui du masque souriant. Avec toutes ces ombres,
c'était un peu vain…

*Sauf que les Ozdults porteront une lanterne ou une torche
s'ils approchent ! Ils seront visibles comme le nez au milieu
de la figure !*

Quelle drôle d'expression ! Il ne l'avait plus entendue depuis
sa grand-mère… Depuis la Tempête.

Un pincement au cœur lui fit tourner la tête vers la deuxième zone. Celle du lion.

La lune se reflétait dans un étang, au loin. Rien ne bougeait
sinon la végétation dans la brise du soir.

Il allait enchaîner sur le secteur de l'araignée, lorsque son
instinct lui commanda de rester une seconde pour contrôler
un mouvement au coin de son œil.

341

Près de l'étang, un élément du décor ne lui était pas familier.

Des moutons ? Ici ? À cette heure ?

Plusieurs taches noires se détachaient sur la prairie. Elles bougeaient, sans aucun doute. Tobias plissa les yeux pour forcer sa vue. Il en compta au moins sept. Peut-être plus. Pourquoi ne les avait-il pas remarqués plus tôt s'ils étaient là à paître depuis le début ?

Les ombres étaient rapides. Beaucoup plus qu'un mouton. Elles glissaient dans sa direction.

Qu'est-ce que c'est que ce truc ? s'interrogea-t-il, tout à fait réveillé cette fois. Il n'aimait pas ça. Ce n'était pas des Cyniks, il l'aurait juré. Et pourtant, plus il les fixait, plus il lui semblait que c'étaient des silhouettes humanoïdes.

Alors quoi ?

Puis elles se déplièrent, hautes et puissantes.

Et les jambes de Tobias se mirent à flageoler.

Il les reconnut immédiatement.

Longs manteaux noirs. Large capuche rabattue sur la tête.

Oh non ! Pas ça ! Impossible...

Il ne manquait que la faux pour que ce soit la parfaite incarnation de la mort.

Des Tourmenteurs. Près d'une dizaine.

Ils fonçaient droit sur lui sans un bruit.

40.

Ambre

Tobias parvint en bas de la falaise en sueur, le souffle court, et réveilla tout le camp en catastrophe. Il tira sur les couvertures, donna des coups de pied dans les casseroles, renversa les rames sur les galets.

– Debout ! Debout ! ordonnait-il en se retenant de crier trop fort.

Il ne voulait pas que les Tourmenteurs sachent qu'ils étaient repérés.

Matt bondit sur ses pieds, son épée devant lui.

– Combien ? demanda-t-il.

– Pas des Cyniks, Matt, des Tourmenteurs.

Tobias vit son ami blêmir malgré l'obscurité, et reculer d'un pas.

– C'est quoi ? s'enquit Léo. Dangereux ?

Matt l'ignora.

– Plusieurs ? demanda-t-il à Tobias.

– Entre sept et dix.

Cette fois la lame de Matt retomba, jusqu'à ce que la pointe cogne contre les galets.

Ils pouvaient affronter un Tourmenteur, avec l'aide

d'Ambre, c'était un exploit qu'ils avaient déjà réussi. Mais sept, c'était impossible.

— Tout le monde dans les barques ! commanda Ambre. Les Tourmenteurs n'aiment pas l'eau, si nous nous éloignons assez ils n'oseront pas nous suivre.

— Et ensuite ? dit Floyd. On rame jusqu'en Angleterre ? Si les courants ne nous emportent pas, la faim et la soif auront raison de nous !

— Ça ne pourra pas être pire que de rester ici.

Ambre fut la première à tirer sur la corde d'une des barques et les Pans en firent autant jusqu'à ce que Tania s'écrie :

— Chen ! Personne ne l'a prévenu ! Il est encore en haut de la falaise à surveiller l'est !

Elle allait s'élancer lorsque Tobias l'arrêta.

— Je suis plus rapide que toi, dit-il en courant vers ce qui ressemblait à un vieux sentier aux herbes hautes.

Tobias usa de son altération et sa vitesse doubla. Il courait plus rapidement qu'un homme à vélo. Plusieurs pierres roulèrent depuis les hauteurs de la falaise, dans son sillage.

Les barques à l'eau, les Pans firent monter les chiens avant de s'installer.

Matt désigna le large aux autres embarcations :

— Commencez à vous éloigner. Ambre et moi attendons Tobias et Chen. Allez ! Ne perdez pas de temps !

Tout d'un coup, Ambre pointa l'index vers le sommet des falaises à l'ouest. Plusieurs formes dominaient l'anse, leurs capes flottant au vent.

De l'autre côté, à l'est, Tobias et Chen dévalaient le sentier aussi vite qu'ils le pouvaient sans risquer de trébucher vers une mort certaine.

Les Tourmenteurs sautèrent dans la pente à leur tour.

— Ça va se jouer à rien, lâcha Matt, les dents serrées.

Des deux côtés de la crique, les adversaires fonçaient pour atteindre la plage en premier. Ils allaient se rejoindre au milieu. Sous le nez d'Ambre et Matt.

— Qu'est-ce qu'ils font là ? enragea Matt.

— Comment ont-ils fait pour nous retrouver ? Je n'ai plus utilisé l'énergie du Cœur de la Terre depuis notre fuite du centre commercial, il y a quatre jours ! C'était à plusieurs centaines de kilomètres d'ici !

— Tobias ne peut pas accélérer sans laisser Chen. Ils ne vont pas y arriver.

Il se leva pour dégainer son épée lorsque Ambre se glissa devant lui à la proue. Elle leva les mains vers le ciel.

— Vous voulez sentir le Cœur de la Terre ? dit-elle avec de la colère dans la voix. Je vais vous en donner.

Elle baissa les mains d'un coup en hurlant, un cri de rage, avec une pointe de douleur.

Un craquement titanesque résonna au-dessus de la mer au moment où la falaise se fendait en deux sur plus de vingt mètres de haut. Les Tourmenteurs s'immobilisèrent pour sonder le sol et la moitié de l'anse s'effrita sous leurs pieds.

Tout un pan de la côte glissa brusquement vers la plage, comme les parois des glaciers s'effondrent en Antarctique dans l'Océan. Des millions de mètres cubes de roche s'arrachèrent à la lande pour créer une avalanche impressionnante qui emporta tout avec elle.

Les Tourmenteurs furent happés au passage et disparurent dans le chaos qui s'abattit dans un fracas assourdissant quelques dizaines de mètres plus bas, recouvrant la moitié de la plage.

Une montagne de poussière s'envola avant de laisser apparaître une nouvelle colline de gravats, et une falaise revue et corrigée.

Tobias et Chen, qui s'étaient arrêtés un instant pour vérifier que c'était la paroi ouest qui se détachait et non celle où ils se tenaient, se hâtèrent de rejoindre le bas du sentier, et de courir en direction de la barque.

Ambre se tenait à l'avant, les mains posées sur le rebord, pour se tenir. Elle avait tout donné.

Au point de transformer le paysage.

Matt aida les deux adolescents à grimper à bord et il sauta sur les rames pour les éloigner du rivage.

Les vagues les renvoyaient vers la plage et Matt dut forcer pour les franchir.

Tobias et Chen étaient allongés au milieu de l'embarcation, en sueur et haletants.

— C'est dingue, lâcha Tobias. Ce qui vient... de se... passer. Dingue.

— C'est toi, Ambre ? demanda Chen.

Mais la jeune femme fixait un point face à elle, au niveau de l'éboulement.

— C'est impossible, murmura-t-elle.

Plusieurs rochers bougeaient. Et un Tourmenteur apparut, s'extrayant avec difficulté de l'avalanche de pierres. Puis un second.

Et un troisième.

— Ils sont immortels, bégaya Chen.

Les Tourmenteurs s'avancèrent jusqu'au bord de l'eau et s'agenouillèrent. Leur capuche penchée sur le ressac.

— Qu'est-ce qu'ils font ? s'inquiéta Tobias.

— Je crois qu'ils... crachent quelque chose, dit Ambre. Je ne vois pas ce que c'est.

Un liquide noir s'écoulait de la capuche des Tourmenteurs et flottait maintenant pour former une couche flottante. La masse noire prit soudain forme et s'étira pour se diriger vers la barque.

– Ça fonce vers nous ! s'alarma Chen en sautant sur une rame pour aider Matt.

Tobias s'y mit également et les trois adolescents poussèrent de toutes leurs forces pour faire prendre un maximum de vitesse à leur barque.

Un quatrième Tourmenteur sortit des décombres pour prendre position auprès de ses comparses, et cracha à son tour du liquide noir.

La bile de ténèbres se transformait en un long trait qui fusait vers les Pans.

Un cinquième Tourmenteur était en train de se dégager. S'ils s'y mettaient tous, ils finiraient par cracher suffisamment de matière pour les atteindre.

Ambre ferma les yeux et se concentra pour percevoir les vibrations du Cœur de la Terre en elle. Elle devina sa chaleur, qui se répandait à présent dans tout son corps. Ambre ouvrit les vannes, laissant l'énergie la pénétrer, se confondre avec son sang, avec son essence, avec ses propres sens.

Puis elle se focalisa sur la surface de la mer tout autour d'elle. L'écume. Le mouvement de la marée. Le frottement des molécules d'eau. Le picotement des atomes qui les formaient. Et quelque chose d'encore plus petit, de plus mystérieux encore. Un bourdonnement infime qui constituait l'origine même de la vie.

Ambre était en phase avec l'élément Eau.

Elle avait la mer au bout des doigts, ses mouvements, sa puissance, elle la sentait qui la remplissait, colossale, immuable.

Elle se recentra sur la surface. Et elle poussa. De toutes ses forces mentales, elle poussa sur la surface de la mer.

Encore et encore.

Et peu à peu, des vagues se créèrent. Des ondulations de plus en plus nombreuses, à l'amplitude plus marquée. Des creux de deux mètres.

Et les rouleaux apparurent tout au bout, sur la plage.

Ils déployèrent leurs spirales féroces pour se fracasser contre le bord, face aux Tourmenteurs.

Des tourbillons d'écume blanche se mirent bientôt à enrouler le filin de ténèbres.

Et avant qu'un autre Tourmenteur puisse se joindre aux forces d'Entropia, la mer et son irrépressible force naturelle avait repoussé le liquide noir jusqu'aux pieds des silhouettes effrayantes, qui finirent par se relever et regarder les Pans s'éloigner vers le large.

41.
Traîtres & ciel rouge

Les quatre barques se soulevaient dans la houle en même temps, toutes accrochées ensemble par les cordages des proues et de la poupe.

Voilà une heure qu'ils avaient quitté la côte, et les Pans s'efforçaient de rester à bonne distance de l'ombre qui oscillait au loin.

– Et maintenant ? demanda Floyd. Comment allons-nous retrouver le bateau ? On allume un feu dans un de nos canots ?

– Attendons l'aube, proposa Matt en installant ses affaires pour se faire un lit contre Plume.

Ambre était allongée contre lui.

– Si on se laisse trop dériver, on sera embarqué dans le courant, avertit Léo. Alors on s'éloignera de plus en plus des côtes et on finira vraiment au large.

– C'est ça ou les Tourmenteurs, soupira Tobias. Je préfère l'Océan.

Ce fut le dernier mot, et ils s'installèrent confortablement pour attendre que la nuit s'achève.

Jusqu'à ce que Dorine se dresse dans la barque.

– Un bateau approche ! s'écria-t-elle. Une galère Ozdult !

— La nôtre ou un ennemi ? demanda Floyd qui ne dormait pas.

Matt sonda l'horizon aussitôt pour remarquer le navire qui avançait vers la côte sans les avoir vus.

— Peu de lumière à bord. Volonté d'être discret, nota-t-il. Je parie sur le nôtre.

— On tente notre chance ? demanda Tania.

— Au point où nous en sommes...

Tobias sortit son champignon lumineux et l'agita au-dessus de lui pendant que les autres allumaient des lanternes pour faire de même.

Le navire changea de cap pour se rapprocher.

— Tenez-vous prêts, annonça Matt.

— Si c'est des Ozdults, on fait quoi ? demanda Randy. Nous ne pouvons tout de même pas nous battre contre une galère !

— Mieux vaut être prisonniers à bord, dit Torshan, que se laisser mourir ici.

La galère tomba la voilure à l'approche des embarcations et se mit à ralentir. Du monde s'agitait sur le pont principal.

Une silhouette jeta une échelle de corde, et une autre fit tourner une poulie pour la suspendre au-dessus de la mer, et faire monter les chiens.

Des visages d'adolescents apparurent dans la lueur des lanternes.

À bord des canots, Pans et Kloropanphylles se regardèrent, soulagés.

Le soleil réchauffait le pont et se réfléchissait dans les voiles blanches.

Matt était assis sur la balustrade du château arrière, Plume couchée derrière lui — elle suivait son maître partout dans une sorte de bouffée d'amour irrépressible. Il observait les manœuvres de l'équipage. Finalement ils avaient bien repéré la fumée la veille, mais avaient attendu la nuit pour approcher, afin d'échapper aux tours de guet postées sur la côte.

Ils voguaient à présent vers le nord-ouest, en direction de la Grande-Île.

Ambre sortit de la cabine peu avant midi. Elle consacrait une partie de son énergie à se mouvoir, et son exploit nocturne face aux Tourmenteurs lui avait demandé de puiser loin en elle et dans le Cœur de la Terre. Elle avait eu besoin de sommeil pour se remettre de ses efforts.

Elle le salua d'un baiser sur la joue.

— Tu es bien songeur, dit-elle.

Plume releva la tête, comme pour réclamer son baiser, et Ambre lui embrassa la bajoue, près de la truffe.

— Je pense à ce qui nous attend.

— Castel d'Os ? L'ancienne ville de Londres, si j'ai bien compris.

— En effet. La ville de l'empereur en personne. Y pénétrer va être compliqué.

— La galère peut nous permettre de remonter le fleuve jusqu'à Castel d'Os.

Matt approuva :

— Exactement. Je ne m'angoisse pas trop pour l'approche, c'est une grande ville, nous y serons noyés dans la masse. En revanche, atteindre Oz et son « âme » comme ils disent, là, c'est autre chose…

Ambre examina son ami. Il avait ce petit froncement entre les sourcils qu'elle lui connaissait lorsqu'il était contrarié.

— Pourquoi je te sens si nerveux ? demanda-t-elle. Ce n'est pas dans tes habitudes.

— Je n'arrête pas de penser aux Tourmenteurs.

— Et à ce qu'ils faisaient là, comprit Ambre. Moi aussi, ça me perturbe.

— Il n'y a pas mille éventualités, tu le sais, n'est-ce pas ?

— Nous avons été repérés ?

— Je ne vois pas où, ni comment. Non, je pencherais plutôt vers l'hypothèse du traître à bord du Vaisseau-Vie.

— Comment aurait-il pu savoir que nous étions là hier soir ?

— Parce qu'il est parmi nous.

— Tu veux dire, ici, à bord ?

— Je dirais même dans notre petit groupe. Celui qui est parti en mission.

Ambre fit la moue.

— Peu probable. Et comment le traître pourrait-il communiquer avec les siens ?

— Pour être aussi rapide ? Une seule solution : les oiseaux.

— Nous l'aurions remarqué.

— As-tu vérifié le ciel en permanence ? Moi je suis vigilant, et je ne l'ai pas fait.

— Tout de même ! Cela exigerait une véritable organisation. Qui pourrait faire ça ? Personne !

— Luganoff nous attendait. Il nous avait tendu un piège. Et ensuite les Tourmenteurs... Tous très bien renseignés sur notre position.

— Justement ! Qui pourrait renseigner à la fois les Ozdults et Entropia ? Personne n'a d'intérêt dans les deux camps.

— Si, une personne.

Ambre fixait Matt sans le comprendre.

— Le Buveur d'Innocence, expliqua-t-il. Lui a tout à gagner en servant les deux camps en même temps. Pour peu que ce fourbe soit parvenu à entrer en contact avec Ggl, crois-moi il est capable de jouer sur les deux tableaux pour s'assurer la mise au moins d'un côté.

– Je croyais Ggl sans pitié ? Comme une machine. Pourquoi discuterait-il avec un humain ?

– Par calcul. Le Buveur d'Innocence voit peut-être à court terme, comment récupérer un peu de pouvoir, là où Ggl peut créer une alliance pour atteindre un objectif. Mais à long terme, Ggl et Entropia n'en auront que faire, ils prendront tout.

– Comment le Buveur d'Innocence aurait pu investir notre groupe ?

– Un traître. Comme Colin.

– Ça ne peut pas être Floyd ou Tania, ils ont toujours été avec nous, ils sont dignes de confiance. Tout comme Chen.

– Tobias non plus bien sûr.

– Et je me porte garante pour les Kloropanphylles, jamais ils ne feraient une chose pareille !

– Restent Randy, Dorine, Léo et Katie.

– Pour les deux derniers, ça paraît difficile, ils étaient déjà en Europe avant que nous arrivions, et nous sommes tombés sur eux par hasard.

– Alors Randy ou Dorine.

Ambre se passa les mains dans les cheveux. Elle n'en revenait pas.

– L'un comme l'autre nous ont aidés chaque fois, dit-elle.

– Dorine t'a veillée pendant ta blessure, quand tu étais inconsciente. Sans elle tu ne serais peut-être pas là.

– Et Randy a déjà eu dix fois l'occasion de nous attirer sur un mauvais chemin, de nous conduire vers des Ozdults, et il ne l'a jamais fait.

Matt fit claquer ses paumes contre la balustrade.

— C'est exactement là où j'en suis. Ça pourrait être n'importe qui mais personne ne correspond.

— Nous ne pouvons prendre le risque de pénétrer Castel d'Os avec un traître parmi nous.

— Il va bien falloir pourtant. À moins de trouver un moyen de le démasquer d'ici là.

— Sauf si nous faisons fausse route et qu'il n'y a pas de traître, Matt…

— Il y en a forcément un. C'est impossible autrement…

— Combien de fois a-t-on pensé « impossible », pour constater le contraire peu après ?

Ambre laissa tomber sa tête contre le bras du garçon. Ils restèrent ainsi un bon moment, à regarder dans le vide, en savourant la chaleur de l'autre.

— Nos siestes dans les vergers d'Eden me manquent, avoua enfin Ambre.

— À moi aussi.

— J'espère que… qu'il y en aura d'autres.

— Bien sûr qu'il y en aura d'autres, dit Matt en la prenant dans ses bras.

— Et si… si en luttant avec toute l'énergie du Cœur de la Terre contre Entropia je venais à perdre ce pouvoir ?

— Tu serais toujours en vie, c'est tout ce qui compte.

— Mais mon altération en serait probablement moins forte. Et donc… je ne pourrais plus me tenir debout.

Matt la serra contre lui.

— Ne pense pas à ça, chuchota-t-il, les lèvres dans ses cheveux. Nous serons ensemble, c'est l'essentiel.

— Je ne veux pas perdre l'usage de mes jambes, Matt. Ça me terrifie.

— Tu tiens debout, alors ne dis pas ça !

— Mais c'est grâce à mon altération, et elle est dopée par le Cœur de la Terre !

Matt déposa un baiser sur son front.

— Nous affronterons l'avenir ensemble, d'accord ? Quel qu'il soit. Comme nous le faisons depuis plus d'un an maintenant. C'est ce que tu dois retenir. Ça et rien que ça. Ne t'angoisse pas pour le reste.

Matt vit une larme au coin de l'œil de celle qu'il aimait, et il l'attrapa du bout de l'index.

— Nous sommes ensemble, lui répéta-t-il doucement.

Tous les Pans qui avaient fait partie de la mission sur terre, ainsi que les deux Kloropanphylles, se tenaient autour de Matt.

— D'ici demain nous serons à l'embouchure du fleuve que nous remonterons jusqu'à Castel d'Os, pour pénétrer au cœur de la Grande-Île, exposa-t-il. Vous avez été courageux, tous. Je ne veux imposer à personne ce qui va suivre. Vous le savez, cette fois c'est l'empereur en personne que nous allons approcher. Ce sera difficile. Nous pourrions ne pas revenir.

Tous le scrutaient avec beaucoup d'attention.

— Le Vaisseau-Vie nous suit, ajouta-t-il. Il se rapproche. Nous allons nous ravitailler avant de nous engager dans l'estuaire. C'est le moment de remonter à son bord si vous le désirez.

— Et te lâcher ? résuma Floyd. Ne compte pas sur moi pour ça ! J'en suis !

Tania ouvrit les bras comme si c'était une évidence.

— Moi aussi, dit-elle simplement.

Chen leva la main comme à l'école, pour dire qu'il en faisait partie également. Et tous les autres suivirent.

Seule Katie hésitait.

— Je ne connais que vous, avoua-t-elle enfin.

— Tu n'as rien à faire là, ce n'est pas ton combat, lui dit Matt. Tu remonteras à bord avec Léo.

Le jeune Français voulut protester, mais Matt parla plus fort :

— Nous n'avons plus besoin de tes services, sur la Grande-Île tu ne nous aideras pas beaucoup, je ne veux pas que tu prennes des risques inutiles. Tu embarqueras avec Katie sur le Vaisseau-Vie cette nuit. Pour les autres, reposez-vous, car nous aurons besoin de toutes nos forces.

Matt et Ambre échangèrent un regard complice.

Ils venaient de se débarrasser de deux suspects possibles.

Maintenant il s'agissait d'avoir l'œil sur ceux qui restaient.

L'estuaire se rapprochait au gré du vent, qui poussait la galère vers cette bouche ouverte. De part et d'autre, sur des pitons de roche, se dressaient deux tours carrées au pied desquelles trois galères étaient amarrées.

Matt avait fait dégager le pont principal, pour n'y laisser que l'équipage minimum, qu'ils avaient équipé avec ce qu'ils avaient trouvé à bord pour le faire ressembler à des Ozdults.

À contrecœur, Tobias avait hissé le pavillon vert et or de l'empereur, et il se tenait à présent sous la grille de chargement, avec les autres, dans l'attente de savoir s'ils allaient passer ou se faire démasquer.

Matt restait à côté de la barre, comme un capitaine. Sa cape par-dessus son gilet de Kevlar pouvait, de loin, passer pour une armure Ozdult.

Floyd, qui avait également les traits d'un jeune homme, scrutait les tours avec une longue-vue.

– Ils nous observent, dit-il. J'en vois deux qui discutent derrière leurs jumelles.

– S'ils s'affolent préviens-moi, demanda Matt calmement.

– Et on fera quoi ?

– Plan B.

– C'est quoi le plan B ?

– On improvise.

Floyd jeta un regard surpris à Matt.

– Tellement rassurant, lâcha-t-il en recollant son œil au bout de la longue-vue.

À mesure qu'ils entraient dans l'estuaire du fleuve, Matt se sentait de plus en plus confiant, en constatant qu'ils ne provoquaient aucun mouvement particulier en bas des tours ou sur les navires de guerre. Leur passage semblait tout à fait normal.

Il avait même préparé son baratin en cas de contrôle. Montrer les cales avec tous les Pans et affirmer livrer une cargaison d'esclaves à Castel d'Os, en provenance de la cité Blanche.

Mais la galère fila sous l'ombre des tours, sans être inquiétée. Lorsqu'ils furent assez loin, Matt siffla pour indiquer à tous qu'ils étaient passés. Une clameur nourrie monta des entrailles du navire.

Joie que ne partageait pas l'adolescent. Le ciel au nord était rouge.

Plus qu'un crépuscule, c'était un horizon carmin, couvert de nuages noirs.

Ambre retrouva Matt sur le château arrière.

– Ce ne sont pas des volcans, dit-il.

– Non. On dirait une tempête.

– De cette couleur, c'est plutôt effrayant.

– Alors dépêchons-nous de trouver le Cœur de la Terre et de filer avant qu'elle ne soit sur Castel d'Os.

Ils naviguèrent toute la journée en remontant le fleuve, croisant des moulins, quelques villages, où chaque fois Matt et les Pans les plus âgés donnaient le change en se tenant droit, l'air sévère, sans adresser un mot aux Ozdults sur les berges.

La nature avait conquis la plupart des anciennes villes, au point de les submerger, de rendre invisibles leurs ruines, et il fallait de la perspicacité pour deviner que tel à-pic de feuilles n'était pas un arbre étrange mais le clocher d'une église ensevelie, ou une antenne, parfois un château d'eau. Lorsque le vent soulevait des mèches de lianes, une fenêtre surgissait brièvement, ou une porte, un panneau publicitaire dont le papier avait fondu avec l'humidité.

De temps à autre, la route qui longeait le fleuve apparaissait sur la berge, avec un chariot tiré par des bœufs ou des mules, ou bien des cavaliers pressés fusaient dans un tourbillon de poussière.

Ils croisèrent plusieurs ponts effondrés, un autre beaucoup plus imposant, un pont levant à la volée relevée, prise désormais dans un capharnaüm de ronces qui dégoulinaient jusqu'au-dessus de la surface de l'eau. Les Ozdults traversaient avec des bacs, et les Pans croisaient, tous les dix ou quinze kilomètres, un petit quai avec une embarcation à fond plat et une cabane, parfois rehaussée d'une tour gardée par des hommes en armes. Mais aucun soldat ne s'intéressa à cette galère qui ressemblait à toutes les autres.

Plus la distance avec leur destination se raccourcissait, plus il leur semblait foncer vers le ciel rouge.

Les Pans saluèrent d'autres navires qui descendaient le fleuve, et la plupart répondirent à peine. Matt crut même y lire un certain empressement, parfois de la panique. Les bateaux, souvent des péniches en bois, étaient chargés de matériaux, jamais de troupes, mais à plusieurs reprises ils virent des péniches pleines d'hommes et de femmes serrés les uns contre les autres.

Puis le soleil se coucha, et les teintes d'orangé et de rose à l'ouest semblèrent soudain bien pâles en comparaison du vermillon au nord. Les étoiles émergèrent pour se joindre à la lune, tandis que le ciel du nord demeurait étincelant et menaçant.

Ils surent qu'ils approchaient de Castel d'Os en découvrant les lumières de ses tours. Des bâtiments hauts, avec des lanternes à chaque étage, dominés par des braséros qui flambaient au-dessus de la ville. Quelque chose de magique et de terrifiant à la fois se dégageait du spectacle. Toutes ces flammes rappelaient presque l'ancien temps quand les buildings de bureaux restaient éclairés y compris la nuit, et en même temps cela témoignait d'une certaine puissance, d'une certaine folie à éclairer ainsi autant de tours pour rien.

L'ancien pont de Londres brillait dans la nuit, mais il empêchait aussi les navires d'aller plus loin.

Matt avisa les jetées et les entrepôts qui avaient été bâtis devant et se prépara à accoster.

Plus loin, une masse noire et inquiétante attira son attention. Un château médiéval. Des drapeaux flottaient à chacune de ses tours et son donjon était tout étincelant de lanternes.

Cela ressemblait à la demeure d'un empereur.

Alors, tout au bout, dominant la cité, Matt aperçut une grosse horloge au sommet d'une construction néogothique, dont la pierre même semblait brûler de milliers de bougies.

C'était comme si la roche palpitait d'une lueur intérieure, qui faisait danser la tour dans la nuit.

L'immense horloge luisait, et soudain elle fit trembler toutes les fenêtres de Castel d'Os.

Le gong de ses cloches sonnait minuit.

Matt serra les poings.

Ils étaient dans la cité Impériale.

Tout près du Cœur de la Terre.

Et le ciel rouge était juste là, aux portes de la ville, embrasant tout le nord de son interminable manteau.

42.
Le secret d'Oz

L'Alliance des Trois, Floyd, Chen, Tania, Randy et Dorine, ainsi que Torshan et Ti'an, remontaient le long du quai sur leurs chiens respectifs. Tania était désormais sur le dos de Draco, le golden retriever qu'avait monté Elliot avant de disparaître.

Ils ne croisèrent personne, à leur grande surprise, et les Ozdults qui les virent se contentèrent d'écarquiller grands les yeux au passage de ces chiens géants et de leurs jeunes cavaliers.

Le calme des Pans rassurait les adultes qui les prenaient pour une nouvelle excentricité de l'empereur, ou une nouvelle invention militaire. Les adolescents ne se faisaient guère d'illusion, cela ne tiendrait pas longtemps au moment de pénétrer dans les bâtiments officiels, mais ils avaient opté pour une approche frontale. Jouer les commandos dans un lieu pareil relevait du suicide. Faute de temps, de préparation, les Pans n'avaient plus qu'une possibilité : compter sur leurs capacités, leurs altérations, et surtout sur le pouvoir d'Ambre afin d'accéder au plus vite au Cœur de la Terre.

Une fois que la jeune femme l'aurait absorbé, il ne faisait aucun doute que sortir deviendrait un jeu d'enfant.

Le ciel rouge se reflétait sur les façades des immeubles. Il était tout proche.

La ville était si calme, même en pleine nuit, qu'elle semblait déserte.

Les Pans remontèrent une rampe vers une rue plus large et Matt remarqua qu'en de nombreux endroits des pousses vertes sourdaient entre les pavés.

— Ils n'entretiennent plus leur cité, nota-t-il. Il se passe quelque chose.

— Il commence à y avoir de la mousse sur les maisons et les immeubles, ajouta Tobias.

Seul le cœur de ce qui avait été Londres était aménagé pour former Castel d'Os, tout avait été nettoyé en profondeur pour libérer la pierre de sa gangue de végétation, mais peu à peu, cette dernière tentait de rétablir sa domination. C'était un combat de tous les jours que les Ozdults avaient manifestement décidé de ne plus mener.

Les Pans arrivèrent devant un pont en pierre et en bronze. Matt fit tourner Plume vers ses camarades.

— Ambre, tu sens le Cœur de la Terre ?

La jeune femme était concentrée depuis un moment déjà. Elle hocha la tête.

— Un tel concentré d'énergie de l'autre côté du fleuve, que je le sens rayonner jusqu'ici.

Elle pointa le doigt vers l'horloge monumentale qui surplombait les toits, et Plume s'élança aussitôt.

Ils passèrent près du château noir, au moment où les portes s'écartaient pour laisser sortir une bonne centaine de soldats en armure. Matt et Floyd, à l'avant-garde de leur petite troupe, firent faire un pas de côté à leurs chiens pour se préparer au pire. Cependant les gardes filèrent au pas de course vers les remparts nord de Castel d'Os.

– Une guerre se prépare, si vous voulez mon avis ! déclara Tobias. Toute la ville est mobilisée au nord ou a déjà fui.

– C'est pour ça que personne ne se soucie de nous ! confirma Tania.

– J'ai pas très envie d'être coincé ici par un siège, avoua Chen.

Matt était d'accord, il fit foncer Plume en direction de l'horloge qui sonna une heure du matin.

Les rares Ozdults qu'ils croisaient se hâtaient vers les quais avec leurs affaires sur les bras, ou étaient déjà en tenue et se dirigeaient vers les remparts sans se soucier de cette colonne de chiens géants qui ne ressemblait pourtant à rien de ce qu'ils connaissaient.

Au nord, un fracas colossal résonna et des cris se répercutèrent jusqu'au centre de la cité.

– Plus vite ! ordonna Matt en lançant Plume à un trot soutenu.

Plume, Gus et les autres quadrupèdes ralentirent seulement en débouchant sur une large place qui se terminait par un bâtiment à l'architecture complexe, percé de hautes fenêtres étroites et flanqué de trois tours semblables à des clochers gigantesques. On eût dit une vaste expérimentation entre un château et une cathédrale. Mais surtout, les milliers de bougies posées dans le moindre renfoncement de ses façades ciselées donnaient l'illusion qu'il était vivant. Il y en avait des dizaines de milliers. Partout. Avec les jeux d'ombre et de lumière, la pierre tremblait légèrement, comme si l'édifice respirait, et avec toutes ses fenêtres noires qui formaient des creux, des trous et des vides, l'ensemble avait quelque chose d'un squelette monstrueux.

La carcasse formidable d'une créature architecturale unique.

Le palais de Castel d'Os.

L'entrée sur le côté était surveillée par pas moins de six gardes qui s'agitèrent en voyant neuf chiens de la taille de chevaux approcher à vive allure.

– Ambre, tu es avec moi ? demanda Tobias.

– Quand tu veux.

Le temps que Tania, Chen et Randy tirent avec les arcs et arbalètes, Tobias avait expédié quatre projectiles parfaitement ajustés par Ambre et les six gardes furent réduits au silence en une poignée de secondes. Les chiens sautèrent par-dessus les corps. Maintes fois déjà les Pans avaient dû se servir de la violence contre des hommes, mais aucun ne s'y habituait. Blesser, tuer, restait chaque fois terrifiant.

Plume donna un puissant coup de patte dans la porte qui sortit de ses gonds.

Quatre autres soldats se précipitèrent, l'arme à la main. Trois tombèrent sous les flèches des Pans et le dernier reçut un coup d'épée si puissant dans sa propre lame que celle-ci s'envola, avant de voir l'épée de Matt s'enfoncer dans son plastron, malgré l'épaisseur de l'acier qui le protégeait.

Matt demeurait impassible. Aucune émotion sur ses traits, malgré la mort qu'il venait de donner sans hésitation.

Tobias le savait, dans l'action son ami pouvait se montrer sous son pire jour. C'était la faute des Cyniks. Tout avait commencé avec eux. La première fois que Matt n'avait pas su se défendre, il était tombé dans le coma pendant cinq mois avant de se réveiller sur l'île Carmichael. Et la guerre avait suivi...

Mais il y aurait un contrecoup, Tobias connaissait Matt mieux que personne. S'ils réchappaient à tout ça, son ami se souviendrait du visage de cet homme. Il reverrait ses yeux au moment où son épée avait perforé ses organes pour lui prendre la vie, et il n'en dormirait pas pendant plusieurs nuits.

Les chiens traversèrent un grand hall, guidés par Ambre qui tentait de percevoir l'origine de l'énergie qui lui parvenait.

— Ça vient de la droite, dit-elle. Du centre du palais.

Ils poussèrent d'autres portes, filèrent par des couloirs couverts de tissus rouge ou vert et entièrement décorés de bois sculpté, et parfois de dorures. Le palais était étrangement vide. L'essentiel des troupes était parti vers les remparts au nord de la cité.

Ils passèrent par une série de corridors donnant sur des pièces toutes identiques et qui sentaient mauvais. Curieux, Tobias finit par guider Gus un court instant vers l'une d'elles, pour y jeter un coup d'œil.

Il ne vit qu'une table avec des étriers en métal ainsi qu'une bassine en cuivre.

— Qu'est-ce que c'est que cet endroit ? s'étonna-t-il.

Ambre lui attrapa le bras et guida Gus vers la salle suivante, identique.

— Je sais ce que c'est, dit-elle. Ces sangles-là, c'est pour y mettre les jambes.

— Les jambes ? Mais pour… Oh ! Tu veux dire que…

— C'est là qu'ils font accoucher leurs femmes.

— C'est glauque comme hôpital !

Un peu plus loin, ils découvrirent des salles aménagées en dortoirs, des lits superposés, des tonneaux d'eau, et parfois des chaînes scellées aux murs.

Dehors le ciel rouge commençait à gagner les hauteurs de la ville. Le grondement du tonnerre se fit entendre et les Pans crurent même percevoir des cris au loin.

Ambre en avait assez vu, elle fit signe à Tobias de poursuivre.

— Voilà pourquoi on ne voit jamais de femmes enceintes
accoucher, dit-elle. Elles viennent toutes ici.

— Et qu'est-ce qu'ils font des bébés ? demanda Tobias.

Personne ne répondit.

Ambre ferma les yeux à nouveau et pencha la tête pour
deviner la provenance exacte de l'énergie qui filtrait du
palais.

Elle montra une double porte.

— C'est là. Tout proche.

Matt descendit de Plume et tira sur un des battants.

Une immense salle éclairée par des lustres de bougies occupait toute la largeur du bâtiment. Haute de plus de deux
étages, et longue comme un terrain de football, elle était remplie d'alambics complexes, de chaudrons, de tonneaux, et surtout de bassines en cuivre, les mêmes que celles aperçues
dans les salles d'accouchement.

La nuit embrasée de carmin se déversait par les fenêtres
et Matt remarqua que Castel d'Os était à présent recouvert
par des nuages noirs d'où tombait cette étrange lumière de
sang. Le tonnerre gronda à nouveau et cette fois il ne s'arrêta
pas. Il se passait quelque chose au nord de la cité qui se
répandait peu à peu dans toute la ville.

Ambre glissait au-dessus des parquets, et ses mains effleu-
raient les ustensiles de chimie qui occupaient les paillasses.

— C'est un laboratoire. ., dit Tania avec une pointe
d'inquiétude.

Ambre suivit l'agencement des lieux et vit des monte-
charges avec d'autres bassines en cuivre. Certaines contenaient encore un linge blanc taché de rouge.

– Ils acheminent les nourrissons là-dedans. Ils les font monter jusque-là.

– Pour quoi faire ?

Ambre continua son inspection, suivie de près par Matt.

Plusieurs rangées de rails tenaient des flacons en verre reliés à des cathéters et des aiguilles. Certains bocaux contenaient encore un fond de liquide rouge.

Ambre déglutit avec peine.

– Ils font des transfusions de sang aux nourrissons, supposa-t-elle avec effroi.

D'autres bocaux similaires s'empilaient près des alambics.

– Pas des transfusions, non, comprit Tania.

Ambre porta une main à sa bouche.

– C'est une usine à Élixir, dit-elle.

Tobias et plusieurs Pans s'écartèrent brusquement des instruments, conscients de tout ce que cela impliquait.

Ils examinèrent, outrés, les spirales de verre, les cucurbites, les chapiteaux, les serpentins sales, dans lesquels gisaient des liquides douteux, des concentrés infâmes.

Ils avaient sous les yeux tout le parcours réservé aux enfants du peuple d'Oz.

Soudain Ambre traversa la salle à toute vitesse pour s'arrêter face à un entassement de bassines.

Derrière, la solide porte d'un four énorme était entrouverte.

Ambre s'en approcha.

– Ne fais pas ça, lui conseilla Matt d'une voix posée. Tu sais très bien ce qu'il y a là-dedans.

Mais Ambre ne l'écoutait plus. Elle posa les doigts sur la poignée et tira. Une odeur de cendre lui sauta aux narines.

L'intérieur du four était encore tiède. Tapissé de poudre grise, comme s'il s'agissait de la surface de la Lune.

Et quelques fragments plus gros. Des bouts d'os minuscules.

Ambre tourna la tête.

– Les salauds, lâcha-t-elle en contenant ses haut-le-cœur. Elle respirait fort.

– Même les nourrissons, gronda-t-elle tout bas.

– À quoi ça leur sert ? demanda Dorine, les yeux remplis de larmes. Ils n'ont même pas d'altération développée à cet âge !

– À vivre éternellement, expliqua Floyd d'une voix d'outre-tombe.

Il se tenait en retrait, près d'une série de tableaux. À la craie était écrit le résultat des meilleures expériences.

Et tout en haut, en lettres capitales, ils purent lire :

« Secret de jouvence – Formule du nectar de vie »

43.
Compromission

Ambre recula.

— Ces hommes sont fous. Ils sont tous déments.

Tous les Pans, et même leurs chiens, se tenaient figés face à l'horreur.

— Oz cherche le secret de l'immortalité, dit Tobias. Nous sommes dans la demeure d'un empereur tueur d'enfants.

— Qu'ils aillent se faire foutre ! pesta Floyd. On prend le Cœur de la Terre et on se tire. Laissons-les crever ! Que Entropia les balaye !

Dehors des hommes passèrent en courant sous les fenêtres du palais. Matt crut d'abord qu'ils accouraient en renfort mais leurs cris terrifiés trahissaient une fuite affolée.

— Il faut se dépêcher, coupa-t-il. Ça dégénère en ville.

À ces mots, une des portes de la salle s'ouvrit en grand et des soldats entrèrent d'un pas décidé, suivis par des hommes en livrée de domestiques. Ils encadraient un individu de taille moyenne, mais à la corpulence adipeuse. Entièrement chauve, les sourcils gris broussailleux, la bedaine pendante, et les lèvres épaisses, il arborait une tunique en soie vert sombre, brodée d'un O en fil d'or.

— Prenez toutes les notes ! clama-t-il. Et chargez aussi sur mon navire les derniers flacons obtenus. Dépêchez-vous ! Je veux être parti avant que...

Il se figea en découvrant les intrus, et toute sa garde se précipita autour de lui. Une vingtaine d'hommes en tenue de combat.

— Qui sont ces... jeunes ? demanda-t-il avec autant de surprise que de dédain.

— Mais... je le reconnais ! s'exclama Tobias. C'est le mec de la télé anglaise ! Il est super connu !

Matt et Floyd regardèrent Tobias.

— Toby, fit Matt, c'est l'empereur.

Oz les toisait, un sourcil relevé.

— Votre Altesse, dit un page, ils m'ont tout l'air d'être les rebelles mentionnés par le corbeau en provenance de Maester Luganoff.

— Gardes ! dit l'empereur. Amenez-moi ces gamins !

Les soldats brandirent épées et haches et aussitôt les Pans dégainèrent tandis que Torshan et Ti'an pointaient leurs bâtons vers les Ozdults. Les gardes hésitèrent, surpris par tant de détermination, puis chargèrent.

Deux éclairs illuminèrent la pièce tandis que les flèches sifflaient.

Avant même d'atteindre les adolescents, six hommes s'effondrèrent.

Plume en attrapa un et le projeta à travers les alambics qui explosèrent et d'un coup de patte en fit voler un autre.

Gus, Zap, Marmite et Draco s'occupèrent des six suivants pendant que Chunk, Safety, Nak et Kolbi se resserraient autour de leurs maîtres pour protéger leurs flancs et leurs arrières.

Matt accueillit le Cynik qui lui fonçait dessus du plat de sa lame et lui expédia un puissant coup de coude dans le nez qui se solda par des os brisés et un blessé de plus à terre en train de gémir.

Le temps de se retourner, il vit une hache s'abattre sur lui et para le coup in extremis avec la poignée de son épée. Sa force lui permit de repousser le soldat d'un coup de rein et l'acier de l'épée fendit l'air pour entailler le cou de l'homme.

Matt était couvert de sang.

Floyd de son côté esquiva une attaque et, se servant de son élasticité, allongea le bras pour planter son poignard dans la cuisse du soldat qui tomba à genoux en hurlant.

Un autre voulut le prendre par le côté mais il reçut deux éclairs des Kloropanphylles en même temps et il s'effondra, de la fumée sortant de son heaume.

Tobias abattit les deux derniers d'une flèche dans l'œil avant qu'ils puissent même lever leurs masses d'armes.

Oz et sa suite étaient médusés.

Les vingt éléments de la garde impériale gisaient sur le parquet. La bataille n'avait pas duré trente secondes.

Matt leva sa lame en direction de l'empereur :

– Nous sommes là pour ton âme, s'exclama-t-il.

– Qui êtes-vous ? demanda le gros homme sans peur dans les yeux.

Ambre glissa dans sa direction.

– Le Cœur de la Terre est là, dit-elle, derrière lui.

Elle désigna un accès au fond de la salle et Oz ne s'écarta pas, il resta sur son chemin.

– Qui êtes-vous ? insista-t-il. Vous n'êtes pas comme les autres.

Matt s'approcha d'un pas attentif, guettant les pages en livrée qui n'avaient pas bougé. Il voulut repousser Oz du bout de son épée mais, au moment de le toucher, la lame s'envola de ses mains et alla se planter dans le parquet trois mètres plus loin.

— J'ai dit : qui êtes-vous ? fit l'empereur avec la même assurance.

Matt n'en revenait pas. Une force prodigieuse. Il aurait dû s'y attendre ! Oz prenait de l'Élixir.

L'adolescent voulut se jeter en direction de son arme mais il décolla à son tour et fila droit sur les lustres de bougies pour s'empaler sur les bras d'acier lorsqu'une force contraire l'arrêta en plein vol.

Ambre !

Oz tourna la tête vers la jeune femme.

— Tiens, tiens…, dit-il plus amusé qu'étonné.

Et d'un geste de la main il la propulsa contre un mur où elle s'encastra avec fracas avant de retomber violemment sur le sol.

Lâché de toute part, Matt retomba de six mètres pour venir se briser les os sur le parquet.

Mais Plume sauta pour le saisir dans sa gueule et amortir la chute. Matt roula et s'échoua contre une paillasse, qui lui arracha cris et gémissements.

Tobias multiplia les tirs. L'heure n'était plus à l'hésitation. Voyant ses deux amis en danger de mort, il encocha, visa et banda avec toute la célérité de son altération pour projeter quatre flèches dans l'abdomen de l'empereur.

Les quatre traits s'écartèrent de lui au dernier moment pour venir mourir au pied des murs. Une force invisible assena deux coups à Tobias en plein visage, un aller et retour si sec qu'il tituba avant de s'écrouler en avant, sonné.

— J'ai dit : qui êtes-vous ? articula l'empereur, plus lentement, maintenant qu'il avait fait la démonstration de ses talents. Dois-je briser l'échine de vos chiens pour que vous daigniez me répondre ?

Dehors les fenêtres se voilèrent, tandis qu'une brume enveloppait brusquement le palais.

– Nous sommes là pour vous aider, fit Tania en avançant d'un pas.

Oz étouffa un rire moqueur et désigna ses gardes à terre :

– Je n'en ai pas l'impression.

– Vous ne nous avez pas laissé le choix.

– M'aider en me prenant mon âme ?

– Votre ville est assiégée, dit Matt en se relevant avec difficulté. Par une force étrange, n'est-ce pas ?

– Vous êtes ses émissaires ?

– Au contraire, ses ennemis.

Du sang coulait des narines sur le menton de Matt qui s'approcha d'Ambre. Elle battait des paupières en revenant à elle, et se tenait l'épaule.

– Laissez-nous accéder à l'énergie lumière, ajouta Matt, et nous vous libérerons de cette force. Nous vous protégerons.

Ambre attrapa le bras de Matt.

– Ce sont des sauvages, murmura-t-elle. Es-tu sûr de vouloir les sauver ?

– Ce sont des êtres humains avant tout. Ils peuvent changer.

Des cris terrifiés parvenaient de la rue à mesure que la brume s'installait.

– Votre Altesse, implora un page, il faut partir ! Nous devons quitter la cité avant qu'il soit trop tard !

– Il est déjà trop tard ! s'écria Matt en fixant l'empereur. Nous sommes cernés. Entropia est là. Et les forces qui l'animent assiègent votre palais pour y voler cette boule d'énergie que vous proclamez votre âme pour impressionner vos sujets.

– Mais elle est à moi ! répliqua l'empereur sèchement. Et je compte bien ne jamais la partager avec personne !

– Cette entité ne vous laissera pas le choix. Même vous, gavé d'Élixir jusqu'à exploser, vous ne pouvez lutter contre elle. Regardez votre armée : où est-elle ? Combien de temps a-t-elle tenu face à Entropia ? Quelques heures ? Quelques minutes ?

Comme pour souligner les propos de Matt, un homme hurla au pied des fenêtres avant que son râle cesse d'un coup, fauché en pleine terreur.

Le regard d'Oz commençait à changer.

– Votre Altesse, fuyons ! insista le page.

Oz désigna un balcon en haut d'un escalier de bois.

– Monte et dis-moi si le chemin est dégagé.

Le page devint livide et voulut envoyer un de ses collègues mais l'empereur le poussa :

– Monte, t'ai-je dit ! Toi et personne d'autre !

Le page, effrayé mais obéissant, monta les marches et, après une hésitation, ouvrit la fenêtre pour sortir sur le balcon, dans la brume. Il se pencha pour tenter de distinguer la rue, mais se tourna et leva les bras au ciel pour signifier qu'il ne voyait rien.

Une ombre fusa dans la purée de pois et le page disparut d'un coup, ne laissant qu'un flot de sang qui s'envola dans son sillage.

D'autres hommes hurlaient à l'extérieur. Toute la ville était la proie de la brume d'Entropia. Des ombres de monstres inquiétants passèrent devant les fenêtres.

À travers le brouillard, ils pouvaient distinguer le rouge sang qui se répandait partout dans Castel d'Os.

Oz prit une profonde inspiration. Il toisa Matt.

— J'ai tenté bien des expériences sur cette énergie, confia-t-il. Sans jamais parvenir à l'exploiter. Que croyez-vous pouvoir en faire de si salvateur ?

— Vous l'avez vu, nous ne sommes pas tout à fait comme les autres adolescents que vous avez l'habitude de malmener, répondit Matt. Nous pouvons vous sauver.

Des insectes gros comme des poneys se collèrent aux fenêtres, immondes et menaçants avec leurs mandibules. Les pages de l'empereur reculèrent en se lamentant tout bas.

— Comment ? demanda l'empereur.

— En absorbant l'énergie du Cœur de la Terre. Si vous ne nous laissez pas faire, cette entité là-dehors le fera. Que vous le vouliez ou non.

Le tonnerre se rapprochait, il claquait partout autour du palais. Les insectes firent vrombir leurs ailes et le verre des fenêtres commença à se craqueler.

Oz baissa la tête pour couler à Matt un regard sournois et cruel.

— J'imagine que je n'ai guère le choix, n'est-ce pas ?

Et il s'écarta pour filer vers la porte du fond.

44.
Le Cœur de la Terre

Le Cœur de la Terre tournait lentement sur lui-même, au milieu d'une salle qui, autrefois, avait été un important centre de décision humaine, et qui n'était plus qu'un hall de fauteuils et de banquettes en cuir.

La boule de lumière, d'environ trois mètres de diamètre, flottait, tel un mini soleil blanc.

Dès qu'elle entra, Ambre sentit ses cheveux se dresser comme s'ils flottaient dans l'eau, et la jeune femme ferma les yeux un court instant pour savourer la caresse de l'énergie pure qui l'entourait.

Torshan et Ti'an mirent aussitôt un genou à terre. Ils étaient face à leur divinité. L'Âme de la Terre.

En voyant cela, Oz sembla perdre une partie de sa méfiance et quitta ses pages pour entraîner lui-même Ambre vers la sphère de vapeurs concentrées. Matt suivait, prêt à dégainer son épée si l'empereur tentait quoi que ce soit.

C'était un homme gavé d'Élixir, saturé des altérations des autres. Il était devenu puissant, capable de tous les tuer, mais s'il levait encore une fois le petit doigt sur Ambre, Matt en était certain, il lui trancherait la gorge avant qu'il puisse utiliser la moindre de ses facultés.

D'étranges ombres défilaient maintenant derrière les fenêtres, dans la brume, le tonnerre et les derniers cris des hommes.

– Depuis combien de temps ce ciel rouge vous menace-t-il ? demanda Tobias à l'empereur.

– Tout est allé très vite. Il y a trois semaines, nos éclaireurs et nos messagers sont revenus du nord paniqués, proclamant que le monde disparaissait. Les villes ont été englouties les unes après les autres, sans que nous ayons de nouvelles, et les nuages rouges sont arrivés en un rien de temps jusqu'à Castel d'Os. Nous n'avons pas eu le temps de rassembler notre armée, et... j'ai refusé de fuir jusqu'au dernier moment.

Il s'arrêta au pied du Cœur de la Terre, le visage illuminé par la puissance de sa lumière.

– Nous y voilà, dit-il. Si vous pouvez encore faire quelque chose, repousser ce qui se trouve dehors, c'est le moment de le prouver.

Ambre tendit les bras vers la sphère et celle-ci se mit à tourner plus rapidement sur elle-même en émettant un sifflement.

Des volutes de fumée blanche se détachèrent et descendirent s'enrouler autour des bras de la jeune femme.

Oz en était bouche bée.

Tobias se pencha vers Floyd.

– Pourquoi le Cœur de la Terre ne réagit-il pas face aux adultes et s'emballe avec les enfants ? questionna-t-il.

– Comment tu veux que je le sache ? Parce qu'il ressent la pureté ? L'innocence ? C'est à Ambre qu'il faut le demander !

Ambre, Matt et Tobias, qui connaissaient les capacités du Cœur de la Terre déjà présent en Ambre, sentaient à quel point le moment était crucial.

Tout pouvait prendre fin à la seconde, mais ils pouvaient également sceller une alliance avec les adultes. Sauver des milliers de vie.

Absorber les trois Cœurs de la Terre que la Tempête avait dispersés sur toute la planète donnerait à Ambre assez d'énergie pour accomplir de véritables miracles.

À commencer par défier Ggl.

Pour le détruire.

Ambre en avait souvent parlé, elle pressentait qu'il s'agirait de « sacrifier » cette énergie contre lui, pour l'annihiler, pour l'annuler. Il était un excès destructeur qui s'était reformé par hasard sur la planète, un des fruits du chaos. L'énergie des Cœurs de la Terre serait l'autre poids de la balance.

Ambre aurait voulu disposer des trois, pour s'assurer d'être à la hauteur, pour ne pas prendre de risques, mais Entropia était déjà sur eux, et ils n'avaient plus le choix.

Tout allait se décider cette nuit.

Dans un sens ou dans un autre.

La vérité de leurs vies, de leurs trajectoires, se dévoilait ce soir.

Oz était fasciné par ce qu'il contemplait, tout comme les Pans. Seul Matt se concentrait sur les mouvements de l'empereur, incapable de faire confiance à un Cynik, même désespéré.

Personne ne prêta attention à la petite bouille ronde aux cheveux en bataille qui passait dans le dos de tout le monde.

Le petit brun sortit un poignard de sa ceinture.

Dehors, des éclairs balayaient la ville, projetant les ombres de tous les monstres d'Entropia par flashes, à travers les fenêtres.

Soudain le palais tout entier gronda. La pierre se mit à trembler, le parquet grinça comme s'il allait se tordre et exploser.

Puis toutes les fenêtres volèrent en éclats, projetant des milliers de débris tranchants dans les airs, et des éclairs rouges entrèrent en balayant le plafond.

Des mille-pattes géants avec des têtes affreuses, pleines de crocs, semblables à des requins, sortirent de la brume pour glisser sur les poutres au-dessus des têtes, suivis par des blattes monstrueuses, grosses comme des motos, et des araignées encore plus énormes. Tout ce petit monde colonisa le plafond, par dizaines, jusqu'à ce qu'il ne reste plus un centimètre de bois visible.

Les portes du hall claquèrent et les bougies s'éteignirent toutes d'un coup, ne laissant plus que la lumière du ciel rouge, des éclairs, et surtout du Cœur de la Terre pour illuminer la grande salle.

Deux silhouettes funèbres entrèrent.

Des avatars de la mort. Avec leurs capes et leurs capuchons rabattus sur le vide de leurs visages anonymes. Des gants de cuir et de fer posés sur la garde d'épées et de haches immenses.

Des Tourmenteurs.

Et dans leur ombre, une autre forme humanoïde, semblable à ses émissaires : un être dont chaque souffle expirait une fumée noire toxique, à la démarche lourde, inébranlable.

– Ggl, murmura Tobias du bout des lèvres.

Lorsque sa cape s'ouvrait, tous pouvaient distinguer le plastron d'acier rouillé, de fils électriques dénudés, de fragments de circuits imprimés, et parfois même de morceaux d'articulations en plastique.

Il entra avec son escorte impitoyable et Matt se tourna vers
Ambre :

– MAINTENANT ! hurla-t-il.

La jeune femme ouvrit la bouche pour absorber le Cœur
de la Terre, et celui-ci se mit à tourbillonner plus vite, le
sifflement devint de plus en plus aigu.

Mais un Pan jaillit dans sa direction, le poignard levé.

Randy abattit son arme pour transpercer le cœur d'Ambre.

Matt assista à toute la scène, mais il s'était tellement foca-
lisé sur l'empereur qu'il était trop loin pour agir.

Il vit la pointe étinceler dans la brillance de la sphère et
s'abattre sur Ambre sans que lui ou ses compagnons puissent
agir.

45.
Sacrifices

Le bras de l'empereur saisit celui de Randy au dernier moment.

Mais l'adolescent fit apparaître une seconde lame dans son autre main et, malgré tous ses pouvoirs, Oz n'eut pas le temps de réagir, sa gorge s'ouvrit comme un film plastique tranché par une lame de rasoir.

Toute sa vie se déversa alors par la plaie béante sous le regard tétanisé de ses pages. Il tomba à genoux, dans la tentative désespérée de retenir le sang qui le fuyait.

Randy profita de la stupeur générale pour saisir Ambre et l'arracher à la puissance du Cœur de la Terre. Il la souleva du sol, témoignant d'une force inattendue pour un garçon comme lui, et la jeta sur le côté.

Les volutes de fumée blanche se détachèrent de ses membres et retournèrent dans la sphère tournoyante.

Randy fit volte-face, juste à temps pour voir Matt le charger.

L'épée étincela dans l'air avant de s'abattre sur son visage. Si rapidement que Randy n'eut pas le temps de se protéger.

Une lame noire s'interposa au moment de l'impact, engendrant un bouquet d'étincelles.

Un Tourmenteur se dressait à présent entre Matt et Randy. Il semblait prêt à tout pour le défendre, mais n'attaqua pas Matt.

Matt recula pour se désengager du combat en secouant la tête.

– Pourquoi tu nous fais ça, Randy ? Pourquoi ? Qu'est-ce qu'il t'a promis ? Hein ?

Randy fit un pas sur le côté pour distinguer son adversaire.

– Qui ça « il » ? Tu veux parler de… Oh, de… moi, peut-être ?

Randy se pinça le ventre et soudain ses vêtements craquèrent tandis qu'il gagnait trente centimètres et changeait de morphologie ainsi que de visage.

Là où s'était tenu, un instant plus tôt, un garçon de quinze ans, brun et fluet, un homme aux cheveux blancs, à la fine moustache, souriait à Matt.

Le Buveur d'Innocence.

– Depuis le début, mon cher « ami », c'est moi.

La stupéfaction coupa les jambes de Matt qui se sentit incapable d'agir.

– Dix fois j'aurais pu vous vendre aux hommes d'Oz, dix fois ! Mais j'ai attendu patiemment mon heure. Et regarde ce qui s'en vient ! Mon triomphe, petit, ma revanche ! Et mon salut !

L'empereur roula sur le côté, les yeux vitreux, et la main sur sa gorge béante retomba. Oz était mort. Ses pages demeuraient paralysés par la consternation.

Le Buveur d'Innocence ouvrit les bras pour présenter le Cœur de la Terre et s'adressa à la silhouette encapuchonnée qui attendait sur le seuil.

– Ggl ! Voici ce que vous attendiez tant ! Le Cœur de la Terre, et… la fille !

Il montra Ambre de son autre main, le rictus du vainqueur aux lèvres.

Ggl approcha de son pas lourd et déterminé, et vint se positionner face à la sphère qui brillait de mille feux au centre du hall.

– L'Énergie Source, dit-il d'une voix à la fois gutturale et étrangement numérique.

Comme s'il s'exprimait à travers un appareil électronique. Ses cordes vocales n'étaient pas naturelles, rien en lui ne l'était. Il n'était qu'une créature entièrement synthétique, jusque dans ses fonctions essentielles.

– N'oubliez pas notre accord, lui rappela le Buveur d'Innocence. Vous avez votre Énergie Source, en échange, vous tuez les gamins et me laissez gouverner l'Europe. Toute l'Europe. Le reste du monde est à vous.

La grande capuche noire de Ggl pivota vers le Buveur d'Innocence.

– D'abord l'Énergie Source, dit-il de sa voix étrange. Ensuite les Rêpbouck éteindront les Inertiens.

– Et le pouvoir ! insista le Buveur d'Innocence en tendant l'index vers Ggl. Je veux le pouvoir ! Comme je vous l'ai dit, il y a trois Cœurs de la Terre ! Si vous voulez le troisième, je veux l'Europe entière ! Moi seul peux vous conduire à la troisième Énergie Source !

Matt comprit alors quel était le plan du Buveur d'Innocence. Il savait que le Testament de roche était à bord du Vaisseau-Vie. Il allait s'en emparer pour guider Ggl. Il avait tout préparé. Tout manigancé tranquillement. Depuis l'intérieur.

– Le pouvoir pour toi Inertien, concéda Ggl en levant les bras vers la sphère de lumière.

Celle-ci se mit alors à ralentir peu à peu.

Dehors, le tonnerre grondait toujours autant, et le plafond grouillait de ces bestioles dégoûtantes.

Les deux Tourmenteurs qui escortaient leur maître restaient immobiles, mais Matt savait qu'au moindre geste suspect ils s'activeraient et détruiraient en un instant toute gêne.

Ils étaient prisonniers.

Incapables d'agir.

Ils allaient devoir regarder Ggl boire le monde sous leurs yeux.

Et triompher.

Le Cœur de la Terre était presque à l'arrêt. Il ne sifflait plus. Sa lumière ne palpitait plus.

Ggl souffla une fumée noire dans sa direction et, lorsqu'il inspira, des volutes de fumée blanche commencèrent à s'arracher à la sphère pour disparaître dans la capuche.

– NON ! cria Ambre en se relevant.

Aussitôt un Tourmenteur tendit la main vers elle et des fils de ténèbres jaillirent de son gant comme des fouets pour lui lacérer les jambes et la projeter au sol.

Matt serra la poignée de son épée entre ses doigts. Tenter quelque chose maintenant était suicidaire. Il le savait.

Et il tremblait de rage.

Il vit l'énergie du Cœur de la Terre baisser en intensité à mesure que Ggl la buvait.

Matt devina que le processus n'était pas le même qu'avec Ambre. Elle s'ouvrait au Cœur de la Terre, pour l'accueillir, tandis que Ggl le dépeçait pour le dévorer. Ambre absorbait pour ensuite se servir de toute cette puissance en la conjuguant avec la sienne, là où le maître d'Entropia fondait l'énergie du monde pour la refaçonner à sa manière, selon ses critères, pour se rendre plus puissant.

C'était un processus irréversible.

Ggl était en train de détruire le Cœur de la Terre.

Ambre voulut se relever et les fouets claquèrent de nouveau.

Elle se tordait de douleur en pleurant.

Les chiens baissèrent la tête, comme s'ils craignaient la suite, ou par respect pour cette forme de vie suprême qui mourait là devant eux.

La luminosité tomba dans le grand hall.

Peu à peu, le Cœur de la Terre se déroula comme du papier, et Ggl le but goulûment.

Et il n'y eut plus rien.

C'était fini.

Ggl venait de tout prendre. Tout dévorer.

Entropia allait gagner en puissance.

La pénombre avait gagné le hall, seuls demeuraient les reflets rouges, pesants.

Tous étaient accablés, résignés.

En assistant à la mort du Cœur de la Terre, chaque être vivant avait perdu une partie de lui-même. Une flamme s'était éteinte.

L'espoir.

Ggl leva les bras au ciel, et soudain une onde de choc balaya l'assemblée, comme si une force invisible explosait en lui, et tout le monde fut renversé.

L'onde traversa le palais, puis toute la ville.

Ggl était en train de devenir le maître du monde.

Il était figé par la transformation. Ses émissaires aussi, coupés de leur commandeur, du contact suprême.

Floyd leva son épée devant lui.

Lui le battant, lui le guerrier, n'abdiquait pas. Jamais.

Jusqu'à la folie. Jusqu'au sacrifice. Floyd ne baissait jamais les bras.

– Matt. Tu dois sortir Ambre d'ici, dit-il. Tu dois l'emmener le plus loin possible.

– Quoi ? Floyd, qu'est-ce que…

Le Long Marcheur se retourna brusquement et frappa de toutes ses forces le dos du Tourmenteur qui veillait sur Ambre.

– MAINTENANT ! hurla-t-il.

Le monstre encaissa le coup en lâchant un hurlement rauque et tous les Pans bondirent comme un seul homme, comme s'il s'agissait du signal qu'ils attendaient.

Le second Tourmenteur fit tournoyer sa hache gigantesque et Marmite le mordit au coude.

Il n'en fallut pas plus à Matt pour rouler jusqu'à Ambre, l'aider à se relever et la jeter sur le dos de Gus qui accourait.

Ggl était encore immobile, saturé par l'énergie qui se répandait en lui.

Matt vit une lame noire foncer vers lui, il savait que parer une telle puissance signifierait briser sa propre épée alors il plongea et lorsqu'il se releva le Tourmenteur était déjà sur lui pour lui briser le crâne d'un poing d'acier gros comme une masse.

Matt fut soulevé. L'impact lui coupa le souffle, et il réalisa en sentant les poils sous ses mains que c'était Plume. Elle venait de l'arracher à la mort et Matt se hissa sur le dos de son chien.

Tobias tira six flèches avant que le Tourmenteur ne puisse se retourner mais cela ne le ralentit pas.

De son côté, l'autre émissaire d'Entropia avait déjà sauté pour barrer le chemin à Ambre et Gus.

Floyd surgit entre ses jambes et planta son arme dans le plastron du monstre. L'impact fut assez violent pour le déstabiliser mais pas assez pour l'empêcher de tendre le bras et de saisir Ambre par les cheveux au moment où elle filait devant lui.

Floyd enfonça alors son poignard jusqu'à la garde.

Le répit fut mince, mais suffisant pour que Ambre puisse passer sur son chien, ses cheveux glissèrent entre les doigts de cuir et d'acier du Tourmenteur qui gronda de rage.

Il leva sa hache et fit payer à Floyd le prix de sa témérité.

Floyd venait de sauver Ambre.

Et sa tête se décolla de ses épaules.

Elle s'envola dans les airs.

– NOOOOOOOON ! hurla Matt. NON !

La rage lui fit commettre une folie. Il sauta du dos de Plume, fit tournoyer son épée au-dessus de lui pour rendre impossible toute parade et libéra toute sa colère, sa frustration, sa détresse dans un seul coup.

Son altération se décupla sous l'effet de l'émotion.

Le gant du Tourmenteur fut sectionné, l'épée dansa de nouveau pour cette fois s'enfoncer dans le cœur.

Le Tourmenteur s'immobilisa, les bras ouverts, sa hache s'échappa de ses doigts et alla frapper lourdement le sol.

Matt hurlait toujours. Il fixait le centre du capuchon vide avec toute la haine du monde dans le regard.

Lorsqu'il dégagea sa lame du plastron tressautant du monstre, Matt était passé de l'autre côté. Il ne réfléchissait plus. Débordé par ses émotions, il frappait. Il bougeait pour tuer.

Il était devenu une machine de guerre.

Les insectes commençaient à se détacher du plafond pour tomber sur les Pans et Matt ne leur laissa aucun répit. Il taillada, transperça, mutila tout ce qui passait à sa portée.

Il s'épuisait à semer la mort et le chaos tout autour de lui.

Et il en perdit sa lucidité, son attention. Jusqu'à ne plus voir venir le danger.

Mais d'un coup de tête, Plume renversa le scorpion au moment où son dard se plantait au niveau du cœur, dans le dos du garçon.

Les yeux du grand chien cherchèrent ceux de son maître.

Il y avait plus de bienveillance dans ses prunelles que dans la plupart de celles des hommes. Quelque chose de presque maternel.

La chienne plia les pattes pour inviter Matt à grimper sur son dos, et il réalisa qu'il était en train de perdre le contrôle.

Il aperçut le corps de Floyd à ses pieds.

Sa tête avait roulé un peu plus loin.

Il ne pouvait plus rien faire. C'était fini.

Le Long Marcheur avait donné sa vie pour sauver Ambre.

Il fallait que ce sacrifice ait un sens. Il fallait aller jusqu'au bout. Donner raison à Floyd.

Matt attrapa le poil de Plume et se hissa sur elle. Une Mante religieuse plus haute que la chienne atterrit près de lui, prête à le saisir.

Matt lui trancha les deux pattes et la tête d'un seul coup.

Il était couvert d'un sang poisseux, de plaies, sa chair n'était plus qu'une vaste ecchymose, pourtant il ne ressentait rien d'autre que la volonté de combattre. De la vengeance. De la mort.

Il perfora deux autres créatures qui accouraient et embrassa le hall d'un seul regard.

Chen, Tania et Dorine tiraient leurs flèches au pied des fenêtres pour couvrir Gus qui portait Ambre. Ce dernier se faufila jusqu'au sur le balcon, mordant et griffant tout ce qui l'approchait.

Tout le monde était presque dehors.

Avisant Tobias qui esquivait avec célérité les attaques du second Tourmenteur, Matt fit faire volte-face à Plume pour récupérer son camarade. Il s'élançait en sachant que c'était un mouvement irraisonné, désespéré, mais il lui était impossible de laisser Tobias derrière lui. Sans aucune hésitation, il saisit Tobias au passage, le hissa d'un bras puissant et vit l'épée noire s'abattre sur lui.

Ce fut rapide. Presque instantané.

Et jamais Matt ne regretta d'avoir fait demi-tour.

Il mourrait avec la satisfaction d'avoir été juste jusqu'au bout.

Il comprit que ce geste allait lui coûter la vie.

Lorsque deux éclairs embrasèrent l'air sous ses yeux et repoussèrent le Tourmenteur.

La lame passa à quelques centimètres du visage de Matt.

Torshan et Ti'an, leur tir accompli, firent sauter leurs chiens hors du palais, par une des fenêtres brisées.

Le hall n'était plus qu'un vaste chaos.

Les pages tentaient de s'enfuir en courant, le Buveur d'Innocence s'était abrité dès les premiers coups échangés, Ggl se remplissait, assimilait plus d'énergie qu'il n'en avait jamais eu, et le Tourmenteur qui se tenait encore debout frappait dans tous les sens, ivre de colère.

Gus sauta hors du palais depuis le balcon.

Chen, Tania et Dorine suivirent la voie montrée par les deux Kloropanphylles et bondirent avec leurs chiens par les fenêtres.

Matt fit prendre son élan à Plume, écharpa deux autres insectes au passage et se prépara à foncer pour fuir, lorsqu'il sentit que Ggl sortait de sa stase.

Il baissait les mains.

C'était maintenant ou jamais.

Le Tourmenteur se dressa alors entre Plume et la fenêtre. L'épée contre le flanc, paré pour l'affrontement.

Matt comprit qu'il n'avait pas le temps. Et plus l'énergie de le terrasser.

Le voyage à Castel d'Os se terminait ici.

Ggl allait les réduire en poussière d'un instant à l'autre. Dès qu'il aurait recouvré toutes ses facultés.

Mais un être ne l'entendait pas de cette oreille.

Un être qui venait de voir son maître se sacrifier.

Un être qui, sans se poser de questions, fit le choix de suivre l'exemple de celui qui l'avait toujours aimé.

Marmite lança ses trois cents kilos de muscles et de poils sur le Tourmenteur, ses griffes s'accrochèrent à ses épaules pendant que ses crocs se refermaient sur le capuchon de toile.

Le Tourmenteur bascula sous le choc, entraîné par le poids de l'animal.

Plume n'hésita pas une seconde. Elle sauta jusqu'au rebord de la fenêtre, et tandis que Marmite donnait sa vie pour retenir le Tourmenteur, les deux derniers Pans jaillirent à l'air libre.

Dans la rue, au milieu de la brume, les chiens couraient à toute vitesse pour fuir la mort sous le ciel rouge crépitant d'éclairs.

Des ombres étranges se dessinaient depuis les impasses, d'autres s'accrochaient aux façades des immeubles. Des créatures effrayantes qui n'avaient pas le temps de déplier leurs pattes ou de cracher leur venin, surprises par la vitesse de ces quadrupèdes.

Ils galopaient pour sauver ce qu'il restait d'espoir.

Des lambeaux d'espoir.

46.
À en perdre haleine

Plume, Gus, Zap, Chunk, Draco, Safety, Nak et Kolbi.
Ils fendaient la nuit.
Infatigables.
Pour la vie de leurs maîtres. Pour fuir ce qu'ils avaient senti dans ce hall. Pour la mémoire de Floyd et Marmite.
Les rares créatures qui se mirent en travers de leur chemin laissèrent un membre ou deux dans la violence du choc.
Les chiens traversèrent le pont.
Remontèrent le long des quais.
Mais ils n'eurent pas besoin de ralentir pour constater que la galère avec laquelle ils étaient arrivés grouillait de formes monstrueuses.
Alors les chiens quittèrent la ville. Ils galopèrent si vite qu'ils dépassèrent la brume, laissant le ciel rouge derrière eux.
Ils rejoignirent une forêt sans fin par le biais d'une route, et continuèrent sans ralentir jusqu'à ce que Castel d'Os soit loin derrière eux.
Les Pans voulurent obliger leurs montures à se reposer après plusieurs dizaines de kilomètres, craignant qu'ils ne se tuent à l'effort, mais les chiens refusèrent, se contentant de

courtes haltes pour boire dans les ruisseaux et repartir à un train d'enfer.

Torshan les guidait en se repérant aux étoiles. Il les conduisait vers le sud-est, vers l'estuaire, en espérant que le Vaisseau-Vie les attendrait là.

Toute la nuit, les chiens donnèrent leur maximum, puisant leurs forces au fond d'eux-mêmes, au bord de l'évanouissement.

Ils parvinrent à l'estuaire avec l'aube, dont les premiers rayons de soleil illuminèrent la mer, pellicule d'or flottant à sa surface. Ce spectacle réchauffa un peu les cœurs meurtris des Pans épuisés.

Ils arrivèrent au pied d'une des deux tours qui gardaient l'entrée du fleuve, et personne ne voulut faire dans le détail.

Une dizaine de flèches cueillirent les gardes, puis une onde de choc colossale, comme une bombe explosant au pied de l'édifice, percuta la tour qui se fissura de toutes parts. L'instant d'après, elle s'effondrait sur elle-même dans un tourbillon de poussière et de cris apeurés.

Matt s'occupa des trois gardes sur la jetée tandis que Tobias alignait ceux qui pêchaient au bout du quai.

Avant même que les soldats de l'autre tour comprennent ce qui se passait, une galère prenait le large avec six Pans et deux Kloropanphylles à bord.

Ils la manœuvrèrent tant bien que mal vers la haute mer, et Tobias grimpa au mât principal pour faire la vigie.

Le Vaisseau-Vie était si imposant qu'ils n'eurent aucune peine à le repérer au large des côtes.

Plus ils s'en rapprochaient, plus les Pans à bord s'agitaient en espérant que les guetteurs du Vaisseau-Vie n'allaient pas les confondre avec un navire de guerre Ozdult et les attaquer.

Dès que la galère fut près de l'immense coque de noix, des trappes de chargement s'ouvrirent et des échelles de corde ainsi que des monte-charges descendirent à leur niveau.

Orlandia, entourée de son état-major Kloropanphylle, les attendait.

Matt pointa son doigt vers le trait sombre qu'ils pouvaient distinguer au nord.

– Il faut éloigner le Vaisseau-Vie de la côte dès à présent.

– Quelle direction ?

Matt contempla ses compagnons. Couverts de sang séché, de crasse, de plaies et de bleus. Leurs regards étaient lourds, chargés de détresse.

– Nous rentrons chez nous.

Ambre posa la main sur le torse de Matt.

– Matt, dit-elle, nous n'avons plus de chez nous. Le temps de rentrer, Eden sera englouti par Entropia.

– Ils ont gagné, Ambre. Ils ont gagné… Nous n'avons plus rien à faire ici.

– Il y en a un autre. Le troisième Cœur de la Terre. C'est là que nous devons aller.

Matt prit une profonde inspiration.

– Maintenant que Ggl a aspiré celui de Castel d'Os, il est devenu trop puissant, tu ne pourras rien lui faire.

– Avec deux énergies comme celle-ci ? Peut-être que si.

– Tu y perdras la vie.

Sentant qu'il allait se défiler, Ambre le retint :

– Si nous ne faisons rien, nous mourrons tous.

Matt baissa le regard.

– Je sais que tu ne veux pas me perdre, ajouta-t-elle, mais nous devons agir. Nous n'avons plus le choix.

Matt ferma les paupières.

Puis il acquiesça.

– Éloignons-nous des côtes, finit-il par ordonner. Cette nuit nous tracerons le chemin jusqu'au troisième et dernier Cœur de la Terre.

Il redressa le menton pour faire face à Ambre.

– Si tu dois périr en affrontant Ggl, je mourrai avec toi.

Elle lui prit les mains.

47.
Le plan

Le navire s'approchait lentement du Vaisseau-Vie.

Le soleil venait de se coucher, la plupart des Pans à bord étaient soit en train de dîner, soit en pleine digestion, c'était le meilleur moment.

Colin veillait à la manœuvre d'approche.

Personne ne leur avait tiré dessus, c'était bon signe.

Il avait appliqué à la lettre toutes les consignes de son maître, le Buveur d'Innocence. Arriver par l'arrière du Vaisseau-Vie, c'était là qu'il y avait le moins de postes de surveillance et le plus d'angles morts entre les vigies. Mais cela n'était pas suffisant, il fallait espérer que leur espion à bord avait fait son travail. Neutraliser les six guetteurs susceptibles de les voir. Sinon, le plan tomberait à l'eau.

Tout avait été savamment orchestré, une préparation méticuleuse rendue possible par les oiseaux morts de Ggl. Discrets, obéissants et rapides. Colin n'avait jamais perdu le contact avec son maître. Il avait suivi ses moindres pérégrinations. Depuis la cité Blanche jusqu'à Castel d'Os. Et tout s'était coordonné d'ici, grâce à Colin, entre son maître et leur espion, à bord du Vaisseau-Vie.

Un plan parfait.

À l'heure qu'il était, Matt, Tobias et leurs compagnons de malheur étaient morts. Et Ambre avait été dévorée par Ggl.

C'était parfait !

Colin éprouva un serrement de cœur, et il se demanda si ce n'était pas un peu de tristesse, ou de remords.

Savoir ceux qu'il avait connus sur l'île Carmichael morts, en partie par sa faute, ne le laissait pas aussi impassible qu'il l'aurait cru. C'était la fin d'une ère. Le début d'une autre où lui, Colin, allait exercer des responsabilités. Il allait être respecté, craint. Le Buveur d'Innocence le lui avait promis. Il ne régnerait pas sur toute l'Europe sans un homme de confiance.

Ggl allait leur offrir toutes ces terres. En échange du troisième Cœur de la Terre.

Et pendant que ce monstre traverserait terres et mers pour s'emparer de sa précieuse énergie, son maître s'emploierait à construire des fortifications imprenables, à ériger une armée sans précédent, pour être en mesure de tenir tête à Ggl si celui-ci s'en venait à ne plus vouloir partager.

Le maître est d'une intelligence supérieure !

À cette pensée, Colin se sentit rassuré.

À condition que cette mission soit réussie.

Il avala sa salive. Il avait la bouche un peu sèche. Il risquait gros sur ce coup-là. Si l'espion n'avait pas été efficace, Colin tomberait entre les mains de ceux qu'il avait trahis. Plusieurs fois. Et pourrait alors craindre le pire.

La proue du bateau se rapprochait de la coque de noix.

Une trappe se souleva au-dessus de leurs têtes et Colin se frotta les mains.

C'était leur espion.

Il allait les guider dans le labyrinthe du Vaisseau-Vie, jusqu'à la salle du Testament de roche.

Pour qu'ils s'en emparent.

Colin guetta le visage qui les attendait.

C'était bien l'espion.

Le Buveur d'Innocence avait été clair à son sujet. Il fallait le laisser à bord. Ne pas le prendre. Il ne servirait à rien ensuite.

Éliminer toute trace.

Colin respira à pleins poumons l'air de la mer.

Il était prêt à accomplir sa mission.

Il se retourna, et vit dans son dos les huit Tourmenteurs qui attendaient son signal.

Avec eux, Colin se sentait invincible.

48.
Pluie de feu

Matt avait dormi douze heures d'affilée.

Il se réveilla, Ambre contre lui.

Le sommeil avait été comme une fuite, pour ne plus avoir à penser. Pour ne plus revoir la tête de Floyd se détacher de ses épaules. Pour ne plus songer à Ggl et à la fin de leurs espoirs. Il avait eu du mal à s'endormir, mais lorsqu'il avait lâché prise, ç'avait été pour de bon, un long repos sans rêve.

Matt réveilla Ambre d'un baiser sur la joue.

Ses paupières se soulevèrent et elle le fixa avec un sourire.

– Tout n'est pas perdu, lui dit-elle tout bas.

Il hocha la tête. Il lui faisait confiance. Il le fallait.

Ils s'habillèrent, en constatant qu'il faisait déjà nuit, et se rendirent dans la salle du Testament de roche, juste à côté.

Quand il entra dans la pièce, ses sens se mirent en alerte, il sentit quelque chose d'anormal.

Il retint Ambre.

– Va chercher mon épée et mon gilet, lui murmura-t-il.

– Qu'y a-t-il ?

– Dépêche-toi !

La porte était éraflée. Et il flottait dans l'air quelque chose d'inhabituel.

La mort. Ça sent la mort !

Ambre revint avec ses affaires, Matt passa le gilet en Kevlar et entra, l'épée à la main.

Il ne vit personne, mais les alcôves étaient sombres et quelqu'un pouvait s'y cacher.

Ce fut Ambre, dès qu'elle mit le pied dans la chambre du Testament de roche, qui perçut l'aura entropique :

– Des Tourmenteurs ! Ils sont venus ici ! Je les sens encore !

Matt se tourna aussitôt vers la pierre du Testament.

Elle n'était plus là.

Ses phalanges blanchirent autour du cuir de son épée.

– Pourquoi sommes-nous encore vivants alors ? demanda-t-il, les mâchoires serrées.

– Parce qu'ils ne nous savaient pas à bord.

Matt secoua la tête.

Ça ne leur ressemblait pas de laisser le navire intact.

– Il se prépare quelque chose, dit-il en gagnant une fenêtre.

De là il ne distinguait que la nuit et le flanc sud du navire.

Le plancher se mit à trembler.

Un bourdonnement monta des entrailles du Vaisseau-Vie.

Puis une explosion terrible projeta Matt et Ambre au sol.

Tout le navire grinçait, tressautait, d'autres explosions suivirent.

– Le système d'autodestruction ! aboya Matt par-dessus le fracas. Ils l'ont déclenché !

Les grondements se succédèrent et le Vaisseau-Vie se mit à tanguer.

– Combien de temps avant que tout saute ? s'écria Ambre.

– Pas longtemps, les murs sont remplis de liquide inflammable ! D'ici quelques minutes nous serons au milieu d'une fournaise !

Ambre se releva en se servant de son altération et Matt s'appuya aux murs.

– Rassemblons le maximum de personnes autour de moi, dit-elle.

– Toby !

Ils sortirent en se cramponnant aux parois et prirent un escalier pendant que Pans et Kloropanphylles sortaient de leurs cabines en hurlant, terrorisés.

Une langue de flammes jaillit au bout du couloir, emportant avec elle plusieurs portes de cabines.

– L'étage du dessous ! cria Matt en entraînant Ambre vers un autre escalier.

Le navire tout entier fut secoué de soubresauts, Matt et Ambre perdirent l'équilibre, un mur explosa devant eux, transformant tout le passage en brasier.

Matt refusait d'aller vers le monte-charge, ils risquaient de s'y retrouver coincés. Ils empruntèrent une passerelle qui traversait un puits de lumière haut de près de cent mètres, éclairant le bateau sur tous les niveaux.

Une boule de feu apparut en bas et se mit à grimper à toute vitesse vers les deux adolescents alors qu'ils n'étaient qu'à mi-chemin.

Ambre se concentra et attrapa Matt entre ses bras.

Les flammes se jetèrent sur eux et Matt serra Ambre contre lui.

Mais il ne ressentit aucune douleur. Tout juste une chaleur très forte qui disparut dès que la boule de feu les eut dépassés.

Ambre le regardait.

Elle l'avait protégé avec le Cœur de la Terre.

– Si les Tourmenteurs sont encore à bord, ils savent où nous sommes désormais, dit-il.

La boule de feu parvint au sommet du puits de lumière et fit exploser la verrière d'en haut. Une pluie de débris tranchants s'abattit sur la passerelle, et cette fois Ambre n'eut pas le temps de créer une bulle autour d'eux.

Leurs bras, leurs épaules, leurs dos et leurs crânes s'ouvrirent comme un fruit trop mûr, mais ils pouvaient courir.

Ils descendirent un niveau, une nouvelle explosion les jeta contre le mur.

Cette fois, Ambre se cogna la tempe et s'effondra, sans connaissance.

Matt la prit sur ses épaules pour fuir.

Partout les murs craquaient, les flammes se faufilaient, quand ce n'était pas une sorte de lave en fusion qui creusait les planchers et se mettait à couler des plafonds. Matt l'esquivait, la moindre goutte traversait un Pan de part en part, le tuant sur le coup.

L'air se faisait de plus en plus chaud, étouffant.

Autour de lui, on hurlait de panique, sans comprendre ce qu'il se passait. Certains restaient prostrés dans un coin, et le feu venait les dévorer brusquement. Dans l'horreur, ils se bousculaient, se marchaient dessus, cherchaient à gagner la surface pour respirer, ou les profondeurs dans l'espoir d'y rejoindre un moyen d'évacuation.

Le Vaisseau-Vie s'était transformé en fournaise. Un véritable enfer.

Des geysers de feu transpercèrent le plancher devant Matt, le forçant à faire demi-tour et à chercher un autre chemin.

Il faisait son maximum pour protéger Ambre des jets bouillants qui surgissaient d'un peu partout, et parfois devait s'exposer à sa place, se brûlant les bras, les jambes.

Son gilet en Kevlar lui avait protégé les côtes et le dos à plusieurs reprises.

Il trébucha, tomba, s'écorcha et évita les assauts de l'incendie pour atteindre la cabine de Tobias.

La porte était ouverte sur un brasier tel que Matt dut se couvrir le visage pour repousser la chaleur suffocante.

— Toby ! Non ! Toby ! hurla-t-il.

Une nouvelle explosion le mit à terre et Ambre lui échappa des bras.

Il était désespéré.

— Matt ! cria une voix familière.

Tania et Chen accoururent pour l'aider à se relever et il prit Ambre contre lui.

— Où est Tobias ? demanda-t-il, paniqué.

— C'est trop tard Matt, dit Tania au milieu des flammes. Nous n'avons rien pu faire. C'était déjà comme ça quand nous sommes arrivés.

Matt secouait la tête.

— Il y a un balcon au bout du couloir, dit Chen. Il faut sortir, sinon dans peu de temps nous mourrons intoxiqués par la fumée !

— Nous ne sortirons pas de là, dit Matt.

Tania le gifla.

— Ne dis pas ça ! Pas toi ! Pas après tout ce que nous avons vécu ! Guide-nous ! Sors-nous de là ! Tu m'entends ?

Matt la voyait mais le sens de ses mots ne parvenait pas jusqu'à son cerveau.

Des visages. Des souvenirs. Des émotions le firent réagir quand Tania hurla par-dessus le grondement de l'incendie :

— Pour Elliot ! Pour Maya ! Pour Floyd ! Ton ami Floyd ! Jusqu'au bout tu dois te battre ! Jusqu'à la mort !

Matt cilla.

Il sentit le corps d'Ambre contre lui.

Pour elle. Pour les autres.

Sans plus réfléchir, il se releva et prit la direction indiquée par Chen.

La fumée devenait dense, ils se mirent à tousser. Leurs poumons se remplissaient de mort. Des poutres barraient le passage, rongées par le feu. Matt déposa Ambre et attrapa la plus grosse. Sa peau émit un chuintement au moment où il la touchait, et Matt évacua la douleur de la brûlure en criant de toutes ses forces tandis qu'il arrachait la poutre du sol pour la renverser sur le côté.

Il répéta l'opération avec la seconde et la voie fut dégagée.

Le navire trembla encore, des explosions se multiplièrent dans ses entrailles.

Les quatre adolescents enfoncèrent une porte qui s'était coincée sous les chocs, et ils débouchèrent sur un large balcon, sous les étoiles.

Ils tombèrent à genoux et aspirèrent tout leur soûl d'oxygène frais.

De là ils purent assister à la destruction du Vaisseau-Vie, au gré des boules de feu qui surgissaient de sa coque à chaque déflagration.

Matt remarqua que toutes les voiles étaient aux vents, haut dans le ciel, les pétales géants les entraînaient à pleine vitesse.

Vers la côte.

Dans une manœuvre désespérée, comprenant que le bateau était condamné, Orlandia avait orienté le Vaisseau-Vie vers la France qui était le plus près pour donner une chance aux survivants.

Matt vit des dizaines et des dizaines de Pans se jeter à l'eau.

Eux-mêmes étaient perchés trop haut sur leur balcon, plus de soixante-dix mètres. Et trop loin du rivage pour espérer survivre.

Pendant plus de vingt minutes, les trois Pans assistèrent à la destruction du dernier morceau de leur monde. Chaque détonation propulsait un peu plus le navire vers le fond, envoyait les flammes conquérir les étages supérieurs.

La chaleur devint insupportable, et Matt comprit qu'ils allaient devoir passer par-dessus bord.

De cette hauteur, ils allaient se fracasser contre la mer mais ils ne tenaient plus.

Ambre ouvrit les yeux et s'assit, en sueur.

– Toby ? demanda-t-elle.

Matt serra les dents et fit « non » de la tête.

Alors Ambre les attrapa tous et les serra contre elle.

Le bâtiment cédait de partout. Des flammes avaient conquis le pont supérieur, elles rongeaient les câbles, les voiles s'envolèrent, les unes après les autres.

Un craquement assourdissant déchira la nuit et le Vaisseau-Vie s'ouvrit en deux.

Cette fois, c'était terminé.

Ambre prit son inspiration, et toute son énergie se mêla à celle du Cœur de la Terre.

Une énorme explosion désagrégea la coque, et le plan sur lequel se trouvaient Ambre, Matt, Tania et Chen se détacha en morceaux pour sombrer dans la mer.

Leurs organes se soulevèrent tandis qu'ils chutaient.

Et brusquement ils perçurent une enveloppe autour d'eux.

Comme une membrane invisible.

Une fine couche qui les liait tous.

La chute fut terrifiante.

Et l'impact fulgurant.

Matt perdit connaissance en heurtant l'eau.

De cette hauteur et à cette vitesse, c'était comme se jeter sur du béton.

Dans le ciel, des milliers de pièces du Vaisseau-Vie fusaient en brûlant, semblables à des météorites. Et le gros du navire ressemblait à une braise formidable.

Il y en avait partout.

Et en quelques secondes, tout disparut, englouti par la mer.

49.

Les Autres

Sa tête entrait et sortait de l'eau, porté par la houle.

Il avait froid. Il respirait mal.

Matt ne parvenait pas à reprendre connaissance. Chaque fois qu'il revenait à lui c'était pour sentir le sel de la mer lui brûler les lèvres, les yeux, et son esprit repartait aussitôt.

Il ne garda que le souvenir du froid. Intense. Interminable.

Puis il s'enfonça dans quelque chose de dur.

Les vagues lui léchaient les jambes.

Quand il parvint à se réveiller, il enfonça une main dans le sable de la plage et constata que le soleil s'était levé.

Il y avait des débris partout. Sur la mer, sur la plage, et d'autres corps comme lui étendus, sans vie. Certains flottaient encore, le visage dans l'eau.

Il essaya de s'asseoir, il éprouvait un sentiment d'urgence, l'embrasement du Vaisseau-Vie avait dû être visible depuis des kilomètres à la ronde, les Cyniks n'allaient pas tarder, mais le monde vacilla et il retomba, face contre sable.

Il rouvrit les yeux en entendant des voix.

Il songea aussitôt aux Ozdults, mais se rendit compte qu'elles parlaient anglais.

Il y avait d'autres survivants que lui.

Matt se mit sur les coudes et essaya de se lever mais il retomba en gémissant, le corps meurtri.

– Il y en a un autre ici ! s'écria quelqu'un.

C'était une voix d'adolescent.

Tous les Pans et Kloropanphylles du Vaisseau-Vie n'étaient donc pas morts. Une petite boule de chaleur inonda la poitrine de Matt.

Ambre !

Et les images de la cabine de Tobias ravagée par les flammes lui enfoncèrent une pique en plein ventre.

Combien avaient survécu ?

Matt parvint tout de même à relever la tête et aperçut des dizaines de Pans. Peut-être vingt-cinq ou trente. Ils sillonnaient la plage, retournant les débris, et inspectant les corps.

En haut, entre les dunes, des chariots et des chevaux attendaient.

Matt vit un chien trempé sortir de la mer, aidé par plusieurs garçons. Il reconnut Draco, le golden retriever que montait Tania à Castel d'Os.

Deux jambes se plantèrent devant lui.

Il tendit la main pour qu'on l'aide à se relever.

Ce n'était pas quelqu'un qu'il connaissait.

À bord du Vaisseau-Vie, Pans et Kloropanphylles lui étaient pour la plupart familiers, il en avait recruté beaucoup personnellement, peu de visages lui étaient inconnus.

– Quel est ton nom ? demanda-t-il avec difficulté.

Ses lèvres gercées par le sel craquèrent.

– Piotr, répondit le garçon avec un accent qui lui faisait rouler les « r ».

Matt tenta de se lever, mais la douleur remonta du dos jusqu'au cerveau, et il retomba, inconscient.

Il revenait à lui, dans le balancement et les grincements d'un chariot. Le ciel bleu, moucheté de nuages blancs, défilait lentement.

Il était étendu au milieu de tonneaux, de caisses et de sacs repêchés de l'épave.

Il s'agrippa à l'un des sacs en toile et se hissa.

Le chariot filait entre les dunes, conduit par deux adolescents qu'il n'avait jamais vus. Un troisième était assis à l'arrière, près de lui, et il reconnut le brun au visage sévère qui l'avait aidé sur la plage, Piotr.

— Qui... qui êtes-vous ? demanda-t-il.

— Il est réveillé ? demanda une fille à l'avant.

Piotr s'approcha de Matt et l'invita à se rallonger.

— Repose-toi, tu n'es pas en état.

— Où m'emmenez-vous ?

— Chez nous.

— Non, il faut...

Matt fut transpercé de nouveau par la douleur.

— Repose-toi, je te dis, insista Piotr. Tu seras en sécurité là-bas. Mais c'est une longue route.

— Mes amis...

— Il y a d'autres charrettes comme nous.

— Qui... qui êtes-vous ?

Piotr lui tendit une gourde d'eau.

— Nous ? Nous sommes des fantômes.

Piotr eut un léger sourire.

— Nous sommes les fantômes de l'empire, précisa-t-il.

— Vous êtes des... enfants, des adolescents, dit Matt. Vous êtes des esclaves ?

– Non. Nous sommes le cauchemar d'Oz. Nous sommes ceux qui ne veulent pas se soumettre, les Autres. La rébellion.

Matt cessa de boire et fixa Piotr.

– Je croyais que vous n'existiez pas ?

– C'est ce que les Ozdults voudraient croire. Mais nous sommes réels.

– Mes amis étaient avec moi sur le bateau, est-ce que vous avez retrouvé beaucoup de survivants comme moi ?

– Notre groupe en a repêché une dizaine.

– Et… une Ambre était parmi eux ?

Piotr secoua la tête.

– Non, je suis désolé.

– Et il y a d'autres groupes comme vous ?

– Oui. La plage est longue. Il y avait encore plus de corps pas loin. Peut-être que mes camarades auront trouvé ton amie. Maintenant repose-toi, nous avons une longue route à faire.

– Où allons-nous ?

– Chez nous, en sécurité.

– Il n'y a plus de sécurité dans ce monde désormais.

– Parce que tu ne connais pas notre territoire. C'est loin, à plus de deux semaines de marche, mais tu verras, tu seras protégé.

Matt ferma les paupières. Il souffrait. Il ne parvenait ni à réfléchir, ni même à parler.

– Nous vous emmenons à Neverland, ajouta Piotr.

Matt ignorait ce qu'était cette terre si sûre, mais en cet instant précis, il sut qu'il ne pouvait exister d'endroit que le Buveur d'Innocence et surtout Entropia ne pourraient conquérir.

Les Pans avaient perdu le Testament de roche, Ggl avait assimilé le Cœur de la Terre, et désormais Matt était seul.

Non, il ne connaissait pas Neverland, mais ses derniers espoirs s'étaient envolés cette nuit, alors il s'en fichait bien.

Et le monde allait sombrer dans le chaos.

Bientôt les cieux seraient rouges et des créatures abominables sillonneraient les terres.

La fin des temps approchait.

Chers amis,

Vous savez désormais à quoi ressemble une partie de l'Europe en Autre-Monde. Une partie seulement.
Le pire reste à venir.
Comme le plus merveilleux d'ailleurs.
Il y sera question notamment d'un grand château… Et à ce sujet, la proposition qui clôturait Entropia tient toujours, puisque je vais mettre en scène beaucoup de nouveaux Pans. Si vous vous sentez l'âme d'un de ces enfants, adolescents, jeunes adultes, peu importe, il est encore temps de m'envoyer (en quelques lignes seulement !) un descriptif du garçon ou de la fille que vous seriez, en Autre-Monde, avec son nom, son altération, et la raison pour laquelle il ou elle a développé cette dernière. Faites-moi parvenir vos idées à cette adresse :

pans@albin-michel.fr

J'en sélectionnerai quelques-uns pour les inclure dans l'histoire d'Autre-Monde.

D'ici là, venez me rendre visite de temps à autre sur mon blog :

www.maximechattam.com

On y parle d'écriture, et même d'un peu tout à vrai dire.
Sur Facebook aussi (Maxime Chattam Officiel), pour une convivialité bienvenue et quelques échanges plus directs.
Ou, enfin, sur Twitter (@ChattamMaxime), pour une communication au jour le jour !

Je tiens aussi à signaler le travail de fourmi accompli par Florian sur le net, pour colliger tous les termes et références propres à Autre-Monde dans une Pancyclopédie formidable !

www.pancyclopedie.fr

C'est très utile pour se remémorer les petits détails, ou simplement s'y promener comme en Autre-Monde !
Merci également à toute l'équipe qui travaille derrière le forum. Pour un auteur, avoir le privilège de suivre les conversations de ses lecteurs et d'échanger directement avec eux est un luxe inouï, et ce petit miracle quotidien ne pourrait s'opérer sans les efforts des modérateurs et de tous ceux qui œuvrent dans l'ombre du web.

www.chattamistes.com/forum

Merci à mon éditeur pour le soutien permanent qu'il me témoigne, quels que soient mes projets, et à toutes les équipes d'Albin Michel qui donnent vie, d'une manière ou d'une autre, à Autre-Monde, ainsi qu'à mes éditeurs à l'étranger qui contribuent à faire connaître cette aventure.

Enfin, ce livre ne serait pas ce qu'il est et cette saga n'aurait pas cette dimension sans la présence et les encouragements de Faustine, fée suprême d'Autre-Monde, mon Cœur de la Terre à moi. Qu'elle soit remerciée ici pour tout cela et bien plus encore.

Mes chers lecteurs, cette aventure est loin d'être terminée. Je vous réserve encore quelques surprises.

À très vite...

Maxime CHATTAM
Edgecombe, août 2012.

DU MÊME AUTEUR

Aux Éditions Albin Michel

Le cycle de l'homme :

LES ARCANES DU CHAOS
PRÉDATEURS
LA THÉORIE GAÏA

Autre-Monde :

T. 1 L'ALLIANCE DES TROIS
T. 2 MALRONCE
T. 3 LE CŒUR DE LA TERRE
T. 4 ENTROPIA

Le diptyque du temps :

T. 1 LÉVIATEMPS
T. 2 LE REQUIEM DES ABYSSES

LA PROMESSE DES TÉNÈBRES

Chez d'autres éditeurs

LE CINQUIÈME RÈGNE, Pocket
LE SANG DU TEMPS, Michel Lafon

La trilogie du Mal :

L'ÂME DU MAL, Michel Lafon
IN TENEBRIS, Michel Lafon
MALÉFICES, Michel Lafon

Composition Nord Compo
Impression CPI Firmin Didot en octobre 2012
Éditions Albin Michel
22, rue Huyghens 75014 Paris
www.albin-michel.fr
ISBN : 978-2-226-24433-8
N° d'édition : 19286/01 - N° d'impression : 114803
Dépôt légal : novembre 2012
Imprimé en France.

How Apollo Flew to the Moon

Also

Compiled and edited by W. David Woods

The Apollo Flight Journal
http://history.nasa.gov/afj

W. David Woods

How Apollo Flew to the Moon

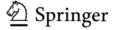
Springer

Published in association with
Praxis Publishing
Chichester, UK

W. David Woods
Editor – Apollo Flight Journal (NASA web resource)
Glasgow
UK

SPRINGER–PRAXIS BOOKS IN SPACE EXPLORATION
SUBJECT *ADVISORY EDITOR*: John Mason B.Sc., M.Sc., Ph.D.

ISBN 978-0-387-71675-6 Springer Berlin Heidelberg New York

Springer is a part of Springer Science + Business Media (*springer.com*)

Library of Congress Control Number: 2007932412

Cover design: Jim Wilkie
Copy editing: Alex Whyte
Typesetting: BookEns Ltd, Royston, Herts., UK

Printed on acid-free paper

To

Eric M. Jones
for showing us all the wonder of Apollo

and to

Eileen Lightbody (nee O'Brien)
Bletchley Park Code Breaker

Contents

List of illustrations

Author's preface

It is hardly surprising that the Apollo programme, which was lauded as one of humanity's greatest achievements, should have spawned a vibrant niche in publishing. In the wake of the missions, innumerable books commemorated the flights of the Apollo crews as publishers took advantage of the public's interest. But then, within ten years, the story was held to be less fascinating and new books on Apollo became increasingly rare.

Things began to change, however, beginning with the twentieth anniversary of the first manned landing on the Moon in 1969. A generation who had watched Apollo on their parents' television screens with wide-eyed wonder had grown up and taken the reins of society. To them and those who were born after the landings, the programme became the product of the previous generation and, at this point, retrospectives began to appear. Apollo is now written as history rather than as current events. However, much that has become available concentrates on the programme's conception and on those who transformed it from engineers' dreams into a superpower's goals. A particularly popular sub-niche is the astronaut biography, a somewhat variable collection of tomes that do much to relate the story of humanity's only foray away from the grip of planet Earth. Other volumes relate, in varying levels of detail, what the intrepid explorers actually did during their far too brief spells on the surface of another world.

Remarkably few books discuss the practical aspects of how the voyage from the Earth to the Moon was achieved. The genre seldom describes the equipment that was used; nor does it relate the procedures and techniques that allowed the Apollo crews to accomplish their audacious task: in general, historians are not concerned with how a feat was achieved technically. Instead, the dominant form of written history on Apollo studies the experiences and interrelationships of the people involved, the political and social milieu in which they operated or it is the polemic and ranting of those who are doing the commentating. This is all well and good – to a point. The same applies to the modern media. The details of how something was achieved are considered to be the realm of the 'geek' or 'nerd', and should not be presented to the general public.

One particularly thoughtful television programme of the late twentieth century looked at the conflict between reporting as the dissemination of facts, and reporting as the telling of human interest stories. Produced by actor Tom Hanks, the drama series *From the Earth to the Moon* included an episode about the flight of Apollo 13, a flight that has become a byword for human doggedness and ingenuity in the face of overwhelming challenges. Rather than remake a story that had been well told in an earlier cinema release, the writers concocted a battle of wills between two characters – an older journalist who read up on the technicalities and complexities of the mission and did his level best to explain them to the public, and a young, upstart reporter whose mantra was human interest. Not for him the reading of the spacecraft's checklist or of NASA's official press kit. A line from the upstart makes the case for the modern view. "You think America wants to know about PC burns and passive thermal rolls? That's not news, man. That is 'Sominex' " – the latter being a brand of sleeping pill. He perceived an America that neither understood nor cared about science and had little interest in engineering niceties. What they wanted to read about was the emotional state of the families of the stricken astronauts.

But in the age of the internet, this uninformed public is swimming in an ocean of information, much of which is of dubious accuracy. Among this deluge of ideas is one that tests their understanding of historical truth. In recent years, whether for financial gain or just as a pseudo-intellectual prank, people have taken to questioning the veracity of Apollo's greatest achievement. Websites abound that mock the very idea of America having achieved moonlandings in the 1960s and 1970s. They pick spurious holes in the historical record, relying on the ignorance of the public at large, and they feed on a distrust of big government in order to sell books and TV to a section of society that savours and favours mammoth conspiracy theories.

The fact that one of the best documented events of history could be considered to be a hoax thrives partly because so few people actually know how the feat was achieved, or how the most basic laws of physics express themselves beyond the surface of our planet. I once spoke with a head teacher – an educated man in charge of over a thousand teenage pupils – who could quote Shakespeare as knowledgeably as he could discuss football. I asked him why the crews on board the Space Shuttle were seen to float about the cabin. "Because there's no gravity in space, of course," was the reply. At the time, I didn't have the heart to enquire of him what kept the Moon in its orbit around Earth. I wasn't trying to mock him but I wanted to understand the extent to which concepts derived from basic science were understood by the public. I soon learned that ignorance in science and engineering is the norm.

The provocative suggestion that the Moon landings were faked is what evolutionary biologist Richard Dawkins would call a successful *meme*. Like the gene, it is self-replicating; an idea that has the requisite characteristics that allow it to sustain and be passed from one credulous mind to the next – carried forward because it can easily replicate through a population who are largely scientifically illiterate. Distorting facts to support a false theory is a straightforward exercise, including a sprinkling of pseudo-scientific jargon, when the audience lacks the tools, and often the inclination, to examine them critically. To refute these false tales requires intellectual rigour and a well-grounded knowledge of the physical world, the possession of which would likely inoculate a person from taking such claims seriously in the first place. One of my motives for writing this book was to provide a little of the knowledge that might help to refute the absurd assertion that Apollo was faked.

Another reason behind the book was a desire to share something of my own personal journey in reaching an understanding of how this wonderfully audacious adventure was achieved. Like so many of my age, Apollo happened at an impressionable time in my life. I was only just old enough to realise that a flight to the Moon would be an incredible, fantastic thing to attempt; at which point, I watched America promptly realise that dream before my eyes. The deep, almost primeval sense of wonder that this adventure left with me transcends its grubby, political roots, and has never really departed with childhood. Then the arrival of the internet in our household, soon after the 25th anniversary of the Apollo 11 landing, blew pure oxygen over the embers of this fascination. It lit a vigorous fire because, for the first time, I could find material that explained in great detail just how this difficult endeavour was executed. Equally important was being able to connect with others who had been similarly touched by Apollo, eventually having the honour to link up with some of those who were lucky enough to have taken part.

This book and my personal journey through Apollo, discovering how it all functioned and what happened on another world, owe an endless debt of gratitude more to one man than to any others I have encountered along the way. Geographical distance has so far prohibited me from having the opportunity to shake his hand and thank him personally, as he lives on the other side of the world. Yet the internet allows me to count him as one of my closest friends. Eric Jones took on the monumental task of compiling a journal of the first era of lunar exploration after becoming frustrated at how his country had shelved the lessons learned when they spent billions of dollars in going to the Moon. Inspired by J. C. Beaglehole's journals of Captain James Cook's exploration 200 years earlier, he recounted and explained every moment the Apollo crews spent on the lunar surface. By making his efforts freely available on the internet, I and people from around the world came on board, adding our time and talents to make the *Apollo Lunar Surface Journal* website one of the most remarkable historic documents from the twentieth century.

My chosen role was to extend the journal to include the portions of the flights to and from the Moon. Taking Eric's work as my model, I set out to explain what was occurring moment by moment, and while doing so, I learned more than I could have imagined about how, at a broad level, the Apollo jigsaw fitted together. This book is my attempt to pass on this knowledge to a wider audience.

Most of the book will take the reader through the various stages of the Apollo flights, from before their spectacular launches at Kennedy Space Center in Florida to the decks of the aircraft carriers that recovered the crews from the Pacific Ocean a week or two later. For newcomers to the subject, I have devoted the first two chapters to outlining Apollo's genesis and achievements; and a bibliography at the end of the book will provide years of excellent reading for those who wish to delve further.

This is the tale of how Apollo flew to the Moon and how the United States of America brought together the finest of its people and skills to achieve a dream as old as the human race, turning the ancient light in the sky into a new world to be explored. It describes the efforts involved not only in successfully flying to the Moon, but in returning safely, providing new knowledge and a new perspective on the human position within the cosmos.

It may be appropriate to mention a few points on general terminology, as American engineers, scientists and technologists have a habit of constructing long descriptive names for their ideas and systems, which they promptly shorten to an acronym. Their use of the resulting words and phrases then settles into a form that is often chaotic and contradictory. In this book, I have been unable to avoid filling the text with some of the same arcane acronyms that clog up so much discussion of technical matters. However, those that I have used are so ubiquitous in the Apollo story that they will soon be seen as old friends, and readers will be well served by making them a familiar part of their vocabulary. Notes have been included in the glossary to try to deal with the various and inconsistent ways in which acronyms were pronounced.

Through my own science and engineering education, I have a bias towards the use of SI units and, as a result, those units have been used throughout the book. This is a controversial path to tread as it is often pointed out to me that those who carried out the achievement used 'English' or 'Imperial' units, and that it would only be proper for books on the topic to do likewise. This argument holds no more weight for me than the suggestion that books on Egyptology should exclusively be written in cubits. SI is the dominant system of scientific and engineering expression in the world. NASA also began to use it for its science publications in 1970. It therefore seems appropriate to explain Apollo in units that will have the widest possible understanding. Where English units are used in dialogue, a suitable SI equivalent will be near at hand.

So here's my book, and I hope you like it.

Bearsden,   *W. David Woods*
Scotland
September 2007

Acknowledgements

One day in 2003, I said to prolific author David Harland that there was only one book in me waiting to get out. "Right," he said, "and it's my job to get it out of you." Before I knew what was happening, I had started putting down what I had learned about the Apollo flights and, slowly, this book began to take form. I hope David likes what I produced, and I greatly acknowledge his wisdom, advice and support throughout the process.

I am particularly grateful to Clive Horwood and all at Praxis Publishing for taking this project on, especially considering I had never previously delved into the world of book writing. I also thank Alex Whyte for his work in copy-editing the text.

Over the past decade, as I probed deeper and deeper into how Apollo worked, I came across many other people who are all part of a loose group in society who, like me, watched the dream of Apollo being fulfilled as impressionable children. Eric Jones was pivotal in bringing the depth of Apollo to a much wider audience through his unmatched *Apollo Lunar Surface Journal*. It is simply the best Apollo resource available, largely due to Eric's boundless generosity. We all owe him a huge debt of gratitude.

When I took my idea of an 'Apollo Flight Journal' to Eric, he wisely put me in touch with Apollo computer expert and self-proclaimed 'geek', Frank O'Brien. Frank was a little sceptical of the value of the AFJ at first, but soon changed his mind as we discovered the many layers of complexity that went into an Apollo flight. Frank's knowledge is vast and deep, and I could never have penetrated Apollo's subtlety without his guidance.

While writing this book, I leaned on others for advice, feedback and resources. In particular, I'd like to thank fellow Apollo students Tim Brandt, Ken MacTaggart and Lennie Waugh for comments and suggestions.

In my professional life in TV broadcasting, I work among people who combine technical ability with creativity. Some put up with me for years rabbiting on about the Moon and Apollo. A long time ago, Hedda MacLeod made it clear to me that she believed that I really ought to write a book and it is Hedda I thank for planting the seed that really made me think it was a possible proposition. Some of my colleagues agreed to become guinea pigs, reading drafts and guiding me where I was going. I am therefore grateful to Martin MacKenzie and Ken Stirling for their feedback. I would also like to thank my sister, Hilda Harvey, for her advice, feedback and encouragement. Hilda is no space geek but, while reading my drafts, she made me believe that the book could be made amenable to the wider public. In a similar vein, I am proud to mention my lovely wife, Anne, and my two wonderful sons, Stephen and Kevin, who were always there as sounding boards when I struggled for words and phrases and who read the text for me. My parents, Allan and Violet, always fostered my interest in space and spaceflight, buying their young son a telescope and sending me on astronomy courses. To them and all my sisters, I send love and thanks.

Scott Sullivan kindly supplied a selection of his astonishing computer recreations of Apollo hardware to illustrate the basic components of the spacecraft in Chapter 1. The immense visual richness of Scott's books provided some impetus for this book in the first place. I would also like to thank John Lightbody for his drawings that accompany my explanations of orbits and the state vector.

For me, Apollo 15 commander David Scott is the epitome of the Apollo lunar explorer. He has also been incredibly generous to those who have been compiling the Apollo journals. I am hugely grateful to him for his support throughout and for contributing the Foreword to this book. Other Apollo participants who were generous with their tales over the years include Al Worden, Jim Lovell; and members of mission control Gerry Griffin, Sy Liebergot and Chuck Deiterich.

All effort has been made to determine the copyright owners for the images that I have used. In those few cases where this was difficult, I have used the images anyway owing to their historic importance, and relevant copyright owners should contact me and I will be pleased to give due credit in later editions.

Any errors in the book are my own but if any are spotted, please pass them to me via my publisher. They will be considered in the event of a reprint or new edition.

Foreword

Early in the morning on 26 July 1971, the good ship *Endeavour*, and its crew of three – myself, Al Worden and Jim Irwin – departed Earth-space for the Moon with the lunar module *Falcon* in tow. Once on the lunar surface on a plain nestled at the base of Mount Hadley in the Apennine Mountains, and near the eastern rim of a sinuous rille, Jim and I were to unstow *Lunar Rover-1* and use it to explore the site. It was to be the most demanding Apollo mission to date.

The preparation for our voyage had begun 20 months earlier, with more than 100,000 people working to prepare the launch vehicle and the two spacecraft, gather equipment, provisions and instruments, and plan the Apollo 15 expedition in exhaustive detail. In fact, the planning and preparation for our mission had been so thorough that there was no doubt in our minds that we really knew "how to fly to the Moon" – and in any conceivable situation. As an example; once we had departed Earth orbit, and at any point in the mission thereafter, the crew had to be prepared to operate on their own using only the equipment and computers on board and pre-calculated manoeuvre data. For, among the many potential emergencies during such a voyage, one of the most serious was loss of communications with the Mission Control Center (MCC) in Houston; whereby the crew and their spaceship would be alone in the ocean of space, even on the surface of the Moon, miles from the lunar module (LM). (MCC actually had no 'control' over the spacecraft, and in fact we had a 'Block Uplink' switch to prevent any signals from entering the spacecraft whatsoever – remember, the spacecraft was designed during the 'Cold War' with the Soviet Union, and any interference in this vital journey could be unforgiving.)

How "we" (all 400,000 people working on the Apollo programme) prepared to fly to the Moon was so complex to often be almost overwhelming – flying to the Moon and returning to Earth (successfully that is) is very, very difficult. So, just how did we plan and prepare Apollo to fly to the Moon?

The Apollo programme could be considered the evolution of three fundamental phases – perhaps the 'ABCs' of how to fly to the Moon:

A: Adopt a method by which men could fly to the Moon and return safely.
B: Build the spacecraft and ground facilities to implement the method.
C: Create the techniques and procedures to operate the spacecraft and ground

facilities; train the flight crews and ground crews in the use of these techniques and procedures; and most importantly develop a 'flight plan' to establish the precise sequence of all of the mission activities.

A: ADOPT A METHOD

In May, 1961, after President Kennedy had challenged America to landing a man on the Moon and returning him safely to Earth, NASA soon defined three methods of achieving this objective: (1) direct ascent from the surface of the Earth to the surface of the Moon; (2) rendezvous of all of the elements in Earth orbit and then direct to the lunar surface (EOR); and (3) rendezvous in lunar orbit (LOR). In November 1962, 18 months later, LOR was announced as NASA's decision. Thus 'rendezvous' became the key to the method, though it appeared perhaps the most hazardous option at the time – we had not yet even attempted a rendezvous of any type, even in Earth orbit (the first would not be for 3½ more years), much less during an orbit around the Moon, 240,000 miles [400,000 km] away, where, on the far side, there was no ground tracking or any contact with MCC. But the LOR decision drove the design of the entire lunar landing 'system' – spacecraft (hardware and software); ground facilities, and especially the resulting complex flight operations, techniques and procedures.

To illustrate the necessary complexity of this method, we were to fly ten distinct phases of the mission, each phase operating in a different domain: (1) launch from Earth; (2) Earth orbit; (3) translunar (and later trans-Earth); (4) entry into lunar orbit (and later departure from lunar orbit); (5) operations in lunar orbit; (6) descent to the surface and landing; (7) surface operations; (8) lunar ascent; (9) lunar rendezvous; and (10) Earth re-entry.

B: BUILD THE SPACECRAFT

To traverse these domains, nine different 'vehicles' were designed and built – three stages of the giant Saturn V launch vehicle; four spacecraft modules (command module (CM), service module (SM), descent stage and ascent stage of the LM)); and on the lunar surface, the *lunar roving vehicle* (LRV) and the spacesuit and its backpack with oxygen, cooling and communications. Each of the four spacecraft modules required several systems – operating, support, and supply – including specific combinations of guidance and navigation (G&N), electrical, communications, control (rockets), environmental, sequential (pyros) and consumables (propellant, water, cooling); and each system itself consisted of several subsystems and a myriad of components.

The four spacecraft modules alone contained three navigation systems (one in the CM and two in the LM); four guidance systems (two in the CM and two in the LM) and six propulsion systems. Navigation was dependent on superb software, as each of the primary computers in the CM and the LM had only 38,000 words of memory (today's mobile phones have 2 billion words!). These essential systems had 25 modes of operation (automatic, semi-automatic and manual – for both prime and backup systems), using a total of 51 rocket engines of five different types – all of which had to be operated at precisely the correct time (the flight plan) using precisely the correct procedures and 'mission techniques'.

And simultaneously with the spacecraft, the ground 'systems' were designed and built, including a worldwide network of tracking and communications – and especially the MCC in Houston. The very complex and capable MCC in its broader sense was like a spider's web – consisting of a central hub with ever-expanding sequential 'rings' and connected through nodes like spokes on a wheel – each node was, in its own way, a 'mission control centre', and was manned by the true experts in that particular area of discipline.

The hub of this network was the mission operations control room (MOCR). Within the MOCR, the flight director supervised 14 different operating positions, or consoles, each of which was manned by one or more flight controllers (44 total active personnel during the first shift of Apollo 15). Backing up these front-line operators was the first ring of 15 'back rooms' (staff support, computer, science and communications rooms). These in turn were supported by direct links to the next ring, which comprised the other NASA field centres as well as the prime contractors, who in turn were connected to their particular subcontractors in the next ring, who in turn were linked to component suppliers and other supporting operations and elements at the outermost ring.

C: CREATE THE TECHNIQUES, PROCEDURES, AND FLIGHT PLAN

This vast assembly of systems, subsystems, components, astronauts, flight controllers, support staff, and the like, had to be tightly integrated and they had to play in harmony – just like a 100-piece orchestra. Everybody had to be on the same page, the same line, and the same note; or there would be no music. Two concepts were key to preparing this orchestra: (1) mission techniques; and (2) crew procedures.

Mission techniques. Of special significance during Apollo was the conductor of this orchestra – someone who could bring all of the instruments together, read all the music and communicate with all the 'players', someone who could lead the vast Apollo team in its preparation for the missions.

One of the key figures in NASA management, whose contribution was absolutely crucial in making sure that communication between all parts of the Apollo 'orchestra' worked in close harmony, was Howard W. Tindall, Jr, the Chief of Data Priority (otherwise known as 'mission techniques'). Bill Tindall's unique ability to get people talking and communicating clearly and openly became vital to actually using both hardware and software right across the board. His meetings were always very lively discussions, where firm decisions and commitments were made on the spot. These meetings were highly technical, deeply thought, with often very tense debates. For one of the big meetings, there were as many as 100 engineers, managers, astronauts, flight controllers, contractor representatives and other essential players. Tindall himself summarised the essence of these meetings: "In short, the primary purpose of these meetings was to make decisions, and we never hesitated!"

Bill Tindall's way of summarising the outcome of these meetings became known as 'Tindallgrams' – they became legendary. These memos were always clear, informative and succinct. But their tone was often folksy and humorous, and everybody read them, especially and fortunately senior management, for these memos represented the consensus of all of the many complex elements of Apollo; the manner in which the orchestra would play on concert day, in harmony.

Crew procedures. To implement the mission techniques, the spacecraft had to be operated in a manner that would be consistent with the results of the Data Priority decisions – the crew procedures; several volumes of step-by-step and switch-by-switch procedures for each system, each spacecraft and each phase of the mission.

Within the command module alone there were 566 switches and circuit breakers as well as 111 event indicators and warning lights. Within the lunar module there were an additional 396 switches and circuit breakers as well as 129 indicators and warning lights. All told, there were 1,202 specific 'functions' that the crew had to understand, evaluate and operate either in primary modes, backup modes, emergency modes, or trouble-shoot to determine the cause of a failure or an anomaly.

Procedures had to be developed, integrated, and tested, time and again to ensure that during the flight every action was performed in precisely the correct, and verified, sequence. Procedures were developed and verified during countless hours of simulation and training in mission simulators, procedures trainers, part-task trainers, mock-ups, other representations of actual hardware and software, and even a simulated lunar surface (the 'rock pile'). Using these procedures as well as the mission techniques, our crew of Apollo 15 (prime and backup) spent almost 8,500 hours in preparation and training for the mission.

Flight plan. The flight plan was developed as a fully integrated time line of events and activities to bring together the mission objectives, the mission techniques, and the crew procedures for each phase of the mission. It served many functions including references to the particular technique to be used, an index to checklists, the equipment to be used, spacecraft system constraints, consumables limitations, specific tasks for each member of the crew, ground tracking coverage, day–night cycles, and even eating and sleeping periods. Alternate and contingency flight plans were also included. As an example, during Apollo 15, an aggregate of 445 pieces of equipment were stowed at launch, each of which had been procedurally integrated into the flight plan.

Three months before launch, all the basic documents necessary to conduct an Apollo mission were compiled into a preliminary 'flight data file' – the flight plan, checklists, mission rules, lunar surface procedures, contingency procedures, malfunction procedures, equipment lists, time lines, systems data, G&N dictionary, CSM rescue book, maps, charts, cue cards, etc. This package was distributed to both NASA and contractor personnel – 1,300 copies in all, or a total of nearly 12 tonnes of paper! The spacecraft onboard flight data file, loaded at launch, consisted of 52 of these documents. These documents were then discussed, reviewed, corrected, revised and printed again in their entirety several days before launch.

And finally, throughout all the planning, preparation and actual flight operations, a major part of the success of the Apollo programme was its 'culture'. The special conditions and sequence of events that made Apollo a success are exemplary of the unique qualities of the Apollo programme, its people and the manner in which they behaved and worked together for a common and rewarding goal. When the programme began, people from many different organisations were assembled to work together; and each of these organisations had its own culture – and these cultures had to be blended and smoothed. Everybody was aware of the high-risk nature of this new venture, and everybody was encouraged to speak up, to express an opinion or define a concept, without fear of retribution or reprisal (although sometimes friendly ridicule would occur). For the most part, the people involved loved their work, and loved being part of this grand adventure; and they were so proud of their many contributions. And it showed, everywhere, even today – "My dad worked on the valves in the rocket engines, he was part of Apollo!"

Hardware will come and go. Software will come and go. Astronauts, cosmonauts, and whoever will come and go. But like wheels rolling on roads, and ships floating on the seas, this exceptional book describes the manner in which manned spaceships will fly to the Moon (and return!) for most likely decades to come.

David R. Scott
Commander, Apollo 15
Los Angeles, California
August 8, 2007

1

Apollo: an extraordinary adventure

THE MEANING OF APOLLO

The Apollo programme was not just a Cold War stunt, though many correctly saw it as such. Neither was it just an example of superpower posturing, though it most certainly was that too.

As is the nature of so many decisions in the human realm, America's decision to go to the Moon in the middle of the twentieth century had repercussions that were barely imagined when the President's advisers steered him towards his historic decision. In a speech on 25 May 1961, to a Joint Session of Congress on "Urgent National Needs", President John Fitzgerald Kennedy justified his goal by stating that "... no single space project in this period will be more impressive ...". Was he right? Probably. It was certainly a magnificent example of how a state-run command system can successfully fund and manage a megaproject given a conducive political environment. Ironically, this characterised the very Soviet system that America was trying to upstage when it went to the Moon, perhaps a demonstration that people are more similar than they are different.

As the programme came to its successful climax with Apollo 11 the media were filled with commentators proclaiming that such a wondrous achievement was bound to bring humanity closer together. There was a sense that this was the obvious culmination of a rising drive towards peaceful endeavours by an increasingly enlightened western society. In an interview for British television on the day after Apollo 11 reached the Moon, NASA Administrator Thomas O. Paine asked: "Why aren't our political institutions more tuned in to bringing to people around the world this great common aspiration that we all have: world peace, freedom from hunger and ignorance and disease? Why can't we do better in many of these other areas as we reach out and touch the Moon?"

In the short term, the media lost a measure of its cynicism and adopted an almost reverential tone. During the coverage of the launch of Apollo 11, veteran BBC commentator Michael Charlton spoke to the British audience while Neil Armstrong, Michael Collins and Edwin 'Buzz' Aldrin boarded the van that would take them out to their space vehicle. In solemn, awed tones, he commented, "They take with them, this morning, the good wishes and the admiration of a world of people, as Man, a species born and who has lived all his life on Earth, moves, with this journey, out into the Solar System. And so, presumably begins, with this journey, his dispersal in other places out in the Universe."

In a documentary made for the 25th anniversary of Apollo 11's achievement, one of those on the front line of the Apollo programme, Frank Borman, who orbited the Moon on Apollo 8, pointed out how the pragmatic President Kennedy, in his bid to end the Cold War, had used his ability as a wordsmith to sell a voyage to the Moon as a great endeavour for exploration. "Fiddlesticks," exclaimed Borman. "We did it to beat the Russians." In the same documentary, Armstrong's introduction suggested that as well as national posturing, other forces and impulses within the minds of the participants were driving the quest to the Moon with equal force. "The dream of venturing beyond our own planet was too powerful to resist. We wanted to explore the unknown. We wanted to push the limits of space flight."

Apollo therefore could become whatever its detractors or protagonists wanted it to be. To those scientists whose unmanned missions were shelved or commandeered for the sake of Apollo, it was a wasteful enterprise; spending vast sums where similar knowledge could be gained for much less cost. Others from the scientific community who bought into the programme for the opportunities it offered claimed that the presence of humans would greatly increase the science yield. Historian Lewis Mumford dismissed Apollo as "an escapist expedition" from a world beset by problems of malice and irrationality. In the view of economist Barbara Ward, it was a sign that humanity's destiny could be outside this planet and that the view of the Earth from space could change the thrust of human imagination to one that would lead humans to coexist better.

Apollo was undoubtedly NASA's greatest achievement, but in its very success it became a burden. NASA's funding came directly from the US government, annually allocated according to the political whims of a fickle Congress. When the political imperative behind the programme faded, NASA naturally looked around for projects that would allow it to continue to exist in the manner to which it had become accustomed – as would any maturing government bureaucracy. But there was no project that could come anywhere near Apollo's scale and expense while still carrying the political momentum needed to fund it. In the post-Apollo era, therefore, NASA sold the Space Shuttle to the American taxpayer as a new, cheaper route to the new frontier, and in the process, found themselves with an expensive, versatile 'space truck'. But the Shuttle was also fragile, and it threatened the agency's very existence each time it killed a crew, which it did twice. Apollo was a very difficult act to follow.

One of the ways NASA tried to justify its continued funding was to point out the technological spin-offs that came from the research and development that supported the quest for the Moon. Certainly, American industry learned much from Apollo in a very wide range of fields: from metallurgy to computer simulation, from electronics to fluid valve design. But the problem for those who would use spin-offs to justify further space exploration was that most of these advancements were as much tied up with the larger defence and aerospace effort being undertaken by the United States at the time, as they were with Apollo. On close inspection, it was difficult to disentangle a new technique, material or system from parallel developments in ballistic missiles or aircraft design or reconnaissance satellites. From an economic and industrial standpoint, it would be more accurate to say that a primary benefit of the billions spent on Apollo was the cash injection it gave to the US aerospace industry and the jobs and know-how that resulted. At any rate, this was part of Kennedy's motivation in setting the lunar goal.

However, unlike the shadowy exploits of the US defence community, Apollo was carried out in the open. It was a fantastic feat executed in full view of the world for its propaganda benefits, even though such a stance left NASA exposed at every failure of machine or management, or every time a crew was killed. One result of this openness was the inspiration it gave to vast numbers of children to take up careers in science and technology. On 4 October 2004, a small oddly-shaped spacecraft won the X-prize, a $10-million sum offered to the first privately financed three-man ship to rise above the internationally agreed threshold of space at an altitude of 100 kilometres, although on this occasion ballast replaced the weight of two passengers. Despite the substantial prize, no profit was made from this early effort in commercial space transport, as it relied on a $20-million investment by Paul Allen, an entrepreneur whose fortune began in the mid-1970s when he co-founded the software giant Microsoft. As a boy, he avidly watched the progress of the Mercury, Gemini and Apollo missions. "I really got enthralled [by the early space efforts of the USA], and probably more than most kids." He is just one of a collection of multimillionaire entrepreneurs from the computer and internet industries who were brought up on the dreams of Apollo and who later expressed their interest in space by investing in new, start-up commercial space efforts that may make that dream a reality for many others.

During their voyages to the Moon, Apollo crews would sometimes look out of their spacecraft windows, see Earth in the distance and take a photograph. Some have claimed that the resulting extraordinary imagery was directly responsible for the modern environmental movement, when people who were concerned about the state of the planet's biosphere pounced on images of the jewel-like Earth rising above the barren limb of the Moon, or a full-Earth image captured *en route* between the two worlds. These images have been reproduced endlessly as symbols of the fragility of our planet. They served as the opening line of the

Full Earth, as seen from Apollo 17.

green movement's clarion call, and are heavily used by corporations to display their environmental credibility. In truth, and somewhat ironically, though much was learned from the Moon, the most profound thing we discovered through Apollo was Earth itself.

In some ways, the Apollo programme was the ultimate adventure for the American people because it fed into the frontier spirit that imbues much of their society, and gave the astronauts of that era an almost god-like status. In his book, *The Right Stuff*, author Tom Wolfe described the early American space programme and its crews in terms of single combat whereby, in some ancient civilisations, battles would be pre-empted by one-on-one combat between the best warrior from each side. In the Cold War, tribal heroics between the two superpowers on Earth were being enacted, not by knights on horseback, but by men from the fighter-pilot fraternity – afterburner jet-jockeys who were willing to risk their lives for their country's prestige. These were warriors who wanted to rise to the peak of their profession's ziggurat, a pyramid of ever faster, jet-propelled aircraft reaching ever greater heights – the dangerous world of the test pilot. In this arena, where it was accepted that men would die for a worthy goal, the dawning of the space age had introduced a new peak to entice the need-for-speed hot-shots and it seemed more dangerous than ever. Through television broadcasts of early unsuccessful space attempts, the American public had witnessed the unreliability of the early rockets. They became steadfast in their admiration for men who would strap themselves to the top of these jittery, controlled bombs and be blasted into space to demonstrate their country's prowess. In Ron Howard's movie, *Apollo 13*, there is an iconic sequence leading up to a superbly rendered dramatisation of a Saturn V launch. It is no coincidence that James Horner's score for this scene is strongly reminiscent of a regal coronation. These men were being anointed – prepared to be sent to the realm of the gods for the glory of a nation.

The Moon landings eventually came to be the ultimate expression of technical competence to the extent that a cliché entered the language: If we can land a man on the Moon, why can't we . . .? Seeing the intention of Apollo as solely a demonstration of technical prowess, it became a yardstick against which the stuttering progress of the western world in other fields came to judge itself. In the light of such a dazzling display of what humans *could* do, why did real-world achievements appear tarnished, tardy and piecemeal? In truth, the world moved on to other preoccupations that equally tested human ingenuity; in particular, the rising power of the computer, increasingly fluid communications and information flow via the internet and mobile telephony. In a world that was increasingly looking in on itself, the outward-looking achievements of Apollo appeared outlandish, superficial and almost naive.

In many ways, Apollo was an aberration, a sample of twenty-first-century exploration tackled by the technology of the 1960s, brought forward by perhaps two generations by political circumstance and pushed through by the dreams and technical inventiveness of the thousands who took part.

DREAMING OF THE MOON

In the years after World War II, in the bowels of America's aeronautical research facilities, a few remarkably gifted engineers were having ideas above their station. Thinking outside the box, as we now call it, they wondered how a manned spacecraft (women were never considered) that had been blasted outside Earth's atmosphere, could possibly return without killing its crew. Two in particular, Max Faget and Owen Maynard, were formulating a plan that might just allow the challenges to be overcome – one that would bring together diverse technologies that were then maturing, and might allow the dream of space travel to be realised. Many of these technologies were also concerned with the delivery of nuclear weaponry – the most prominent examples being the liquid-fuelled rocket, the ablative heatshield and the blunt-body re-entry vehicle.

Both the USA and the Soviet Union had been familiarising themselves with rocket technology gleaned from the defeated German forces of World War II. By learning from the cadre of rocket engineers that had worked for the Nazis, both superpowers had launched vehicles either looted or built locally on the basis of German experience. It soon became apparent that these rockets would be useful carriers for the newly developed nuclear warhead, able to dispatch these weapons across large distances in a short time. Both sides in the Cold War had nuclear armaments, and both realised that in the event of an exchange, early delivery of their warheads would be crucial to national survival.

Fast delivery of nuclear weapons required development of the *intercontinental ballistic missile* (ICBM) whose long, coasting flight could cross continents in half an hour. Though this class of missile was not required to go fast enough for orbital flight, much of its flight path was spent beyond the atmosphere and one of the chief problems encountered in this arrangement was dealing with the punishing heat the payload had to endure as it re-entered the atmosphere at hypersonic speeds. After dispensing with solutions that tried to absorb the energy in a heat sink, engineers turned to the *ablative heatshield*. This was a layer of material on the outside of the warhead fabricated from materials that would *ablate* – that is, they would slowly char and burn away, protecting the bomb as it came hurtling back into the atmosphere. At the same time, the work of H. Julian Allen had shown that by forming the shape of a re-entering body into a blunt shield, the searing hot shockwave that always accompanied high-speed aerodynamics could be made to stand away from the fabric of the hull, and thus keep the hottest and most erosive gases clear of the vehicle.

Faget and Maynard investigated whether this technology could be arranged so that a person could sit inside the rocket's payload instead of a warhead, enter space and return to Earth without being roasted, chilled, asphyxiated, crushed or drowned. An early implementation of their work was the one-man Mercury spacecraft, a relatively unsophisticated capsule that let America log its first minutes and hours of manned space flight. However, even before the first such flight was attempted, engineers had begun to consider the design of a successor that could sustain a three-man crew for an extended flight in space and make a controlled descent through the

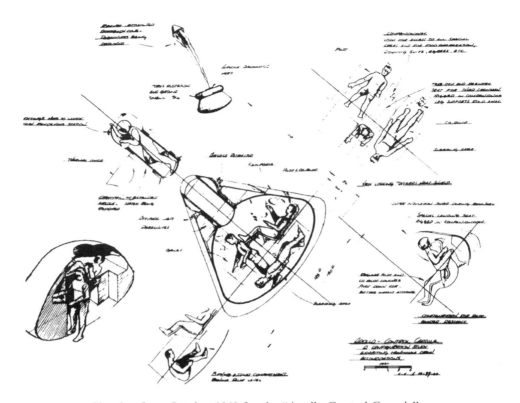

Sketches from October 1960 for the "Apollo-Control Capsule".

atmosphere to land on the ocean. Perhaps, they thought, such a spacecraft could even fly to the Moon.

The name for this spacecraft, Apollo, was coined in mid-1960 by the Director of NASA's Office of Space Flight Programs, Abe Silverstein, who delved into Greek mythology for inspiration. Apollo was the son of Zeus and had associations with Helios the Sun god. The idea of Apollo riding across the face of the Sun seemed an appropriate metaphor to Silverstein for the grand sweep of the proposed programme. Though there would be precursors to the resulting ship – namely the Mercury and Gemini spacecraft – the basic shape of the Apollo re-entry module was arrived at early on, even though it still had no mission.

In May 1961, with America having hardly dipped its toe in space with the 15-minute flight of Alan Shepard, President Kennedy proclaimed a mission for this nascent spacecraft when he challenged his country to send a man to the Moon and return him safely to his home planet, and to do so within the eight and a half years still remaining of the 1960s. Kennedy's early months as President had been troubled by the success of the Soviet Union in achieving space firsts, particularly on 12 April 1961 when Yuri Gagarin became the first person to fly in space. Further trouble with an abortive invasion of Soviet-backed Cuba made Kennedy search for something

President John F. Kennedy announces his lunar challenge to Congress on 25 May 1961.

that would raise America's profile around the world. Landing men on the Moon, a goal that people within NASA were already thinking about, and carrying it out within a deadline, seemed like an enterprise at which his country could excel. The Apollo system would be pressed into this role.

THE APOLLO SPACESHIP

Apollo was conceived as a two-part spacecraft. The three-man crew occupied the conical re-entry section, from which they controlled the mission. This *command module* (CM) carried much of the equipment the crew needed for their flight, and everything they needed for re-entry. Most of their consumables (air, water, power) and their chief means of propulsion and cooling were carried in a cylindrical section attached behind the command module's aft heatshield. This *service module* (SM) remained attached to the CM for most of the flight, the two sections acting as one spacecraft under the acronym CSM, for *command and service module*. On the return journey the SM was discarded just prior to re-entry into Earth's atmosphere. This distinctive cone-and-cylinder arrangement, with a nozzle sticking out of its aft end, became the archetypal spacecraft in the minds of many children who grew up at this time, fascinated by space flight.

Early plans envisaged taking some arrangement of the CSM all the way to the Moon's surface as part of a larger vehicle that would sport a set of landing legs to allow the combination to touch down. Although this would have been a rather

Apollo 14 CSM *Kitty Hawk* in orbit around the Moon.

unwieldy craft to land, the requirement to lift the CSM off the Moon dictated the thrust of the spacecraft's large main engine.

WHICH WAY?

Even as Kennedy announced that the Moon would be the destination for America's aerospace community, managers still had to decide how to make the trip. At first, two competing methods, or modes, were investigated, both of which had powerful advocates and detractors. A third plan struggled for attention and was often mocked.

The first plan was known as *direct ascent*, and though it appeared at first glance to be the simplest solution, it was the most audacious of all. It entailed the development of a truly monumental booster that would hurl a large spacecraft directly at the Moon without pausing in Earth orbit. This Apollo ship would carry everything needed to complete the mission and get back home; landing gear, supplies for the trip and for the lunar surface, and engines powerful enough to lower and then raise the entire vehicle from the Moon. This was a brute-force method, whose proponents argued was the simplest and easiest proposal to realise within the time allowed, avoiding complexity where possible. On the minus side, however, it would have required the *Nova*, a rocket of simply stupendous proportions to execute – one that would have dwarfed even the mighty Saturn V that was eventually built. For a time, the direct mode was championed by Robert Gilruth, leader of the Space Task Group, which was a small organisation within NASA that included Faget and Maynard and which would form the core of the Manned Spacecraft Center, now renamed as the Johnson Space Center in Houston.

Wernher von Braun beside an early
Saturn launch vehicle.

The charismatic German rocket engineer Wernher von Braun – the director of the Marshall Space Flight Center in Alabama – had different ideas. He and his team had been brought to the United States after the war and had helped the US Army to develop its first useful rockets. They then formed part of an effort to create a family of large launch vehicles collectively known as *Saturn*. While some at Marshall welcomed direct ascent and the Nova, von Braun preferred *Earth-orbit rendezvous* (EOR) believing it to be more attainable. This called for a rapid sequence of launches of the smaller Saturn vehicles to place into Earth orbit the components of the ship, where they would be assembled and sent on towards the Moon. When the launch facilities at Merritt Island near Cape Canaveral were being laid out by von Braun's compatriot Kurt Debus, EOR appeared to be the best way to achieve the lunar goal. The perceived need for launches to occur in quick succession, and the associated processing, defined the layout of the new Moon port. In the event, these capabilities would barely be brought to full use.

As engineers and designers studied the options, huge problems became evident in both of the favoured modes for getting to the Moon, and these shortcomings threatened to slip the success of the project past the deadline set by President Kennedy. A major headache was the sheer size of the Nova rocket. Building, transporting, fuelling and finally launching such a gargantuan rocket was becoming difficult to comprehend. One engineer put it in plainer terms: "It would have damn near sunk Merritt Island." Contractors had to make a start on building the launch facilities and the type of launch vehicle to be used would be crucial to their layout. One of the larger Saturn derivatives on the drawing board, the C-5, itself around 36 storeys tall, seemed to be a much more sensible solution. This vehicle was later renamed Saturn V, pronounced as 'Saturn Five'.

Both schemes envisaged sending a single large Apollo spacecraft to the Moon, and its shape and layout were proving to be an equal headache. Seated in a heavy conical Apollo command module mounted at the top of a huge rocket-powered landing stage, the crew would find that all their windows looked towards the sky when, like all pilots, they would rather look down at their approaching landing site. It slowly dawned on them that the CM's shape could hardly have been less suited to a lunar landing.

Gilruth's Space Task Group was based at NASA's aeronautical centre in Langley, Virginia at this time. Another research group at Langley, who were studying possible trajectories to the Moon, had pointed out the huge weight savings that could be made by using a lunar parking orbit within the mission. In parallel with engineers at Vought Astronautics, they devised a daring but highly efficient means of travelling to the Moon using only a single Saturn C-5 vehicle. It was this third mode that eventually won the day and became America's path to a new world.

LUNAR ORBIT RENDEZVOUS

Any journey in space is heavily influenced by the propellant available to achieve it. At the same time, the amount of propellant required is largely determined by the mass of the object that is to make the journey and how quickly the journey has to be undertaken. The alternative scheme, known as *lunar orbit rendezvous* (LOR) sought to limit the amount of mass that had to be propelled at any stage of the journey. A reduction in the quantity of propellant required for the Apollo spacecraft would also minimise the initial mass that would begin the journey and bring the entire mission within the capability of a single Saturn V.

The advantages are best understood by working backwards through a mission. The only part of the spacecraft that really needed to be propelled out of lunar orbit and returned to Earth was the heatshield-protected command module, and this defined the amount of propellant the service module would require for the task. Next, instead of taking a lot of redundant mass down to the Moon's surface and up

John Houbolt of Langley, the champion of lunar orbit rendezvous.

again, a dedicated lander would be designed specifically for the task, leaving the Apollo mothership, the CSM, with the consumables and the propellant to get home, in lunar orbit. This lander would only have to take two of the crew down to the surface, leaving the third to take care of the CSM. Moreover, there was no need for the engine, or the landing gear, or the empty tanks that had taken them down to the surface, to come back up to lunar orbit. The crew could return to the mothership in only the top part of the lander, using a smaller engine and propellant load for the task. As there would be no need to bring the remaining part of the lander back to Earth, it, too, could be discarded at the Moon. Therefore, the final propellant load for the CSM was made up by the fraction required to get the entire assemblage into lunar orbit, plus the fraction required to get itself to Earth. At every stage of the flight, only a minimum amount of mass would be accelerated, and everything else would be discarded when its function had been fulfilled.

The cumulative weight savings made the LOR scheme highly attractive in engineering and cost terms, but it caused NASA to face certain operational realities which, in the early days of space flight, seemed daunting. As with EOR, having separate spacecraft meant learning how to rendezvous in orbit when both were travelling at what were then perceived to be incredible speeds. The ships would have to join together, or dock, to allow crewmen and cargo to transfer from one craft to the other. Neither of these techniques had yet been demonstrated in Earth orbit, yet the LOR concept was calling for them to occur nearly half a million kilometres away in the lonely vicinity of the Moon. A failure of the rendezvous would doom the occupants of the lander to certain death in lunar orbit, while a failure of the docking would require crewmen to don spacesuits and manoeuvre themselves from one craft to another by going outside. At a time when no one knew what challenges the weightless environment would present to a crewman in a bulky pressure suit, this seemed to be a very risky thing to do.

Many in the burgeoning space community were aghast at the audacity of LOR. It seemed foolhardy and dangerous. However, convinced of the benefits, and with an almost religious zeal, its leading advocate, John Houbolt, drove through layers of NASA bureaucracy and the entrenched positions of its various centres, to try to convince the organisation that there was little chance of getting to the Moon, as they had been tasked, unless LOR was adopted.

NASA debated the mode issue for more than a year after Kennedy had laid down the challenge of a landing within the decade, during which time, direct ascent and its incredible Nova launch vehicle was largely discarded, leaving EOR, championed by von Braun, and LOR, which had become Gilruth's preferred option, as the competing schemes. As work on the spacecraft could not begin in earnest until the matter was settled, Joseph Shea from NASA headquarters asked each side to report on the other's scheme – a management strategy that brought von Braun around to seeing the benefits of LOR. In June 1962, at a large meeting at Marshall, NASA acceded to Houbolt's campaigning and chose LOR as the way they would get to the Moon.

With the mission mode settled, the definition, design and construction of the spacecraft could begin. The command and service modules would be built by North

American Aviation. These craft were already well into their initial development, but their role could now be precisely defined; there being no need for a landing stage on the SM, for example. Major components for the SM had already been designed. It was decided to leave the thrust of its propulsion system at its original design value and take this into account in mission planning. Two versions of the CSM would be built. Block I would be incapable of supporting a mission to the Moon, but would allow procedures to be practised and experience to be gained in Earth orbit until Block II spacecraft became operational. The Block II would be the Moonship proper. Complete with fuel cells for power, hardware for docking, deep-space communications and a fully capable guidance and navigation system, the Block II CSM would be the linchpin in the Apollo story, delivering a spidery landing craft to another world. In a sense, the CSM was a mini-planet, providing everything three men would need for two weeks in space while taking them on a journey that had been a dream of humans over the ages. In the event, the design of the Block II would be forged in the lessons learned from the fatal flaws that would prevent the Block I from flying a manned mission.

EQUIPMENT

The Apollo spacecraft

The command module was a stubby, conical craft almost entirely covered with a heatshield that was thickest across its base to sustain most of the punishment of re-entry. The outer rim of the cone was packed with small tanks, thrusters, various antennae and two small ports for the ejection of waste water and urine. The apex of the cone had a removable probe mechanism to enable it to dock with the Apollo lander and a tunnel through which the crew could transfer between the two spacecraft. Parachutes were carefully packed around the outside of this tunnel, along with other paraphernalia of the Earth landing system.

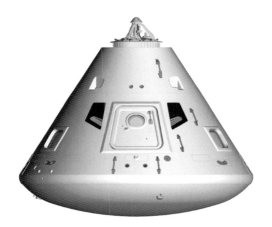

Computer rendering of the Apollo command module. (Image courtesy of Scott Sullivan.)

The main bulk of the CM's volume was taken up by the pressure hull which accommodated three crew members and much of their electronic equipment. For lightness, the hull was constructed from two layers of aluminium sheet with an aluminium honeycomb in between. During launch and re-entry, the crew lay on couches with their backs to the aft of the spacecraft. In general, though not exclusively, at the time of launch the commander

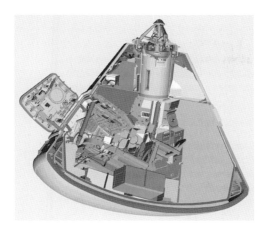

Cutaway of the command module interior. (Image courtesy of Scott Sullivan.)

occupied the left couch for access to most of the flight instruments; the *lunar module pilot* (LMP) took the right couch and took responsibility for the spacecraft's systems, as this was where many of the relevant switches and displays were located; and the *command module pilot* (CMP) had the middle seat, with his head next to the spacecraft hatch. For major manoeuvres in space, the CMP occupied the left seat. Directly in front of the crew and ranged around the entrance to the tunnel was the main display console – a vast panel of some 400 knobs, switches, meters and displays with which most of the flying of the spacecraft was achieved, in association with various hand controllers that sprouted from the ends of armrests. Above the console, in the eye-lines of the commander and LMP, were two small forward-facing windows. Other panels, windows and compartments were arranged around the crew. In particular, at the CMP's feet was the lower equipment bay which included all the gear he would need to navigate the spacecraft, a task for which he was responsible.

Attached to the rear of the CM was the cylindrical SM that supplied most of the consumables; electrical power, water, air and cooling. It also carried an array of parabolic antennae for deep-space communication, thrusters for attitude control and the spacecraft's main means of propulsion, an ultra-reliable *service propulsion system* (SPS) engine that protruded from its rear. This engine took the crew into orbit around the Moon and, when their exploration had been completed, sent them back towards Earth. Most of the service module's bulk was taken up with four large tanks that carried over 16 tonnes of propellant for this engine. Smaller tanks of oxygen and hydrogen provided the reactants for three fuel cells where a little chemical magic combined these elements to

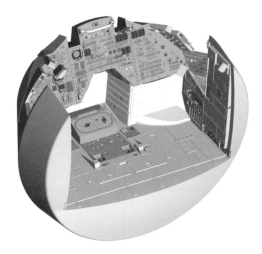

Computer rendering of the command module instrument layout. (Image courtesy of Scott Sullivan.)

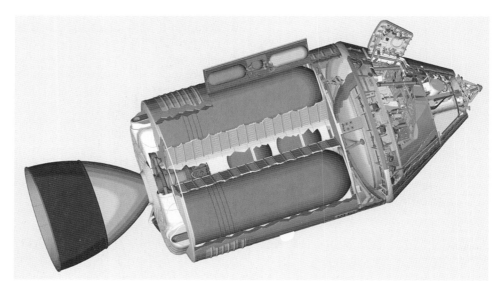

Cutaway of the CSM interior. (Image courtesy of Scott Sullivan.)

provide the crew with not only electrical power, but also water good enough to drink. The oxygen tanks also supplied the CM's cabin air.

The Apollo lander

The CSM was a streamlined and sturdy craft, designed to ascend through the atmosphere of Earth, and, in the case of the command module, withstand a punishing re-entry. In complete contrast, the lunar lander was a true spacecraft because it was entirely incapable of flight in an atmosphere.

Known as the *lunar module* (LM), its construction was entrusted to the Grumman Aircraft Engineering Corporation. This was a truly exotic ship in which every aspect of its major systems pushed the know-how of the engineers who designed it. When originally conceived, it was called the *lunar excursion module* and therefore received the acronym LEM. However, managers decided in 1965 that the use of *excursion* was too flippant as it suggested that the crews were going on a vacation. The name was shortened to *lunar module* but the pronunciation as 'lem' stuck.

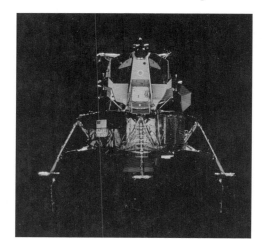

Orion, the Apollo 16 LM, prior to its descent to the lunar surface.

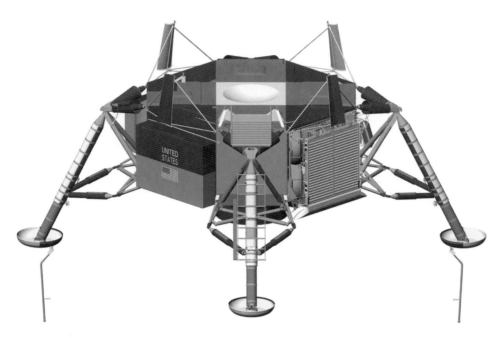

Computer rendering of the LM descent stage. (Image courtesy of Scott Sullivan.)

The LM needed to be sturdy enough to withstand the acceleration and vibration of a launch from Earth and the shock from a rough landing on the lunar surface. It also had to be as light as could humanly be achieved in order not to outweigh the ability of both the Saturn V and the CSM to deliver it to lunar orbit. Its largest engine had to be throttleable to provide adequate control of the astronauts' descent to the surface of another world without the aid of wings or runways. Its flight path was controlled by two small computers in an age when entire floors of buildings were given over to such machines. Its propellant systems operated at extreme pressures, yet its engines had to be completely reliable.

Prior to Apollo, no one had dealt with the realities of designing a lunar module which meant that Grumman could start with a clean sheet, but even before they won the LM contract, their engineers had produced preliminary designs. They then worked through a number of iterations before settling on the final design. The idea of the LM being a two-part craft was adopted immediately as an essential requirement of the LOR concept. It operated as one vehicle until the moment of departure from the lunar surface. The form and layout of less fundamental aspects of the LM, like the number of legs and the seating arrangements, required some extra thought. Three legs would have been the lightest arrangement and most adaptable to an undulating terrain, but a failure of any leg would be bad news. Five legs provided excellent stability and safety but the layout conflicted with the arrangement of the tanks for the propellant, and would have necessitated more structure and more mass. Four legs proved to be a suitable compromise. The lower or *descent stage* was a cross-frame carrying an engine in its centre surrounded by four propellant tanks. At each end of the cross-frame, a landing leg was mounted, one of which included a ladder. The bays of the frame between the landing gear were used as stores for the equipment the crews would need when their roles changed from that of spacecraft pilots to lunar explorers, and, on later flights, would provide somewhere to carry a fold-up electric car.

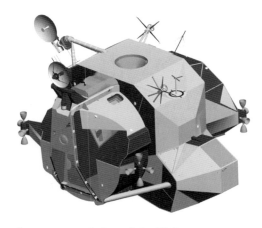

Computer rendering of the LM ascent stage. (Image courtesy of Scott Sullivan.)

The upper stage of the LM was the crew quarters. Since it would lift the crew off the Moon, it was known as the *ascent stage*. A pair of propellant tanks protruded like cheeks on either side of a horizontally mounted cylindrical pressure hull, and a small rocket engine was set in the centre of the stage. Early designs for the cockpit included seats and large, high-visibility windows, as in a helicopter. In spacecraft design, there is a tendency for the mass of a spacecraft to rise as engineers go from initial concepts and estimates to final hardware. The Apollo LM could not afford such increases and the constant pressure to minimise the spacecraft's mass continued up to and beyond its first successful mission. Engineers conceived the innovative idea of removing the seats because they realised that a crewman's legs would make excellent shock absorbers for the low g-forces encountered during descent. Also, in the low gravity of the Moon, standing would be effortless. This change had a profound effect on the layout of the ascent stage. Had the crew been seated, their heads would have been placed well away from the windows, entailing huge areas of heavy glass to give an adequate field of view. A better solution was to have the two crewmen stand close to the front wall of the spacecraft where they could look out of two small downward-tilted triangular windows from which they could see an approaching landing site and steer towards it. This arrangement saved a large amount of mass. Major electronics systems were placed to the rear to balance the crew, quad packages of thrusters were placed at each corner for attitude control, and a collection of antennae were mounted on the roof, where function dictated. The result was a remarkable manned spacecraft that was perhaps aesthetically ugly, yet perfectly designed for the function it had to perform.

The launch escape system
When the spacecraft was sitting on top of the Saturn V, it included one extra element of the Apollo system that everyone hoped would never be used. If it had, it would have been a particularly bad day for all involved. Attached to the tip of the CM was a truss structure upon which was mounted a thin, pencil-like tower which included a

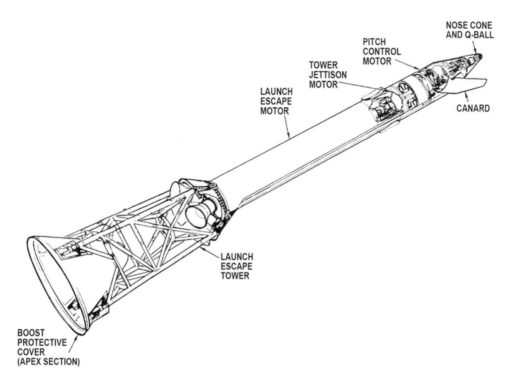

NOSE CONE
AND Q-BALL

PITCH
CONTROL
MOTOR

TOWER
JETTISON
MOTOR

LAUNCH
ESCAPE
MOTOR

CANARD

LAUNCH
ESCAPE
TOWER

BOOST
PROTECTIVE
COVER
(APEX SECTION)

Diagram of the launch escape system.

powerful solid-fuelled rocket motor. This was the *launch escape system* (LES). Wrapped around the shiny surface of the command module was a fibreglass and cork shroud, called the *boost protective cover* (BPC), which shielded the CM from the heat of friction with the air during the first 3 minutes of a nominal ascent, and from the blast of exhaust from the rocket mounted just above, if this were to be used.

If a mishap had occurred with the Saturn V, this motor would have burned for just 8 seconds, but it would have produced a force equivalent to 66 tonnes weight and an acceleration in excess of 7 *g* that would whip the CM and its crew away from a wayward Saturn. The motor's exhaust exited through four nozzles that were canted to the side to direct its blast away from the spacecraft. If the launch was normal and the launch escape system was not needed, then after the first 3 ½ minutes another smaller rocket motor near the top of the tower pulled away the launch escape system, including the boost protective cover, to fall into the Atlantic Ocean.

SWORDS TO PLOUGHSHARES: VON BRAUN'S ROCKETS

Despite the weight advantages that were gained from the adoption of the lunar orbit rendezvous concept, an Apollo spacecraft and lander were still a huge mass to lift off Earth and send to the Moon, and a very special rocket would be needed for the task.

In every way, the Saturn V epitomised the sheer audacity of the Moon programme. It was big – in size, thrust and weight; it required huge facilities to build, test, transport and launch; and its engines consumed massive quantities of propellant at a prodigious rate. It also demanded fine, subtle control of the enormous forces it produced, and it stretched the will of NASA even to conceive of it. The fact that they did was perhaps because, at the outset, its designers had proposed an even larger vehicle. In comparison, the Saturn V may have seemed relatively straightforward but when the time came to turn ideas to reality, its procurement strained the US aerospace industry every bit as much as the spacecraft it carried.

The lineage of the Saturn V led back to a pre-war German amateur rocketry club, the VfR (*Verein für Raumschiffahrt* or *Society for Space Travel*) where a young Wernher von Braun first shone as a gifted rocket engineer and motivator of men. As Germany armed itself for an assault on Europe, its military, denied conventional long-range artillery by the Versailles treaty, took an interest in the successes of the VfR and how its new rocket technology could be applied to sending warheads towards an enemy.

Von Braun headed a group of engineers based at Peenemünde, a peninsula on the large island of Usedom on Germany's Baltic coast, where his A-4 rocket, fuelled by alcohol and liquid oxygen, was developed. Towards the end of the war, conventional warheads were installed atop the A-4 and the rocket was renamed the V-2 or *Vergeltungswaffe 2* (*Vengence 2*) by the German propaganda ministry. An explosion in Chiswick, London, on 8 September 1944, signalled the first use of the V-2 as a terror weapon. Subsequently, thousands of these rockets, built largely by slave labour under the control of the notorious German secret service (the SS) were launched in the last months of the war in a last-ditch attempt to ruin the morale of the British population.

As the Allied forces marched across Europe in the war's final days, teams of intelligence specialists searched for useful military technology. Von Braun knew that the knowledge and experience of his engineers would be a great prize for whichever Allied power reached them first. The Soviets were closer but he preferred the western option, and arranged for his team to surrender themselves to the American forces. Additionally, he helped his captors to retrieve hardware and documents that would prove useful to them. Though he shamelessly used the military as a means to develop his rocket, von Braun had something else on his mind – space travel.

In 1956, the US Department of Defense made the US Air Force responsible for procuring the country's long-range missiles. Over the succeeding years, the USAF and the companies that worked for it developed the Atlas, Thor and Titan missiles. In the meantime, von Braun's group, still part of the US Army – initially based at the White Sands Proving Ground in New Mexico but now at the Army Ballistic Missile Agency in Huntsville, Alabama – had already devised the Redstone and Jupiter missiles. The former was America's first rocket capable of sending a payload into orbit. After the Soviet Union started the space race by launching *Sputnik* on 4

October 1957, von Braun's Juno I rocket (a Redstone with solid-fuelled upper stages) countered for America by placing the more scientifically useful *Explorer I* into high orbit. However, rockets were inextricably tied up with the nuclear weapons they were designed to carry, and since, by now, America could build lightweight nuclear devices, its military rockets tended to be lower powered and less useful as lifting vehicles for spacecraft. Soviet nuclear weapons, on the other hand, were large, heavy affairs, and therefore their rockets had to be relatively powerful, giving them greater capability as space vehicles. Realising this shortcoming, von Braun's team first added solid-fuelled rockets to the top of their Jupiter missile, which was essentially a scaled-up Redstone, to make the Juno II space launcher, then moved onto the development of a heavy-lift booster specifically for space use. Initially designated the Super Jupiter, this booster would cluster first-stage engines and tanks to achieve the desired thrust. This project evolved into the Saturn. As early Saturn development continued into 1960, von Braun's team found themselves transferred to NASA with, at last, a civilian role for their rockets. Their facilities in Huntsville became the Marshall Space Flight Center, with von Braun as its director. Once President Kennedy's lunar goal had been set, the development of the Saturn rockets became part of the civilian space effort, with their final design being firmly linked to the needs of the Apollo spacecraft they would carry.

Though an entire family of launchers were envisaged, only three Saturn rockets came out of the programme. The Saturn I was primarily a development series that proved the concepts of engine clustering in order to achieve high thrust levels as well as testing early Apollo hardware. The Saturn IB used an improved form of the first stage and made use of a new, highly efficient rocket stage, the S-IVB, which was manufactured by the McDonnell Douglas Company. This stage would be crucial to the Apollo programme. It formed the third stage of the Saturn V, in which role it would provide the final impetus to take all NASA's manned spacecraft to the Moon. In the Saturn IB, the S-IVB was a second stage in a man-rated vehicle that could take either a CSM or a LM, but not both, to Earth orbit. The big member of the Saturn family of launchers was the Saturn V, so-called because, in von Braun's mind, there were three paper configurations after the Saturn I that were never built. In truth, as NASA's early plans shifted, there were many configurations that were put on paper to match machines to missions. Many of these used varying quantities of two engines that were being developed, the F-1 and the J-2, but it was the iconic Saturn V, which could lift both the CSM and the LM, that utilised them to fulfil the lunar goal.

The F-1: a brutal machine
The F-1 rocket engine is still the most powerful liquid-fuelled engine ever built, although the Russian-designed RD-170 that came a generation later approaches its output with greater efficiency. The F-1 began as an Air Force programme in 1955, which NASA then nurtured for its bigger missions. It was ideal as an engine for a first-stage cluster in a huge booster owing to its prodigious power, but its gestation was as difficult as any in the Apollo/Saturn story. In operation, a single engine consumed 3 tonnes of kerosene and liquid oxygen every second and produced a force that could balance 680 tonnes of mass. It soon became obvious to its developers that

simply scaling up the design of contemporary engines was not going to work. Injecting so much propellant into a huge 90-centimetre chamber often led to brutal combustion instability that destroyed engine after engine. It took nearly five years of trial and error for engineers at the Rocketdyne company to tame the F-1 to the point where a small bomb could be ignited within its combustion chamber and the resultant instability would dampen itself out within half a second.

The J-2: a high-energy engine

While the F-1 used conventional kerosene-type fuel, the J-2 improved its performance through the use of relatively exotic liquid hydrogen, which nearly doubled its efficiency. Despite being more efficient, it could not match the raw power levels attained by the F-1, making it more suitable for an upper stage. A single engine could balance over 100 tonnes and it could be restarted in space. It traced its origins to work done in the 1950s to create a hydrogen-burning rocket engine but its development funding came solely from NASA who wanted the inherent benefits of hydrogen applied to its Saturn vehicles.

The Saturn V

Engineers at Marshall worked through a series of potential configurations available to them and finally arrived at a super-booster that would have the capability to complete an Earth-orbital-rendezvous mission with two launches, or a lunar-orbital-rendezvous mission with only one – the Saturn V. Including the Apollo spacecraft and launch escape system on top, it was a 110-metre-tall behemoth, designed as a three-stage rocket. The manufacture of each stage was handed out to a different company after an often acrimonious tendering process with every part of the production carefully monitored by NASA's engineers. Each stage differed in size and power and each presented unique difficulties for its designers.

The first stage: S-IC – Raw power

Although the S-IC (pronounced s-one-c) was the largest of the Saturn V stages, its

Five F-1 engines at the base of an S-IC first stage.

manufacturer, Boeing, had relatively few problems. The design was conservative and largely a straightforward stretching of then current technologies. To lift the Saturn V's 3,000 tonnes, five F-1 engines were brought together at the S-IC's base. Steering was provided by mounting the four outer engines on gimbals. Signals from the rocket's guidance system aimed them very precisely, directing their great force in the direction required to send the space vehicle where it was intended to go. The rest of the stage's 42-metre length comprised two huge tanks, each 10 metres across, stacked one above the other. Over 800,000 litres of refined kerosene fuel called RP-1, similar to that used in jet aircraft, sat in the lower tank, while the larger tank above carried 1.3 million litres of very cold liquid oxygen (LOX) – a cryogenic propellant whose temperature had to be less than minus 183°C to render it liquid. Although these LOX tanks were huge, it was said that not as much as the residue from a fingerprint was permitted to be left on their interiors for fear of causing an explosion when LOX was pumped into them. Five enormous insulated ducts from the LOX tank ran down through the fuel tank to feed oxidiser to the five engines.

Apollo 8's first stage during stacking at Kennedy Space Center.

Despite its dominance of the Saturn V's profile, the S-IC's contribution to an Apollo flight lasted a little over 2½ minutes before it was cast away to fall into the Atlantic Ocean 650 kilometres from the launch pad, where 13 S-ICs now litter the sea floor.

The third stage: S-IVB – Extremes of temperature

The smallest stage of the Saturn V was the S-IVB (pronounced s-four-b), and was the earliest to fly. McDonnell Douglas had already been building them as the second stage of the Saturn IB rocket and little modification was needed to make it work with the rest of the Saturn V stack. It used the high-energy combination of liquid hydrogen and oxygen burning in a single restartable J-2 engine.

Liquid hydrogen is another cryogenic propellant, although in this case, it had to be brought down to 20 K, only 20 degrees above absolute zero, or minus 253°C, to become liquid. Rather than having two separate tanks requiring a heavy support structure between them, mass was saved by fabricating one huge tank for both cryogenic propellants with an insulated bulkhead separating the LOX in the lower, ellipsoidal compartment from the liquid hydrogen in the upper section. As materials can have odd properties at these extremely low temperatures, insulation was painstakingly applied to the tank's interior in the form of carefully machined blocks to protect the tank's aluminium skin. Including the conical interstage that joined it to the rest of the vehicle, the overall length of the stage was 18 metres with a 6.6-metre-diameter tank section.

The second stage: S-II – A difficult birth

The S-II (pronounced s-two) stage was the last of the Saturn's three stages to be

Apollo 12's S-IVB stage during transportation on a Super Guppy aircraft.

developed, and while the other two stages faced formidable engineering problems, neither caused the headaches that the S-II brought onto managers at NASA and North American Aviation, the company that won the contract to build it. The stage not only had to carry cryogenic propellants, it was large, matching the 10-metre diameter of the S-IC, and was nearly 25 metres long. Additionally, because the other two stages were much further along in their design cycles, there was a tendency for mass reductions to be demanded from the S-II. The decreasing mass of the stage during development led to the destruction of two stages during testing and, for a while, the S-II became the pacing item in the race for the Moon. Scathing reports on the management style of North American – which was building the S-II as well as the Apollo spacecraft – came close to ending the Apollo programme in the wake of the Apollo 1 tragedy.

Apollo 10's S-II stage about to be stacked as part of the launch vehicle.

At first glance, the S-II is like a very large S-IVB, sharing the same basic tank design. However, North American chose to save further weight by fabricating the tank walls from metal alloys that actually gained in strength when chilled by liquid hydrogen. This, however, required insulation to be added to the outside, which was a difficult task when the adhesive had to work at 20 K. Gaps between the insulation and the tank wall could not be tolerated in case the air within froze and caused the panels to loosen or fall off. Eventually, an arrangement of grooves within the insulation was implemented which was purged with helium (which would not freeze as air would) throughout the loading of the fuel. The stage carried five non-restartable J-2 engines which produced a combined thrust that could balance 520 tonnes.

The instrument unit for Apollo 17 during stacking operations.

Instrument unit: the mind of the machine

One of the fortuitous design choices made by the Apollo/Saturn engineers was that the rocket ought to depend, in the first instance, on its own autonomous guidance system rather than being controlled by the spacecraft's guidance system. All the equipment required to steer the vehicle was installed within the instrument unit, a 6.6-metre annular ring positioned atop the S-IVB that extended the height of the vehicle by 1 metre. Both the Saturn IB and Saturn V had an instrument unit that carried all its equipment mounted around the inside. This included a digital computer, a stabilised guidance platform, the sequencers, etc., that were needed to control the entire launch and the ascent to orbit. Arrangements were also made to allow the Apollo spacecraft to control the Saturn V in case of failure.

The Apollo 12 flight of November 1969 vindicated the engineers' decision when lightning hit the ascending vehicle shortly after launch. The guidance system in the command module was temporarily knocked out by the surge of current, yet the Saturn continued on its way under the control of its instrument unit, giving mission control and the crew time to recover from the disruption. Had the spacecraft's systems been in control, the vehicle would have gone awry and the mission surely aborted by firing the LES motor.

Saturn's legacy

American companies learned a lot from building the Saturn; it was experience that was applied to the other fleets of rockets they built – the advanced versions of the Atlas, Delta and Titan families. However, it took over 30 years for these expendable rockets to match even the thrust of the Saturn IB, itself only as powerful as a single F-1 engine on the base of a Saturn V. After Apollo, America's heavy lift capability was entrusted to the Space Shuttle, which could match the lift-off thrust of the Saturn V but only by the dangerous expedient of employing massive solid-fuelled boosters that tragically constrained the spacecraft's safety during ascent.

It is debatable whether the Shuttle system was a more cost-effective means of lifting large payloads into space. However, not only did the Saturn never kill anyone as it roared into space, it also gave crews survivable options to escape from serious mishap at every stage of its flight. Yet, despite its spectacular success, the remaining Saturn V stages now hang as museum pieces or as lawn ornaments at various NASA centres while exquisitely built F-1 and J-2 engines sit out in the Florida rain to be poked and prodded by curious tourists. One day they will be joined by the surviving Shuttles.

2

The Apollo flights: a brief history

AN ALPHABET OF MISSIONS

Owen Maynard, one of the engineers who had been designing manned spacecraft for
NASA from the beginning, reduced the task of reaching the Moon to a series of
missions that, one by one, would push Apollo's capability all the way to the lunar
surface. These missions were assigned letters of the alphabet: A, B, C, etc. Managers
believed that if the lunar goal was to be realised, each of these preliminary missions
would have to be successfully flown – more than once if necessary – before the
subsequent mission could be attempted.

The A-mission would be an unmanned test of the Saturn V rocket to rate it for
manned flight and test the ability of the Apollo command module to re-enter safely;
the B-mission would take an unmanned lunar module up for a workout on a Saturn
IB launch vehicle; the C-mission would be an Earth orbital test of the CSM with a
crew, again using the Saturn IB; and the D-mission would be a full manned test, in
Earth orbit, of the CSM and LM Apollo system, launched by a Saturn V.

NASA would then begin to move away from the Earth. The E-mission would be
another full test of both spacecraft, this time taking an orbit that would go much
higher than any manned spacecraft had gone previously, testing the combination
away from Earth where navigation, thermal control and communications would be
different. The F-mission would be a full dress rehearsal of a flight to the Moon,
carrying out every manoeuvre except the actual landing. This would give crews in the
spacecraft and the people in mission control their first operational experience of
lunar orbit. The first landing was designated the G-mission, whose goal would not
extend much beyond the landing, as its crew would take only one short walk on the
Moon's surface.

Three further mission types were later envisaged by the planners. The H-mission
would maximise the capabilities of the basic lander to allow a crew to make two
forays outside the lunar module on foot, and to deploy a suite of science instruments
on the surface. The I-mission, which was never flown, would have used only the
CSM for a month-long stay in lunar orbit. Cameras and other remote-sensing

instruments built into the side of the service module, or an instrumented module docked onto the CSM, would have mapped the entire Moon. The final mission type to enter the planners' lexicon was the J-mission, which would use an uprated Saturn V and LM to extend surface operations to three days. In the event, a little electric car would be added to allow its crew to venture much further around the landing site and explore areas with multiple scientific objectives. Because the bulk of this book deals with the steps involved in flying to the Moon, the following is a résumé of what each flight achieved.

Across two hectic years of 1965 and 1966, the highly successful Gemini programme taught NASA the fundamentals of spaceflight. Ten increasingly ambitious flights were launched at two-monthly intervals, each tasked with testing some technique that would be central to Apollo – controlled re-entry, rendezvous, docking, spacewalking and long-duration flights being among its achievements. It placed America ahead in the space race for the first time. As 'Go-fever' gripped the programme, NASA looked forward to getting the Apollo programme flying in the new year of 1967.

FAILURE OF IMAGINATION

In the early years of the space programme, America had lagged behind the Soviet Union in the lifting ability of their launch vehicles. Attempts to lighten payloads became habitual as the American space industry strove to maximise space-craft capability within the constraints of the available rockets. One decision to save weight would have tragic consequences for what was to have been the first manned Apollo mission.

On Earth, the atmosphere consists of four-fifths nitrogen and one fifth oxygen, the latter being the gas necessary to sustain life. To save the substantial mass of the equipment required to supply two gases in a manned spacecraft, NASA decided that the cabins in its spacecraft would be filled with 100 per cent oxygen, but at a lower pressure to ensure that the crew received only the concentration of oxygen molecules to which

CM-012 scorched by the intense heat from its internal conflagration.

their lungs had been accustomed. This arrangement worked well throughout the Mercury and Gemini programmes. As the first Apollo crew prepared for the first test flight of the command and service module, this single-gas decision nearly ended the programme.

On 27 January 1967, the AS-204 mission, so designated because it was to use the fourth vehicle in the Saturn IB series, but informally dubbed Apollo 1, was three weeks away from its planned launch. The Apollo spacecraft, CSM number 012, was a Block I type and was sitting on top of an unfuelled launch vehicle. Its crew of three were strapped in for a 'plugs out' countdown simulation whereby the entire stack's ability to function on its own power would be tested. Its cabin had been overpressurised with pure oxygen in order to test for leaks, as had been done in ground tests for the Mercury and Gemini programmes. Five and a half hours into a simulated countdown that had made only halting progress, a fire began near the commander's feet. In the super-oxygenated environment, it quickly grew into an intense conflagration that ruptured the hull of the spacecraft and asphyxiated the three crewmen – Gus Grissom, Ed White and Roger Chaffee.

NASA sustained heavy criticism from the press and political classes for this tragedy. Some of the blame landed on the spacecraft's manufacturer, North American Aviation, with accusations of sloppy workmanship. North American rebutted, pointing out that as it tried to build the spacecraft, NASA had insisted on interfering with the process by ordering a succession of changes. During congressional hearings on the fire, Frank Borman appealed for support from the lawmakers. "We are confident in our management, our engineering and ourselves. I think the question is: are you confident in us?"

NASA learned many lessons from this accident and applied them to the rest of the Apollo programme. Some commentators have said that there was a very real possibility that, had the fire not occurred, NASA would never have realised its lunar dream because the shock of the deaths spurred all those involved with the programme, especially at NASA and North American, to make the Block II spacecraft into the great spacefaring ship it became. Without the changes brought about by the tragedy, casualties may have occurred later in the programme, possibly in space. At the very least, the development problems of the Block I Apollo spacecraft that were brought into sharp focus by the tragedy would probably have crippled the programme at a later stage.

Although NASA wanted to keep this unflown mission's name as AS-204, it acceded to the widows' requests that the name Apollo 1 be reserved for their dead husbands' flight. Apollos 2 and 3 never existed, lost within the memos of NASA's bureaucracy relating to missions that would have flown later in 1967 if the fire had not prompted their cancellation.

Meanwhile, a few months after the Apollo fire the Soviet Union lost its first cosmonaut, testing the new Soyuz spacecraft, which set back that nation's race to the Moon.

BACK IN THE SADDLE: APOLLO 4

NASA resumed their Apollo operations on 9 November 1967 with the A-mission, the first unmanned flight of the Saturn V launch vehicle, as Apollo 4. As so often happens with new, complex systems, getting this vehicle ready for flight proved to be a slow, difficult affair. Its Block I spacecraft, CSM-017, had to be modified in the light of the investigation into the AS-204 fire, and its S-II second stage caused headaches by repeatedly exhibiting cracks during inspections.

The Saturn V launch vehicle turned the normal procedures of rocket development upside down. Traditionally, engineers would follow a careful, progressive programme of testing a rocket stage to ensure that it worked before setting another stage on top, and testing that. To test the entire configuration at once – so-called *all-up* testing – was deemed too risky. However, when George Mueller became head of NASA's Office of Manned Space Flight in 1963, he argued that this incremental approach to testing rocket stages not only wasted expensive flight-capable stages, it also wasted precious time. He ordered that the engineering and ground testing of the rocket's components should be of such a quality that all stages of the vehicle could be flight tested at the same time. Apollo 4 would prove to be a triumphant vindication of his methods.

When it finally launched, a noise like none that had ever been heard before across Cape Canaveral blew away much of the pessimism from the spacecraft fire. As the acoustic and thermal energy was enough to cause substantial damage to the launch tower, NASA had subsequently to make modifications to the launch pads in order to suppress the extreme conditions.

As well as testing the entire rocket system, Apollo 4 placed its CSM payload into a high ballistic arc from where the SPS engine powered the

The launch of Apollo 4, the first flight of the Saturn V.

command module into a high-speed dive into the atmosphere to test its heatshield by re-entering at the speed it would have if it were returning from the Moon. The CM was recovered for analysis in the Pacific after an 8½-hour flight that, in all important respects, was a complete success.

THE LUNAR MODULE FLIES: APOLLO 5

Launched on 22 January 1968, Apollo 5 is the flight that history treats almost as a footnote. It was neither manned nor did it have the remarkable Saturn V as its launch vehicle. It used the AS-204 launch vehicle that had been intended to lift Apollo 1, but it is important to the story as it tested the first Apollo lunar module, LM-1, and was the B-mission in the planners' minds. The test allowed engineers to verify the lunar module's structure and its response to the launch environment, and it gave them their first opportunity to test the spacecraft's two engines in the space environment.

In the case of the ascent engine, it was NASA's first opportunity to try out a fire-in-the-hole burn when they ignited the ascent engine just as the descent stage was being jettisoned. In their effort to give crews the best possible chance of escape from any reasonable failure of equipment, the LM's designers planned that if the descent engine should fail while a crew were descending to the Moon, the ascent engine should fire and lift the crew back to the safety of an orbit. For this to happen, its engine would have to ignite while the descent stage was still attached beneath it, literally a fire in the hole. Despite some problems, the legless module successfully demonstrated everything that was asked of it, and a second B-mission was cancelled. The second test lander, LM-2, therefore became an exhibit at the National Air and Space Museum in Washington DC where it rests to this day. The next spacecraft to fly, LM-3, would be entrusted with the lives of two men.

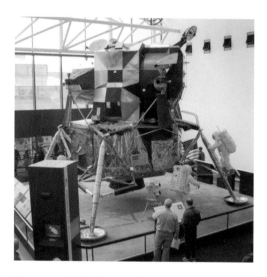

The unused, flight capable LM-2, now at the National Air and Space Museum, Washington DC.

THE SATURN BALKS: APOLLO 6

By the spring of 1968, with two flights successfully completed, the Apollo programme seemed to be hitting its stride. It had demonstrated that the Saturn V worked, the command module had survived its high-speed re-entry, and an early version of the lunar module had been flown successfully. NASA wanted to further prove the Saturn V before declaring it fit to carry astronauts, so a second A-mission was ordered. This flight was Apollo 6 and, once again, the results threatened to stop the programme in its tracks.

After a successful launch on 4 April 1968, the first minute of flight was trouble-free, but towards the end of the S-IC's flight, the first problem appeared. Rockets have always been prone to vibrations along their length, but for about ten seconds immediately before the first stage completed its task, the backwards and forwards shaking of the entire vehicle (known as pogo) became alarming. Meanwhile, at the front end of the rocket, the conical aerodynamic shroud that would normally protect a lunar module (but not carried in this case) was losing chunks of its outer surface. Since this section had to support the mass of the CSM multiplied by the *g*-forces of acceleration, its structural integrity was of some concern.

Halfway through the flight of the S-II stage, one of its five J-2 engines began to falter, which prompted the instrument unit to shut it down. As it did so, another engine also promptly shut down, causing the thrust from the other three to be applied asymmetrically to the stage. Considering that the Saturn's control system had not been programmed to deal with a two-engine failure, it did a remarkably good job of compensating for the off-axis thrust and burned the remaining engines for longer on the residual propellant. The first burn of the S-IVB third stage successfully put the vehicle in orbit, but a subsequent command to restart the engine failed. Some of the flight's objectives had been met, but if the problems could not be fixed, NASA would not dare to put men on top of the next Saturn V, as was being considered instead of flying a third test.

In the event, engineers managed to find solutions for all these problems. The first stage vibrations were suppressed by the addition of helium gas to cavities in the LOX feed lines, which damped out pressure oscillations. Elaborate tests on the J-2 engine discovered a design fault in a liquid hydrogen fuel line that not only led to the shutdown of one of the engines on the S-II, but also prevented the engine on the S-IVB from restarting. Compounding the S-II problem, a wiring error had sent the shutdown command from the Saturn's instrument unit to the wrong engine, shutting it down unnecessarily. The aerodynamic shroud had failed because trapped moisture and air within its cork insulation had expanded owing to frictional atmospheric heating as the rocket went supersonic, causing the skin to peel away in sheets. This problem was cured by making small vent holes in the shroud's skin.

The launch vehicle issues apart, the CSM-020 spacecraft it carried performed as planned, making several remote-controlled manoeuvres that ended with splashdown in the Pacific Ocean. Preparations for Apollo 7 continued because it would use a Saturn IB launch vehicle. If it was successful, managers decided that the third Saturn V could indeed carry a crew.

TESTING THE BLOCK II: APOLLO 7

The Apollo programme became a juggernaut towards the end of 1968 as flights began lifting off every two to three months in the race to achieve Kennedy's deadline. The C-mission of Apollo 7 gave the Block II spacecraft, without a lander, its first manned test starting on 11 October 1968 with a launch on top of the smaller Saturn IB vehicle. Its crew of Wally Schirra, Donn Eisele and Walt Cunningham spent 11 days in orbit around Earth – a duration that would be more than enough time for a mission to get to the Moon and back, which proved that the new spacecraft was a worthy, spacefaring ship.

Apollo 7's S-IVB and its deployed shroud petals.

As soon as the spacecraft achieved orbit, the crew separated it from the S-IVB second stage and attempted to practise the type of turnaround manoeuvre that would be required of future flights, when the lander would have to be plucked from inside its protective shroud. As soon as he saw the S-IVB, Schirra noticed that one of the four hinged petals of the shroud had not

The Florida peninsula, as seen from Apollo 7.

fully deployed. He cancelled a simulated approach manoeuvre for fear of it hitting the spacecraft, and later recommended that the panels be jettisoned instead.

Throughout the early part of the mission, the crew concentrated on achieving their most important goals: firing the main engine repeatedly to make rendezvous passes with the S-IVB (whereupon it was noted that the balky shroud petal had properly deployed) and proving the operation of the spacecraft's navigation system. With these test satisfactorily performed, the crew spent their remaining time carrying out secondary tests of the Apollo system and completing a programme of Earth photography.

Despite the operational success of the mission, history tends to remember this flight for the breakdown that occurred in relations between the crew and flight controllers in mission control. A dose of the common cold had made its normally wise-cracking commander increasingly grumpy. A cold in space is made more unpleasant by the inability of the congested head to drain itself. The other two crewmen, both rookies, were drawn into the soured atmosphere with the result that, having irritated management, neither of them flew in space again. Schirra had already announced his retirement from space flight.

GUTSY DECISIONS: APOLLO 8

Even before Apollo 7 had launched, managers were dreaming up something special for Apollo 8: an audacious six-day excursion to the Moon. This was a hastily arranged mission that took full advantage of an otherwise unfavourable set of circumstances.

Apollo 8 had originally been planned as the D-mission, a test of the entire Apollo system including a lunar module in low Earth orbit, on the assumption that Apollo 7 would successfully carry out the C-mission. However, the first man-capable LM was not ready for flight owing to a litany of problems: stress fractures had appeared in some of its structural components; the type of wiring used on the intended spacecraft was prone to breakage; and the engine for the

The Moon's far side, photographed from Apollo 8 after it departed for Earth. The distinctive dark-floored crater is Jenner, 71 kilometres in diameter.

ascent stage was prone to combustion instability. Bereft of a LM, managers were unwilling simply to repeat Apollo 7, so they altered the mission sequence and brought the deep-space goals of the E-mission forward, but without a lander.

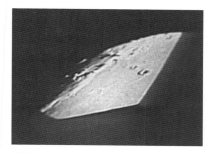

TV image of the Moon's sunrise terminator as seen through a spacecraft window, broadcast as the Apollo 8 crew read from the book of Genesis.

Furthermore, they took the gutsy decision to send the CSM all the way to the Moon and place it in orbit. Although this would fulfil some of the goals of the E-mission (deep space tracking, deep space thermal control, lunar navigation), NASA labelled it as a C'-mission (C-prime-mission) on the basis that it would be a CSM-only flight. It would give NASA the operational experience it needed to manage lunar missions, but its unstated purpose was to reach the Moon before the Soviet Union. Intelligence reports were suggesting that a Soviet circumlunar mission was close, and the propaganda value of such a mission, even though it would not land, would be immense. If the Americans could get there first, they could claim to have essentially won the space race as long as the Soviets did not achieve a landing.

On the morning of 21 December 1968, Frank Borman, Bill Anders and Jim Lovell rode a Saturn V away from Earth to become the first people to swap the Earth's gravitational hold for that of another world. The three-day long coast out to the Moon gave Jim Lovell plenty of time to practise monitoring the ship's trajectory by taking sightings of Earth, the Moon and the stars. By 24 December 1968, Apollo 8 took its crew around the lunar far side where they fired its SPS engine to enter lunar orbit to begin 10 revolutions, each lasting two hours. As they coasted 110 kilometres above the cratered surface, the crew closely examined two sites that were being considered for the first landing and, along with tracking stations on Earth, practised techniques for navigating around the Moon. Much of Earth's population with access to television watched with amazement when the crew made an extraordinary Christmas-time black-and-white television broadcast on their penultimate orbit during which they read the first few verses from the Bible's book of *Genesis*, while the stark early morning landscape of the Moon passed in front of the camera.

If their burn to enter lunar orbit had failed, the crew would have simply slingshot around the Moon and returned to Earth with little intervention. It was Apollo 8's next manoeuvre that really scared the managers. Although the SPS engine had been designed for utmost reliability, everyone was aware that its failure would doom the crew to stay forever in the Moon's grasp. Worse, as the firing of the engine would take place around the Moon's far side, no one on Earth would be able to monitor its progress, and instead would have to wait until the spacecraft re-emerged, hopefully on a path for home. Shortly after midnight in Houston, Texas, on Christmas Day, Apollo 8 reappeared around the Moon's eastern limb exactly on time, with Jim Lovell playfully informing mission control, "Please be informed, there is a Santa Claus."

Sending Apollo 8 to the Moon raised the morale of the many thousands who were working brutal hours towards the landing goal, and it gave NASA the operational experience it needed to make future lunar trips by allowing navigation, thermal

The first image of Earthrise taken by a human. Bill Anders's Apollo 8 photograph was taken a few seconds before more famous colour images were snapped.

control and communication procedures to be tested. On a philosophical level, the flight gave the human race its first glimpse of its home planet as seen from another world. The crew returned TV images of Earth to millions from a vantage point between the two worlds. While orbiting the Moon, they photographed Earth rising over a barren lunar horizon as they watched in awe. These photographs became a catalyst for the rise of the environmental movement and icons of the age.

A COMPLETE SYSTEM TEST: APOLLO 9

By now, NASA had confidence in the Apollo CSM, but no one had yet flown the flimsy lander that was to take crews to the Moon's surface. So NASA ticked the D-mission box by flying the entire Apollo system, consisting of the main spacecraft and a fully configured lander, LM-3, in Earth orbit as Apollo 9. This flight would rehearse all the manoeuvres that a Moon flight would require and it was the first time astronauts would entrust themselves to a craft that had no heatshield and could not bring them home, but it was a trust that would have to be gained if the LM was to take their colleagues to the Moon's surface.

After a successful launch on 3 March 1969, the crew followed a ten-day timeline roughly similar to a lunar mission without leaving low Earth orbit. This began with pulling the LM from its station on top of the S-IVB stage, one of many firsts achieved in this crammed mission. Controllers on the ground then commanded the booster stage to reignite its engine to leave Earth's vicinity, as if dispatching an

Rusty Schweickart's view from the lunar module's porch of David Scott in the CM's open hatch.

Apollo mission to the Moon, in the process escaping from Earth's gravity and entering its own independent orbit around the Sun. After a number of firings of their SPS engine to set up the correct orbit, Jim McDivitt and Rusty Schweickart entered the LM, call sign *Spider*, and powered it up. David Scott remained behind in *Gumdrop,* the CSM. The names selected by the crews simply reflected the shapes of their spacecraft.

Schweickart was due to test the type of space suit and back pack that crews were to use on the Moon by going out of the LM's front hatch. He was also due to prove that, in the event of an unsuccessful docking or a blocked tunnel, a crewman could make his way from one spacecraft to another by using handrails on the outside. The attempt was cancelled when Schweickart experienced a bout of space adaptation sickness the day prior to his task. Instead, managers limited him to moving out onto the LM 'porch' to prove the space-worthiness of the suit and back pack, while Scott stood in *Gumdrop*'s hatch to retrieve samples from the spacecraft's surface.

Four days into the flight, McDivitt and Schweickart sealed the tunnel between the two vehicles and undocked *Spider*. After a visual inspection by Scott, they fired the LM's descent engine to move 185 kilometres away from *Gumdrop* and set up the conditions for a lunar-type rendezvous. After jettisoning the descent stage, they flew the LM's ascent stage back to Scott, as would happen on a lunar mission, eventually docking and transferring back to the command module without difficulty.

For the remainder of the flight, the crew practised navigation techniques, made multiple adjustments to their orbit with their dependable SPS engine, and carried out experiments including multispectral photography of Earth's surface in support of future Earth resources satellite programmes and Skylab. Apollo 9, though less glamorous than the missions to come, was a highly successful overture to Apollo's climax: flying to the Moon.

A DRESS REHEARSAL: APOLLO 10

Most of the major components and procedures required for a landing had been tested, though not always in the context in which they would be needed during a lunar flight. To minimise the surprises that the landing mission would uncover, NASA wanted to practise a complete lunar mission as far as they dare, short of actually touching down on the Moon. This dress rehearsal flight, the F-mission, was accomplished by the crew of Apollo 10 – Tom Stafford, Eugene Cernan and John

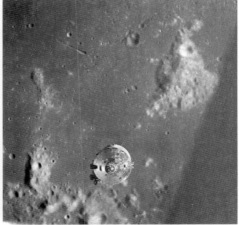

Waypoint to a landing. Left, crater Moltke at 6 kilometres diameter. Right, the Apollo 10 CSM *Charlie Brown* over a distinctive triangular feature named 'Mount Marilyn' by Jim Lovell. Both features led the way to the Apollo 11 landing site.

Young. Their spacecraft were named after well-known characters from Charles Schultz's cartoon strip *Peanuts*, who had also featured in NASA campaigns promoting quality control. The CSM was therefore named *Charlie Brown* while the LM took the name *Snoopy*.

Launch took place on 18 May 1969. Every element of the launch vehicle had to operate exactly as it would on a landing mission, including the firing of the S-IVB stage to send the spacecraft to the Moon. Likewise, all the functions of the CSM to take a lunar module to an orbit 110 kilometres above the Moon had to work.

Once the two docked spacecraft had entered a parking orbit, the crew settled down for their first night in lunar orbit as their ship hurtled around the Moon at 5,800 kilometres per hour. Next day, Stafford and Cernan entered the lunar module *Snoopy*, separated from Young in the command module *Charlie Brown*, and took the LM into the same low orbit from which a landing mission would make its final descent. This orbit brought *Snoopy* down to an altitude of less than 14,500 metres above the lunar surface from where Stafford photographed and described the approach to the landing site NASA had selected. The most important task was to prove that lunar orbit rendezvous would work as planned. After jettisoning the descent stage, the ascent engine was used to set up an orbital situation similar to that which would be presented after lift-off from the Moon. NASA's management had once been wary of bringing two speeding craft into close proximity when they were in orbit around another world, and wished to prove that the techniques worked prior to committing a lander to the surface. This successful rendezvous and docking finally cleared the way to a landing attempt.

As is usually the way with the media, Apollo 10 is more often remembered for the 'son-of-a-bitch' language Cernan used when a pilot error caused the LM to gyrate unexpectedly as the descent stage was being jettisoned. The journey home was uneventful except for the unprecedented colour television coverage of a receding Moon that was beamed to Earth soon after *Charlie Brown*'s SPS engine was fired. Stafford had promoted the importance of TV to Apollo, not only to the public, but also to engineers and lunar scientists. The 8-day flight of Apollo 10 put NASA on the home straight, leaving the G-mission with no unknowns except the landing itself.

TASK ACCOMPLISHED: APOLLO 11

Apollo 11 departed the Kennedy Space Center in the early morning of 16 July 1969 on a mission to attempt to land on the lunar surface. It is widely quoted that over a million people gathered in the vicinity of Cape Canaveral to witness what promised to be an event of epic historic import. For the first four days, its crew of Neil Armstrong as commander, lunar module pilot Edwin 'Buzz' Aldrin and the command module pilot Michael Collins successfully followed a path already trod by their predecessors. The crew even took extra time out to give viewers to the TV networks an extended tour of their lunar module, *Eagle*, with an improved colour camera.

On their fourth day, Armstrong and Aldrin left the command module, *Columbia*,

The Apollo 11 crew during suiting up before their flight. Neil Armstrong, Buzz Aldrin and Michael Collins.

in the charge of Collins, undocked, and fired *Eagle*'s descent engine to enter the descent orbit around the Moon. As communications proved to be somewhat troublesome, Armstrong reoriented the LM slightly to improve reception. As they approached the point where they were to reignite their descent engine for the landing phase, Armstrong began timing the passage of landmarks to help to determine whether their trajectory was as it should be, but they seemed to be a little ahead. The final burn of the descent engine proceeded smoothly, and for a time the crew could continue to monitor the passage of the landscape below. After three minutes, they rotated the LM to face upwards and allow their radar to take altitude measurements.

At this point, things began to become hair-raising, especially for the flight controllers in Houston who lacked the crew's situational awareness. Because of a flawed procedure, a switch had been left in the wrong position and, as a result, the onboard computer began to complain of being overloaded. Most people at mission control, as well as the two crewmembers in the spacecraft, had little idea of the nature of the problem. However, just two weeks before the mission, the LM computer experts had studied the computer codes that the crew were seeing and could give a go-ahead for Armstrong and Aldrin to continue down. As Aldrin read out relevant numbers, Armstrong used them to monitor the piece of lunar landscape to which the computer was guiding them. When he saw that their destination appeared to be a boulder field near a large crater, he took manual control earlier than planned, and manoeuvred the LM to a point 300 metres further down their flight path. As he flew the LM to smoother ground, mission control began to worry about a possible shortage of propellant. With only 15 seconds remaining before mission control would have called the crew to abort the landing attempt, *Eagle* successfully realised John F. Kennedy's goal on 20 July 1969 by landing in the southwest corner of Mare Tranquillitatis.

In the minds of the crew, the difficult part of Apollo's goal had been achieved, yet perversely, the public was more eager to witness an event whose scale was much

Buzz Aldrin deploys a seismometer at Tranquillity Base during Apollo 11.

more human and personal. This was the moment when a man made a boot impression in the lunar dust. Armstrong later pointed out that the moonwalk carried far fewer dangers than manoeuvring seven tonnes of flimsy spacecraft loaded with explosive propellants down onto an unknown rocky surface on the end of a rocket flame, while surrounded by a hard vacuum.

Over the subsequent hours, in one of the most memorable television events in human history, first Armstrong and then Aldrin went outside onto the wastes of Mare Tranquillitatis, their activities transmitted to Earth by a black-and-white television camera that gave them a ghostly appearance. There they took photographs, collected samples and set up three simple scientific experiments: a small seismic station, a laser reflector and a solar wind collector. The social significance was not forgotten when the flag of the United States was raised on behalf of the nation that had paid for the venture. Additionally, a plaque was unveiled to inform any future visitors to Tranquillity Base that its first visitors "came in peace for all mankind" and the two explorers took a telephone call from President Richard Nixon. After 2½ hours, the moonwalk ended. Armstrong and Aldrin took their exposed film and boxes of rock samples up to the ascent stage, repressurised the cabin and tried to get some fitful sleep before performing lift-off for the second time in less than a week. Their return to Collins in *Columbia* and the trip back to Earth were uneventful, with a landing in the Pacific Ocean on 24 July.

NASA's programme to explore the Moon had been designed to be aggressive from the outset, with launch facilities at KSC constructed for multiple or closely spaced launches. Now, with the moonlanding successfully accomplished, and

America's spending on the Vietnam War draining the nation's purse, the scale of Apollo's exploration was cut back by Congress. Nevertheless, the programme's momentum brought another landing attempt only four months later.

LIGHTNING STRIKES: APOLLO 12

By concentrating almost single-mindedly on the goal of a manned lunar landing, secondary considerations like landing accuracy and science had taken a back seat. In the event, Apollo 11 had landed about seven kilometres beyond its planned site and, for some time, no one knew exactly where they were. Not even Mike Collins had been able to see *Eagle* through his sextant – a powerful optical instrument built into *Columbia*'s hull. The mission's science payload had been severely limited through weight constraints and lack of time. Future missions would make amends because America had invested heavily in the infrastructure to support Apollo and wanted to see it used. It also demanded justification for the continuing costs. Fittingly, science became that justification.

To gain knowledge from the Moon, NASA had to go to sites where Earth-based and orbital imaging suggested that answers to questions might lie. However, given the limited walking range of an astronaut on the lunar surface, the ability to land at a given target became paramount. Although Apollo 12 was not sent anywhere of particular geological importance, it was given a very small target to aim for: Surveyor 3, a small robotic craft that NASA had sent to Oceanus Procellarum, 31 months earlier.

Having courted disaster by flying through a rain cloud and invoking a lightning strike on their vehicle, the Apollo 12 crew continued to the Moon amid fears that their command module may have been damaged by the surge of power that passed through it. In the event, the CSM *Yankee Clipper* proved to be unharmed and on 24 November 1969, Charles 'Pete' Conrad and Alan Bean landed their LM *Intrepid*, 1,500 kilometres west of where *Eagle* had landed and only 200 metres from Surveyor 3. This pinpoint landing demonstrated that ground controllers and crew could bring a LM down exactly where they wished. Richard Gordon, orbiting overhead,

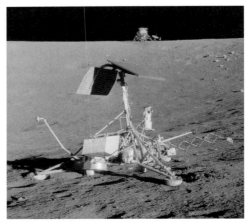

The unmanned spacecraft, Surveyor 3, with the Apollo 12 LM *Intrepid* beyond.

confirmed their position by spotting both the LM and the Surveyor probe on the surface through his sextant.

Conrad and Bean made two moonwalks. On the first, they laid out an ALSEP, an autonomous scientific station, which operated on the lunar surface for many years after they left. The next day, they hustled across the surface in a circle for over a kilometre, stopping at preplanned points of interest, ending with a visit to the Surveyor probe. After examining and photographing the probe, they removed pieces to return to Earth where researchers could study the effects of 31 months' exposure to the lunar environment on the equipment. In terms of public relations, the low point for this fun-loving crew was when their television camera was ruined early in their first moonwalk by being inadvertently pointed towards the Sun. TV networks struggled to provide a visual accompaniment to the crew's voice communication and audiences quickly became bored of listening to indistinct and often arcane yakking by the two guys on the surface. Nonetheless, like every crew after them, Conrad's and Bean's two joyous forays out on the surface yielded samples of greater bulk than the previous mission, and the scientists were more than happy with what they brought. In particular, tiny grains of a very slightly radioactive rock type began to lift the lid on important aspects of the Moon's early history.

Despite the lightning strike that punctuated Apollo 12's departure, *Yankee Clipper*'s splashdown ended a successful, if charmed, 10-day mission that was marred only by the loss of TV.

THE SUCCESSFUL FAILURE: APOLLO 13

Now that NASA knew how to land accurately on the Moon, it could pursue its science goals with increased vigour with a view to finding out how the Moon formed, though whether the tax-paying American wanted to know this information is a moot point. Lunar studies before Apollo had focused upon one large feature as perhaps being a key to understanding much of the visible lunar landscape. This was Mare Imbrium, one of the lunar 'seas' that was readily visible. In reality, it is a massive 1,300-kilometre structure created when an asteroid hit the Moon in the distant past and later filled with dark lava. Like any impact structure, the Imbrium Basin would have been surrounded by a blanket of material ejected during its formation. The cadre of lunar scientists involved in Apollo believed that much could be learned by sampling this ejecta blanket, which appeared to dominate the near side. To sample it, they proposed a landing site for Apollo 13 in hummocky terrain just north of the crater Fra Mauro.

Apollo 13 started to run into problems a few days before its 11 April 1970 launch when the command module pilot, Ken Mattingly, was replaced by his backup, Jack Swigert, after a possible exposure to rubella. The glitches continued soon after launch when one of the five engines in the second stage of the Saturn V shut down prematurely. However, these issues were as nothing to what happened 328,300 kilometres from Earth and 90 per cent of the way to the Moon. Almost 56 hours into the mission, as Swigert, in response to a request from mission control, operated a fan to stir the contents of an oxygen tank, the tank violently burst. The resultant shock blew out one of the skin panels of *Odyssey*'s service module and damaged enough of its oxygen system to leak most of the spacecraft's supplies of the vital gas out to space.

This traumatic event deprived the spacecraft of electrical power and began a four-day feat of dedication, ingenuity and endurance by the crew, the flight control team and thousands of support staff to effect a safe return to Earth despite a catalogue of complications resulting from the damage to their ship. Every system in the SM was rendered inoperable, from the blast itself, from lack of power, or from the engineers' fear of using systems that may have been damaged. The CM had to be powered down very quickly to save its remaining consumables as they would be needed for the re-entry into Earth's atmosphere. This left the unused LM *Aquarius* as the only way the crew could sustain themselves while the two joined ships swung around the Moon and headed for Earth. It also became the sole means of propulsion when engine firings were required to speed their return and control the accuracy of their arrival.

Without power, the interior of the spacecraft soon cooled to around 6°C. In these uncomfortably low temperatures, the crew grew increasingly exhausted as they took refuge in the LM while they nursed their dead CSM to the safety of Earth, its command module being the only way to get through the atmosphere. During the long fall to Earth, they had to construct devices to remove toxic carbon dioxide from their air, work their way through complex

Apollo 13's shattered service module.

checklists to fire the LM's main engine, and also control it for the correct duration while ensuring that it was correctly pointed. They found themselves carrying out difficult and often unpractised procedures without having slept for days.

In the flight's final moments on 17 April as it re-entered Earth's atmosphere, the world was gripped by the tension of not knowing whether *Odyssey*'s heatshield had been damaged by the blast. A safe splashdown in the Pacific Ocean ended a failed mission that became perhaps the finest hour for a spacecraft's crew, its ground control team and the supporting organisations behind them. It showed that in spaceflight, and in the face of terrible odds, toughness and competence could yield success.

The exhausted crew of Apollo 13 after their recovery from the Pacific Ocean.

Despite the superstition that surrounds the flight number, and knowing with hindsight that the spacecraft left Earth with a flaw on board, Apollo 13's oxygen tank rupture occurred at just about the most opportune time. Much earlier and their coast to the Moon and back would have been too long for the LM to sustain them. Much later, and they might not have had a LM available to act as a lifeboat. A case of *lucky* 13.

TRY AGAIN: APOLLO 14

With Apollo 13, NASA had dodged a bullet. The flight had very nearly killed its crew and, as always happens when it is hit by traumatic events, NASA needed a hiatus to investigate and understand what had disrupted *Odyssey*'s service module. Although there were calls both from inside and outside the administration to end Apollo before someone got killed, its managers kept faith with it. The programme of exploration they instituted, now almost forgotten, visited immensely beautiful regions with spectacular vistas. Enhanced equipment allowed crews to explore further from the LM, and although the results from these missions had little political impact, their prodigious scientific output now underpins our understanding of the Solar System.

Apollo 14 returned the programme to the Moon to achieve what its predecessor had set out to do; visit the Fra Mauro area to gain insight into the formation of the Imbrium Basin. The precise target for the lunar module *Antares* was near an impact feature dubbed Cone Crater. Its attraction came from a useful property of crater formation whereby, when an impactor hits the ground, it removes the target rock such that the most deeply excavated material ends up at the crater's rim with successively shallower material deposited at increasing distances in the form of an ejecta blanket. Therefore, by having the surface crew of Alan Shepard and Edgar Mitchell radially sample this blanket as they walked towards its rim, geologists hoped to use Cone Crater as a convenient 25-million-year-old 'drill hole' to sample down through the great ejecta blanket of the Imbrium Basin impact itself, now thought to have occurred 3.91 billion years ago.

The launch from Earth on 31 January 1971 was successful. After checking the spacecraft out in Earth orbit and heading for the Moon, Stu Roosa separated the CSM *Kitty Hawk*, turned around and attempted to dock with the LM *Antares*. The docking was unsuccessful and five further attempts were required to capture the lander. At the Moon, just before *Antares* was due to begin its final descent to the

Apollo 14's LM *Antares* and the landing site at Fra Mauro.

surface, an intermittent short circuit threatened to abort the mission as soon as its engine ignited. It required a virtuoso engineering effort between mission control and the crew to deftly reprogramme the computer byte by byte to work around the problem.

Being the last of the H-missions, the surface crew had two excursions outside. On their first day, Shepard and Mitchell set up a second ALSEP science station and explored their locale. The second day was set aside for a trek of over a kilometre across the hummocky plain and up a ridge to approach the rim of the 370-metre Cone Crater. The climb proved to be tiring and, on nearing the summit, they had difficulty locating the crater within the monotonously undulating terrain. They had come 400,000 kilometres to get to this rim and they were reaching the limits of their oxygen supply. With time running out, they collected a clutch of samples and turned back. Analysis later showed that they had been within 30 metres of Cone's rim, near enough to gather material from deep within the Imbrium ejecta.

Back at the LM, Shepard pulled off a famous stunt by attaching a genuine golf club head to the shaft of one of his tools and hitting a golf ball he had smuggled to the Moon. Meanwhile, in lunar orbit, Roosa had planned an aggressive campaign of orbital photography with a high-resolution mapping camera attached to the hatch window. This was cut short when the instrument failed, and he had to improvise by carrying out some of the mission's photographic goals using handheld cameras and clever flying.

Apollo 14 was a highly successful mission that restored NASA's confidence and prepared it for the triumphs of exploration and science to come. It was also the last time lunar explorers were required to undergo a period of biological isolation after landing on Earth. The rocks they returned allowed scientists to probe the nature of the ejecta blanket from the Imbrium formation event. By seeing how other lunar features sat with respect to this event, geologists could now distinguish between pre-Imbrium and post-Imbrium.

EXPLORATION AT ITS GREATEST: APOLLO 15

The final three flights of the programme took Apollo to new and worthy heights of exploration, science and discovery. Since the engineering had been largely proved, science became the driving force behind choices made in landing sites and the equipment to be carried. Both the LM and CSM were upgraded to carry more supplies and increase their endurance. To further facilitate this final push for knowledge, a small fold-up electric car was carried on the side of the lunar module and a suite of sophisticated sensors and cameras were fitted into an empty bay of the service module.

Pushing the capabilities of the Apollo system ever further, the 12-day flight of Apollo 15 had everything. Its landing site was an embayment of a lunar plain between two stunning mountains of the Apennine range and a meandering channel called Hadley Rille. Unusually, it was well north of the equatorial band to which Apollo had heretofore been restricted. It was an enchanting site for exploration,

The Apollo 15 landing site (circled) next to the 1.5-km-wide Hadley Rille.

where the story of the Moon's most ancient time began to be revealed. Apollo 15's launch from Earth on 26 July 1971, while as spectacular as any, gave no surprises. The coast to the Moon was punctuated by a fault in the main engine's control circuits and a leak in the CM's water supply, both of which were dealt with successfully. Once they had landed at Hadley Base, the crew of the LM *Falcon*,

David Scott and Jim Irwin, depressurised the cabin to allow Scott to survey the site by poking his head out of the top hatch of the lander. The following three days saw the two explorers carry out a relentless programme of exploration that sampled the rocks of both the mare beneath them and the mountains beside them, while the mobility provided by their 'rover', and the ground-controlled TV camera that went with them, allowed an audience on Earth to share with them land-scapes that Capcom Joe Allen described as "absolutely unearthly".

The TV view along Hadley Rille described as "absolutely unearthly".

The presence of the rover changed the rules of lunar exploration. Instead of working near the LM for the first part of a moonwalk, then going on an excursion, a rover-equipped crew jumped on board and made tracks as soon as they could so that, if it failed, they would have adequate reserves of oxygen to walk back to the safety of the LM.

Their first excursion took them on a drive to where Hadley Rille ran below Mount Hadley Delta. Scott found driving the little vehicle somewhat sporty but both crewmen benefited from the rest gained while driving between stops. After their return to the LM, they set up a third ALSEP science station and Scott discovered the difficulties of drilling into the lunar soil when he endeavoured to emplace sensors for a heat-flow experiment. To the depth he drilled, the soil was an unconsolidated mass of powder and debris, but billions of years of time had compacted it as hard as rock, and there was no air to help to loosen it. The drill had to be redesigned.

In their second excursion they drove up the lower slopes of Mount Hadley Delta, where they hoped to find fragments of the original lunar crust. Near a fresh crater, they picked up a candidate piece which the press instantly dubbed the 'Genesis Rock' because scientists told them that this sample would yield stories of the Moon's earliest era. Back at the LM, Scott battled once more with the balky drill to gain a core that was more than two metres long, but then found he could not extract it. By this time, the crew were far behind their planned timeline, and this led to their third moonwalk being shortened. On their final venture outside, and with Irwin's help, Scott finally extracted the deep core before they drove to the edge of Hadley Rille where they could see layers of lava exposed in the opposite wall. As a final flourish, this time in the name of science rather than golf, Scott carried out a simple experiment of dropping a hammer and a falcon feather simultaneously to prove the theories of Galileo and demonstrate that objects of differing mass fall at the same speed in the absence of air.

While the surface crew redefined lunar surface exploration at Hadley, Alfred Worden operated the new cameras and instruments built into CSM *Endeavour*. As it orbited the Moon, large swathes of terrain were photographed with modified reconnaissance cameras, and the surface surveyed with instruments that could read the composition of the lunar material. A laser altimeter measured the varying elevation of the ground passing beneath, data which quickly demonstrated the relationship between the highlands and lowlands and, along with how their composition differed, yielded important clues about the Moon's history. Before they left for Earth, the crew deployed a subsatellite that continued taking measurements of the Moon's environment for seven months.

The knowledge gained from Apollo was beginning to tell a story of an ocean of molten rock whose surface cooled to an aluminium-rich crust, and was later punctured by massive asteroid impacts whose wounds were later filled in as iron-rich lava welled up through deep fractures. It was a story that would also tell of Earth's earliest years.

NEW KNOWLEDGE: APOLLO 16

The scientific feast continued with Apollo 16, launched on 14 April 1972 to explore what were believed to be 'highland volcanics' within the rugged hills near the crater Descartes towards the centre of the Moon's disk. Its crew of John Young, Charlie Duke and Ken Mattingly nearly had to abort their mission some hours before landing, when the main engine on board the CSM *Casper* began to

Charlie Duke works at the lunar rover during Apollo 16.

wobble when Mattingly tried to test its back up steering system preparatory to a scheduled burn. Once this glitch had been overcome, Young and Duke made a successful landing six hours late in their LM *Orion*.

After a night's sleep, they stepped onto the surface, immediately prepared their rover, and set up their ALSEP science station. Although Duke had no difficulty drilling into the surface for the heat-flow experiment, Young tripped over its cable, ripping it from its connector and disabling the instrument. Their first traverse was a short one to craters where they only found breccia or 'instant rock', made in the high-energy environment of an impact event as fragments were bound together by the melting of powdered rock. Their second and third days also concentrated on traverses looking for signs of the expected volcanism, but none was found – only beat-up rocks of a vast ejecta blanket. In orbit, Mattingly continued the same type of observations that Apollo 15 had made, but over a largely different swathe of terrain.

The surface crew returned to the CSM, and then, in view of the engine steering problem, departed lunar orbit a day early. Apart from being unable to deploy their subsatellite into the correct orbit, this curtailment of the Apollo 16 flight hardly

John Young and the lunar rover next to Plum crater during Apollo 16. (Panorama by Erik van Meijgaarden.)

Apollo 16's CSM *Casper* and Earthrise taken from the LM during station-keeping.

impinged on the quantity and quality of its results.

It was an example of classic scientific research. A hypothesis had been proposed by geologists to explain the origin of light-toned plains that were visible across some areas of the lunar highlands. Part of Apollo 16's brief was to test this hypothesis, and with samples and observations to hand, the theories were proved wrong. This is how scientific progress is made, because it led to a new hypothesis and a better understanding of the Moon's evolution as a planetary body.

THE LAST HURRAH: APOLLO 17

Apollo's final lunar mission took advantage of behind-the-scenes lobbying by the lunar science community to have a professional geologist visit the Moon. Many of the astronauts, whose backgrounds were usually in the fighter-pilot/test-pilot milieu, believed that a dangerous environment such as an experimental spacecraft in the vicinity of the Moon was just not the place to take someone who was not already inculcated in the philosophies surrounding aviation. Indeed, it was a requirement for the five scientist/astronauts taken on by NASA in 1965 that they learn to fly jets. Only one of them, Harrison 'Jack' Schmitt, was a geologist, and he proved a worthy representative when he flew with Eugene Cernan and Ron Evans on the 12½-day Apollo 17 mission to explore a region of unusually dark soils in a valley near the shores of Mare Serenitatis. The interest in this site was stirred by Al Worden's observations during Apollo 15 of dark halo craters on the floor of the valley which looked like a possible source of modern lunar volcanism.

Apollo 17's launch on 7 December 1972 was notable by being the only night launch in the programme, the Saturn V's fire rising like an artificial sun to light up the eastern coast of Florida. To reach the location of their landing site, the spacecraft had to adopt a Moon-bound trajectory that took longer than any other to get there. The subsequent orbital dance around the Moon was the most involved of all the missions. Having landed, Cernan and Schmitt immediately began preparations to exit the LM *Challenger*, deploy their rover and set up their ALSEP science station. Similar to Scott's experience on Apollo 15, Cernan had difficulty extracting the deep core drill out of the ground, despite having a special jack to aid him in the task. The extra time taken to extract it meant that a planned short drive to a nearby crater was consequently curtailed.

On their second day, during a moonwalk that lasted over 7½ hours, they drove

Jack Schmitt using a rake to sample lunar stones on Apollo 17.

over seven kilometres west to the base of a mountain. Here they sampled boulders that had rolled down from outcrops further up the slopes, allowing them to collect samples from sites that were well beyond the rover's reach. On the way back, they stopped at a crater that was later dubbed 'Ballet' because as he took samples in it, Schmitt nearly lost his footing and performed wild gyrations in an attempt to regain his balance.

A frisson passed through those conducting the mission, both on Earth and Moon, when deposits of orange soil were found on the rim of one of Worden's dark halo craters. Nothing like it had ever been seen on previous missions, and its colour suggested iron oxidation or rusting, something that normally requires water – a substance notable by its apparent absence on the Moon. Subsequent analysis of the material showed that it was certainly due to volcanism, but of an ancient variety when spectacular fire fountains had sprayed molten rock hundreds of kilometres into the sky some 3 billion years ago. It had simply been excavated by the impact that made the crater.

A productive range of stops on the final moonwalk of the Apollo era included a visit by Cernan and Schmitt to another mountain where a split boulder had come to rest. Schmitt's expert eye spotted the signs of alteration that showed how more than one massive impact had worked and reworked the surface of the Moon, and by implication, Earth during their infancy.

Evans, working in the CSM *America* was not idle either. The complement of instruments built into the side of his service module had been changed compared to what Apollo 15 carried because its orbit would repeat much of *Endeavour*'s swathe. As with the two previous missions, thousands of high-resolution images of the Moon were taken on giant rolls of film that Evans had to retrieve during

Eugene Cernan and Jack Schmitt's split boulder.

Eugene Cernan at the rover during Apollo's final moonwalk.

the coast back to Earth by exiting the hatch and manoeuvring along the SM to fetch them.

The visit of Apollo 17 to a site nearly as grand as Hadley was the peak of a spectacular mission that brought the initial human exploration of the Moon to a highly successful close.

GOODBYE APOLLO

Although Apollo 17 ended the lunar phase of the Apollo programme, America's investment in its hardware and infrastructure continued to pay back for three more years. A spare S-IVB stage became an orbital workshop called Skylab. This massive 77-tonne space station was launched by a Saturn V on 14 May 1973 and serviced by three crews riding modified Apollo CSMs launched by Saturn IBs. The crews stayed on board for 1, 2 and 3 months

The view of Earth as Apollo 17 came around the Moon.

respectively. The final Apollo flight was also to Earth orbit as part of the Apollo–Soyuz Test Project in 1975, again using a Saturn IB, when an American Apollo and a Soviet Soyuz spacecraft met and docked in space as a political act of détente, thereby ending the 'space-race' amicably. The two remaining Saturn Vs were turned into lawn ornaments.

3

Launch: a fiery departure

PREPARATIONS FOR LAUNCH

Leaving the VAB

Final preparations for the launch of an Apollo mission began weeks in advance, when a 2,700-tonne diesel-powered crawler/transporter employing tracked tractor units derived from heavy open-cast mining equipment entered the 160-metre-tall *vehicle assembly building* (VAB), jacked itself up under a platform bearing a service tower and a complete but unfuelled Apollo/Saturn space vehicle – a combined load of 5,700 tonnes – and carried it out through one of the VAB's massive doors and along a 5½-kilometre crawlerway to one of two launch complexes, 39A or 39B, from which the rocket would make its fiery departure.

The crawler/transporter was one element of a mobile launch system that had been inspired by members of Wernher von Braun's rocket team. They had suggested that with a vehicle as large as a Saturn V, the task of stacking its stages and installing the Apollo spacecraft on top, would be best carried out inside a large hanger. The resulting VAB was a huge box-shaped building 52 storeys tall at the focus of Kennedy Space Center, and it was within its cavernous halls that an Apollo/Saturn space vehicle came together for the first time. In a sense, it was from here that a journey to the Moon began.

If the space vehicle had to be stacked indoors, a method had to be devised to get it out to the launch pad. Barges within dedicated canals were considered, as were great layouts of railway tracks, before the mobile launcher concept was decided. This called for a large steel platform, 49 by 40 metres, upon which the space vehicle would be fixed until the moment of launch. A tower even taller than the rocket sprouted from one end of the platform, taking the height of the whole affair to 136 metres. This *launch umbilical tower* (LUT) supplied the space vehicle with its essential services by way of nine huge arms that reached across from the tower. These tended the vehicle until they were swung away either just prior to launch, or in some cases disconnecting and pulling away only as the rocket began its flight. Though they weighed an average of 22 tonnes, these arms had to be capable of quickly

The Apollo 11 space vehicle leaving the VAB bound for Pad 39A.

accelerating away from a rising rocket, and just as quickly braking to a halt before hitting the tower.

With the VAB doors open, the crawler/transporter lifted the platform clear of six supporting pillars and carted the entire assemblage away at about 1.5 kilometres per hour. To accommodate the pressure of the crawler's 456 treads, each weighing nearly a tonne, a specialised roadway had to be constructed wherever it needed to go. A metre depth of support ballast formed a bed for a layer of aggregate that bore the immense weight of the crawler and its load as they were steered along their journey to the launch pads.

At the pad

The soft-sounding term 'launch pad' belied the true nature of Pads A and B at Launch Complex 39. Each of these two massive, hard, angular concrete structures consisted of a low concrete hill split in two by a trench whose base was level with the surrounding land. This was to allow a large wedge-shaped flame deflector of appropriately large dimensions to be wheeled beneath the rocket without descending below the local water table. The alignment of the trench ran along a line towards true north.

This was engineering audacity on an immense scale. The entire space vehicle with its launcher and transporter was substantially heavier than the Eiffel Tower. Yet all of its 8,400 tonnes were driven up a 5-per cent incline to the top of the 12-metre hill. As it climbed, the launcher was kept level by the crawler's jacking system, and then gently set down upon six piers to sit astride the trench. The crawler then withdrew and the flame deflector rolled beneath the cavity in the launch platform to force the flames from the Saturn's first-stage engines sideways along the trench in order to protect the vehicle from damage from reflected acoustic energy.

All the surfaces directly facing the Saturn's 1,500°C exhaust had to be lined with a suitable refractory material. Arranged around the pad's central hill were ancillary buildings and equipment for storing and feeding propellants, gases, water and power to the vehicle, ponds for fuel spills, a hydrogen-burning pond and a network of roads.

The designers of the Apollo/ Saturn launch facilities had been swept up in the optimism of the programme's early days, when the Earth-orbit rendezvous method of getting to the Moon implied a much higher launch rate than was ever realised when the complex saw use. Thus two pads were built with planning for a third having left a tell-tale kink in the crawlerway leading to Pad B. The complex had been designed to process as many as three stacks simultaneously. In reality, Pad B was only ever used once during the Apollo programme, for Apollo 10.

The Apollo 10 space vehicle stands on Pad 39B.

This was during the very peak of the programme as the final push was being made for the Moon in 1969 and launches were occurring at bimonthly intervals.

Having delivered the space vehicle to the pad, the crawler's next task was to retrieve another huge tower from its parking site just off the crawlerway and bring it to the rocket. This *mobile service structure* (MSS) shielded the spacecraft from the weather and provided access all around it for final preparation. This was yet another mobile engineering

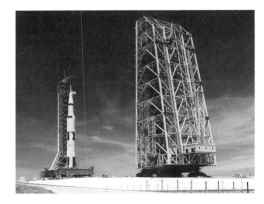

The mobile service structure near the Apollo 4 space vehicle.

marvel among marvels, itself weighing over 4,700 tonnes.

Rehearsal

Three weeks to launch and the launch team would begin rehearsing for launch day. The most important of these rehearsals was the Countdown Demonstration Test. Simply put, the Countdown Demonstration Test was a complete stab at preparing for the launch of the space vehicle up to, but not including, the ignition of the F-1 engines of the first stage. The spacecraft was fully powered, fuelled with its highly toxic propellants, and occupied by the prime crew. All the Saturn's propellants were loaded according to plan, including the cryogenic hydrogen and oxygen, and all the tanks were pressurised. Everyone in the nearby launch control room and at the Mission Control Center in Houston was at their consoles, each ensuring that their system was operating within limits. This attention to detail and procedure paid off by the excellent record the launch team would attain throughout the Apollo/Saturn period.

Countdown to launch

The numbers that express the scale of the Saturn V are often quoted: 110 metres tall, 10 metres wide, weighing about 3,000 tonnes at launch. There was, however, something about this vehicle that surpassed quantitative expression. This was a sleek, white, slender ship that rose to the heavens like no other machine before or since. It was not only functional; it was beautiful and seemed to be perfectly styled for the task of taking mortals to heavenly realms. Moreover, its beauty was set against the ugliness of the steel towers that nursed it to the point of its departure. Chock full of extreme technologies, this ship hid many ways to kill or injure the men who would ride it. Yet it, and the smaller Saturns that preceded it – all of which were swords turned to ploughshares; peaceful ships derived from military technology – had an excellent record of success, in some cases flying on in the face of failure and danger to reach their peaceful goals.

The launch of a Saturn V was orchestrated around the familiar countdown, a timeline leading up to the moment of launch and beyond, with which everyone and

Apollo 16 on Pad 39A two weeks prior to flight.

everything associated with the final stage of getting a rocket off the ground coordinated their tasks. German film maker Fritz Lang is usually credited with introducing the concept of the countdown as a device to raise suspense in his 1929 film *Frau im Mond (The Girl in the Moon)*. It was adopted by the German rocket pioneers in the VfR, who maintained its use after their move to the United States.

The countdown was not continuous as it progressed towards the launch. At preplanned points it was deliberately paused to allow engineers to catch up with tasks and resynchronise their preparations. In many cases, these *holds* allowed small technical gremlins to be chased and rectified. If a problem seemed to require a longer time to correct, a hold could be extended, but only up to the point where the delay would push the time of launch beyond acceptable limits.

Although the countdown has been retained in the American rocket industry, its precise implementation can vary. In the case of the Saturn V, the descending count eventually led to the point where the vehicle left the pad and began its flight. With other rockets, such as the Titan II that lifted the Gemini spacecraft to orbit, the zero point was when the engines were ignited.

Launch window

Like most launches, the lift-off of an Apollo mission could only occur within well-defined spans of time known as *launch windows*. Launch could not be attempted outside the launch window because some operational constraint would be exceeded. The major constraints on an Apollo launch window were propellant, communications and lunar lighting.

It had been determined that the best time to land on the Moon was in the lunar morning. Surface temperatures were moderate and the low-angle lighting made the landscape's shape stand out, accentuating the topography and aiding the commander as he looked for a smooth place to set down. Therefore, a landing could be made at a particular landing site only once a month, thus restricting the launch to a single day each month. In case a launch had to be postponed for a day,

NASA sometimes certified landing sites further west, where the lighting would be suitable two or three Earth-days later. In light of the propellant available on board, planners then worked backwards from each landing opportunity to calculate when the launch had to occur.

Now the complexities of flight planning really became apparent. To get to the Moon, the engine of the third stage had to be reignited in Earth orbit and continue burning propellant for a few minutes. By knowing where the Moon would be when the spacecraft arrived, orbital mechanics (of which more later) said that this 'burn' would have to occur on the opposite side of Earth. But NASA wanted this important burn to occur while there were good communications with mission control, including the hours directly afterwards in case a quick return to Earth became necessary. This meant that the burn had to occur near Hawaii so that the spacecraft's rise from Earth would be covered by a string of ground stations and communications aircraft across the eastern Pacific Ocean and the United States. As Earth turned, the Hawaii region moved into the correct position for the burn once a day, constraining the launch further. Then, as the S-IVB stage could not store its cryogenic propellants for more than a few hours in space, the number of Earth orbits prior to leaving were restricted, so planners allowed just two 90-minute revolutions to give the crew time to check their spacecraft prior to heading for the Moon. If the time of launch slipped a little, the limited flexibility allowed controllers to delay the burn for the Moon by another orbit.

The launch window for Apollo 11 began at 09:32 Eastern Daylight Time on 16 July 1969 and lasted nearly 4½ hours, to allow Armstrong and Aldrin to reach their favoured site in Mare Tranquillitatis. There were further opportunities to launch for sites further west 2 days and 5 days later. If those were missed, the same three sites became accessible a month later and indeed for each subsequent month.

Tanking the ship
On launch day, final preparations began with the countdown clock at 13 hours before lift-off (or T minus 13 hours in the parlance of the rocket men at KSC) when the lower of the S-IC's two massive tanks was filled with refined kerosene (RP-1) propellant. Whereas the rest of the Saturn's propellant tanks carried volatile and super-cold hydrogen and oxygen that had to be loaded during the final hours before lift-off, the RP-1 could remain in its tank for extended periods.

Next, the Saturn's cryogenic tanks were prepared to accept their loads. Both hydrogen and oxygen are gaseous at normal pressures and temperatures. To use them in a large rocket, their quantities had to be concentrated within their tanks and there are only two ways to achieve that. Either they are stored under very high pressure, which would have made their tanks hopelessly heavy to achieve the required strength, or their temperature is lowered sufficiently to liquefy them. To be used in the Saturn V, oxygen needed to be at minus 183°C, becoming liquid oxygen (hereinafter referred to as LOX), while the very light hydrogen fuel had to be chilled to minus 253°C, only 20 degrees above absolute zero. Use of these cryogenic propellants in any rocket demands elaborate insulation but the effort is worth the benefit as liquid hydrogen is a very high-energy fuel. In particular, the tanks had to be carefully conditioned before the contents could be loaded. This required removal of every trace of water vapour from the tanks and, in the case of the hydrogen tanks, even air had to be purged to prevent the nitrogen in it from freezing and contaminating the fuel. To achieve this, increasingly cold helium gas was pumped through the tanks of the upper two stages, while dry nitrogen cleared out the S-IC's LOX tank.

Once the tanks had been purged of contaminants, the propellants could be loaded, but even that had to be carefully handled because, compared to the liquids they would receive, the walls of the cryogenic tanks were hot and the propellants boiled furiously when they were first introduced. It was similar to pouring water into a saucepan that has been sitting on a flame for too long. To begin with, propellant was pumped in slowly and allowed to boil, removing heat as it did so and further chilling the tank. Eventually a pool of liquid settled at the bottom of the tank, at which point the ground crew began to pump in propellant at the maximum rate. When the tanks were nearly full, a slow fill rate was resumed to fill them completely and compensate for the ongoing boil-off, caused by the ambient Florida heat that was leaking into the tank. This state was maintained until a few minutes before launch when the venting valves were shut and the pressures inside the tanks were allowed to build to their operating values.

Preparing the CSM

Most of the preparation of the CSM and LM was completed while the mobile support structure was still around the space vehicle. All the food and equipment in the two craft had been packed into their designated storage spaces, and their propulsion tanks filled with storable propellant long before loading of the Saturn V began, ensuring that, on the day of launch, only a few final tasks remained to be completed by hand. Throughout the countdown, and for much of the journey to the Moon, the LM was without power and inert, saving its precious batteries for its foray to the lunar surface. The CSM, on the other hand, was a buzzing, vibrant machine whose health was monitored closely by flight controllers and contractors throughout the countdown in case a problem occurred.

While it sat on the launch pad, it was powered by electricity supplied from the ground. For flight, power came from *fuel cells* that made

The Apollo 8 CSM as the MSS was withdrawn.

The large main display console in the CM that stretched from one side of the cabin to the other.

electricity by reacting hydrogen and oxygen from tanks in the service module. Two days before launch, these tanks were filled with reactants and their contents checked for contamination before being introduced to the fuel cells. Rechargeable chemical batteries augmented the spacecraft's power requirements in space, and these were fully charged as part of the launch preparations.

One member of the backup crew, usually the backup command module pilot, entered the command module prior to the crew's arrival and ran through an extensive checklist to ensure that every switch, knob and indicator was in the appropriate position for launch. There were hundreds of these, each taking a line of the checklist. In the later Apollo flights, there were over 450 lines to be checked before the prime crew arrived. With that done, the backup crewman usually waited for the crew to arrive at the white room before he retired to the launch control centre to continue working with them by voice up to the point of launch.

The crew arrive

Having had a hearty but low-residue breakfast in the crew quarters located some kilometres south of the VAB, the prime crew moved on to the suiting-up room where a covey of technicians helped them to don their spacesuits. These would protect them if they left the spacecraft for a planned venture outside, or if the cabin were to become unexpectedly depressurised. Careful checks were made to ensure that their suits were airtight (checking the *pressure integrity* in NASA parlance) before the crew were finally sealed in, with only a portable supply of oxygen which they carried with them to the launch pad.

The reason for sealing the crew in so early was linked to the Apollo 1 fire. After that fire, it was decided

The crew of Apollo 8 carrying their portable oxygen supplies on their way to the launch pad.

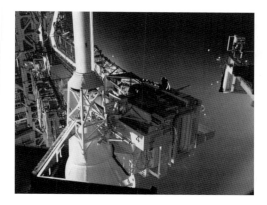

The white room at the '320-foot' level against the Apollo 14 CM.

that prior to launch the spacecraft would have a mixed atmosphere of nitrogen and oxygen, making the interior of the spacecraft much less flammable. After launch, as the vehicle ascended and the outside air pressure dropped, the cabin atmosphere was allowed to vent overboard and be replaced by pure oxygen from the spacecraft's tanks. Throughout the ascent, automatic systems always ensured that adequate pressure was maintained, never going below about a third of the atmospheric pressure at sea level. The pressure in the suits also dropped, and without preparation this could cause any nitrogen in a crewman's bloodstream to come out of solution and give him the 'bends' – a problem also faced by divers who rise too quickly through a column of water. To avoid this condition, any nitrogen was flushed out of the crew's bodies by having them breathe pure oxygen for a few hours before launch while sealed in their suits.

Three hours before launch, the crew arrived at the 320-foot level of the launch umbilical tower and walked along the highest of the nine access arms, nearly 100 metres above the launch platform. This arm led to the so-called 'white room', a controlled environment high above the Florida sands that gave access to the command module's hatch. One by one they entered the cramped confines of the CM cabin aided by the pad crew who strapped them tightly into their couches and changed their oxygen supplies from the portable kit to the spacecraft's circuit.

Tom Stafford and Eugene Cernan wait to enter the Apollo 10 spacecraft.

The commander, who entered first, settled into the left couch from where he could scan the instruments and watch for any problems arising in their trajectory. If trouble arose that threatened the crew, he was ready to twist the translation control with his left hand and abort the mission. From Apollo 11 onwards, he also had the option of flying the Saturn rocket to orbit manually, instead of using the Saturn's guidance system.

Normally the *lunar module pilot* (LMP) entered next, taking up the right couch. In this position he watched over the spacecraft's systems. The *command module pilot*

(CMP) entered last to occupy the centre couch. During ascent, his major role was to assist the commander in watching the progress of their climb and to operate the computer.

There was only one exception to this arrangement when Mike Collins, CMP on Apollo 11, took the right seat and entered before Aldrin, who was LMP. Collins felt that the start of the elevator ride at the bottom of the launch umbilical tower was really the start of his journey to the Moon. Walking across the ninth arm, he was impressed at the contrasts in his field of view. "On my left is an unimpeded view of the beach below, unmarred by human totems; on my right, the most colossal pile of machinery ever assembled." By the time Collins was named with Neil Armstrong and Buzz Aldrin as the prime crew of Apollo 11, his crewmates had already served as backup crew on Apollo 8 and had practised launch procedures with Buzz in the centre couch. It was decided not to change this and Collins should train for the right seat for the launch.

Collins continued a Space Age tradition by giving the leader of the pad team, Guenter Wendt, a going-away gift; in this case, a tiny trout nailed to a plaque in recognition of Wendt's tall fishing tales. There were often little gifts or pranks that helped to lift the tension in the white room in the edgy moments before a crew were shut away in the spacecraft. Armstrong gave Wendt a ticket for a 'space taxi ride' and Aldrin presented him with a Bible, the German returning the favour with a mock 'Key to the Moon', which he pre-sented to Armstrong. Another exam-ple was when the Apollo 14 crew were boarding the CM. Alan She-pard, then the oldest of the astro-nauts and already a grandfather, presented Wendt with a German Army helmet, gaining a mock walk-ing stick dubbed the 'lunar explorer support equipment' in return.

When the crew was safely inside, the pad team retired to a safe distance and the swing arm was rotated 12 degrees away, placing the white room at a close distance from where it could be returned to the CM's hatch should an emergency arise that required the crew to exit the space-craft. At this early stage, the crew

Guenter Wendt presents Alan Shepard with a walking stick before Apollo 14.

kept themselves occupied with checks of their ship, and working with the spacecraft test conductor at the local launch control centre to check off as many vital systems as possible. Communications were tested – especially a special circuit set aside for calling an abort to the mission. Tanks for the service module's four sets of little manoeuvring thrusters, the *reaction control system* (RCS), were pressurised to force propellant towards the thrusters and enable them to work. The guidance system was initialised; the spacecraft would not direct the rocket but it had to know where it was and it needed to keep track of where the Saturn V was taking it in case the commander had to assume control. Then with four minutes of the countdown remaining, the ninth arm carrying the white room was swung away from its interim position to be fully retracted on the opposite side of the launch tower, as far away as possible from the plume of flame that the rocket would leave in its wake as it lifted off.

LIFT-OFF

Final seconds

At the very tip of the Saturn V stack, the rounded point of the *launch escape tower* (LET) included eight small holes which led to a device called the Q-ball. Shortly before launch, the cover was removed that had protected these holes from debris and insects. Their function was not dissimilar to the pitot tube seen on conventional aircraft for measuring airspeed, because the Q-ball measured how the air pressure across the eight holes changed as the vehicle rammed through the atmosphere during the ascent.

The point of having eight holes on the Saturn was not to measure airspeed, but to measure whether the air was hitting them equally and thereby determine whether the rocket was flying straight and true through the atmosphere. The angle-of-attack they sensed was displayed on a dial for the crew's benefit. If the flight had to be aborted, and the spacecraft pulled clear by the escape tower, the Q-ball would then help to determine which way round the command module and tower were flying.

With 2 minutes to go, a crewman pulled a knob in the cabin which stopped coolant flowing to radiators on the side of the spacecraft. Normally, in space, these panels received hot liquid from the cooling system and shed that heat by radiation. However, as the rocket ascended, the frictional heat generated by passing through the atmosphere warmed the radiators and temporarily made them useless, indeed counterproductive, and so for the few minutes of ascent they were bypassed.

Saturn's guidance

At T–20 seconds, swing arm 2 was retracted from its position connected to the top of the S-IC. As it arced back to the tower, the guidance system on the Saturn was finally set for the flight. In the instrument unit above the S-IVB stage, there was a conventional gimbal-mounted guidance platform – the type that can hold its orientation while the vehicle around it rotates. As the Earth turned with the Saturn V on the pad, the platform kept its alignment with respect to the stars. If an onlooker could have watched it over a few hours, it would have appeared to rotate, making one full turn each day. Both CM and LM contained a similar device, which will be discussed more fully later in the book.

The Saturn's guidance platform provided two important pieces of information needed to guide the space vehicle to the required orbit. One was knowledge of the direction in which the rocket was pointed. This was derived from the platform's

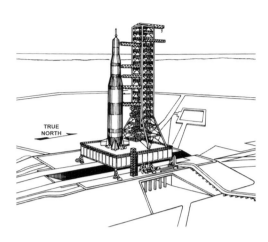

The geographical layout of an Apollo/Saturn launch pad.

property as a reference against which the vehicle's orientation (normally referred to as its *attitude*) could be measured. The second came from a set of accelerometers mounted on the platform with which the instrument unit's computer could sense the movement of the rocket, and hence, its three-dimensional path from the Earth and through space.

The positioning of the Saturn on the pad, and indeed of the pad itself, was not haphazard. It had been carefully thought out prior to being built. Each pad was aligned to the cardinal points of direction, with the flame trench running exactly north–south. The launch vehicle was brought to it with its umbilical tower to the north. From here, the most efficient heading was to fly directly to the east, so the rocket was presented with the spacecraft's hatch also facing east. This way, when the rocket ascended and entered orbit, it did so with the spacecraft windows facing Earth and its navigation optics facing out into space.

Most Apollos did not fly directly east but on a heading a little north or south of east to ensure that they reached the spot over the Pacific Ocean where the burn for the Moon would be made. The heading taken by the launch vehicle was known as its *flight azimuth*, where a heading due east was said to have an azimuth of 90 degrees. For the flight, the orientation of the platform had to be aligned to match the flight azimuth, but this could only be done a few seconds prior to lift-off. Had the platform been aligned too early and left uncorrected, Earth's rotation would have rendered the alignment invalid by the time lift-off occurred.

What was done on the Saturn V was to align its orientation with respect to a theodolite that was mounted some way from the pad between the crawlerway tracks. A small window in the side of the instrument unit was provided for this purpose. The platform's alignment was then held rigid until T–17 seconds, the time of *guidance reference release* when it was set free. This allowed it to hold its orientation with respect to the stars. This moment has been immortalised in the recordings from that era when the NASA public affairs officer announced to the world, "Guidance is internal". If the countdown had to be stopped after T–17 seconds, a new flight azimuth had to be calculated and the platform realigned to it.

The fires begin
At 8.9 seconds to lift-off, a command was sent to the Saturn V to begin the ignition sequence for the five F-1 engines at the base of the first stage. The Saturn's instrument unit then sent start commands to each engine, their timing slightly

staggered in order to prevent the launch
vehicle sustaining a single jarring ignition
transient. First to be commanded was the
centre engine, followed at quarter-second
intervals by diagonally opposed pairs of
engines. Each engine then went though an
elaborate sequence that was carefully choreographed to minimise rough starting, with
all engines having reached full thrust by T–1
second.

A description of the astonishing F-1
engine is necessary before going through its
ignition sequence. The most prominent component of the engine was the bell or nozzle,
usually seen with an extension added to
improve its performance. This tapered to
the throat and a cylindrical space, not quite a
metre across, called the *combustion chamber*.
At the far end of the chamber was a thick
steel injector plate with hundreds of slightly
angled holes like a giant shower head.
Alternate rings of these holes sprayed jets of
fuel or oxidiser that impinged and burned

The F-1 engine. On the right is the
turbopump whose wraparound
exhaust fed into the bell.

together. The walls of the chamber and nozzle were constructed of piping through
which the kerosene fuel was circulated to cool the chamber walls prior to being
sprayed through the injector plate.

It was not enough for the fuel and oxidiser to flow from the tanks and directly
enter the engine, as the huge internal pressures of the F-1 would have forced the
propellants back through the holes in the injector plate. Each engine, therefore, had
its own dual high-pressure pump arrangement to force the propellants into the
combustion chamber. This dual turbopump was mounted to the side of the
combustion chamber and driven by the burning of some of the propellants. In an
action somewhat similar to that in a jet engine, the hot gases from this combustion
forced a turbine to spin a shaft which drove the pumps. The final task for the
turbopump's exhaust gases was to be expelled around the end of the engine bell, but
above the nozzle extension via a large wrap-around manifold. Although the
turbopump exhaust was hot, it protected the nozzle extension from the much hotter
gases coming from the chamber. Four pipes, two each for fuel and LOX, led from
the pumps to the injector via valves that controlled the engine.

The ignition sequence for the F-1 began with firework-like igniters going off,
some of which burned to start the turbine, others to ignite its fuel-rich exhaust gases
when they reached the engine bell. They burned through links to send a signal to
start the LOX valves opening, pouring LOX into the combustion chamber. This in
turn, caused another valve to open, allowing a feed of fuel and LOX to be sent to
power the turbopump. As the turbopump accelerated, the pressure in the fuel lines

rose, bursting a cartridge of hypergolic[1] fluid and injecting its contents into the chamber followed by fuel. Engine start-up was ensured by the spontaneous ignition of the hypergolic fluid with the LOX already in the bell.

When combustion was detected in the chamber, the fuel valves opened, flushing ethylene glycol out from the cooling pipework and into the chamber where it helped to soften the thrust build-up, as the engine strove to assume its steady-state condition. For about a second after all engines had reached full thrust, the great flames roared from below the static spire of the Saturn V while sensors measured each engine's performance. In that second, and every subsequent second of the S-IC's powered flight, each engine consumed fully one tonne of kerosene and a further

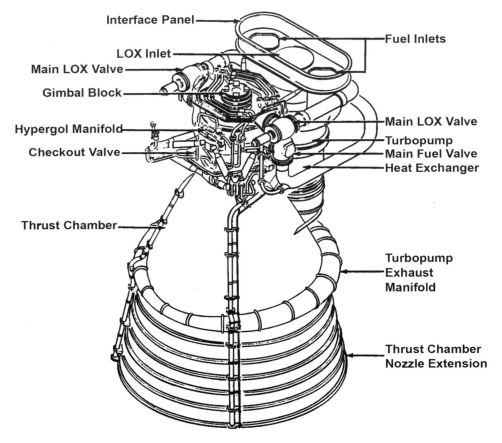

Interface Panel

Fuel Inlets

LOX Inlet

Main LOX Valve

Gimbal Block

Hypergol Manifold

Checkout Valve

Main LOX Valve

Turbopump

Main Fuel Valve

Heat Exchanger

Thrust Chamber

Turbopump
Exhaust
Manifold

Thrust Chamber
Nozzle Extension

Diagram of the F-1 engine.

---

[1]   Hypergolics are a family of chemicals that ignite spontaneously when mixed.

two tonnes of LOX – 15 tonnes altogether – as the vehicle sat at full power, waiting for the confirmatory signal that all five engines had achieved full thrust and the Saturn V could be released.

The monster flies

Up to the moment of launch, the entire weight of the space vehicle had been resting on four hold-down arms mounted around the edge of a 14-metre hole in the launch platform through which the engines could belch their fire. These arms included strong pincers with mechanical linkages that firmly held the base of the first stage to the platform. When the computers controlling the launch had decided that all the engines were up to full thrust, the four hold-down arms were opened by their linkages being pneumatically collapsed. Simultaneously, three small masts that had been supplying fuel and other services to the bottom of the S-IC disconnected and swung upwards. Protective hoods fell over both the arms and masts before the vehicle rose and the full blast of the F-1 exhaust hit them.

The release of the Saturn V was not instantaneous: it was once described as more of an ooze-off rather than lift-off. This was in part due to a number of tapered pins mounted to the launch platform, which were pulled through dies affixed to the bottom of the S-IC. Their deformation controlled the acceleration of the rocket for the first 15 centimetres of ascent.

Apollo 15 begins its ascent from Pad 39A as the swing arms retract.

As soon as the immensely heavy vehicle began to rise, it could not safely return to the pad, so for the first 30 seconds of flight, intentional shutdown of the engines was explicitly inhibited. Reacting to this change in circumstances, five access arms that had continued to service the vehicle up to the moment of launch had to swing clear immediately, their motion triggered by the first 2 centimetres of travel. As part of that action, all the umbilicals connected to the vehicle had to drop away, their disconnection serving as the starting point for the first of seven timebases that orchestrated the control of the Saturn V. Timebase 1 would operate through most of the first-stage burn.

As 3,000 tonnes of metal and volatile propellant rose past the umbilical tower, it could be seen to lean disconcertingly away as though it were about to go out of control. This was an entirely planned yaw rotation designed to manoeuvre the rocket away from the launch tower as a precaution in case a swing arm were to fail to retract or a gust of wind were to push the vehicle back towards the unyielding tower.

Apollo 11, eight seconds into its flight.

It took about 10 seconds for the entire length of the space vehicle to clear the tower, and responsibility for the mission then passed from the Launch Control Center in Florida to the *Mission Operations Control Room* (MOCR) on the outskirts of Houston, Texas.

Twenty seconds after lift-off, the four outboard engines canted away from the centreline so that if one of them were to fail, the others would be directing their thrust nearer to the vehicle's centre of gravity, improving the chances of the instrument unit continuing to steer the rocket successfully.

The first two minutes of the Saturn V's flight was a spectacular affair attracting many hundreds of thousands of sightseers to the roads and beaches around Kennedy Space Center to witness each launch. Over a million people are believed to have gathered for the launch of Apollo 11. At the launch of Apollo 4, the first time the Saturn V had flown, TV presenter Walter Cronkite was bemused to find pieces of the ceiling coming down around him as the roar from the five F-1s shook the temporary CBS studio from 5 kilometres away as millions of viewers looked on. Until then, few had appreciated the intensity of sound from five of these engines in free air. Once the sound finally reached them, people described how they didn't so much hear the rocket as feel it. The slow rate of this leviathan's majestic rise only served to lengthen its assault on the body.

The freight train

What about the astronauts up top? Riding a Saturn V was never a relaxing experience for the crews, but a few – usually those taking their second flight – exhibited much lower heart rates than their rookie colleagues. Bill Anders, a rookie astronaut, was part of the first crew to experience the rocket on Apollo 8. "The thing that impressed me about the early stages of lift-off was the very positive control during the gimballing of the S-IC engines. It was very positive." In the initial moments of its flight, most of the weight of a Saturn V was at the bottom, particularly in the huge kerosene tank just above the engines of the first stage. The upper stages, although large, were taken up with massive tanks of relatively light hydrogen and, consequently, the centre-of-gravity of the stack was quite low, somewhere in the first stage. Bill found himself on the end of a very long lever and was able to feel the steering motions of the four outer engines at the bottom of the first stage although they were occurring nearly 100 metres below him. All the steering of the first stage was achieved by swivelling the four outer F-1 engines in response to commands from the instrument unit's computer. Roll manoeuvres were made by moving opposite engines in opposite directions to give a slight screw effect to the vehicle. Moving them in the same direction at once allowed control for pitch and yaw manoeuvres, causing the vehicle to rotate about its centre-of-gravity. Because the crew sat far away, on the opposite side of this point, they felt the vehicle's rotation doubly as it shook them from side to side. Anders had expected this from rides the crew had taken in a simulator, one that was capable of moving and shaking them while they practised their procedures but, as he noted, the simulation failed to live up to the real thing. "In fact, it felt to me on the first stage ride like an old freight train going down a bad track."

Later in that mission, the commander, Frank Borman, gave his impressions of the very high noise levels at lift-off to a voice tape, the contents of which were later replayed to Earth on a separate channel. "The launch was nominal in almost every respect. There was no difficulty determining lift-off. Vibrations were noticed before the thrust came up to commit to launch, and then when the hold-down arms released, the vibration went away." Anders by then had firmed up his impressions of the launch. "The thing was still rattling like a freight train as it became clear of the tower."

Ed Mitchell on Apollo 14 concurred with Anders's observation. "Just can't beat it, huh?" he told his crewmates. "Just like a railroad coach in this couch," he added. In his post-mission debrief, Eugene Cernan on Apollo 17 even took the railway analogy right back to the start of the flight. "You could feel the ignition. You could feel the engines come up to speed. Ignition was like a big old freight train sort of starting to rumble and shake and rattle as she lifted off."

The crew of Apollo 16 had similar recollections at their debrief as John Young brought up the next subject to talk about: "S-IC Ignition?" "Wow!" was Charlie Duke's instant reaction. "Wow is right," Young agreed. "There goes a train that is leaving. Lift-off – you can tell lift-off because everything is moving." Duke elaborated further: "It is like an elevator slowly lifting off. It just kept shaking at the same frequency throughout the whole S-IC burn. You felt yourself going faster and faster and faster. I had the feeling it was a runaway freight train on a crooked track, swaying from side to side. That was all the way through the first stage."

GETTING THROUGH THE ATMOSPHERE

Abort modes

By carrying out its Moon programme in the full glare of world publicity, NASA had been bound to do its best to ensure the safety of the crew. This was not to be the world of the test pilot from which most of the astronauts had come – a world where a great many gifted pilots died in obscurity at remote bases, wringing out the problems from capricious new aircraft for the military. The prestige of the Apollo programme, NASA and, indeed, of the United States, could not afford the public loss of a crew whose persona had been built up in the media during the weeks leading up to the launch. NASA's leaders decided that, as far as could be envisioned, there should be no part of the flight where a single failure was not survivable.

This policy was aggressively pursued during the incredibly dynamic ascent from Earth. During the ascent to space, prodigious amounts of carefully directed energy were expended from an assemblage of tanks filled with volatile fuel, pushing through the atmosphere at increasingly high speeds. There were so many things that could go wrong; and in the lower levels of the atmosphere, things could go wrong very quickly. Of particular concern was the possibility that engines might fail, especially during the first few moments of flight when the Saturn needed all five F-1s working to get off the ground. For years, the mission planning team analysed and argued over the details of the ascent, eventually breaking it down into sections. For each section, they defined an 'abort mode' or appropriate get-out-of-there-quick plan that would whisk the crew away from an errant rocket to safety, either to continue the flight into orbit if possible, or to splashdown in the sea if not. To assist in these rescue scenarios, the tip of the command module sprouted the *launch escape system* (LES) with its powerful rocket, the LET, to pull the crew clear of the Saturn V.

Abort mode one-alpha
The first 42 seconds of the flight up to a height of about 3 kilometres was flown in *abort mode one-alpha*, meaning that the crew and equipment were poised to react in a certain way in the event of a launch vehicle failure. The escape tower above the command module would fire its large solid-fuelled motor, quickly pulling the CM up and away from the service module and the rest of the stack below. A smaller sideways-firing rocket motor at the top of the tower, the pitch control motor, would steer the CM eastward out over the ocean to ensure that it would not subsequently descend into the conflagration caused by the destruction of its launch vehicle. Safely clear, the CM would dump its manoeuvring fuel (nasty, toxic, highly corrosive stuff, which would otherwise present a danger to the recovery forces), jettison the escape system and the forward heatshield, then finally deploy its parachutes and make a normal landing in the ocean.

At the centre of the abort decision was the commander. From the launch pad to orbit, he closely monitored various lights and displays on the panel that supplied him with whatever information was relevant to making that decision. All the equipment that fed these displays, and sensed whether an emergency was imminent, was called the *emergency detection system* (EDS). It was decided that he would not react to a single cue, lest it be spurious, but if two cues from the EDS called for an abort, this was enough information for him to twist the T-handle in his left hand counter-clockwise, activating the appropriate sequence to leave a malfunctioning launch vehicle behind and get to safety. There was also a set of abort conditions that could initiate an automatic abort. The idea of ending a half-billion-dollar mission on the behest of a few bits of hardware necessitated detection systems that were triple-redundant and were required to 'vote' electronically for an abort. The automatic portion of the EDS was switched off once the rocket was out of the thickest part of the atmosphere where situations could not develop so rapidly.

The EDS was responsible for lighting a cluster of indicators that showed whether each engine was running at full thrust, whether the rocket was veering too fast and whether the Saturn's guidance system still knew which way was up. In the latter case, from Apollo 11 onwards, if the commander saw that the Saturn was incapable of guiding itself, he had the option of twisting the T-handle clockwise to pass control of the entire rocket to the spacecraft, and if that was also failing, he could manually guide it to orbit. Another prominent light informed him when launch control in Florida, or a range safety officer, also in Florida, or mission control in Houston, believed an abort was advised. A gauge that normally showed the state of the spacecraft's main engine for the rest of the mission was pressed into service by the EDS to show the rocket's angle-of-attack; that is, it was moving cleanly through the air and not slipping sideways – a condition that could impose such aerodynamic stress as to cause the break-up of the vehicle's structure.

Guiding to orbit

The Saturn V took care of its own guidance and, assuming everything went smoothly with the ascent, the crew had little to do except to keep a careful watch over it. This they did by running Program 11 (P11) on their computer, which displayed their speed, height and how rapidly that height was changing. P11 also drove their displays to show what their attitude should be throughout the ascent, so that any deviation could be seen. Should the commander have to take over control of the Saturn, he would fly it by following the cues given by P11.

Making certain that a rocket gets to where it needs to go is a significant part of what is commonly referred to as 'rocket science', although it would be better described as rocket engineering as it has little to do with science. While the details of rocket guidance are immersed in mathematics and physics, the basic concepts behind it are not so difficult to understand. What a space rocket is usually trying to achieve is to reach a point above most of Earth's atmosphere at a defined time, and to be travelling at a certain speed and in a certain direction when it gets there. Fulfilling these criteria should result in the rocket and its payload travelling in the desired orbit around Earth.[2]

Apollo 16 tilts towards the east, its flame twice as long as the rocket,

---

[2] The concept of the orbit is explained in the next chapter.

The Saturn V, and many other launch vehicles after it, handled its guidance in two distinct and separate ways: one dumb, the other smart. It started off dumb, switching to smart once it was beyond the majority of the atmosphere. The dumb technique went something like this. "I don't care where I am," says the rocket's computer. "I'm just going to manoeuvre myself upwards through the air, tilting over in a fashion that's been programmed into me, and I'll see where I get to at the end." Engineers began the flight with this guidance philosophy because it was considered unwise to have the Saturn make large steering turns while it was travelling at high speed through the thicker regions of the atmosphere. For the first three minutes or so, the rocket flew according to a pre-programmed *tilt sequence*, a series of manoeuvres designed to ensure that its structure endured minimal sideways aerodynamic forces. This tilt sequence consisted of four major manoeuvres.

The first of these was the 1.25-degree yaw manoeuvre that tended to scare onlookers during the first few seconds of ascent as it steered the Saturn V away from the launch umbilical tower. Once clear of the tower and upright again, it then made its second manoeuvre, rolling around its long axis to align the Saturn V's minus-z axis with the flight azimuth. Think, for example, of the Saturn V sitting on the pad with the launch umbilical tower to the north and the spacecraft's hatch facing towards the east; the minus-z axis is also pointed in an easterly direction, and in that position the vehicle's azimuth was 90 degrees. The roll manoeuvre's job was to aim this axis in the direction they wanted to go so that thereafter the whole space vehicle would only need to make a simple tilting manoeuvre around its y axis, and start picking up horizontal speed. For most Apollo missions, the flight azimuth was around 72 degrees, a direction around east-northeast which allowed for the most efficient path to a highly desirable free-return lunar trajectory. Apollo 15 and Apollo 17 had flight azimuths very near due east which helped them to access the unusual lunar orbits that they had to achieve.

Once the rocket had aligned its own coordinate system with its flight azimuth, the third and largest manoeuvre of the tilt sequence began; very slowly pitching the vehicle over, taking them from a vertical attitude to one that would increase towards the horizontal as they began to accelerate not just upwards, but along the flight azimuth. The whole of the S-IC's flight was carried out in dumb mode. The smart mode of rocket guidance came later.

Through the lightning

The decision to control the Saturn V from its own instrument unit instead of using the capabilities of the command module's guidance system was primarily driven by the expectation that the vehicle would one day be called upon to carry payloads other than the Apollo spacecraft. It was dramatically shown to be a fortuitous decision when the Apollo 12 stack was struck by lightning only 36 seconds after it lifted into overcast cloud on 14 November 1969. Although the nearest natural lightning was kilometres away, the exhaust of the rocket left a trail of ionised gas that acted like a giant conductor, leading the cloud's static charge down to the ironwork of the launch tower.

"What the hell was that?" called Dick Gordon after the interior of the cabin was

The launch tower hit by the same lightning discharge that disrupted Apollo 12.

flooded by a flash of white light. Gordon, the CMP for this mission, and his commander Pete Conrad were carefully watching the main display console. "I lost a whole bunch of stuff," yelled Gordon.

Directly in front of him, the caution and warning panel "was a sight to behold" as Conrad would later recount. He began updating the flight controllers in Houston who had just taken over responsibility for the mission. "Okay, we just lost the platform, gang. I don't know what happened here; we had everything in the world drop out." He continued to inform them that the fuel cells that powered the spacecraft were no longer doing so, and that the guidance platform in the command module had tumbled out of alignment. The platform was now useless as a tool to guide anything, never mind the giant rocket that was currently powering them to space. Below them, the Saturn V had been entirely unaffected by the electrical catastrophe that had befallen its payload and it continued its programmed ascent without missing a beat. The crew rode the Saturn on into orbit, where they were able to bring the spacecraft's power back on line, align their guidance platform and continue successfully to the Moon.

Pete Conrad was one of the most colourful characters among the astronauts and was never short of a quip. "I think we need to do a little more all-weather testing. That's one of the better sims, believe me," he joked, comparing this real-life drama to the many simulated dramas they had practised endlessly prior to the mission. The Capcom at that time, Gerry Carr, jokingly informed him, "We've had a couple of cardiac arrests down here, too, Pete," to which Apollo 12's commander replied, "There wasn't any time for that up here."

Later in the mission, Conrad laughed about the experience. "The launch was almost as good as me getting to fly the Saturn V into orbit." His was only the second Saturn equipped to allow the commander to fly manually to orbit – a contingency that, while never called upon, would have been welcomed by the hot-shot commanders within the astronaut corps.

Abort mode one-bravo

After 42 seconds of flight, the rules of what would happen in case of an abort changed slightly to take account of the fact that the space vehicle had tilted over substantially and had also gained plenty of horizontal speed. The mission had moved into *abort mode one-bravo* which lasted until it reached an altitude of 30.5 kilometres. If an abort were to be called during this period, the escaping command module would no longer be in danger of falling into the Saturn's debris, and the small motor intended to steer it out to sea would no longer be required. What was needed, however, was a way to ensure that the CM would turn to face the correct direction after being pulled from an aborting Saturn. This was because tests had shown that at hypersonic speeds, it was possible for the CM/escape tower combination to be stable in a nose-first attitude. The tower could not be safely jettisoned in this mode because the airflow would ram the boost protective cover onto the CM hull, which would not only prevent the tower pulling away but also prevent the parachutes from deploying. Once the escape tower had pulled an aborting spacecraft free in a one-bravo abort, two skin sections near the top of the escape tower, known as canards, would deploy after the launch escape motor had done its job, creating drag and thereby forcing a turn-around manoeuvre, if one were needed, to face the heatshield in the direction of travel, and allow the jettison of the tower and the safe deployment of the parachutes.

Higher and higher: max-Q

At an altitude of about 8 kilometres, the Saturn V attained the speed of sound, or Mach 1, and went supersonic. It was approaching a dangerous region of the ascent. As the stack rose, the atmosphere around it gradually thinned, yet the rocket's increasing speed continued to ram air onto its forward-facing surfaces, especially at the conical sections, increasing the stresses on the skin. At about 14 kilometres, this dynamic pressure, known as 'Q', reached its greatest extent, a point in the flight called 'max-Q'. Beyond this point, the rapidly thinning air reduced these aerodynamic stresses.

This was considered to be a risky phase of the launch and one that was always annunciated by the public affairs commentator in view of the

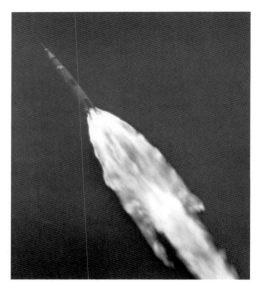

Apollo 15's S-IC exhaust plume expands in the thinner air.

fears it held, when any weakness in the structure would be revealed or when a slight deviation of the great length of the rocket in its true passage through the air at Mach 1.7 could result in the catastrophic break-up of the vehicle.

Forces of acceleration

The job of the S-IC and its five F-1 engines was to lift the stack to an altitude of 70 kilometres and accelerate it to a speed of about 8,500 kilometres per hour. As it did so, the acceleration felt by the crew gradually increased. In common parlance, acceleration is stated in terms of *g-forces*, because the force we feel on Earth due to gravity is directly comparable to the force imparted by an accelerating vehicle.

Therefore, it is useful to relate acceleration forces to something of which everyone has a lifetime's experience, so when the Saturn was sitting on the pad, the crew felt an acceleration of 1 g, due entirely to Earth's gravity.

Because the Saturn V weighed down on the launch pad with almost as much force as the engines were pushing up, the stack initially rose quite gently with g-forces barely above 1 g. However, the consumption of 15 tonnes of propellants every second lightened the vehicle considerably as it flew, decreasing the mass the engines had to push against, so increasing the acceleration forces imposed upon the crew.

A small additional source of rising acceleration was the improving efficiency of the F-1 engines. A rocket engine works by burning propellants in a combustion chamber. The heat of combustion causes the gases to expand very rapidly, exerting massive pressure on the walls of the chamber. If one of those walls is missing (because someone has placed a nozzle there), the pressure within the chamber becomes unbalanced, resulting in a force. However, at sea-level, the pressure of Earth's atmosphere has the effect of slightly capping the open end of the nozzle, somewhat inhibiting the high-speed flow of exhaust gases and reducing the thrust that the engine can generate. By the time the virtually empty S-IC gave its final push, the atmosphere had become essentially a vacuum, reducing the back-pressure against which the exhaust gases had to contend as they left the nozzle and improving the thrust by nearly 20 per cent. Each engine, which had started out with a thrust equivalent to 680 tonnes, was pushing with 815 tonnes force just prior to the exhaustion of the first stage.

In response to these two effects – an increasingly light S-IC and five increasingly efficient engines – the acceleration continued ramping up ever faster until about 2¼ minutes into the flight when, having reached nearly 4 g, the centre engine of the S-IC was commanded to shut down to keep their subsequent acceleration within limits.

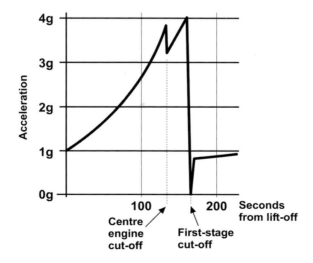

Graph of g-forces during first-stage flight.

Under the power of the remaining engines, the *g*-forces continued to rise as the vehicle lightened. Cutting off one engine early not only curtailed the rising acceleration, it also lessened the jolt felt by the stack and the crew when the remaining engines cut out. Additionally, it flagged the Saturn's computer to think about starting Timebase 2, which did begin once the computer had sensed that adequate speed had been gained. The computer then sensed propellant levels in the nearly empty tanks and prepared to shut down the remaining four engines. The acceleration again rose to 4 *g* about 25 seconds after the centre engine cut-off, by which time the outer four engines were expected to have shut down.

Abort mode one-charlie

From an altitude of about 30 kilometres until after the second stage had taken over, the abort rules changed slightly once again. By this time, the vehicle was so high and the air was so thin that the canards at the top of the LET would not have been able to ensure that the CM was in the correct attitude for jettisoning the tower. Instead, the abort scenario required the crew to use an array of little rockets around the CM to bring it to the correct orientation.

This system of rockets, the RCS, was one of the crucial systems on the spacecraft. Both the command module and the service module had its own set and they were the only way the spacecraft could control its attitude when the larger propulsion systems were not operating, which was most of the time. Later spacecraft would use the properties of fast-spinning wheels to provide something against which the spacecraft could push when adjusting attitude, thereby saving propellant. The command module's RCS thrusters were only ever intended for use in an abort or in the final stages of an Apollo flight after the service module had been cut adrift.

SECOND STAGE

The first staging event: cutting up the ship

Rocketry theory had demonstrated early on that building a rocket using a series of modular stages would allow engineers to loft payloads into space with much greater efficiency than trying to use a single stage, at least with current technology. Therefore, the Saturn V was built as a three-stage vehicle. When each stage was exhausted, it was cut adrift to coast on alone to its fate while a fresh stage took up the task of getting the spacecraft out of Earth's atmosphere and then to the Moon. The point where one stage took over from another was called staging, and was always a complex and carefully chor-eographed event which, in the Saturn V, was controlled by the instrument

Apollo 11's S-IC stage falls away as the S-II takes over.

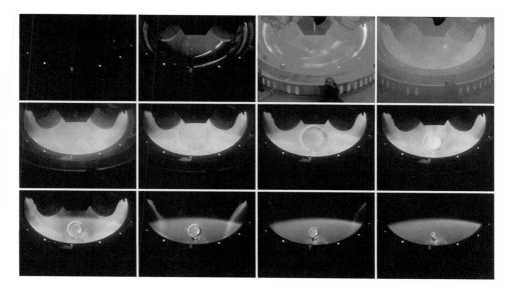

An onboard camera caught the moment an S-IC stage fell away.

unit's computer and sequencers. In the space of a few seconds, a nearly exhausted stage had to be shut down in a controlled manner, the stages had then to be pulled apart and the propulsion system of the fresh stage had to be ignited and brought up evenly to full thrust. How all this was achieved on the Saturn V depended on the configuration of each stage.

Before the first staging event could take place – that is, when the S-IC gave way to the S-II – the final manoeuvre of the tilt sequence had to be made. Throughout most of the S-IC's burn, the tilt sequence had been gently rotating the vehicle towards the horizontal. However, at staging, the Saturn vehicle would to all intents and purposes be cut in half. As it was undesirable to have these two very large pieces rotating near each other, the final manoeuvre of the tilt sequence was *tilt arrest*. This minimised the rotation of the stack so that the useless S-IC and the interstage ring between the two stages could depart without danger of either of these disposed items contacting the engine bells of the S-II.

Once the rocket's attitude had stabilised, sensors in the propellant tanks signalled to the Saturn V's computer that depletion was near, at which point the four outboard engines were shut down and Timebase 3 began. The logic programmed into the sequencers ensured that this new timebase could only start if Timebase 2 (activated at centre-engine shutdown) had already occurred, to avoid the possibility of it being accidentally started on the ground, for it coordinated all the events relating to staging and the control of the S-II stage for the entire duration of its burn.

The separation of the S-IC and the S-II stages was technically known as a *dual plane separation* since the vehicle was to be cut around its girth in two places, on either side of a ring called the interstage. This ring or *skirt* was a 5.5-metre section of the Saturn V's skin which acted as a spacer between the first and second stages to

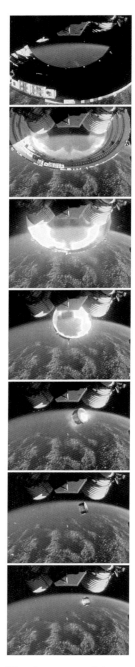

The departure of the interstage ring from the base of the S-II.

accommodate the latter's engines. It had been decided that the ring should not separate with the S-IC, lest any rotation between the stages caused it to hit the engine bells. On the other hand, its long-term presence was thought to entail overheating problems around the S-II engines. The solution was to separate the S-IC first, wait 30 seconds until the second stage was firing smoothly and rapidly accelerating, and then cut the skirt free. Failure of the skirt to separate was considered serious enough to cause the mission to be aborted, because to carry so much extra weight would have seriously degraded the stage's performance. The skirt did fail to separate on the last Saturn V to fly – the unmanned launch of the Skylab orbital workshop to orbit in May 1973. Fortunately, the S-II stage tolerated the heat and its lower payload allowed it to reach orbit with 2.5 per cent of its propellant remaining.

Cutting the skirt was not the only event involved in staging. Immediately after the first stage had shut down, two opposing sets of solid-fuel rockets ignited to pull the two halves of the Saturn apart. Up to eight forward-firing retro rockets were mounted in the conical fairings at the base of the first stage and a similar number of rearward-firing *ullage* rockets were fitted to the outside of the skirt. Ullage is a brewer's term for the space in a bottle or cask that is left unfilled. When applied to rocketry, it refers to the portion of a propellant tank's volume that is filled with gas. When starting a liquid-fuelled rocket engine, it is usually unwise to allow gas from the tank to enter the engine pumps. However, when the first stage engines shut down, the rocket was temporarily in freefall and the liquid in the S-II's propellant tanks was free to slosh around. Designers, worried that gas-filled voids could enter the engines, avoided this problem by using the ullage rocket motors to settle the tank's contents prior to second-stage ignition. Simultaneously with the ignition of the solid rockets, an explosive cord at the top of the S-IC was detonated to cut the vehicle's skin across the first separation plane, freeing the dead weight of the useless stage from the rest of the rocket. For the final three heavily loaded Apollo missions, the Saturn V's payload capability was improved by the deletion of some of the retro rockets on the S-IC and all of the ullage rockets on the skirt. The conservative engineers under von Braun had gained enough experience to know what was really working and what added little to their creation's performance.

One second after the first stage was jettisoned, the five J-2 engines of the S-II stage were commanded to start. The empty first stage continued upwards in a ballistic arc for some time, then impacted with the Atlantic Ocean some 650 kilometres from the launch site. Twenty-nine seconds after engine start – a period deemed long enough for the smooth running of the second stage to be established – explosive cord cut around the interstage ring, allowing it to fall away from the accelerating second stage.

Frank Borman was an all-business astronaut who, during a post-flight debriefing, summed up the violence of Apollo 8's first staging event on his terms. "The S-IC/S-II separation was nominal; the crew was thrown forward in their seats, as you would expect in a staging. Then the g-load was shifted from 4 to about 1. Consequently, you noticed the change in thrust quite distinctly. There was some indication of light flash at staging through the hatch window."

Other crews were less reserved in their reaction. "Man, that staging was quite a sequence!" exclaimed Tom Stafford, Apollo 10's commander. Shortly after, Eugene Cernan, his LMP, asked of mission control, "Charlie, are you sure we didn't lose *Snoopy* [their lunar module] on that staging?" Charlie Duke replied "No, I think *Snoopy* is still there with you. You're looking good."

On Apollo 13, rookie Fred Haise was completely unprepared for the shock. "Man, I'll tell you, that first stage. When that shut down, man, I thought I was going through the instrument panel. I was so surprised." His commander Jim Lovell was already a veteran of the Saturn V. "I should have warned you," he told his crewmate.

Ken Mattingly, on the other hand, had been warned. "I was well braced for it. I'm sure glad I was. That really gets your attention!" Sitting next to him was John Young, commander of Apollo 16, who had flown the Saturn V previously and knew from experience what to expect. He was supposed to be gripping a T-shaped abort handle which, by a simple twist counter-clockwise, would have brought the mission to an end. He was worried by the possibility of the event's violence causing him to unintentionally operate the handle. "I was holding on to the bottom of the T-handle, at that point, because I sure didn't want to do the wrong thing."

Part of what made the first-stage separation so exciting was the unloading of the launch vehicle's entire structure. Up to the point when the remaining four F-1 engines shut down, the 110-metre length of the Saturn had been slightly compressed by the 4-g acceleration they imparted. When that was suddenly removed, the structure tried to bounce back to an unloaded state. Later Apollo crews were prepared for the shock, as Ed Mitchell on Apollo 14 noted: "When the outboards cut off, as we had previously been briefed and as previous crews had discussed, there was a sharp unloading. I expected to be thrown against the instrument panel, and I had my hands out to brace against it. But it was not as much as I expected."

Apollo 17's launch was distinctive by being the only night-time launch of a Saturn V, and its commander Eugene Cernan, who was also having his second ride on the big rocket, commented in his debrief on some effects at staging that he never saw on his first ride: "I don't think it's ever been recorded on a daylight launch before, but as soon as the S-IC shut down, the trailing flame of the S-IC overtook the spacecraft when we immediately went into that zero-g condition. And, for just a second, as the

S-II lit off, we went through the flame. It was very obvious. We could see it out of both windows. I particularly could see it out of the left-hand window. It was not a smoke; it was not an orange fireball; it was just a bright yellow fire of the trailing flame of the S-IC; and it happened for just a split second." In fact, the Apollo 15 commander David Scott did notice something similar when he commented to his crewmates soon after his mission's daylight staging: "Okay, I got the big fireball going by at staging. I don't know whether you saw it or not. That beauty really goes."

Jack Schmitt's recollection of the Apollo 17 staging echoed just about everyone else's. "Just pushing 4 g on the thing and it quits just like that. I was prepared for it because Gene had said, 'Hey, brace yourselves because it is going to happen,' and it happened all right. It just flat quit when we went from 4 g to zero." Cernan then added a full stop to the crews' experiences of the S-IC. "The great train wreck."

High-energy fire

The reaction between hydrogen and oxygen is one of the most powerful sources of rocket thrust there is, with the exception of some highly exotic combinations that include fluorine as an oxidiser. Engineers are always keen to use it where possible due to its high efficiency and relatively benign propellants and exhaust. On the Saturn V, both the second and third stages used these two propellants through J-2 engines to get the Apollo spacecraft most of the way to Earth orbit and to boost it on towards the Moon. Five engines were mounted on the S-II and a single example on the S-IVB.

Outwardly, the J-2 might seem like a smaller version of the F-1 engine

The five J-2 engines at the base of an S-II stage.

but beyond having a chamber and nozzle fabricated from fuel-warming pipes, there were few similarities between these motors. In particular, because the temperature of the liquid hydrogen fuel was barely above absolute zero, the J-2 had to cope with two cryogenic propellants. Prior to start-up, and to prevent the propellants turning to gas as soon as they entered the engine block, the J-2 had to be pre-chilled by feeding a small amount of propellant through its components.

Two entirely separate turbopumps, driven from a single supply of hot gas, forced liquid hydrogen fuel (henceforth called LH_2) and LOX into the combustion chamber. The high-pressure flows coming from both pumps were fed via control valves to the injector, where they entered the combustion chamber. The injector was very different from the drilled metal plate in the F-1. It consisted of a stainless steel mesh arrangement through which over 600 tubes-within-tubes passed. These carried LOX through their central passage and LH$_2$ in the outer. Some fuel was diverted to cool the mesh.

An important component of the engine was a valve that could reduce the flow of LOX to the injector. This operation altered the thrust a little but the point of having it was to allow the consumption of LOX and LH$_2$ to be balanced over the length of the burn to ensure that the propellants were equally utilised. Another important component was the spherical start tank – which was actually a tank within a tank. The inner tank held helium, whose pressure operated the engine's valves. The outer tank held LH$_2$ to spin up the turbopumps prior to hot gas becoming available from a gas generator that would keep them running. In the restartable version of the J-2 for the third stage, this outer tank could be refilled in preparation for its second burn – the burn that would send the crews away from Earth to the Moon.

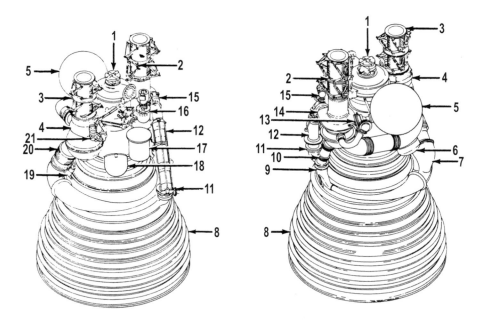

1. GIMBAL	9. OXIDISER TURBINE BYPASS VALVE	16. GAS GENERATOR
2. FUEL INLET DUCT		17. ELECTRICAL CONTROL PACKAGE
3. OXIDISER INLET DUCT	10. TURBINE BYPASS DUCT	
4. OXIDISER TURBOPUMP	11. MAIN FUEL VALVE	18. PRIMARY FLIGHT INSTRUMENTATION PACKAGE
5. START TANK	12. HIGH PRESSURE FUEL DUCT	
6. AUXILIARY FLIGHT INSTRUMENTATION PACKAGE	13. START TANK DISCHARGE VALVE	19. ANTI-FLOOD CHECK VALVE
	14. FUEL TURBOPUMP	20. HEAT EXCHANGER
7. EXHAUST MANIFOLD	15. FUEL BLEED VALVE	21. MIXTURE RATIO CONTROL VALVE
8. THRUST CHAMBER		

Diagram of the J-2 engine

The starting sequence for the J-2 engine was equally as complex as that for the F-1 and only a summary is within the scope of this book. The basic ignition source was the *augmented spark igniter* – NASA terminology for what was basically a spark plug which lit a flame source in the combustion chamber. The main fuel valve was opened and LH_2, pushed only by the fuel tank's pressure, began to flow around the pipes that formed the engine's walls, conditioning them to the fuel's extreme chill. After a short delay, the hydrogen in the start tank was discharged through the pump turbines to make them spin before the gas generator began burning LH_2 and LOX to produce hot gas for the same task. The LOX valve was then opened, allowing LOX to begin burning in the combustion chamber with the LH_2 that had been circulating through the chamber walls. As the turbopumps spun up to full speed, this valve was slowly opened to bring the engine gently up to its rated thrust.

Tower jettison

On Apollo, it was usual to cut, eject or actuate parts of the vehicle using carefully arranged explosives that ranged from small squibs that operated helium valves on the lunar module, to the two great rings of explosive bridge wire that ran around the interstage, and were powerful enough to cut the vehicle in two. Notwithstanding the fact that the Saturn contained enough propellant to simulate the bang of a small nuclear device, its structure was festooned with explosives, including the propellant tanks themselves. Enormous strips of shaped charges had been placed along the sides of the tanks to rip them open in case of an abort while in the atmosphere. This would enable the propellants to disperse before the vehicle impacted the ground. The only time the crews were able to see one of these charges in operation was when the LET and the *boost protective cover* (BPC) that surrounded the command module were jettisoned by the detonation of four explosive bolts that held the base of the tower to the top of the CM. A small rocket motor near the top of the LET was enough to pull it away from the already accelerating spacecraft. For the first time, the crew could see through all five windows, rather than the one or two portholes in the BPC. Ed Mitchell described what he saw out of his windows at the Apollo 14 post-flight debrief. "When the escape tower and the BPC jettisoned, there was quite a bit of noise and flash associated with it, and quite a bit of debris that came off." Mitchell was probably witnessing the detonation of the bolts that held the tower to the CM. "It was louder and more dramatic than I

Streaks run across the hatch window of the Apollo 12 spacecraft.

expected," he added. His commander Alan Shepard reinforced the observation: "There wasn't any question about the fact that it went." "It's like all the pyro functions," added Stu Roosa. "You know they happen."

John Young took two rides on the Saturn V to appreciate the spectacle; first in the centre seat on Apollo 10, then in the left seat on Apollo 16. "You can see the whole works go off. I didn't see it on Apollo 10, but I sure saw it this time."

When Apollo 12 had launched after a rain shower, Pete Conrad, who was still trying to take in the repercussions of their lightning strike, noted how the boost protective cover had failed to be as watertight as expected. "The tower and BPC went as advertised; but when they did they unloaded a whole pile of water on the spacecraft again, and this water streaked down the windows and froze immediately. At the same time, the water picked up particles from the LET jettison motor and deposited a white ash in the form of oil droplets and streaks all over the windows. The ice sublimated later *en route* to the Moon, but it left white deposits in the form of spiderweb-like things in the corner crevices and as a white deposit on the windows."

Smart guidance

With much of the atmosphere behind it and the second stage working smoothly, the Saturn changed the way it guided itself to orbit. So far, it had not compensated for the distance that the wind and other forces had pushed it from its ideal flight path. Nor had it tried to correct for any under- or over-performance of the engines. Instead, during the tilt sequence, the instrument unit had merely kept track of where it was at any moment. The new guidance regime was given a typically NASA-ese name of the *iterative guidance mode*. While in force, equations in the Saturn's computer plotted the most efficient flight path from 'wherever the vehicle was' to 'the point in space where it wanted to go' – in this case, insertion into a parking orbit around the Earth. To anthropomorphise the situation, what the computer was thinking was, "OK, I know where the wind and such has pushed me to. What do I need to do to reach the position and speed that I have to get to?" As the S-II powered ahead, the computer monitored the vehicle's progress and sent steering commands to the four gimballed outer engines of the stage as necessary to achieve the desired result. This steering was maintained for the rest of the S-II burn, then suspended and the stack's attitude held steady, which allowed S-II staging to occur and the third stage to ignite and begin to power the vehicle to orbit. With the S-IVB thrust established, the steering recommenced.

The pogo stick

As has been said herein repeatedly, the Saturn V was a big vehicle and its length helped to contribute to one of the most uncomfortable sensations most crews had to tolerate during their ascent to space – pogo. Pogo was named after a stick-like toy of the 1960s on which children could bounce along, aided by a large spring that stored the energy of each jump. Engineers found that many rockets, not least the Saturn V, were prone to severe longitudinal vibrations which they called pogo for obvious reasons. These could, and sometimes did, cause serious damage to launch vehicles.

Like all structures, the Saturn V was prone to resonating at particular frequencies.

It operated in a highly dynamic environment; five huge engines were pushing forward and liquids were flowing by the tonne to the rear, making the vehicle especially susceptible to vibrations along its length. Ugly mechanisms took hold whereby small, perfectly normal variations in the engines' thrust affected the pressure of the propellant feeding those engines. This resulted in further thrust variations that interfered with the flow of large volumes of propellant coming down the pipes, inducing ever larger surges, and the natural resonance of the rocket's huge structure sometimes reinforced these vibrations. Moreover, as the tanks emptied, the resulting resonances constantly changed, sweeping through a substantial range of frequencies. To further complicate matters, payloads and mass distributions were altered from mission to mission, which changed the nature of the pogo vibrations and made it difficult to design the problem out of the structure. Contrary to popular misconception, pogo was not related to the tendency of liquid propellant to slosh about in the tanks, although this phenomenon also had to be suppressed by the installation of anti-slosh baffles within the tanks.

The second unmanned test flight of the Saturn V (Apollo 6), suffered a spell of pogo in its first stage that would have nearly shaken a crew senseless had there been anyone on board. Engineers suppressed the S-IC pogo problem by pumping helium into cavities in the propellant lines to make them act like shock absorbers. However, pogo was never completely eliminated and affected most of the operational flights to some degree.

As Apollo 8 ascended, Frank Borman relayed his impressions. "Okay. The first stage was very smooth. And this one is smoother." Perhaps he was trying to keep the flight controllers from worrying because his crew, and others on the early Apollo flights, noticed that pogo was especially strong towards the end of the second stage and, according to his post-flight debrief, it gave Frank Borman a little cause for concern. "Quite frankly," he said, "it concerned me for a while, and I was glad to see S-II staging." By Apollo 10, engineers had decided that shutting down the S-II's centre engine early would be the easiest way to avoid pogo in that stage, but when Apollo 13 ascended on its second stage, the pogo vibrations got so bad that switches designed to detect improper thrust in its central J-2 engine were inadvertently activated and the engine shut itself down early. Jim Lovell was in command: "Houston, what's the story on engine 5?" Capcom Joe Kerwin in mission control didn't know why the centre, or inboard, engine had quit but he was being told that the other engines were doing a good job. "Jim, Houston. We don't have a story on why the inboard-out was early, but the other engines are Go and you're Go." Fred Haise was monitoring the rate at which their height was changing, a quantity known as h-dot, and immediately saw that they weren't gaining as much height as expected. "Okay. We're a little bit low on h-dot now, but that's to be expected." The loss of the centre engine was not as problematic as might be expected, because the other four engines continued to give a balanced thrust and the instrument unit compensated to some extent by burning them for longer, using up the remaining propellant. The crew continued monitoring.

"Didn't like that inboard [shutting down early]," said Lovell as the S-II drove on using four engines, but his CMP Jack Swigert gave him comforting news. "Okay, we're 1,400 feet a second low on v_I. That's not too bad." The quantity v_I was their inertial velocity. Swigert realised that although they were 430 metres per second slower than they should have been, the Saturn had enough in reserve to make up the shortfall. "Watch the trajectory closely, Jack," asked Lovell.

"You're S-IVB-to-orbit capability now," announced Swigert eight minutes into the mission. If the S-II gave up completely, the S-IVB third stage would have enough power to take them into Earth orbit. Mission control reassured them that the Saturn wasn't defeated yet.

"Thirteen, Houston. Looking good at eight minutes."

"Roger," replied Lovell before asking Haise, "How's those systems, Fred? Are there any. . ." His lunar module pilot was quick to reassure, "They're looking good." Swigert continued his analysis. "Okay, now, h-dot is low, Jim, [but] S-IVB ought to pick you up." The S-II was not meant to take Apollo to orbit anyway and the final burst of speed was provided by a short burn by the S-IVB. Lovell was concerned that if the S-IVB had to make up more speed to compensate for his ailing S-II, it might not have enough propellant left over to send Apollo 13 to the Moon. He need not have worried. Changes to the pipeline feeding LOX to the centre engine made sure that this particular source of pogo was suppressed in future flights.

Once in Earth orbit, Lovell summed up the experience: "There's nothing like an interesting launch," he said, not knowing how 'interesting' Apollo 13 was to become.

Abort mode two

As soon as the escape tower was jettisoned, the rules changed again on what to do in the case of emergency. The flight was now being flown in *abort mode two*, which took account of the fact that, to all intents and purposes, the remaining stack was in space and catastrophic break-up from aerodynamic forces was no longer a worry. The abort mode-two scenario called for the CSM to detach itself from the rest of the stack and use either the service module's main engine or its small RCS thrusters to increase its distance from the failing launch vehicle. Once clear, the CM would detach from the SM and descend on parachutes to a normal splashdown in the Atlantic at some point downrange. These abort rules applied until the S-II was spent.

Abort mode three

By 6 minutes into the mission, the S-II had worked long enough that, were it to fail, it could be jettisoned and both the S-IVB and the service module's engine would allow the spacecraft to reach orbit. This was essentially *abort mode three* but the scenario was more often known as *contingency orbit insertion* (COI). However, had it been invoked, the spacecraft would have had no propulsion remaining that could take it to the Moon. Instead, it would have had to embark on a planned for, but never implemented, Earth orbit mission.

Haulin' the mail

Pogo problems notwithstanding, crews generally found that if the S-II wasn't buzzing and rattling, it gave them a smooth ride after the thrash and fury of the S-

IC. Whereas the first stage had given them a good squeeze over a couple of minutes, the acceleration from this stage smoothly rose over 6½ minutes from less than 1 *g* to a little below 2 *g* – less than half that of the first stage. Charlie Duke gave his impressions of the Apollo 16 S-II during his debrief: "I thought the S-II was very smooth and very quiet. I had the sensation of very low acceleration or *g*'s and no noise at all that I could tell. I felt like we were almost floating at that time."

Also around the 6-minute point, the stack had more or less reached its orbital altitude. From then on, the S-II's main task was to add additional horizontal velocity to get them into orbit. To reach a valid orbit, the space vehicle had to achieve a speed of 7.4 kilometres per second with respect to the Earth below. The S-IC provided about 30 per cent of this, and the S-II took it up to 90 per cent. The final 10 per cent was provided by the S-IVB stage in the first of its two burns.

However, once a rocket has left Earth's atmosphere there is no longer a need to quote its speed with respect to the surface of the home planet. In space, the rocket's physics is only dictated by the gravitational pull of Earth. As it 'feels' no effect from the revolving planet below, its speed in space is quoted with respect to some wider frame of reference, usually referred to as inertial space, but more often with respect to the stars.

In this inertial frame of reference, Earth itself supplied an initial 0.4 kilometre per second by virtue of its rotation. In total therefore, the stack had to be travelling at 7.8 kilometres per second to maintain a useful orbit.

Every last drop

Soon after the centre engine had shut down as planned on Apollo 16, and as they approached the final minute of the S-II's flight, the crew felt a slight, but expected drop in thrust.

"PU shift," called out John Young, the mission's commander.

"Sixteen, Houston. We saw the PU shift. Thrust looks good, and you're Go for staging," replied Gordon Fullerton, the launch Capcom.

What was shifting was a valve in each engine that controlled the flow of LOX to the combustion chamber. This was the *propellant utilisation valve* and it was one of the strategies brought into play to ensure that the propellants were utilised as fully as possible. These strategies were implemented by the engineers at North American as they struggled to squeeze as much impulse out of the stage as possible in the light of the narrowing weight limits to which they were constrained. If a substantial quantity of either LH_2 or LOX remained in the tanks after shutdown, it was useless weight that had not only failed to contribute to the task required of that stage, but had also consumed useful propellant by being lifted and accelerated to space. Engineers were keen to balance the consumption of the two propellants in order to minimise the quantities remaining in the tanks at shutdown. However, small errors in the quantity of propellant loaded before the flight, and an imprecise knowledge of how fast the engines would consume it, made it difficult to plan for matched consumption. The method chosen to minimise wastage was to monitor the levels in the tanks and change the mixture ratio at a point that would lead to simultaneous depletion.

The normal mixture ratio of LOX to LH_2 in the J-2 engine was 5.5 to 1. Every kilogram of hydrogen was burned with 5½ kilograms of LOX. While the engines burned at this mixture ratio, sensors in the tanks determined how quickly the level of each of the propellants was falling. From this information, the computer in the instrument unit decided when to change the ratio to a richer mixture of between 4.5 and 4.8 to 1. If the timing was correct, the two tanks could be made to empty almost simultaneously.

The shift in mixture ratio occurred on every flight of the S-II, though not all the crews noticed the change like Young had. Twenty-five seconds later, another call came from mission control.

"You have level sense arm now."

This cryptic call was related to another strategy to ensure that the stage's propellant was fully utilised. The S-II was a high-energy stage and its designers wanted it to burn for as long as possible with the propellant it had available. In its role for the Apollo lunar flights, when it took the stack to about 90 per cent of orbital speed, it did not have to shut down at a precise speed. Doing so would always hold the possibility that large quantities of wasted propellant would be left on board. Its job was to add as much speed as its propellant could deliver. The final increment of speed would be supplied by the restartable S-IVB engine. It was therefore important that shutdown occurred when the tanks were as empty as possible and, for this, designers used the falling propellant levels to initiate shutdown of the stage. The two propellant tanks each contained five sensors that would indicate that the stage was nearing exhaustion. As soon as two sensors within either one of the tanks indicated depletion, the engine cut-off signal was sent, shutting the stage down. Engineers had feared that these sensors might send a false shutdown command so they arranged for this system not to be armed until a separate gauging system had verified that the tanks were indeed nearing depletion. This was the point where the 'level sense' system was 'armed'.

THIRD STAGE

The second staging event

It was only when the S-II tanks had run dry and a signal had been sent to shut down its engines, that the Saturn's computer could begin the next stage of the ascent – the staging event that discarded the spent S-II and ignited the S-IVB for the first of its two burns. The same signal began Timebase 4 in the instrument unit to choreograph everything that had to occur.

Unlike the dual-plane separation between the first and second stages, this cut was made across a single plane at the top of the interstage that separated the S-II and S-IVB stages. This conical structure was actually manufactured as part of the S-IVB, although it was discarded with the S-II. Within a second of S-II cut-off, solid-fuel retro rockets mounted around the interstage ignited along with two ullage rockets at the base of the S-IVB. A pyrotechnic device then cut the two stages free. Engineers were less worried about the possibility of accidental contact because the S-IVB carried only a single centrally mounted engine and its extraction from the interstage occurred well above the atmosphere.

Crews generally found this staging event much less violent than the first, as Dave Scott opined after his Apollo 15 flight. "The S-II to S-IVB staging was about a quarter to a fifth the force of the S-IC staging. It was again a positive kind of feeling, but it wasn't a violent crash like we felt on the S-IC." Eugene Cernan pointed out other differences: "On the S-II [shut down], although it's sharp and a very hard hit, you don't unload the entire stack like you do when you're on the S-IC." However, Ed Mitchell had been so keyed up for the S-IC separation on Apollo 14 that he was unprepared for the jolt the S-II staging delivered. "I thought the S-II cut-off was more dramatic than the S-IC. Maybe that's because I had been thinking about the S-IC being the dramatic one and not thinking about the S-II." On his Apollo 10 flight, Cernan told Capcom Charlie Duke how a cloud of debris was produced on staging that moved with the stack. "Charlie, lots of stuff out the window on staging. We're catching up and passing it now."

The ullage motors continued to burn for about 8 seconds, helping to push propellant down the pipes and into the turbopump, during which time, the single J-2 engine brought itself up to full power. They were then jettisoned from the stage to avoid their dead weight being carried to orbit. The start sequence of this engine was identical to the J-2 engines used in the S-II, except that the fuel was allowed to flow through the engine walls for a longer period before ignition. The dead S-II, having reached at least 90 per cent of the speed required for orbit, managed to coast to a watery impact in the Atlantic Ocean, 4,500 kilometres from Kennedy Space Center. The S-IVB continued to push the spacecraft to orbit with a burn that typically lasted 140 seconds.

The crews felt an acceleration of only 0.5 g, which rose to 0.75 g as the burn progressed, until the Saturn's guidance system had sensed that the required speed had been achieved and shut down the engine. This was also the signal to start Timebase 5, which sequenced all the tasks required to settle the stage and its spacecraft payload in their orbital coast. In only 11½ minutes, the Saturn V had accomplished its first major task by getting the spacecraft into orbit, completing one of the riskiest parts of the mission.

During a post-flight debriefing, Eugene Cernan summed up the Saturn V in layman's terms: "I think the S-IC acted and performed like some big, old, rugged, shaky, big monster. It has to be noisy, has lots of vibration and smoothed out somewhat after max-Q, but still was a rumbling bird. The S-II was a Cadillac: quiet, less than 1 g flight most of the time until we built up our g-load prior to staging. It was quiet, smooth, had very little noise, or feeling of rumbling or anything else. The S-IVB: a light little chugger, is probably the best way I can describe it. It just sort of rumbled on, not anywhere near the extent of the S-IC, but just sort of continued to rumble on through the burn."

4

Earth orbit and TLI

SETTLING INTO ORBIT

In only 11 ½ minutes, the Saturn V had accelerated the Apollo spacecraft to nearly 8 kilometres per second. The length of the stack had been reduced by two-thirds and the remaining stage, along with the spacecraft, had been lifted to an altitude of 170 kilometres above Earth and above the vast majority of the atmosphere though by no means out of it completely.

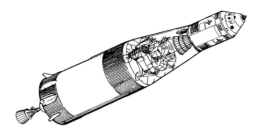

Diagram of the spacecraft and third stage during the Earth orbit phase.

It was in orbit and the crew were experiencing weightlessness. They had just less than three hours to give their ship a thorough checkout before being sent Moonward with an engine burn called *translunar injection* (TLI), and no one was keen to ignite it unless they knew it was sending a good ship. In that time, they would make not quite two orbits of Earth although, if required, there was a contingency for an extra orbit.

As soon as the J-2 engine at the rear end of the S-IVB third stage had shut down, tiny auxiliary rocket engines at the base of the stage's skin burned for a minute or so in an effort to keep the propellants settled at the bottom of their tanks. Other small manoeuvring engines began to operate to ensure that the stage would always point in the direction of travel with the spacecraft's windows facing Earth and its optical systems facing the stars. Once everything had settled down, a valve was opened to allow hydrogen gas from the S-IVB's supercold fuel tank to safely vent to space as heat leaked in and caused the fuel to boil. This venting was arranged so that the gas departed to the rear of the stage, where it acted like a very weak rocket thruster and provided a very small propulsive force that continued to keep the propellants settled at the bottom of their tanks long after the auxiliary thrusters had stopped.

Microgravity

Weightlessness is the common term for what is usually known in the industry as microgravity, and the body reacts in ways that are now quite well understood. When Apollo began to fly, however, no one had been in space for more than two weeks, and that had been in a claustrophobic Gemini cabin. After their Apollo 16 flight, veteran astronaut John Young and rookie Charlie Duke described their reactions to it. "It's really neat; beats work," was Young's opinion. Duke noticed how, with the cardiovascular system no longer having to work against gravity, the body's fluids tended to go towards the head. "For the first rest period, I had that fullness in the head that a lot of people have experienced. More of a pulsing in the temples, really than a fullness in the head." Young attempted to anticipate this. "I tried to outguess it by standing on my head for five minutes a night a couple of weeks before launch. Standing on your head is a heck of a lot harder."

Like a lot of crewmen, and in view of the nausea experienced during earlier flights, Alan Bean took his time moving around the cabin at first. "I think we were all pretty careful and I had the feeling that if I had moved around a lot, I could have gotten dizzy. But I never did. Everyone was pretty careful and after about a day, it didn't make any difference. We were doing anything we wanted." Bean also noted the way fluids gather in the head: "Your head shape changes. I looked over at Dick [Gordon] and Pete [Conrad] about 2 hours after insertion [into Earth orbit] and their heads looked as if they had gained about 20 pounds."

AROUND THE WORLD IN 90 MINUTES

The concept of the orbit, and of weightlessness, is one that is often misunderstood by laypeople who harbour the mistaken idea of there literally being no gravity up there. To understand how objects move in space, otherwise known as *celestial mechanics*, one has first to grasp the concept of freefall, because, for much of the time, that is the condition of everything in space. Our communications and weather satellites are in constant freefall around Earth, as is the Moon. Earth itself, along with the other planets, is in a permanent state of freefall around the Sun, which itself freefalls around our galaxy. Even the immense Milky Way galaxy that we inhabit is freefalling along with a collection of others in our local group of galaxies in an eternal gravitational dance that is essentially no different to the freefall experienced by a stone dropped off a bridge into a river.

The crucial ingredient that transforms freefall from a short-term descent that ends in a messy impact, into the essential element of an orbit, is speed – very high horizontal speed. A common thought experiment that explains the concept of the orbit is one that invokes a perfectly smooth, airless Earth with an imaginary tower. At the top of the tower is our intrepid imaginary experimenter – presumably wearing an imaginary spacesuit – whose task is to fling an object to the ground and watch how it travels before it impacts Earth's surface. Let us imagine that this object is a box containing beads, so that the effects of weightlessness can be observed from at least the perspective of our mind's eye.

In this thought situation, our experimenter begins by simply dropping the box from the tower. The box accelerates until it hits the ground. The beads within the box experience an identical acceleration such that not only is the box falling, but so are the beads. In our mind's eye, looking within the box, the beads can be seen freely floating around, and they appear to be weightless. Viewed from outside, however, they are falling with the box until they both meet their end directly below the point from which they were dropped.

The next incarnation of the thought experiment deals with what happens when, instead of just dropping the box, our experimenter throws it horizontally. For the few hundredths of a second that the throw is being executed, the beads are pushed against the back of the rapidly accelerating box, and experience whatever g-forces the experimenter's arm can achieve until the throw is complete. Once it has left the thrower's hand and is coasting, the box follows a curved path to the ground that can be resolved into two components: the horizontal and the vertical. Following Newton's first law of motion, once horizontal velocity has been imparted by the throw, it is

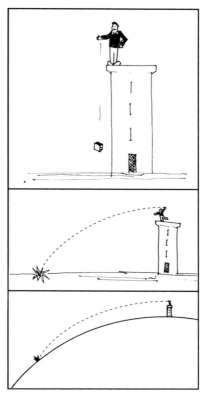

The dynamics of falling objects in a thought experiment.

maintained until something causes it to change; and there is nothing in our thought experiment to do that because we have exorcised the effects of the atmosphere. In the vertical direction, however, the gravitational effect of Earth exerts the same force on the box as it did in the previous scenario, pulling the box and its beads to their untimely end on our imaginary airless surface. By combining these two velocities, we arrive at a curved path as the acceleration of gravity takes our subjects to their doom. Inside the box, the beads float around, apparently weightless and unaware of their fate. Although the box now follows a longer distance in its curved path to the surface, the time taken to reach the surface is essentially identical to the simple drop.

The next case for our thought experiment above our idealised Earth is where arrangements are made to throw the box at a far greater speed than is achievable by a human arm; say something of the order of a few thousand kilometres per hour. Traditionally, this can be achieved by an immense, imaginary cannon. Once the cannon has done its rather violent job of quickly accelerating the box, we see the same two influences affecting the box's flight. Gravity accelerates the box and its beads down to Earth while the constant horizontal speed takes it away towards the horizon, resulting in a curved path to the surface. Once the beads within the box have recovered from their sudden acceleration, they again float freely, exhibiting what we call weightlessness. However, on this occasion, the flight lasts rather longer than in the previous cases. The box's speed is so great, and so much horizontal distance is being gained as it drops, that by the time it has fallen the height of the tower, the curvature of Earth has dropped the surface level a little, and so the box has to fall further to reach the surface.

In successive versions of our thought experiment, we raise the power of the cannon higher and higher, reaching ever greater starting velocities. As we do so, we find that the effect of Earth's curvature becomes ever greater, increasing the time that the box coasts in freefall until impact. In every case, the beads gaily float around inside the box, appearing to be weightless to anyone who could look.

Eventually our thought experiment reaches a special case where the horizontal velocity of the box is so high that it manages to fall in a great ballistic arc all the way to the opposite side of our perfectly smooth, imaginary Earth without hitting it. You might think that it would simply travel a little further before meeting its doom but that is not what happens. By the time the box has reached the opposite side of the planet, the *antipode*, it not only has the horizontal velocity imparted by the cannon, but has also an additional momentum by virtue of the speed gained by its fall towards Earth. This momentum means that the box not only continues around Earth, but it also climbs back up to the altitude from which it was launched, much like a pendulum that, having fallen to the lowest point in its arc, has the momentum to continue to the top again. There is no case where the horizontally fired box will impact the surface beyond the antipodal point. In our idealised scenario, our experimenter had better watch out, because about 90 minutes after firing it from the cannon, his box will come whizzing by at the same speed, about 28,300 kilometres per hour, that it had when it was first set on its journey. The box has completed an orbit of Earth during which the beads within it experience the same weightless effects of freefall that they experienced in all the previous cases.

Having achieved an orbit, there are three further cases of orbital travel we can look at. The basic orbit just illustrated has two important features that are typical of nearly all orbits where a small body revolves around a much larger one. At the point where it just missed the surface on the opposite side of the planet, it was at its lowest altitude.

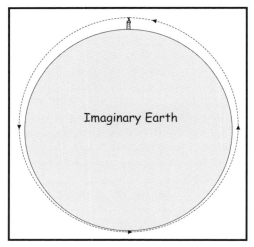

Imaginary Earth

Freefall becomes an orbit in a thought experiment.

For an orbit around Earth, this is termed the *perigee*. The point at which it was launched was, in this case, the highest point in its Earthly orbit and is termed the *apogee*. This lop-sided trajectory around a large body is called an *elliptical* orbit.

Continuing with our thought experiment, there is a specific case with a slightly higher starting speed than the previous example, where the box maintains a constant altitude. The curvature of Earth's surface is falling away in exact sympathy with the box's path, making the two concentric and the orbit becomes circular. Again, the beads float around weightless within the box, and again, our space-suited experimenter needs to keep his head down as the box will whizz by in about 90 minutes.

Finally, we need to look at what happens when the experimenter adds even more charge to his hypothetical cannon and fires the box at an even higher starting velocity. In this situation, the box has more impetus than is needed for a circular orbit and this extra momentum straightens out the flight path a little, causing it to rise from Earth as it moves away from our imaginary tower. However, like a ball thrown vertically into the air, the box slows down as it rises away from the planet until it gets to the opposite side of Earth where it reaches an apogee. The box's vertical travel, i.e. its movement away from Earth's

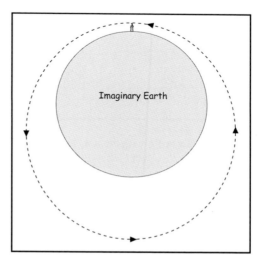

A freefall thought experiment extends the orbit.

surface, has come to a stop and it gains no more height. Having passed apogee, it continues on its path, descending all the time and regaining all the speed it began with until, at the tower, it reaches its perigee, ready to repeat its elliptical orbit to apogee. In this, as in the previous cases, the beads within our box float around in the same state of apparent weightlessness as they felt when on their way to destruction in our first example. The orbit is simply a special case of freefall in a universe where gravity is king.

Applying this rather fun analysis to real life, the Saturn launch vehicle was both our cannon and our tower. It lifted our box, the Apollo spacecraft, to an altitude beyond the sensible atmosphere, accelerating it horizontally until it had enough speed to fall all the way around Earth. The beads represent the crewmen who found themselves floating around in their cabin, weightless, until another force pushed them back in their seats.

The elliptical nature of orbits was first worked out by Johannes Kepler in the early seventeenth century. His first law of planetary motion states that all planets move in ellipses with the Sun at one of the two foci of each ellipse. The same holds true for spacecraft orbits with Earth, the Moon or whichever planet is being orbited at one focus.

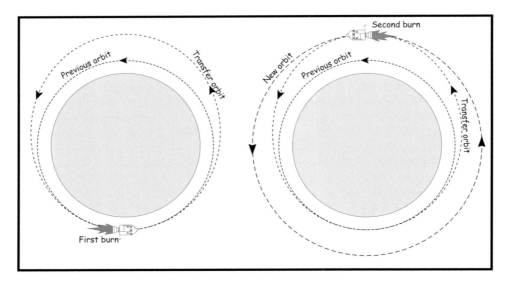

Diagram showing how a spacecraft raises its orbit by a Hohmann transfer.

Changing orbits

At this stage, having achieved an orbit, it is worth considering what a spacecraft does to change it. Our box of beads has no means of propulsion and once released into its orbit, it is doomed to revolve around our imaginary Earth to the end of time. Of course, real life isn't like that. Spacecraft usually have some kind of rocket motor, especially human-carrying ships that must return to the home planet.

Imagine, then, that our box of beads is a spacecraft with an engine. Let us assume that, having entered a circular orbit, we want to reach a higher orbit. To do so, we must increase speed further by firing the engine, aiming its nozzle rearwards. This would straighten out the flight path a little and cause the spacecraft to enter an elliptical orbit in which it would coast to an apogee on the other side of the planet. The point at which the burn was made becomes a perigee, and if the duration of the burn is appropriately timed, the spacecraft can be made to ascend to any desired apogee altitude. Half an orbit later, having slowed down considerably (just like any object tossed upward in a gravity field), it arrives at apogee but does not have enough momentum to stay at that altitude and falls back to its perigee as it continues around the planet. Apogee then becomes a good place to adjust the altitude of the orbit's perigee. By adding yet more speed at apogee with another burn, the flight path is straightened out further, so that the spacecraft does not fall quite so far as it descends to perigee. If enough extra speed is applied at apogee, the shape of the orbit can be made circular again, this time at the higher altitude. This method of transferring from one orbit to another involving a pair of burns performed 180 degrees apart is known as the *Hohmann transfer orbit* and was formulated in the early part of the twentieth century by Walter Hohmann, a member of the same German rocketry club as Wernher von Braun.

Now comes the counter-intuitive bit. Although our imaginary spacecraft's speed had been increased on two occasions, it ended up travelling much more slowly than when it was in the lower orbit. Its speed had been traded for height – a situation that will be familiar to all fighter pilots. There are all sorts of ramifications to this in terms of spaceflight operations, especially for Apollo. For example, if one spacecraft wanted to catch up with another further ahead in the same orbit, the wrong thing to do would be to aim towards the target, light the rockets and try to fly directly towards the quarry. This would make its orbit more elliptical, raise it to a higher apogee and it would therefore travel more slowly, thereby opening the range, which is exactly the opposite of the desired effect. The right thing to do would be to turn the craft around and fire to slow down, thereby making the orbit elliptical with a lower perigee, increasing the spacecraft's speed and closing the range. Then, to effect a rendezvous the spacecraft would need to turn around yet again and make another burn to rise back up to the target's orbit at just the right time.

Clearly, making large manoeuvres in space has to be done with careful forethought. Computers and radars are also indispensable tools. This was especially true during an Apollo flight where the success of the mission depended on the ability of two spacecraft to rendezvous successfully. It was also true from the point of view of their next major manoeuvre – the burn to set them on a path to the Moon, itself essentially a Hohmann transfer.

Immediately after the Apollo/Saturn stack had achieved orbit, Earth-based radars began tracking the vehicle and determining its trajectory as precisely as they could. From these measurements, Earth-based computers calculated a suitable Moon-bound trajectory and the details of a burn that would achieve it, given the constraints of what the S-IVB could manage. These details were transmitted to the computer within the instrument unit. Whatever information was relevant to the crew was passed on to them also in a list of numbers manually read up by the Capcom. Based on these calculations, and after a little more than 2½ hours orbiting Earth, the S-IVB stage reignited and set the Apollo spacecraft on its path to the Moon.

COASTING AROUND EARTH

Okay to go?
One of the original concepts put forward for getting to the Moon was the direct ascent mode, whereby a rocket from Earth left the planet on a direct trajectory for the Moon. A major objection to this plan was that it included no opportunity to check whether the spacecraft had come through the stresses of launch unscathed before committing it and its human crew to a lengthy journey in deep space. The competing arrangements – *Earth orbit rendezvous* and the ultimately successful *lunar orbit rendezvous* concept – did include a period in parking orbit around Earth as part of their mission plan, which permitted a comprehensive check to be made of the spacecraft's systems.

Earth orbit was an important staging point on Apollo's lunar journey. It was 2½ hours or so during which the crew and the flight controllers on the ground checked every system they could and prepared for the 5-minute translunar injection burn. For the first time in the flight, the spacecraft was being exposed to a true space environment after having endured the vibration and shock of launch and ascent. It was generally the task of the *lunar module pilot* (LMP) to work through a series of checklists to confirm the status of every major system on board the spacecraft. In this, he was normally aided by the commander.

Careful checks were made of the environmental control system to ensure that the supply of oxygen to the crew was properly controlled, that the system was capable of providing necessary cooling for the many electronic and mechanical systems, and that it would maintain the cabin at a comfortable temperature for the crew. Special attention was given to the radiator panels on the side of the service module and the evaporators in the CM, which supplemented the radiators when cooling needs increased. The radiators carried pipes that took the hot fluid from the spacecraft and cooled it by radiation into space. If a leak had sprung in one of these panels, there would be no mission to the Moon.

Neither would they be heading for the Moon if a problem arose in one of the sets of thrusters arranged around the spacecraft. These small, low-thrust rockets were the business end of the *reaction control system* (RCS) of which there were two: one each in the command and the service modules. While the thrusters built into the command module would only be required upon re-entry, those on the side of the service module were required throughout the mission and were crucial to just about everything that happened; from simply aiming the spacecraft for the collection of science data to controlling the spacecraft's attitude for critical operations such as guidance sightings, engine burns and thermal control.

Aligning to the stars

While the commander and LMP busied themselves with equipment checks, the third crewman prepared for his guidance role. When the stack was inserted into orbit, it did so with the spacecraft's hatch facing the Earth. This attitude also faced the apertures for the optical systems out into space and towards the stars. The *command module pilot* (CMP) used the optics to take sightings on stars and thereby properly align their guidance platform, essentially refining the system's sense of direction. Not only did this prepare their guidance system for the all-important engine burn to take them to the Moon, it also allowed the CMP to satisfy himself that the system was working well and could be trusted to enable the flight to proceed to the next stage.

The first task in the CMP's alignment procedure was to remove the covers that protected the exterior surfaces of the sextant and the telescope – two optical instruments on the spacecraft's hull that were articulated and could be aimed to view any object within the range of their movement. As he peered through the telescope to report what he saw, he pushed a control lever fully to the right to actuate the ejection mechanism. On Apollo 8, Jim Lovell was surprised at what appeared. "The optics cover jettison worked as advertised; however, when they are first ejected, there is so much debris ejected with them (little sparkles and floating objects in front of the optics) it is hard to tell exactly what occurred." A problem faced by the CMP was that the spacecraft was usually bathed in full sunlight yet he was expected to

Richard Gordon in an Apollo CM cabin during training for Apollo 12.

sight on relatively faint stars through complex optical systems. The tiny points of light he was trying to see were many magnitudes dimmer than the nearby Sun. When additional floating particles were illuminated by the Sun, it only made the task more difficult. "It is very difficult at first to see stars through the optics because of the jettisoning of the covers and the putting out of quite a bit of dust with them. As a matter of fact, during the entire mission some of this dust would come out every time we rotated the shaft."

Unsurprisingly, it became standard practice to align the guidance system while passing over the night-time side of Earth, when the particles, although present, would not be lit up, giving the CMP a better chance of finding his way around the constellations. Richard Gordon was particularly busy when Apollo 12 entered Earth's shadow for the first time. The guidance platform on board *Yankee Clipper* had been completely knocked out of alignment by the lightning strike on the spacecraft soon after lift-off. This meant that Gordon not only had to carry out a fine alignment like all the CMPs did, but he first had to align the guidance platform from the beginning and this coarse alignment was proving troublesome. "When I looked in the telescope I couldn't see anything," he later explained. "There was no light or anything coming from there. I thought it must be because I'm not dark-adapted and probably this was correct."

It generally takes half an hour for a person's vision to adapt to dark surroundings. As stars are so dim, and as there was a substantial loss of light through the complex optical system, the CMP needed some help to know which star he was pointing at. But since the guidance system was completely misaligned, it could give no assistance by pointing the instrument in the general direction that was required as a starting point for the check.

"Fortunately Al [Bean] was helping me with this. He was looking out his window and could see Orion coming up on his side. So, I just waited until it came into the field of view of the optics." Orion, one of the best known constellations, was of assistance to Gordon because it not only contains two bright stars, Betelgeuse and Rigel, but is also near to Sirius, the brightest star in the sky excluding our Sun. Usefully, Orion's belt points roughly towards Sirius. "I saw the belt of Orion dimly in the very edge, and then I could pick up Rigel and Sirius. Once I had picked up Rigel, I could find Sirius. They were the only stars I could see in the entire field of view." Having aimed the optics at known stars, he used Program 51 in the computer to roughly align the guidance platform. Once coarsely aligned, the job became easier because the computer could aim the optics in roughly the right direction for a particular star and Gordon could then use Program 52 for the all-important fine alignment.

"The pressure was on and fortunately those two stars were the only ones I ever did recognize," said Gordon. "They were Rigel and Sirius. They were just barely in the field of view. I grabbed those two quickly and got a P51 and did a quick P52. I think that one of the stars [the P52] came up with was Acamar. I wouldn't have been able to find that in any circumstances."

Having aligned the platform during their first night-time pass over Australia, Gordon repeated the P52 exercise on the second revolution to check that the platform alignment was not drifting excessively. "The second P52 over Carnarvon [West Australia], just before TLI, indicated that we had a good platform. Drift angles were very low. Everybody breathed a sigh of relief that we had our platform back again."

Intermittent communications

When Apollo was blazing its pioneering trail to the Moon, the nascent space industry had yet to set up a comprehensive, worldwide communications network using satellites and ground stations. It would take the efforts of another generation to arrange an infrastructure that would allow crews to at least talk to mission control at any point in their orbit. Apollo crewmen could only talk to Houston for brief intervals of up to seven minutes as they passed over a scattering of ground stations along their orbital path. As with many aspects of Apollo, the exact configuration of these stations changed from mission to mission as operational experience was gained and priorities changed. Early missions supplemented their coverage with extra ground sites and a scattering of specially equipped ships filled the gaps between the main sites.

Stations were sited on islands or on board ships strung across the Atlantic Ocean away from Cape Canaveral to provide coverage for the Saturn's ascent to orbit. A station on one of the Canary Islands off the west coast of Africa permitted communications on the opposite side of the Atlantic, and another on Madagascar was used during the early missions for coverage as the spacecraft set out over the Indian Ocean. An outpost near Canberra on the east coast of Australia gave coverage on the opposite side of the world. An important station was set up on Hawaii, in the middle of the Pacific Ocean, which covered the first few minutes of the spacecraft's departure for the Moon. This was supplemented with ships and *Apollo range instrumentation aircraft* (ARIA) which filled in the gaps before a string of stations across the continental United States gave constant coverage to the Atlantic. The ARIA were EC-135 jets – similar in structure to the Boeing 707 jetliner – that were specifically equipped to support Apollo communications.

During each short period of communication, data about the state of the crew and spacecraft were exchanged with updates from mission control. Another vital job for some of the ground stations at this time was to track the speed and position of the spacecraft as accurately as possible to refine mission control's knowledge of its trajectory – information that was necessary to ensure an accurate burn towards the Moon. In particular, the station on the Canaries could provide an initial orbital determination and Carnarvon in Australia refined the determination antipodal to insertion.

High atop the world

Once in orbit, the crew could remove their helmets and gloves to give themselves a little more freedom, but would remain in their suits. As they busied themselves with their tasks, the cabin became cluttered as cameras and lenses were unstowed, ancillary equipment was fished out and installed, and the necessary system checks and alignments made. In addition to their spacesuits, the crew of Apollo 8 were still wearing life vests in case the CM had to ditch in the Atlantic after launch. As Jim Lovell was moving around, his life vest caught something and began to inflate from its internal gas supply.

"Oh, shoot!"

"What was that?" asked his commander.

"My life jacket," he replied.

"No kidding?" laughed Borman.

Bill Anders was aware that whatever they said was being recorded for later transmission to Earth and began a running commentary. "Lovell just caught his life vest on Frank's strut."

"It's hard to get off, too," commented Lovell. The three crewmen soon realised that the vest had been inflated with carbon dioxide, and if too much of that gas was dumped into the cabin it would overwhelm the lithium hydroxide canisters that were carried on board to absorb the toxic gas in their own exhaled breath. Anders came up with the solution: "Tell you what we'll do: we'll dump it out with the vacuum cleaner over the side there." The CM's vacuum cleaner worked simply by dumping cabin air overboard, taking dirt with it. By feeding the contents of the life vest down the vacuum cleaner, the carbon dioxide could be removed.

Although they only had about 2½ hours in Earth orbit, the Apollo crews usually considered that to be enough time to complete a rigorous series of systems checks and still have an opportunity to look out of the window at the wondrous sights passing below. For some crewmen, this would be their first experience of spaceflight, but this was not so for the Apollo 11 crew, all of whom were Gemini veterans.

"Trees and a forest down there," said Mike Collins, as they flew somewhere around the western United States. "It looks like trees and a forest or something. Looks like snow and trees. Fantastic. I have no conception of where we're pointed or which way we're going or a crapping thing, but it's a beautiful low-pressure cell out here," he enthused.

This crew, and many of the other Apollo crewmen, had flown in the cramped confines of the earlier Gemini spacecraft – a couple had even been squeezed into the tiny one-man Mercury capsule. Apollo gave them a bit more space to move around. "I'm having a hell of a time maintaining my body position down here," noted Collins after he had manoeuvred down to the lower equipment bay where the eyepieces for the optical instruments were stored. "I keep floating up."

"How does zero-g feel?" asked Neil Armstrong of his crew. "Your head feel funny, anybody, or anything like that?"

"No, I don't know, it just feels like we're going around upside down," replied Collins who was still transfixed by the experience.

Flying near Earth was something that all the crews wished could have lasted longer. "Jesus Christ, look at that horizon!" yelled Collins on seeing how quickly the Sun rose in orbit, even though he had already witnessed the spectacle during his Gemini mission in 1966.

"Isn't that something?" echoed Armstrong.

"God damn, that's pretty; it's unreal."

"Get a picture of that," suggested Armstrong.

"Oh, sure, I will," replied Collins who then had to contend with the compact and complex space that was an Apollo cabin. "I've lost a Hasselblad. Has anybody seen a Hasselblad floating by? It couldn't have gone very far, big son of a gun like that."

Eugene Cernan, the commander of Apollo 17, noted how their night-time launch affected their experience in orbit. "Launching at night, we just had a somewhat different view of the Earth than most other flights have had. The first real view we got of being in orbit was pretty spectacular because it happened to be Earth sunrise and that's a very intriguing and interesting way to get your first indoctrination to Earth orbit."

Certainly Cernan's LMP, Jack Schmitt, flying for the first time, did not hold back in describing what he saw as he saw it – a characteristic this scientist/astronaut would exercise both on the Moon and in orbit around it. For example, while flying over the dark United States, he described the lights of the American towns and cities to Capcom Bob Parker. "Man's field of stars on the Earth is competing with the heavens, Bob. I think we got the Gulf Coast showing up now, by the band of lights."

Half and hour later, over the daylight side of Earth, he applied some geological terms with which he was familiar to the delicate patterning he saw in the great cloud systems that lay below him: "Bob, we're over what might be intermediate to low strata that have a very strong crenulation pattern – pulling out some geological terms here. I don't think I've ever seen anything like it flying."

The exposed desert landscapes of the Sahara brought him back to thinking about rocks. "Bob, we had almost a completely weather-free pass over Africa and Madagascar. And the scenery, both aesthetically and geologically, was something like I've never seen before, for sure. There were patterns like I haven't even seen in textbooks. Maybe I haven't been looking enough, but some of the desert and grassland patterns had the appearance of ice crystals almost."

The crew of Apollo 12 had been entranced by seeing countless tiny pinpricks of light across the night-time expanse of the Sahara Desert as nomads sat by their campfires. The Apollo 16 crew also spotted this reminder of the human race's relationship with flame, one that had lifted them off the planet.

"Look, look, John," said Duke.

"What?" asked Young, ever unflappable.

"The fires. Out the right side. Looka there!" said Duke in some wonder. He had heard the stories from the Apollo 12 crew about them. "They were right. They were really right. Beautiful!"

"What's that?" asked Young.

Ken Mattingly, CMP on this mission, reminded his commander: "The fires of Africa. They're there. Like he said. Isn't that spectacular?"

"That is really beautiful!" said Duke.

"Can you see them, John?" asked Mattingly.

"Yeah, I see them. Yeah, yeah. Good gosh!"

"There must be a hundred or so," added Duke. "What are they from?"

"Nomads," said Mattingly. "All the nomads and stuff that are out there."

Sharp-end forward

While the crew busied themselves to ensure that their ship was healthy, the S-IVB had not been idle as it prepared for its main burn. Throughout the one-and-a-half orbits made before TLI, a set of small rocket thrusters attached around its base kept the stack pointed forward into the direction of travel. The vehicle was still in the upper fringes of Earth's atmosphere and this sharp-end-forward attitude presented the smallest area to the hypersonic air flow, minimising frictional heating. They also kept the cabin windows facing Earth and the spacecraft optics on the opposite side facing out to the stars for the CMP's navigational duties.

As the sharp-end-forward attitude was also required for TLI, maintaining it throughout the Earth-orbit phase avoided having to make a large adjustment just prior to the burn that would have stirred up the propellant in the part-used tanks. An early test flight had shown that it ought to be possible to rotate an S-IVB, but excessive motions of the stage had to be avoided in case large slosh waves were generated within the tanks. Unfortunately, Apollo 15's S-IVB managed to lose a quarter of a tonne of LOX when it readjusted its attitude too quickly. The stack had entered orbit in an excessive nose-down attitude and the slosh wave that resulted from the readjustment managed to reach a vent. Fortunately, the loss did not impact the mission.

Attitude control of the S-IVB stage was somewhat different from the first and second stages of the Saturn. While these stages could use their main engines to turn the ship in all three axes, the S-IVB's single engine could only gimbal to provide

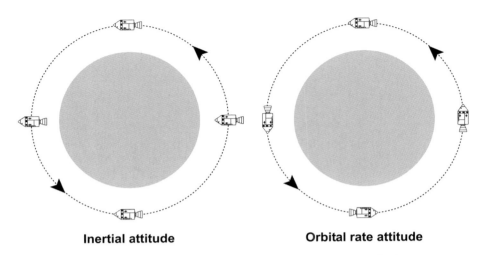

Inertial attitude   **Orbital rate attitude**

Diagram comparing inertial attitude and orbital rate attitude.

control of pitch and yaw. It had no means to control roll, and, additionally, it was required to maintain its attitude during coasting flight. The engineers' solution was the *auxiliary propulsion system* (APS), two modules that were attached at the base of the stage's cylindrical section, each of which held four small rocket engines that burned hypergolic propellant from their own tanks. During powered flight, only the APS roll engines had to operate; and after the main engine shut down and the stage began to coast, the APS modules assumed control of all three axes: roll, pitch and yaw.

This method of flying around a planet or moon with one side constantly facing the surface required an orbital rate rotation to be set up. If it takes 90 minutes to orbit Earth (typical for a low Earth orbit), then by pitching down at a slow rotational speed that also takes 90 minutes per revolution, one side of the spacecraft can be made to face the ground at all times. This *orbital rate attitude* is obviously a useful technique for the many satellites that need to bring instruments to bear on a planet's surface. Conversely, if a spacecraft orbits a body but maintains its attitude with respect to the stars – for example, the Hubble Space Telescope – its attitude is said to be *inertial* and, as a result, it will continuously change the face it presents to the world below as it orbits. Apollo often used orbital rate motion during both Earth orbit and lunar orbit phases because so many operations required a ground-based frame of reference (pointing cameras, for example), and they became easier to understand and control that way.

Monitoring an orbital rate rotation was a little problematic for a spacecraft that had been designed to show inertial attitudes. A way had to be found to make the 8-ball rotate at orbital speed so that it, too, would be displaying attitude with respect to the ground. The solution was one that reflected the hurried nature of the programme. There was not enough time within Kennedy's deadline to redesign the guidance system to implement such a feature. Instead, engineers added a workaround; a little box, given the acronym ORDEAL, that the crews had to install after they attained orbit. The acronym stood for *orbital rate display, Earth and lunar*, and its operation was simple. On the assumption that an orbital rate attitude was simply a slow pitch-down motion (which it would be if the S-IVB was oriented as planned), the ORDEAL supplied a calibrated drive signal that caused the 8-ball to pitch at the same speed. With this box properly set up, the crews could read off their attitude with respect to the ground. For later flights, they learned how to use the ORDEAL to monitor their attitude during the TLI burn, which was carried out in an orbital rate attitude. If it could be accurately monitored, the commander could take over control of the stack in the event of the S-IVB guidance system failing, thereby further increasing the redundancy of the entire Apollo system.

While in Earth orbit, the crew avoided using their RCS thrusters as any motion imparted by them would be immediately counteracted by the independently operating S-IVB stage. One exception was a short firing made to check their operation. Pete Conrad on Apollo 12 made a particular point of testing his spacecraft's RCS thrusters with a few short pulses. His vehicle had sat in heavy rain prior to launch and he was convinced that that would have affected the upward-facing thrusters. "I was still worried about the water in those thrusters. I wasn't convinced, in my mind, that we had not frozen some thrusters full of ice as there was water on the windows. Everybody thought [the water on the windows] would disappear and it hadn't. I was concerned about those service module RCS thrusters, but the ground assured me they were working okay and it was alright with us."

THE ROUTE TO THE MOON

Translunar injection

Flying to the Moon, when you don't have a lot of propellant to hose around, is like a stone throw – a ballistic lob across 400,000 kilometres of space between two worlds. The impulse for this 'throw' came from the S-IVB stage of the Saturn V which added an additional 3 kilometres per second to their speed with a burn nearly 6 minutes long. As this *translunar injection* (TLI) burn progressed, it modified the spacecraft's circular orbit into an increasingly long, stretched elliptical orbit whose apogee reached further and further into space. By the time the S-IVB shut down, it had set the Apollo spacecraft on an orbit around Earth that had a perigee of only 170 kilometres, but with an apogee at an altitude of over half a million kilometres – if only the Moon had not been in the way!

The precise details of Apollo's throw to the Moon, its duration, direction and timing, depended on a collection of constraints. These were often contradictory, but they narrowed the possible options for the S-IVB's burn to a unique but very useful trajectory. One constraint was propellant, which becomes a very expensive commodity by having to be lifted off Earth's surface. Consequently, planners tended to prefer trajectories that did not demand long burns of rocket engines. Getting to the Moon was not going to be a quick affair. At the other end of the scale, there are ways of reaching the Moon that require very little propellant, but these result in complex trajectories that can take weeks or months to complete. The consumables carried on board the Apollo spacecraft would never last long enough and the physical endurance of the crew in the confined space would be sorely tested. For human spaceflight, there comes a point where the advantages of reduced propellant requirements become more than matched by the increases in food, power and radiation shielding required by the crew.

Another constraint was the landing site. When Apollo reached the Moon and inserted itself into lunar orbit, that orbit had to pass over the landing site. Therefore, to save propellant, their trajectory had to place the spacecraft in the best position to achieve its orbit. Planners also had to consider the lighting conditions at the time of landing and the thermal conditions on the Moon's surface. Landings had therefore to be made in the lunar mornings to use the low angle sunlight and benign thermal environment.

The choice of burn was further constrained by crew safety considerations. This was paramount in the minds of planners in view of Kennedy's pledge to return a crew safely to Earth. Any option that maximised NASA's ability to bring an endangered crew back home was keenly adopted. The engineering mantra was: if there is a problem with which you cannot deal directly, then do as little as possible in case you make things worse. What the planners really wanted was an option that would still allow the crew's safe return even if the spacecraft's propulsion system had completely failed. Fortuitously, one existed – the free-return trajectory.

Free-return
Even before Kennedy's challenge, the lunar free-return trajectory had been recognised as a safe and efficient means by which a spacecraft could make the journey. This was a wonderful solution to the problem, one whose propellant needs were within the capabilities of the Saturn V, that could get a crew to the Moon within three days and allow the entire mission to be carried out within 14 days, well within the duration for which the Apollo spacecraft was being designed. Furthermore, if something went wrong with the SPS on the way to the Moon that would prevent major manoeuvres, the free-return trajectory would bring the crew back towards Earth, and any fine tuning on the homeward leg was within the capability of their RCS thrusters. This was an inher-

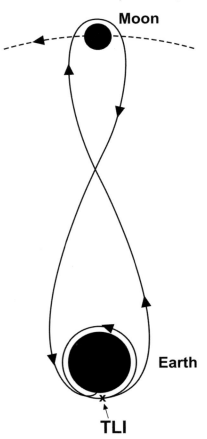

Diagram of the free-return trajectory.

ently attractive option for an agency that had a presidential directive to preserve the life of its human crews.

The free-return trajectory relied on using the Moon's gravity as a steering device for the spacecraft. It is a technique that has been used by interplanetary probes for decades to move around the solar system more quickly than would be possible with rockets alone. If a spacecraft comes in from beyond the sphere of influence of a planet, it will have the same speed on both the incoming and outgoing legs when measured with respect to that body. However, if it passes by the trailing hemisphere, its heliocentric velocity is increased as it exchanges a little of that body's momentum in its favour, and its aphelion is increased. This is often characterised as a slingshot effect. Conversely, if it passes the leading hemisphere of the body, the exchange is away from the spacecraft, slowing its heliocentric velocity and forcing its aphelion to drop. The same possibilities apply to a vehicle heading for the Moon. With the free-return trajectory, the leading-edge case is taken to extremes, with the spacecraft being made to swing all the way around the far side of the Moon and onto a path back to Earth, thereby tracing out an immense figure-of-eight. The free-return trajectory also affords a slower approach velocity with respect to the Moon, again reducing the amount of propellant required to achieve lunar orbit. A win–win scenario.

Once the free-return trajectory had been brought into the TLI calculation, there were very few solutions remaining to the equations that calculated the burn for the S-IVB. Such equations took into account the motions of Earth, the Moon and the spacecraft as well as the other major bodies in the solar system whose gravity would to some degree influence the spacecraft's path. They also accounted for the trajectory the lunar module would be taking during its descent to the surface, particularly when Apollos 15 and 17 had to approach through mountain ranges. One particular flight controller in mission control was responsible for procuring the details of a TLI burn that would fulfil as many of the desired conditions as possible. The *flight dynamics officer* (FIDO) worked with a backroom team and a room full of mainframe computers to calculate a range of possible solutions based on the Earth orbit the stack had achieved. These could be optimised for fuel efficiency, duration of flight, suitability for entering lunar orbit, and flight safety in terms of their return-to-Earth characteristics. From these, he picked one which, by his judgement, was the best compromise; one that required the Saturn's third stage to fire along its flight path in order to change the speed of the spacecraft by a certain amount at a certain time. It was then up to the S-IVB's J-2 engine to supply that change in velocity.

Over the course of the Apollo lunar flights, the manner in which planners used free-return altered as NASA's confidence increased. A pure version of the trajectory, one that would set the spacecraft on a path directly to Earth without intervention, would pass across the far side of the Moon at a distance of roughly 500 kilometres, depending on the details of the Earth/Moon/Sun geometry. For the early flights (up to and including Apollo 11) controllers sent the spacecraft on a trajectory that was a near approximation to this and which, if a return to Earth was necessary, only required minor burns of the RCS thrusters to steer it to the desired splashdown site. Since the free-return trick only worked if the flight was kept within the plane of the

Moon's orbit around Earth, it limited prospective landing sites to those that lay along the track of the resulting lunar orbit. Since the Moon's equator lies nearly in the plane of its orbit around Earth, the selected landing sites were all equatorial.

The H-missions, Apollos 12, 13 and 14, started out from Earth on a free-return trajectory, but once safely on their way their path was modified by a small burn to improve its approach characteristics, knowing that a corrective burn from either the SPS engine on the CSM, or the large engines on the LM, would be sufficient to return them to a safe coast home. The latter contingency had to be used on Apollo 13 to restore a free-return after the SPS engine was disabled. The J-missions were injected directly into a non-free-return trajectory, one that would not bring them home directly. Again, they relied on either the SPS engine to effect a safe return or, if that was out of action, on the large LM engines.

Imagining the path
The flight path to the Moon can be difficult to visualise. Imagine a vantage point looking down at the Earth and Moon from the north, with an Apollo spacecraft about to make a TLI burn for a free-return path. The spacecraft had been orbiting Earth towards the east (anticlockwise in our visualisation), a direction it shared with the rotation of Earth, and indeed almost everything else in the solar system. The TLI burn was timed to occur at a point in this orbit that was roughly on the opposite side of Earth from where the Moon and spacecraft would come together three days later. The burn placed the spacecraft on a path that ordinarily would have been a long, slow elliptical orbit with an apogee half a million kilometres out from Earth, which is slightly beyond lunar distance. Meanwhile, the Moon at TLI was about 40 degrees further back in its path around Earth, approaching the point where its orbit would intersect the spacecraft's path. The timing of TLI was such that the spacecraft would reach lunar distance before the Moon came along.

As it headed out, the influence of Earth's gravity on the spacecraft gradually weakened while that of the Moon, approaching from the side, grew stronger; attracting the spacecraft and deflecting it from its original anticlockwise elliptic path. By virtue of careful calculation of the required trajectory prior to the TLI burn, the spacecraft was aimed to pass close to the Moon's leading hemisphere and be pulled around its far side travelling in a *clockwise* direction. If nothing else were done, and if the timing and direction were correct, such a trajectory, under the Moon's gravitational influence, would swing right around the lunar far side and fall back to Earth. Such a path made its closest approach about midway around the far side, so in order to stay in the Moon's vicinity, the crew had to fire their main engine against their direction of travel at this point. This burn took energy out of the spacecraft's trajectory, slowed it down and made it enter a clockwise, or retrograde lunar orbit.

What if. . .?
After only 90 minutes in space, the Apollo stack on top of the S-IVB had made one revolution of Earth and was coasting over United States territory where it had continuous communication from Hawaii to the Atlantic. This 20-minute opportunity was mainly given over to reading up to the spacecraft three huge lists of numbers,

called PADs (short for *pre-advisory data*).[1] Each list passed on the details of three engine burns relevant to the next few hours, one of which, the TLI PAD, the crew would almost definitely use. The other two were for burns they hoped they would never have to make, because they were contingencies to abort the mission.

Throughout every mission, NASA implemented strategies that would attempt to make any reasonable technical failure survivable. Sometimes this was by providing redundant systems. Another strategy was to lay down procedures that tried to pre-empt failure so that the crew and the flight controllers already knew what to do at any point in the mission should a problem make a return advisable. The strength of this approach was dramatically and successfully vindicated on Apollo 13 when they overcame a failure that was both crippling to the spacecraft and completely unforeseen.

One procedure was based on the premise that the crew might lose communications with Earth while on their way to the Moon, or in lunar orbit. In case this happened, mission control always ensured that while they could still talk with the crew, they would keep them updated with enough data to enable them to return home as safely and as quickly as was appropriate. This was the function of the other two PADs read up while passing over Hawaii. They gave the crew all the information they would need if, for any reason, they had to return home soon after TLI.

As the first was calculated on the basis of an ignition time 90 minutes after TLI, it was called the 'TLI + 90' PAD and would have required the CSM to burn its main engine for more than 5 minutes against their momentum away from Earth. The second was known as the 'TLI + 4 hours' PAD in the early Apollo flights, becoming a 'TLI + 5 hour' burn on Apollo 11. For the remainder of the missions, it was calculated on a time relative to lift-off, usually 8 hours after lift-off. Once the two abort PADs had been passed to the crew, they could concentrate on the translunar injection PAD and the preparations for the burn itself.

Countdown to TLI

As the stack passed over NASA's network of communication stations around the world, its orbit was carefully measured and intensive calculations made on FIDO's behalf that allowed him to choose exactly when and how the TLI burn should be made. This information was radioed up to the Saturn's instrument unit, which would control that burn. In particular, the computed time of ignition was back-timed to a moment 9 minutes and 38 seconds earlier, when the instrument unit needed to begin Timebase 6 – a choreographed sequence of events that would lead up to ignition and through the burn.

The start of Timebase 6 was indicated to the crew by a lamp coming on for 10 seconds. This was one of the cluster of lamps that had informed them of the status of the launch vehicle throughout its flight. At this point, the Saturn's computer checked

---

[1] See Chapter 8 for a fuller explanation of the PAD, including a worked example.

the state of a switch in the CM to verify that the crew really did still want to go to the Moon. This switch was provided so that further preparations for ignition could be terminated in case a problem surfaced that meant calling off the lunar phase of the mission. If all was progressing well, valves were closed to stop the S-IVB's tanks from venting, and a burner was ignited to heat the helium that repressurised the tanks, preparing them for operation.

At 100 seconds before ignition, the computer display blanked to let the crew know that the guidance system had begun to measure whatever acceleration the S-IVB was about to impart. With 80 seconds to go before ignition, the aft-facing ullage motors within the APS modules fired to push the fuel and oxidiser to the base of their tanks in order to settle them and provide a little head of pressure into the engine. The crew still had options to stop the S-IVB from starting up. If they did so earlier than 18 seconds remaining to ignition, the inhibit switch would work; otherwise, an adjacent switch, one which normally made the second and third stages of the Saturn separate, had to be used.

At 8 seconds prior to ignition, valves were opened to route hydrogen fuel through the walls of the engine to chill them. As this was a restartable engine, the 'start' tank had been refilled with hydrogen during the first burn. At the calculated time of ignition, the contents of this tank were discharged through the pump turbines, spinning them up and increasing propellant pressures in the pipes leading to the core of the engine. The propellant valves, which had been cracked open slightly at this point, then began to fully open, allowing a rush of fuel and oxidiser into the combustion chamber where a flame initiated full combustion and the engine brought itself up to full thrust.

Off to the Moon

One second prior to ignition, the central light in the indicator cluster came on to tell the crew that the J-2 was about to spring into life. When it did, the crew felt an acceleration of about 0.5 g that gently rose to about 1.5 g over the duration of the burn as the tanks in the third stage emptied. Translunar injection typically lasted just under 6 minutes, increasing their speed from 7.8 to 10.8 kilometres per second. As soon as the burn began, the position at which it occurred became the perigee of the stack's new elliptical orbit. Then as the burn proceeded and as they continued to orbit around Earth, their height began to rise; slowly at first, but at an increasing rate as the apogee was drawn out. The crew continuously monitored their instruments in case the S-IVB showed signs of trouble, but they were not averse to taking a look out of the window and enjoying the view, which Eugene Cernan described on Apollo 17: "As the S-IVB manoeuvred, we flew through a sunrise during TLI, which in itself was very interesting, very spectacular."

It was common for commentators of the day to say that the TLI burn accelerated Apollo to Earth escape velocity. This statement implied that when the S-IVB finished its work, the stack was travelling so fast that it would never return to Earth's vicinity without some intervention, whether from the Moon or a rocket engine. Strictly speaking, this was not true, as the stack's long elliptical orbit around Earth would have eventually returned them to perigee if the Moon had not intervened.

Nevertheless, it was well within the capability of the S-IVB to add the few extra metres per second to its speed and attain true escape velocity.

With respect to the ground, the stack's new trajectory was moving less and less parallel to Earth's surface, and instead more and more perpendicular to it as it pulled away from the planet. As it did so, its horizontal speed across the ground diminished – so much so, in fact, that the rotation of the planet began to catch up with the spacecraft, with the result that the ground track, which had been towards the east, slowed, halted and began to travel towards the west, which kept the spacecraft in view of Hawaii.

For a few minutes, as they raced away at about 10 kilometres per second, the crew passed through the van Allen belts, where they received a small dose of radiation. The Apollo flights represent the only example of human spaceflight through and beyond the van Allen radiation belts into interplanetary space. These belts consist of diffuse volumes around Earth within which radiation levels are elevated by the planet's magnetic field trapping energetic particles from the Sun. There is an inner torus populated by energetic protons, which the spacecraft passed through in a matter of minutes, and which was largely shielded against by the spacecraft's skin. The spacecraft took about an hour and a half to traverse the more extensive outer torus, but because this region has mainly low-energy electrons, it was less of a worry to mission planners. Over a complete mission, including exposure to very energetic particles encountered in the solar wind environment beyond Earth's magnetosphere, crews were believed to have sustained a dose of a similar magnitude to that allowed annually for workers in the nuclear industry. There were additional dangers from occasional explosive events on the Sun when huge quantities of particle radiation were spewed out in a solar flare, but the Apollo programme simply ran the gauntlet of these flares, accepting such risks along with the many other risks already inherent in an Apollo mission. Astronauts came from the test-pilot milieu where danger was a given and risks had to be weighed against the gains of mission success.

5

Retrieving the lander

LEAVING EARTH

In the years that have elapsed since the Apollo programme, people have forgotten the scale of what the S-IVB was designed to achieve. There is little appreciation of the difference between low Earth orbit and the reaches of space to which this engine took the Apollo crews. In any case, many fail to understand the relative scale of the Earth–Moon system. I once gave a talk to schoolchildren about the Moon and used the popular method of scaling the solar system down to what our minds can handle. As props, along with a model of the Saturn V launch vehicle and some good photographs, I took my own model of the Earth–Moon system. Earth was represented by a 20-centimetre globe that I had been given some years earlier. The Moon was represented by a lucky find I made during a visit to the holy grail of aerospace memorabilia: the National Air and Space Museum in Washington, DC, in the USA. While browsing the museum's gift shop, I had come across a 5-centimetre-diameter foam ball, grey and pockmarked with craters, that perfectly matched the scale of my globe of the Earth, as the Moon's diameter is very nearly one-quarter that of Earth.

During the talk, I threw my foam Moon out among the schoolchildren and asked the boy who caught it to come forward and hold the Moon beside my Earth at what he thought would be its correct distance. Repeated attempts by various children suggested distances between 0.5 and 1 metre. Of course, I had previously calculated the correct distance and cut a piece of string to length, which I had rolled up around a pencil. I asked the final child to place the foam Moon at the end of the string and walk back until I had fed out its full length. Back she went up the aisle between the rows of seated children. Their teacher sat at the far end of the aisle and I noticed how her eyes widened as the schoolgirl took my Moon up to where she was seated. On the scale of my little model, the mean distance between Earth and the Moon was represented by a piece of string 6 metres long. I then explained how every flight into space by humans since the end of the Apollo programme had risen above Earth between 300 and 600 kilometres, no more than the thickness of that girl's little finger.

It was by the power of the S-IVB that Apollo transcended any space exploration before or since, and took men into the realms of deep space.

Astronaut Michael Collins understood the significance of the TLI burn and wrote about it in his autobiography, *Carrying the Fire*. He was at the Capcom console in the *mission operations control room* (MOCR) in Houston, usually called simply *mission control*, and acted as the intermediary between the crew of Apollo 8 and the huge team of people occupying the building with him. He realised that TLI was what made this first manned flight to the Moon different from all the flights that had preceded it. On his own flight, Apollo 11, he yearned for a deeper appreciation of what TLI really meant.

"The umbilical snipping ceremony carries about as much drama as asking for a second lump of sugar. 'Apollo 11, this is Houston. You are Go for TLI.' I answer, 'Apollo 11. Thank you.' There should be more to it."

Only 30 minutes after the completion of the TLI burn, the stack was already approaching an altitude equivalent to Earth's radius. The home planet no longer filled half the sky as it had when their spacecraft hugged the world in its parking orbit. Now the crew could see the planet as a globe and view entire continents in a single glance.

"You could see all of the United States. If the pictures come out, there will really be some pictures." This was praise indeed from the laconic John Young during the debriefing for Apollo 16. His CMP Ken Mattingly concurred. "The Earth was right there in the window. And centred right in the middle of the Earth was the United States, without a cloud over it."

"All the way from the Great Lakes to Brownsville," added Charlie Duke.

"Just as if you had drawn it and set it up so you could take a picture of it," continued Mattingly.

Earth, as seen from Apollo 16 after it left for the Moon. The Baja California peninsula is visible in the centre.

Young then changed the subject. "Why don't you talk about TD&E, Ken?"

Young was referring to *transposition, docking and extraction*, a typically NASA-ese piece of nomenclature concerning the CSM's separation from the S-IVB, a short coast away, turning, coming back, docking with the LM and pulling it away from the nearly spent stage. By Apollo 16, Mattingly was familiar with this series of tasks. "That's got to be the simplest manoeuvre performed in space flight," he said afterwards. "That was exactly like the simulator."

During the Gemini programme, NASA learned how to safely dock two spacecraft together, in the knowledge that it would be an important part of future operations in space. For Apollo missions, once the third stage of the Saturn launch vehicle had set them on course for the Moon, the crew put the techniques learned to good use and docking became a means to an end rather than an end in itself.

The lunar module sat below the command and service modules, hidden away in a conical shroud known as the SLA (pronounced 'slaw') which took the vehicle's diameter from the 6.6-metre-wide S-IVB to that of the 3.9-metre service module. The initials SLA variously stood for *spacecraft* or *service module to lunar module adapter*, and it was the CMP's task to retrieve the LM from its embrace in the final intensive task that had to be completed before the crew could settle down to the translunar coast. It did not always go according to plan.

TRANSPOSITION, DOCKING AND EXTRACTION

Preparations

The first step in the whole process was to ensure that the command module's cabin was pressurised with air up to its maximum extent, about two-fifths of an atmosphere. This was in preparation for later when, to save the LM's scarce resources, its initial air supply would be drawn from the CM cabin air. Valves on each side of a tunnel that would eventually connect the two spacecraft would then allow air to be exchanged between them.

While the crew worked through the TD&E checklist, the APS modules at the aft end of the S-IVB, which controlled the stack's attitude, fired to bring it to the correct orientation for the manoeuvres. Planners had calculated the most appropriate attitude for the S-IVB to adopt to avoid the CMP being blinded, either by the Sun or by reflections from the lander's metal surfaces, yet give good illumination of a docking target mounted on the LM that was to aid the alignment of the two craft as the CSM came in to dock.

The CMP could monitor the whole manoeuvre using the *entry monitor system* (EMS), an example of a piece of equipment that was meant for one purpose being pressed into service for another. The EMS was a unit built into the main console that was to monitor the spacecraft's re-entry into Earth's atmosphere at the end of a mission. One of its displays was a digital readout that showed how many nautical miles they still had to travel during a re-entry before landing in the ocean. It was switched to display how many feet separated the CM and an approaching LM when the crew were performing a rendezvous. For other manoeuvres, it could display how their speed was changing in response to the thrust produced by the engines. This versatile unit could also send a shut-down command to the engines once a preset change in speed had been accomplished. Most of these functions were for later, but for the TD&E, the command module pilot was interested in knowing how his speed, or to be more precise, his velocity had changed – a quantity known as delta-*v*.

In space flight, and in physics in general, an important difference is made between speed and velocity. Speed simply defines distance travelled over a set time. No account is taken of the direction of travel. With velocity, direction becomes part of the equation. In the three-dimensional arena of space, it is customary to measure speed after resolving it into three components of velocity. Therefore some frame of reference has to be brought into play where the directions of left/right, up/down and backwards/forwards are defined, usually labelled x, y and z. As an example of how this works, an object whose velocity is 3 metres per second along the x axis and 4 metres per second along the y axis is actually travelling at 5 metres per second in a direction somewhere between these two axes by simple application of the Pythagoras Theorem.

Unlike the spacecraft's main guidance system, which resolved delta-v in three axes, the EMS measured it along one axis only – in this case, along the spacecraft's longitudinal axis – and displayed it on the digital readout in feet per second. It had its own accelerometer (a device that measured velocity changes), whose sensitive axis was aligned parallel to the spacecraft's long axis. The delta-v display could therefore be used by the CMP to monitor how thruster firings were affecting the spacecraft's velocity as he separated from, and manoeuvred relative to, the S-IVB. Before separation, he could zero the display, then directly read off how his velocity had altered with respect to the stage. However, pilots on the early missions had noticed that the delta-v display did not work well around the zero mark, so they began presetting it to read minus 100 feet per second, which gave better results and was easier to interpret. A step was eventually included in the checklist to this effect.

Bang!

The precise time for the CSM to separate from the rest of the stack was not critical but, as was NASA's nature, they defined it as part of their carefully organised flight plan. The major constraint to this whole exercise was that the S-IVB had to be left with enough battery power for its final manoeuvres to steer away from the spacecraft's flight path.

A one-hour event timer that was preset to read 59:30 was started 30 seconds before the planned moment of separation. Counting up, it reached zero at the point of separation, and helped the crew to coordinate activities with their checklist both before and after the key moment. The timer was often used in this way for critical events in the mission.

With only 2 seconds remaining, the CMP, sat in the left couch, eased the translational hand controller in his left hand forwards, away from himself. At his command, rear-facing thrusters on the service module began to fire so that, as soon as the CSM became free, it would move away from the SLA. The separation itself was executed by a guarded pushbutton on the main display console. This switch was one of a group of eight such buttons that could be used to initiate pyrotechnic events, but it was the only one that was meant to be used during a normal mission; the others allowed backup manual control of events that normally occurred automatically.

Separation was a fast and complex event. An explosively driven guillotine severed the electrical connections between the spacecraft and the S-IVB. Next, a complex train of explosive cord was detonated to cut the service module free and to slice the top three-quarters of the SLA into four separate panels. These panels were not allowed to immediately drift free of the stage. Rather, each had two partial hinges mounted along its lower edge. The pyrotechnics also forced small pistons mounted in the lower section of the SLA to push on the outside edges of the panels, ensuring that they rotated away as desired.

Once the panels had swung away about 45 degrees, the hinges disengaged and the panels departed, pushed away from the S-IVB by springs built into the hinge mechanism. Each continued on its own path away from Earth; perhaps to impact the Moon, more likely to be cast by the Moon's gravity into some chaotic orbit around Earth and then be deflected by the Moon into solar orbit, to interact with the Earth–

Moon system every few decades. Today there are as many as 36 SLA panels out there that will drift aimlessly for perhaps many thousands of years. In the fullness of time, some may re-enter the Earth's atmosphere and burn up, while others may be thrown into the deeper reaches of our solar system for eternity.

NASA did not originally intend to jettison the panels. During Apollo 7, the crew attempted a partial simulation of the TD&E manoeuvre for the first time. There was no LM occupying the SLA and partial hinges were not used for the panels, engineers having chosen to keep them attached.

Apollo 7's S-IVB had no LM but included a target for docking practise.

As the CSM returned to the S-IVB to manoeuvre near their mock docking target, the commander Wally Schirra observed how one of the panels had not properly deployed and was flexing uncomfortably close to where they intended to practise. His CMP Donn Eisele described the scene to mission control: "The SLA panel at the top, left and bottom are opened at [what] I would guess to be about a 45-degree angle, and the SLA panel on the right is just opened maybe 30 degrees at the very best." Schirra elaborated: "Except for that one panel, everything looks like it's just as you'd expect it to be on that S-IVB SLA deployment." Eventually, Schirra invoked the commander's prerogative and cancelled the docking practice. Instead, he elected to station-keep with the S-IVB. "We're a little worried to get backed up in there with that one cocked panel." Next day, when they rendezvoused once again with the S-IVB, the panel was found to have fully deployed, but the practice approach was not attempted.

CSM turnaround

Having separated from the Saturn, the CMP continued thrusting forward, controlling with the translational hand controller, until the EMS indicated that he had gained a speed of half a foot per second. Then, once enough time had elapsed to ensure that the CSM was well clear of the third stage, he pulled back on the rotational control in his right hand. A different pattern of thrusters fired and the CSM began a half turn, pitching up the nose of the spacecraft until it pointed at the lunar module nestled in the top of the spent rocket. The LM's docking port was at the top of the lander while the CSM's was built into the apex of the command module, and the turnaround had brought the two ports face to face. It was only a matter of flying slowly towards the LM to bring them towards final docking.

One reason for using the EMS was because the crew could not see whether the spacecraft had cleared the third stage, and it was felt safer to rely on empirical measurement rather than guesswork. Not all the crews agreed with this approach. In his post-flight debrief, Richard Gordon of Apollo 12 felt the EMS got in the way. "If I'd been smart and used my head, I'd have taken these TD&E procedures and scratched all reference to the EMS whatsoever."

Both he and his commander Pete Conrad felt that it would have been enough simply to fire the thrusters for a set period of time, thereby simplifying the procedures. "That's exactly what I would have done," continued Gordon. "I would have separated from the SLA. I'd have thrust forward for the time to get 0.8 feet per second. I'd have waited to 15 and I would have backed off thrusting for a couple more seconds. And that's all you need." An additional problem using the EMS was that it could not track the delta-v very well if the CSM was rotating, or was subjected to shock, both of which were happening in this task. Having set the display to read minus 100, Gordon found it had jumped to read minus 98 when he was expecting a reading over 100. "So I had no idea how much velocity I'd put in to the thing and I just continued thrusting forward for a few seconds, probably being conservative because I wanted to make sure I got far enough away from the booster before we did the turnaround."

When the pyrotechnics fired to separate the CSM from the launch vehicle and to cut the SLA into four, a lot of debris could be generated, as many Apollo crews noted. Even before Apollo 17's CSM *America* had turned around to face the LM *Challenger*, Ron Evans exclaimed, "My gosh, look at the junk!"

By the time of this final Moon mission, the procedures for separation were well rehearsed. Evans let the CSM drift out for a few seconds. "Okay; there's 15 seconds. Pitch her up." As the spacecraft came around to view the S-IVB, Eugene Cernan spotted the debris surrounding it, "Houston, we're right in the middle of a snowstorm."

"Roger," confirmed Capcom Bob Parker. "And we'd like Omni Delta." The rotation of the CSM meant that the omnidirectional antenna they were using was no longer well placed and they needed to switch to another to maintain communication. He wasn't particularly interested in the debris.

"And there goes one of the SLA panels," called Cernan.

"Yes," agreed Evans as they continued rotating. "We're not there yet. Long ways to go yet."

"There goes another SLA panel, Houston, going the other way," said Cernan.

Jack Schmitt had his own windows to look out of. "Hey, there's the booster!" he yelled as the S-IVB came into view.

"Roger," said Parker. "Bet you never saw the SLA panels on the simulator."

Cernan agreed. "No, but we've got the booster and is she pretty? *Challenger*'s just sitting in her nest."

"Roger. We'd like Omni Bravo, now, Jack," requested Parker.

Cernan had been watching the particles that were floating outside his window. "And, Houston, some of the particles going by the window fairly obviously seem to be paint."

Once the CSM had turned around to face the LM, the rotation was stopped. Then, by pushing on the translational hand controller, the CMP could kill the drift away from the third stage and start to approach. As the two spacecraft slowly came together, he had to keep them aligned. To aid him, he had an optical aid, known as the *crewman optical alignment sight* (COAS), which was rather like a gun sight.

Apollo 15's lunar module still within the S-IVB and surrounded by a cloud of particles.

It was mounted in the forward-facing window on the left and it gave him a consistent line of sight. A 'stand-off' target was mounted on the LM, appropriately positioned

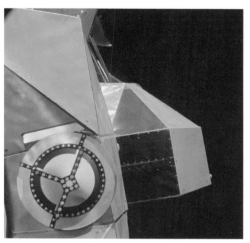

The target on Apollo 12's LM guided Richard Gordon to an accurate docking.

so that the combination of the COAS and the docking target allowed him to adjust for left/right, up/down and angle of approach to bring the two spacecraft accurately together.

Ken Mattingly was surprised at how easy this manoeuvre proved to be – a testament to the fidelity of the simulations prior to the flight. "When we pitched over, the crosshairs on the COAS were almost exactly centred on the target. It was just a matter of pushing it, sitting there, and waiting for the two to come together. I made one lateral correction and one vertical correction. We didn't do another thing until contact."

Probe and drogue: spacecraft sex

The docking system was one of the many engineering wonders of the Apollo programme and one whose importance is perhaps underplayed. The docking system was an ingenious, compact, pneumatic and mechanical arrangement that managed to elegantly fulfil an enormous range of tasks: it self-centred the two spacecraft as they contacted; it absorbed the shock of that contact to achieve a soft-dock; and, finally, it pulled the two craft together to achieve hard dock and straightened their axes as it did so. It was then collapsible and removable from either the LM or CM side and could be stowed when not required. Years later, Apollo 15 commander Dave Scott who was also the first CMP to use the Apollo docking system on Apollo 9, wrote about how crucial it was. "It is really quite important to the whole scheme of the Apollo concept – a very complex apparatus and one of the few single-point failures in the entire system. But at the end of the day, it was probably one of the more brilliant mechanical devices of the programme."

An engineering model of the probe and drogue docking mechanism.

Like so many plug/socket combinations in the electrical and electronics world, it was a sexed affair with the CSM carrying the male docking probe and the LM providing the receptacle into which the probe was inserted. The movie *Apollo 13* played up the suggestive nature of this arrangement when the character of Jack Swigert, who would be the CMP on the Apollo 13 mission and was a bachelor with a reputation as a ladies' man, was shown using a glass and bottle to demonstrate the Apollo docking system to a beautiful young woman. Although the male/female nature of the system limited its scope for later androgynous spacecraft designs by virtue of its inherent inflexibility, the probe and drogue arrangement was well suited to the needs of Apollo.

On the CM side, an articulated tip was mounted on the end of a retractable rod. Around this rod was a tripod of arms with shock absorbers. The whole probe assembly was mounted within the docking ring which itself was bolted to the apex of the command module. This ring carried 12 automatic latches around its circumference that engaged with the LM's docking ring when the probe brought the two together on retraction.

The LM's side of the affair was much simpler. The drogue was really just an inverted cone with a hole in its centre. The cone's purpose was to gently shepherd the tip of the probe into the carefully sized hole. Three small spring-loaded capture latches built into the probe's tip then caught the edge of the hole. This was the 'soft-dock' condition. When commanded, one of four small bottles of nitrogen gas inside the probe energised the retraction mechanism to pull the spacecraft together and as it did so, three pitch arms ensured that both spacecraft were aligned by contact with the drogue's cone.

When the CSM was manoeuvred towards the LM by using the docking target and the COAS, it helped to ensure that they were both aligned in pitch, yaw and roll. Pitch and yaw errors were removed by the shock absorbers in the pitch arms as the retraction took place. Any roll errors were usually small because the COAS and docking target were displaced well away from the centre-line of the docking system. At a later stage of the mission, the LM's guidance system would be given an approximate alignment by the appropriate numbers from the command module being read across and adjusted for the difference in attitude between the two spacecraft. This calculation meant taking account of any angular misalignment between the two vehicles. The docking tunnel included marks that allowed the docking index angle to be read off.

"NO LATCH, HOUSTON."

As Stu Roosa was the command module pilot on the Apollo 14 mission, it was his job to guide the CSM *Kitty Hawk* towards the LM *Antares* which was still parked on top of the S-IVB.

Lunar module pilot Edgar Mitchell gave the television viewers a running commentary of their view of the approaching LM. "Okay, I'll chat for a minute," he began. "The S-IVB is surrounded here by typically thousands, or millions of particles that came out when we separated. They look like little winking stars, floating around in a very random pattern. The sunlight is shining very strongly off the top of the lunar module as we drift into it. Stu's doing an excellent job of sliding in here very slowly. As you can see, our approach speed is a few tenths of a foot per second, probably. And the LM is starting to get very large in our field of view; starting to cover the window. And the LM and the S-IVB are bore-sighted right out our x axis." The approach to the captive LM was carried out in such a slow, careful manner that it hardly appeared to move on the TV. A viewer's attention had to be taken away for a moment to realise, when looking back, that they had actually edged closer to the LM.

Mitchell continued as the final distance was closed. "We can see all of the orange, yellow thermal protection around the LM. The colours stand out very nicely. And Houston; we're about to dock. We're probably a foot or 18 inches to 2 feet out now."

The probe contacted the drogue and scraped its way down to the central hole. As it nestled into the apex of the drogue, he called out, "And we docked."

But they had not docked. The capture latches had failed to engage with the drogue and Roosa found that his spacecraft was gently rebounding away from the LM. He immediately tried again.

A minute later, he radioed his failure to achieve soft-dock. "Okay, Houston. We hit it twice. Sure looks like we're closing fast enough. I'm going to back out here and try it again."

Over the next minute, Roosa made a third attempt, giving the CSM an extra push home by continuing to fire the RCS thrusters after the probe settled home. Again the latches failed to work.

"Man, we'd better back off here and think about this one, Houston. We're unable to get a capture," Roosa concluded.

For the next 5 minutes, Capcom in mission control had Roosa check the spacecraft's configuration but everything appeared to be just as it should. For a fourth time, he manoeuvred the spacecraft towards the LM.

"Okay, Houston. I hit it pretty good and held 4 seconds on contact and we did not latch."

The crew could see the scratches on the drogue's surface where the probe had been guided into the hole but there was no obvious reason why the two ships were not holding. As they waited for the controllers and engineers in Houston to assess the situation, they were

Propellant being vented from Apollo 14's S-IVB.

treated to a spectacular display of countless liquid droplets shimmering before them as the S-IVB began a planned dump of some of its propellants. Mitchell enthused about the sight as they drifted among the particles of propellant all around them.

"There's lightning – the whole sky. Of course, it's the source of another ten million particles floating out in front of us."

Over an hour passed as possibilities were weighed, engineering minutiae were discussed and two large spacecraft flew in exquisite formation a distance greater than the diameter of Earth. Then Capcom made another call. "Okay, we'd like to essentially try the docking again with the normal procedures rather than going to more drastic alternate procedures. Make your closing rate on this not fast, not slow, just a normal closing rate."

"Okay," replied Roosa. "We'll try it. I thought that's what I had the first time, but we'll give it a go." Ed Mitchell picked up on the commentary again.

"Okay, Houston, we're starting to close on it now."

"14, Houston. Roger."

"About 4 feet on it, Houston."

"Roger, Ed."

"Here it comes," continued Mitchell as the probe homed in on its quarry for the fifth time, resulting in another disappointed call.

"No latch."

"No latch, Houston," echoed Stu Roosa. His commander, Alan Shepard voiced what was on his mind. "I'm sure you're thinking about the possibility of going hard suit and bringing the probe inside to look at, as we are."

Mission control was thinking of this possibility, where the crewmen would seal themselves in their suits, depressurise the cabin and remove the probe to allow it to be inspected. But first they had one more suggestion that would avoid this cumbersome procedure. The backup commander Eugene Cernan, who had been working with the people analysing the situation, took the Capcom position.

"Okay. We got one more idea down here, before doing any hard suit work. We're thinking of attempting to dock actually without the aid of the probe."

Their idea was to use the probe only as a way of aligning the docking rings of the two spacecraft. In a normal docking, once the probe had latched onto the hole in the drogue, it was pneumatically retracted, pulling the docking rings of the two spacecraft together and allowing the twelve strong docking latches to engage. Cernan's suggestion was for Roosa to manoeuvre the probe back to the centre of the drogue for a sixth time, then, while he continued to use the thrusters to push forward, Shepard would retract the probe. The hope was that the alignment of the docking rings would be maintained as they came together, so that the docking latches would be activated. However, having had one unexplained malfunction in the system, mission control had serious doubts about whether the probe would retract as commanded. Once again, Mitchell picked up the commentary for the TV viewers.

"Okay, Houston. We're about 12 to 15 feet away."

"Roger, Ed," replied Capcom. "We got a very good picture."

Again the probe was guided to the hole at the centre of the drogue. Once it seemed to have settled in, Shepard retracted the probe. "We got some, Houston. I believe. . ." Shepard was cut off as the loud bang-bang-bang of the engaging docking latches rippled through the cabin. Stu Roosa triumphantly exclaimed, "We got a hard dock, Houston."

"Outstanding," came the relieved reply from Houston. "Super job, Stu."

After the crew had folded up the docking equipment and brought it out of the tunnel for inspection, they could find no fault in its mechanism and it was used successfully for the crucial docking in lunar orbit after Shepard and Mitchell returned from their exploration of the lunar surface. Usually, the probe was discarded along with the LM at the Moon, but Apollo 14's was returned to Earth where no fault could be found. The engineers could only surmise that some unknown foreign debris had temporarily jammed the mechanism.

During a normal docking, after the capture latches had gripped around the edge of the drogue's hole, the crew would have waited a while to allow any swinging motion of the two spacecraft to damp down. The probe tip was gimballed to facilitate this rotation and it included springs to make it self-centre. Once everything had settled, the probe would be retracted as normal, bringing the docking rings together and engaging the twelve docking latches around the circumference of the tunnel.

Al Worden on Apollo 15 found that the capture latches appeared not to engage when he brought the CSM *Endeavour* up to the drogue in the LM *Falcon*. He then made sure of a positive engagement by a little extra forward push on the thrusters. This extra thruster firing, combined with the rotation given to the CSM by the probe being shepherded towards the centre of the drogue, contributed to a misalignment of the two vehicles. The two docking rings did not meet face on when the probe was retracted, putting some stress on the tunnel's structure.

On Apollo 16, Mattingly tried to ensure that the two craft were better aligned before retracting the probe. However, having engaged the capture latches, he found the spacecraft remarkably difficult to manoeuvre. "Whatever gas we used during TD&E, we used after I hit in trying to get it re-centred." Mattingly was trying to make sure that the long axes of the two craft were aligned before he pulled them together with the probe retraction. "They [management] busted the [Apollo] 15 guys about forcing it in. I tried to centre it up, and that is a pretty expensive operation. It's very inefficient when you have your nose hooked to something you're trying to push. I was using the translation controller and I was really surprised. Either the friction on the probe head or something is a lot more than I expected. It was very ineffective."

With all the thruster activity he was generating around the two spacecraft, Mattingly became aware of an unexpected noise from the RCS thrusters. "I didn't hear any RCS sounds when I got off the S-IVB. I didn't hear any sounds during the turnaround; and, I didn't hear anything on closure until I got in real close. I would swear – I know it's not possible – but I'd swear I could hear the jets impinge on the LM before we docked." This was a surprise to him. Sound cannot travel in a vacuum, yet he seemed to be hearing the gas from the thrusters washing over the LM. He thought that perhaps the exhaust was forming a temporary local atmosphere around the spacecraft.

He continued, "And you could certainly see it. Maybe I was visually seeing the skin of the LM kind of flutter and I knew that should make a noise. I heard the same noises every time we fired the engines after that. I don't know if there could be enough local atmosphere or whether you can get a reflected shock that you could hear. I don't know how it is, but, I know I could hear reflections off the LM before we docked." The mission's commander John Young supported his pilot. "I think that is possible, Ken, with the gas going out and coming back and bouncing off your vehicle. There are a lot of particles in there."

Ejection: freeing the lander
The final stage of the TD&E process was the ejection of the lunar module from the top of the S-IVB, which was not a simple process of just throwing a switch and watching it happen. Throwing the switch would come at the end, but first, they had to get the signal from the switch in the CM, down past the LM to the pyrotechnically fired spring thrusters that pushed the LM free. That meant that the CMP had to connect two umbilical cables that ran power and signals between the two spacecraft.

However, to do that, he had to get into the tunnel, which is a short void between the command module's forward hatch and the lunar module's overhead hatch. Immediately after the docking, the tunnel was still a vacuum and the CMP had therefore to bleed air from the CM into the void and, in doing so, he also fed air into the LM cabin. Prior to launch, the dump valve in the LM's overhead hatch was left open so that, as the Saturn V lofted both spacecraft to orbit, the atmosphere within the LM was gradually exhausted, leaving the interior essentially a vacuum. By

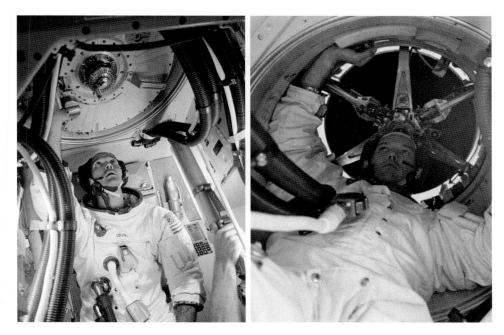

Mike Collins working in the tunnel during training. Left, at the forward hatch. Right, below the probe mechanism.

docking with the LM, the tunnel had been placed over the hatch and, therefore, also over the dump valve. Consequently, when the CM cabin's oxygen was fed into the tunnel, it also entered the LM. Once the air pressure on both sides of the forward hatch was equalised, the hatch itself could be removed, the umbilicals could be connected to feed power to the pyrotechnic devices for freeing the LM, and a check could be made to ensure that all twelve latches had properly engaged. Finally, the switch could be thrown to eject the LM from the S-IVB and allow the Apollo stack to continue its journey to the Moon.

None of these steps was simple, as each had its own checklist of items that had to be set or verified to ensure that the crew did not configure the spacecraft in a way that might endanger their lives. Each step was carried out in a slow, methodical fashion of checks, verification and cross-checks, just to allow them to throw one switch.

THE FATE OF THE S-IVB

In some romantic sense, the S-IVB stage had the most bittersweet, almost tragic fate of all the Saturn components. These large, perhaps elegant stages had been faithful servants to their Apollo masters, who they dutifully sent onwards to the Moon. They were spared the ignominious crash into the sea that befell their larger brethren, the S-IC and the S-II. Instead, they were sent away from Earth to meet a celestial end. Of the ten manned Saturn V third stages – nine of which were Moon bound – half were sent to impact the Moon's surface at high speed in the name of science and lunar seismometry, while the others flew away from the Earth–Moon system to follow lonely orbits around the Sun.

Once the Apollo spacecraft left them, they became spacecraft in their own right, controlled from Earth and by their own internal systems in the Saturn's instrument unit until either their batteries ran out or the ground stations ceased to track the receding hulks. The people who controlled the S-IVB from Earth had to use what little residual propulsion the stage had left to achieve these final ends.

After translunar injection, both the S-IVB and the spacecraft were on very similar trajectories which were basically long, elliptical orbits. However, the intervening gravitational influence of the Moon determined the final fate of both craft. While the Apollo spacecraft continued on a path to lunar orbit, the S-IVB was given one of two fates.

For the early lunar Apollo missions, a decision was made to ensure that the S-IVB would be taken well clear of the spacecraft and, in effect, dumped in solar orbit. To achieve this, its remaining propulsion was used to slow it down, and while the spacecraft passed the Moon's leading hemisphere, the stage was targeted to pass the Moon's trailing hemisphere. By doing so, it received a gravitational slingshot that threw it out of the Earth–Moon system. This was the fate of four of the Apollo S-IVB stages and they are out there, drifting still.

Although the Apollo 9 mission never went to the Moon, its S-IVB was nevertheless sent out of Earth orbit as a rehearsal and it, too, orbits the Sun. Like the others, it is slightly inside Earth's orbit and periodically catches up with Earth.

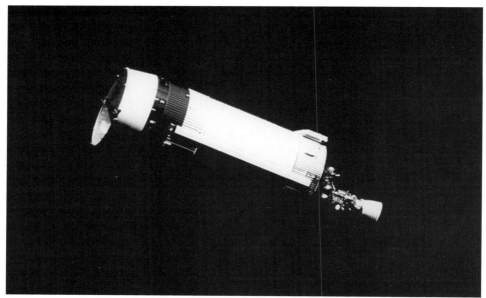

Apollo 17's S-IVB after extraction of the LM.

As Apollo 17 headed out from the Moon, the crew saw something in the distance flashing at them regularly. Jack Schmitt had seen it earlier and Cernan had caught a glimpse of it. "Hey, Bob, I'm looking at what Jack was talking about," said Cernan to Robert Parker, their Capcom, "It is a bright object, and it's obviously rotating because it's flashing. It's way out in the distance. It's apparently rotating in a very rhythmic fashion because the flashes come around almost on time."

They discussed the idea of turning the spacecraft around to enable them to look at the object with their optics, which were mounted on the opposite side. What could be seen out of the windows could not be viewed through the optics any more than windows at the front of a house could be used to look around the back. Anyway, Schmitt was in the habit of using a 10-power monocular to view Earth's weather patterns and when he trained it on the object, he reckoned it to be their S-IVB, some way off.

"One unique thing about it, Bob, is that it's got two flashes," said Cernan. "As it comes around in rhythmic fashion, you get a very bright flash; and then you get a dull flash. And then it'll come around with a bright flash, and then a dull flash."

"That's the side of the S-IVB," said Schmitt, "and then the engine bell, Gene."

Cernan didn't believe him. "The commander doesn't think that I can see the engine bell on that thing," commented Schmitt.

"Roger, Jack. Is that with the monocular you're looking at it?" asked Parker.

"He couldn't see the engine bell if he had ten monoculars," said Cernan wryly.

"Bob, couple of revolutions ago when I was looking at it, I had a much brighter view and I believe I was looking at it broadside," said Schmitt. "It looks to me like it may be flashing more or less end-on now. But it's not as bright now as it was a while ago. I just hadn't put it together as maybe being the S-IVB. I thought it was just some other particle out there."

"Hey, Bob," said Cernan later. "We got two of those flashers out there. They could be SLA panels. I don't know. They're alike in intensity and pretty regular in the bright and dim flashes they come out with, and they're widely separated."

We'll never know whether Cernan and Schmitt were seeing the S-IVB stage or a couple of SLA panels. But it was not the last meeting the human race would have with an Apollo cast-off.

Intruder from outer space

On 3 September 2002, astronomer Bill Yeung discovered a faint, 16th magnitude object that was orbiting Earth.[1] Initial excitement about this apparent asteroid, designated J002E3, centred on the remote possibility that it might, one day, impact Earth. As more data on its orbit was gathered, analysis showed that it could not have been in Earth's vicinity for long and had probably been in a heliocentric orbit before being captured by Earth. Additionally, spectroscopic studies revealed that

---

[1] The apparent brightness of astronomical objects is stated in magnitudes. A bright star is about magnitude 0, one at the limit of human eyesight is magnitude 6 while the faintest star visible with an Earth-based telescope is about magnitude 25.

its surface colour was consistent with titanium oxide, the pigment in white paint. It was no asteroid.

Projecting the orbit of J002E3 around the Sun backwards in time showed that it had previously been in the Earth–Moon vicinity in 1971, around the time of the Apollo 14 mission. However, since all of the components of that mission had been accounted for, it could not have come from Alan Shepard's flight. Suspicion shifted to the Apollo 12 S-IVB.

After Richard Gordon had completed his TD&E exercise, the two Apollo 12 spacecraft, *Intrepid* and *Yankee Clipper*, continued on their path to the Moon in November 1969. NASA intended that Apollo 12's S-IVB should go the same way as the previous Moon-bound third stages by having its residual propulsion slow it down sufficiently to pass the Moon's trailing limb and be slung into heliocentric orbit. Unfortunately, a guidance error by mission control resulted in a burn that lasted too long and the stage was slowed more than intended. It therefore passed too far from the Moon to achieve a proper slingshot and instead entered a large Earth orbit from which, due to a later encounter with the Moon, it subsequently escaped. As far as anyone can tell, it was this S-IVB that Bill Yeung caught in his telescope that September night.

Impact Moon

When Neil Armstrong and Buzz Aldrin went outside the lunar module *Eagle* for their historic moonwalk, one of their tasks was to place on the surface a seismometer that would study moonquakes after they departed. However, the project to produce this instrument was conceived in a hurry. Its power came from two small panels of solar cells and, unfortunately, the chill of its first lunar night permanently damaged it. It was turned off during the next lunar day.

It fell to the next crew, from Apollo 12, to place on the Moon the first full science station, known as ALSEP, which included a seismometer that drew its power from a self-contained power unit. Subsequently, all missions that reached the Moon's surface, except Apollo 17, emplaced seismometers, creating a network of stations sited across the near side. From Apollo 13 onwards, all S-IVB stages were steered onto trajectories that led to a violent end, each forming a new crater on the Moon's surface.

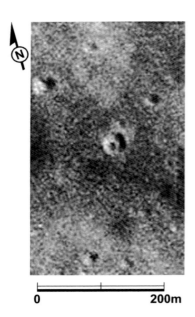

The lunar crater formed by the impact of Apollo 14's S-IVB. Photographed during the Apollo 16 mission.

Flight controllers had two major sources of propulsion with which to control the trajectory of the spent S-IVB. The two APS modules had some leftover propellant, and there was still a small quantity of LOX that could be jettisoned through the J-2 engine nozzle under pressure from whatever heat was leaking into its tank. Minor additional thrust came from dumping the remaining hydrogen from the fuel tank and the helium gas from the pressurising system.

Control of the nearly dead stage was seldom very accurate and controllers never brought their rocket stage down on the Moon nearer than 150 kilometres from the planned target. Nevertheless, they were able to track them accurately to their end and the impacts provided lunar geologists with a seismic event of known energy occurring more or less in a known place. With each successful S-IVB impact sending lunar shockwaves to increasing numbers of seismometers, the quality of information that could be mined from each impact improved and, eventually, the network of instruments could provide triangulated readings from any impact, natural as well as those due to the S-IVBs and the discarded ascent stages of the lunar modules. These impacts yielded detailed information about the Moon's interior based on the travel time of the sound wave to the emplaced seismometers.

6

Navigating to the Moon

CROSSING CISLUNAR SPACE

There is a poetic beauty to the Apollo flights which lies in the fact that the crews navigated between worlds by sighting on the very same stars their ancestors would have employed to guide boats and ships across the oceans of Earth. The maritime connection even extended to the instrument used for the task, because the Apollo spacecraft had its own sophisticated version of the sextant, an optical device used for centuries by sailors to measure angles between stars, the Sun and Earth's horizon. Yet sighting on celestial objects was only one of a range of techniques that NASA brought to bear on the problem of *guidance and navigation*, skills that had to be mastered to ensure that 400,000 kilometres of space between Earth and the Moon were crossed in both directions accurately and safely. These skills required consummate finesse in the measurement of extremely subtle parameters, and mathematical competence to interpret the results correctly, as excessive errors were utterly and lethally unforgiving. This region of space, encompassed by the Moon's orbit around Earth, is termed *cislunar* space. Finding a way across it is therefore called *cislunar navigation*.

The problem

Guidance and navigation underpinned much of the challenge of Apollo. Indeed, it is crucial to any form of spaceflight and, consequently, major systems on board the command module and lunar module were devoted to it, as were a large number of consoles in the *mission operations control room* (MOCR, pronounced to rhyme with 'poker'), particularly in the front row, known to its occupants as 'The Trench'. These were the flight dynamics guys and on a single shift, two flight controllers, GNC (guidance, navigation and control) for the command module and Control for the lunar module, kept a close watch on the hardware with which it was performed. A further three – the *guidance officer* (Guido), the *flight dynamics officer* (FIDO) and the *retrofire officer* (Retro) – thought about nothing other than where the spacecraft was, where it was going and how it could return to Earth if something went wrong, respectively. As this is a necessarily complex topic that is not always amenable to verbal description and requires a certain amount of three-dimensional visualisation, it is worth taking some time out to discuss the problem and consider how it might be solved.

Guidance is how to make a spacecraft go where intended. *Navigation* is how to determine where a spacecraft is. *Control* is operating the hardware to ensure that a spacecraft reaches its intended destination. Contrary to misconceptions raised by the entertainment industry, spacecraft do not fly around the cosmos with their engines ablaze. Instead, everything in space, be it spacecraft, our Earth or the entire galaxy, generally coasts along following ballistic paths, moving in free-fall with their motion determined by gravity. A major step towards guiding a spacecraft is to understand how those paths work, and how they might be measured, predicted and then controlled.

At its simplest, Apollo's path to the Moon can be likened to throwing a stone. If you throw a stone almost vertically, it follows a sharply curved path travelling slowest when it is near the top of that path. Apollo's trajectory was directly comparable. After the spacecraft had entered Earth orbit, it was 'thrown' towards

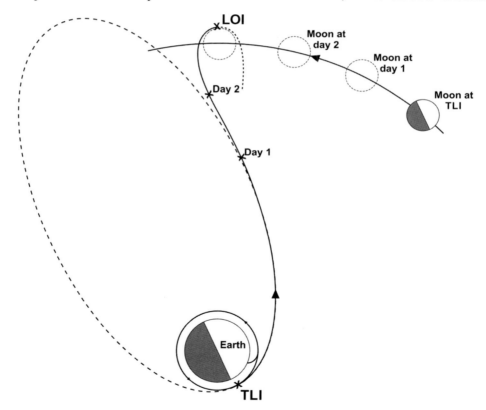

Apollo's initial ellipse becomes a flight path to the Moon.

the Moon by the S-IVB stage on an extended, curved trajectory away from Earth, governed by the same natural laws that took the stone along its ballistic arc; one that, without outside intervention, would reach a slow peak before falling back to Earth.

The trick for lunar flight was to work out the time and duration of the S-IVB's throw that would cause the Moon's gravity to intervene on the spacecraft's path in a beneficial manner. By careful calculation, NASA's trajectory experts picked the correct place and time, and just the right amount of shove from the S-IVB's engine, to set up a rendezvous between the spacecraft and the Moon. For the three days in which Apollo coasted on its extended ellipse out from Earth, the Moon moved a quarter of a million kilometres along its own orbit (about a tenth of a complete revolution).

Had the technology of spaceflight produced some fabulous ship with unlimited propellant, the trip could have been made much more quickly by having the crew fire their engines all the way there and back, using brute force to expedite the journey. Unfortunately, no space faring nation has yet had that luxury. Lifting propellant off Earth's surface and into space is an extremely expensive proposition. Having paid dearly to get it there, it must be used in the most efficient manner possible to avoid carrying any more propellant than is needed for the task. It was this type of thinking that allowed the Apollo missions to be accomplished with a single Saturn V in the first place. Flying through space using chemical rockets has always meant short engine burns that modify long coasting flights.

It is helpful to think of the problem in terms of our stone-throwing analogy. Imagine that someone kicks a football high across a field and that you throw your stone from underneath, at the right time with the right force to hit the ball. This would be analogous to a spacecraft being sent to the Moon and impacting its surface – not something Apollo would want to do, but a fate that deliberately befell the Ranger probes in the early-to-mid-1960s. But if the stone had been travelling a little

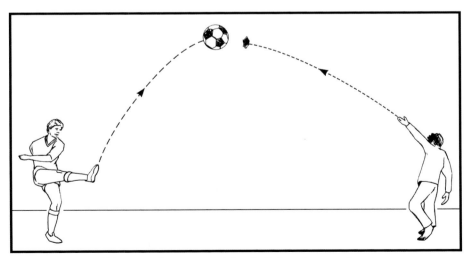

Diagram of a stone and football thought experiment

more slowly, the football would fly across its path early, leaving the stone to coast past the ball's trailing side. If the stone had been moving a little faster, it would reach the football's flight path before the football arrived, and would therefore pass in front of it. Finally, if there was a way to control the timing and force of the throw accurately, and then to study the stone's flight path very carefully and change it if required, the stone could be made to pass the leading side of the football by any number of millimetres we wished.

Getting an Apollo spacecraft to the Moon was a very similar exercise except that a football has no appreciable gravity and the Moon does, and this had to be taken into account. If the trajectory inherited from the TLI burn was correct, the spacecraft would miss the Moon by about 100 kilometres, but it would be pulled around the lunar far side and slung in the direction of Earth in an approximation of the intrinsically safe free-return trajectory. This was when the spacecraft was to intervene by firing its SPS engine. It was fired near the point of closest approach to slow the spacecraft and have it enter lunar orbit. But what would have happened if the Moon-bound trajectory had not been precisely right? If the spacecraft were moving towards the Moon too quickly, it would have reached the Moon's distance too early and have flown over the surface at a higher altitude. A failure of the SPS engine to slow the spacecraft down for lunar orbit would have allowed it and its crew to sail on into deep space, never to return, at least not alive. At the other end of the error scale, an ever-so-slightly slow coast would have reduced their miss distance with the Moon, creating a very real risk of the spacecraft impacting the lunar surface as it swung around the far side.

It was obviously critical to the lives of the crew that the spacecraft be placed onto the ideal Moon-bound trajectory. It was equally important to determine whether or not that trajectory was being followed. One of the inherent problems in ballistic flight is that tiny perturbations early in a trajectory have large effects when followed forward to its destination. Even an apparently perfect trajectory from the TLI burn contained errors initially too small to measure, but whose effects became apparent through time. Additionally, ground controllers had to understand the many factors that could interfere with Apollo's trajectory, the most significant of which was the size and direction of the push given to the spacecraft by the S-IVB at translunar injection. Despite being well-engineered and controlled, this rocket stage, like any rocket in existence, was unlikely to deliver a *perfect* burn. There was always some small deviation from the ideal that would later have to be compensated for. Additionally, as the spacecraft coasted to its destination, housekeeping manoeuvres carried out by the crew using the RCS thrusters tended to cause tiny changes to the trajectory. Also, the expulsion of any liquids or gases by the crew as part of their daily operation generated tiny thrust forces. Water vapour from the spacecraft's cooling system, waste water from the fuel cells as they generated electricity, and urine from the crew were all necessary emissions that generated sufficient thrust to perturb their trajectory. To compensate for all these compounded perturbations, the crew had to make small correction burns. However, they had to know how much correction to make, and to do this it was necessary to measure their trajectory with extreme accuracy.

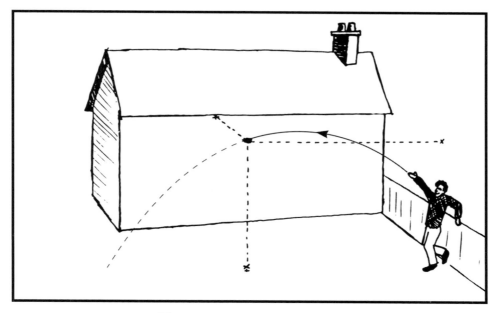

The state vector of a thrown stone.

The state vector

In order to describe a flight path in space, the trajectory experts simply need to know two things: *where* the spacecraft is and *how fast* it is going at any particular time in the flight. But before they can express these two concepts they must have some frame of reference against which to measure them.

If I were throwing a stone across my back garden and wished to define its path – assuming I had access to the necessary measuring equipment – I might be able to state that 1 second into its flight, the stone was 4 metres from my neighbour's fence behind me, 3 metres above the lawn and 2 metres from my house wall. For the same moment in time, I could also analyse the stone's speed, stating how fast it was moving away from the fence, its speed away from or towards the lawn, and how fast it was moving with respect to my house. In total, for that moment in time, I would have six numbers that would not only define the stone's position and speed in three dimensions, but could also be applied to Newton's laws of motion to predict the stone's continuing journey.

Describing a spacecraft's trajectory is exactly analogous. Its position and speed at a given time are expressed in three dimensions with respect to some reference or sense of which way is up. Position is expressed as three coordinates; each plotted along the x, y and z axes of the current reference. Likewise, speed is resolved to three *velocities*, a definition of speed where the direction of motion is taken into account; and again, they are plotted along the x, y and z axes. This set of six numbers is collectively known as the *state vector*. Computers use the state vector as a starting point in their calculations and extrapolate the flight path forward from that point to predict where the spacecraft will be at any time in the future, given the gravitational fields of any bodies in the solar system that would significantly affect its flight through space. Since the lives of the Apollo crews depended upon the accuracy of a spacecraft's state vector, a lot of effort was expended in refining it.

In the early days, around the time Apollo became a mission to the Moon as opposed to being a generic, advanced spacecraft whose role had not been defined, managers expected that the state vector would be determined solely by the crew. Apollo had become a part of the Cold War, a grab for prestige by the United States at a time when they and the Soviet Union stared at each other, each with nuclear weapons in hand, waiting for the other to blink. There were serious concerns that the Soviets might try to interfere with the Apollo flights, perhaps by jamming radio transmissions, therefore it was decided that the guidance and navigation system should be completely autonomous. Once dispatched to the Moon, the crew should be able to navigate, conduct their mission, and return home entirely without assistance from the ground. This philosophy drove the design of the spacecraft's guidance system by the Instrumentation Laboratory of the Massachusetts Institute of Technology. However, by the time Apollo was ready to fly, a lot had changed.

In the mid-1960s, NASA had begun to send probes to the Moon that were either deliberately crash-landed (the Ranger probes), soft-landed (the Surveyors) or sent into orbit (the Lunar Orbiters obviously). These were mainly for reconnaissance purposes in support of Apollo, with some scientific gain coming off the back of them. With time, the people running these missions became increasingly adept at controlling their spacecraft from the ground. Moreover, techniques to accurately determine the state vector from Earth using radio tracking were refined to levels of exquisite accuracy. Also, although Cold War rivalry was still real, it had become less belligerent. NASA decided that ground-based techniques would be the prime means of determining the state vector. The crew would still make their own separate determination, but only as a backup to be used in case of emergencies.

GROUND-BASED TRACKING

Keeping track of a spacecraft's motion far away from Earth is a wondrous application of human ingenuity and knowledge. It requires a blend of heavy engineering to build and control huge dish antennae, allied to the subtle, precise reception and measurement of vanishingly weak radio signals.

Two techniques were used for Apollo tracking and both of these were cleverly interwoven into the same radio signals that carried all the communication between the spacecraft and Earth: voice, television and telemetry from the spacecraft's systems and data uploads from the ground station on Earth to the spacecraft's computer. Because so many functions were brought together into one S-band radio signal, the system was known as Unified S-band. Its tracking capability could determine range and radial velocity – that is, the distance to the spacecraft and how fast it was approaching, or receding from, the antenna system on Earth.

Doppler radar trap

The measurement of radial velocity relied on the Doppler effect, whereby the movement of a transmitter altered the received pitch or frequency of whatever wave was transmitting. This is familiar to most people as the change in pitch of a constant note, perhaps from an engine or a horn, as it passes the listener. We hear its pitch drop as it passes by and departs. The same effect applies to radio transmissions where the frequency of the received signal changes slightly according to whether the transmitter is approaching or receding from the receiver. This frequency can be accurately measured and, by knowing the precise frequency with which it was transmitted, the velocity of the transmitter can be calculated. The system is similar in some respects to radar speed traps used to catch speeding car drivers.

To use the Doppler effect well, the frequency of the transmitted signal from the spacecraft had to be known with great precision. The equipment to generate a signal of sufficient accuracy – one whose frequency was precise and stable despite the thermal extremes of space, would have been excessively heavy and power-hungry. However, an elegant solution existed that kept the heavy equipment on the ground, yet could yield a measurement that was more accurate than that attainable by having the generating equipment on board. Instead, engineers simply arranged for the signal that carried voice and data from Earth to be modified in the spacecraft in a known way, and retransmitted back to the ground, this time carrying information from the spacecraft. If the frequency of the signal from Earth was precisely known, then so was that from the spacecraft.

For Apollo, the ground station transmitted data and voice signals from mission control to the spacecraft on a carrier signal called the *uplink*. This carrier was synthesized from a very accurate frequency standard installed at the station. Ground stations supporting the Apollo programme had some of the most accurate frequency standards available at the time. For the CSM, the carrier had a frequency of 2,105.40625 MHz while that for the LM was 2,101.802 MHz. On reception by the spacecraft antenna, an onboard transponder took this signal, multiplied its frequency by the ratio of 240/221 (about 1.086) and sent it back to Earth, using this new signal as the carrier for the *downlink*.

When received by the ground station, the precise frequency of the downlink was measured and compared to the uplink. If the precise 240/221 relationship was maintained, the spacecraft was neither approaching nor moving away from the ground station, such as when moving across the face of the Moon. A higher received frequency meant that the spacecraft was approaching; a lower frequency indicated receding motion. This was a very powerful system because it measured Doppler shift over both the up and down legs of the signal's journey, doubling the sensitivity of the system to the point where it could even detect the velocity change caused by the minuscule thrust that was generated when the crew dumped their urine overboard.

Cosmic tape measure

The second ground-based tracking system determined the range or distance to the spacecraft by measuring delay. Most people are familiar with the annoying delay introduced into television interviews carried out over satellite links. It takes light, and therefore radio about one and a quarter seconds to travel from the Moon to Earth, so the return travel time for a signal to a spacecraft at the Moon is about two and a half seconds. Engineers used this delay to measure range by putting a marker onto the radio signal which the spacecraft preserved and returned to Earth. The marker consisted of a digital code called pseudo-random noise, essentially a very large random number carefully chosen not to add undesirable artefacts to the radio spectrum. When the spacecraft synthesised the downlink carrier using the 240/221 relationship, it preserved this code, and sent it back to Earth. Engineers recovered the code and compared it with the transmitted code, 'sliding' one over the other until they matched. The amount of 'slide' yielded a time for the round trip, and hence, knowing the speed of light which is fixed, the distance. This technique was powerful enough to measure a spacecraft's distance with an accuracy of better than 30 metres, and it could do so to a distance of nearly a million kilometres. For all of these ground-based systems, the movement of the ground station due to the rotation of Earth had to be taken into account before deriving measurements of the state vector.

NAVIGATION FROM THE SPACECRAFT

An entirely different method of determining position and velocity was used in the spacecraft, which relied on sightings of the stars, Earth and the Moon. It was designed by MIT under the direction of Charles Stark Draper. To reinforce his faith that his team could successfully come up with an accurate system to navigate to the Moon and back, and to the mirth of folks at NASA, he put himself forward as an astronaut candidate. The MIT system was based on a computer, an inertial platform, and optical devices that were directly descended from an instrument used by generations of sailors to navigate across the world.

Apollo 17 commander, Eugene Cernan, in front of the optics panel on board *America*.

On the side of the command module opposite the hatch, were two apertures in the hull that accommodated the spacecraft's optics. The smaller was for a so-called telescope, although it hardly justified the name as it had only a 'times-one' magnification. Neil Armstrong later quipped, "NASA is probably the only organisation in history that's been sold a one-power telescope." Its function was to give the CMP a wide-angle overview of the constellations visible at that side of the spacecraft as an aid to pointing the other instrument, the sextant.

The second aperture in the hull was a disk and slit affair that accommodated the objective optic of the sextant, a 28-power device used by the CMP to measure angles. Like a mariner's sextant, it had two lines of sight with the ability to move one with respect to the other. The version used by marine navigators for hundreds of years works by viewing the horizon through a small telescope mounted on an arc which sweeps through one-sixth of a circle (hence the name 'sextant'). A mirror arrangement on a radial arm permits the image of a celestial body (the Sun, Moon or a star) to be aligned with the view of the horizon. The angle between the two could then be read off a scale at the circumference of the arc. If carried out when the Sun was at its highest point, this measurement could yield the ship's latitude.

The role of the sextant on the Apollo spacecraft was similarly to measure angles, and it worked in much the same way, but with huge refinements. It also had two lines of sight – one fixed, the other movable – both of which peered through the slitted disk in the spacecraft's skin. The fixed line of sight, also called the *landmark line of sight* (LLOS), had to be aimed by controlling the attitude of the entire spacecraft. A dense filter was placed in its light path so that the relatively bright horizons of Earth or the Moon would not swamp the stars with which they were to be compared. The movable line of sight was usually aimed at a star, and was thus called the *star line of sight* (SLOS). It could be swung up to 57 degrees away from the fixed line of sight to bring the image of a star into alignment with the image of the horizon. It was important that the star image be placed on that part of the horizon that was nearest to or furthest away from the star, depending on which horizon was lit. Because the computer was closely integrated with the optics, the angle between the two lines of sight could be directly fed to it and used in its calculations of the state vector. The entire optical head could be rotated about the fixed line of sight and, as it did so, the disk on the outer surface of the spacecraft also turned to accommodate it. A crude sextant had been tested during the Gemini programme with mixed results. Mike Collins had tried using two hand-held models without success on Gemini 10. Later on Gemini 12, Buzz Aldrin brought one into play to help with angle measurement during a rendezvous after the spacecraft's rendezvous radar had failed.

This ability to measure the angle between a planet's horizon and a star was what enabled onboard determination of the state vector to work. As a spacecraft coasts from one world to another, the apparent position of either orb against the stars will change, and this change will reflect the progress of the craft along its trajectory. The angle between the planet and the star at a particular time can only be valid for a single trajectory given the laws of celestial mechanics and the layout of our solar system. It can therefore be used by an onboard computer to calculate their current state vector. Repeated measurements could be used to refine the state vector. Because Program 23 in the computer was being used for this task, crews referred to their navigation task as doing a 'P23'.

One of the problems encountered when this system was being finalised was the difficulty of knowing exactly where the horizon of a planet was. Firstly, there a 50:50 chance that the point on a planet's horizon nearest the star being used would be in darkness. To work around this, the CMP had to tell the computer whether he was using the nearest point or, if it was dark, the furthest point of the horizon relative to the star he was using. The second problem was that optical navigation was most sensitive when the spacecraft was near the planet on whose horizon the CMP was trying to sight. Unfortunately, the nearer they were to Earth or to the Moon, the less well-defined was the horizon. In the case of Earth the atmosphere blurred the precise edge of its limb, and the rough terrain on the Moon could make

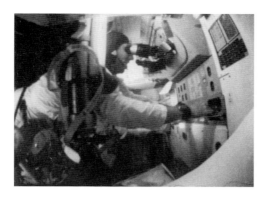

CMP Jim Lovell sighting through Apollo 8's scanning telescope.

its limb decidedly knobbly when observed up close. Based on the pioneering work of Jim Lovell, who proved the onboard guidance system during Apollo 8, MIT set up a simulator to train the astronauts how to choose an appropriate horizon when trying to mark on a nearby Earth or Moon.

During the flights, the CMPs made it a matter of pride to excel in their navigation exercises, even though, in most cases, their results were only meant as a backup in case communications were lost. Nevertheless, a friendly rivalry existed between some crews and the trajectory experts on Earth as to whose evaluation of the state vector was the most accurate. When Lovell put the onboard navigation system through its paces for the first time, there was a lot of interest in his results. Two days out from Earth on Apollo 8, and one day from the Moon, Lovell informed mission control of his progress with the P23 navigation work. "It might be interesting to note that after sightings, we ran out P21, and we got a pericynthion of 66.8 [nautical] miles."

Lovell had used P21 in the spacecraft's computer. He had simply entered a time and the computer returned an altitude above the Moon's surface for that time based on its calculations using his state vector. As he knew roughly when they should arrive, he tried entering times at 10-minute intervals around their expected closest approach. With each advancing time entered, he noted how their predicted altitude above the lunar surface dropped, reached a minimum value, and then began to rise again. The point where it reached a minimum was their pericynthion – the spacecraft's closest approach to the Moon. The point Lovell was making to mission control was that his predicted value for the pericynthion was very near the ideal of 60 nautical miles (110 kilometres). Bill Anders's wit intervened. "I knew if he did it long enough, he'd finally get one that was close."

Lovell continued making P23 measurements and checked his resultant state vector once again with P21. Frank Borman informed Mike Collins in Houston of his results. "Mike, we ran the latest state vector we have through the P21, and it showed the pericynthion at 69.7 [nautical] miles. We've got the navigator, *par excellence*." This may have been a gentle dig at Collins, who had originally been CMP on the Apollo 8 crew until he had to withdraw to undergo surgery. Nevertheless, the flight controllers were impressed. "You can tell Jim he is getting pretty ham-handed with that P21," congratulated Collins. "He got a perilune altitude three-tenths of a mile off what we are predicting down here. Apparently, he got 69.7 [nautical miles], and the RTCC says 70." The RTCC was the *real time computer complex*, a bank of huge IBM-360 mainframe computers at mission control that were processing the radio tracking data.

Thus, at the first outing of the Apollo navigation system, two entirely different systems were coming up with determinations of the spacecraft's position that agreed to within 500 metres at a range of 300,000 kilometres out from Earth. It was a huge confidence boost, proving that the engineers had done their work well. Procedure dictated that Lovell's determination would be noted, but the crew would be instructed to place a switch into the correct position to accept data uplinked from the ground, whereby the Earth-based solution would be sent up by radio and loaded directly into the onboard computer's memory where it would supplant Lovell's effort. Apollo 8's navigator saw the opportunity for a little one-upmanship.

"Houston, Apollo 8," called Lovell.

"Apollo 8, Houston," replied Collins.

Lovell then jokingly reversed the usual procedure. "Roger. If you put your [telemetry switch] to Accept, we will send you our state vector." Mission control had no such switch and the request was in jest. But Lovell knew his state vector was as good as theirs and Collins knew it too. "*Touché*," Collins responded.

Later, as Apollo 8 coasted back towards Earth and Lovell continued his P23 navigation exercises, it was hard to say whether his solution or the one from Earth was better. Jerry Carr informed the commander: "Frank. Let him know the state vectors have converged. They are very, very close now."

"Is that right, Jerry?" replied Borman. "Okay. I'll tell him. Thank you."

"Don't let his head get big, though," suggested Carr.

"You guys are going to make it impossible to live with him," moaned Borman. "It always was pretty hard."

A day later, Lovell was doing even better. Carr brought the bad news. "I hate to tell you this, Frank, but that last set of marks put your state vector right on top of the [ground's] state vector." Borman returned with a mock plea. "Come off that, Jerry. Come on; you promised."

The mid-course correction

The purpose of determining the state vector was to see if their course to the Moon was true and, if not, to do something about it. With this in mind, seven occasions were set aside in the flight plan for possible trajectory corrections; four on the way out and three for the return trip.

Having determined the state vector and calculated the current trajectory, FIDO – the controller primarily concerned with planning the spacecraft's trajectory – then brought the RTCC computers to bear on the task of working out the magnitude and direction of a mid-course correction, the manoeuvre that would restore their current path to the ideal. If the mid-course correction was small, as it usually was, it could be made with the RCS thrusters on the side of the service module; otherwise the SPS engine was called upon to make larger changes to the trajectory. On some occasions, the flight controllers deliberately started the crew on a trajectory that was slightly away from ideal in order to allow them to correct it using the SPS, thereby providing an opportunity to exercise the big engine and see how well it worked. Everyone knew how crucial this engine was and even a short burn lasting a second or two – little more than a burp – generated reams of engineering data.

Having worked out the details of any required burn and checked them carefully, FIDO passed all the information on a standard form where about six copies would be made using no-carbon-required paper. Capcom read the top copy up to the spacecraft as *pre-advisory data* (PAD) – a list of numbers abbreviated down to barely the digits with units and decimal points omitted. Accuracy and interpretation was much easier when the PAD was laid out on a standard form. On board, the list was copied, usually by the LMP, onto an identical form and read back to Earth as a check of their accuracy. As the time for the burn approached, the data from the PAD was entered into the first of a series of programs on the computer that automatically controlled the burn. The PAD included three items that were crucial for the burn: when it should occur; the amount by which it should change the spacecraft's velocity; and the direction in which the spacecraft should be pointing at the time of the burn. The PAD also included supplementary data: some was for the computer and its control routines; some was to improve the safety of the burn by offering details of backup methods of shutting down the engine; and some was to ensure that the attitude of the spacecraft was correct.

When flying in space, and especially when firing engines, knowing the direction in which a spacecraft is pointing is of paramount importance, and three methods of checking this were included in a typical PAD. A crewman could look through the sextant, having previously aimed it to a given angle, where he would expect to see a specific star centred in the eyepiece. A second check came from sighting another star with the COAS, having first mounted this sight in a window to look in a known direction. Their primary method of attitude determination relied on one of the major systems on board the spacecraft; the *guidance and navigation* (G&N) system with its *inertial measurement unit* (IMU) – a gyroscopically stabilised platform built into the spacecraft's lower equipment bay below the optical systems. With the spacecraft aimed correctly and the PAD data entered into the computer, the burn could be controlled automatically or manually, as desired, with its results displayed for the crew to monitor.

THE GUIDANCE AND NAVIGATION SYSTEM

The guidance and navigation system on board the Apollo command module was not only used for cislunar navigation exercises. It also formed an entire control system in itself that, to list just a few of its abilities, could be used to manoeuvre the spacecraft, control its attitude and make calculations relevant to many operations that might be carried out in orbit or during cislunar coast. It could fire the SPS engine, calculate the size and shape of orbits, aim cameras and other instruments at any target or maintain a desired attitude.

The design of the G&N was one of the first contracts awarded by NASA after President Kennedy set his lunar challenge. It was given to MIT, which had gained much experience in this field by designing inertial navigation systems for the US military for use in submarines, aircraft and the Polaris missile system. The design was based around three tightly integrated systems that worked together to provide a large range of functions.

How can you get to the Moon with just that?

At the core of the G&N system was the Apollo guidance computer. Now seen as primitive in comparison to its successors, it was nevertheless one of the items in the Apollo programme that helped to drive forward important technologies in electronics and computing. It demanded compactness and low power consumption, allied with high computational power – capabilities that could only be performed by a new device that was just coming out of American research laboratories: the integrated circuit or 'chip'. When production of computers for the Apollo programme was at its peak, it consumed fully half of the world's output of integrated circuits to construct only the 75 units that were built between 1963 and 1969.

It is common for the Apollo guidance computer to be compared with modern domestic computers. More often, people display incredulity that a task perceived to be as complex as a mission to the Moon could be achieved with a computer no more powerful than a digital watch, pocket calculator or some other lowly item of electronic hardware. This is to misunderstand the nature of computers and how they work. Though limited in resources, the Apollo computer was carefully programmed at the machine code level. It did not require huge resources because its functions were very narrowly defined. The layers of abstraction that go into modern programming, where a high-level language has to be translated to a lower level of coding, were largely unnecessary, and computing power was not required to support sophisticated ancillary devices such as video displays. There was no word processor, spreadsheet, or even a simple decimal calculator, and it lacked even a QWERTY keyboard. Rather than make comparisons with modern stand-alone computers, the Apollo machine is better thought of as being like an embedded controller, tightly integrated into the spacecraft systems around it.

In hardware terms, too, it can be difficult to directly compare then and now. There was no one-chip processor at the heart of the machine. The processing unit was a card full of simple chips whose processing cycle was a seemingly meagre 80,000 cycles per second. The data moved about the machine, arranged as 15-bit words (plus a parity bit to detect errors) whereas computers from later generations settled on 8, 16, 32 or even 64 bits. Its sparse memory was very carefully and efficiently programmed with an extensive range of routines to assist the crews with the operation of their spacecraft. There were a total of 44 programs in the case of Colossus III – which was the name given to the software loaded into Apollo 15's command module computer – packed into the equivalent of about 64 kilobytes of computer memory and stored on hand-verified, machine-wired core rope, an archaic memory technology that is no longer in use.

The crew 'spoke' to the machine in a language of programs, verbs and nouns. Programs were numbered in groups according to the broad field of operation with which they were concerned. For example, programs used for the spacecraft's descent to a planet's surface were numbered in the range 61 to 67. Four programs for aligning the guidance system were numbered from 51 to 54. The selection of these programs and the functions they offered were not arrived at easily. As Apollo went through its gestation, engineers, planners and crews wanted the computer to handle an ever-increasing range of tasks, but had a poor grasp of exactly how these should be achieved. Soon programmers complained that the meagre memory available to the computer was filling up, causing management to set up an elaborate bureaucracy to carefully define what was essential, how best to achieve it, and what could be left off the machine. In truth, the computer was always running a number of programs simultaneously in order to carry out background tasks such as updating the state vector, but one program was dominant at any one time, and was known as the major mode. The crew could call up a program as necessary, or in some cases one program could call up another.

The crew gave the computer instructions using numerical codes called *verbs*. For example, Verb 49 was an instruction to automatically manoeuvre the spacecraft to a new attitude, and Verb 06 instructed the computer to display a requested value in decimal form. Any value that the crew might wish to access was given a name, called a *noun*. Each noun was a numerical code that led to a value or a set of values stored in the computer. For example, during launch, the crew ran Program 11 and punched in Verb 06, Noun 62 which asked the computer to display, in decimal form, three values that told them their speed, their height and how rapidly that height was changing.

A display and keyboard (DSKY), a crew's interface with the computer.

All interaction between the crew and the computer was by way of a dedicated *display and keyboard*, affectionately known as the DSKY and pronounced 'diss-key'. This had ten numerical keys, a plus key, a minus key and seven other control keys that allowed the crew to engage in a dialogue with the computer. Above the keyboard were a cluster of lights to indicate the status of the machine and an arrangement of seven-segment displays, stacked vertically. Three of these displays, each with five digits, allowed the crew to enter data into the computer, or let them read the result of the computer's efforts. To keep the machine's programming simple, there was no facility for the decimal point. Number entry and readout could be in octal or decimal and was pre-scaled with the position of the decimal point assumed. It was left to smart astronauts to know where it was.

Apollo crews came to respect the computer's reliability and capability. David Scott said in 1982, "With its computational ability, [the computer] was a joy to operate – a tremendous machine. You could do a lot with it. It was so reliable, we never needed the backup systems. We never had a failure, and I think that is a remarkable achievement."

This was not a stand-alone machine. It was tightly integrated into the spacecraft around it. It was able to both control and read the angles to which the optical systems were aimed; it could start and stop the engines; and it could adjust the spacecraft's attitude based on the reference it gained from the gyroscopically stabilised guidance platform, i.e. its knowledge of which way was up.

The computer in the command module was called the CMC, for *command module computer*. The lunar module had an essentially identical machine, the LGC or *lunar-module guidance computer*, which necessarily operated a different version of the software, named *Luminary*. Programming had to be specific to the tasks that were relevant to the spacecraft. For example, the LGC had to handle the lunar landing whereas the CMC needed routines for Earth re-entry. Also, the systems into which the computer was integrated were substantially different; for example, whereas the CMC only needed to start and stop the SPS engine, the LGC needed to control the throttle capability of the LM's main engine. They were not interchangeable.

The optics, described previously, formed the second part of the system in the command module. The sextant and telescope were not only useful for navigation, but being motorised they could also be commanded to sight on landmarks and track them to maintain the line of sight as the spacecraft passed overhead. The sextant's optical power and tracking capability were such that a crewman in the command module could peer through its eyepiece and, if the coordinates were correct, see his colleagues' landing craft on the lunar surface while passing more than 110 kilometres above at a speed of nearly 6,000 kilometres per hour. Moreover, he could take marks that allowed the exact position of the lunar module to be calculated and refined.

The third major element of the guidance and navigation system defined which way was up.

Which way is up?
Standing on Earth, we know, to the depths of our being, which way is up because gravity defines every action we take. On a spacecraft, any sense of direction that the crew has is artificially imposed by their personal knowledge of the cabin, its layout and their view from the windows. Beyond that, there is no up or down in space. However, to aim an engine in the correct direction and get to a destination, there must be some measurable definition of which way is which; up, down, left, right, back, forward. In fact, there were many operations on board the Apollo spacecraft that needed some sense of direction – although not the same sense in all cases. To do that, engineers had to provide a reference against which the spacecraft's current orientation was to be measured. Once again, the answer was in the stars.

The Earth, Moon and the rest of the solar system are, along with the other stars that make up the Milky Way galaxy, wheeling around the galaxy's centre at speeds that are literally out of this world, but taking 250 million years to make one revolution. Although they mostly move in roughly the same direction, each star takes its own, independent path because it is tugged and pulled by the gravity of the stars around it. However, the galaxy's size is immense; it takes many thousands of years for a light beam to travel across the galactic disk, and on the scale of humans and our meagre range of travel, the stars appear to be fixed points. Their apparent motion is so slow that over a human lifetime they hardly move, and throughout the centuries of human exploration their seemingly static display has provided a useful

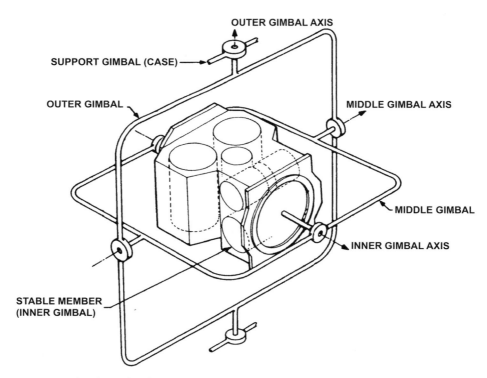

A schematic of the guidance platform and its supporting gimbals.

'fixed' reference against which progress could be metered. Apollo continued a long tradition of employing the stars for navigation.

We have already seen how the angular relationship between a star and a planet could be used to pin down a spacecraft's position and velocity. The stars contributed in another essential way by helping to define direction. The magnitude of an engine burn was not only important to its success, but it had to be fired with its nozzle (and hence the spacecraft) aimed in the right direction. Correcting for any misalignment would be wasteful of precious propellant, and such misdirection could possibly jeopardise the crew. The orientation of a spacecraft in space is known as its *attitude* (not to be confused with altitude) and, in an Apollo spacecraft, measuring attitude was the role of the *inertial measurement unit* (IMU).

Encased in a spherical housing a little larger than a soccer ball, the IMU consisted of three nested gimbals that supported a platform at their centre. Their arrangement isolated the platform from the spacecraft's structure. The platform carried three gyroscopes mounted orthogonally (at 90 degrees to each other). If a change in orientation was detected, the gyroscopes signalled motors to return the platform to its previous orientation. This arrangement ensured that as the spacecraft rotated this way and that, the *orientation* of the platform remained the same, at least for a few hours. The attitude of the spacecraft could then be measured, relative to the

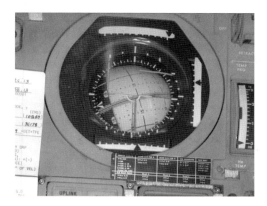

One of the two FDAIs on the Apollo 15 CSM *Endeavour*.

platform's orientation, by encoders built into the axes of the gimbals, yielding three angles that told the computer the direction in which the spacecraft was pointing.

The spacecraft attitude angles were displayed to the crew using the elegant (and elegantly named) *flight director/attitude indicator* (FDAI) which was more usually referred to as the '8-ball'. It is best to think of this as the spacecraft's equivalent of the artificial horizon display found in the instrument panel of almost every aircraft, and its inclusion reflected the aviation background of the crews that flew Apollo. Usually, the ball at the centre of the display was driven to match the orientation of the platform. If the spacecraft rotated, it would appear to do so around the 8-ball, mimicking the way it actually rotated around the stable platform. Graduations marked on the ball's surface then allowed the crew to read their current attitude off the display as degrees of pitch, roll and yaw. Further meters and needles built into the FDAI told the crew where their ideal attitude was, and how fast they were rotating. The reason for calling it an '8-ball' was a red disk on either side of the ball. This represented a range of attitudes that the spacecraft should keep away from, which we shall discuss later. Each spacecraft had two FDAIs on its instrument panel, for redundancy.

The IMU had another important function. As well as providing a reference against which the spacecraft's attitude could be determined, its stable platform also provided an excellent base for the measurement of acceleration. Mounted alongside the gyroscopes were three accelerometers that detected changes in velocity along the three axes of the platform. Measurement of acceleration allowed the computer to calculate the effect of an engine burn. If you start from a known point in space, measuring acceleration will tell you how much your velocity has changed. Knowing your velocity allows you to calculate how your position has changed, and position is an important element of the state vector. Although the state vector was periodically determined externally by the ground or the crew, the IMU's ability to measure acceleration accurately allowed the G&N system to update the state vector on an ongoing basis, especially during engine burns.

In the realm of guidance and navigation, the IMU's measurements only made sense if the computer knew which way the platform was oriented in space, i.e. which way was up, and this required some kind of external fixed reference. Neither Earth nor the Moon could be used because the spacecraft was moving substantially with respect to both of these bodies. Instead, the platform's orientation was defined against a frame of reference for which the stars were the fixed points.

Captain REFSMMAT

The set of numbers that defined the desired orientation of the platform had their own peculiar abbreviation – the REFSMMAT, a remarkably simple concept couched in very opaque terms. Not only was this acronym extraordinary in its size, it was also ubiquitous, being peppered throughout the crews' conversation with the ground and their documentation. It stood for *reference to a stable member matrix*, an incomprehensible jumble of jargon; but it was simply a numerical definition of an orientation in space, one to which the platform could be aligned. Being an inertial orientation, it was defined with respect to the stars and therefore, the alignment of the platform was always carried out by taking sightings on the stars with the scanning telescope and sextant.

One of Ed Pavelka's drawings of Captain REFSMMAT. (Courtesy of Chuck Deiterich.)

Ed Pavelka was one of the flight controllers who occupied the FIDO console in the Trench at mission control. As a way to cement the *esprit de corps* among the flight dynamics team, he invented a fictional character called *Captain REFSMMAT* who represented the ideal flight controller. Urged on by one of his bosses – the tough but sensitive Eugene Kranz – Pavelka imagined a figure of military stature with a radar in his helmet, and drew a series of posters depicting Captain REFSMMAT and his arch enemy, Victor Vector. During the Apollo years, people in the MOCR scribbled little comments on these posters, often sarcastic, to let off a little steam.

P52: a quest for "all balls"

Although the IMU was finely engineered, the platform inevitably drifted very slowly out of perfect alignment with the REFSMMAT, and had to be realigned at regular intervals. Naturally, the CMP turned to the spacecraft's optical system to take sightings of the stars. Because this task was carried out in conjunction with the computer using Program 52, it was simply known as doing a P52, another ubiquitous term in Apollo jargon. If the crew needed to perform any kind of propulsive burn, which always required accurate aiming of the spacecraft's engines, then a P52 was performed beforehand as a matter of standard procedure. It was also carried out if some time had elapsed since the previous P52 because many other operations, such as the aiming of cameras and cislunar navigation, depended on a properly aligned platform. At any rate, engineers were keen to monitor the rate of drift of the platform as an indicator of the IMU's overall health.

With two stars, a P52 could determine the orientation of the entire universe around the spacecraft. With the spacecraft held in a steady attitude, the sextant's movable line of sight was pointed towards a specified star. Once the star was accurately aligned in the eyepiece graticule, a button was pressed to tell the computer to note the star's apparent position with respect to the slightly misaligned platform. The sextant was then aimed at a second star, where another mark was taken. The computer now knew where the stars appeared to be and, from its internal knowledge of where they really were, could calculate the amount by which the platform had drifted since its previous realignment. These angles were usually very small, and were expressed to an accuracy of thousandths of a degree. Their values were displayed on the DSKY to be passed on to the controllers in Houston, and indicated how the gimbals needed to be rotated, or *torqued*, to bring the platform back into accurate alignment.

As in every aspect of their work, the command module pilots were competitive about aligning the platform well, and the P52 procedure included a measurement of their sighting accuracy so as to let them gauge their performance. From its internal tables, the computer knew what the angle between two stars should be. Once the CMP had made the two star sightings, it also knew what the measured angle between them was and could display the difference between these two angles to hundredths of a degree. If the pilot had made a perfect P52, the zero difference would be displayed on the DSKY as a row of five noughts, 00000, which the crew gleefully referred to as 'all balls'. A zero figure was commonplace, as was 'four balls one' – an error of only one hundredth of a degree. Only occasionally was an error of 0.02 degrees extant. Of course, a well-aligned platform was as important for an accurate determination of the state vector as it was for the crews' bragging rights.

The concept behind the P52 became familiar to amateur astronomers of the generation after Apollo as powerful computers became small and cheap enough to build into backyard telescopes. By aligning these inexpensive instruments on two stars in succession, their computers learned the orientation of the universe around them and could quickly and easily aim themselves at any desired celestial object in a manner greatly reminiscent of the Apollo G&N system.

Stars for Apollo

A catalogue of 37 bright stars distributed across the sky was programmed into the rope memory of the onboard computer. There were some quite faint stars in the list, but this was only because the brightest stars are unevenly distributed across the sky. Planners had wanted to ensure that irrespective of the direction in which the optics' fixed line of sight was pointed, the crew would find a star bright enough within the range of the movable line of sight to view through the sextant. Each star had a numerical code in base eight (octal) so that the crewman could tell the computer the star he wanted to use, or the computer would indicate the star it had chosen for a specific operation.

Some of the objects in the Apollo star list were not stars at all. Three numbers were set aside so that the Sun, Moon and Earth could be referenced by the crewman for other tasks, and there was also a code that allowed a planet to be defined if needed.

Three of the fainter stars in this list have unconventional names that were added as a practical joke by the crew of the ill-fated Apollo 1 during their training. Star 03,

00	Planet	16	Procyon	34	Atria
01	Alpheratz	17	Regor	35	Rasalhague
02	Diphda	20	Dnoces	36	Vega
03	Navi	21	Alphard	37	Nunki
04	Achernar	22	Regulus	40	Altair
05	Polaris	23	Denebola	41	Dabih
06	Acamar	24	Gienah	42	Peacock
07	Menkar	25	Acrux	43	Deneb
10	Mirfak	26	Spica	44	Enif
11	Aldebaran	27	Alkaid	45	Fomalhaut
12	Rigel	30	Menkent	46	Sun
13	Capella	31	Arcturus	47	Earth
14	Canopus	32	Alphecca	50	Moon
15	Sirius	33	Antares		

The Apollo star code list.

Navi, is the middle name of Gus Grissom (Ivan) spelled backwards. Likewise, his two crewmates added oblique references to themselves among the Apollo star list: Star 17, *Regor,* is the first name of Roger Chaffee spelled backwards; and Edward White II gave his generational suffix to the prank as Star 20, *Dnoces,* is 'second' spelled backwards. The people of Apollo kept these names in their literature as a mark of respect to a fallen crew and they have been known to appear in a few star atlases and books in succeeding years.

Gimbal lock

After Neil Armstrong and Buzz Aldrin had landed their LM *Eagle* on the Moon and while they were preparing for their foray onto the surface, Mike Collins made strenuous efforts to locate the tiny LM among the monotonous wastes of craters on Mare Tranquillitatis by aiming his sextant where mission control reckoned they were. Getting the optics around to face the surface and back again involved carrying out a number of manoeuvres. It was during the manoeuvres after one such viewing opportunity that Collins got a call from Capcom Owen Garriott.

"*Columbia,* Houston. Over."

"*Columbia.* Go," replied Collins.

"We noticed you are manoeuvring very close to gimbal lock. I suggest you move back away."

"Yes. I am going around it," said Collins. "Doing this CMC-auto manoeuvres to the PAD values of roll 270, pitch 101, yaw 45."

"Roger, *Columbia,*" said Garriott.

"How about sending me a fourth gimbal for Christmas," commented Collins, showing his annoyance at the restriction imposed by gimbal lock. Garriott could not make him out. "*Columbia,* Houston. You were unreadable. Say again please."

Collins let it lie in the spirit of their triumph. "Disregard."

What was rankling him was a weight-saving measure that had the downside of substantially complicating some of the operational aspects of flying a mission because it limited the range of attitudes that the spacecraft could adopt. Because of this, the crew and flight controllers had to avoid orienting the spacecraft in certain directions with respect to the guidance platform.

This characteristic was inherent in the system as designed by the MIT team who had settled on a three-gimbal mounting for the platform, similar to the system they had designed for the Polaris missile, and unlike the four gimbals found in the Saturn V instrument unit and the Gemini spacecraft. Collins was a veteran of Gemini, and knew the advantage given by the fourth gimbal. But there were good, solid reasons for implementing only three gimbals. As well as saving the weight of a heavy outer gimbal, trade-offs included a reduced tendency for the platform to drift in its orientation, and greater accuracy. However, the three-gimbal arrangement had this unfortunate side effect whereby, if the gimbals were moved in a particular fashion, the assembly lost its ability to maintain the platform's alignment – a condition termed *gimbal lock*, and one that meant that the system had lost all knowledge of the direction in which the spacecraft was pointing. Having a fourth gimbal avoided this problem. As a result, care had to be taken during the flight-planning process, and throughout the flight itself, to avoid risking gimbal lock.

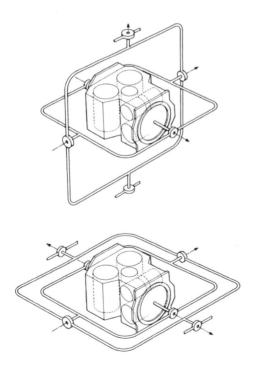

A schematic of how a guidance platform can go into gimbal lock.

If gimbal lock did occur, it was a time-consuming procedure to fully realign the platform, possibly with the loss of important operational work. Even worse, if it occurred near a time critical manoeuvre where good platform alignment was important, there would be no time available to correct it. To help crews to steer clear of it, two areas on the 8-ball's surface were marked in red. Manoeuvring the spacecraft to bring them towards the centre of the display meant risking gimbal lock.

The mechanism that causes gimbal lock is not easy to describe. As previously discussed, the platform was mounted within three nested gimbals. Each had a rotation axis which was arranged 90 degrees away from the axis of the adjacent gimbal. In the normal arrangement, these three axes allowed three degrees of freedom because they were pointing in three different directions. The problem arose when an attitude was adopted that allowed the axes of the outer and inner gimbals to line up. When this condition was approached, the gimbal system lost its ability to isolate the platform from the spacecraft's rotations because there were now only two degrees of freedom. All the gimbal axes were now on a single plane, so any rotation of the spacecraft around an axis outside that plane could not be accommodated by any of the gimbal axes. Since the region that flirted with gimbal lock was defined by the current REFSMMAT, whenever the spacecraft needed to manoeuvre to an attitude that might approach gimbal lock, mission control had to give the crew a new REFSMMAT according to which the platform could be realigned. Of course, all this was worked out during mission planning. As many as eight REFSMMATs might be used during a mission, switching as the operational requirements changed. Each time the REFSMMAT changed, the platform would be duly realigned. But avoiding gimbal lock was only one reason for changing the REFSMMAT. A more important reason was to aid the monitoring of critical events, such as launch, re-entry, and the major manoeuvres that required long engine burns or where the correct attitude of the spacecraft was paramount. By aligning the guidance platform to an appropriate REFSMMAT that matched the required attitude for the manoeuvre, the crew would find that when the spacecraft was pointing in the right direction, the 8-ball display would be easy to interpret. Any attitude errors, which must be avoided during an engine burn, could therefore be easily spotted and corrected.

When Apollo 8 made the first manned flight to the Moon, only three REFSMMATs were required. The purpose of the mission was simple – get to the Moon, orbit it ten times, and get back. There was little reason for the spacecraft to adopt widely varying attitudes. For the journey to the Moon, the platform was aligned to the *launch pad REFSMMAT*. This represented the launch pad's attitude in space at the moment of launch, as determined with respect to the stars. This orientation made it easy for the crew to monitor the progress of their ascent from Earth's surface. Later, as they approached the Moon, they realigned their platform to a new REFSMMAT, one that coincided with their ideal attitude for the engine burns that took them into lunar orbit. Choosing such an orientation for their platform made it much easier for them to monitor their attitude on the spacecraft's displays. Once they had left the Moon, Lovell realigned Apollo 8's platform to a suitable REFSMMAT for re-entry into Earth's atmosphere, again to make it easier to monitor this critical event.

For the advanced J-missions, Apollos 15 to 17, much more sophisticated use was made of the Apollo hardware and a total of eight REFSMMATs were defined for the guidance system. The start of the journey began with the platform aligned with the launch pad, as with Apollo 8. Coasting to the Moon required the spacecraft to be turned slowly to distribute heat around its surface. As this rotation had to avoid the gimbal lock range, a special REFSMMAT was generated to suit. Each of the three major manoeuvres by the CSM at the Moon had its own REFSMMAT to simplify crew monitoring. Two additional REFSMMATs were defined to aid the lunar landing and lift-off, each representing the orientation of the landing site at the times of these events. Finally, as with Apollo 8, a REFSMMAT was defined for re-entry.

Inertial or horizontal?

As the design of the G&N system was being finalised in the early 1960s, a conflict arose between those who designed the equipment and those who would fly with it. The designers at the Instrumentation Laboratory at MIT led the field of applying mathematics to the problems of guidance, whether in a submarine, an aircraft, a nuclear-tipped missile or travelling in space. They saw the problem from a wide context in which all guidance could be reduced to equations that modelled the solar system as it sat surrounded by the stars. Their fundamental point of view was an inertial one, which was expressed during Apollo's gestation by an intention that the spacecraft's attitude should be displayed as a set of numbers with respect to inertial space. The crews, on the other hand, were pilots, and pilots see flight largely in terms of movement with respect to the horizon of whatever planet (usually the Earth) they are flying over. Their point of view dealt with a local frame of reference that stayed aligned with the ground beneath their spacecraft, even as they flew around a curved planet.

These two viewpoints on spacecraft control influenced the Apollo guidance and navigation system as it evolved at breakneck speed during its development; the inertial point of view dictating its fundamental structure, but with the astronauts' preferences heavily influencing the final mode of operation because they had experience on their side. They had cut their teeth on the Gemini flights of 1965 and 1966 that had taught NASA how to operate in space. They pointed out that most manoeuvres needed to be carried out with respect to the ground below, especially the all-important rendezvous manoeuvres on which the Moon-bound flights relied. Since the Apollo G&N system had been largely designed by the time they had gained this experience, both hardware and software modifications had to meet the crews' expectations. In particular, the crews insisted on having the '8-ball' FDAI display, which was very similar to the artificial horizon in an aircraft cockpit with which they were already familiar. Also, by the time Apollo flew, the ORDEAL had been introduced, which was a quick-fix add-on that had to be installed in the cabin after launch, effectively turning the 8-ball into the artificial horizon that crews preferred.

Redundancy in control

The designers of the Apollo spacecraft were always careful to build redundancy into their systems to ensure that a single point failure could not jeopardise the crew – a philosophy that extended to the guidance and navigation system. The designers were very aware that any of its exotic components could fail at any point in the mission. To this end, the command module had a second control system which, although it shared many components with the G&N system, could operate entirely separately. This was the *stabilization and control system* (SCS) that could autonomously maintain attitude, allow the crewmen to make accurate manoeuvres and even manually control the SPS engine if necessary. Like the G&N system, it used gyroscopes, but these were arranged in a different way to the gyroscopically stabilised IMU.

The gyroscopes for the SCS were not attached to a stabilised platform. Instead, they were fixed to the spacecraft structure and had to move with it. Being mounted in this way prompted the name *body-mounted attitude gyros* (BMAGs). Like all gyros, they have a tendency to want to remain in one attitude, and when the spacecraft rotated, they exerted a force on their mountings. As this force was a measure of the rate of the spacecraft's rotation, the BMAGs were very suitable for measuring rates of rotation rather than absolute attitude. Only by processing the rate information within electronic boxes could a measure of absolute attitude be derived. The resultant attitude reading was highly prone to drift, much more so than the IMU, so prior to using the SCS intensively, the crew would press a button which updated the BMAGs' electronics with a better idea of the spacecraft's attitude from the IMU's platform. If, in an emergency situation, the IMU failed to work, the crew had a procedure whereby the attitude information from the BMAGs could be aligned by sighting on the stars.

A slip of the fingers

On one occasion, while Apollo 8 was returning home, Jim Lovell was continuing with his program of navigation exercises. As he punched away at the DSKY, its attitude light went out. "For some reason," he called to Mike Collins in mission control, "we suddenly got a Program 01 and no attitude light on our computer."

Program 01 was only meant to be used at the start of a mission to initialise the IMU platform. In effect, the computer had lost its knowledge of which way was up.

"Stand by one, Jim," said Collins. "We're working on a procedure for getting you cranked back up again."

"Okay."

Lovell had meant to enter Program 23, the navigation program, and then use Star 01. A slip of the fingers and a couple of missing keystrokes meant that he had entered Program 01 in error. Unfortunately, there was no Undo button. In view of the huge amount of work Lovell had to do on this pioneering flight, and his disrupted sleep patterns, an occasional slip was to be expected. At least it had occurred when it had no impact on the mission. To recover from the error, he had to realign the platform, and mission control had to uplink a new REFSMMAT and check other data in memory because of what the computer had forgotten during the reset, all of which took about an hour of their 3-day coast home.

With humour, both Borman and Anders never let Lovell forget his error, constantly ribbing him about it for the rest of the journey.

7

Coasting to the Moon

THREE MEN IN A SUBMARINE

A large part of the Apollo journey was spent in coasting flight; a period of time, usually somewhere between the Moon and Earth, when the three crewmen waited to reach a destination or when the command module pilot was waiting for his two crewmates to return from their exploration of the lunar surface. Although this part of the flight held little interest for the news media, the crew were nevertheless kept busy with a great variety of tasks ranging from the clever precision of the CMP's navigation commitment to matters of personal hygiene.

NASA made sure there was plenty to keep its crews occupied. Exotic conditions like the command module in deep space had cost the taxpayer dearly and did not occur often, unlike the continuous time in weightlessness offered by later space stations. Being in deep space meant that the crew were exposed to an environment beyond the shielding effects of Earth's magnetic field. As a result, crews found that mission planners, managers and controllers very rarely allowed them to relax during a flight. This was particularly true of later flights, when the business of just keeping the spacecraft running had become somewhat routine.

The openness with which NASA conducted its primary objective, whereby it allowed unprecedented access to most of what it did, demanded that its costly missions should at least appear to extract as much as possible from every minute of the flight even beyond the goal of reaching the Moon. If the crew were not busy dealing with the upkeep of their mini-planet or of their own bodies, they would find themselves involved in a series of scientific experiments, out-the-window observations, television broadcasts, changes to the flight plan or the execution of carefully calculated adjustments to their trajectory.

The sleep problem
NASA's manned space experience began with Alan Shepard's 5-minute sample of weightlessness in May 1961 on board the first manned Mercury spacecraft. In just eight years, through the Mercury and Gemini programmes, NASA became

increasingly sophisticated in Earth-orbit operations, culminating in October 1968 with the 12-day 'shakeout' flight of Apollo 7 when the first manned Block II spacecraft was put through its paces in Earth orbit. Yet, by the time that the pioneering flight of Apollo 8 was launched towards the Moon on 21 December 1968, managers found themselves vexed by a very basic problem – the disturbed sleeping patterns of the three-man crew in the limited volume of the Apollo command module.

Throughout the early years of planning for the Apollo lunar flights, it had always been assumed that the best arrangement for sleep would be a rotation system in which at least one crew member would always be awake to monitor the systems. Apollo 7 followed this regime. Donn Eisele, the command module pilot, took his rest period alone. The commander Wally Schirra and lunar module pilot Walt Cunningham took theirs simultaneously. The crew never reported problems with this arrangement during their debriefing; although any tiredness could have been masked by the irritating head colds that they endured and the irritability that they displayed could have been exacerbated by lack of sleep. In any case, Apollo 7 was confined to Earth orbit and its crew were not in the position of being the first humans to orbit another world for 20 hours.

Things started well on board Apollo 8 with only a bout of space motion sickness from the commander Frank Borman causing any medical concern. The coast to the Moon was relatively uneventful and the crew kept the ship running smoothly. The major activity was by Jim Lovell as the CMP, who practised the cislunar navigational techniques that subsequent crews would use. However, as the spacecraft's flight progressed, the crew found that their planned sleep patterns became increasingly disrupted.

A common problem occurred whenever a crewmember spoke to mission control, as his chatter would disturb the slumber of his colleague. A possible reason for this was that, unlike an Earth-orbit mission of the time, there were no long periods during the coast when radio silence was enforced by the sparse distribution of the tracking sites. During the coast to the Moon, the flight controllers in mission control were in permanent communication with the spacecraft and the Capcom would not only speak to the crew whenever an operational need arose but would also engage in idle chat, so communication was often ongoing. Also, with three men occupying the very cramped confines of the cabin, any activity to carry out chores tended to disturb the sleeping crewman who usually slept on his couch or underneath it. In the command module, there were no sleeping bags, and no place to escape from colleagues. By the time they reached their destination, they were all somewhat groggy from their attempts at napping, and needed the adrenaline produced by the excitement of making ten orbits around an alien planet to help them to perform their duties successfully and safely.

All three men were captivated by the forbidding, stark landscape that was passing beneath their windows. They worked hard at their full schedule of photography, TV broadcasts and navigational sightings, all the time keeping up a busy chatter with mission control until the seventh orbit, when Borman decided to discard the timeline for the remainder of their orbital sojourn. Although an incredibly sophisticated machine for 1960s' technology, the spacecraft could only achieve its capability by being necessarily complex and intricate. There were countless ways in which a tired crew could kill themselves through inappropriate operation of its many controls. Borman knew this, and ordered Jim Lovell and Bill Anders to take some rest before the trans-Earth injection burn.

Mission planners took the Apollo 8 experience to heart when they reviewed the sleeping arrangements for subsequent flights. It was decided that since the controllers on the ground had a better view of the spacecraft's systems through telemetry, the crews would sleep concurrently, following Houston time, with one crewman wearing a headset in case Houston felt the need to wake them up. As subsequent missions became increasingly complex and demanding, this change in the sleep regime allowed crews to sleep well and helped them to cope more easily with the immense physical and mental strain they had to endure when their opportunity came to explore another world in the very limited time Apollo could give them.

SUSTAINING LIFE

Apollo 17's command module, prior to being mated with its service module.

The Apollo command module (and to a lesser extent the lunar module) could be thought of as a mini-planet. All the basic requirements for human life over a two-week period were brought together inside a sealed conical machine less than 4 metres across and little over 3 metres high that could transport its occupants between worlds. Along with its service module, the spacecraft provided air, water, power and propulsion. It included a means of navigating across space and a way to negotiate Earth's atmosphere upon return. It contained adequate supplies of food and warmth as well as the equipment that its crew would need for a programme of science during their journey. The life-support infrastructure of the Apollo spacecraft was under the watchful eye of the flight controller who sat at the EECOM console. EECOM stood for *electrical, environmental and communications*, though changing roles within mission control had removed the communications responsibility without changing the name.

Power: the fuel cell

Buried within the pie-shaped structure of the service module were originally two (later three) tanks each of oxygen and hydrogen. Although these two substances are

excellent propellants for rocket engines, propulsion was not their purpose in the Apollo
design.

A common notion is that spacecraft usually
derive their electrical power from the Sun via
large arrays of solar cells. While this is
generally true for automatic spacecraft in the
inner solar system and for the international
space station, the high power demands of a
typical Apollo flight would have required such
large panels as to make them cumbersome.
This size would not have been a problem
during a coasting flight, but when the spacecraft's large engine was fired, the mechanical
stress from the acceleration would have
required them to be folded away at the very
time that their power was most needed.

An Apollo fuel cell.

Storage batteries could have brought electrical
power from Earth. Although they could have supported a short flight, as they did for
the early manned Gemini flights, they could not support the Apollo spacecraft for
two weeks without being prohibitively heavy.

It was up to the Gemini programme to prove the concept of a third alternative,
the *fuel cell*, as a source of electricity for long-duration flights. First developed before
the Second World War in Britain, the operation of the alkali fuel cell is remarkably
simple. It acts like a battery by using the chemical reaction of two substances, in this
case oxygen and hydrogen, and making available the energy of the reaction in the
form of prodigious quantities of electricity. However, unlike a conventional battery,
the reactants can be replenished constantly. The fuel cell does not run down as long
as fresh reactants are fed past the electrodes. Even more remarkable is the fact that
the waste product of this reaction is water that is sufficiently pure to be drunk.

The adoption of the fuel cell in Apollo therefore killed two design quarries with
one stone. Not only did it produce lashings of electricity (a single fuel cell could
generate well over 1 kilowatt of electricity at peak demand), but the water it
produced became a sort of lifeblood of the spacecraft. It quenched the thirst of the
crew and rehydrated their food in metered amounts through a pistol-style 'squirt
gun' on the end of a hose. It also supplemented the cooling of the spacecraft's
electronic equipment by being evaporated into space, taking heat with it. Any excess
was periodically discarded through an orifice in the spacecraft's hull.

The high-energy reaction that occurs when hydrogen and oxygen are burned in
the combustion chamber of a rocket makes it greatly favoured by rocket engineers.
In the Apollo fuel cell, most of this energy was expressed as electricity, but although
it could reach efficiencies of 70 per cent, the reaction still yielded significant amounts
of heat. Some of this was used to warm the extremely cold reactants before they
entered the cell; the rest was rejected through eight radiator panels around the upper
circumference of the service module. An early version of the fuel cell flew on seven of

the Gemini flights, giving engineers a chance to iron out the teething troubles with this promising technology. By the time the Apollo programme finished – Apollo 13's oxygen tank explosion notwithstanding – no Apollo flight suffered from a failure of their fuel cells. It was one of the many technologies and techniques for which the Apollo programme depended on Gemini to pioneer.

Among the limitations of the Apollo fuel cells was that they were very sensitive to the presence of impurities in the reactants. Even with hydrogen and oxygen of the highest purity that NASA could procure, the build-up of contaminants required that they be purged from time to time to avoid the resultant loss of electrical power. Oxygen purges were carried out daily, while hydrogen purges happened every second day. Three switches on the LMP's side of the main display console allowed the gases to be routed to any of the three cells for this function. Electric heaters were included to ensure that the purging gas was warm enough to ensure that the water in the cells did not freeze.

Power: the batteries
The fuel cells were not the only source of power in the spacecraft. A collection of batteries were included and, despite their weight, there were good reasons for their inclusion. The fuel cells had a limited range of output power. They could not deliver more than 1.4 kilowatts at any one time, yet their power output had to be maintained above 400 watts at all times. The demands from the spacecraft were much more variable, especially when the SPS engine was operating. It had sizeable motors that gimballed its nozzle from side to side during a burn, and these made heavy drains on the spacecraft's electrical system. Batteries were a way of smoothing out the load on the fuel cells by supplying extra power during the peaks in demand. At other times, their need to be recharged provided a load for the fuel cells. At the end of the mission, after the fuel cells had departed along with the rest of the service module, the batteries were all that remained to power the command module as it streaked through the atmosphere during re-entry. They were therefore essential!

The CM carried a total of five silver oxide–zinc batteries mounted in the lower equipment bay below the navigation instruments. Two of them were never recharged after launch. Their only use was to provide energy for the various pyrotechnic devices around the spacecraft. These devices separated the launch escape tower, the S-IVB and, at the end of its mission, jettisoned the lunar module. At re-entry, they separated the CM and the SM, jettisoned the upper heatshield from around the spacecraft's apex and deployed the parachutes.

A further three batteries provided supplementary power during busy periods, and became the main power supply through re-entry, splashdown and post-landing operations. It was these that were recharged at times when the load on the fuel cells was low. All five batteries were installed in separate pressure cases and, in case they were to emit gases through failure or improper operation, these could be vented to space to ensure that it did not enter the cabin.

In general, the batteries gave very little trouble. Only once, during the Apollo 7 Earth-orbital flight, were problems encountered when Walt Cunningham discovered that the batteries were recharging more slowly than expected. Then when the CM separated from the SM for re-entry, the voltage delivered by the batteries fell low enough to make the caution and warning lights "glow yellow the rest of the way", as Cunningham put it. "This was a slightly traumatic experience at this point because we hadn't expected anything like it," he added. However, the spacecraft's systems operated satisfactorily with the slightly low operating voltage.

THE PERSONAL BIT

When humans are cooped up in a spacecraft for a week or two, they have a potential waste and hygiene problem that has to be dealt with just as much as guidance, propulsion or power. In the Apollo era, individual astronauts who were not on a specific flight assignment were regularly sent to do the public relations rounds on NASA's behalf, showing the American taxpayer how their money was being spent. Mike Collins, the CMP for Apollo 11, reported that the all-time favourite question asked of the astronauts by the public was, "How do you go to the bathroom in space?" He answered the question in his autobiography by detailing the 20 steps a crewman had to accomplish to urinate during the Gemini 7 flight by Borman and Lovell.

On Apollo, a crewman had multiple methods of urinating depending on whether he was suited or not and whether he preferred to simultaneously dump the urine into space. If he was suited, urine would be collected by a device worn under the suit which filled until the crewman had an opportunity to dump its contents overboard; a valve in the suit enabled the bag to be drained while suited. However, wearing a suit was not the norm over the span of a mission. Instead, the crew spent most of the coasting period wearing at least their constant–wear garment, and perhaps some coveralls. Urination then required the use of a rollover tube and a short hose that led to a bag. The contents of this bag could be dumped later, or be dumped even as the crewman was filling it, with a bypass valve protecting him from the direct vacuum of space. The exterior of the command module sported two nozzles through which either waste water or urine could be dumped. These were heated to prevent ice forming and blocking the orifices. When the liquid was dumped into space, it sprayed into a gleaming cascade of ice crystals that sparkled in the sunshine. At a press conference, Wally Schirra dubbed this starry display, the "Constellation Urion", a play on Orion.

Water and urine dump nozzles below the roll thrusters on Apollo 10's CM.

Whereas urine could be expelled from the spacecraft, faeces had to be kept on board and returned to Earth for analysis. Defecation was carried out into a bag whose adhesive flange allowed the crewman to attach it to his buttocks. Having finished his motion, the bag was removed and a germicidal sachet added. Once the bag was sealed, the sachet was ruptured and mixed with the contents by kneading.

However, this wasn't enough because the bag contained air at cabin pressure and, on the final three missions a spacewalk out of the command module's hatch was planned. Therefore the faecal bag was placed in an outer bag with double seals to ensure that the contents would, hopefully, remain there, even when the cabin was exposed to vacuum. However, the Apollo 16 crew had their doubts.

"Our concern was that with cabin depressurisation, the bag would blow up," said Ken Mattingly during their debriefing.

John Young agreed. "Boy, would that have been a mess!"

This crew had placed their double-sealed faecal bags into a large black bag to keep them contained, but Mattingly wanted to get as much air out of the bag as possible. "I vented the bag to make sure that the big bag didn't burst. That had nothing to do with the little bags. As far as I know, none of them burst. I didn't open the bag to find out either!"

"Fortunately, you can't really get an airtight seal on those faecal bags," said Charlie Duke. "That probably saved us. I'm sure they went down. We filled up that black bag."

The truth was that this crew for one, at least, did not like carrying their solid waste around with them in the command module. At least the LM crew had to lighten their ship by jettisoning their waste, including any faeces. Mattingly continued, "I guess the rationale for using the supplementary bag first was a holdover from the desire to be able to throw it away, which we weren't allowed to do for other reasons, but I really think that's what you should do."

"You should have been in the LM when we got rid of it," said Young.

"I just don't think you ought to carry that stuff around, if you can avoid it. I think it's a health problem if you ever get some of that stuff loose in there."

In fact, Apollo 16 was given some preliminary research to do in support of the upcoming Skylab programme. Duke was first to try one of these experiments. "The first time I had to go was right after waking up on the first day. Ken broke out one of those Skylab bags, and I tried that the first time. I thought it worked pretty good. Once you performed the task, the clean up was still as horrendous as ever."

While on his own in lunar orbit, Mattingly got the task of dealing with human bodily functions down to a fine art. When his crewmates returned, he told them all about it. "Man, one of the feats of my existence the other day was, in 42 minutes, I strapped on a bag, went out of both ends, and ate lunch," he laughed, "by doing it all at one time."

"Fantastic," said Duke. "That's a record!"

"I had this bag on the front end, a plastic bag on my rear, and a juice bag in my mouth," laughed Mattingly. "That's the only chance I had all day; with one back-side pass."

Mattingly's mirth continued. "I used to want to be the first man to Mars. This has convinced me that, if we got to go on Apollo, I ain't interested."

The bags used on Apollo were the same as used on the Gemini spacecraft. Their design included a moulded finger tube. The theory was that the crewman could use it to help dislodge any faeces adhering to their skin. Young and his crew did not like it. "I still don't see any use for that finger in the bag," he said during their debriefing.

"That was one thing I was going to add," said Duke. "You want to get that finger out of there."

"Get the finger out of there to keep the faeces from hanging up," affirmed Young, "which it does every time the finger's in the way. All that's going to do is give you a bigger cleanup problem than you already got."

Mattingly agreed: "I tried doing it the way they suggested – pulling the finger thing out first and then use it afterwards. All that does is smear. Absolutely no advantage to it. It looks to me like you could simplify the bag and remove one more potential weak spot in it by just deleting that whole [finger] thing."

Frankly, doing a 'number two' on Apollo was no joke. According to Duke, "Our technique was to abandon the [lower equipment bay] to whoever had to go, get naked, and go. That was about a 30- to 45-minute task."

Apollo 11's Buzz Aldrin had come to a similar conclusion after his flight. "It certainly is messy and it's distasteful for everybody involved to do it in that particular fashion."

On the later, longer flights, the crews were finding that towards the end, they were becoming more prone to bowel problems. Apollo 17's Jack Schmitt pointed out the dangers. "The best thing you can do is to work out some prevention of loose stools rather than trying to handle them. Loose stools is one of the major hygiene, sanitary and operational problems that you can have on a flight. I can't emphasize that more. If it happened on a daily basis, you would eventually cut the efficiency of the crew member as much as 30 per cent. I think it's important to try to understand why Apollo 17 was different than Apollo 16 in the delay of the problem of loose stools till about the eleventh or twelfth day."

Faecal bags were stored in a container on the right-hand side of the cabin. In case of leakage or burst bags, there was a vent with which any odorous air could be expelled overboard.

Cleanliness

Just as there was no conventional toilet, the spacecraft contained no shower or basin. On a flight lasting less than two weeks, personal hygiene had to be demoted to a simpler regime. Washing was performed by just having a wipe with one of the available cleansing cloths. Two types were available: wet and dry; each about 10 by 10 centimetres, with the wet cloths containing a germicide. These were specifically intended for general cleansing after food and defecation. Afterwards, the skin was dried with tissues from one of seven dispensers available for the flight.

Ron Evans, Apollo 17's CMP, brushing his teeth.

For cleaning teeth, crews had a choice of either chewing gum that could be swallowed, or using a brush and edible toothpaste to save them from having to rinse out their mouths. After Apollo 12, Pete Conrad spoke about brushing teeth *en route* to the Moon. "I guess everybody used his toothbrush to one degree or another. I didn't use it as much because my mouth doesn't get that bad in 100 per cent oxygen. I did use the dental floss. I guess we all did. We all used the toothpaste."

"I liked the toothpaste," said Alan Bean.

"I don't know where the rest of the guys kept their toothbrushes," said Conrad, "but I just put mine back in my pocket after I cleaned it. I think everybody did."

"We found that once a day we liked to strip down," said Dick Gordon. "We'd strip down completely and use the hot water with those towels that we did have on board. We'd completely sponge down and give ourselves a bath. I don't think enough can be said for this type of thing and for the way you feel. We wanted to shave and bathe daily, on a regular basis, but we simply didn't have the equipment on board to do it."

One of the essentials missing on earlier flights was soap, as Conrad explained. "The potable water was used for personal hygiene, and I'd also like to have some soap along for personal hygiene and just to get clean after lunar surface operation – just to get the dirt off. That's another reason we wanted more towels. We all stripped down all the way and washed down with the water and our towels several times during the flight."

Lunar soil was a pervasive substance that covered everything after a crew had been on the surface. As Jack Schmitt related, the soap taken on later flights helped washing arrangements to work well. "I washed several times with soap, and, post-rendezvous, I actually washed [my] hair quite adequately by putting a lot of water on a towel and wetting the hair quite well. Then, just in a normal terrestrial way, I rubbed soap into it and then washed the soap out again with a couple of wet towels. The soap on board seemed to be quite good. It did a good job of cleaning but also was not overly sudsy and seemed to wipe off or wash off very well. It did not leave any noticeable residue that was uncomfortable."

Lunar whiskers

Shaving was optional. Many lunar explorers returned to Earth with two weeks' growth proudly displayed as they stepped off the helicopter following their recovery. Others chose to shave even though it could be difficult. Mike Collins did a bit of both, returning to Earth with a decent moustache. Although these normally fastidious men tolerated such limitations to their personal hygiene for the duration of a mission, many began to be irritated by them towards the end and were only too glad to get back to Earth and cleanliness.

Michael Collins displays his Moon moustache after the recovery of Apollo 11. Neil Armstrong and Buzz Aldrin are alongside.

The crew of Apollo 10 tried using old-fashioned shaving cream and a razor instead of a mechanical shaver. "We're in the process now of commencing scientific experiment Sugar Hotel Alpha Victor Echo [SHAVE]," joked Eugene Cernan, "and it's going to be conducted like all normal human beings do it."

Later, during a TV broadcast, Capcom Charlie Duke commented on the pictures coming down of commander Tom Stafford. "Okay, 10. I think we're looking at Tom's left shoulder there now, and the Sun coming in his window. Yes. There's his old grinning face, clean shaven."

"Roger," said John Young. "This is a remarkable innovation. After spending a lot of money on mechanical shavers which always manage to leave the whiskers flying around in the atmosphere, somebody finally came out with the idea of using a straight razor and brushless shaving cream. You rub it on, it keeps the whiskers when you shave it off, you put it in a towel and dispose of it, and you end up clean shaven."

"That's amazing, 10," said Duke. "That's what the space age does for you."

"I'll tell you, Charlie," said Cernan, "that's one of the most refreshing things that's happened in the last couple of days. That was really great. We were getting where we could barely stand ourselves there for a while."

However, a continuing problem was dealing with the effects of weightlessness on fluids and the hairs that had been shaved off, as Neil Armstrong explained: "We did shaving on board, and didn't have a lot of real good luck with that. For some reason or other, we let our whiskers get pretty long before we tried that and found out it was an hour's job to shave."

Aldrin elaborated: "It takes a lot more water than you'd think ahead of time, and getting water on your face is not too easy a task. You can get some to accumulate on your fingers in a thin film and then get it on your face, but invariably it's going to start bubbling and get all over the cockpit in various places."

"The only difficulty really was conditioning the beard for shaving," continued Armstrong. "Handling the equipment was no problem and there was no problem with shaving cream getting away from you. It wasn't that kind of a problem."

"Well it did use up a fair number of tissues to keep wiping it off," said Aldrin.

Collins had kept his moustache but otherwise had a go at shaving. "Now, in 1 *g*, what you do when you get all through shaving is to bend over the bowl, you take water, wipe it all

Above. Ed Mitchell shaving on Apollo 14. Below. Three bearded crewmen on Apollo 15 line up for their press conference; David Scott, Al Worden and Jim Irwin.

Jack Schmitt tackling a wet shave on Apollo 17.

over your face, and all the bits and pieces of hair go down the sink. But the way we were doing it, when you got through, they were all over your face; then you had to wipe each and every one off. It was sort of hard to get them off. For hours afterwards, they were scratching and itching."

The Apollo 15 crew decided not to bother with shaving throughout their mission. The increasing length of their beards became obvious just prior to conducting a press conference on the penultimate day of the journey. Karl Henize was Capcom at the time: "Hey, 15, we're getting a beautiful picture coming through."

"Yes," confirmed Scott. "Go ahead with your questions."

"Roger. We'll admire the beautiful picture for a few minutes here," complimented Henize.

The crew appeared on camera in a row. Scott was camera-left, Worden in the middle and Irwin on camera-right. Behind them was the lower equipment bay with the optics above Scott's head and the DSKY between Scott and Worden. All were sporting over 10 days' growth on their chins.

"Deke just passed out from the shock, incidentally," joked Henize. They all laughed. Deke Slayton was the crew's boss in Houston.

"Do we look that scroungy?" asked Irwin.

"No, we look so good," quipped Scott. "He probably can't believe it."

"It's just because we haven't shaved in two weeks," Irwin reminded them.

"Is that a fact?" said the laconic Worden.

Irwin: "Yes."

By Apollo 16, John Young and his crew were still comparing wet shaving with mechanical shavers.

"I tried the windup," said Mattingly, "and that worked great until you missed a day. If you miss a day, you've had it, because that thing feels like its pulling the whiskers out instead of shaving them off."

Young had tried wet shaving again, with mixed results. "The Wilkinson worked okay if you'd taken that cream and made a lather out of it."

"Well, you looked pretty bloody, John, the time you used it," Duke reminded him.

"You wouldn't have sold any blades, John," said Mattingly.

"I really didn't get too good, did I?" agreed Young. "Pretty bad."

"Somehow we ought to be able to find a way to let you have a razor that you can open up like any other safety razor and clean off," suggested Mattingly. "That's the big problem. You get that thing all crudded up and that's it. There must be some way to do that without producing a free floating hazard."

After Apollo 17, Cernan said how important shaving was to the crew. "I think it's one of the most clean feelings a guy can get in the spacecraft."

Schmitt agreed. "It's great. I could only shave about a third of the face at a time, maybe a fourth, so that's the way you do it. You put a little bit on and shave that part off and start again. I've got a recommendation on the razors. And Gene didn't have that problem. I guess my beard is a little thicker or something, but I couldn't use a two-bladed razor. I could get one scrape out of the thing and it was full. There is just no way to clean it out and it just wouldn't cut anymore. The single-blade razor is the one that evidently has enough room in there. Even though it got plugged up with the shaving cream, it still worked okay."

Medical matters

Although the Apollo crews were drawn from a pool of very fit men, each of whom had undergone an exhaustive medical examination before being hired and again before the flight, they were nonetheless human and ended up suffering the normal range of minor illnesses and conditions during their flights that one would expect from any sample of healthy people. One perennial problem that afflicted the early flights was the common cold. It made life much harder for the Apollo 7 crew when they all contracted colds early in their 11-day flight, and it caused the launch of Apollo 9 to be delayed for three days to enable its crew to recover from a bout of sniffles and congested noses. Their susceptibility was attributed to their high work rate prior to launch, which sapped their immune system, and to the large numbers of people with whom they came into contact in those final weeks and days. Afterwards, NASA began to quarantine their crews to reduce the likelihood of their catching colds.

Of some surprise and initial concern to the doctors was the prevalence of motion-related sickness experienced by Frank Borman on Apollo 8 and Rusty Schweickart on Apollo 9. Motion sickness had not been a problem during the Mercury and Gemini flights, and nor had it shown up on Apollo 7; so when Borman began vomiting within a day of Apollo 8's launch, doctors and managers feared for the mission. Borman was unwilling to mention how ill he was feeling on the normal communications channel, so he left a message on the voice track of the spacecraft's tape recorder. This was later transmitted to Earth on a secondary communications channel within the S-band signal, and the crew gave mission control a subtle hint that they should check the recorder's voice quality.

When mission control eventually decided that there was something to listen to, they heard about Borman's condition and arranged to have a private conversation with him from another control room in the Mission Control Center building. Their diagnosis was that Borman must have contracted a viral infection, but by that time, he had recovered. With hindsight, his condition was attributed to motion sickness. After Schweickart suffered similar symptoms, NASA had its crews try to condition themselves to extremes of motion by performing aerobatic manoeuvres in the T-38 aircraft that were made available to them.

The problem seemed to stem from the greater space available to the crew in the Apollo cabin. Mercury and Gemini spacecraft were very small and a crewman could do little more than sit in his couch. In the Apollo command module, especially with the centre couch folded away, there was room enough to do weightless spins and somersaults. Some crewmen found the disturbance to their vestibular system upsetting. The longer term history of spaceflight has shown that a proportion of space travellers simply have to overcome an initial adjustment to weightlessness.

To try to mitigate the effects of so-called space adaptation syndrome, the crew could dip into a medical kit that had been included in the cabin. There wasn't room for much, but doctors had tried to cover most of the minor ailments from which an otherwise healthy man might suffer. On Apollo 11, the kit carried ointments, eye-drops, sprays, bandages and a thermometer. It included an assortment of pills, such as antibiotics, anti-nausea tablets, analgesics and stimulants. There were aspirins, decongestants, anti-diarrhoea pills and sleeping pills. There was also a selection of injectors for pain suppression and motion sickness. A smaller kit was kept in the lunar module.

"It was pretty clear that the medical kits were not carefully packed," said Armstrong during Apollo 11's debrief. "The pill containers blew up as if they had been packed at atmospheric pressure. The entire box was overstuffed and swollen. It was almost impossible to get it out of the medical kit container."

"I ripped the handle off as a matter of fact, trying to pull it out," added Collins.

"That was even after we cut one side off the medical kit," said Armstrong, "so it would be less bulky and we would be able to put it in the slot."

The restaurant at the edge of the universe

One of the clichés that has become firmly set in the public's mind since the space age began 50 years ago is that space food is a bland, dehydrated mush that comes in a tube. Certainly, for the earliest flights, this was true. However, on Apollo, things began to change a little.

Some of the food taken on Apollo was dehydrated, for good reason. Water makes up a substantial component of soups and juices, and makes them heavy. Since spare water was plentiful anyway as a by-product of the fuel cells, it made little sense to carry more from Earth. Instead, some of the crew's food was freeze-dried, packed into plastic bags and vacuum-sealed to save space. When required, it was retrieved from its storage locker and water was injected through an orifice in the bag. It was then kneaded and left for a few minutes to be fully absorbed. When ready, the corner was cut off with scissors and the contents squeezed out into the mouth.

The Apollo spacecraft had a feature that made eating soups somewhat more pleasurable than on previous spacecraft – hot water. Because the fuel cells had to constantly generate electricity, designers could afford to add a small water heater that could then be used for making coffee and soup. Unfortunately, the limited power available on the lunar module meant that there could be no hot water on that spacecraft, and crews had to spend their time on the surface eating cold food.

On most flights, main meals were similar to modern ready meals, set out in aluminium trays with peel-back lids. Some were kept in a freezer, others in the food stowage lockers. As a small electric food warmer was provided in the command module, these packages could be heated before consumption. Each meal was planned before the mission, with each crewman choosing what he would like from an available range. Enough food was packed on board to provide each crewman with 2,500 calories daily. For Pete Conrad, the menu for his second day in space went like this: For breakfast, he had apricot pieces, rehydratable sausage patties and scrambled eggs, finishing off with two rehydratable drinks, grapefruit juice and coffee. At lunchtime, he heated a tray of turkey with gravy, ate it with four cheese crackers, and downed it with rehydrated orange and grapefruit drink. His evening meal consisted of pork and potatoes which had to be rehydrated, a slice of bread with spread and some sweeties, all of it washed down with rehydratable cocoa and an orange drink.

On Apollo 8, the crew found an extra treat on Christmas 1968. "It appears that we did a grave injustice to the food people," said Jim Lovell to Mike Collins in Houston. "Just after our TV show, Santa Claus brought us a TV dinner each, which was delicious, turkey and gravy, cranberry sauce, grape punch; outstanding." These foil-wrapped dinners became the norm for Apollo 10 onwards. Additionally, the Apollo 8 crew found that three small bottles of brandy had been packed among their Christmas food rations. Borman, however, pulled rank and said they could not partake of the brandy until they got home. Being one of the early Apollo flights, all their food was in rehydratable form.

"The food has generally been good," commented Bill Anders while making audio notes into the onboard tape recorder. "Particularly the last meal: butterscotch pudding, beef stew, grapefruit drink and chicken soup."

"Well, Bill, you might mention the hot water makes a big improvement, too," added Lovell. He and Borman had already experienced the longest space mission yet, as they spent two weeks in the Gemini 7 spacecraft. Compared to its cramped accommodation, the Apollo cabin was relatively luxurious, especially the supply of hot water.

Later, during a TV show, Borman and Anders prepared a drink for the camera. "Well, here we have some cocoa," said Anders. "Should be good. I'll be adding about five ounces of hot water to that. These are little sugar cookies, some orange juice, corn chowder, chicken and gravy, and a little napkin to wipe your hands when you're done. I'll prepare some orange juice here."

Borman picked up the narration. "Okay. You can see that he's taking his scissors and cutting the plastic end off a little nozzle that he's going to insert the water gun into. The water gun dispenses a half-ounce burst of water per click. Here we go; Bill has it in now, and the water is going in. I hope that you all had better Christmas dinners today than us, but nevertheless, we thought you might be interested in how we eat."

"Roger," said Collins at the Capcom console. "I haven't heard any complaints down here, Frank. We'll bring you up to speed on your food when you get back. Looks like a happy home you've got up there."

Borman continued. "Ordinarily, we let these drinks settle for five or ten minutes, but Bill's going to drink it right now. He cuts open another flap, and you'll see a little tube comes out . . ."

"This is not a commercial," interjected Lovell.

". . . and he drinks his delicious orange drink," continued Borman. "Maybe I should say he drinks his orange drink. He's usually not that fast. Bill is really in a hurry today. Well, that's what we eat. Now another very important part of the spacecraft is the navigation station or the optics panel. And we – just a minute; Bill wants to say something."

"That's good," said Anders, "but not quite as good as good old California orange juice."

As Gemini veterans, Pete Conrad and Dick Gordon appreciated the improved culinary features of the Apollo spacecraft. But as they neared the Moon on Apollo 12, Al Bean had a question for Don Lind, the Capcom in mission control. "How about asking the food experts down there, we had a can of tuna fish spread salad last night, and there's about a half a can left today, and that stuff's still good to eat, isn't it?"

"We'll check," said Lind. "I'll be right back with you."

In a moment, the medical doctor occupying the Surgeon console had passed on what he thought to Lind who told the crew. "The surgeon suggests you try a new one."

"Well, Dick has this one in his hot hand," said Bean, "and we just opened it last night. You sure that one isn't all right?"

The wheels of mission control were starting to crank up. "We're still checking with some people down here whether there's any problem over that tuna fish," said Lind, "but why don't you hold off eating it until we get a better answer for you?"

With the flight otherwise proceeding smoothly, managers and backroom people suddenly had a concern and all were keen to come to the correct decision.

"Apollo 12, Houston," called Lind after 10 minutes had passed.

"Go ahead," replied Conrad.

"You can't imagine what consternation your tuna fish question has raised down here. We have a wide diversity of opinion."

Gordon had also been thinking about it. "I decided it was okay," he said.

"Well, we have a vote that it's okay," said Lind. "The majority says throw it away; there's a minority report that says everybody can eat it except Dick Gordon."

"Okay. That's done," said Conrad.

"Roger. They recommend that you probably throw it away," said Lind.

"Okay."

Perhaps Gordon got to enjoy his tuna. It is difficult to know. But the problem was very real. Gordon had trained more than either of the other two crewmen to fly the spacecraft back through the atmosphere at the end of the flight. Had he become ill through bad food, the re-entry would have had to be flown by less experienced crew, and while a normal re-entry would have been something Conrad could easily have handled, he simply had not practised for the range of possible abnormal situations that could arise. A possibly dodgy can of tuna could not be allowed to threaten the mission. They had enough risks to contend with.

The food and drink provided was thought to give the crews everything they would need for a flight, but the demands placed on the final three crews proved this was not so. From Apollo 15 onwards, crews were expected to work for up to 7 hours on the lunar surface. They were intensively schooled in the methods of geology and their missions had much more activity packed into all phases of the flight, ranging from onboard science experiments and advanced photographic mapping operations, to the careful documenting of every rock sample lifted from the dust.

To achieve these enhanced demands, the crews going to the lunar surface repeatedly practised the tasks that they would fulfil during their precious few hours on the Moon. As the date of launch approached, much of this training was carried out in the heat of the Florida sun. Apollo 15 was launched at the height of summer and in the days leading up to its launch, Dave Scott and Jim Irwin laboured for hours on end inside their training suits, simulating the techniques that would make their work on the Moon as efficient as possible. The cooling systems they would use on the lunar surface could not work on Earth and so this work was hot and demanding. Both men sweated copiously and both drank as much juice as they needed to compensate.

On the Moon, as they worked on the plain at Hadley, their heart rhythms were radioed back to the doctor on the Surgeon console at mission control. Towards the end of their lunar stay, he noticed that their hearts occasionally gave an abnormal beat. This was somewhat alarming but, since the mission objectives had been met, an emergency return would not have been any faster than letting the crew complete the mission as planned. After their return, further investigation showed that their bodies were lacking in potassium. It had been leached out of their systems by their profuse sweating and imbibing prior to the flight and this had upset their electrolyte balance. Future flights would compensate by having their crews take fruit drinks laced with potassium.

On Apollo 16, John Young, who had adopted Florida as his home state, got a little tired of the quantity of orange juice he was being expected to drink and the flatulence it was causing. He began to complain to Charlie Duke about it after their first moonwalk. However, an electronic fault meant that his voice was unexpectedly transmitted to Earth.

"I have the farts, again," he moaned. "I got them again, Charlie. I don't know what the hell gives them to me. I think it's acid stomach. I really do."

"It probably is," said Duke.

"I mean, I haven't eaten this much citrus fruit in 20 years!" laughed Young. "And I'll tell you one thing, in another 12 fucking days, I ain't never eating any more. And if they offer to sup[plement] me potassium with my breakfast, I'm going to throw up!"

He continued, laughing: "I like an occasional orange. Really do. But I'll be durned if I'm going to be buried in oranges."

Apollo 17, like other flights, found that they tended not to eat very much during the coasting phases. The crew's relative inactivity and the weightless environment reduced their calorie needs and their appetite. When mission control asked for an update on what they had eaten, it was partly to enable John Zieglschmid at the Surgeon console to check that the crew could maintain a proper balance of electrolytes in their system in the light of Apollo 15's problems.

"And are you ready for the trotting gourmet's report?" asked Jack Schmitt.

"Roger," replied Bob Parker. "Everybody's here with all ears."

"Okay," started Schmitt. "The commander today had scrambled eggs and three bacon squares and a can of peaches and pineapple drink for breakfast. And then later on in the day, he had peanut butter, jelly and bread with a chocolate bar and some dried apricots. The LMP had scrambled eggs and four bacon squares, an orange drink, and cocoa for breakfast, and potato soup, two peanut butter and jelly sandwiches, and a cherry bar and an orange drink." Schmitt then went on to relate what Ron Evans, who had been making a TV broadcast earlier, had eaten. "And that hero of the matinee, the matinee idol of Spaceship *America*, had scrambled eggs, bacon squares, peaches, cinnamon toast, orange juice and cocoa for breakfast. That's how he keeps his form. And, for lunch, he had a peanut butter sandwich and citrus beverage. And that's it, since there's nobody else up here."

"Jack, we appreciate all your information," said Parker, "and we'd like to just pass on some recommendations here from the ground that we'd like you to keep on with your regular menu as much as possible. And, if you do cut anything off, we'd like you to concentrate on eating the meats, the juices and the fruitcake, which are the most effective for maintaining your electrolyte balance."

Eugene Cernan then piped up. "Okay, Bob. We understand what you're saying. It's just a lot of food, that's all."

"Roger. We understand, Gene," replied Parker. "Also, on that group of foods, peanut butter's great for the electrolyte balance, also; so you're doing okay."

"I knew it was good for something," said Cernan. "It couldn't be that good without being good for something."

Imagine it. You spend two hours getting into a space suit, you go outside into the hardest vacuum possible for seven hours' hard labour and you need another hour or so to get back out of the suit on your return. While your helmet is on, there is no way to get so much as a hand to your mouth, never mind taking a meal. This was the scenario faced by the J-mission crews, so to ease their inevitable hunger and to provide extra energy for the

Jim Irwin suited during training. His drinking tube can be seen inside the neck ring.

exertions of working outside, a bar of food was placed inside the neck ring of their suits. Then when the urge took them, they could crane their necks down and chew on it.

Additionally, they had about a litre of water stored in a bag attached to the neck ring of their suits. As he worked outside, a crewman could slake his thirst by sipping through a short tube placed within reach of his mouth. Apollo 14 used these first, but on Apollo 15, Irwin's tube failed, leaving him dehydrated after their first moonwalk. On his subsequent outings he tried to compensate by drinking more before and after their time outside.

COOL AIR

The early Apollo service modules carried two oxygen tanks that supplied feedstock for the fuel cells for the generation of electricity, and air for the crew to breathe. After the Apollo 13 incident, when the contents of both tanks were lost after an overpressured tank burst, a third was added. This was isolated from the other two, both physically and by the routeing of its plumbing. Many assume that this tank was added in view of Apollo 13's near catastrophe, but it had actually been planned earlier as part of the upgrades to the spacecraft to support the extended operations of the J-missions.

The decision on the type of air to use in an Apollo cabin was not arrived at easily, and was tied up with the tragedy of the Apollo 1 fire. The difficulty was not in choosing the air supply for space. The problem arose because the air supply on the ground, prior to flight, proved to be a lethal mix of high-pressure oxygen and excessively flammable materials spread throughout the cabin, including Velcro and nylon netting.

The reasoning behind the cabin atmosphere to use in space was simple enough. On Earth, we experience air pressure at about 1,000 millibars. Since about 20 per cent of that air is oxygen, we say that the partial pressure of oxygen is about 200 millibars. To simplify the design of the Apollo spacecraft and to save weight, NASA decided to use a single gas, oxygen, for all stages of the flight. By having pure oxygen, there was no need to engineer the spacecraft's hull to hold sea-level pressure against the vacuum of space, or to carry apparatus to store nitrogen and to regulate the gas mixture. Instead, the spacecraft designers set the cabin pressure so that the concentration of oxygen molecules presented within the lung, where gases are exchanged to and from the blood, was similar to what would be found on Earth. This was achieved by regulating the oxygen atmosphere within the cabin at around 350 millibars. By adopting this lower pressure, the hull could be lighter, since it only had to hold two-fifths of sea-level pressure at most.

The problem with this arrangement arose on the ground. The early version of the Apollo spacecraft, Block I, had no facilities whatsoever for a two-gas atmosphere, even at the launch pad. Once the crew were sealed in, the system supplying them with oxygen had no option but to maintain it at the full sea-level pressure of 1,000 millibars because the hull was not designed to withstand high pressure from the

The Apollo 1 crew; Roger Chaffee, Ed White and Gus Grissom; with Robert Gilruth, the director of the space centre at Houston.

outside. Worse, when the spacecraft was being tested for leaks, the internal pressure was pumped even higher, despite being pure oxygen. Right through the Mercury and Gemini programmes that preceded Apollo, spacecraft tests on the ground were carried out with the cabin pressurised at about 10 per cent above the ambient pressure. But on 27 January 1967, the complexity of the Apollo spacecraft and the rush to launch it caught up with this flawed policy. Three weeks before the planned launch of Apollo 1, during a practise countdown on top of an unfuelled Saturn IB, an unknown ignition source set the interior of spacecraft 012 alight. Fed by high-pressure oxygen, the cabin burned intensely with the resultant deaths of the three crewmen on board: Virgil I. Grissom, Edward H. White II and Roger B. Chaffee.

In the light of this tragedy, the Block II spacecraft was redesigned to have a two-gas atmosphere while on the ground, mixing oxygen and nitrogen at a 60/40 ratio with a pressure of 1,000 millibars. Although this ratio was relatively rich in oxygen when compared to normal air, it suppressed flammability while minimising the time required to flush nitrogen out of the cabin after launch. During ascent, the cabin pressure was maintained at sea-level pressure until the outside pressure had dropped by 400 millibars, at which point the pressure relief valve began bleeding the nitrogen/oxygen air out of the spacecraft to maintain a 400-millibar difference across the hull. During this time, the crew were sealed in their space suits breathing only oxygen from the suit circuit. The pressure in their suits was kept slightly high so that the excess gas would help to flush the nitrogen out of the cabin air. Like passengers in an aeroplane, they could feel the drop in pressure make their ears pop.

Because the total reduction in pressure during the ascent was quite large and occurred over a relatively short space of time, the crew had to condition their blood beforehand. A diver who rises to the surface too quickly can consequently suffer from the *bends* – a debilitating and painful condition, so-named because it makes the victim curl up tightly. Similarly, an Apollo crewman who took no precautions would also get the bends as the nitrogen gas that was dissolved in his bloodstream would come out of solution in the form of bubbles as the pressure dropped, just like the bubbles a fizzy drink bottle produces when opened. To prevent this occurring, the crew breathed pure oxygen from the time they suited up three or more hours prior to launch in order to flush dissolved nitrogen out of their blood.

By the time they reached orbit, the cabin pressure had settled at around 350 millibars and most of the nitrogen was gone. The crew could break open their suits by removing their helmets and gloves and begin preparing their ship for the Moon. Later, they removed their suits completely and worked in a shirtsleeves environment until a situation arose that required the suits to be donned again.

Extreme outdoor gear

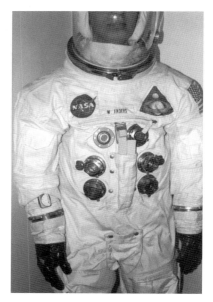

Bill Anders's space suit. Hardly worn, it is on display at the Science Museum, London.

When the crew of Apollo 8 removed their suits as they headed Moonward, they did not put them back on for the rest of the mission, as there were no plans for a spacewalk or any undocking event that risked the integrity of the cabin pressure. After the flight, Frank Borman wondered whether they had been required at all. "I would not have hesitated to launch on Apollo 8 without pressure suits," he said at the debriefing after the mission. He continued, "We wore them for about 3 hours and stowed them for 141 hours. I see no reason to include the pressure suits on a spacecraft that's been through an altitude chamber." However, suits were needed for the ascent to allow the crew to breathe pure oxygen, and for the whole flight in case the spacecraft's hull was breached for some reason.

All subsequent flights did require the crews to suit up regularly, either for operational reasons (going outside being the obvious occasion) or as a precaution when pyrotechnic charges were cutting pieces from the spacecraft. For example, the final jettison of the lunar module meant having an explosive cord cut through the tunnel right beside the forward hatch.

In some ways, a space suit can be seen as the ultimate in extreme outdoor gear. Just as a climber on the peak of Mount Everest has to dress up appropriately, an Apollo astronaut had to protect himself from the conditions he was about to encounter. Like the mountaineer, he needed a supply of oxygen as well as protection from the cold and the heat in the rays of the Sun. Two distinct types of suit were

Alan Bean holds a sample container. His gold visor reflects Pete Conrad who is taking the picture.

produced for Apollo. The CMP had a simpler suit while the surface crews' suits were designed to support a back pack that allowed them to work on the lunar surface. The following refers to the surface suit.

Air to breathe was fed into the suit either from the back pack, called the *portable life support system* (PLSS, pronounced 'pliss'), or from the spacecraft via hoses. A fine network of water-filled tubes worn next to the skin kept control of the suit's internal temperature as the crewman worked. The main part of the suit had an airtight bladder with layers of Dacron fibre, Mylar foil and woven Teflon cloth to protect against heat and cold. The outermost of the suit's 18 layers was white Teflon cloth that helped to protect against abrasion.

Instead of sunglasses or goggles, a polycarbonate helmet was worn over the head that allowed almost all-round vision. An additional cover, which was worn over the helmet, included various visors, including one that was thinly plated with gold to reflect light and infra-red radiation. It also had a set of pull-down shades at the top and to each side that the crewman could deploy to protect his eyes from the intense lunar sunlight.

When inflated to a pressure of 250 millibars, the suits ballooned and stiffened, making them difficult to bend and hold in a set position. To counter this, flexible joints were built into various parts of the suit and a network of cables within the layers allowed a posture to be adopted and held. The gloves contained thermal insulation and the fingertips were made from silicone rubber to help to improve the astronaut's sense of touch. On Apollo 15, Dave Scott arranged to have his fingertips up against the end of his gloves with the result that, over the course of his 18 hours on the surface, his fingernails were bruised and had begun to lift from his fingers.

The PLSS carried batteries for powering the pumps and communications gear, high-pressure oxygen for breathing, a lithium hydroxide canister for removing carbon dioxide from the suit's air, and a supply of water for cooling. The cooling element was a clever piece of kit called a *sublimator*. Water was fed through a porous metal plate where, on reaching a vacuum, it evaporated, thereby removing heat to form ice. From that point on, the ice sublimated to space, taking heat with it as long as more water was fed to replace the lost ice. This cooled the separate water circuit that went around the crewman's skin.

By the end of Apollo, a crewman's suit was a heavily abused item of clothing that had undergone 20 hours of intense work in the hostile environment of the Moon. Often a crewman would accidentally fall over, covering himself in dirt, or the mudguards over the wheels of the rover would break off and the crew would be sprayed with dust as they drove. The suit's outer layer was therefore heavily ingrained with dirt and its locking rings around the neck and wrists threatened to seize up because of the highly abrasive nature of the all-pervasive lunar dust. These multimillion-dollar wonders of engineering are now museum fodder.

Keeping your cool

After the loss of power on board Apollo 13, its crew found themselves in the uncomfortable situation of discovering what happens to the cabin temperature of a spacecraft after a power cut. With no electricity running through the systems of the CSM and very little in the LM, hardly any heat was being generated – heat that the crew depended on for warmth and comfort. Despite the unfiltered rays of the Sun falling on the ship, a chill permeated the cabin until an equilibrium temperature of only 6°C was reached.

In a properly functioning Apollo spacecraft, the substantial amount of electronic gear that it contained generated copious quantities of heat and, for the designer, the problem was to keep the spacecraft cool. Heaters were only required for items of peripheral equipment that felt the chill of space. To control internal temperatures, the CSM had a sophisticated cooling system that took heat from where it was not wanted, sent some of it to where it was wanted, and rejected the rest into space.

The electronic boxes in the command module were mounted on metal plates, known as *cold plates*. These were cooled by pipes containing a mixture of water and glycol – the same mixture used in the radiators of cars to cool the engine block. By the time it had passed through all the cold plates, the coolant was quite warm and, if required, could be used to heat the cabin air, which again is something similar to the system in a typical automobile (at least one without air conditioning).

The warm liquid was then pumped to the service module where it was passed to one of two large radiators built into the spacecraft's skin. At any given time, one of these radiators would be basking in the full heat of the Sun while the other was being chilled by the cold of deep space. As automatic controls fed the coolant to whichever radiator was colder, the heat from the command module was released through radiation. For the sake of redundancy, the spacecraft had two independent parallel radiator circuits in case one developed a leak or became blocked. Automatic systems monitored the outlet temperature of these radiators to keep them from freezing. The cold water/glycol mixture was then returned to the command module where it could absorb more heat from the spacecraft's electronics.

These radiator panels were not designed to lose all of the command module's heat but they provided a simple, passive method of dealing with most of it. A second, much more active system was built into the command module to take care of peaks in the spacecraft's heat output – for example, during preparation for a burn when most of the spacecraft's systems were powered. This was the *evaporator*, often referred to by the crew as a 'boiler', which worked because energy is required to convert a liquid to a gas.

When water evaporates, it takes heat from its surroundings, which is why we sweat when we are too warm. The evaporator uses the same principle, but by introducing the water to the vacuum of space, the evaporation is much more vigorous, making it a very efficient cooling system. In the spacecraft's evaporator, spare water generated by the fuel cells was fed through metal plates that contained many tiny holes. Beyond the plates, the water encountered a mass of porous stainless steel called a wick, the other side of which was exposed to space. The evaporation of water from the wick kept it cold. Pipes from the coolant system were passed through this assembly and the water/glycol within them gave up its heat to the vaporisation process.

The water vapour from the evaporator was led to space through a duct, called the steam duct, which exited from a port just below the crew's left-most window. A valve in the duct controlled the loss of vapour to ensure that the wick remained wet and did not freeze. A frozen evaporator was considered a danger because there was a possibility that the expanding ice could breach the spacecraft's pressure hull. Redundancy dictated that there should be two evaporators, one each for the primary and secondary cooling systems.

PTC: SPACECRAFT ON A SPIT

Space is a strange place for those of us who are used to the warmth of Earth. Here on our planet, the air around us, the oceans and the land absorb the heat from the Sun and, as a result, temperatures are moderated. We know instinctively the importance of air in the transportation of heat, whether it is between the sea and land, within the rooms of our houses or inside the equipment we possess. In space, things are very different.

Imagine placing an object in cislunar space, not too near the Earth, sitting motionless. The side facing the Sun will become warm. How much depends on its characteristics but as it gradually warms, it also radiates heat. The warmer it gets, the more heat it radiates until it eventually reaches a point where it radiates as much heat as it receives. At this point, it is at thermal equilibrium and its surface temperature, probably quite high, is constant. Meanwhile, the side of the object opposite the Sun will also radiate whatever heat it had, but this will not be replenished. The surface temperature will gradually fall until the minimal sources of heat available to it become comparable to the heat it is losing. Given time, and assuming that little heat leaks through the object from the sunward side, this area will become extremely cold. These extremes of temperature easily coexist in an environment where there is no air to transport heat.

In the Apollo spacecraft, there were various reasons why it was undesirable to allow these temperature extremes to exist for long. For example, tests had shown that the heatshield material around the command module would crack and flake if it were allowed to get too cold, while the tanks for the RCS thrusters had to be kept at moderate temperatures at all times to prevent freezing or overpressurisation. The simple solution was to rotate the spacecraft gently around its long axis, side-on to the Sun. This technique was formally known as *passive thermal control* (PTC) but for many commentators, a far more descriptive term was the 'barbecue' mode.

Apollo 8 was the first to try to set up a PTC roll. Mission control gave Frank Borman an initial attitude that would place the spacecraft side-on to the Sun while avoiding gimbal lock and maintaining good communications. Once there, he began a constant, slow roll of only 0.1 degree per second, taking the spacecraft an hour to make a complete rotation. However, physics abhors such a rotation, at least in the long term, and especially when large quantities of fluid are involved. With time, the rotation axis itself began to rotate, making the spacecraft's long axis sweep out a cone with an ever-increasing angle – a motion appropriately known as coning.

It was soon found that this simple method of initiating and maintaining PTC would not be suitable for later missions, where the greater length of the stack with the lunar module attached would make the simple roll manoeuvre even more difficult to maintain. Instead, use was made of the tracking programs in the command module's computer to carefully control the overall attitude as the rotation progressed. Another change for later missions was to generate a reference orientation for the platform, a REFSMMAT, which was specifically appropriate to the manoeuvre.

STIRRING THE TANKS: GENESIS OF A FAILURE

One of the regular tasks for the CMP was the perfectly routine stirring of the service module's cryogenic tanks that contained the oxygen and hydrogen gases. Each tank was essentially an efficient vacuum flask whose contents were best described as being a very dense fog rather than a liquid. As the gas was drawn off for the fuel cells or for the cabin air, the pressure in the tanks reduced slightly. If the pressure falls and the volume stays the same, then according to the gas law that shows how pressure, volume and temperature are related, the temperature must also fall. Therefore, electrical heaters, which could be switched on automatically or manually as required, were installed to help the tanks to maintain their operating pressure.

Two long devices ran the length of each tank. One was a spiral fan. The other was a probe that determined the quantity of gas remaining in the tank. It consisted of a tube within a tube and measured the electrical characteristics across the gap between them – a quantity known as capacitance. The capacitance of the probe depended on the density of the gas between the tubes, and this could be calibrated to yield how much gas there was in the tank. However, in the zero-g environment of space, the gas tended to gather in layers of differing densities against the probe, which skewed the readings. This was where the fan came in. At regular intervals, it was switched on to stir the tank's contents, homogenise its density and allow an accurate reading. When EECOM Sy Liebergot asked Capcom Jack Lousma to ask CMP Jack Swigert on Apollo 13 to stir the tanks in *Odyssey*'s service module as they neared the Moon, the result became part of popular culture.

"13, we've got one more item for you, when you get a chance," said Lousma. Liebergot had been getting poor data from the quantity sensors and had been calling for more frequent stirs. "We'd like you to stir up your cryo tanks."

"Okay. Stand by," replied Swigert.

A minute or so passed as Swigert began stirring all four tanks sequentially. Suddenly, the data stream to Earth began dropping out, interrupting the flow of information about the spacecraft to the controllers' displays. Something had disturbed the spacecraft's attitude and caused the dish antenna to lose lock. Then a call came from Swigert. "I believe we've had a problem here."

"This is Houston," said Lousma, his voice suddenly taking a more authoritative tone. "Say again, please?"

Lovell immediately took over. "Houston, we've had a problem."

He then launched into a technical discussion of what was happening on the spacecraft. "We've had a main bus B undervolt." The CSM was losing power.

So began a 4-day drama that gripped the world and seriously threatened the lives of the crew. The story was traced back 18 months, to when an oxygen tank originally intended for Apollo 10 was dropped a small distance. The tank seemed to be undamaged but a tube that allowed it to be filled and emptied may have worked loose. It was then installed as the number two oxygen tank in Apollo 13's service module. Three weeks before launch, the tank was filled as part of a routine test, but technicians found that it was slow to empty. Their solution was to switch the tank's heaters on and boil the gas out. The second major thread in the story then kicked in.

The heater circuits included thermostatic switches that should have stopped the tank from overheating. When originally designed in the early 1960s, NASA's engineers had specified that spacecraft systems should run on 28 volts, but they later instructed their contractors to rate everything for 65 volts instead, as this was to be used at the launch site. Unfortunately, the message was not passed to the sub-subcontractor who supplied the switches. When the tank became too warm during the attempt to empty it, the thermostat tried to open the circuit, became welded shut by an arc of electricity that it could not handle, and continued to feed power to the heaters until the temperature within the tank exceeded 500°C. As a result, the insulation on the wiring was baked and became brittle.

At 328,300 kilometres from Earth, as Apollo 13 coasted towards the Moon, the agitation caused by tank 2 being stirred brought exposed wires into contact, and the short circuit ignited their insulation. A vigorous fire ensued within the tank, fed by the extremely dense oxygen and the combustible materials that constituted the tank's innards. The pressure rose rapidly until the tank wall ruptured with such a force that the entire panel from that side of the service module was blown off. The consequential disruption to the plumbing allowed the oxygen in the undamaged tank 1 to leak out into space as well, thereby depriving the command module of its source of power and air, and therefore its propulsion.

It might have ended there had the blast occurred on Apollo 8 – four days away from home, heading away from Earth with the crew slowly dying of asphyxiation in a dead ship – except for Apollo 13's lunar module *Aquarius*. Luckily, it was still attached with its supplies unused. NASA had even studied the possibility that one day, the LM might be used as a lifeboat. Although it was far from ideal and could not re-enter Earth's atmosphere, it had plentiful oxygen, a working RCS and reasonably powerful engines, and it enabled the remaining consumables in the command module to be preserved so that, once the spacecraft returned to Earth, the command module would take them to the surface.

More than at any other time, the toughness and competence of mission control and the huge array of supporting staff behind them came to the fore to overcome the almost intractable problems that Lovell, Swigert and Haise had to deal with. The range of hazards they faced cannot be understated, and each was handled with a creativity and tenacity beyond expectations. The LM seemed to lack sufficient battery power for the return. Its RCS thrusters were never intended to steer a ship that had a 30-tonne dead weight hanging off the end of it. There were problems of guidance, of communication and tracking, of excess carbon dioxide, of sleep deprivation, of cold and discomfort. In addition, in the command module there was the problem of condensation over a mass of electronics that had to work on re-entry.

Thanks to a successful Hollywood movie in the 1990s, the story of Apollo 13 and its successful return has become a by-word for the never-say-die, failure-is-not-an-option doggedness that turned the flight into the successful failure of the Apollo programme.

COMMUNICATIONS

Unified S-band and VHF
Apollo used two radio frequency ranges for communications: VHF and S-band. Originally, NASA had intended to implement the radio systems that they already

had available to fulfil the disparate requirements of voice, data, television, as well as the need to track the spacecraft out to the Moon. But it soon became clear that this would involve the installation of multiple items of hardware, with severe weight penalties, and so, as far as possible, the engineers strove to implement many of these communications needs into a single system – and the result was the Unified S-band or USB system.

The frequencies used, above 2 GHz, were well suited to long-distance operation, but their highly directional nature made the USB system less suitable during the final stages of re-entry, and when the crew were talking between vehicles at the Moon. For this, a VHF system was added.

The antennae to support these radio systems were arranged all around both spacecraft, and, for the most part, were hidden within the smooth lines of the CSM in order to preserve its streamlined shape for the ascent through the atmosphere or the later re-entry. In comparison, the LM appeared to bristle with various dishes, helixes and rods as function overcame form on a ship that needed no streamlining. The most prominent antenna on the CSM was an array of

Endeavour, Apollo 15's CSM in lunar orbit. The four dishes of its high gain antenna are visible near the engine bell.

four dishes mounted on the end of an arm known as the *high-gain antenna* (HGA). Its mounting was articulated, and could swivel under automatic or manual control to aim at Earth. Like an adjustable torch, the array itself could be electronically configured in three ways: wide beam, medium beam and narrow beam, each focusing the antenna's pattern into a tighter beam to concentrate its ability to send and receive the USB radio signal over the large distances to which the spacecraft travelled.

As the HGA was mounted on one side of the spacecraft, it could only be used when that side was facing towards Earth. For other occasions, four flush-mounted omnidirectional antennae were built around the periphery of the command module. As the spacecraft rotated, these could be switched into use as necessary to ensure constant communications with the ground. Being omnidirectional, their pattern of reception and transmission was unfocused; their usefulness was limited because they could not carry high amounts of data. As a result, the use of the communications system for high-bandwidth data had to be carefully choreographed with the attitudes the spacecraft adopted for its various tasks. If the flight controllers wanted a detailed look at the spacecraft's systems, then the telemetry had to carry much more digital data. From near lunar distances, this could only be handled by the HGA. Similarly, the high-bandwidth demands of television required this dish array when in the vicinity of the Moon. There were occasions, however, when tests were carried out to send TV or high-bandwidth data using the omnidirectional antennae and large dishes on Earth. For VHF communication, mostly to the LM, the CSM sported a pair of scimitar antennae housed in semicircular mouldings on each side of the service module.

The LM had a single dish antenna for high-bandwidth communications to Earth and a pair of omnidirectional antennae mounted fore and aft. It also sprouted three VHF antennae: two mounted fore and aft for communication with the CSM and one to link the two crewmen walking outside on the lunar surface, both with each other and with mission control. It had two other antennae, but these were for radar rather than communications.

Beep – 'This is Houston' – beep

One iconic symbol of the 'space programme' was the strange 'beep' that constantly seemed to punctuate the conversation between mission control and the spacecraft. Anyone mimicking or lampooning the spacemen felt the need to pepper their speech with the curious tone that came on the public feed of audio to the press and broadcasters from NASA. Despite their association with something hi-tech, their purpose was rather prosaic. They were called *Quindar tones* and their purpose was simply to control a switch.

The USB radio system required that a radio carrier was sent to the spacecraft at all times for tracking purposes (see Chapter 6) in contrast to the situation with a walkie-talkie where the carrier is transmitted only when the push-to-talk button is pressed. However, it was not desirable for Capcom's microphone to be constantly live on the uplink to the spacecraft. He had to talk to others in the *mission operations control room* (MOCR) and indeed to any other site on the net, and his microphone could also pick up nearby conversation. Nor was it desirable for the long-distance line from Houston to the ground station to reach the spacecraft as it was prone to interference. A decision was made to only allow the line to be fed to the spacecraft when Capcom wanted to speak, and so a method had to be found to tell the ground station when he had pressed his push-to-talk button and when he had released it. However, to have arranged a separate circuit just to carry a signal to tell the ground station to switch would have been expensive, so engineers sent Quindar tones on the same line as the one used by Capcom.

When he wanted to speak to the crew and pressed his push-to-talk button, a quarter-second burst of 2.525 kHz tone was produced. This was detected at the ground station, where it operated an electronic switch to place Capcom's line onto the uplink. When Capcom had finished speaking and released his push-to-talk button, another quarter-second burst of tone, this time of a slightly lower pitch of 2.475 kHz, signalled the switch to remove the Houston line from the uplink.

TELLY FROM THE MOON

It has often astonished commentators from more recent and media-savvy years that television, which would be of tremendous public relations importance, was almost pushed aside as a distraction to the exacting job of actually achieving the Apollo programme's prime goal. Wally Schirra resisted having a TV camera on Apollo 7, but the success of black-and-white television from Apollo 8, which brought pictures of a distant Earth and the Moon's dramatic terminator to the public sold the idea to NASA. These events drew massive audiences from around the world and NASA soon realised that TV could play an important role in shaping how history would remember Apollo.

Engineer Stan Lebar with the black and white TV camera like that used for Apollo 11.

A few months prior to the historic moonwalk by Armstrong and Aldrin, NASA had intended to send them to the surface with only a 16-mm movie camera and an amount of film that was insufficient to record the entire moonwalk. Max Faget, one of the spacecraft designers, described it as "almost unbelievable [that the mission] is to be recorded in such a stingy manner". Thus, the pendulum swung towards acceptance of the technology in the spacecraft and on the lunar surface. The commander of Apollo 10, Tom Stafford, embraced the idea of TV from a spacecraft and helped to push the development of a colour TV camera that allowed him and his crew to make regular transmissions from their orbit around the Moon, further raising the importance of television in the minds of crews and managers.

Despite this acceptance, the frantic pace of flight development and the difficulty of developing a lightweight colour camera for the harsh conditions on the lunar surface meant that Apollo 11's *Eagle* took only a simple black-and-white TV camera to Tranquillity Base while a colour unit stayed in the comfy warmth of the command module. The lesson had been learned, and from Apollo 12 onwards, colour TV cameras were taken to the Moon's surface. To get television back to Earth, a part of the bandwidth in Apollo's radio system was set aside for auxiliary signals, be it scientific data, recorded onboard data or television. The implementation of television technology was very different between the black-and-white and the colour systems, though both used the auxiliary communications channel.

Before describing how TV images reached our sets from the Moon, a quick lesson in terminology is in order. In the United States, conventional TV images were built up within a *frame* of 525 lines. A complete frame was sent 30 times per second but the lines within it were not sent sequentially. Instead, all the odd-numbered lines were sent first, followed by all the even-numbered lines, giving two interlaced scans of the image to make a frame. Each of these scans was called a *field*. To an approximation, the US television system of the late twentieth century had 60 fields per second of 262.5 lines per field, or 30 frames per second of 525 lines per frame, though not all of those lines carried imagery.

The black-and-white TV system

Black-and-white television was, by far, the simpler of the two systems, and the less greedy of radio bandwidth. The camera, as used on Apollos 8, 9 and 11 had just one imaging tube and operated at scan rates that would normally be called slow-scan television. The frame rate used was only 10 frames per second with 320 lines per frame. The bandwidth of the signal (which defined how well the fine detail of the image was handled) was restricted to a very low value of 0.4 MHz (as compared to about 5 MHz for broadcast TV). The camera used a vidicon type of imaging tube that was notorious at the time for exhibiting excessive image lag, whereby a ghostly smear would trail behind the moving image.

Apollo 11's TV camera mounted upside down on one of *Eagle*'s panels.

When the pictures reached Earth at this non-standard frame rate, they were electronically incompatible with just about every TV system on the planet, so the ground stations had converters to generate standard US television signals from them. The converter worked in two stages. The first simply consisted of aiming another vidicon TV camera at a small television screen. The screen displayed the images from the Moon at 10 frames per second while the camera, running at 60 fields per second, was allowed to take a valid image each time a full image was displayed, which was every tenth of a second. In other words, only one field in six from the camera contained a picture.

The second stage was to recreate the missing five fields by recording the single good frame from the TV camera onto a magnetic disk and replaying it five times to reconstruct the full 60-fields-per-second TV signal, ready for distribution to Houston. The repetition of the fields and additional lag from the second camera added to the ghostly impression left by Apollo 11's moonwalk coverage.

A question that is often asked is, if Neil Armstrong was the first man on the Moon, who operated the TV camera? It is a spurious question because it assumes that all cameras must have a cameraman behind them. In fact, *Eagle*'s camera was mounted upside-down inside a fold-down panel next to the ladder. At the top of the ladder, Armstrong pulled a lanyard to open the panel and thereby reveal the camera.

On Earth, the conversion equipment had a switch which the operator flicked to right the upside-down picture. Once both crewmen were on the surface, Armstrong lifted the camera from its mount and placed it on a stand from where the TV audience could watch proceedings. The operator threw his switch back to restore the image's orientation.

Colour TV from a black-and-white world

During Apollo, colour television was still in its infancy and was notorious for complicating the technology. Conventional colour TV cameras of the time required that there be at least three imaging tubes generating simultaneous images in red, blue and green. The cameras were therefore large, heavy and required constant attention to keep the three images aligned in the final camera output. A simpler system was required and designers turned to a derivative of one of the earliest methods of generating colour TV, the colour wheel.

Apollo 12's troublesome colour TV camera on its tripod on the Moon.

CBS, one of the United States' three major TV companies at the time, initially developed the colour wheel camera in the days before a rival system was adopted for general use. The colour wheel camera had one great advantage that lent itself to use in space. Since the colour scans were expressed sequentially instead of simultaneously, only a single imaging tube was required and the camera could be made much smaller than conventional cameras of the time.

The Apollo colour camera produced what was essentially a standard black-and-white signal at 60 fields per second, 262.5 lines per field, with about 200 useful lines per field. Directly in front of the imaging tube, between it and the lens, was the colour wheel. This had six filters as two sets each of red, blue and green. It was spun at 10 revolutions per second such that each field from the camera was an analysis of the image in red, then blue, then green, over and over. If viewed on a black-and-white monitor, the image would display a pronounced 20-Hz flicker because the field that represented green was brighter than the other two, but would only come around 20 times per second. The bandwidth given over to this television signal was increased to 2 MHz which overlapped other components in the Apollo S-band radio signal. Careful filtering was required to remove these from the TV image.

The flickering black-and-white signal received from the spacecraft, or from the Moon's surface, had to undergo extensive processing at Houston. In television studios of the Apollo era, it was crucial that the timing of the TV signal was stable. In other words, the pulses within the signal that define the start of a line or field should occur with extreme regularity and precision. In addition, all equipment dealing with the signal had to agree when the lines and fields began – that is, they all had to be synchronised. This was a problem for Apollo, owing to the velocity of the spacecraft or of the landing site with respect to the receiver on the turning Earth, and the resulting Doppler shift constantly altered the timing of the received TV signal.

Being in the days before mass digital storage made the task easy, engineers used two large videotape recorders to correct the signal's timing. The first machine recorded the pictures coming from space, synchronising itself with the pulses that were built into the television signal. However, instead of the tape going onto a take-up reel, it was passed directly to a second videotape machine which replayed the tape. This second machine took its timing reference from the local electronics, allowing it to reproduce the signal with its timing pulses occurring synchronously with the TV station.

With the timing sorted, a colour signal had to be derived from the three separate, sequential fields that represented red, blue and green. To achieve this, a magnetic disk recorder spinning at 3,600 rpm (once every 60th of a second) recorded the red, blue and green fields separately onto six tracks. From this disk, the appropriate fields could be read out simultaneously using multiple heads and combined conventionally to produce a standard colour television signal.

Apollo 10 proved that a colour camera worked within the overall Apollo system and, starting with Apollo 12, colour TV was transmitted from the lunar surface – or at least it was until the camera was inadvertently aimed either at the Sun or at one of its reflections from the LM, destroying part of the sensitive imaging tube!

The cameras for Apollos 11, 12 and 14 were merely placed on stands near the LM, which was acceptable as long as activity was centred around the LM, but when the Apollo 14 crew set off for their traverse, the audience was left watching an unchanging scene for several hours. It was clear that when lunar exploration stepped up a gear for the J-missions, the TV camera would have to be mounted on the lunar rover. It could not be operated while driving, but at each stop, Ed Fendell in mission control operated the camera by remote control. In this way, many eyes in Houston could watch what the two crewmen were doing nearby. This also enabled the scientists to build up panoramic views of each site and look around for interesting rocks for the astronauts to inspect.

For the final two missions of the Apollo programme, TV signals were linked to California where a proprietary system enhanced the images before returning them to Houston for distribution.

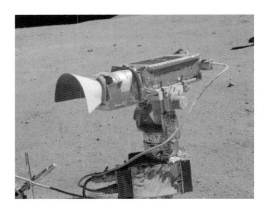

Apollo 16's remotely-controlled colour TV camera mounted on the rover.

The changing image from the Moon. Still frames from the TV coverage on Apollo 11 (left) and Apollo 17 (right).

CHECKING THE LUNAR MODULE

During the coast out to the Moon, the crews lived in the command module to preserve the LM's consumables. At least once during the coast, they took time to open up the tunnel between the two spacecraft and make a preliminary inspection of the lander. No one had seen the inside of the LM since it was on the launch pad and no one knew how well it had survived the rigours of launch. As Armstrong and Aldrin prepared to enter *Eagle* for the first time on their third day in space, Collins powered up *Columbia*'s colour television camera and gave mission control, and anyone else watching, a TV show.

"Apollo 11, Houston," said Capcom Charlie Duke. "We're getting the TV at Goldstone. We're not quite configured here at Houston for the transmission. We'll be up in a couple of minutes. Over."

Collins had got the camera working early, an hour or so in advance of a planned TV show, causing technicians to hustle to get the signal from California to Houston by landline and convert it to colour.

"Roger. This is just for free," he said. "This isn't what we had in mind."

"It's a pretty good show here," said Duke, watching their progress on the huge Eidophor projection TV screen at the front of the MOCR. "It looks like you almost got the probe out."

The crew had earlier pressurised the LM cabin with air from the command module. When the pressures on both sides of the forward hatch had equalised, the hatch could be removed and the tunnel cleared of the docking equipment: first the probe, then the drogue. Once Armstrong got the probe out, he inspected its tip for signs of damage from the impact with the drogue during Collins's docking.

"Mike must have done a smooth job in that docking," he told Duke. "There isn't a dent or a mark on the probe."

"Roger," replied Duke. "We're really getting a great picture here, 11. With a 12-foot cable, we estimate you should have about 5 to 6 feet excess when you get the camera into the LM." During their training, they had discovered that they were to be supplied with a short cable that would not have reached into the LM, and arranged a longer substitute.

With the tunnel cleared, one of the crew could read off the docking roll angle. "We went up in the tunnel checking the roll angle, Charlie, and it's 2.05 degrees," called Collins. "And that's a plus," he added. When he had docked the two spacecraft two days earlier, he used visual aids to help him to line up. In a perfect docking, the angle between the coordinate systems of the two vehicles would be 60 degrees. Any slight deviation from this was read off a calibrated scale in the tunnel between the two craft. The measurement was later factored into calculations when the orientation of the CSM's guidance platform was transferred to the LM.

Access to the LM was finally gained by opening the hatch at the top of its cabin. Typically, crews would discover small items of detritus floating around that had been left over from the LM's manufacture. In the factory, they would have fallen down into some inaccessible corner but could float freely in the weightless environment of space. Often crews would see a lonely washer gently floating around the cabin. "There wasn't very much debris in the command module or the LM," said Aldrin as he moved about *Eagle*'s cabin. "We found very few loose particles of bolts, nuts and screws and lint and things. Very few in each spacecraft. They were very clean."

The Apollo 15 crew found something a little bit different floating around *Falcon*'s cabin. Unlike all the earlier flights, it had been decided that Scott and Irwin should inspect their LM a day earlier, on the second flight day. "One little problem we ought to discuss with you before we go on," said Scott as he looked around. "It seems that somewhere along the way, the outer pane of glass on the tapemeter has been shattered. About 70 per cent of the glass is gone. The inner pane of glass seems to be okay. There's no apparent damage to the tapemeter itself. I found one piece that's almost an inch in size, and there's some small ones around. We'll try to pick it up with the [sticky] tape, and then get the vacuum cleaner later on to get it all up."

Spaceflight has a knack of taking what, on Earth, appears like a trivial problem and making its possible consequences very profound. First, the shards of glass did not fall to the floor. They were floating about the cabin, moved around by any passing air current, which meant that they could easily be breathed in by the crew. There was little experience of what would happen when sharp glass shards entered a human's respiratory system and they certainly did not want them entering the eye.

Second, the tapemeter was an important instrument. It told the commander how far away something was – be it the ground during a landing, or the CSM during rendezvous – and it told him how fast the object was approaching or departing. Its manufacturers had filled it with helium gas to minimise corrosion of its parts, and sealed it at sea-level pressure. Immediately Scott reported the broken glass, NASA realised that this gas had been lost, and arranged to have an identical instrument tested to see how well it operated with an oxygen atmosphere at one third of its design pressure, and indeed in a vacuum (as it would experience while the LM was depressurised during the moonwalks). Mechanical devices can suffer from various problems when operated in a vacuum. Lubricants can evaporate and close-fitting surfaces can stick together without a film of air to separate them. This is known as vacuum welding.

As Scott had suggested, sticky tape and their vacuum cleaner dealt successfully with the glass, and testing showed no problems with operating the tapemeter in alternative atmospheres. By having the crew enter the LM a day early, NASA had given themselves an extra day to examine problems such as these.

While they were in the LM, some of its systems were powered up to allow mission control to examine the telemetry coming from them. As an aid for this, their checklists included diagrams of the spacecraft's circuit breaker panels. Those breakers that had to be closed were black, the others white, making it easier for the LMP to match the patterns and know he had operated the correct breakers. The LM's power budget was tight, and no one wanted to deplete the batteries more than necessary. Just as the backup CMP had checked all the command module switches and knobs prior to launch, this was an opportunity for the LMP to check that everything was properly set for landing day – it was a 'get-ahead' exercise. Readings were taken on the pressures in their emergency oxygen supplies and the voltages of the LM's batteries. Checks were also made of the communications systems. Could they talk with mission control using S-band? Could they talk to the CSM using VHF? Was spacecraft telemetry getting through to mission control along with the data from their biomedical sensors?

Checks complete, the LM crew powered the spacecraft down and returned to the CSM, closing the hatch behind them in case a meteor strike to the lander dumped its atmosphere. On later flights, a second check was made of the LM on the third day.

Colour Section

Preparing the Apollo spacecraft. Left, Apollo 13's CSM *Odyssey*. Right, *Eagle*, the Apollo 11 LM.

Apollo 11 poised on its launch vehicle two weeks prior to its historic journey to the Moon.

Apollo 13's space vehicle during its roll-out to the launch pad.

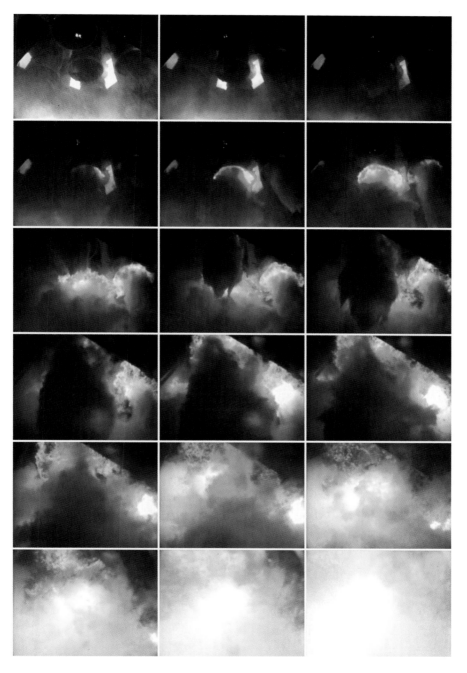

Apollo 8's five F-1 engines during the first few seconds of their staggered ignition.

Apollo 8 completes its ignition sequence and leaves the launch pad.

Apollo 15's space vehicle rises alongside the launch umbilical tower.

Apollo 15 clears the tower on its column of flame.

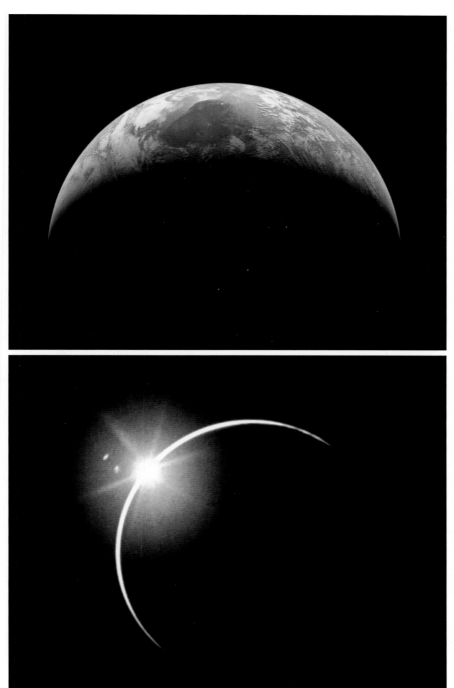

Perspectives of Earth from Apollo. Left, Apollo 12's view of the eclipsed Sun. Right, crescent Earth from *Columbia* as it headed home.

David Scott in the open hatch of *Gumdrop*, the Apollo 9 CSM.

Mission control during Apollo 14's docking problems.

Eagle at Tranquillity Base with the deployed solar wind experiment.

The first lunar rover at Hadley Base, Apollo 15's landing site.

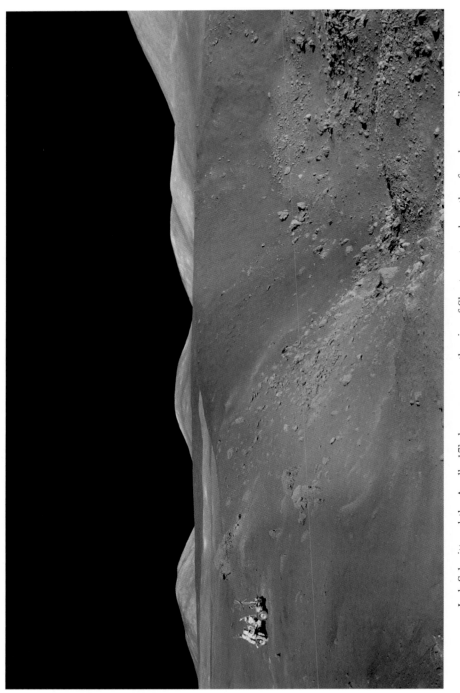

Jack Schmitt and the Apollo 17's lunar rover on the rim of Shorty crater where they found orange soil.

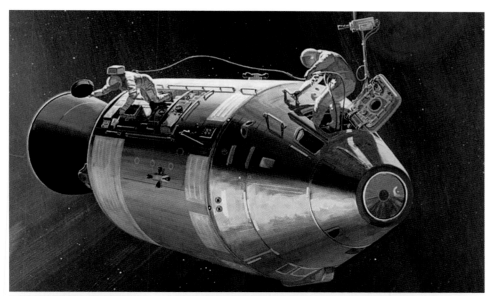

Deep space EVA. Top, a NASA artist's depiction of a CMP retrieving a film cassette. Bottom, Ron Evans doing it for real on Apollo 17.

Earth landing. Top, Apollo 16 CM *Casper* descends on its three main parachutes. Bottom, Ken Mattingly exits the CM aided by a Navy frogman.

8

Entering lunar orbit: the LOI manoeuvre

On the journey to the Moon, two events symbolised the crew's daring and acceptance of risk more than any other. One was the landing itself, which committed two crewmen to an utterly inhospitable lunar surface unless a small rocket engine worked properly to get them off and begin their journey home to Earth. The other was *lunar orbit insertion* (LOI), the point in the journey when Apollo crews committed themselves to the gravity of the Moon. After LOI, there was no possibility of a return to Earth except by the successful operation of one major system within the service module. This was the *service propulsion system* (SPS), whose most obvious component was a large bell that protruded from the engine at the rear of the module. This engine, and the tanks that fed it, took up the bulk of the service module's volume and mass, and its requirements largely defined the module's layout and construction.

Columbia, the Apollo 11 CSM, during processing at Kennedy Space Center.

THE SERVICE MODULE

The cylindrical form of the service module consisted of a long central tunnel, with the volume around this divided into six sectors shaped like pieces of a cake. The structure was designed to support the weight of the command module and the launch

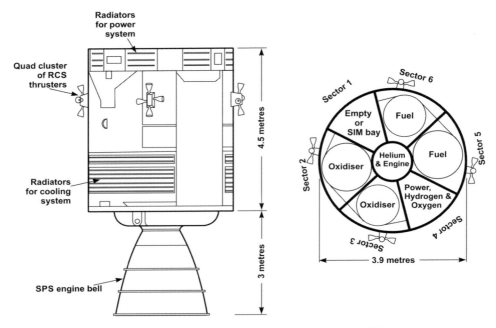

The external and internal layout of the service module.

escape tower, a load that increased by a factor of 4 towards the end of the Saturn's first stage of flight. Its strength came from the beams and trusses of its internal skeleton, and the panels that subdivided its volume and formed its external skin. These panels were largely hollow, formed from a sandwich of aluminium honeycomb bonded between aluminium sheets.

The sectors around the tunnel were numbered 1 to 6. The first was one of the smaller sectors, subtending only 50 degrees, and was left empty for the early Apollo missions apart from a load of ballast that served to keep the craft's centre-of-gravity within limits. After the Apollo 13 explosion, an additional oxygen tank was added to this sector for Apollo 14. For the J-series missions that followed, this sector gained another tank filled with hydrogen in order to help to supply the increased power needs of these more demanding flights. Another modification for these intensively scientific missions was the addition into this sector of a suite of remote-sensing instruments and cameras to study the Moon from orbit.

Sectors 2 and 3 occupied 70 degrees and 60 degrees respectively of the volume around the central tunnel. They accommodated two large cylindrical tanks that held oxidiser for the SPS engine. Both they and the fuel tanks opposite were fabricated from titanium. The electrical power supply for the CSM was contained in sector 4 which, like its opposite number, swept only 50 degrees of the available volume. Three fuel cells were mounted near the top of the sector, towards the command module. They produced electricity by the reaction of hydrogen and oxygen supplied from four tanks located in the remainder of the sector. As with sectors 2 and 3, sectors 5 and 6 accommodated a pair of titanium tanks for the SPS engine, in this case for fuel. In the central tunnel, two tanks of helium provided gas to pressurise the fuel and oxidiser tanks.

SPS: the engine that just had to work

The SPS engine was mounted at the rear of the central tunnel, below the helium tanks. This was the one major engine in the Apollo system that had to be capable of being regularly restarted from the point of view of crew safety. Failure to operate at its first major firing to enter lunar orbit could be tolerated, because the spacecraft would loop behind the Moon and return to Earth's vicinity. Other engines could then restore a trajectory home. However, a spacecraft already in lunar orbit was completely dependent on the successful restarting of that engine to bring the crew home.

With maximum reliability in mind, engineers endowed the engine with two of just about everything: two control systems, two sets of plumbing, two ways to pressurise the propellant tanks. In fact, except for the rather passive combustion chamber and bell, and the injector plate, the SPS engine was really two engines in one, with the crew having entirely separate control of either. Even pumps were banished from its systems in order to avoid having to rely on the moving parts that they contained. Instead, helium gas provided the pressure needed to push the propellants through the piping and into the combustion chamber with sufficient force. This helium was stored at extremely high pressure and passed through regulators which reduced its pressure to that required by the large propellant tanks.

Reliability was further assured by the use of a hypergolic fuel and oxidiser combination. This meant that these substances – hydrazine as a fuel and nitrogen tetroxide as an oxidiser – merely had to mix to spontaneously ignite, unlike the engines on the Saturn V's three stages which required igniters to begin their conflagration. On the Apollo stack, every engine within the two spacecraft used these propellants. To start the SPS engine, one had only to open valves and permit these exotic propellants to spray into the combustion chamber through hundreds of holes across the face of the injector. As they met, they burned fiercely, generating an almost invisible but powerful flame. The engine valves could be operated manually by the crew via two prominent switches on their main console, or the computer could send a signal to achieve an automatic burn based on preloaded information and the results of its computations. Having been designed to operate in response to a wide range of command sources, sometimes, when faults afflicted its control systems, care had to be taken to ensure that it would not fire inadvertently.

Soon after the crew of Apollo 15 had extracted their LM and were about to settle into their long coast to the Moon, its commander David Scott reported to mission control: "Okay; that all went fairly nominally, and the only different thing we've noticed is the SPS Thrust light is now on. And we don't know when it came on; somewhere in the process here." This light was meant to indicate that the SPS engine valves were open and that the engine ought therefore to be firing. The light was energised, although the engine clearly was not.

"Roger. I understand the SPS Thrust light is on," checked Gordon Fullerton, the Capcom in Houston.

"And all the switches are off," added Scott, ominously.

After an initial analysis, flight controllers asked the crew to open all the circuit breakers that could energise the engine's propellant valves. They realised that if electricity had reached that light, then it could also reach the valves and cause the engine to fire immediately the system was armed, rather than on command. Such an unplanned burn by a powerful engine would take them well away from their Moon-bound course and possibly put their safe return in jeopardy. Further careful diagnosis suggested that there was an electrical short in the vicinity of one of the manual switches for the SPS, which Scott confirmed the next day by slowly manipulating the suspected switch to see how the light came on. For the rest of the mission, the crew operated the SPS control circuitry with extra care, using the redundant system whenever possible in order to prevent an inadvertent firing. After the flight, when the spacecraft's anomalies were analysed, a tiny sliver of wire was found to have been trapped inside one of the manual switches for the SPS when it was manufactured.

This was an occasion where the duplication of nearly every part of the engine allowed the faulty system to be isolated. The two separate halves of the engine's control and plumbing were termed the A and B banks. The Apollo 15 crew could start and end all their burns accurately using the good B bank, bringing the A bank in only during long burns when it was desirable for the engine to keep running should either bank fail. When both banks operated, more propellant reached the injector and the engine achieved a slightly higher thrust.

Lunar orbit insertion: why 110 kilometres?

As Apollo was being planned, detailed studies were made of how best to perform lunar orbit rendezvous – the bringing together of two spacecraft around the Moon, one of which had come up from the surface. As this was then considered to be difficult and dangerous, much effort was devoted to trying to optimise all the variables that affected the operation. Through this process, planners came to the conclusion that when the LM lifted off, the CSM should be in a circular orbit, 110 kilometres above the Moon. This requirement led to every Moon-bound Apollo mission being targeted to pass around the far side with a minimum altitude of 110 kilometres. This point of closest approach was called the *pericynthion* – a term from celestial mechanics meaning the lowest point in a lunar orbit made by a craft arriving from another body (the highest point being the *apocynthion*) – and it was around the pericynthion that the LOI burn was made. These two terms are rather unwieldy and refer to the particular case of an orbit achieved by a craft from outside the Moon's vicinity. It is more common to use a shorter pair of terms, *perilune* and *apolune*, which are more general in their use and mean more or less the same thing as the longer, more unwieldy terms.

HOW NOT TO CRASH INTO THE MOON

Part I

For Apollo, entering lunar orbit was simply a case of burning the SPS engine at perilune and slowing down sufficiently to ensure that the two joined spacecraft did not have enough momentum to leave the Moon's vicinity, but instead entered a close orbit around it. If the burn failed to occur at all, the crew were left in the fail-safe scenario of returning by default to the vicinity of Earth, with only a tweak of their trajectory required to bring them to a safe splashdown. However, in between the two scenarios of 'no burn' and 'a burn of the required duration', there were a range of possible outcomes that depended on exactly how much the engine had managed to slow the spacecraft, and some of these were potentially lethal.

In the scenario of a very short burn, the stack would come around the Moon and begin to head towards Earth, but if it did not have sufficient momentum to leave the Moon's gravity, it would languish in a region above the Moon's near side for some time and return to the Moon's vicinity. However, owing to perturbations from Earth's gravity, and the fact that the Moon was still travelling in its orbit, the stack would pass the Moon's trailing edge and be slung out into the depths of the solar system. Slightly longer burns would shorten the time spent above the lunar near-side, but in these scenarios it was very likely to impact the Moon.

If the burn was long enough, the stack would enter an elliptical lunar orbit with a perilune of about 110 kilometres over the far side, and an apolune over the near side whose altitude depended on the length of the burn. A longer burn resulted in lower altitude at apolune. With all these outcomes stemming from a possible partial failure of the SPS, the flight controllers in mission control kept procedures at hand to measure the extent of the failure and work out how to get the spacecraft home safely. In truth, if the engine started, there was little likelihood of it stopping until commanded. The possibility of it continuing to fire after the required shut-down time – an equally lethal scenario – was more of a concern.

Part II

With a sufficiently long burn at LOI, the altitude of the apolune would match that of perilune, 110 kilometres, and the orbit would therefore be circular. For Apollo, the burn to achieve circular lunar orbit was between 5 and 6½ minutes long, depending on the mass of the spacecraft and the precise thrust of the SPS engine. However, to make an LOI manoeuvre for a circular orbit at the first attempt raised great dangers for an Apollo crew. If the engine were to slow them down too much, either by over-performance or perhaps through failure of the control equipment, the altitude of their orbit over the near side could drop so low as to become a negative value. Put less euphemistically, the spacecraft would descend until it augered into the lunar surface at great speed. Given the imprecise knowledge of the Moon's shape at the time of the early missions, this was considered to be a very real danger.

To avoid the possibility of impact, the Apollo SPS made an initial large burn that was slightly shorter in duration than the burn that would be expected to produce a circular orbit. This was the first lunar orbit insertion burn, or LOI-1, and it placed the spacecraft in an elliptical orbit with a perilune of 110 km around the far side, and an apolune over the near side that was typically around 300 km altitude. After two orbits, which was more than adequate time for the shape of the orbit to be precisely measured by radio tracking from Earth, an additional short burn, LOI-2, was made at perilune in order to lower the apolune enough to make the orbit circular.

When the crew monitored these long burns, duration was not the only value that interested them. Although the thrust from the SPS was accurately calibrated, there were always small variations in its power that made the length of the burn less reliable as an indicator. What was more important was delta-v, the change in velocity brought about by the engine. Throughout a burn, this value was measured by the guidance system and displayed in front of the crew. If all was proceeding normally, the burn would be stopped automatically by the computer once it had achieved the required delta-v. If that failed, there was a backup system that independently measured and displayed delta-v and could also shut the engine down at the right time. Finally, there were three pairs of eyes eagerly looking at both delta-v displays, ready to reach out and manually cut the SPS engine if it seemed to be burning for too long.

LUNAR ENCOUNTER

After waking up on the final day of their coast to the Moon, a crew would set about their usual post-sleep chores of reporting their condition to mission control and preparing their breakfast. Normally the spacecraft was slowly turning around in its barbecue roll, spreading the heat of the Sun across its surface. While the crew slept, engineers at the ground stations on Earth had taken precise measurements of the spacecraft's position and velocity to accurately monitor their trajectory. Using this trajectory data, FIDO, the flight dynamics flight controller in the MOCR, calculated the amount by which their approach to the Moon needed to be adjusted, if at all. Was the spacecraft coming in too quickly or too slowly to pass around the far side at the correct altitude? Was it staying within the correct orbital plane to pass over the landscape they expected it to? Applying the results of overnight radio tracking, and with the help of the big computers in the *real-time computer complex* (RTCC), FIDO calculated the details of a burn to be carried out at the fourth opportunity for a mid-course correction, which was usually timed to occur 5 hours before entry into lunar orbit. The details of this corrective burn were read up to the crew, along with the results of calculations by the Retro flight controller.

While FIDO had been deciding where they wanted the spacecraft to fly, Retro was busily working out where they should go if something went wrong. He had two scenarios to consider: the first was if something were to happen to stop the LOI burn from occurring; the second was for the situation in which the LOI burn had been completed successfully, but the crew were required to return to Earth at the earliest opportunity. Having decided the manoeuvres the crew should make in these scenarios, it was then important that the details be passed up to the spacecraft while it was still in communication with Earth. The mantra was that they should always have the data necessary to get home without further assistance from mission control, in case communications are lost.

Aborting before LOI

If the mission had to be aborted before the LOI burn, Retro's response attempted to achieve two things. It ensured that the spacecraft was set on an accurate path, not only to Earth, but to a designated landing site, usually in the mid-Pacific Ocean, at which there was a recovery fleet on station. It also strived to increase the speed of the spacecraft slightly, so that its coast to Earth would bring it to the landing site 24 hours (one Earth axial rotation) earlier than would occur without intervention. On Apollo 8, Retro had planned to use two separate burns to achieve these goals: a *flyby* manoeuvre that would have been carried out just before the spacecraft disappeared around the far side of the Moon; and a *pericynthion plus 2* manoeuvre, or 'PC + 2' for short, to be made 2 hours after their closest approach to the Moon. On later missions, the functions of both were combined into a single planned abort contingency.

The PC + 2 abort burn was actually used on one occasion as part of the effort to get the ailing Apollo 13 back to Earth. On this mission, Retro had to calculate the burn using the descent engine of the lunar module for the PC + 2 burn, the SPS engine being considered unusable owing to the loss of power that the CSM had suffered.

Aborting after LOI

Retro's second offering concerned the abort situation when the spacecraft had already entered lunar orbit. For the entire period that an Apollo spacecraft flew in orbit around the Moon, mission control ensured that the command module pilot always had the data he needed to leave lunar orbit and return to Earth, even if an extreme situation meant that he had to come home on his own following the loss of the LM. These were *trans-Earth injection* (TEI) burns, one of which would eventually be used in the normal course of events to bring the entire crew home. Before they attempted LOI, Retro prepared details of these get-you-home burns suitable for use after one and two lunar orbits. Then, as they continued circling the Moon, he sent further data to ensure that they were never without a 'return ticket'.

Meanwhile, if all was going well, the fruits of FIDO's efforts could be brought to play; first to refine the spacecraft's approach to the Moon, and then to execute the LOI burn and place the spacecraft in lunar orbit. Applying the results of overnight radio tracking and with the help of the big computers in the RTCC, FIDO calculated the details of a burn to be carried out at the fourth opportunity for a mid-course correction, which was usually timed to occur 5 hours before entry into lunar orbit.

Door jettison

The final three Moon-bound Apollo missions, Apollos 15 to 17, had one special task to perform prior to arrival in lunar orbit. Sector 1 of their service modules contained a *scientific instrument module*, or SIM bay for short. It housed a variety of cameras and instruments to investigate the Moon and its environment, and would be operated by the CMP during his lonely vigil while his crewmates explored the lunar surface.

Hidden as it was behind the external skin of the service module, the SIM bay had to be exposed to space by removing one of the spacecraft's panels. Rather than implementing door-like mechanisms with latches and hinges, engineers decided that a more reliable solution was to jettison the bolt-on panel by blowing it clear with pyrotechnic charges. This occurred before the spacecraft entered lunar orbit so that the jettisoned door would not enter lunar orbit and become a possible collision hazard. Explosive cord within a groove around the door's edge was detonated to cleanly cut the aluminium skin, while further charges were set off to push the severed door clear. While the spacecraft then eased itself into lunar orbit, the door coasted around the Moon to return to the vicinity of the Earth and, in all likelihood, be thrown into solar orbit indefinitely.

Apollo 15 provided the first occasion when these fireworks were set off and Capcom Joe Allen made light of the situation: "By the way, is that the manoeuvre where the SIM bay door jettisons the spacecraft?"

In the Newtonian environment of space, it was as valid to say that the door was jettisoning the spacecraft as the other way around. Al Worden agreed: "It has been variously known as that kind of a manoeuvre, yes."

In fact, just as the spacecraft had pushed the door away, the door also pushed the spacecraft away, and engineers on Earth could detect this tiny trajectory change in their tracking. "15, just out of interest, we saw a good healthy jolt in our Doppler data down here during jett time," informed Allen.

"Gee, that's very interesting," replied Dave Scott, "because I would say that the jolt in here was very minor."

As a precaution, the crew of Apollo 15 put their suits on in case the shock of the explosives caused a breach in the cabin for some reason. This reflected wariness by programme managers in the aftermath of a tragedy a month before the flight. When the Soviet spacecraft, Soyuz 11, departed an early Soviet space station, Salyut 1, a ventilation valve for use after landing was opened in space by the shock of jettisoning the orbital and service modules of the spacecraft immediately following the de-orbit manoeuvre. Both the primary and secondary pyros had fired venting the cabin's air and quickly asphyxiating the crew. Although their automatic systems brought them to a pinpoint landing on Earth, the ground personnel found that the crew were dead when the hatch was opened. When the pyros were fired, the crew were not wearing suits.

Final preparations

Over the final few hours before entering lunar orbit, the Apollo crews began an exhaustive series of checks and adjustments, interrogating their spacecraft's systems about their ability to sustain life while in the Moon's clutches, and on the engine's readiness to do its job properly.

Another important task in the build-up to LOI was to change the spacecraft's knowledge of which way was 'up'. During the 5 or 6 minutes of the burn, the crew wanted to avoid any appreciable errors in the direction of the engine's thrust. Additionally, they needed to ensure that the guidance system could measure the effect of the burn on their velocity. Therefore, as was usual before a burn, the CMP performed a P52 to check the alignment of the guidance platform, but this time special procedures were applied. Up to this point, the platform had been aligned with an orientation, or REFSMMAT,[1] that suited the coast to the Moon and made the barbecue rotation easier to set up and maintain. Now they switched to one that suited the LOI burn, obviously known as the LOI REFSMMAT.

First, the CMP carried out a realignment to refine the platform in terms of the coasting REFSMMAT, which yielded a measure of its inherent drift. Platform drift was always carefully monitored and no opportunity was missed to gain another data point. With the drift measured, the platform's orientation was torqued around to the attitude in which the spacecraft would make the upcoming burn. By lining up the coordinate systems of the platform and the spacecraft, the crew's job of monitoring attitude during the burn became a lot easier as their attitude displays would be simpler to interpret. It is wise to be certain that your ship is pointing in the correct direction when making major engine burns near planets (especially ones without atmospheres) as a mistake can lead to a crash.

Next, they put the *entry monitor system* (EMS) through a test to demonstrate that it could still accurately measure the change in speed brought about by the burn. This feature of the EMS, its 'Delta-*v*' display, was one of the redundant methods by which the engine could be commanded to shut down once it had achieved its task.

The spacecraft's cooling circuits may, at first glance, appear to be one of the less exotic systems, but if any flaw were to be found in either the main or the backup circuit – especially any leaks formed in the radiator pipes due to micrometeoroid damage – the crew would return directly to Earth; these were next to be checked.

More checks followed, covering the caution and warning system, the tanks and valves associated with the manoeuvring thrusters on both the service module and the command module, and the spacecraft's supplies of oxygen, water and power. Having done these essential tasks, the crew could begin to implement the burn itself.

THE LOI PAD: IT ISN'T MAGIC

While the crew conducted their checks, engineers on Earth carefully measured the effect of both the final mid-course correction and, if appropriate, the jettisoning of the SIM bay door. From this, FIDO calculated the definitive LOI-1 burn. All the information associated with the burn was written onto a no-carbon-required pad that allowed six copies to be made at once, with the top layer being written using a red ballpoint pen in order to help to distinguish what was to be read to the crew.

---

[1] See Chapter 6 for a fuller explanation of the REFSMMAT, a defined orientation in space.

This list, referred to as a PAD (*pre-advisory data*), was read carefully by Capcom over the air/ground communication circuit and copied by one of the crew, usually the LMP, onto an identical form. Immediately afterwards, it was all read back to Earth with several controllers checking it to confirm that its contents had been correctly copied down. Much of the information in the PAD would later be entered manually into the computer, as the first stage of preparing it for the automatic control of the burn. Reading long lists of numbers by voice seems to be a very low-tech method of relaying data to the spacecraft, and although there had been some consideration of adding a teleprinter to an already crammed cabin, the idea was shelved in view of the limited space, the weight of the apparatus and the tight schedule imposed on the programme by Kennedy's challenge.

The PAD for the Apollo 15 LOI was read up to Jim Irwin in the command module *Endeavour* by scientist–astronaut Karl Henize. "Okay. LOI, SPS/G&N; 66244; plus 121, minus 012; 078314591."

The PAD was little more than a list of numbers that were almost indecipherable to the uninformed ear.

P30 MANEUVER							
Vega & Deneb	L	O	I			PURPOSE	
SET STARS	S	P	S/G	&	N	PROP/GUID	
	+	6	6	2	4	4	WT N47
R_ALIGN 2 6 4	+	0	0	1.2	1		P_TRIM N48
P_ALIGN 0 9 0	–	0	0	0.1	2		Y_TRIM
Y_ALIGN 3 4 9	+	0	0	0	7	8	HRS GETI
	+	0	0	0	3	1	MIN N33
	+	0	4	5.9	1		SEC
	–	2	8	9	7.5		ΔV_X N81
ULLAGE	–	0	7	7	6.4		ΔV_Y
No Ullage	–	0	0	4	4.1		ΔV_Z
	x	x	x	0	0	0	R
	x	x	x	0	0	0	P
	x	x	x	0	0	0	Y
	+	0	1	6	9.6		H_A N42
	+	0	0	5	8.4		H_P
	+	3	0	0	0.1		ΔVT
HORIZON/WINDOW	x	x	x	6.4	1		BT
	x	2	9	9	3.9		ΔVC
	x	x	x	x	2	5	SXTS
	+	2	6	7.1	0		SFT
	+	2	2.8	0	0		TRN
	x	x	x	N/A			BSS
	x	x		N/A			SPA
	x	x	x	N/A			SXP
OTHER		0		N/A			LAT N61
LM weight:				N/A			LONG
36258	+			N/A			RTGO EMS
Single bank	+			N/A			VIO
6:52				N/A			GET 0.05G

The PAD for Apollo 15's LOI manoeuvre.

"Minus 28975, minus 07764, minus 00441; all zips for roll, all zips for pitch, all zips for yaw."

As well as the impenetrable numbers, the language was jargon-rich, being derived from the military aviation background that most of its participants, both crew and flight controllers knew.

"01696, plus 00584, 30001, 641, 29939; 25, 2671, 228; the rest is NA."

Henize read out these numbers in strict order from the top copy of the form, with each digit occupying its own box. On board *Endeavour*, Irwin wrote the digits onto his form, one in each box. The PAD finished with a series of comments referring to the burn.

"Set stars are Vega and Deneb; 264, 090, 349. No ullage; LM weight, 36258. Single-bank burn time is 6 plus 52; and just a reminder that, if bank B doesn't burn, we are expecting you to go into lunar orbit on bank A."

Apollo thrived because, when dealing with the hostile, unforgiving space environment, particularly in the vicinity of the Moon, its people worked through the technical and operational aspects of the task with great care. Every item on this PAD was well defined and the procedures for passing such life-or-death information to its recipients were strictly adhered to. The following puts meaning to the numbers and phrases.

LOI, SPS/G&N – The first two items stated the purpose of the PAD and the systems used to achieve the manoeuvre that it described. In this case it is a lunar orbit insertion PAD that was used to place Apollo 15 into its initial orbit around the Moon; the burn was carried out by the SPS engine and associated equipment under the control of *Endeavour*'s primary guidance and navigation system.

66244 – In its calculations, the computer needed to know what mass the engine had to push against. This was in two parts, the CSM and the LM. Since the PAD form only had space for the CSM mass, the LM mass was given later. It is an interesting aside that the people at NASA were still using the term 'weight' when, strictly speaking, they should have been using the term 'mass'. Mass is a measure of the amount of matter an object has, and in modern times the standard unit of mass is the kilogram. Weight is a measure of the force exerted by the mass on whatever is supporting it, which varies according to the gravity field it is in. At this point, the Apollo CSM was *weightless* though its mass was just over 30,000 kilograms (66,244 pounds as given in the PAD). This figure was determined by pre-flight measurements, and by carefully accounting for consumables on board the spacecraft.

Next were two three-figure values with signs – *plus 121 and minus 012*. These were angles, measured in hundredths of a degree, and could be written as $+1.21°$, and $-0.12°$. Known as the pitch and yaw trim, they were the angles to which the crew had to swivel the main engine's nozzle so that its thrust acted through the spacecraft's centre-of-gravity. Throughout the progress of the flight, the position of the centre-of-gravity changed as propellants were used up, the lunar module departed and redocked, and as the moonrocks were transferred to the command module. All this shifting of mass was carefully accounted for by mission control so that the spacecraft's flight characteristics would be known when planning a manoeuvre. The pitch and yaw trim values were really only required for the initial moments of SPS firing. Once the engine was running, the G&N system was able to continue steering its nozzle to steady the spacecraft throughout a long burn.

The large nine-digit number – *078314591* – represented the time of ignition, normally referred to as 'tig', down to hundredths of a second as measured against the *ground elapsed time* (GET) clock. In this case, ignition was to occur at 78 hours, 31 minutes, 45.91 seconds after launch. Although GET was notionally measured from the moment of lift-off from Earth, there were some cases, when launch was a little delayed, that GET would be adjusted during the flight so that subsequent event times would match their place in the flight plan.

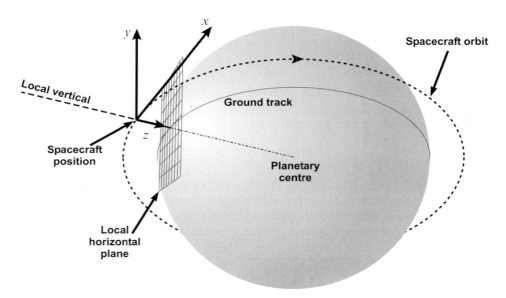

Diagram explaining the *local vertical/local horizontal* (LVLH) frame of reference.

Change in velocity: delta-v and frames of reference

The main purpose of the LOI burn was to slow the spacecraft down by a desired amount. This change in velocity is really a vector quantity because its direction is as important as its magnitude. Known within the industry as delta-*v*, it is normally resolved into three components (*x*, *y* and *z*) which were given by the next three numbers in Henize's list – *minus 28975*, minus 07764 and *minus 00441*. Such was the primitive nature of the Apollo computer that there was no provision in it for entering or displaying a decimal point. Instead, the position of the decimal point was fixed in the programming and on the form. Everyone associated with working with the machine knew where it was in any particular context. In this case, 28975 simply meant that the burn was for a change in velocity along that axis (but, being negative, in the opposite sense to the direction of the axis) of 2,897.5 feet per second.

So what about these three axes? By now it should be clear that coordinate systems were, and are, ubiquitous in spaceflight, and become especially important when dealing with engine burns. The firing of an engine in space results in a change of velocity and it is necessary to define the *direction* of that change in relation to a frame of reference; a known set of Cartesian coordinates against which it can be plotted. We can use any frame of reference we like but it is customary to use one that makes the calculations easier, and the one that is generally favoured is *local vertical/local horizontal* (LVLH).

This frame of reference is constructed relative to a line drawn from the spacecraft to the centre of the body it is orbiting, or whose gravitational sphere of influence it has entered. Imagine a point where this line intersects the planet's surface. We can further imagine a flat plane at this point parallel to the horizontal. Obviously, as the spacecraft moves around the planet, the absolute orientation of this plane keeps changing but it provides a useful reference for orbital velocity computation. In this arrangement, the $+z$ axis points towards the planetary centre, the $+x$ axis is in the direction of orbital motion parallel to the local horizontal and the $+y$ axis is perpendicular to the orbital plane.

With this, we can make more sense of the velocity components given in the PAD. The large negative figure for the x component, –2,897.5 feet per second, meant that the burn was largely retrograde, against the spacecraft's motion, which is exactly what would be expected, given that they were trying to lose speed. The figure for y, –776.4 feet per second, meant that the spacecraft was being pushed sideways as part of the process of ensuring that it ended up in the correct orbital plane for the landing site. The figure for z, –44.1 feet per second, was small in comparison and was away from the Moon's centre. Converted to metric units, these velocities were expressed as –883.2, –236.6 and –13.4 metres per second.

"All zips for roll, all zips for pitch, all zips for yaw" – Again we have to deal with frames of reference for these three numbers, all of which are zero. However, whereas delta-v used local vertical/local horizontal as described above, these numbers were given with respect to the guidance platform, itself aligned to our old friend, the current REFSMMAT. For every burn, mission control gave the crew a set of three angles that represented the attitude of the spacecraft in terms of roll, pitch and yaw directions and these were always stated with respect to the current REFSMMAT. But since the platform's orientation had been aligned to match the spacecraft's calculated orientation for the burn – the so-called LOI REFSMMAT – then the attitude angles for this burn were necessarily all zeros, or 'zips' as Henize put it. This arrangement meant that the FDAI (flight director/attitude indicator) or '8-ball' in front of the crew showed zero in all three axes, providing an easy means of monitoring the direction in which the spacecraft was pointing, in case the crew had to take manual control.

Controlling the burn

The next two items in the PAD – *01696, plus 00584* – gave the crew information about the orbit that was expected to result from the burn. They indicated, in tenths of a nautical mile, the expected altitudes of the orbit's apolune and perilune using the 5-digit format of the computer's display. Therefore, they showed that the initial elliptical orbit should measure 169.6 by 58.4 nautical miles, or 314.1 by 108.2 kilometres. The plus sign was a heart-warming confirmation that the perilune was above ground. A negative value here would have been a cause for some worry, as it would mean that the spacecraft was headed for a point below the surface and was therefore doomed!

If the three delta-v components given earlier in the PAD were added together using vector addition, the result would be the total velocity change given in the 5-digit number – *30001*. This vector sum totalled 3,000.1 feet per second (914.4 metres per second) and was labelled 'delta-vt'. It represented the total velocity change that the spacecraft should experience along its longitudinal axis. When it was time to execute this burn, the crew were able to watch as the computer's display showed this number descend to zero as the engine worked on the delta-*v* it had to achieve in all three components.

Next in this PAD was the expected duration of the burn – *641* – in this case, 6 minutes 41 seconds. The eventual duration depended on the actual weight of the spacecraft and whatever thrust was actually achieved by the engine. Within limits, the engine was not shut down until the required delta-*v* had been achieved.

Following on was another 5-digit number – *29939* – that was of a remarkably similar magnitude to the total delta-*v*, but slightly lower. Known to the engineers as 'delta-*vc*', this was related to one of two automatic mechanisms for shutting down the engine in a normal burn. The primary means was the computer in association with the accelerometers mounted on the guidance platform. As soon as the desired delta-*v* had been achieved, it sent a command for engine shutdown. The secondary means was the EMS and its delta-*v* function.[2] Prior to the burn, the crew entered this delta-*vc* value into the EMS display. As with the primary system, this represented the delta-*v* the EMS should experience as the burn progressed. During the burn, the output from a dedicated accelerometer in the EMS measured the resultant change in velocity and caused the displayed delta-*v* to count down to zero. When it reached zero, the EMS generated a signal to shut down the SPS engine.

At first glance, it might appear that the value for the velocity change that was entered into both the primary and secondary systems should have been equal, but in fact delta-*vc* was always slightly smaller where the SPS was involved. This reflected the difference in the sophistication of the two control systems. When a rocket engine is commanded to shut down, the thrust never falls to zero instantly; there is always an appreciable extra thrust that tails off over a short span of time. The Apollo SPS was no different. The primary guidance and control system was sophisticated enough to take this tail-off thrust into account, its magnitude having been measured during ground tests and perhaps confirmed by earlier short firings of the engine *en route* to the Moon. The secondary system within the EMS was a much simpler affair and ignored the tail-off thrust, leaving it to the flight controllers to adjust down the value that they issued to the crew. If the EMS did have to shut the engine down, it did so early enough to allow the extra thrust to complete the desired manoeuvre.

Attitude checks

Continuing to the bottom of the LOI PAD form, Capcom Karl Henize read, *"25, 2671, 228; the rest is NA."* This refers to six lines on the form that were concerned with two methods of double checking to ensure that the spacecraft was in the proper attitude for the burn. On this PAD for Apollo 15, only the first was brought into play; it exploited the fact that the spacecraft's sextant could be aimed precisely at the stars. If the spacecraft had been placed in the correct attitude for the burn, then flight

---

[2] The EMS or entry monitor system was discussed in Chapter 5 where we saw how its ability to measure velocity change could be used for manoeuvres to retrieve the LM from the S-IVB. It will be discussed further in Chapter 14, where we shall see how it is used for its prime purpose, monitoring re-entry into Earth's atmosphere.

controllers had calculated that a particular star should be visible through the sextant when its shaft and trunnion angles were set to specific values. In this case, the crew were to expect Star 25, which is commonly known as Acrux, in the constellation Crux, to be visible in the sextant when the shaft and trunnion angles were preset to 267.1 and 22.8 degrees respectively.

Henize indicated that nothing else need be entered on the form by pronouncing it as 'NA' for 'not applicable'. What was skipped was the boresight star method. This used the *crew optical alignment sight* (COAS) – a unit with an illuminated graticule similar to a gunsight that could be mounted in a window and whose aim could be calibrated. It was not required for LOI because all the windows would be facing the Moon.

Set stars: backup attitude reference and other comments

Down the side of the PAD form was an area for comments relating to the burn, and in particular the set stars. As ever, the Apollo planners looked for procedures and methodologies that would give the crews options to continue in the face of equipment failure. The set stars were to provide a backup attitude reference in case the guidance platform failed to remain aligned to a particular REFSMMAT.

Although it was something of an alphabet soup, the basic idea went like this. If the alignment of the gyro-stabilised platform, the IMU, was lost and could not be restored, the spacecraft had two other sets of gyros: the *body-mounted attitude gyros* (BMAGs) and their associated electronics, the *gyro display couplers* (GDCs) that made sense of them. Unlike the platform, which measured absolute attitude, the BMAGs really measured changes in attitude. Therefore, if the platform was lost and if the spacecraft could be made to adopt a known attitude only with reference to the stars, then the BMAGs and their GDCs could use that knowledge as a starting point for their determination of attitude. All that was required from mission control were two stars – in this case, Vega and Deneb – and a set of three attitude angles. To make the backup realignment work, the CMP needed to manoeuvre the spacecraft so that the stars were arranged in the scanning telescope in a predefined manner. This placed the spacecraft in a known attitude which directly related the three given angles to the desired REFSMMAT. Fortunately, throughout the Apollo programme, the IMU never failed in flight and this procedure never had to be used.

The next comment in the PAD – *No ullage* – reminded the crew that because the SPS propellant tanks were full there was no need to settle their contents prior to the burn. When required, an ullage burn by the RCS thrusters forced propellant to the outlet end of the tanks to minimise the possibility of gas from the empty part of the tank being ingested into the engine.

After stating the mass of the lunar module, the comments went on to deal with the problems pertaining to Apollo 15's faulty circuitry in the primary control bank of the SPS engine. If they could only use the good B bank, the slightly reduced thrust would increase the burn duration by 11 seconds to 6 minutes 52 seconds. It was planned, however, to allow the crew to let the burn begin under automatic control with the B bank, then manually engage the A bank after a few seconds firing. They would then disengage the A bank shortly before the expected end of the burn letting the automatic systems terminate the burn with the good bank, lest the short circuit in the A bank override the shutdown command.

The final point in this PAD was that should the B bank itself fail, the crew were to use the A bank manually to achieve the required delta-v and enter lunar orbit. In this case, they would have had to ensure shutdown by removing power from the SPS which they would have achieved by pulling a circuit breaker.

This lengthy PAD demonstrates how, even on what was considered a 'nominal' flight, great lengths were taken by mission control and the crew to ensure the successful completion of the mission in the face of a wide range of possible failures.

THE BLACK VOID

In the Christmas season of 1968, with a little over two hours to go before they entered lunar orbit, the CMP of Apollo 8, Jim Lovell, pointed out that despite their pioneering journey, something was missing.

"As a matter of interest, we have as yet to see the Moon."

"Roger," came the reply from Capcom Gerry Carr. A few moments after pondering this point, he sought a degree of elaboration.

"Apollo 8, Houston. What else are you seeing?"

The acerbic reply from LMP Bill Anders shed new light on the truth of the astronauts' great adventure.

"Nothing. It's like being on the inside of a submarine."

"Roger," was all Carr could say, for Anders's comment was so true.

Despite being nearer to the Moon than any human in history, and with the exception of some sightings that Lovell had made through the spacecraft's optics, this crew had yet to view their quarry. This was partly because the three largest of their five windows had fogged up owing to a design problem with the sealant around them. Additionally, they had spent most of their time during the coast broadside to the Sun, twirling slowly in the barbecue mode, in which attitude their two good windows, which looked along the direction the craft was pointed, showing only deep space.

As with many of the moon shots, Apollo 8 arrived over the western side of the lunar disk at the same time as the Sun was rising over the eastern side. The nearer they got to the Moon, the closer it came into line with the Sun until, in the final few hours before arrival, the spacecraft entered the Moon's shadow and plunged the crew into darkness. Apollo 10 arrived at the Moon under similar lighting conditions and its commander Tom Stafford still gained no view of the approaching planet.

"Just tried looking out as far as I can, out the top hatch window, and still can't see the Moon; but we'll take your word that it's there."

"Roger, 10. That's guaranteed; it's there," said Charlie Duke in mission control. Stafford's LMP Eugene Cernan couldn't catch a glimpse of it either, but the next time he journeyed to the Moon as the commander of Apollo 17, he got an eyeful.

"Boy, is it big? We're coming right down on top of it!" he shouted. "I'll tell you, when you get out here, it's a big mamou."

The Moon's far side, as photographed by Apollo 17's mapping camera. In the foreground is the 135-kilometre crater Aitken.

Cernan was one of the few Apollo astronauts who had a natural ability to convey to the lay person some of the emotion and depth of the Moon-flight experience. Although he had been there before, the approach of this serene orb stunned him, and in his memoirs he expanded on this first glimpse.

"Looking at the Moon from our vantage point was quite unlike seeing it from Earth, when it is so distant. Now it was gigantic, a world of its own, and it forced me to question what I was really seeing. Such scenes existed only in science fiction, for not even the simulators could impart the reality of such a moment. We plummeted towards it, faster and faster, and the closer we got, the bigger it grew."

Cernan was also struck at how this extraordinary initial scene even managed to mute his LMP, geologist–astronaut and incessant talker, Jack Schmitt.

"Dr Rock was also stunned by the sheer size of the planetoid that he had spent a lifetime studying. Never in his wildest dreams had Jack imagined such a sight, and he momentarily lost his ability to even speak. The Sun illuminated the high peaks and mountains, and the rims of giant craters and surface details emerged, bathed in gold or hidden in deep shadow."

Apollo 11 was the first flight to afford an approaching crew a view of the Moon. They did not require a final mid-course correction, and this gave them the time to take the opportunity to turn the spacecraft around, and for the first time see the Sun-blasted world they were about to explore loom in front of them. Mike Collins wrote about the shock he felt at what he saw.

"The change in its appearance is dramatic, spectacular and electrifying. The Moon I have known all my life, that two-dimensional, small yellow disk in the sky, has gone away somewhere, to be replaced by the most awesome sphere I have ever seen."

This most poetic of all the astronauts had managed to glimpse the Moon at an opportune moment, just as they were about to enter its shadow. They then flew over an eerie landscape: the near side was dimly illuminated by Earthshine and a part of the far side which, owing to their vantage point was visible to them as a crescent, was as black as could be.

"To add to the dramatic effect, we find we can see the stars again. We are in the shadow of the Moon now, in darkness for the first time in three days, and the elusive stars have reappeared as if called especially for this occasion. The 360-degree disk of the Moon, brilliantly illuminated around its rim by the hidden rays of the Sun, divides itself into two distinct central regions. One is nearly black, while the other basks in a whitish light reflected from the surface of the Earth."

Collins was struck by the interplay of the three lighting effects on the Moon; the Sun's corona, the dim light from Earth and the deep black of the star-peppered sky, combining to gently illuminate the lunar surface below with a bluish light.

"This cool, magnificent sphere hangs there ominously," he wrote in his autobiography, "a formidable presence without sound or motion, issuing us no invitation to invade its domain. Neil sums it up: 'It's a view worth the price of the trip.' And somewhat scary too, although no one says that."

LOS and AOS: out of sight

Apollo missions were intensively monitored from Earth. Because they had deep technical visibility into the spacecraft's systems through telemetry, and huge computing and personnel resources on hand in case of problems, mission control became accustomed to nursing its crews and machines over the days of the coast to the Moon. It was then a bit of a wrench when some of the most critical events in an Apollo flight, particularly the entry into and departure from lunar orbit, had to occur with a 3,500-kilometre-diameter lump of rock obscuring the view.

In future years, operations around the Moon might be supported by a telecoms satellite that will enable communications between Earth and crews operating around the far side. In the time of Apollo, there was no such luxury, and contact depended on line of sight to one of the three main ground stations distributed around the planet. But the engineers were not to be denied. On board each spacecraft was a multitrack tape recorder, the *data storage equipment* (DSE), whose function was to digitally record a suite of measurements from around the spacecraft, particularly the SPS engine, and replay them on a separate channel when communications were restored.

As the spacecraft coasted past the Moon and was pulled around its far side, communications were instantly and completely cut off. NASA referred to this event as *loss of signal* (LOS) and it occurred with alarming predictability by virtue of the deep understanding the trajectory experts had of an Apollo's flight path. The first time it occurred was during the Apollo 8 mission, and Frank Borman found the accuracy of Houston's predictions awe-inspiring. At the precise time that he had been told communications would disappear, they did.

"Geeze!" he said to his crewmates, there being no one else to hear. "That was great, wasn't it?" Then he mused: "I wonder if they've turned it off."

Bill Anders laughingly replied: "Chris [Kraft, the boss in Houston] probably said, 'No matter what happens, turn it off'." Bill's humorous suggestion was that, in order not to worry the crew if the predictions had not been as accurate as they had hoped, Kraft would have ordered the people at the transmitting station to turn off the radio signal at just the right moment. Borman wondered, however. When next they spoke to Capcom Jerry Carr, he reported: "Houston, for your information, we lost radio contact at the exact second you predicted."

Carr confirmed that that was what had happened. Borman probed further.

"Are you sure you didn't turn off the transmitters at that time?"

"Honest Injun, we didn't," came Carr's joking reply.

The thing about LOS and its counterpart, *acquisition of signal* (AOS), was that they were both highly predictable events. AOS, in particular, had the useful property of being entirely dependent on what occurred around the far side by way of engine burns. Thus, on Apollo 14, for example, the precise time that the spacecraft would disappear behind the Moon's western limb had been calculated to the second, as usual. Additionally, mission control knew that if a problem had prevented the LOI burn from occurring for some reason, the spacecraft would not be slowed in its path and would reappear around the eastern limb only 25 minutes 17 seconds later, set on its hybrid free-return course towards Earth. On the other hand, if the LOI burn was executed as planned, the spacecraft, having been slowed, would stay out of sight and radio contact for 32 minutes 29 seconds. If the burn did occur, but was of the wrong duration or in the wrong direction, then that would result in an AOS time that differed from the expected moment. Any deviation in the burn from that detailed on the PAD would show itself by the deviation of AOS from the predicted time.

LUNA CLOSE UP: BURNING LOI

Apollo missions were always timed to arrive at their planned landing sites soon after sunrise. If the mission had been planned to set down on the eastern side of the Moon's disk then, from Earth, the Moon would appear as a crescent at the time of landing because the terminator – the line that divides night from day – would also be to the east. A western landing site called for a western terminator, at which time the Moon would appear gibbous, or approaching full. In all cases, the spacecraft flew over a night-time Moon soon after they lost contact with Earth in the run up to LOI. In most cases, they would not be able to view the Moon close up until after this burn was completed.

Apollo 8 was the pioneer of human travel to the Moon, and although they did not intend to land, they were to reconnoitre an easterly landing site in Mare Tranquillitatis under planned lighting conditions with a sunrise terminator. This meant that having approached the Moon through the lunar night, they could hope to cross the sunset terminator and fly back into daylight around the far side barely 5 minutes before they were to fire the LOI burn. Frank Borman, peering out of a rear-facing spacecraft, was hoping to see some sign of a lunar horizon to crosscheck his attitude, even if only by seeing a part of the sky that lacked stars.

"On that horizon, boy, I can't see squat out there."

Bill Anders suggested that they turn some lights off to help him to see some trace of the lunar surface. As they were flying heads-down, their large windows were looking off to the side and below and even though they were fogged, a sunlit lunar surface ought to have been visible. Then Lovell piped up: "Hey, I got the Moon."

For the first time in the mission, the crew could see shafts of sunlight obliquely illuminating the lunar surface.

"Do you?" asked Anders.

"Right below us."

When Anders managed to catch his first view of the forbidding, harsh landscape, he let out his astonishment. "Oh, my God!"

His commander, who was focused on the preparations for the burn, was brought up short by this utterance, most uncharacteristic of a test pilot.

"What's wrong?" he demanded.

"Look at that!" Anders exclaimed again. His commander was more concerned that, at a critical phase of the mission, his crewmates were being distracted by the unreal scenery passing below.

"Well, come on – Let's – What's, what's the..." said Borman, working to bring the crew back onto the task in hand. Lovell immediately got into line, calling out the mission time.

"69:06"

"Stand by," commanded Borman. "We're all set."

For the next minute, the crew's concentration returned to the checks and calls defined in their checklists. Yet with 3 minutes remaining, Anders's attention returned to the scenery below. "Look at that – fantastic!"

"Yes," confirmed Lovell.

"See it?" continued Anders. The curious scientist in him was dominating.

"Fantastic, but you know, I still have trouble telling the holes from the bumps."

Borman, whose main responsibility was to 'keep the troops focused', had to gently chide his crewmates to keep their eyes inside the cabin.

"All right, all right, come on. You're going to look at that for a long time."

And they did, for 20 full and tiring hours followed by an important burn to get them home.

The Apollo 10 crew experienced the same dynamic with the LMP Eugene Cernan having opportunities to see out while his commander Tom Stafford and the CMP John Young exchanged checklist calls.

"Look at the size of...," he exclaimed in the middle of his colleagues' dry technical checks. "God, that Moon is beautiful; we're right on top of it..."

"Oh shit!" was Stafford's reaction. Cernan continued, "God dang. We're right on top of it. I can see it."

Stafford began telling Young what was out of his window on the left. "Oh, shit; John! It looks like a big plaster-of-paris cast."

With less than 2 minutes to their LOI burn, Stafford's sense of responsibility reasserted itself. "Ok, let's get busy," he called to his crew.

For some time, their procedures took precedence until Cernan's curiosity bubbled up again. "My God, that's incredible," he said as the very rough, obliquely-lit landscape of the far side slid below in wonderment.

"It looks like we're close," said Stafford.

"That's incredible," interrupted Cernan.

"It does look like we're – well, we're about 60 [nautical] miles, I guess."

And they were. With only a minute to go, the spacecraft was at its perilune of 110 kilometres and Stafford and Cernan were again getting caught up in the view.

"Shit, baby; we have arrived – It's a big grey plaster-of-paris thing..."

"Oh, my God, that's incredible," Cernan interjected.

"Okay, let's keep going; we've got to watch this bear here," said Stafford, referring to the strength of the engine about to keep them in the Moon's arms. Eventually, it was the ever-cool Young who reeled the moonstruck Cernan back in.

"Put your head back in the cockpit, Gene-o."

"Look at that!" was the final spurt of wonder that came from Cernan before he began helping to monitor the health of the engine on which their lives depended.

Each crew reacted differently to their initial view of the Moon. Apollo 11's crew were very focused during their preparations for LOI, making little comment on anything but the health of their ship until the last few seconds before the burn. Then Mike Collins, the most gregarious of the three, threw in an observation: "Yes, the Moon is there, boy, in all its splendour."

Neil Armstrong started into conversation, "Man, it's a...," before Collins interrupted, "Plaster-of-paris grey to me."

Buzz Aldrin felt moved to speak. "Man, look at it," before Armstrong, maintaining the mantle of his command, advised, "Don't look at it; here we come up to tig [time of ignition]."

Apollo 11 began its entry into lunar orbit and the crew chatted about tank pressures, propellant utilisation and how much their engine was moving from side to side controlling its aim, wondering whether there might be a problem with it. Two minutes into the burn, Armstrong suggested that Aldrin might like to enjoy the view. "Look, okay, over there, Buzz?"

"Man, I'm not going to look at them." replied Aldrin, lacking the enthusiasm of the previous two LMPs. Armstrong stuck with Aldrin's viewpoint. "Alright. Probably a good rule."

The crew concentrated on the rest of the burn and the activities that followed; power-down, backing out of the armed status of the SPS engine and setting up the spacecraft for coasting flight again. Only then did any of them relax enough to take in the scene. Armstrong was first to comment: "That was a beautiful burn."

Collins agreed, "God damn, I guess."

"Whoo!" exhaled Aldrin, before making an initial observation. "Well, I have to vote with the [Apollo] 10 crew. That thing is brown."

There had been some debate and contradiction between the first two flights about what colour the Moon appeared to be close up. The Apollo 8 crew had reported nothing but grey, whereas the Apollo 10 crew thought that tans and browns were common. Armstrong and Collins agreed with them but took their observations further.

"Looks tan to me," observed the commander before Aldrin qualified himself.

"But when I first saw it, at the other sun angle..."

"It looked grey," interjected Collins.

"...it really looked grey." Aldrin concurred.

The last word goes to John Young when he arrived at the Moon for the second time on Apollo 16. Soon after their first AOS, Young described his crewmates' reaction to the scenery: "It's like three guys, they've each got a window, and we're staring at the ground. Boy, this has got to be the neatest way to make a living anybody's ever invented."

9

Preparations for landing

OVERJOYED

"Hello, Houston, the *Endeavour*'s on station with cargo, and what a fantastic sight." David Scott could not contain his delight at his close-up view of the Moon as soon as Apollo 15 came back into communications with Houston on emerging around the eastern limb.

Capcom Karl Henize in mission control empathised: "Beautiful news. Romantic, isn't it?"

"Oh, this is really profound; I'll tell you. Fantastic!" enthused Scott.

Not everyone thought Scott's outpouring appropriate. On hearing this exchange, the no-nonsense Alan Shepard, commander of the previous mission, Apollo 14, was heard to grumble: "To hell with that shit, give us details of the burn." But Scott's ship was sound. Everything was going well, and they were merely greeting their friends on Earth. Data about the burn was indeed about to be relayed. As soon as the LOI burn had finished, *Endeavour*'s crew had interrogated their DSKY (*display and keyboard*, the computer's terminal) to find out what it reckoned their new orbit was. They had also written down the *residuals* – numbers that represented the difference between what they had asked of the engine, and what it actually gave them.

Engineers were keen to know how well the precious engine with its troubled A bank had worked, and the raw burn data from the crew was the first indication of its health. Another was the tone of the crew; however, the meat and drink for the engineers was stored on the DSE tape recorder, which, after each far-side pass was wound back and transmitted to Earth. Its engineering data revealed every nuance of the engine's performance along with the crew's voices from before, during and after the burn. If there had been some glitch, the ground wanted to understand it before the engine was again called into action.

The next task for the flight controllers was to determine the path the spacecraft was following. With the crew's burn report, they had preliminary confirmation that the engine had achieved the LOI burn as planned, and this was also confirmed by the precise moment that the antenna on Earth reacquired a signal. This preliminary information included what the spacecraft's computer believed to be the perilune and apolune of the orbit. Now that they had a radio signal to work with, the engineers at the remote station began to track the spacecraft and measure its new orbit in order to provide a determination that was separate to that given by the onboard computer. If all was well, their figures would compare closely to those from the crew, showing an orbit whose low point around the far side was 110 kilometres in altitude, but which, on the near side, rose to around 300 kilometres.

The crew of Apollo 12, the chummiest ever to fly on Apollo, didn't hold back their awe once they had entered lunar orbit. Although Alan Bean possessed an artistic talent that would come to the fore later in his life, he expressed the 'gee whiz – look at that' reaction that matched his friends' simple ebullience. "Look at that Moon," he said in awe. His commander Pete Conrad agreed: "Son of a gun. Look at that place."

"Gosh! Look at the size of some of those craters," continued Bean, their conversation sounding like a B-movie script. The direction of the Moon's lighting on this flight was quite different from that encountered by previous crews. As the landing site was well to the west of the near side, the Moon appeared to be nearly full to observers on Earth. As a result, the far side was largely unlit and the crew hadn't had a glimpse of the Moon prior to LOI.

After they had cleared up more of the spacecraft's configuration post-LOI, Bean had time to look out the window again: "Man! Look at that place." Lunar module pilots always seemed to have a little more time available to them when in the CSM – although, of course, the situation would change when they were in the lunar module. Bean was later reminded of old science fiction serials when thinking about how his friend, Richard Gordon, had looked after the CSM that had brought them from the Earth: "Outstanding effort there, Dick Gordon. Flash Gordon pilots again!"

Among the crews, there was a fascination with the Moon's colour up close, as if it would be any different from being viewed across 400,000 kilometres of hard vacuum.

"Look at that Moon bugger! I'll tell you," said Bean. "I may be colour blind, but that looks grey as hell to me."

Conrad chimed in again: "Good Godfrey! That's a God-forsaken place; but it's beautiful, isn't it? Look how black the sky is."

"That's grey and something else," said Bean.

Conrad expanded on the description: "Chalky white – those craters have been there for..." Bean interrupted him, "a few days."

"Yes."

At last, Gordon threw his opinion into the pot: "Man, this is good to be here – is all I can say."

THE SECOND ARRIVAL BURN

Having established the spacecraft in its initial trajectory around the Moon, FIDO could begin working on his next move: a short burn by the SPS that would be carried out after they had completed two orbits, about 4 hours later, in order to get Apollo into a closer orbit. This burn would be very carefully monitored to ensure that it had exactly the required effect.

The details of this burn depended on the flight in question. For Apollos 8 to 12, a relatively short burn, known as LOI-2, brought the apolune down to 110 kilometres and made the orbit circular. Apollo 8, lacking a lunar module, required only a 9-second burn to achieve this. On the next three flights, the extra 16 tonnes or more of the LM meant that their burns had to be somewhat longer. On Apollo 10 the lunar module lacked a full propellant load and the LOI-2 burn was 14 seconds, but the full LM tanks on the next two flights extended the burn to 17 seconds. On these early flights, the CSM never left its 110-kilometre circular orbit, and the LM had to do all the work of getting down to the surface, starting with the *descent orbit insertion* (DOI) burn.

After Apollo 12 the strategy changed, and instead of the CSM making the LOI-2 burn, it performed the DOI burn. The descent orbit was so called for the reason that it made the spacecraft descend to a near-side perilune of only 17 kilometres, which was the height at which the LM would begin its final descent to the surface. Planners were keen to increase the capability of the Apollo system, and analysis had shown that a LM's payload capacity to the lunar surface would be maximised by having the CSM do the work of taking it to the descent orbit, saving propellant for the final descent. Later, once the LM was released and inspected, the CSM would make a third burn to circularise its orbit at 110 kilometres, ready to undertake the programme of lunar reconnaissance that it would carry out while the LM was on the surface. This also placed the CSM in a suitable orbit for the rendezvous when the LM returned.

Owing to its unforeseen circumstances, Apollo 13 never got as far as carrying out this burn. On Apollo 14, which was first to perform this manoeuvre, the burn took 21 seconds, which was 4 seconds longer than Apollo 12's LOI-2 burn, reflecting the fact that the near-side altitude was being dropped all the way down to 17 kilometres. As the mass of the stack increased for the final three J-missions, the duration of the DOI burn rose to 24 seconds.

HOW NOT TO CRASH INTO THE MOON

Part III

If a 24-second burn made around the Moon's far side could lower the spacecraft's near-side altitude from 300 kilometres down to only 17 kilometres, it is easy to see that it would only be necessary to extend the burn by another second or two for the altitude to reduce to where impact with the lunar surface could become a real danger. The precautions involved in the DOI burn are understandable in view of the fact that there was considerable uncertainty about the Moon's precise shape, especially with regard to the more northerly regions that were later overflown by two of the J-missions, Apollos 15 and 17, where some of the mountains reach 4 or 5 kilometres above the surrounding terrain.

As with all burns, the amount of delta-*v* was monitored by the crew via the

DSKY. For the DOI burn, this readout typically began at 210 feet per second (64 metres per second), which was the amount by which their velocity along the x axis had to drop. As the burn progressed, they would see this value decrease towards zero. If the computer did not shut the engine down at the expected time, the crew had to be prompt in terminating the burn manually. They then consulted the DSKY to see if there was any overburn. The rules were that if they had slowed only 2.2 feet per second (0.67 metre per second) more than planned, they should immediately use their RCS thrusters to regain this speed. If the reading was in excess by just 10 feet per second (3 metres per second), they were to turn the spacecraft around 180 degrees and regain the lost speed by firing the SPS.

Whatever the result of the DOI manoeuvre, once the crew were happy with it, they began to prepare for a possible bail-out burn, in case some other sign were to suggest that they were at risk of impacting the ground. If there was, they had at most an hour before the unthinkable would occur, and because they were over the far side at the time of the DOI burn, they could do nothing about it for half of that time. This was because the final check of their trajectory would exploit the exquisite accuracy of radio tracking, which could only be done after AOS, with less than half an hour remaining before any theoretical impact. Therefore, while the tracking stations measured their trajectory, the crew waited for a call from mission control to confirm that their orbit wasn't going to spray them across some near-side mountain at over 5,000 kilometres per hour. This was never a real threat, and the crews and mission control felt confident enough with their hardware and procedures to view the bail-out burn as little more than a formality, but, in the NASA way, they were prepared for it.

THE JOYS OF LUNAR ORBIT

Whether they had entered the descent orbit or were in the circular orbit that was a characteristic of the earlier expeditions, the crew had reached their quarry and, in most cases, could relax a little before the exertions of the next day: undocking, separation, descent and landing, along with, perhaps, a trip on the lunar surface. This was time to get out a meal, look after the housekeeping of the CSM and take photographs – lots and lots of photographs.

However, for the crew of Apollo 8 there was no time to relax. Once they had completed their LOI-2 burn, Frank Borman, Jim Lovell and Bill Anders had eight orbits and 16 hours remaining in the Moon's vicinity. Their time was precious, and had been carefully rationed. Borman took care of actually flying the ship – not in the sense of sweeping over hills and down valleys; orbital mechanics was the arbiter of their flight path. Instead, his job was to make sure that the spacecraft was aimed in the direction required to satisfy the tasks of his colleagues. This became particularly important in view of their main windows having become fogged, leaving only two small forward-pointing rendezvous windows through which to have a clear view of the surface. With their narrow field of view, however, these windows were never intended for general photography.

The view from orbit. Top left, Aristarchus; top right, Lansberg; centre, Mons Rümker; bottom left, far-side crater Kondratyuk; bottom right, central peak of Tsiolkovsky.

Each orbit around the Moon was split into four by the geometry of the Sun and Earth, and this defined their tasks. Any task that involved working with mission control could only occur during a near-side pass. Anders's prime responsibility was a programme of photographic reconnaissance of the Moon, and most of this work could only occur over the sunlit lunar hemisphere. Therefore, when they were over the night-time portion of the near side, he was free to check over the spacecraft's systems and write down abort PADs from mission control. For about half an hour of each orbit, soon after AOS, the crew became especially busy as they approached Mare Tranquillitatis. As well as chatting to mission control, Lovell and Borman worked together to view and photograph one of the planned landing sites, looking for visual cues that could be used by a landing crew, and inspecting the sites for obstacles that might pose a danger to a future lunar module.

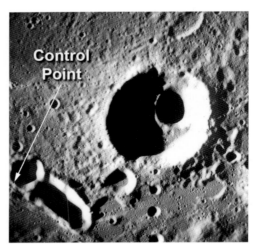

'Keyhole' and one of Apollo 8's control points, on the Moon's far side.

Part of the reason for Apollo 8 going to the Moon, beyond the political act of getting one over on the Soviets, was to gain as much experience of lunar operations as possible before the landing missions were scheduled. One of the techniques pioneered by this first crew was the use of the spacecraft's guidance and navigation system, along with visual sightings taken of landmarks passing below to help to determine their orbit more accurately. Prior to the mission, a number of landmarks were selected for Lovell to view through the spacecraft's sextant. A mark was taken by pressing a button when a landmark was perfectly centred in the optics. From repeated marks, the guidance and navigation system could improve the understanding of the Moon's precise shape, and also prove the techniques of lunar orbit navigation for future missions.

In addition to dealing with these unique tasks associated with flying next to another world, this crew continued to care for the spacecraft that was keeping them alive. Lovell occasionally took over the steering of the spacecraft while he looked for stars with which to realign the guidance platform. Anders looked after the environmental and propulsive systems, taking time out for a series of systems checks. All of their tasks were swapped around, allowing them, in turns, to get some rest during this frenetic period as they tried to nurse their own exhausted metabolisms after a flight that, so far, had failed to give them adequate rest. Catching sleep when the other members of the crew were busy had proved to be almost impossible on the way to the Moon. Trying to do so, as laid out in the flight plan, during the climax of humanity's furthest adventure, proved even more difficult.

They had arrived tired and none of them could rest as they shared the excitement of seeing the Moon close up for the first time. By the seventh orbit, Borman began to notice that he was making mistakes. Worse, Lovell was having finger trouble with the computer. Aware that in a little over six hours they had to make a TEI burn to get themselves home, that they had an important TV broadcast to make during the near-side pass prior to that burn, and that they had all been awake for at least 18 hours, Borman took control. "I'm going to scrub all the other experiments, the converging stereo or other photography. As we are a little bit tired, I want to use that last bit to really make sure we're right for TEI."

To make sure that mission control understood what he intended, he then specifically referred to his CMP sightings tasks: "I want to scrub these control point sightings on this next rev too, and let Jim take a rest."

His crew still tried to get on with their tasks but Borman stuck to his guns. "You're too tired," he admonished. "You need some sleep, and I want everybody sharp for TEI; that's just like a retro."

He was comparing the TEI burn to the retro burn used to get out of Earth orbit and return to the ground. In many ways the two types of burn had similar dire implications if they were to fail, except that, for the latter, there might be a remote possibility of a rescue mission around the Earth. Anders realised that his commander wasn't fooling and suggested a way of getting more science done while they rested: "Hey, Frank, how about on this next pass you just point it down to the ground and turn the goddamn cameras on; let them run automatically?"

"Yes, we can do that."

Mission control were used to having things done as prescribed, but understood the crew's need for rest. Still, Capcom Mike Collins had to relay a request for exactly what was being cancelled. "We would like to clarify whether you intend to scrub control points 1, 2 and 3 only, and do the pseudo-landing site; or whether you also intend to scrub the pseudo-landing site marks. Over."

Borman was uncompromising. Only the success of the mission was important to him. If he sensed that their reconnaissance task was jeopardising their chances of getting home, he had no hesitation in dropping it. "We're scrubbing everything. I'll stay up and point – keep the spacecraft vertical and take some automatic pictures, but I want Jim and Bill to get some rest."

Mission control relented. Anders, being a typical driven perfectionist, tried again to continue with his tasks: "I'm willing to try it," he offered.

"You try it, and then we'll make another mistake, like 'Entering' instead of 'Proceeding' [on the computer] or screwing up somewhere like I did."

When Lovell spoke up, Borman stood his ground. "I want you to get your ass in bed! Right now! No, get to bed! Go to bed! Hurry up! I'm not kidding you, get to bed!"

Despite their tiredness, the crew completed their 10 orbits around the Moon over Christmas and fired their engine for a safe TEI and return home.

IN THE DESCENT ORBIT

The descent orbit of the final four missions was a particularly exciting affair as the spacecraft gently descended from its 110-kilometre high point over the far side to skim across the mountain tops on the near side with a clearance of barely 15 kilometres. The northerly paths taken by Apollos 15 and 17 over the near side were especially notable for the spectacular ride they offered the crews. Descending from their apolune, these spacecraft passed over Mare Crisium then Mare Serenitatis. On Apollo 15, the smooth basalt plain of Mare Serenitatis was already lit by the morning Sun and the mountains on its western shore rose like a wall coming towards them as they gently descended across the expanse of the mare, which was so large that its curvature was readily apparent. Capcom Karl Henize, who must have been imagining the approaching mountain range, jokingly enquired about their safety. "Fifteen, does it look like you are going to clear the mountain range ahead?"

Irwin replied, "Karl, we've all got our eyes closed. We're pulling our feet up."

"Open your eyes. That's like going to the Grand Canyon and not looking."

This range also formed the eastern margin of the great Mare Imbrium. It was within an embayment seated among these peaks that Dave Scott and Jim Irwin would eventually land.

On Apollo 17, Jack Schmitt found his calling as a teller of stories of the Moon. There was no place in this geologist's mind for gushing wonderment at the stark beauty of Luna's ancient surface. No. As soon as the spacecraft had emerged from behind the Moon after LOI and he had completed his report on the SPS propellant utilisation, he started to bend the ear of Capcom Gordon Fullerton with a running commentary of the terrain below, breaking off at one point to remark, "One little minor problem, Gordy, is that we're breathing so hard that the windows are fogging up on the inside for a change."

It was little wonder. The only trained scientist to reach the Moon was going to give a master class in observational geology, but coming over Mare Crisium he was just getting warmed up. "Oh, boy, there is Picard [Crater] – or Peirce, one of the two. Okay, Gordy, all those dark and light albedo changes around Picard and Peirce are not obvious at this particular angle yet. There's some hint of them."

"Roger," confirmed Fullerton.

Schmitt stuttered on as the TV camera broadcast the view to Earth. "The rim – Is there one farther south of Peirce? Which – is it far – Is the one farthest – Picard, yes. Picard, I think, is the one I'm looking at. Yes, it is. Yes, and I can see Peirce now just behind the rendezvous radar. And, yes, way out there, you ought to start seeing them."

Jack Schmitt had been trained by NASA to fly jets as part of being an astronaut. However, he simply did not think like a pilot, for pilots are trained to stay off the radio unless there is something operationally important to say, and this was the case for most crews. However, Schmitt's natural tendency, honed by years of scientific observation, was to describe. And this he did in spadefuls. Even during their first near-side pass, as they passed over the night-time side of the Moon, he was making use of the cool, dim Earthlight illuminating the landscape below. "I've got a visual

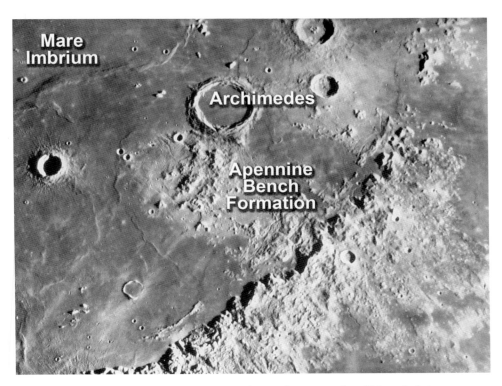

The Apennine Bench Formation at the southeast margin of Mare Imbrium.

on Eratosthenes and Copernicus. They are obviously different-age craters in this light. You can see the ray patterns in Copernicus moderately well. You can even tell that they do cross Eratosthenes. Stadius shows up as a very clear dark area to the southwest of Eratosthenes."

Later in the flight, he had an opportunity to observe one of the Moon's most distinctive craters, Archimedes, located in the middle of Mare Imbrium. Archimedes is important to lunar geology because it is part of a series of lunar features that allowed geologists like Schmitt to apply the principle of superposition to construct a stratigraphic history of the region. The crater is flooded with the lavas that also filled the Imbrium Basin so it is older than the era of lava outpouring. To its south and southeast is a light patch called the Apennine Bench Formation, the Apennines being the mountain range that forms the eastern rim of the Imbrium Basin, but which he referred to simply as the Imbrium Bench, that predates the crater because we can see damage from Archimedes across its surface. Finally, the bench seems to be a sheet of a different kind of lava that formed soon after the creation of the Imbrium Basin itself. Schmitt told all this to Capcom Gordon Fullerton.

"This is one of the first opportunities that I've had to look closely at Archimedes, which is one of those craters that, in the early days of the lunar mapping programme, helped to establish some of the fundamental age relationships between the various units that were visible in the Earth-based photography." History lesson over, he began his description: "In this particular case, it related to the sequence of events that created Imbrium, cratered it, and then flooded it with mare. And Archimedes is a completely closed circle as a crater, and it is filled with mare. And it, in itself, is superimposed on one of the main benches of the Imbrium crater. Now, to have mare filling that crater and actually filling all the depressions of approximately the same level in the vicinity of a large mare region, it's one of the things that's suggested to many people that rather than single sources for mare lavas, you have a multitude of sources in a very fractured lunar crust. The ultimate source in depth, though, is still certainly a subject for controversy. Some of the ridge and valley structure of the Archimedes impact blanket is not covered by mare and extends to the southeast out onto the Imbrium Bench. That was also one of the pieces of evidence used in those early days of photogeologic mapping of the Moon. You'll have to excuse the reminiscing, Gordy."

On and on he went, before and after his visit to the surface, providing lunar scientists with a journal of geological observations to stand for all time as the sights of the first scientist to visit the Moon.

Mascons: a lumpy Moon

Over a one-year period between 1966 and 1967, five Lunar Orbiter spacecraft were dispatched to the Moon to carry out comprehensive photo-reconnaissance of its surface, largely in support of the Apollo programme. It was mostly through this programme that engineers gained the skills necessary to accurately track an object around the Moon and control its flight path. Controllers were surprised to discover that, unlike orbits around Earth where the gravity field is nearly uniform, the orbits of these spacecraft were being perturbed by regions of higher density in the Moon's crust that often seemed to be associated with the circular maria. It appeared that events in the Moon's past had bequeathed it with a gravity field which, to scientists of the late 1960s, seemed unexpectedly uneven. Subsequent analysis suggested that the majority of these mass concentrations, or 'mascons' as they came to be known, are due to denser mantle material having been brought nearer the surface by the impacts that formed the basins, and, to a lesser extent, by the layers of dense basalt that were extruded onto the surface and filled these basins to form the maria. Over succeeding decades, building on this discovery, careful study of the flight paths of spacecraft in orbit around other bodies in the solar system would reveal much about their large-scale structures.

Mascons complicated the mission planning process for Apollo through their profound effects on lunar orbits. Since they are largely on the near side, they accelerate spacecraft slightly when compared to the far side. Over a remarkably short time, and owing to some help from perturbations due to Earth's gravity, orbits are modified by being lowered on the near side and raised on the far side until, if no intervention occurs, they cause the spacecraft to impact the lunar surface. As later high-precision gravity maps of the Moon would reveal, Apollos 15 and 17 happened to fly over two of the most intense mascons – those associated with Mare Serenitatis and Mare Imbrium.

On Apollo 15, FIDO compensated for the effects of the mascons by targeting the perilune of the descent orbit a little high in the expectation that while the crew slept, it would drop to about 15 kilometres, the preferred altitude from which the LM should begin its descent to the surface. On Apollo 14, which flew around the lunar equator, this strategy had worked well, but because the intensity of the Imbrium and Serenitatis mascons had not been allowed for, the perilune of the Apollo 15 orbit descended below 15 kilometres while the crew were asleep. The monitoring flight controllers reckoned that by the time Scott and Irwin were ready to begin their final descent, their perilune would be down to around 10 kilometres, which was much lower than everyone had trained for. However, with their usual foresight, the planners had inserted a possible adjustment to the orbit into the flight plan in case this happened, and CMP Al Worden made a small trim manoeuvre to raise the perilune.

On Apollo 16, no trim was required. Its equatorial flight path took it away from the strongest mascons, lessening the dropping of its perilune which, in any case, FIDO had targeted even higher for the DOI manoeuvre. For Apollo 17, the lessons from Apollo 15 had been learned, and the DOI manoeuvre was split into two parts to deal with the influence of the Imbrium and Serenitatis mascons. As with the previous flights, the CSM *America* burned an initial DOI manoeuvre. This took their perilune down to a safe 26.5 kilometres which, overnight, dropped to 22 kilometres. After the separation of the LM *Challenger,* the two spacecraft went behind the Moon for the last time before landing. While out of sight of Earth, *America* returned to its 110-kilometre circular orbit, and *Challenger* burned the second DOI manoeuvre that dropped its perilune right down to 13 kilometres. Since they only had half an orbit to go before their final descent to the surface, there would not be enough time for mascons to perturb their trajectory. Thus, by the end of the Apollo programme, the planners had become pretty savvy.

ENTERING THE LUNAR MODULE

Taking a lunar module to the Moon was not like jumping into a boat, casting off and sailing away. This was an extremely complex, diverse and exotic machine, perhaps even more so than the CSM, and one whose many capabilities were pushed to the limit in order to save weight. The machine had already been given a preliminary check on the coast out from Earth, but now, every system was going to be tested as far as possible while they were still attached to a good CSM.

First of all, the three crewmembers had to put on their suits, although at this point there was no need to wear helmets and gloves, making it much easier to operate equipment and talk to each other. Next, they checked to ensure that it was safe to open the two hatches that separated the spacecraft – following the earlier inspection the hatches had been closed so as to ensure that a failure of the thin-skinned LM, perhaps through meteoroid impact, would not have a catastrophic effect on the command module's atmosphere. Having checked a pressure gauge, the forward hatch leading to the tunnel was removed, followed by the probe and drogue assemblies that had brought the two craft together. Having gained access to the tunnel, the LMP removed the LM's upper hatch and passed into the lander's cabin.

When the LM's battery supplies had been brought on line, the umbilical that was feeding power from the CSM could be disconnected.

Numerous items, from pens and books to the helmets and gloves that they would wear on the Moon, were transferred across for use in the time the LM would be operating independently. Valves were opened to enable the ascent stage to access water and oxygen supplies in tanks contained in the descent stage – in accordance with discarding dead weight prior to major manoeuvres, they would be left behind on the lunar surface. Communications, cooling, caution and warning, guidance and navigation, environmental control – all the systems that make a spacecraft fit to carry a human – were turned on, tested and checked. Rows of circuit breakers were opened or closed as required, based on diagrams in the checklist that gave the LMP a quick method of checking their state by simply scanning his eyes across and comparing the patterns of white or black dots.

Since being packed away within the shroud at the top of the Saturn V, the lunar module's landing gear had been tucked beneath its descent stage. Explosive devices were fired to deploy the gear, giving the LM its familiar form with out-splayed legs. At the same time, long probes that had been folded up against three of the legs were released. These probes, which extended 1.7 metres below the landing pads, would reach the surface shortly before touchdown proper. Their purpose was to provide a cue for the commander to shut down the engine while the LM was still a short distance above the ground. From there, it could gently drop under the Moon's weak gravitational attraction. The lip of the engine nozzle was only about 30 centimetres above the plane of the landing pads, and planners feared that if a small bump in the surface were to even partially plug the nozzle opening, it could result in a dangerous backpressure within the engine.

Platform realignment: the LM way

The LM possessed a full guidance and navigation system similar to that in the CSM but with different names. It was the primary guidance and navigation system or just PGNS and, as often happened, the people of Apollo quickly transmogrified the pronunciation of this clumsy acronym to 'pings'. It had its own inertial measurement unit and optical system. Upon power-up, it needed to know what time it was, where it was, and which way was 'up'. A call from the CMP in the command module allowed the commander to set the mission clock to the right time, and this information was eventually passed to the computer. Other variables were loaded into the computer

Pete Conrad and Alan Bean in the LM simulator. Bean is holding a frame surrounding the eyepiece for the AOT.

to prepare it for proper operation of the spacecraft; the LM mass, the settings for its digital autopilot and trim angles for the engine gimbals. An uplink from mission control straight into the computer's memory provided a state vector and a REFSMMAT. The former told the spacecraft where it was and in what direction it was moving, and the latter would provide a reference for which way was 'up', but only when the guidance platform was aligned to it.

Although the computer at the core of the LM guidance and navigation system was essentially identical to the one in the command module, the systems connected to it were quite different, reflecting how engineering constraints altered when designing a super-light, rocket-powered Moon lander instead of an interplanetary spacecraft that had to withstand atmospheric re-entry and parachute drop onto the surface of Earth.

For the first alignment of its guidance platform, the LM was still docked to the CSM, and procedures had to reflect this. First, a coarse alignment was performed using the known orientation of the platform in the CSM as a starting point. Since there was no computer-to-computer connection between the two spacecraft, gimbal angles were recorded manually by the CMP and radioed through. A few simple

The exterior of the AOT, as seen by Dave Scott during Apollo 9.

calculations had to be applied to these angles to account for the different orientations of the coordinate systems of the two spacecraft, and also taking into account the angle indicated in the tunnel. The gimbals of the LM's IMU were then commanded to drive the platform to this orientation. While not sufficiently accurate for precise manoeuvring, this procedure gave the platform a reasonably good idea of which way was 'up'.

The next step was the fine alignment that used Program 52, as in the CM. However, whereas the CM sported a sophisticated motor-driven sextant and telescope, the LM had a much simpler periscope arrangement called the *alignment optical telescope* (AOT), which was mounted at the top of the cabin between the two crewmembers. This was a remarkably ingenious device, whose elegance was in the simplicity of its design. Its main component was a unity power telescope with a 60-degree field of view that could be manually rotated between six fixed positions: forward, forward right, aft right, aft, aft left and forward left. It incorporated two methods of using the stars to determine the orientation of the platform. One was for in-flight use when the LM was free to rotate; the other was for use on the surface, or for when it was attached to the CSM. The AOT allowed the commander to align the LM's platform just as accurately as the CMP could align the platform in the command module.

Sighting the stars was done against an illuminated graticule on which were inscribed series of patterns. A pair of cross-hairs was used when the LM was in free flight, and a pair of radial lines and spirals came into play for surface or docked alignments. In both cases, the computer was told which of the six detents the AOT was in, and which star was to be marked.

To mark on a star during free flight, the LM was manoeuvred to make the star move across the X and Y cross-hairs, with marks being taken when it coincided with each line, from which the computer could define two intersecting planes whose vertex pointed to the star. A similar pair of marks on another star gave the two vectors the computer required to calculate the platform's orientation.

The second method was normally used on the lunar surface, but it could also be brought into play when the LM was docked to the CSM, as it was undesirable to try to manoeuvre the entire stack from the lightweight end. It was also a simple two-step process once the computer knew which star was being viewed at which detent. First, the graticule was rotated until the star lay between the two radial lines. Pressing the 'Mark X' button yielded the *shaft angle*. The graticule was rotated again until the star lay between the two spirals. Pressing 'Mark Y' gave the *reticle angle*. The computer could then convert this information into a vector to the star. This process was repeated using a second star. When completed, the computer could determine the platform's orientation, allowing it to be accurately aligned to the required REFSMMAT, in this case, the landing site REFSMMAT.

Landing site REFSMMAT

The landing site REFSMMAT was another of the many frames of reference used during an Apollo flight. It was carefully chosen to aid a landing crew by having their attitude displays, the FDAIs, or 8-ball, give readings that made sense to a pilot approaching the lunar surface. This frame of reference was defined as being the attitude of the landing site with respect to the stars at the predicted time of landing. The actual orientation of the landing site, of course, continuously changed as the Moon rotated on its axis and only matched the landing site REFSMMAT at one moment in time. This coincidence of the two was known as the 'REFSMMAT 00 time' and therefore also represented the intended time of landing.

When properly aligned to this REFSMMAT, the platform's *x* axis would be parallel to a vertical line running from the centre of the Moon, out through the landing site position. Its *z* axis would be tangential to the landing site parallel with the CSM's orbital plane and therefore with the LM's approach path, pointed in the direction of flight. This frame of reference was chosen so that if the LM landed at the planned time and place, and in a fully upright attitude and pointing forward, its FDAI display should show 0 degrees in all axes.

Get the hell out of there: the AGS

As ever, there was a backup system for the PGNS, although in this case the philosophy was a little unusual because it was not meant to replace the PGNS in the event of failure in order to allow the mission to continue. As its name, the *abort guidance system* (AGS – pronounced 'aggs') indicates, it was intended to be used for an abort. Designers were worried about the PGNS failing while the two men were descending to the rocky surface of a hostile world. This was a reasonable concern, as its systems were complex, exotic and very new. They decided, therefore, that if the PGNS did fail, the descent to the surface should simply be aborted, the descent stage jettisoned and the ascent stage fire its engine to return to orbit. To achieve this, they added a separate guidance system, the *abort electronics assembly*, which had a simple computer, the AGS, at its heart. Instead of having its own heavy IMU, the AGS received its attitude reference from a set of strapped-down gyros and accelerometers. These were intrinsically less accurate and more prone to drift than a full IMU, but they would only be required for a short period of the abort.

Throughout a normal descent, the lunar module pilot closely monitored the AGS to ensure that its knowledge of velocity and position kept track of the PGNS. At regular intervals, he fed it updates from the more accurate system and then watched how the two compared. Then, if the crew lost the PGNS, the AGS was ready to take over and automatically guide them to a safe orbit, from which the CSM could rescue them.

The LMP worked with the AGS using an interface that was even simpler than the DSKY. It had one single 5-digit display and a simplified keyboard. As it had little in the way of a user-friendly interface, he had to get down to its machine level to use it. To access its memory, he had to supply an address where a value was stored in a manner that will be familiar to those who used the very early microprocessor-based machines of the 1970s. In order to achieve high functionality, he had to understand it well and be slick at interrogating it. It could keep a LMP very busy. By Apollo 17, Jack Schmitt and the engineers he worked with on simulations had done so much with the AGS that they believed they could have used it to continue to a landing had the PGNS failed.

Pinning down a landing site

Immediately Apollo was announced, there was the question of where to land. Based on the limitations imposed by flight dynamics, NASA narrowed their search for a site to an equatorial zone 10 degrees wide across the Moon's near side that ranged east and west by no more than 45 degrees from the central meridian. Within this area, planners looked for an apparently flat, open area within which an ellipse could be drawn that represented their best guess of the LM's landing accuracy and where a crew could probably find a level spot without having to hover for an excessive amount of time. Additionally, they wanted a relatively smooth ground track on the approach so that rugged terrain would not fool the LM's landing radar.

In the event, Neil Armstrong and Buzz Aldrin found that they needed such an expansive site because tiny errors in their descent orbit propagated into a landing 6 kilometres beyond the planned point on the eastern side of the equatorial zone. If future crews were to undertake meaningful science on the Moon, they would need to be able to land at a predetermined spot on the surface to provide access to specific geological structures identified on pre-mission photography – and this was in an age before satellite navigation had been invented. To show that such a point landing could be made, and to ostensibly sample an unmanned probe that landed

31 months earlier, Apollo 12 was sent to the western end of the equatorial zone beside Surveyor 3.

Pinpoint landings such as this were achieved using two techniques. The first was a series of sightings through the CSM's optics of a feature at the landing site that helped navigational engineers to determine the site's exact position, not only in terms of its lunar coordinates but also its distance from the lunar centre, a value known as its *radius of landing site* (RLS), there being no 'sea level' against which to measure height. Then, as the LM came around from the Moon's far side for the last time before landing, engineers measured how the Doppler effect changed the spacecraft's radio signal and compared this with what was predicted for a perfect landing. This yielded how far the predicted landing site was offset from the intended site. It was then simply a case of applying this offset into the LM's computer to fool it into thinking that the landing site had moved, and have it alter their descent profile to reach the desired position.

As Apollo matured and scientists increasingly took charge of the programme's goals, they looked to explore more scientifically interesting locations, choosing landing sites for the later missions tucked within mountain ranges that promised to provide more clues to the Moon's past. By doing so, Apollo's planners had to face the fact that, with the exception of the equatorial belt, the Moon had not been well mapped. The Lunar Orbiter missions had been tasked to support Apollo and, in doing so, had photographed selected parts of the equatorial zone in great detail. Once this task was completed, the Lunar Orbiter programme was released to the scientists to garner wider photographic coverage at the expense of resolution.

Relatively poor imaging meant that Apollo 15, the first mission to leave the equatorial zone for a more northerly site, had to contend with significant uncertainty in the position of its landing site, not only in terms of its latitude and longitude, but also its RLS value. Additionally, the crew had to contend with landing at a site surrounded on three sides by mountains, and literally thread their way between peaks that rose more than 4 kilometres above the surrounding landscape. Planners designed a steeper approach trajectory that dealt with the mountains, and careful interpolation of the available Lunar Orbiter imagery allowed the site at Hadley Rille to be certified as safe for landing.

The ability to track a feature at the landing site, first practised on Apollo 8, gave the trajectory engineers the confidence they needed to make a successful landing exactly where they wanted. It was Al Worden's task as CMP on board *Endeavour*, to make repeated sightings of a selected crater close by *Falcon*'s planned point of touchdown, appropriately named *Index*, at the end of a line of craters named after the books of the New Testament.

Prior to the landmark tracking exercise, mission control read up a PAD that would help Worden to coordinate his activities. These were a set of timings and an attitude: T1 was when the landmark appeared on the horizon; at T2, soon after T1, it was appropriate to begin pitching the spacecraft nose down to ensure that the landmark kept within the articulation range of the optics; TCA was the time of closest approach of the spacecraft to the landmark; and T3 marked the end of the tracking exercise. Additional information often included a suitable attitude for the

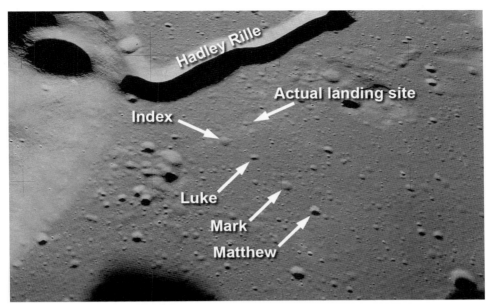

The Apollo 15 landing site showing the crater, Index, that Worden had to mark on.

spacecraft when it began to pitch down, and a note of where the landmark was expected to be, in both position and altitude. If that information was not forthcoming, approximate values could be obtained from the flight plan.

It is interesting to note how longitude was handled by the software in the computers in the CSM and LM. Conventionally, longitude around a body would be expressed in the range −180 to +180 degrees. Using the 5-digit display of the DSKY, a large longitude value could only be represented to two decimal places, e.g. +178.62 degrees. Remembering that in this primitive computer there was no provision for the decimal point to float, we can see that all longitudes would have had to be expressed to two decimal places, and around the equator, 0.01 degree represented a third of a kilometre, an uncertainty that was much too large for Apollo. An elegant solution arrived at by the programmers was to stipulate that all longitudes would be handled by the computer after they had been divided by 2. The largest longitude values would now not exceed 90 degrees and could be expressed to three decimal places. This brought down the inherent resolution of the value to a mere 60 metres.

Worden used Program 24, the so-called *rate-aided optics tracking* program, for this task. Upon entering the landmark's assumed position, the computer would drive the optics to aim them at the landmark's expected position. Peering through the eyepiece, Worden then used a little joystick to finely adjust the aim and place the graticule precisely on the landmark, taking a mark at regular intervals as the spacecraft passed overhead. If the spacecraft's orbit was well understood, this data could be used to refine the position and altitude of the landmark. The sightings were carried out with the unity-powered telescope, an instrument with a very wide field of view, instead of the 28-power sextant. "I would have felt much warmer about the landmark tracking if I had done it with the sextant, rather than with the telescope. The telescope presents a pretty large field of view, and you're trying to track a very small object down there. Apparently the numbers don't show that to be true – that there is a great deal of difference between the two. I think my own personal feelings would have been that I would have felt much better about it if I had done it with a sextant, because then I know I'm really on the target."

Filming Apollo

As many checks as possible were made to the LM within the time available before it was allowed to fly free and continue to the surface. While these were being carried out, the CMP mounted cameras in brackets to monitor the upcoming departure of the lander through the CM windows. A television camera would then allow live pictures to be sent to Houston and the world, though on Apollo 11, the opportunity was missed. A 16-mm movie film of the event would also be taken using the lightweight Maurer cameras carried on all Apollo missions.

These 16-mm cameras have provided much of the best motion documentation of the Apollo flights, yet their official NASA designation implied that history and posterity were far from the thinking behind their inclusion on the trip. NASA called them *data acquisition cameras* (DACs) and used them in precisely that way – to gather data on the performance of its vehicles. For example, one of the most familiar Apollo scenes is a short shot of a lunar rover being driven around the Apollo 16 landing site at Descartes, with John Young at its controls and a great rooster-tail of dirt rising from its wheels. This wonderful film was shot only because engineers wanted to see how the rover performed in its designed environment. Since the TV camera was mounted on the rover itself, it was unable to provide such coverage.

With a DAC mounted in a command module window, the first moments of the lunar module's flight were recorded, including its pirouette to allow the landing gear to be inspected. The DAC also filmed the LM's ascent stage as it returned from the Moon. Another DAC mounted in the right-hand lunar module window filmed the approaching landscape throughout the entire descent, and again as the ascent stage rose from the surface.

The DACs have played their part in distorting the historical record, not in terms of image, but of time. NASA instructed the crews to shoot at frame rates that were often much slower than normal. Conventionally, movie film is shot at 24 frames per second and subsequently projected or transferred to TV at about the same rate. The Maurer cameras could also shoot at 1, 6 or 12 frames per second, and much of what was shot on Apollo used these slower rates to conserve film. When replayed on conventional equipment at the higher frame rate, the recorded events would be portrayed at twice, four times or even 24 times their actual speed. Eventually those transfers found their way into documentaries and influenced the public's notion of the Apollo spacecraft. It was only with the advent of advanced video processing technology in later years that careful researchers were able to restore a true sense of the speed of the Apollo films. In the long run, while the television coverage suffered from the degradation inherent with the technology of the time, the movies shot by the DACs have stood as a clear, high-quality record of the achievements of Apollo.

CONTINUING PREPARATIONS

While the commander was tending to the LM's guidance needs, the LMP continued his checks with the activation of the communications system. Communications to the CSM were handled by two VHF antennae mounted fore and aft. Those to Earth, as well as the same ranging and tracking functions as found on the CSM, used either of two low-gain S-band antennae, also mounted fore and aft, and a steerable, high-gain dish mounted high on the right-hand side of the ascent stage that could keep itself aimed towards Earth.

For the descent, the electrical power for the LM came from batteries mounted in the descent stage. Originally, the lunar module's manufacturer, Grumman, had intended to power it with fuel cells, in a manner similar to the CSM and most of the Gemini spacecraft. Managerial and technical difficulties, mostly concerned with the interdependence of the power system with other systems in the already exotic LM, conspired with the race to get the spacecraft ready on time, forcing NASA and Grumman to use batteries as the power source. Though heavy, batteries had the enormous advantage of simplicity, and since the LM was intended to be powered for only a few days, their weight penalty was no worse than the fuel cells. As part of the checkout of the LM, their health was closely studied, as were the extra set required for the ascent stage. The ascent stage carried its own small set of batteries because it operated on its own for only a few hours for the trip from the surface of the Moon up to the CSM.

Another major item in the LMP's checklist was the cooling system. Whereas the CSM used radiators and evaporators to lose heat from a water/glycol coolant, the LM relied on a sublimator. These devices cooled by having ice directly sublimate to water vapour which took heat away from the coolant in the process, the same cooling technique was used in the lunar space suits. Because it had no source of water available as a by-product of fuel cell operation, a large water tank was included in the descent stage, with a smaller supply in the ascent stage. The water/glycol coolant was pumped between the LM's electronics and the sublimator by redundant sets of pumps. The pressures delivered by these pumps were checked before committing the LM to the surface.

Manoeuvring the LM was effected by a set of thrusters similar to the RCS jets mounted on the service module. Where each cluster of jets on the SM had independent propellant supplies, those on the lunar module had a common propellant system that could be topped up from the propellant used by the ascent stage's main rocket engine if the need arose. As a further difference, the service module's RCS quads were mounted on the spacecraft axes, while those for the LM were set at the corners of a square set around the spacecraft to keep the windows and hatchway clear. Before it could be used, the propellant system had to be pressurised. An explosively operated valve was opened to allow helium gas into the propellant tanks, at which point the crew and mission control could verify that the pressures within the system were as expected.

Dead band

The next stage of the LM checks required the crew to think about the concept of the dead band, which is another of those curious terms in spaceflight where a simple concept lay behind opaque jargon.

Apollo was one of the first applications of a digital fly-by-wire system whereby control of a vehicle was placed in the hands of a computer. In the Apollo guidance computer, programmers included a series of algorithms that would fire the RCS jets as necessary to bring the spacecraft to a desired attitude, with respect to the IMU platform, and hold it there. These algorithms were called the *digital autopilot* (DAP). However, the gimbals around the platform were able to measure the angular error in the spacecraft's attitude to hundredths of a degree, and constantly correcting the slightest drift to such a tight tolerance would have made the spacecraft seesaw backwards and forwards as the jets constantly fought to maintain the ideal attitude, wasting propellant in the process. Instead, a range of attitude error around the ideal was deemed acceptable and the thrusters did not fire within this band; they were said to be 'dead'. This error band, the *dead band*, could be set to be either ½ or 5 degrees from ideal, depending on how accurately the spacecraft had to be pointed. A narrower dead band used more RCS fuel, because the thrusters tended to fire more often when the spacecraft drifted beyond the small permissible deviation.

While still docked, the commander gave the LM's RCS system a checkout, first by using the computer to test that the hand controls were producing the commands expected of them, the so-called 'cold-fire' checks; and then by firing all 16 thrusters for short periods in a 'hot-fire' test. Prior to carrying out these tests, he had to ensure that his crewmate in the command module had the CSM's digital autopilot set for a wide, 5-degree dead band. That is, although overall the thruster firings – fore/aft, left/right, etc. – should be neutral, they would briefly rotate the entire CSM/LM stack by a few degrees, and it would have been a waste of propellant if the thrusters on the service module had to battle to restore attitude.

The commander also ensured that telemetry from the LM was being sent to mission control at a high bit rate. This maximised the number of engineering parameters that could be received while the health of the RCS was checked.

Almost like a third eye on the forehead of the LM's face, another dish sprouted from the ungainly LM cabin, preferring a direction that faced forward. This was the antenna for the rendezvous radar, one of the subsystems that allowed the ascent stage to seek, find and follow the CSM as it chased the mothership around the Moon during the rendezvous. The radar operated in conjunction with a transponder on board the CSM to tell the LM's computer how far apart they were, and in which direction. As the commander put it through a self-test routine, the final steps towards undocking were completed.

Breaking the link

Perhaps it was a bitter sweet moment for the command module pilot as he watched his crewmates leave for the Moon. There would probably be some relief that the mission had reached this point, and increasingly looked like it was going to be successful, although there might have been a deep longing for an opportunity to take a ride to the surface knowing that there were only a few kilometres between him and a moonwalk. But for all the CMPs, there was terror in knowing that it required only one or two of many possible failures to occur, and he might have to light his SPS engine and return to Earth alone, as a marked man, having left his crewmates on the Moon.

Alan Bean found Dick Gordon's reaction to sending his crewmates away on Apollo 12 remarkably sanguine. Gordon and Conrad had flown together on Gemini 11, although their friendship went back to Patuxent River Naval Air Station where they were both test pilots and good buddies. Although Gordon's friendship with the likeable and super-competent Conrad had helped to seal his place on Gemini, the experience subsequently gained prevented him from taking a ride to the Moon's surface. Deke Slayton, who decided Apollo's crewing arrangements, generally gave command to the most experienced in a crew, and that was Conrad. Because he wanted the CMP to have had experience of rendezvous, in case the CSM had to rescue an ailing LM, he allowed Gordon to fly the CSM solo. Twenty-three years later, the third member of this friendly crew, Al Bean, completed a painting that imagined Gordon being down on the surface with his two buddies. In his notes on that painting, Bean stated, "Dick was the more experienced astronaut, yet I got the prize assignment. In the three years of training preceding our mission, he never once said, 'It's not fair, I wish I could walk on the Moon too.' I do not have his unwavering discipline or strength of character."

UNDOCKING

To begin the process of splitting the two spacecraft, the electrical umbilical that connected them was disconnected within the tunnel, and the probe and drogue docking mechanism put back in place. Two other umbilicals were reconnected to the docking equipment to pass telemetry and commands to and from the probe and to supply power to fire its retraction mechanism. The LM hatch was installed by the LM crew as the CMP put on his helmet and gloves, a safety measure for the next task of preloading the probe.

Up to that point, the two spacecraft had been held together by the 12 docking latches that gripped across the two docking rings and their seals. These latches, however, had to be manually released prior to undocking, thereby removing the primary means by which the two spacecraft were joined. Therefore, to prevent the spacecraft from being pushed apart by the cabin air pressure, the CMP extended the probe to engage the three capture latches, each the size of a thumbnail, with the rim of the hole at the centre of the LM's drogue. The probe was then tensioned to firmly engage the latches against the air pressure that would try to push apart the two vehicles, with a total mass of nearly 34 tonnes, when the main latches were released – hence the need for the CMP to be wearing his space suit. Before any of this, however, he had to disable some thrusters.

The strength of the probe was more than adequate to hold the spacecraft, except in one direction – roll. If the thrusters of the CSM were to impart a rolling motion to the stack, the force would be primarily transmitted to the LM through the probe arms and the little capture latches, subjecting them to dangerous shear. At this point, therefore, the CSM was inhibited from firing its roll thrusters. Once the probe was tensioned, it was safe to release all 12 docking latches – an operation that also re-cocked them, ready to engage again when the LM returned to dock after its journey to the surface. The CMP then installed the hatch at the apex of the command module and checked its integrity. Only when the CM cabin was secure, could he remove his helmet and gloves.

As with many operations on board Apollo, the procedures surrounding undocking and separation were carefully choreographed. Undocking was always carried out at a specific attitude and at a specific time. Planners wanted the stack to be oriented with the CSM towards the Moon and the LM away from it. An attitude was given in the flight plan for the event and the stack was manoeuvred to this attitude some minutes prior to the undocking. Being in an inertial attitude, the stack would reach the correct orientation with respect to the Moon at a specific time, and this would be the moment of undocking.

Coordinating the undocking with the event timer helped the crew to run through a time-dependent sequence accurately, as so often was the case for major mission events. With 30 seconds to go, the CMP set the EMS to monitor changes in velocity and started the movie camera. At zero, a switch that controlled the extension and retraction of the probe was momentarily pushed up to execute the undocking. Undocking was only ever carried out once during a normal mission. The second time the LM departed, it was actually cut free, along with the tunnel and all the docking equipment – a very final event that disposed of the ascent stage at the end of its mission. The two procedures available to achieve the undocking were based on how the switch that extended the probe was operated. The momentary action of this switch had two effects: it commanded the probe to fully extend, regardless of how long it was held for; it also caused the probe to pull in the capture latches for the duration of the switch action, thus disengaging them from the drogue. Achieving a simple undock therefore merely required the switch to be held closed for the length of time it took the articulated probe to extend, so that when it reached its full 25-centimetre extension, the latches would still be disengaged, allowing the LM to sail away.

The preferred method, however, was the 'soft undock' for which the extend switch was only held for a short period. Although this fully extended the probe, it allowed the capture latches to re-engage with the drogue, causing the LM to be held at the end of the fully extended probe. This method minimised unintended LM velocity with respect to the CSM. Once the motions between the two vehicles had stabilised, the latches were released by cycling the extend switch once more. The separation could then be completed by controlled firings of the RCS thrusters.

If the electrical command to release the capture latches were to fail, the probe included arrangements to allow a suited crewman to manually release them from either side of the tunnel: either the CMP could pull a handle from the CM side or a LM crewmember could access a button in the centre of the probe tip, poking through the hole in the centre of the drogue. In either case, the respective cabin would have

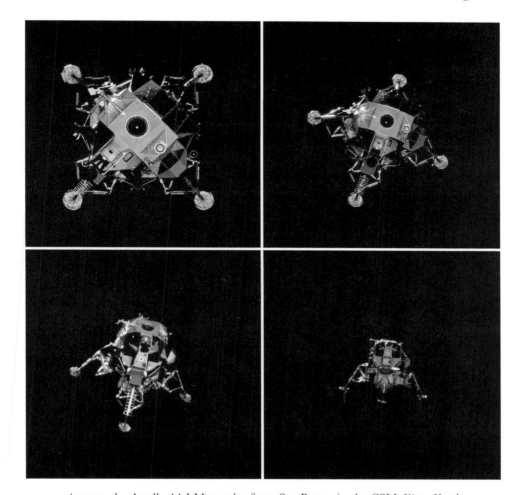

Antares, the Apollo 14 LM recedes from Stu Roosa in the CSM *Kitty Hawk*.

had to have been depressurised and the corresponding hatch removed to allow access.

Undocking generally occurred over the eastern limb of the Moon just prior to the spacecraft coming back into view of the Earth. When Apollo 15 reappeared after its planned undocking and separation, Ed Mitchell in mission control enquired how it had gone. Dave Scott didn't have good news.

"Okay, Houston; this is the *Falcon*. We didn't get a Sep, and Al's been checking the umbilicals down on the probe." When Al Worden had pushed the extend switch, neither the latches nor the probe extension had operated. The suspicion that the probe umbilicals were not connecting properly was confirmed by Mitchell's next message.

"*Falcon*, Houston. We have no probe temp[erature data], which indicates the umbilical is probably not well connected."

"Okay. Well, that's just what he's checking," Scott informed. Worden had removed the forward hatch to give him access to the plugs and sockets of the probe umbilicals within the tunnel. Scott realised the danger in the situation and checked that Worden was aware of it also. "Hey, Al, I hope you made sure the extend/ release switch was off when you went in there." Scott's fear was that if the switch to extend the probe had been placed in the 'on' position, and with the docking latches released, then when Worden reconnected the umbilical, the probe would immediately extend, separating the craft and, with the CM forward hatch removed, evacuate the cabin.

As soon as Worden had reseated the plugs in their sockets, mission control saw their telemetry change. "Apollo 15, Houston. We're seeing the telemetry on the probe now. I presume that may have been our problem." A new separation attitude was sent to the crew, rescheduling the event for 26 minutes later.

Separation and inspection

Immediately after undocking, the CMP executed a short burn to put some distance between the two spacecraft to avoid a collision. This was a translation manoeuvre in a minus-x direction to back the CSM away from the LM at 0.3 metre (1 foot) per second. Both crews filmed each other and, especially on the early flights, the CSM would often station-keep while the LM was slowly rotated to allow it to be visually inspected and its landing gear verified.

"The *Eagle* has wings." Apollo 11's LM flies free after undocking.

Now flying as two separate spacecraft, two important checks had to be made before the LM would be allowed to fly away from the safety afforded by its mothership. The first looked at the main engine that would control their descent to the Moon, including the control system that throttled its thrust. The second checked the rendezvous radar that would be crucial to guide them back to the CSM.

Descent propulsion system

Most of the LM's descent stage was taken up with the *descent propulsion system* (DPS). In the parlance of Apollo, the DPS was always pronounced 'dips'. The designers had come up with a simple cruciform structure for the descent stage which held a propellant tank in each of the four box-shaped bays around a central space where the engine was mounted.

This engine was remarkable for its time for being able to be throttled, i.e. its thrust was variable, which was a major technical achievement. The basic idea of the throttle mechanism was to alter the area of the injector plate in use at any one time – similar

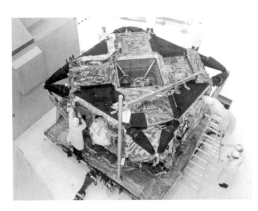

The cruciform structure of the descent stage of *Intrepid*, Apollo 12's LM.

to an adjustable shower head. At full power, the DPS could generate a thrust of 47 kilonewtons, about half of one engine on a Boeing 737 airliner. It could be throttled smoothly between 10 and 65 per cent full thrust or run at a steady 92.5 per cent. This ability to be throttled was needed to enable the computer to optimise the vehicle's descent to the surface and to hover in the final phase.

As in the SPS engine, propellants were forced into the combustion chamber by pressure alone. There were no pumps to fail. This pressure was provided by two helium tanks, one of which stored the gas at ambient temperatures; the other tank stored it as supercritical helium (SHe), a strange phase of the gas brought about by a combination of very high pressure and extremely cold temperatures. By using SHe, more of the gas could be crammed into a much smaller tank, thereby eliminating over 100 kilograms of weight from the vehicle. Care had to be taken, however, because if the heat in the system was not handled properly, the extreme cold of the SHe could freeze the fuel that was used to warm it – and this was the main reason for using the ambient tank, which provided initial pressurisation until the engine ignited. First, three explosively operated valves were opened by command from the crew to release the ambient helium into the tanks. This was part of the preparatory checklist. Later, once the engine was actually running, another explosively operated valve would automatically open to release SHe into the propellant tanks.

Much of the checkout of the DPS was done by mission control because, owing to telemetry, the flight controllers had access to more data than was available in the LM cockpit. Therefore, they preferred to use the LM's steerable antenna to carry all the required high-bit-rate data.

This could not be done on Apollo 16, however. The steerable antenna was the LM's equivalent of the CSM's high-gain antenna. Mounted on the right side of the LM's roof, its dish could be moved under manual or automatic control to aim at Earth. When Charlie Duke tried to move

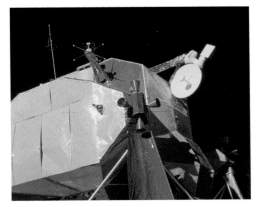

Apollo 16's LM *Orion* and its faulty steerable dish antenna.

Orion's steerable antenna, he discovered it would only steer in one axis. "Well, we're not gonna have TV from the LM, unless we get that high-gain up," he said glumly to John Young as they battled to get their spacecraft checked for the descent. Up to this point in their checkout everything had gone smoothly, but the failure of the mechanism to steer their antenna was the first of a series of problems that would threaten the surface mission. As they continued their checkout as well as they could using low-gain antennae, a failure in the RCS pressurisation system threatened to burst its safety devices, prompting Young to opine, "This is the worst jam I was ever in."

One consequence of the loss of the steerable antenna was that mission control could no longer access the computer's memory directly. It therefore fell upon Duke to copy down two lists of numbers, 179 digits long in total, which represented an updated state vector and the REFSMMAT they were to use for the landing. Capcom Jim Irwin read them all for Duke to copy down, who then read them back as a check. Young and Duke then began laboriously entering them into the computer's memory, checking constantly to ensure that a mistake was not made; or if it was, that they corrected it. They eventually managed to largely overcome many of the problems associated with the loss of the steerable antenna by using the extra sensitivity of the 64-metre dish at Goldstone in California. Also, by optimising the LM's attitude, the less capable omnidirectional antennae were operated through a favourable lobe in their reception pattern. Spacecraft communications were normally handled by 26-metre antennae.

During the final far-side pass before the landing, CMP Ken Mattingly prepared for his circularisation burn by testing the systems associated with his SPS engine.

The circularisation manoeuvre
In all instances, the two spacecraft were allowed to separate once the LM was well into the checkout of its systems and no problems were being encountered. For the later missions, Apollo 14 onwards, mission control read up a PAD with which the CMP could make his circularisation burn. In truth, the orbit resulting from this burn was not really circular but was made deliberately elliptical. This reflected the fact that FIDO was compensating for the perturbation of the CSM's trajectory by the Moon's mascons, and although the effect of these gravitational irregularities was not well understood by the flight dynamics team, they hoped that by the time the LM was due to return, the orbit would have tended to circularise.

The descent orbit had its perilune over the near side, 500 km short of the landing site. Therefore, the circularisation manoeuvre required a short burn of the SPS engine – only about 4 seconds long – that was carried out around the Moon's far side, lifting the CSM's perilune up to about 110 kilometres. For all SPS burns, an elaborate series of procedures had to be carried out to prepare and check the engine and its control systems. One of these checks was to verify that the gimbal-mounted engine could be aimed before and during the burn, and it was during this check that a problem occurred that nearly cost Apollo 16 its landing on the Moon.

As Mattingly made his checks, Young joked to Duke at how things had begun to stack up against them; that is, the problems they were having with the steerable antenna and RCS pressures. "Charlie, this is fun, by golly," he laughed. "It's really the worse sim I've ever been in."

"It's really bad, isn't it," agreed Duke.

The crews had become used to dealing with difficult scenarios during the many and varied simulations that comprised their training. But by the time they went on their flights, they were often struck by how calm things were because, for most of the time, things worked. The simulator supervisors were no longer throwing obtuse scenarios at them to test how they and mission control responded. To Young, however, this LM checkout was starting to feel like a particularly difficult simulation. Just then, Mattingly called across their VHF link. "Hey, *Orion*."

"You speak?" said Young. "Go ahead, Ken."

"I have an unstable yaw gimbal number 2. It oscillates in yaw any time it gets excited."

"Oh, boy," said Young. Things were already bad but they had just got a lot worse. Mattingly had discovered that the backup mechanism that steered the SPS engine during a burn was shaking wildly every time he tested it. They needed that engine to get home and this sounded like a show-stopper.

"You got any quick ideas?" asked Mattingly.

"No, I sure don't," said Young.

Their mission rules said that the main and backup actuators for both the engine's pitch and yaw gimbals had to check out as fully functional, or the crew had to return home forthwith which would mean cancelling the lunar landing.

"I'm sure sorry about this," said Mattingly, "but that number 2 servo is just oscillating like a wild man. It could be a switch here somewhere, but I swear, I've checked them all I can. I guess I'll power them down."

"Yep, and tell the ground when you go around," said Young.

"Okay," replied Mattingly. "Brother, what a way to start the day, huh?"

As they were still around the far side, Houston had no inkling of the problem until CSM *Casper* reappeared around the eastern limb. Meanwhile, Young brought *Orion* back towards *Casper* to await Houston's decision.

"Houston. This is *Casper*," called Mattingly as soon as he had established communication with Earth. "We did not do Circ, and I'd like to talk about the TVC servo loops."

"Understand. No circ," confirmed Jim Irwin.

Immediately, teams of engineers in Houston began to work the problems that had been reported for the two spacecraft, calling on support from the teams at the manufacturers in California and Long Island.

Young had psyched himself up for the landing and now it did not look like it was going to happen. "Man, I'm ready," he told Duke. "I'm ready to go down and land. I think that'd really be neat."

Duke was not optimistic. "I bet we dock and come home in about three hours."

After 4 hours, and both spacecraft had gone behind the Moon for a second time since reporting the problem, managers decided that it was safe to proceed with the landing. Their rationale was that if the main actuators controlling the SPS engine were to fail, the backup system would kick in. That is, they thought that its wobble did not threaten its primary function, that of bringing the crew home. Six hours later than planned, and about as long a delay as could have been accommodated, Young and Duke landed safely at Descartes. Although the extra hours spent in orbit had eroded the LM's overall power supply, and the surface time had to be trimmed to suit, they completed an essentially full mission.

Rendezvous radar

The lunar module carried two important radar systems that were tested prior to landing. The first checkout was for the rendezvous radar while the CSM was still nearby. This radar worked in conjunction with a transponder on the CSM to give the crew and the LM computer information about how far away the CSM was, how fast it was approaching and in what direction it was located. Although there were backup methods for the spacecraft to rendezvous, this radar was an important component in getting the two spacecraft together.

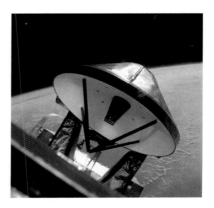

The rendezvous radar antenna on Apollo 9's LM *Spider*.

Its dish antenna was mounted on two axes so that when it started operating, it swept the view in front of the LM, looking for the CSM until a return signal from the transponder was found. The receiving horn was split into four so that if the dish was not exactly boresighted on the CSM, the received signal would be stronger in one of those four compared to the others. The electronics could then operate to aim the antenna until all four horns received an equal strength signal. The angle of the dish then represented the direction to the CSM.

Landing radar

On Earth, an aircraft's altitude is conventionally determined by measuring the outside air pressure; making use of the fact that the atmosphere gradually thins in a well-understood manner as altitude is gained. On the Moon there is essentially no atmosphere so another method had to be devised to determine how high the LM was above the surface. This was particularly important given the fact that there are few clues a pilot can use to determine speed or altitude by eye. There are no trees, roads or houses; no haze to give a sense of depth or distance. Most remarkably, there is little variation of topography as one descends from high to low altitudes. Just a pock-marked landscape of large craters overlaid with small craters, peppered with even smaller craters.

The lunar module made sense of its altitude above this landscape by firing radio pulses at it from the antenna of the landing radar mounted on the underside of the descent stage. The four microwave beams from the antenna did two things: (1) they used the time taken for pulses to reflect off the surface to determine current altitude using conventional radar techniques; and (2) the frequency of the returning signal was measured for any shift due to the Doppler effect, yielding their rate of change of altitude, or vertical speed, as the LM descended towards landing. For the later missions, which approached their landing sites over mountainous landscapes, a simplified model of the terrain profile was added to the computer as part of its programming to compensate for the natural changes in height that were encountered by the LM on its planned ground track. The computer also took account of the antenna's slant angle; that is, its angle away from true vertical in which it was pointing at any moment. The height and change of height data derived from the radar's sensing was used by the computer in its control of the descent. It also drove the tapemeter display for the crew.

The antenna operated in one of two positions, depending on the flight mode of the LM. Throughout most of the descent, starting from the time they began their powered descent to leave orbit, the LM was flying on its back, with the crew looking up into a black sky. In this mode, the landing radar antenna was in its 'descent' position, angled 24 degrees from the LM's vertical axis. For the final phase of the landing after pitch-over, when the LM adopted a vertical attitude, the landing radar moved to its 'hover' position to aim in a direction parallel to the spacecraft's *x* axis and therefore pointing straight down.

DOI with the LM

For Apollo 10's rehearsal and for the first two landings, the CSM remained in its 110-kilometre orbit, leaving the LM to enter the descent orbit itself with a DOI burn. On Apollo 11, this was a 30-second burn, 15 seconds with 10 per cent throttle and the remainder with the throttle set to 40 per cent. Having a period of time at a low thrust setting allowed the gimbal mechanism, on which the descent engine was mounted, to align the engine's thrust with the spacecraft's centre-of-gravity. This DOI burn was carried out around the far side and was a retrograde burn – one that went against their direction of travel.

LM abort modes

In the continuing spirit of NASA's defence-in-depth philosophy, a series of PADs were read up to the crew that not only told them exactly when they were going to start their descent to the surface, but also what to do in the event of an abort being necessary at various times before, during and after the descent – in case the radio link were to fail. As the flights progressed, these PADs increased in complexity as planners learned from previous missions and made their procedures more elaborate. All these PADs were based around a single event, *powered descent initiation* (PDI) which was the moment the LM's main engine was ignited to start to slow the spacecraft and take it to the surface. Some PADs told the crew what to do if the landing was aborted before PDI, others were relevant if PDI did not occur. Yet more had details of the burns they should make if an abort was called during the descent – one relevant to the first 6 minutes, the other relevant to an abort between 6 minutes and touchdown. All these PADs were read to the crew and copied down onto forms in the checklist by the LMP.

By now, they were nearly ready to go to the Moon and pick up some rocks.

10

Next stop: the Moon

"GO FOR THE PRO": THE LANDING BEGINS

By July of 1969, NASA had done about as much as they could to prepare for the Moon landing. On the flight of Apollo 10, Tom Stafford and Eugene Cernan had taken their LM *Snoopy* into the descent orbit but had gone no further before returning to John Young in the CSM *Charlie Brown*.

Where *Snoopy* had feared to wander, *Eagle* swooped in. Although the first landing attempt, flown by Neil Armstrong and Buzz Aldrin, would be ultimately successful, it was by no means a straightforward ride. Landing on the Moon was a 12-minute rocket ride from orbit with a starting speed of nearly 5,500 kilometres per hour leading to a gentle touchdown on a terrain where no prepared ground awaited the LM. In that short time, a plethora of problems were served up that would have curled the toes of everyone involved had it been merely a simulation. The fact that they all occurred on the actual landing attempt in full view of the world, yet were successfully handled, is testament to the professionalism of the mission control team and the crew, and to the power of exhaustive simulation to properly prepare people for the challenges they may face.

Programs and phases

Planners broke the descent into three parts, each controlled by a dedicated program in the computer. The first was the braking phase, when most of the spacecraft's orbital speed was countered by the thrust of the descent engine. This was P63's domain which began 10 minutes before the powered descent. It included the engine's ignition and lasted for the first 9 minutes or so of the nominally 12-minute burn while the computer worked to take the crew to a point in space known as *high gate*, typically 2,200 metres in altitude and about 7 kilometres from the landing site. Throughout the braking phase, the LM flew with its engine pointing in the direction of travel. At high gate, P64 took over.

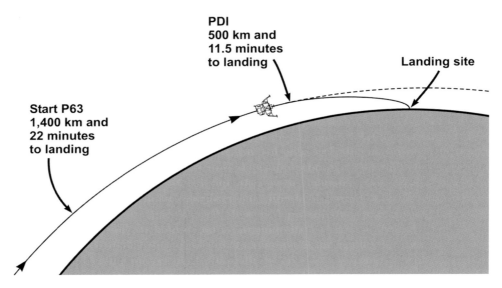

Diagram showing how Program 63 began nearly 1,000 kilometres before PDI.

P64 handled the approach phase of the descent. When the program assumed control, its first action was to pitch the LM to a more or less upright attitude in order to enable the crew to see the landscape ahead, with the point at which the computer was taking them being just on the near side of the horizon. They then flew in a manner roughly similar to a helicopter, but with the LM carefully balanced on top of the engine's exhaust with the computer still in full control of where it was going. It informed the commander of where it was taking them, but if that was not suitable, then with a nudge of his controls he was able to instruct the computer to move the aim point. P64 took the LM to *low gate*, a point only about 100 metres above the surface and about 600 metres from the landing site.

As low gate approached, the commander was faced with a range of options. If he was completely satisfied with the job the computer was doing, he could allow it to automatically move on to P65, which could complete the landing. No commander ever allowed that, although it is said that Jim Lovell had intended to if Apollo 13 had reached the surface. These competitive ex-test pilots, many of them experienced at landing on aircraft carriers, were happier to have some degree of control and steer the LM, and they all selected P66 before reaching low gate. P66 continuously throttled the engine to control their rate of vertical descent, and the commander could adjust this rate as conditions warranted. At the same time, he assumed manual control of the LM's attitude, which allowed him to steer the ship to a site of his own choosing. One other program, P67, was available to the commander, which gave him full manual control of the spacecraft, both the attitude and the throttle setting, but this option was never used. Both this and P65 were dropped from later versions of the LM software.

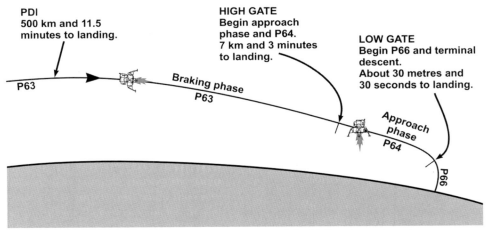

PDI
500 km and 11.5
minutes to landing.

P63

Braking phase
P63

HIGH GATE
Begin approach
phase and P64.
7 km and 3 minutes
to landing.

LOW GATE
Begin P66 and terminal
descent.
About 30 metres and
30 seconds to landing.

Approach
phase
P64

P66

Diagram showing the programs and phases of the LM's approach trajectory.

Go for PDI

When FIDO, the flight dynamics officer, had planned the DOI manoeuvre, he arranged that the resultant descent orbit should have a perilune of about 15,000 metres altitude over a point on the Moon 500 kilometres east of the landing site, this being where the descent to the surface would begin. As the LM coasted towards this point, with all the required checks completed, the flight director spoke over his communication loop to all the flight controllers in the MOCR, briefly interrogating each relevant controller as to whether, as far as his area of responsibility was concerned, he was happy for the mission to proceed to the next stage – *powered descent initiation* (PDI).

Ten minutes prior to PDI, the commander started P63 running in the LM's computer, which handled the start of the burn and most of the subsequent descent.

"Okay. Master arm's on," said Dave Scott with less than a minute to go to PDI. "I have two lights." Explosively operated valves were ready to fire and let supercritical helium enter the propellant tanks.

"Average *g*," said Scott as the DSKY blanked, showing that the guidance system, the PGNS, had begun to measure the acceleration acting on the spacecraft, averaging out the short-term transients that might be associated with engine start-up. "Armed the descent [engine]. We have guidance."

"Standing by for ullage," said Irwin.

"Standing by for ullage," repeated Scott, in the conventional challenge-and-response manner of those steeped in aviation. The thrusters that pointed in the same direction as the main engine were burned for a short period to settle the heavy propellants to the bottom of their tanks so that, on ignition, the light helium gas would be at the top of the tank, not near the plumbing that led to the engine.

"Go for the Pro," said Scott. Then, "Pro," as he pressed the 'Proceed' button on the computer to give P63 permission to proceed with ignition and the commencement of the braking phase of the descent.

SLOWING DOWN: P63

"Ignition," announced Armstrong to Aldrin as Apollo 11's LM *Eagle* began the human species' first descent to another world.

"Ignition," repeated Aldrin. "Ten per cent."

On all the missions, at PDI the DPS engine was initially run at only 10 per cent thrust for 26 seconds to give the computer enough time to sense whether the engine's thrust was acting through the LM's centre-of-gravity, and if it was not, to move its supporting gimbals until it was. This ability to vector the thrust was not intended to steer the craft. It was too slow for that. Steering was provided by the RCS thrusters, leaving the engine's gimbals to deal with longer-term centre-of-gravity shifts.

Aldrin counted up to the end of the low-thrust phase. "24, 25, 26. Throttle up. Looks good!" Propellants poured into the engine as it went to its high-thrust setting.

Starting with Apollo 12, engineers added a modification to the computer's programming to achieve pinpoint landings. Over the first minute or two of the powered descent, the progress of the LM was tracked from Earth. From this, engineers could measure the difference between where they wanted to land and where the computer was actually taking them.

"*Intrepid*, Houston," called Capcom Gerry Carr only 80 seconds into Apollo 12's powered descent. "Noun 69, plus 04200. Over."

"Roger. Copy. Plus 04200," confirmed Bean.

This was the important call that ensured that the LM would land where it was supposed to, and it was extremely dangerous. Noun 69 held three values that represented an update to the position of the landing site in three dimensions. The value, +4,200 feet (1,280 metres), shifted the computer's idea of where they should land further downrange, fooling it into taking them where they wanted to go. When the crew had punched the number into the DSKY, mission control took a look at the telemetry to verify they had done so correctly before confirming that they could 'enter' it into memory. Had the crew inadvertently entered the data wrongly, they could easily have sent the LM out of control and been obliged to abort.

"*Intrepid*, Houston. Go for enter," said Carr once he had received word from other flight controllers that the crew had typed the update into the correct field.

"It's in, babe," said Bean.

"*Intrepid*, Houston. Looking good at two," replied Carr as they passed the 2-minute mark into the burn.

Throughout P63's regime, the DPS engine had to fire more or less into the direction of travel. However, as long as it did so, the LM could make rotational manoeuvres around the engine's axis. On Apollo 11, the first few minutes of powered descent were flown with the windows, and therefore the crew, facing towards the surface. Armstrong had used the angle markings on his window to time the passing of landmarks below. Before ignition, he had used this as a check of what their perilune altitude was going to be. This used the fact that the closer you orbit a body, the faster the landscape below appears to pass by. After ignition at PDI, he could compare the absolute time a landmark passed with a predicted time. Since they were travelling at about 1.5 kilometres a second, only a few seconds early or late signalled the extent of any miss. It was a simple but powerful technique.

"Looking good to us," Capcom Charlie Duke informed Apollo 11. "You're still looking good at three. Coming up, 3 minutes."

"Okay, we went by the 3-minute point early," said Armstrong. "We're long." He was right because they landed 6 kilometres further down-range from where they planned.

Conrad dispensed with the idea of having the windows looking down at the start of PDI on Apollo 12 since they had other techniques in the wings to determine their approach errors. As soon as they entered the descent orbit over the far side, he turned the LM 180 degrees to the correct windows-up attitude for the burn. However, this was an inertial attitude, set with respect to the stars. It was not concerned with the posi-tion of the Moon. Therefore, a windows-up, engine-first attitude over the near side of the Moon was a windows-down, engine-trailing attitude over the far side, as Pete Conrad explained: "From that iner-tial attitude, we watched ourselves pass from face down, through local horizontal [i.e. feet down, facing forward], to pitch up at PDI. It gave us an excellent look at the Moon going around."

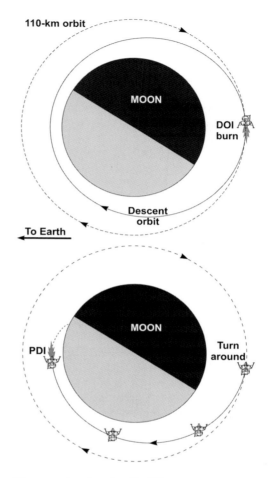

Diagram showing Apollo 12's manoeuvres between DOI and PDI.

Abort bit set

While Alan Shepard and Ed Mitchell were activating *Antares* on Apollo 14, flight controllers noticed that a single digital bit they were monitoring was being intermittently set. This bit reflected the state of the Abort pushbutton and appeared to indicate the button had been pushed, which it had not. Fred Haise, the Capcom, passed on the news to the crew: "*Antares*, we're showing the abort bit set, and we're working on a procedure to reset it."

"Okay. That'll be great, thank you," said Mitchell. "We're pressing on with the DPS pressurisation."

A few minutes later as mission control watched telemetry, Haise asked Mitchell to help with a little troubleshooting. "We'd like to do a Verb 11, Noun 10, Enter; 30 Enter; and look at that bit again."

This dialogue with the computer asked it to display a digital word which included the suspect bit on the DSKY. The crew now had a visual indication of which way the bit in question was set.

"While we've got that display up, Ed," said Haise, "could you tap on the panel around the Abort pushbutton and see if we can shake something loose?"

Mitchell tapped around the pushbutton and quickly saw how the bit's state responded. "Yes, Houston, it just changed while I was tapping there."

"You sure tap nicely," said Haise.

"I'm pretty good at that," replied Mitchell.

Without a LM to disassemble after the mission, engineers managed to work out that the problem was a short circuit caused by a metallic object that had been inadvertently sealed within the Abort pushbutton itself on its manufacture. This, and the similar problem that beset Apollo 15's SPS, meant that NASA and its contractors began to x-ray all their switches for internal contamination.

Apollo 14's problem was that if the bit were to be set at the moment of PDI, the computer would instead use the DPS to abort the mission and return to a safe orbit. As *Antares* passed around the Moon's far side, mission control came up with a workaround. It required Mitchell to feed instructions to the computer just before ignition so that PDI could occur automatically and the abort bit would be ignored. The procedure also required them to manually raise the engine's thrust to maximum at 26 seconds, and then punch in more instructions to allow P63 to continue with the bit being ignored. Mitchell managed to enter all the verbs, nouns and values as required, saving a $500 million mission from what was probably no more than a rogue blob of solder.

Getting the height right

The spacecraft's design had assumed that the windows would face forward during the final approach to give the crew a view of their landing site, and that it would pitch into this attitude from a windows-up attitude. If the windows were facing up, and given that the landing radar had to face downwards, then its antenna had to be mounted on the base of the descent stage on the side opposite the windows.

"*Intrepid*, Houston," called Carr to Conrad and Bean. "You're looking good at three [minutes]."

"Okay, Houston," replied Conrad. He was waiting for two indicator lights on the DSKY to go out, which would mean that the landing radar was producing valid measurements of their altitude and rate of descent. "I have an altitude light out; and I have a velocity light out."

"Roger."

Conrad then looked at the DSKY's display for a number. "I'm showing minus 918. Minus 1,000. Looks good. How's it look to you, Houston?"

The number, called 'delta-H' was telling him that their height, as measured by the landing radar was 1,000 feet or 300 metres lower than the computer's estimation based on its knowledge of their orbit.

"Roger; it looks good. Recommend you incorporate it," said Carr as the flight controllers passed on their wisdom.

"No sooner said than done. Let me know when it converges. I'm going back to my normal displays." On Conrad's command, the computer took the radar data, compared it to its current estimation of their height and rate of descent, then attempted to fly a compromise between the two in case one was grossly in error. It then revised the trajectory to high gate and repeated the cycle until its estimation of their height converged with the data coming from the radar. The delta-H figure on Apollo 12 was small – radar and computer were almost in agreement. Had the radar shown them to be 10,000 feet or 3,000 metres higher than the computer believed them to be, an abort would have been called for.

Having just dealt with the shorted abort switch, Apollo 14 ran into more technical problems when they tried their landing radar for the first time. Typically, crews expected the all-important radar to be working by 10,000 metres altitude, but as *Antares* passed this point, they were still receiving no radar echoes from the antenna.

"Come on radar," implored Ed Mitchell, the LMP, but the two lights on the DSKY stayed stubbornly illuminated. "Come on radar!"

A minute passed and Fred Haise in Houston informed them of when they could expect P63 to begin throttling the engine. "Okay, 6 plus 40 is throttle down, *Antares*."

"Roger, Houston," said Mitchell. "We still have altitude and velocity lights."

By 7,000 metres, there was still no valid data coming from the landing radar and the two crewmen frantically tried to make it work, knowing that if they still had no success by 3,000 metres, they were bound to abort the mission, separate the ascent stage, and return to the CSM.

"*Antares*, Houston," said Haise. "We'd like you to cycle the landing radar breaker."

Mitchell pulled one of the little aviation-type circuit breakers to remove power from the radar, then pushed it in again. Quite often in electronics, a power-down, power-up cycle is all that is required to clear an abnormal operating condition. "Okay," said Shepard. "Been cycled."

"Come on in!" Mitchell urged, then, "Okay!" as the lights went out and the radar began to function normally at only 5,500 metres. "How's it look, Houston?" called Shepard.

Shepard, at 47, was the oldest of the Moon-bound crews and the only Mercury astronaut to go to the Moon. Many have wondered whether he would have attempted a landing without the radar. Most believe that if he had tried, the narrow margins of propellant would have obliged him to abort further down.

In contrast to Apollo 14's late acquisition of radar data, Young and Duke got a pleasant surprise when they tried *Orion*'s landing radar for the first time on Apollo 16. Compared to the other landing flights, *Orion*'s descent began at a much higher altitude – over 20,000 metres, probably due to some over-compensation made for the influence of the mascons on Apollo 15. They were then surprised when their landing radar started to work while they were still 15,000 metres or 50,000 feet up, which was 50 per cent higher than expected.

"Look at that!" exclaimed Young. "Altitude and velocity lights are out at 50k!"

"Isn't that amazing," agreed Duke.

"Look at that data, Houston," said Young. "When do you want to accept it?"

"Okay, you have a Go to accept," said Jim Irwin once the flight controllers had passed on their agreement.

"Okay," replied Duke. "It's in."

Program alarms: part I

Apollo 11's descent to the surface was, by far, the most challenging of all the missions because it was the first; and being the first, it tested procedures that could not otherwise be tested. Those procedures were found to be wanting, because soon after *Eagle* had yawed around and the landing radar had begun to feed data to the computer, Armstrong made an urgent call.

"Program alarm."

"It's looking good to us," said Duke in the Capcom seat referring to the data coming from the landing radar.

"It's a 1202," said Armstrong to inform Houston of the code that had come up on their DSKY. "What is it?" he asked Aldrin. It was an error code from deep in the executive software, but neither of them had the foggiest notion what it meant. "Let's incorporate," he added, having heard Duke's comment that the landing radar data was good. "Give us a reading on the 1202 program alarm," Armstrong called to Houston some 15 seconds after the alarm had occurred.

The Guido flight controller, Steve Bales, was responsible for the LM's guidance. He and his back room team knew the LM's programming well, and did know what the alarm meant. The computer was reporting that it was overloaded, but Bales could tell from his telemetry that it was managing its primary tasks. So long as the error did not become continuous, it would be able to cope. Armstrong was told that he should continue the powered descent.

Throttle down

Six minutes into Apollo 11's descent, Duke came up with a time for the crew. "Six plus 25, throttle down."

"Roger. Copy," said Aldrin.

"Six plus 25," reiterated Armstrong.

Houston had calculated that they could expect the engine to start throttling 6 minutes 25 seconds into the descent. Designers had been clever in providing a technique that solved the engine's inability to throttle smoothly through its high thrust settings. They arranged that P63 should compute a course to a spot 4.5 kilometres short of the landing site and, strangely enough, half of a kilometre below the surface. This profile had been chosen to achieve two goals. First, it called for an initial thrust level that was higher than the engine could achieve, to which the engine responded with its constant high thrust setting – that is, 92.5 per cent of maximum. For about 6.5 minutes of the burn, the spacecraft continued to lose speed and gently arc towards the surface until the thrust required by the computer fell below 57 per cent of maximum. This was the second goal behind the choice of profile because at that point, and for the remaining 2.5 minutes of P63's work, the engine's thrust jumped into its throttle range, which lay between 65 and 10 per cent of maximum.

"Wow! Throttle down," called Aldrin, joyfully.

"Throttle down on time," said Armstrong.

"Roger," said Duke. "We copy throttle down."

"You can feel it in here when it throttles down," noted Aldrin. "Better than the simulator." The crews had intensively simulated the descent, but the one thing the simulators could not provide was the g-force provided by the engine.

Now that the computer had control of the throttle, it could adjust it to drive the spacecraft's trajectory towards an optimal flight path.

Gauging the propellant

In view of the severe weight restrictions imposed on the LM, and given that propellant was a major fraction of the spacecraft's weight, typically about 70 per cent, it was vital that the tanks, which were somewhat larger than they were required to be, were loaded with only as much fuel and oxidiser as would ensure a safe landing. It was equally vital that a system be in place that would allow the crew and flight controllers to monitor the remaining quantity, especially as the levels got low just when the commander was likely to be hovering, looking for a safe place to set down.

The tanks of the DPS had two independent systems for measuring propellant quantity, either of which could be monitored by a gauge in the cabin and both of which could be monitored from Earth. As the descent progressed, flight controllers closely watched how each system responded to the falling propellant levels and decided on the one that seemed to be more trustworthy and appropriate for the crew to monitor.

"*Eagle*, Houston," said Duke from his Capcom seat. "It's 'Descent two' fuel to monitor. Over."

"Going to two," replied Armstrong. "Coming up on 8 minutes."

"HEY, THERE IT IS!": PITCHOVER AND P64

After about 9 minutes, when P63 had delivered the LM to the *high gate*, typically only 2,200 metres up and 7.5 kilometres from landing, control was passed to Program 64, whose role it was to guide the LM through the approach phase to a point just above the landing site. Many aspects of the descent changed at this point. In particular, it did not continue the effort by P63 to reach a point below the surface.

Before reaching high gate, the crew's windows had been facing into space, so P64 was programmed to give them a chance to see where it was taking them. It fired the RCS thrusters to pitch the spacecraft forward enough to enable the crew to view the horizon ahead – a manoeuvre called *pitchover*. This change in attitude with respect to the ground meant that the antenna for the landing radar had to rotate to its second position to continue to face roughly downwards. Meanwhile, P64 continually rode the engine's throttle setting to aim for a point 30 metres above and 5 metres short of where it thought the final landing site was located.

As Pete Conrad waited for P64 to begin, he strained at his window to look for a familiar pattern of craters towards which he had been trained to fly. Photographs taken 2 years earlier by a Lunar Orbiter mission had shown that the Surveyor 3 unmanned spacecraft had landed within a 200-metre-diameter crater that formed the torso of a distinctive pattern of five craters known as the Snowman. Planners had decided that this would make a good target to prove the pinpoint landing capabilities of the Apollo system.

"Standing by for P64," he told Al Bean standing beside him. "I'm trying to cheat and look out there. I think I see my crater." He was the shortest of the astronauts, and was straining against the harness restraint to see the lunar surface in the bottom corner of his triangular window.

"Coming through 7," said Bean as they passed 7,000 feet or 2,150 metres. "P64 Pete."

"P64," confirmed Conrad.

"Pitching over," said Bean as the LM began to tip forward.

"That's it; there's LPD," said Conrad as he brought up the angle display of the *landing point designator*.

Landing point designator

In the LPD, the computer's programmers had devised a simple but powerful way to tell the commander where P64 was taking them. It was as simple a device as you could hope to find in a high-tech spacecraft, though its operation depended on what was then one of the world's most sophisticated small computers. It consisted of nothing more than lines carefully scribed onto the inner and outer panes of the commander's forward-facing window that marked his line of sight, measured from a line directly forwards, downwards in degrees.

To use it properly, the commander merely positioned himself in such a way that the two sets of lines were perfectly superimposed, which meant that he was in the proper position and their sight lines were valid. As the computer flew the LM to a landing, it displayed an angle on the DSKY that represented the line of sight to the expected landing site. The commander looked past the markings towards the surface and noted the terrain in front of him that coincided with the stated angle. That was the designated landing site. This lightweight but elegant solution also allowed him to redesignate the landing site by nudging his hand controller left, right, back or forward, and P64 would then aim the LM for the new target.

Immediately Conrad had his angle, he looked out his window to see where it was aimed. "Hey, there it is!" he called excitedly as he recognised the Snowman. "There it is! Son-of-a-Gun! Right down the middle of the road!"

"Outstanding!" said Bean who then began feeding LPD angles to his commander. "42 degrees, Pete."

"Hey, it's targeted right for the centre of the crater!" enthused Conrad. "I can't believe it!"

"Amazing!" agreed Bean. "Fantastic! 42 degrees, babe."

After the mission, Conrad talked about this moment when their plans for an accurate landing came good. "For the first couple of seconds, I had no recognition of where we were, although the visibility was excellent. It was almost like a black-and-white painting. The shadows were extremely black, illustrating the craters; and, all of a sudden, when I oriented myself down about the 40-degree line in the LPD, our five-crater chain and the Snowman stood out like a sore thumb."

Whereas the first three landings had been on open, if rugged sites, the approach taken by *Falcon* on Apollo 15 took the LM between a pair of mountains. This made the experience of landing somewhat different, especially during P64's regime.

"*Falcon*, Houston," said Ed Mitchell in mission control. "We expect you may be a little south of the site. 3,000 feet." By that, he meant that their flight path, travelling east to west, seemed to be taking them to a point 1 kilometre south of their intended target. When they started P64, Scott would have to steer to the right to get them back on track.

"Okay. Coming up on 8,000," said Irwin as they passed 2,500 metres altitude. Even before P64, he had begun to concentrate on keeping his commander up to date. This was one of two events that biased Scott's estimation of where they were going to land. The other concerned what he and Irwin saw out to the left prior to P64. "I looked out the window, and I could see Mount Hadley Delta. We seemed to be floating across Hadley Delta and my impression at the time was that we were way long because I could see the mountain out the window and we were still probably 10,000 to 11,000 feet high." Scott then approached pitchover thinking he was going to land long and south, which was worrying because several kilometres to the west of the intended landing point was Hadley Rille, and he didn't want to come down in its canyon. Actually, they were at about 2,750 metres, and the 3,350-metre mountain was towering 600 metres above them.

In later years, Irwin discussed the moment of pitchover. "We're not looking down as we come over the mountains," he chuckled. "We're looking straight up until we get down to around 6,000 feet [1,800 metres] and we pitch forward about 30 degrees and, at that point, we could look forward and see where we were. We could see the mountains. I was startled because, out the window, I could see Mount Hadley Delta which towered about 6,000 or 7,000 feet above us. And we never had that type of presentation in the simulator." Landing simulations had used a small TV camera flying over a plaster model of the surface to present the crew with the view they would get out of their windows. It included the impressive canyon called Hadley Rille that would be in front of them, but not the mountains to either side of the approach track.

"When we pitched over," continued Irwin, "I could see the mountain that towered above us out Dave's window. I'm sure it startled Dave, too, because we wanted to know, you know, were we coming in to the right place? Fortunately, the rille was there and it was such a beautiful landmark that we knew we were coming in to the right area. But we'd never had that side view in any of our simulations. It was just the front view. A level plain with the canyon. And it would have been very impressive to be able to look out as we were skimming over the mountains with about 6,000-foot terrain clearance. At that speed it would have been really spectacular, like a low-level pass as we came over the mountains down into the valley."

"7,000 feet. P64!" called Irwin as they passed 2,150 metres altitude.

"Okay," said Scott.

"We have LPD," said Irwin as an angle appeared on the DSKY.

Scott finally saw where he was going. His impression of landing long had been wrong, but mission control's southerly estimation was correct. "LPD. Coming right," he said as he began a series of redesignations to move the computer's targeting north to where they had planned to touch down.

To deal with the mountainous terrain around the Hadley landing site, planners had made a change to the approach phase of the descent. Instead of making a shallow approach of only about a 12-degree angle to the ground as the previous missions had done, *Falcon* came in on a much steeper 25-degree approach path.

"Four-zero," called Irwin as he began feeding Scott with constant updates of the LPD angle on the window and their altitude.

"5,000 feet. 39. 39. 38. 39."

"4,000 feet. 40. 41. 45. 47. 52."

"3,000 feet. 52. 52. 51. 50. 47. 47."

"2,000 feet. 42."

"Okay. I got a good spot," said Scott once he had decided where he was going to set it down.

Looking out of the window

Responsibilities in the LM were tightly defined, especially during the approach and final phase. The commander wanted to keep his eyes out of the window, watching where the spacecraft was going. The LMP, on the other hand, generally had to keep his attention inside the cabin. His responsibility was to vocally feed whatever relevant information the commander would require at a given point in the descent. The details of this were worked out by each crew individually over the months of training and simulation.

As *Orion* descended, Charlie Duke managed to steal a little time looking out at the landing site as they reached P64.

"Pitchover," he shouted. "Hey, there it is. Gator, Lone Star. Right on!" These were craters around the landing site that he and Young had named when drawing up their map. Being on the right side of the westward-flying spacecraft, he was able to see the northern half of the site.

"Call me the things, Charlie," said Young, bringing Duke's attention back into the cabin to call out the LPD angles.

"Okay. 40, 38 degrees."

Young was delighted with the way the LPD worked, as he recounted after the mission. "I think the LPD was perfect. I don't have any gripes there whatsoever. When we pitched over, we were north and long and you could see that. I was just letting the LM float in there until I could see where it was going."

As they came in, Duke took further opportunities to glance outside where he recognised more craters. "Palmetto and Dot; North Ray," he called out to Young. "Looks like we're going to be able to make it, John. There's not too many blocks up there." He was thinking about how easy it would be for Young to drive the lunar rover around the site. It had not been possible to infer this from the limited orbital imagery.

Program alarms: part II

Apollo 11 had already had a brief encounter with the computer throwing out program alarms during the braking phase. As Armstrong and Aldrin brought *Eagle* through the approach phase, the computer began to play up again.

"*Eagle*, Houston. You're Go for landing," said Duke in the Capcom chair.

"Roger. Understand. Go for landing. 3,000 feet," returned Aldrin, as they passed 1,000 metres altitude.

"Copy," said Duke.

Just then, Aldrin made a call that the computer was acting up yet again. "Program alarm. 1201."

"1201," repeated Armstrong, then to Aldrin, "Okay, 2,000 at 50." They were 700 metres up, still flying forward and descending at 15 metres per second. The program alarm was distracting both crewmen from their practised task as Armstrong was looking at the DSKY for information instead of looking out of the window. Bales quickly told the flight director that the 1201 alarm was similar to the earlier 1202 alarm and that they could proceed. Duke passed it on. "Roger. 1201 alarm. We're Go. Same type. We're Go."

"Give me an LPD," asked Armstrong with his eyes out of the window again. He wanted to know where the computer was taking them.

"Into the AGS, 47 degrees," Aldrin was working the secondary computer, the abort guidance system, as well as feeding numbers to Armstrong.

"47," replied Armstrong. "That's not a bad looking area. 1,000 at 30 is good. What's LPD?" he asked Aldrin again. Armstrong didn't realise that the LPD was being interfered with by the propellant sloshing about in the tanks. As the great weights of liquid moved from side to side, they altered the LM's attitude enough to set the RCS thrusters into excessive activity trying to correct it, and the computer could not keep up with the attitude excursions.

"*Eagle*, looking great," said Duke from mission control. "You're Go." Then when another alarm appeared, he confirmed that the flight controllers were seeing it also. "Roger. 1202. We copy it."

The program alarms were found to have been caused by a procedural error that had left the spacecraft's other radar, the rendezvous radar, in a mode that sent false information to the computer. Although the computer had indicated the existence of a data overflow by showing the code, its programming was intelligent enough to ignore the data and continue with the more important duties associated with the landing programs.

Since the computer was still doing its primary job flawlessly, despite the alarms, the crew returned to their roles; Armstrong looking out, and Aldrin keeping him abreast of the numbers. "35 degrees. 35 degrees. 750 [feet]. Coming down at 23 [feet per second]."

"Okay."

"700 feet, 21 [feet per second] down, 33 degrees."

"Pretty rocky area," said Armstrong. The erratic LPD angle had swung by a huge amount to 33 degrees and it was indicating that they were heading towards an area just outside a large crater known informally as West Crater for being situated west of the centre of the landing ellipse. It was common for the ejecta blanket around such a crater to include a scattering of large blocks. This did not look like a place he wanted to set down. Armstrong had never used the ability of P64 to redesignate his landing site. He was too preoccupied with computer alarms and the inability of the LPD to ever give him a trustworthy idea of where he was going. Nevertheless, he took control, made his decisions and carried them out.

"PICKING UP SOME DUST": P66

"600 feet, down at 19." Aldrin continued his litany of data while Armstrong weighed up his prospects. The computer was still behaving and otherwise the descent seemed to be going well. But he had to decide what to do about the blocky ejecta around West Crater.

"I'm going to..." he told Aldrin, and assumed manual control of the LM's attitude by changing to P66. He then pitched forward to an almost vertical attitude that allowed *Eagle* to maintain its horizontal speed and let him fly over West Crater and its boulder field. Once clear of the field, he pitched the LM backwards again to resume cancelling the craft's horizontal speed, and searched for somewhere to bring it down.

P66 looked after the LM's vertical speed, also known as its *rate of descent* (ROD), by adjusting the throttle to maintain a desired value. The commander had a ROD switch that he could flick up or down momentarily to increase or reduce the rate of descent by fixed increments. At the same time, his hand controller let him adjust the vehicle's attitude, which gave him control of horizontal speed, very much in the manner of a hovering helicopter. Tilt to the left and the engine would aim slightly to the right, pushing the LM towards the left.

"100 feet, 3½ down, 9 forward," called Aldrin, "Five per cent. Quantity light," he added.

A light had come on to indicate that they had only 5.6 per cent of their propellant remaining. From pre-flight analysis, planners had decided that, from this point, they could only fly safely for another 114 seconds before either getting the LM onto the surface or aborting. A 94-second countdown began in mission control that would lead to a call for the crew either to abort or land. If the commander felt he could get the ship down in the remaining 20 seconds, then he could continue, otherwise he had to get out of there by punching the abort button.

However, Apollo 11's slosh problem had fooled them again. By triggering the quantity warning light early, it made them believe they had less propellant than was actually available and it came very near to causing an unnecessary abort. A set of fold-out baffles were retro-fitted to Apollo 12's LM but they were not very effective. It wasn't until Apollo 14 that the slosh problem was resolved.

Tindallgrams

The manner in which the team decided how to deal with this low-level quantity warning light taps into one of Apollo's most interesting side stories, because it illustrates the management style of Howard Wilson (Bill) Tindall, one of the senior engineers. He was an expert on the subtleties of rendezvous and trajectories and became head of the Mission Planning and Analysis Division. In the hectic days leading up to Apollo's successes, he coordinated the planning process that threaded together the disparate systems and people to create the edifice that was an Apollo flight. His method of decision making touched just about every facet of an Apollo flight, from the dumping of urine to the position of the Navy's recovery force or any other thing that was intertwined with the trajectory, and he is considered by many to be a major reason for the success of the programme.

There were two sides to his style. The first was the manner in which he handled large meetings that involved engineers, programmers, mathematicians, crews or whoever in order to get this diverse mass of people to reach a decision. David Scott attended lots of these meetings and shares the admiration that many have for Tindall's abilities. "Tindall would control the debates in terms of giving people the opportunity to talk, and then mix and match and make the trades. Then he would make a decision and say, 'I'm gonna recommend this to management. Anybody have any really strong objections?' And the guy who lost the debate may say, 'Yeah, it won't work!' And Tindall would say, 'OK, fine. We'll go this way and if it won't work, we'll come back and re-address it, but we'll make a decision today.'

"They were good debates and anybody could stand up and debate the issue. But he kept it moving. He didn't get bogged down because he himself was a brilliant engineer. I think Tindall was a real key to the success of Apollo because of how he brought people together and had them communicate in very complex issues. He was very good at it. He'd have them explain it, and in front of all their peers."

Howard W. Tindall, Head of NASA's Mission Planning and Analysis Division.

The second side to Tindall's ability was in the extraordinary memos he wrote, now fondly called *Tindallgrams*. NASA often displayed the formal stuffiness of a government bureaucracy, yet the memos from this particular senior engineer not only showed how he tied the project's final stages together, but they revealed a unique chatty, easy to understand style that historians thought was quite remarkable. For example, a memo that discussed the possible reasons for Apollo 11's overshoot had 'Vent bent, descent lament!' in its subject line. Another on the LM's low-level warning light that was sent to a large list of addressees had this wonderful section:

"I think this will amuse you. It's something that came up the other day during a Descent Abort Mission Techniques meeting.

"As you know, there is a light on the LM dashboard that comes on when there is about two minutes' worth of propellant remaining in the DPS tanks with the engine operating at quarter thrust. This is to give the crew an indication of how much time they have left to perform the landing or to abort out of there. It complements the propellant gauges. The present LM weight and descent trajectory is such that this light will always come on prior to touchdown. This signal, it turns out, is connected to the master alarm – how about that! In other words, just at the most critical time in the most critical operation of a perfectly nominal lunar landing mission, the master alarm with all its lights, bells and whistles will go off. This sounds right lousy to me. In fact, Pete Conrad tells me he labelled it completely unacceptable four or five years ago, but he was probably just an ensign at the time and apparently no one paid any attention. If this is not fixed, I predict the first words uttered by the first astronaut to land on the moon will be 'Gee whiz, that master alarm certainly startled me.'"

Just engineering magic.

"Contact light"

"Okay," continued Aldrin. "75 feet, and it's looking good. Down a half, six forward." They were 23 metres up and almost hovering.

"Sixty seconds," called Duke as mission control continued their countdown to the land-or-abort call.

"60 feet, down 2½," called Aldrin. "Two forward. Two forward. That's good."

Armstrong had found his spot and was taking the LM down. Like all the commanders, he wanted to land with the LM still moving gently forward so that he could always see where he was going. It was felt unwise to land going backward as it would be easy to land on some crater or boulder that could not be seen.

"40 feet, down 2½," said Aldrin. "Picking up some dust."

That was new; this was when mission control realised that this was for real. No one had ever thought to mention it during the great many simulations they had run. The descent engine's exhaust plume was blowing a substantial blanket of flying dust that wafted around the small stones scattered across the landing site. They were in a new environment and already discovering new things.

On Apollo 15 as he brought *Falcon* down to the plain at Hadley, Scott thought the dust seemed completely enveloping. From his perspective, it was like flying in a fog. "At about 50 to 60 feet [15 to 18 metres], the total view outside was obscured by dust. It was completely IFR." Scott was comparing the experience to Instrument Flight Rules, a mode of aircraft flying that pilots adopt when the weather closes in and restricts their visibility. He therefore had to take his attention from the view outside and use the displays in front of him. "I came into the cockpit and flew with the instruments from there on down."

As Young brought *Orion* down the final few metres on Apollo 16, Duke talked him through the dust.

"Okay, down at 3 [feet per second]. 50 feet, down at 4." They seemed to be dropping faster. "Give me one click up," advised Duke. Young operated the ROD switch and temporarily found he was hovering above a blanket of flying dust. "Come on, let her down. You levelled off," said Duke. "Let her on down. Okay, six per cent. Plenty fat." They had no problem with propellant.

"We did hover for a short period of time there," commented Young after the flight, "at about 40 feet [12 metres] off the ground, and the [velocity] rates were practically zero and there was blowing dust. You could still see the rocks all the way to the ground, the surface features, even the craters, which really surprised me."

Back on Apollo 11, Armstrong was only 10 metres above the surface and Aldrin was still feeding him data. "Thirty feet, 2½ down." By this time, and since 70 metres altitude, Aldrin could view the LM's shadow when he glanced up as it moved across the landscape. Since they always landed with a low, morning Sun behind them, the approaching shadow could be a useful tool to help to judge the final few metres. However, Armstrong could not see it because he was flying with the LM yawed to the left and the way his window was heavily recessed severely limited his field of view to the right.

"Four forward. Four forward," continued Aldrin. "Drifting to the right a little. Twenty feet, down a half."

"Thirty seconds," called Duke. For all their telemetry, the flight controllers just did not have the situational awareness that the crew enjoyed. With only 30 seconds remaining before the land-or-abort call, mission control was beginning to hold its collective breath.

"Drifting forward just a little bit," said Aldrin, coaching his commander down. "That's good."

Just then, one of the probes attached to three of the LM's footpads struck the surface, lighting an indicator in the cabin. Their footpads were less than 2 metres above the surface. "Contact light," called Aldrin.

Immediately, the pair began a rehearsed series of tasks to turn *Eagle* from a flying machine to a home on the Moon.

"Shut down," said Armstrong.

"Okay. Engine stop," replied Aldrin.

By the time Armstrong got the engine stopped, they had already settled onto the surface. No harm came to the engine but he was struck by the unexpected way the lunar dust behaved in the exhaust gases in front of him. In an interview 32 years after the event, he talked about this surprising phenomenon: "I was absolutely dumbfounded when I shut the engine off. They just raced out over the horizon and instantaneously disappeared, just like it had been shut off for a week. That was remarkable. I'd never seen that. I'd never seen anything like that. And logic says, yes, that's the way it ought to be there, but I hadn't thought about it and I was surprised."

On later flights, the commander was spring-loaded to stop the engine as soon as the probes touched the surface, particularly on the J-missions where the longer engine nozzle provided only 30 centimetres of clearance to level ground.

"ACA out of detent," was Aldrin's next item, which referred to the controller in

Armstrong's hand. As they touched down, the LM adopted whatever attitude the surface dictated. However, the RCS thrusters were still busily firing in a futile attempt to restore their previous attitude. By moving the stick, known as the *attitude control assembly* (ACA) out of its central position, Armstrong made the system think that the current attitude was also the desired attitude, and thereby stopped the jets from firing.

"Out of Detent. Auto," said Armstrong.

"Mode control, both auto. Descent engine command override, off. Engine arm, off. 413 is in." Aldrin's litany of checklist instructions ended with an entry into the AGS, their secondary guidance system. Aldrin was entering a number into address 413 that told the machine they had landed and that it should take note of their current attitude in case they had to abort from it. The body-mounted gyros of the AGS were prone to drift and were unlikely to provide an accurate attitude by the time an abort might be called.

"We copy you down, *Eagle*," said Duke, spokesperson for an anxious mission control and a waiting Earth. Armstrong was not yet finished with the checklist.

"Engine arm is off," he responded to Aldrin." Then to the world, he announced, "Houston, Tranquillity Base here. The *Eagle* has landed."

Duke was caught by the moment and Armstrong's sudden change of call sign. "Roger, Twan... Tranquillity. We copy you on the ground. You got a bunch of guys about to turn blue. We're breathing again. Thanks a lot."

11

Orbital sojourn: looking at the Moon

LUNA COGNITA

The Moon – that inconstant orb; a glorious bright light in our night sky; an ancient vehicle for human myths and deities; and now a world become known. For thousands of years before the rise of the scientific method, humans gazed at Earth's one natural satellite, wondered at its nature and worked it into their stories as they struggled to understand their universe and its impact upon them.

On the Isle of Lewis, part of an archipelago off Scotland's west coast, ancient peoples constructed an arrangement of huge stones which survives to this day near the village of Calanais (pronounced 'callanish'). This impressive 5,000-year-old monument is believed to have been a means of predicting the more subtle motions of the Moon across the sky over an 18-year cycle. Its Neolithic builders seemed to have

The Standing Stones at Calanais, Scotland, an ancient lunar computer.

The face of the Moon, its major features and the Apollo landing sites.

imbued the Moon with a spiritual significance that caused them to devote major resources to its construction.

Luna's face

When casually viewed from Earth, the Moon exhibits a mottling of dark grey patches against a lighter grey landscape. We now know that the light grey areas are rough and heavily cratered, forming an extremely ancient highland terrain that goes back to the earliest era of the solar system, beyond 4 billion years ago. The dark patches, called *mare* (pronounced 'maa-ray', plural *maria*) are great plains of basalt that solidified from immense effusions of lava that flowed early in the Moon's history. In many cases, these outpourings of molten rock filled large circular basins that had been excavated some time previously by cataclysmic impacts. Peppered across its face are bright sprays of material that emanate from some of the craters. These are rays of *ejecta* – shocked and pulverised rock thrown out by more recent high-speed collisions by somewhat smaller bodies. Given immense time, these rays will fade and darken to match their surroundings.

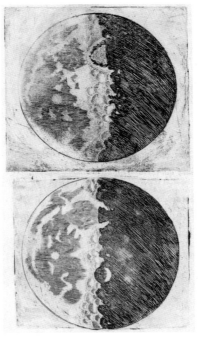

Galileo's 1610 drawings of the Moon, the first depiction of the rugged lunar landscape.

Down the centuries and all across the planet, peoples have continued to portray the Moon as a deity. The Greeks associated it with their goddess, Selene, while the Romans worshipped Luna. Despite this deification of the Moon, one Greek philosopher, Hipparchus, was able to determine its distance and size by clever interpretation of naked-eye observations. It would be nearly 1,500 years before Europeans learned to stand on the shoulders of Hipparchus by applying scientific principles to the gaining of knowledge.

Four hundred years ago, Galileo Galilei acquired an early version of the telescope and turned it towards the Moon and its markings. His written descriptions and drawings reveal that he saw it not as a perfect celestial body that merely reflected the imperfect landscape of Earth, as some of his contemporaries believed, but as a world in its own right, with plains, highland areas and ranges of mountains. Although he, like others, called the dark areas 'seas', his perception was sufficiently developed to suggest that they were just as likely to be dry plains.

As the telescope and its use increased in sophistication, a series of maps were drawn by ever more capable selenographers, notably by Giovanni Riccioli who instituted the scheme of nomenclature that is used today and has gradually evolved to name most of the large features that can be seen from Earth. The finest maps of the pre-photographic age were drawn by two German cartographers, Wilhelm Beer and Johann Mädler. Later photography naturally became the staple medium of lunar research and good atlases were produced, showing the near side with oblique lighting that displayed lunar topography well.

The question that most intrigued lunar scientists concerned the origin of craters – circular landforms that appeared ubiquitous on the Moon and whose sizes ranged from many hundreds of kilometres down to the limits of detection. Craters could be found occasionally on Earth, although their size seemed to be limited to a few kilometres at most, and all were associated with volcanoes. Many tried to bend the volcano hypothesis to explain the origin of lunar craters but it was a geologist, Grove Karl Gilbert, who postulated accurately that the major process forming the lunar landscape was impact, sometimes on an utterly cataclysmic scale. Volcanism did occur and was responsible for laying down the vast mare plains; however, there are no volcanic peaks on the Moon that would rival a Mount Fuji, Mount Kilimanjaro, Mount Vesuvius or Mount Etna. Instead lunar volcanism produced low mounds with small craters at their summits.

Gilbert's work was not fully acknowledged by the lunar science community for decades, but this difficulty in accepting the new occurs in science far more often than many people realise. Too many scientists were wedded to their imaginings of massive volcanic events to grasp how time and a rocky rain from space could form such consistent structures. They reasoned that if craters came from falling rocks, they should arrive from many angles and produce elongated craters. Lunar craters were notable by their circularity.

Then, at the turn of the 1960s, Eugene Shoemaker carried out an elegant study of the great crater Copernicus which had been exquisitely photographed during the testing of the 2.54-metre telescope at Mount Wilson to provide the best imagery of the Moon available before the age of spacecraft. His investigation finally drove home the importance of impact as the prime sculptor of the Moon's face. The study was coupled with findings from ballistic trials that demonstrated how extremely violent explosions that resulted from cosmic impacts would produce circular craters for all but the most steeply angled impacts. Related studies identified the manner in which impacts shock rock, thereby providing a tool by which sites of terrestrial impacts could be identified. One significant product of this knowledge was the dawning realisation that impact is still reworking not only the surface of the Moon, but also the surface of Earth.

As the space age developed and Cold War politics aimed America to the Moon, lunar scientists found themselves with an undreamt-of opportunity to extend their discipline which, up to that point, had accomplished about as much as could be achieved with blurry Earth-bound photographs. NASA was aware that justifying its existence only on Kennedy's political whim was bureaucratically dangerous, so it turned to science as a valid, long-term reason for flying to the Moon. Although the primary driver for Apollo was international prestige and technical supremacy, science would give the crew of the first mission something useful to do once the United States' flag had been planted, and then go on to become the rationale for the missions that followed.

UNMANNED PROBES

The Soviet Union continued a habit of achieving space firsts when they took the first images of the Moon's far side in 1959, which showed a dearth of mare landscape.

The Ranger spacecraft.

They added to their tally by soft-landing a probe in early 1966 and returned the first picture from the surface. However, it was the American unmanned missions that gained prominence in acquiring high-grade knowledge prior to the Apollo programme. In the process, NASA learned how to design reliable spacecraft for the lunar environment and how to operate them from a distance.

If a manned landing was to be attempted, as Kennedy had directed in 1961, it was vitally important that the engineers designing the lunar module were aware of the kind of surface to expect. The best Earth-based images at the time could show features no smaller than about a kilometre across, and were hardly suitable for finding rocks and slopes that could topple a lander.

NASA initiated the Ranger project to take their first close look at the lunar surface. In its final form, Ranger was a simple probe; little more than a platform for slow scan television cameras that imaged the Moon as it fell at cosmic speed to its doom. Initially, the series had little success because either the launch vehicle or the probe itself would fail before reaching its target. NASA were on a steep learning curve about how unforgiving the practice of operating rockets and spacecraft could be, but the series of failures in the Ranger project taught them about the need for extremely high reliability in the design and construction of spacecraft and their launch vehicles.

Three spacecraft in the series eventually met with success when Ranger 7 impacted on a patch of

Ranger 9's target, the crater Alphonsus. One frame from the descent imagery.

mare west of the centre of the Moon's visible face. This was previously an unnamed area between the massive Oceanus Procellarum (Ocean of Storms) and Mare Nubium (Sea of Clouds), but the scientific community renamed it as Mare Cognitum (the Known Sea), in view of our new knowledge of its surface. Ranger 8 was targeted at another smooth area in the southern stretches of Mare Tranquillitatis that planners believed might offer a good site for a future manned landing.

The final probe in the series, Ranger 9, was given over to the scientists who programmed it to dive into Alphonsus, a large, distinctive crater near the centre of the Moon's disk. They were particularly interested in a number of unusual dark patches within the crater, which appeared to be the result of volcanism, but it was also of interest to commercial TV networks who broadcast the spectacular live images streaming down from the spacecraft, allowing the public to watch the suicidal dive in real time. The final frames from these probes showed surface features as small as half a metre across and, to the relief of the lunar module designers, showed large rocks sitting on the soil. If the surface could support rocks, it would surely support a LM.

The Lunar Orbiter spacecraft.

As Ranger's dive to the lunar surface could yield only limited coverage, Apollo's planners wanted to make a close inspection of the equatorial near side for possible landing sites and to aid spaceflight navigation by the sighting of landmarks. Meanwhile scientists wanted to gather imagery from across the entire

Oblique view over the crater, Copernicus, from Lunar Orbiter 2.

Moon in order to improve their understanding of its complexities. The unimaginatively named 'Lunar Orbiter' series fulfilled both of these roles over a very successful year of operations. This was a much more sophisticated probe. It went into a controlled elliptical orbit around the Moon that had its perilune over the near-side equatorial zone. It photographed the lunar surface with two cameras, one of which could capture surface details as fine as a metre across. Its imaging system used film-based photographic technology that was chemically processed on board and later scanned and transmitted to Earth. All five probes in the series were successful, although the first suffered operational problems that limited its usefulness. By the time Lunar Orbiter 5 was intentionally crashed to clear the way for Apollo, nearly the entire lunar surface had been mapped, with much of the near-side equatorial zone imaged at high resolution.

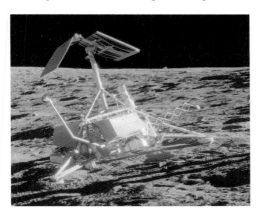

The Surveyor 3 spacecraft as photographed by the Apollo 12 astronauts.

Running concurrently with Lunar Orbiter were the last of NASA's pre-Apollo probes, the Surveyors. Their prime mission was to prove that a Moon landing could be made using a leg technology similar to that being planned for the LM. Seven missions were launched, of which five were successful. Most were sent to characterise the surface near prospective Apollo landing sites along the equator. The final mission was given over to scientists and sent well south to land in the highlands on the ejecta blanket of Tycho, one of the Moon's most prominent craters.

Though these missions gave NASA a solid overview of the Moon's topography, surface strength and texture – at least in support of a manned landing – a deeper understanding of the Moon's composition and history had to await the results of the Apollo manned missions. Neither the Ranger nor the Lunar Orbiter probes went further than imaging the Moon in optical wavelengths, and no data was obtained that allowed the composition of the lunar soil to be studied. The last three Surveyor craft carried small experiments to study the composition of the soil, showing that, based on three sites, the maria soils were basalt-like and richer in iron and titanium, while the highland soil near Tycho was richer in aluminium and calcium. These results hinted at the bigger picture that would be deduced in the light of the torrent of data that would flow from Apollo.

APOLLO REACHES THE MOON

By the time the Apollo missions arrived at the Moon, scientists knew that the Moon was a rock-strewn, battered world where very little happened. By day, sunlight blasted its surface, unfiltered by any kind of atmosphere, until it was hotter than any landscape on Earth. By night, whatever heat the surface held was quickly radiated out into space, chilling the landscape colder than the depths of the Antarctic. They had surmised and confirmed that the surface was basically a rubble layer called the *regolith* that had built up over aeons by the incessant pounding of incoming hypervelocity meteoroids, from sub-microscopic dust to mountain-sized rocks and comets. They were sure that volcanism on a large scale had created the maria but didn't know whether it had also occurred in the highland regions. They had a few theories, all largely unsupported by hard data, to account for the Moon's existence and why Earth deserved such a large satellite in comparison to its size.

"Apollo 8, Houston. What does the ole Moon look like from 60 miles?" Capcom Gerry Carr could not suppress his desire to ask the obvious question when the crew of Apollo 8 came around from behind the Moon on their first pass in orbit. CMP Jim Lovell had dreamed of this day from childhood, and took the opportunity to reply. It seems unsurprising now, but what he saw was very similar to the view anyone can see through a telescope, only from a much closer perspective. "Okay, Houston. The Moon is essentially grey, no colour; looks like plaster-of-paris or sort of a greyish beach sand."

Bill Anders later spoke of his impressions of the Moon's far side. "The back-side looks like a sand pile my kids have been playing in for a long time. It's all beat up, no definition. Just a lot of bumps and holes." He was not telling the scientists anything they didn't know from the pictures sent by Lunar Orbiter.

Apollo 8 added little to our understanding of the Moon, as would be expected of a short, pioneering reconnaissance mission. Its role during the 20 hours it spent in lunar orbit was to give its crew and the mission control team some experience of operating a manned spacecraft in the lunar environment. While they were there, they could also inspect two possible landing sites on the southern plains of Mare Tranquillitatis. Planners were keen for the crew to study them visually from orbit and to inform future crews of what to expect, given that they had arranged for these sites to have the same early morning illumination that the landing missions would expect. The Apollo 10 crew likewise concentrated on operational matters as they rehearsed the steps that would lead to a landing. Both flights had Hasselblad cameras and took many 6×6-centimetre photographs of selected swathes of the lunar surface, and while they repeated much of the work already achieved by Lunar Orbiter, they had the great advantage of having the film brought home for processing. It was not until Apollo 11 that a crewman was finally left alone to look at the lunar landscape while his colleagues explored the surface.

A bigger space

With the departure of his two crewmates to the lunar surface, the CMP had a bigger space to move in and life on board the Apollo command module became somewhat more comfortable. Michael Collins elaborated on this extra space in his autobiography.

"I have removed the centre couch and stored it underneath the left one, and this gives the place an entirely different aspect. It opens up a central aisle between the main instrument panel and the lower equipment bay, a pathway which allows me to zip from upper hatch window to lower sextant and return." One reason that Collins created this extra room in the cabin was in case his crewmates returned and found they could not get through the tunnel for whatever reason. All three men would have to don their space suits with the two surface explorers entering through the main hatch, complete with boxes full of rocks. Collins appreciated the extra room he had at present: "In addition to providing more room, these preparations give me the feeling of being a proprietor of a small resort hotel, about to receive the onrush of skiers coming in out of the cold. Everything is prepared for them; it is a happy place, and I couldn't make them more welcome unless I had a fireplace."

During Apollo 11, the time Collins had alone in the command module was still relatively short, and much of it was spent on housekeeping duties or looking through the sextant in vain to find his colleagues on the surface. He also found that there was very little time available to speak with mission control. Only one communication channel was available between the Moon and Earth through a single Capcom and it was being dominated by the large amount of chit-chat from the guys on the surface as they talked to mission control and to each other. This became somewhat problematic as the needs of the orbiting CSM and its sole occupant vied for time on a link that was already busy with the important task of keeping two men alive and working on the surface of an airless world.

Richard Gordon on Apollo 12 had a similar experience, except that he had no problem finding the LM, given Pete Conrad's pinpoint landing. Towards the end of Gordon's time alone in the CSM, he did get to push the science possibilities of the orbiting spacecraft a little when he operated a cluster of four Hasselblad film cameras mounted on a ring, each loaded with black-and-white film and each shooting through a different filter. This cluster was attached to the hatch window and allowed him to photograph the surface in red, green, blue and infrared light. The idea was to carefully detect subtle hue variations across the surface that would relate to the composition of the soil. Telescopic studies had shown that some mare surfaces had a slight reddish tinge while others were bluish. A similar experiment had been attempted on Apollo 8 when Bill Anders photographed the maria through red and blue filters. However, excessively fatigued, Anders had inadvertently installed a magazine of colour film on the camera instead of the black-and-white magazine required by the experiment.

The lonely world of the CMP

As the Apollo mission increased in complexity, NASA decided that after Apollo 12, mission control should have two Capcoms, one for each spacecraft. The MOCR was already partially divided between the LM and CSM monitoring functions and there were separate consoles for the LM systems (Control, who looked after the LM's guidance systems and engines, and TELCOM, later TELMU, who oversaw its electrical and environmental systems, much like the EECOM did for the CSM).

As their crewmates laboured on the surface dealing with suits and geology in the Moon's dust pit, the CMPs handled an incessant programme of data collection and observation, while running the spacecraft. In addition to their planned schedule, it was not unusual for the CMP to deal with requests from geologists for another observation, or for a flight controller to seek clarification of some nuance of the CSM's operation. This could create a steady chatter over the airwaves during each pass across the near side.

"It turned out that my favourite experiment in orbital science was the bistatic radar," said Ken Mattingly after his Apollo 16 flight. This experiment used the spacecraft's communication antenna to beam radio energy at the Moon as the spacecraft passed across the near side while radio telescopes on Earth received the echoes. To work, the signal from the antenna transmitted only a carrier wave and therefore could not carry information. "That meant the ground couldn't talk to me for an hour and a half. I had a chance then to go to the bathroom, eat dinner, and get an exercise period or look at the flight plan. I think you really need those kind of periods every now and then throughout the day."

Occasionally the CMPs got time to enjoy the view and the experience of coasting across the Moon alone. On Apollo 17, because of the easterly position of the landing site, most of Ron Evans's passes across the near side were in lunar night, but it was a night time lit by Earth – much larger and far brighter than the Moon appears to us. "Boy, you talk about night flying, this is the kind of night flying you want to do, by the 'full' Earth."

"Is that right?" said Mattingly, now in the Capcom role in the MOCR.

"Beautiful out there," said Evans as he watched the ancient landscape of the Moon drift by, illuminated by the soft blue-white glow of his home planet.

As Evans drifted over to the western limb, Mattingly warned of a lengthy series of updates to the flight plan to satisfy the geologists' desire for further photographic coverage. He would read them up after Evans came back around. He then asked for a stir of the spacecraft's hydrogen tanks. It was December 1972, midwinter on Earth's northern hemisphere.

"You're lucky you're up there tonight, Ron. We're having really ratty weather down here. Low clouds and rain and drizzle and cold," said Mattingly.

"Oh, really?" replied Evans as he approached the edge of Mare Orientale, a spectacular impact basin barely visible from Earth and unrecognised until the 1960s.

"Yes. You walk outside, you just about can't see the top of building 2."

"Gee whiz! Guess I picked a good time to be gone," said Evans.

"That's for sure."

Evans was enjoying the view when he spotted a flash on the surface, probably a meteor strike. "Hey! You know, you'll never believe it. I'm right over the edge of Orientale. I just looked down and saw a light-flash myself." Jack Schmitt had seen a similar flash just after they had entered lunar orbit.

"Roger. Understand," replied Mattingly.

"Right at the end of the rille that's on the east of Orientale."

On Apollo 15, Al Worden figured that since he was going to be reappearing from around the Moon's far side every 2 hours, it would be a fitting gesture to greet the planet in a variety of languages to symbolise that he was greeting the whole Earth and its inhabitants, not just English speakers. With help from his geology teacher, Farouk El-Baz, Worden wrote down the words, "Hello Earth. Greetings from

Endeavour" phonetically in a selection of tongues. Then, as he re-established communication with Earth, assuming that the pressure of work had relented enough, he would choose one of these languages as his way of greeting the world.

Worden found his time alone in the CSM to be busy but not unpleasant. When asked about how hard mission control would drive him after his rest break, he said, "It was not generally difficult to begin work in the morning, because I was usually awake by the time they called. Also, I spent roughly half the time on the back side of the Moon, and so I had about an hour each revolution when I could not talk to Houston in any event. I was up and going before talking to Houston because I did not sleep that much during the orbital phase."

Another time, he recalled, "My impression of the operations of the spacecraft was one of complete confidence in the equipment on board. Things worked very smoothly, and I didn't have to keep an eye on all the gauges all the time. The rest of the spacecraft ran just beautifully the whole time. The fuel cells ran without a problem. In fact, everything ran just beautifully, and I really had no concern for the operation of the spacecraft during the lunar orbit operations."

Apollo 13 was the start of a push to use the CSM as an orbiting science platform from which to reconnoitre the lunar surface. The primary tool for this was the Hycon lunar topographic camera: a monster instrument modified from an aerial reconnaissance camera, whose 467-millimetre focal-length lens peered through the round hatch window and exposed large 114 × 114-millimetre negatives. The Hycon had an unhappy career in Apollo. It lay unused on board the Apollo 13 CM *Odyssey* while the crew struggled to get home after their mission was aborted. It was sent once more on Apollo 14. Once alone in his domain, and having made the circularisation burn to take the Apollo 14 CSM *Kitty Hawk* into a 110-kilometre orbit, Stu Roosa began a photographic pass that was to have included the Descartes region where scientists were considering sending a future mission. After about 200 exposures, the camera failed, never to work again despite the best troubleshooting efforts of Roosa and mission control.

SCIENCE STATION IN LUNAR ORBIT

Lunar science from orbit really got into its stride with the final three missions in the Apollo programme; Apollos 15, 16 and 17. Both the CSM and the LM for these J-series missions had been extensively upgraded to maximise the science return from each flight. This was as true of the orbital mission from the CSM as it was with the surface exploration carried out from the LM. In particular, one of the service module's six sectors in its cylindrical body which had been largely empty on previous missions, gained a bay of instruments and cameras that could be trained on the lunar surface passing below for the five or so days the CSM was in orbit. This *scientific instrument module*, or SIM bay, was operated by the CMP from the time the spacecraft entered orbit until the SM was jettisoned shortly before re-entry.

Each example of the SIM bay that flew carried two cameras; a mapping camera and a panoramic camera, both of which were heavily derived from aerial and space

The Apollo 15 CSM *Endeavour* showing its SIM bay.

reconnaissance cameras that were classified at the time. A suite of sensors in the bay, or deployed out on the ends of retractable booms, could divine the mineral composition of the lunar soil by sampling the various emissions coming from the surface. On Apollos 15 and 16, a tiny satellite was ejected from the SIM bay just before the crew left to come home. It monitored the particles and fields around the Moon for up to a year.

The full capabilities of the SIM bay were never brought to bear on the whole lunar surface, largely because the CSM's orbit was defined by the landing mission. This limited the reach of the cameras and sensors to a narrow swathe near the Moon's equator. At one time, planners had envisioned an I-mission that would have placed a CSM in a polar orbit around the Moon for a full month, from which its cameras could have imaged the entire surface with a consistent lighting angle, and its remote-sensing instruments could similarly have sampled the entire Moon. With Apollo in its declining years, funds for such a mission were not forthcoming and the scientists would have to wait a quarter of a century for comprehensive coverage from the Clementine and Lunar Prospector probes.

The mapping camera
The SIM bay's mapping camera was really two cameras in one package, with a third instrument included to aid interpretation of the imagery. It was based on a wide-field camera designed in the 1960s as part of the then secret Corona reconnaissance satellite programme to provide context images of target sites. The main instrument was the metric camera, a conventional photographic imager with a 76-millimetre lens that took wide-angle, often spectacular, images of the Moon's surface with a maximum resolution of about 20 metres onto 127-millimetre wide film to create large square negatives 114.3 millimetres to a side. A glass plate in front of the film had tiny

The crater Alphonsus as photographed by Apollo 16's mapping camera.

crosses inscribed that allowed researchers to compensate for changes in the film's geometry over time. A large cassette carried over 450 metres of film which was sufficient for over 2,500 images.

When using such imagery for mapping purposes, it was vital to know the direction in which the camera was pointing. This information was supplied by the associated stellar camera. At the same time as a frame was being exposed with the metric camera, another was taken of the stars looking out to the side. Since researchers knew the precise angle between the axes of the two cameras' optical systems, they could deduce exactly where in space the metric camera was aimed. To accommodate the sideways view of the stellar camera, the entire mapping camera system was mounted on a track that allowed it to extend out of the service module bay.

The third part of the mapping camera system, the laser altimeter, determined the distance between the camera and the lunar surface to an accuracy of about 1 metre. This worked by sending extremely brief pulses of laser light to the surface along an axis parallel to the metric camera's axis. A detector then received the pulse after it had reflected off the surface and timed its return with high accuracy, yielding the distance. Altitude information was sent to Earth by telemetry and, when carried out simultaneously with a metric camera frame, was photographically coded onto the film. Both the stellar camera and the laser altimeter could continue operating while over the Moon's darkened hemisphere – that is, the stellar camera served to locate the terrain sampled by the laser pulses in the darkness.

The panoramic camera

The most powerful of the two cameras in the SIM bay was the panoramic camera, again derived from contemporary secret reconnaissance cameras. This was a very different camera that produced enormous negatives 114 mm wide and 1.15 metres long. An exposure was made by rotating a large lens of 610-millimetre focal length from one side to the other while simultaneously pulling film through the camera. The long axis of this frame was perpendicular to the spacecraft's orbital track and imaged a swathe of terrain 330 kilometres from end to end. The imagery at the centre of the frame showed the ground directly beneath the spacecraft and could resolve features as small as 2 metres across.

Included with the camera was a sensor that measured how rapidly the ground was moving past the camera in order to compensate for motion smear during the exposure. Additionally, the entire optical assembly could be pivoted forwards and backwards to allow stereo images to be taken of the same landscape with every fifth exposure. To feed this huge camera, 2 kilometres of film were supplied in a cassette, allowing over 1,500 exposures during a mission. Once the spacecraft had begun its long coast back to Earth, the CMP made a short spacewalk down the side of the service module to retrieve the cassettes for both the panoramic and the mapping cameras.

Remote sensing

Lunar scientists took the opportunity, and the flowing money associated with Apollo, to endow the SIM bay with other capabilities in addition to its photographic coverage. The surface

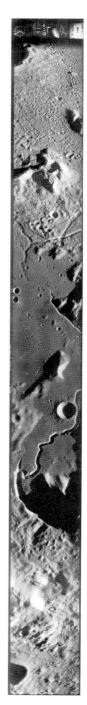

A frame from Apollo 15's
panoramic camera of Hadley Rille.

crews were able to provide detailed knowledge of a small area whose 'ground truth' could be used to calibrate and contextualise measurements of the Moon's composition taken across a wide area from an orbiting spacecraft.

Methods of determining the composition of distant astronomical bodies were worked out by astronomers in previous centuries. In simple terms, they relied on the property of substances to radiate or absorb light in precise wavelengths, or *energies*. To the eye, each substance appeared to have a characteristic colour which, when spread out into a spectrum by a spectrograph, revealed patterns of lines that acted as a fingerprint of that substance. Spectra for common elements were obtained beforehand in a laboratory. When the same patterns were measured in the light from distant bodies, researchers could be certain of the constituent elements in that body. All you needed was a spectrograph to break light into its separate colours and you could see the patterns of radiation or absorption that corresponded to each substance.

Using appropriate instruments, this basic technique could be expanded beyond the narrow range of light wavelengths that we see with our eyes to include the wider electromagnetic spectrum and the various particles associated with ionising radiation. As the CSM flew over the Moon, instruments in the SIM bay took advantage of the complete lack of a worthwhile atmosphere to determine the make-up of that small planet using a varied suite of techniques.

X-ray fluorescence spectrometer

Having essentially no atmosphere, the Moon has little protection from the Sun's constant output of x-rays that wash over its day-lit surface and strike whatever gets in their way. When they strike certain elements, particularly those at the lighter end of the Periodic Table, they cause the atoms to re-emit or *fluoresce* x-rays in certain well-defined energies. Therefore, by comparing the spectral make-up of x-rays from the Sun with x-rays from the sunlit lunar surface, scientists could determine the composition of that surface's topmost layer. This was a particularly powerful technique because it was sensitive to those elements that formed the bulk of rocky planets, namely oxygen, silicon, aluminium, magnesium and iron. Apollo's x-ray spectrometer therefore consisted of two detectors, one of which was built into the SIM bay to receive x-rays from the Moon. The second was on the opposite side of the service module where it measured the x-ray flux from the Sun.

It wasn't long after the SIM bay was used for the first time on Apollo 15, that a combination of the signals from the x-ray spectrometer and the laser altimeter quickly revealed an important clue to the Moon's history. Scientists immediately noticed that a graph from the laser altimeter showing the surface elevation beneath the CSM bore a strong resemblance to another from the x-ray spectrometer showing the concentration of aluminium along the same path. The aluminium concentration declined over the low-lying maria. The significance of this lies in the fact that aluminium is a relatively light element. The discovery that its concentration was greater in the highlands strongly implied that, at one time, the Moon must have been largely molten to allow that element to rise to the top. This ran counter to one of the two popular theories about the Moon's genesis that were vigorously debated at that time. One school, dubbed the 'hot Mooners' believed that after the Moon accreted from the solar nebula, its interior had been sufficiently hot to allow thermal differentiation into a core and a mantle, and that it had later undergone substantial surface volcanism. The other school, the 'cold Mooners', thought that the Moon's interior had always been cold and that all surface features had been formed by impact, with the maria being splashes of melted rock from particularly severe impacts. Both schools had grasped elements of the truth. Current theories contend that very soon after its formation, the Moon's mantle was completely molten in what is descriptively called a *magma ocean*. Within this fluid mass, gravity allowed the various constituents of the magma to migrate up or down according to their weight, such that the fresh crust tended to have a high concentration of aluminium. The fact that strong evidence of this chemical differentiation is still extant today is testament to the extraordinary antiquity of the lunar surface when compared to Earth's surface.

Mass spectrometer

Mounted on the end of a boom to get it clear of the spacecraft was the mass spectrometer. It was designed to characterise any lunar atmosphere by measuring the atomic weight of the atoms and molecules that entered an aperture on one side of the instrument. Upon entering, they were electrically charged, or *ionised*, by electrons from a filament source. A magnet then diverted the path of the resultant ion stream towards two detectors. Simply stated, the heavier an atom or molecule, the more resistant is its motion to change by the magnetic field. By measuring the deflection of the particle stream, the masses of its constituent parts could be determined.

When deployed out of the SIM bay, its inlet aperture faced away from the bulk of the CSM and in the same direction as the engine bell in an attempt to shield it from gases emanating from the spacecraft. During its time in lunar orbit, the instrument was flown with the inlet either facing the direction of travel or facing backwards. The hope was that differences between the two modes of operation would allow scientists to discriminate between atoms that were genuinely part of the Moon's atmosphere (which should tend not to enter when the inlet was facing backwards) and those that were coming from the spacecraft (which would enter from either direction).

In practice, little difference was detected whichever way the inlet faced, implying that most of what was being detected was essentially pollution from the spacecraft. This supported, on a global scale, the same results that researchers were finding from experiments placed on the surface at various sites. These experiments, placed by Apollos 12, 14, 15 and 17, were deluged with contaminants from the Apollo spacecraft, which made it very difficult to extract natural data from their results. This was hardly surprising considering that estimates for the total mass of the natural lunar atmosphere were around 10 tonnes – a figure very similar to the quantity of gases released during each Apollo mission, mostly from operation of the descent and ascent engines. Essentially, each Apollo flight temporarily doubled the mass of the entire lunar atmosphere.

Alpha-particle spectrometer

Although the Moon appeared to be a very dead world to anyone who looked at it, many scientists wondered if some traces of volcanism were still spluttering in some corner of the globe. Tantalisingly, some telescopic observers had reported seeing occasional 'emissions' on the Moon in the form of glows and hazes, which kept alive hopes of finding extant activity. The alpha-particle spectrometer was designed to look for indications of such activity.

Lunar rock samples from earlier missions were found to contain traces of uranium and thorium, two elements which, through their radioactivity, decay to form gaseous radon-222 and radon-220 among other elements. The alpha-particle spectrometer could detect these substances from lunar orbit by their emission of alpha-particle radiation – essentially the nuclei of helium atoms – as they further decayed and, by inference, locate areas of possible volcanism or other features that might cause the concentration of uranium and thorium to vary. Any emissions from the Moon of gases such as carbon dioxide and water vapour would also be detectable as they would be expected to include a small amount of decaying radon gas.

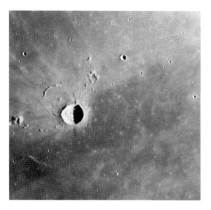

Rayed crater, Lichtenberg, showing a dark lava flow obscuring its ray system.

The major result to come from this instrument was that there is a small degree of outgassing of radon at various locations on the Moon, especially in the vicinity of the prominent crater Aristarchus – a result confirmed a generation later by the Lunar Prospector probe. Interestingly, Aristarchus, which is also one of the brightest places on the Moon, has been the locale for some of the reported emanations seen by telescopic observers. These tentative indications of possible current lunar activity should be seen in the light of studies of a crater, Lichtenberg, on the western side of Oceanus Procellarum. This crater exhibits a ray system that is believed to be just less than a billion years old, which is quite young by lunar standards. Yet, on a world where most of the basalt is much older, a distinctive dark lava flow can be seen to have obliterated much of its southern ray system. From this evidence, and as far as is known, the final gasps of lunar volcanism occurred about 800 million years ago. To put this into a terrestrial context, this is 300 million years before any kind of complex multicellular life appeared on Earth.

The detection of radon gas, particularly at Aristarchus, is best explained by the effect of the huge impact that formed the Imbrium Basin, within which Mare Imbrium now lies. The current *magma ocean* theory of the Moon's early evolution not only explains the richness of aluminium in the upland regions of the Moon, but also predicts that, as the magma ocean cooled, the last vestiges of lava to solidify would have been rich in elements that would have found it difficult to become part of the rock's crystal lattice, particularly potassium, phosphorus and various rare earth elements, including uranium and thorium. Rocks that are rich in these elements were found at the Apollo 12 landing site and later at the Apollo 14 site, and are known as

KREEPy rocks (K is the chemical symbol for potassium, P for phosphorus and REE means rare earth elements, and the 'y' makes it an adjective). Geologists now believe that the violence of the Imbrium impact event nearly 4 billion years ago was enough to deeply excavate the Moon's crust and bring KREEPy rocks up to the surface. A lot of this slightly radioactive rock was covered by the lava flows that drowned the western rim of the Imbrium Basin over 3 billion years ago. The impact that formed Aristarchus occurred only half a billion years ago, drilling through the layers of basalt and excavating KREEPy material from Imbrium's rim.

Gamma-ray spectrometer

Complementing the x-ray spectrometer in an effort to characterise the surface composition was the gamma-ray spectrometer. This instrument was designed to detect two expected sources of gamma-rays. One was from the nuclei of some elements in the lunar surface, particularly iron, which will react to cosmic-rays by emitting gamma-rays of a precise energy. Another source came from the radioactive decay of other elements, especially the radioactive constituents of KREEPy material; potassium, thorium and uranium, whose gamma-ray emissions are also of a well-known energy. Mounted on the end of a 7.6-metre boom that removed it from contaminating sources around the spacecraft, the gamma-ray spectrometer helped to build up a picture of the composition of the Moon along the spacecraft's ground track.

That other scientific instrument: the eye

Apollo is very unusual in the history of planetary science, for although it carried the kind of instruments that most probes to the Moon and planets would sport, it had one extra resource – a human. Therefore, while the instruments of the SIM bay were looking down at the Moon, the command module pilot, if he was not too busy, could also peer out of a window and report and photograph what he saw.

Coming as they did from the test pilot fraternity, none of the Apollo CMPs was a career scientist. However, like most of their colleagues exploring the surface, their profession made them very skilled observers, adept at perceiving, remembering and describing details of what they saw. Moreover, compared to the photographic films used throughout the Apollo programme for image capture, the dynamic range of the human eye, and its ability to discern subtle hues, is more able – especially when coupled with a curious mind – to scan intelligently for interesting detail. The increasing scientific focus of the later Apollo missions meant that it was not only the surface crews who were trained intensively in geology. The CMPs were also coached in geology by Farouk El-Baz, an enthusiastic teacher who focused on the interpretation of a landscape from an aerial perspective. In exercises prior to their missions, they were taken up in small aircraft to fly over the types of terrain on Earth that were considered valuable in helping them to interpret the Moon's terrain. This often meant flying above volcanic landscapes in the western deserts of the United States and Hawaii. When in lunar orbit, the CMP could then scan the surface below, looking for features that might be of further interest to geologists on Earth. Since the photography from the cameras in the SIM bay would not be seen until they had been processed after the flight, the CMP could help ground-based scientists to plan further photographic sorties while the mission was still in progress. This actually occurred during Al Worden's solo tenure in *Endeavour* as he coasted over the western plains of Mare Imbrium. The Sun had just risen across this basaltic expanse and the lighting was very low, bringing out the more subtle undulations in the surface, as he explained to Capcom Karl Henize.

"At this low Sun angle, I can very clearly see some lava flows coming out of what appears to be a ridge, extending in both directions from the ridge. And I wasn't set up this time to take a picture of it, but it might be interesting on the next pass if we could get a PAD to take a picture of that."

"Very interesting. Which window are you looking out?"

"I'm looking out window 3." This was the circular window built into the spacecraft's main hatch.

"Thank you," replied Henize. "Sounds like an interesting observation, and I'm sure the guys down below will be sending you up more work to do as a result. Be careful there, now."

The ground crew duly passed up instructions for Al to use his Hasselblad and the

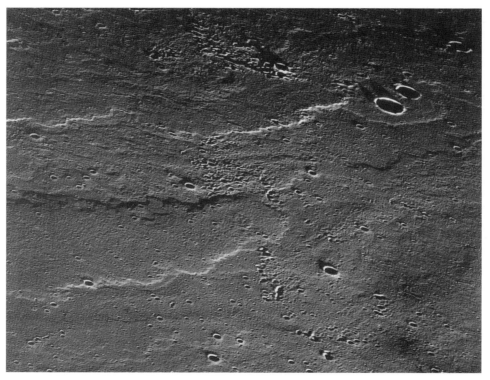

Lobate lava flows running across the surface of Mare Imbrium, photographed by Apollo 15.

mapping camera to photograph these flow features. The extremely thin flow and the others Worden could see were compelling evidence that areas like Mare Imbrium had been filled by lava in a sequence of small eruptions over a long period of time. Worden talked about them after the flight.

"I get the impression that there are just hundreds of flows that filled up the basin. They all look like, for example, you'd take a pail of water and sluice it out into a skating rink and let it freeze in place; then, if you do that 15 times around the same area, you would get this overlapping mixed up ice. All the flows were very thin and appeared as if they came out and froze in place."

Worden's flight path took him directly over Mare Serenitatis, a roughly circular sea of frozen lava that had filled an impact basin. On the west side of this 700-kilometre plain stood an impressive range of rounded mountains, the Apennines, beyond which, his colleagues were exploring a magnificent embayment cut through by the meanders of Hadley Rille. There was another range on the eastern side of Serenitatis that was rather less majestic, known as the Taurus Mountains. Within this highland area, south of the crater Littrow, stood a cluster of fine hills between which were a series of valleys whose floor was as dark as any place on the Moon. Worden regularly observed this area, studying how the hues of the Serenitatis lavas changed towards the mare shore. On his third viewing opportunity, he looked more closely at the dark valley floors.

"Okay. I'm looking right down on Littrow now, and a very interesting thing. I see the whole area around Littrow, particularly in the area of Littrow where we've noticed the darker deposits, there are a whole series of small, almost irregular shaped cones, and they have a very distinct dark mantling just around those cones. It looks like a whole field of small cinder cones down there. And they look – well, I say cinder cones, because they're somewhat irregular in shape. They're not all round. They are positive features, and they have a very dark halo, which is mostly symmetric, but not always, around them individually."

"Beautiful, Al," replied his Capcom Bob Parker.

Worden's observation of cinder cones from orbit, along with his earlier descriptions of distinct coloration in the region, became one of the major reasons that scientists sent Apollo 17 into one of these valleys 17 months later, to look for the much desired evidence of recent lunar volcanism. The pull of volcanics was powerful enough to counter arguments from other quarters that another landing site at the edge of a major mare would be too similar to the Apollo 15 site, and that the ground track of Apollo 17's SIM bay instruments would cover a landscape little different to Apollo 15's – a point that prompted the decision to assign Apollo 17's SIM bay a different set of instruments.

It has been said that because the CMPs on the J-missions had been trained to look for volcanics, that is exactly what they found. Worden's 'cinder cones' observation is a case in point. One of these cones was later named Shorty crater, by the Apollo 17 crew of Eugene Cernan and Jack Schmitt. When they visited it during their exploration of the Taurus–Littrow valley, they were astonished to discover deposits of bright orange soil on the rim of what was obviously an impact crater, not a volcanic cone. As so often happened on Apollo, and with any true exploration,

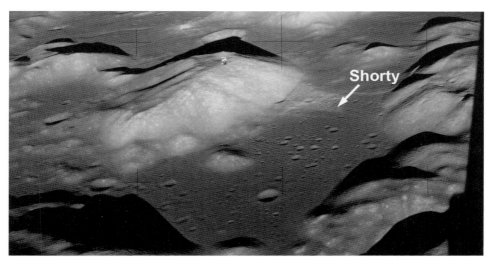

Apollo 17's landing site at Taurus-Littrow. CSM *America* is visible above centre and the dark-haloed crater, Shorty, is the arrowed smudge.

theories were found wanting and had to be replaced with new interpretations based on ground truth. The twist in the story of Shorty was that although this crater was of impact origin, as shown by its nature, its orange soil was indeed from volcanic processes. It consists of tiny orange glass beads that have been dated at 3.64 billion years old when, as molten rock, they were sprayed from a 'fire fountain' to rise perhaps hundreds of kilometres into the lunar sky before falling into the valley, soon to be buried by a lava flow. The impact that created Shorty had simply excavated these ancient volcanic deposits, depositing them as an ejecta blanket of dark material around the crater.

Infrared scanning radiometer
Had the Moon been a smooth, featureless body with no variations in its composition or surface structure, then the expected heating and cooling of its surface would be simple to predict. The temperature of any object in space that does not have its own heat source is a balance between the heat it absorbs from the Sun and any other sources, and the heat it radiates into space. These properties are strongly affected by the thermal conductivity of the surface, its structure, its reflectivity, or *albedo* and the angle of illumination. Under a vertical Sun, surface temperatures can reach well over 100°C while over the 2-week-long night just before lunar dawn, they can fall as low as –180°C. In the permanently shadowed craters at the lunar poles, it can fall as low as –230°C. Studying the detailed temperature of the lunar surface as it is heated and cooled can give important clues to its nature.

Apollo 17's infrared scanning radiometer was an early attempt to measure the Moon's thermal profile by having an infrared sensor pass over the landscape, both night and day, as the spacecraft orbited overhead. The concept is similar to the thermal pictures taken of houses in cold climates to show where warmth from the building is being lost, except that Apollo's sensor was only a single point. There was no multi-line or multi-pixel imaging sensor to create a 'picture', and images had to be processed from the results of multiple passes, one line per orbit.

The instrument showed how varying rock types within craters could strongly affect the temperature profile of a landscape. For example, at night time, the central area of the crater Kepler proved to be over 30°C warmer than the surrounding mare, perhaps due to exposed rocks at the bottom of the bowl absorbing heat from the daytime and radiating it at night while the surrounding dust chilled quickly. It was hoped that hot spots might be found over the night-time hemisphere indicating a source of volcanism, but none was found.

This radiometer was a forerunner of a later generation of instruments that have provided thermal images of many of the solar system's worlds. Notable among such instruments was the thermal emission spectrograph which could closely analyse infrared light and deduce rock types from the results. These were used at Mars, both in orbit and on the surface, to locate rocks that inferred a history of running water on the red planet.

Far-ultraviolet spectrometer

Previous experiments on and around the Moon had shown that the lunar atmosphere was incredibly tenuous. Scientists hoped to characterise what little there was by looking at the emissions it gave off in the ultraviolet region of the spectrum as atmospheric atoms fluoresced in the presence of solar UV radiation. They were then surprised that this spectrometer could find no trace of an atmosphere around the Moon except for a transient atmosphere generated by the exhaust from the LM engine.

Radar to the Moon

One of Apollo's major contributions to planetary science was to help to push the development of radar on an orbiting vehicle as a tool to probe the surface and subsurface of a planet or a moon. From the simple experiments conducted on Apollo, such technology has developed profound capabilities that allow the shape or topography of a surface to be accurately profiled. It can 'see' buried surfaces up to a depth of 1 kilometre, depending on the nature of the planet's soil. It can also gather its imagery in the absence of light, allowing unlit and cloud-covered terrain to be viewed.

Beginning with Apollo 14, radar tests became a normal part of the CMP's solo tasks when the spacecraft's S-band (around 2,200 MHz) and VHF transmissions (around 260 MHz) were aimed at the Moon to be received by large dish antennae on Earth. These bistatic tests were so called because, unlike most radar setups where the transmitting and receiving antenna is one and the same, here the antennae were separated by a distance similar to the target distance. As a result, these tests required no additional equipment on the CSM and were a happy result of using what was already available. Researchers could determine the electrical properties of the surface by seeing how the radio wave's reflected strength varied with its incident angle.

Moreover, the interplay between the spacecraft's orbital motion and the resultant Doppler effect on the signal's frequency allowed discrete lunar features to be 'seen' in the signal's received spectrum.

For Apollo 17's lunar sounder, researchers took the technology to the next level, mounting specialised antennae on the SM to send pulses of radio energy towards the Moon and receiving the reflection, including any modification that resulted from its interaction with the surface. Results from the radar were recorded optically on film for later analysis on Earth.

The lunar sounder was the prototype for later radar systems that successfully imaged the cloud-covered landscapes of Venus and Titan, searched for underground geology and ice deposits on Mars, and mapped the surface topography of most of Earth.

The Moon after Apollo

The Apollo programme left behind a mountain of data and over a third of a tonne of samples, most of which were carefully documented by the crews as they gathered them. To repeat the publicist's mantra, this treasure trove really did keep scientists 'busy for years' and has formed the bedrock on which theories of planetary formation and evolution have been built. Prior to the space age, planetary science had been in the doldrums, with only blurred photographic evidence to feed the creativity of scientists. With Apollo's scientific harvest, planetary science was taken out of the doldrums into an age when ground truth – actual rocks gathered *in situ* – could inform new theories and help to sort the wheat from the chaff.

Our current understanding of how the Moon was formed first gained acceptance at a conference of lunar scientists in 1984 on the west coast of Hawaii. This idea, chiefly proposed by William Hartmann and Alistair Cameron, has yet to be toppled. It is a story of birth rising out of incomprehensible violence.

Our solar system formed about 4,600 million years ago out of a coalescing cloud of dust and gas known as the solar nebula. Most material ended up in the Sun, but some formed a disk out of which the planets gradually grew, or *accreted* – a process whereby gravity causes loose material in space to gradually gather into ever larger bodies. The light pressure and solar wind from the new star tended to push lighter substances out to the further reaches of the system while heavier substances tended to stay in the Sun's vicinity. This created predominantly rocky planets near the Sun, gaseous giants further out, and frozen worlds beyond the point at which even gases become liquid or solid.

About 40 million years after the solar system's birth, two nascent planets were orbiting the new Sun at similar distances and it was only a matter of time before they met. The larger body, our proto-Earth, received an off-centre impact by a body half its diameter in a cataclysm that defies the imagination. The iron cores of the two worlds merged but a large amount of mantle material had been thrown into a giant cloud of debris surrounding the new Earth.

In a relatively short time, some accounts suggest within only a year, this ejected material had itself coalesced to form a new, smaller world – the Moon. As it did so, the huge energy of its fast accretion melted its outer layer to form an ocean of molten rock, or magma, that lasted long enough for its components to fractionate – like a salad dressing that has been left too long in a cupboard. As the lighter components rose to the top, they cooled and crystallised to form the rocks of the Moon's new crust. They were typically light-coloured and rich in aluminium. Below the crust, in the Moon's mantle, the rocks were heavier and richer in iron. The regions that were last to solidify gathered up those elements that had difficulty fitting into the crystal lattice, leading to them being described as KREEPy.

The solar system was still a mass of debris for the first 800 million years of its existence and large impacts were commonplace on all the planets. The Moon retains the scars of this early bombardment all over its lighter-toned surface where large craters abound, often overlapping one another. During this time, it sustained a particularly large collision when an object gouged out the South Pole–Aitken Basin, a 2,500-kilometre depression across the Moon's far side. About 4 billion years ago, the impact of large objects seems to have peaked before tailing off suddenly. The dark patches we now see on the Moon's near side were mostly formed within large circular basins that were formed by these giant impact events. Of particular interest to the lunar science community was the Imbrium Basin, which was dated to 3.91 billion years ago from Apollo samples. As noted, as this basin was formed, rock from deep within the Moon that had the KREEP characteristic was excavated.

About half a billion years later, prodigious quantities of lava, rich in iron and magnesium, were expressed through the fractured crust. It filled the basins and other low-lying areas to form enormous smooth basalt plains to which we applied romantic names like Mare Tranquillitatis, Mare Serenitatis and Oceanus Procellarum. The last gasps of this activity probably died out 'only' about a billion years ago but most of it has been dated to around 3.3 billion years ago. Since then, little has changed on the Moon. Every few tens of millions of years, there is a very large impact that produces a spectacular fresh crater and sprays the landscape with a new layer of rubble and dust. Apart from that, only a slow but incessant barrage of hypervelocity grains of dust, and the occasional larger object, sandblasts the top layer of the surface. Throughout the eons, the topography is eventually rounded off and the landscape is draped with a blanket of ground-up soil.

As our probes have extended our reach into the depths of the solar system, their new data serves to elaborate on the knowledge gleaned a generation ago when men explored a new world and could select samples quickly and intelligently.

12

Rendezvous and docking

Getting off the Moon and back to the relative safety of the command module was a feat that literally defined the mission. NASA even named the entire mission plan *lunar orbit rendezvous* (LOR) in view of the important benefits the technique promised in overall weight savings, including the launch vehicle. Yet, to many in NASA in the early 1960s, it seemed suicidal for one tiny spacecraft to launch and attempt to pull up alongside another tiny spacecraft, each whizzing along at over 5,000 kilometres per hour around another world nearly half a million kilometres away. At that time, no one had even attempted rendezvous in the relative safety of Earth orbit in spacecraft that could at least return to the ground if things went awry. It was a measure of the managers' faith in their engineers and scientists that they felt confident to march ahead with an apparently hare-brained scheme which, if it were to go wrong, would doom two men to certain death in lunar orbit.

Once LOR had been chosen as the preferred mission mode, NASA had to practise the techniques of rendezvous around Earth. Through 1965 and 1966, 10 missions were flown in the Gemini programme during which the problems and difficulties of rendezvous were met head on, to turn it from a frightening unknown manoeuvre into a routine operation. Appropriate procedures were learned through successive flights beginning with simple tasks:

- Could the manoeuvrable Gemini spacecraft station-keep with its spent upper rocket stage?
- Could two independently launched spacecraft rendezvous and station-keep?
- Could a spacecraft rendezvous and then dock with an unmanned target?
- Could it achieve the same feat within a single orbit?

All these lessons built NASA's confidence in its procedures, and were directly applicable to Apollo's need to rendezvous and dock around the Moon. Without Gemini, a programme that is often overlooked by writers eager to tell the story of how NASA prepared to venture to the Moon, Apollo could never have succeeded within President Kennedy's deadline. Years later, Dave Scott, Gemini 8 pilot and veteran of Apollos 9 and 15, reflected: "You go away back, it was a big mystery doing a rendezvous. Magic mysterious stuff! Now it's just straight off – choof, bang."

ORBITAL MECHANICS

It will help the reader to understand the concepts behind rendezvous if a short diversion is taken into the field of orbital mechanics. At first glance, this topic seems arcane and, if studied rigorously, it is. It also appears counter-intuitive but the basic concepts behind the subject are easy enough to grasp, and are really an extension of the orbital lessons discussed in Chapter 4.

To lay down the groundwork for this we need to establish some basic ideas. Unless some kind of propulsion is being used, all movement in space is governed by the gravitational attraction of the bodies (suns, planets, moons, asteroids, etc.) among which things move. In general, the gravity of the nearest large body dominates, so for the purposes of this explanation we shall ignore the pull from other bodies. Any spacecraft in orbit moves around the central body in an ellipse. Even a perfectly circular orbit is treated as a special form of ellipse whose eccentricity value is zero.

There are three principles to keep in mind with orbital motion. First, a spacecraft in a higher orbit takes longer to go around than one in a lower orbit. At first glance, this appears obvious because there is a longer circumference to travel, but that is only part of the story. The more

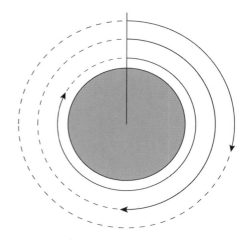

Diagram of variation of orbital period with altitude.

important point to grasp is that it really is a slower orbit. The spacecraft is moving at a slower linear speed because the pull of gravity from the central body becomes weaker with distance, and a lower speed can maintain the perpetual fall that is an orbit. As an illustration, the Saturn V inserted the Apollo spacecraft into a low orbit only 170 kilometres above Earth, which took only an hour and a half to go around. Its linear speed was 7.8 kilometres per second. Geostationary satellites – the mainstay of global communications and television satellite broadcasting – orbit 35,800 kilometres above Earth's equator. They take about 24 hours to get around once, and travel at only 3.1 kilometres per second.

With this in mind, we can see a method by which one spacecraft can manoeuvre with respect to another, assuming that both are travelling in the same orbital plane. If the target ship is ahead, a pursuer can catch up with it by manoeuvring into a lower orbit, which is achieved by *firing against the direction of travel*, as if trying to get away from the target. The burn will cause the pursuer to fall into a lower orbit, which will have a shorter period and a higher linear speed, allowing it to catch up with the target. The difficulty lies in choosing the exact moment to start climbing

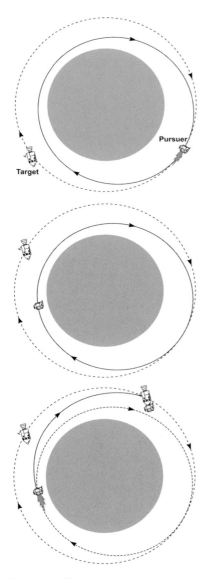

Diagram of basic rendezvous technique.

back into the original orbit, which we shall deal with later. The reverse is also true. If the pursuer is ahead in the orbit, it can 'slow down' by accelerating forward, which causes it to rise to a higher and therefore slower orbit, then dropping down again when the target has caught up.

The concept of changing from one orbit to another is a topic we have already met in Chapter 4 because Apollo's TLI burn took it from a circular orbit to a highly extended elliptical orbit which happened to intercept the Moon. Changing orbits is a common requirement in spaceflight and is embodied by our second principle. The most efficient and simplest way to change an orbit is to use a *Hohmann transfer* technique, whereby firing a spacecraft's engine along the direction of motion at one point in the orbit will increase its speed and thereby raise the altitude that will be reached on the opposite side of the orbit. Firing against orbital motion will slow the spacecraft and lower the altitude of the opposite side of the orbit. Controlling the total impulse from the burn controls the altitude that will be reached. We have met this already in the way the CSM and LM made burns around the Moon's far side to raise and lower their near-side altitude. To move from a lower circular orbit to a higher one, a burn would be made in the direction of motion until it is calculated that the point in the orbit opposite the spacecraft, now the apogee, is at the height of the intended circular orbit. Once the spacecraft has coasted around in its orbit to its apogee, another burn would be made along the direction of motion to raise the perigee until it equals the apogee's altitude.

So far we've dealt with spacecraft chasing one another within the same orbital plane. The third principle behind orbital mechanics deals with the situation when the two objects are in different orbital planes. This is a common enough requirement in space flight as many satellites need to reach a geostationary orbit above the equator but few of Earth's launch sites are located equatorially. For example, a spacecraft launched from Cape Canaveral will necessarily have an orbital inclination of at least 28 degrees; this being the latitude of that site. The most efficient way to get a spacecraft from one orbital plane to another is to make a burn at the point in the orbit where the two planes intersect, known as a node. Unfortunately, the physics of the situation dictate that any but the smallest of plane changes will be very expensive in propellant. Moving a communications satellite from a 28-degree low Earth orbit to its geostationary outpost uses almost as much energy as would be required to send it to the Moon! For Apollo, minimising plane change manoeuvres was vital, especially for the LM's ascent stage where propellant margins were very tight.

Plane change manoeuvre

When the entire Apollo stack of LM and CSM arrived at the Moon, it was placed in an orbit that would pass over the landing site at the time of landing. Then once the LM had departed for the surface, the CSM returned to a 110-kilometre orbit if it wasn't already there. While the surface crew carried out their exploration, the Moon continued to rotate on its axis and, in most cases, took the landing site away from the orbital plane of the CSM. The exception was Apollo 11, for which the landing site was more or less on the equator and the CSM's orbit was similarly aligned, with the result that the landing site did not significantly stray from the CSM's ground track. On all the other landing missions, there was sufficient tilt in the CSM's orbit to require a plane change manoeuvre, and in the light of the LM's minimal fuel reserves, it was most efficient for the CSM to burn it. Therefore, as the surface crew began to tidy up after their lunar exploration and prepared to leave the Moon, the CMP in orbit executed a plane change manoeuvre.

Changing the plane of the orbit required a burn of the SPS engine of between 10 and 20 seconds. Unlike height adjusting burns that added or subtracted energy from the orbit by firing along the spacecraft's direction of motion, a plane change burn was usually made at right-angles to the orbital plane, often near the point where it crossed the Moon's equator. Preparations for this burn were just the same as for any other SPS burn, except that it was usually made using only one of the two engine control systems in view of its short duration, and similar to the circularisation burn, everything had to be done by the CMP alone. In mission control, the FIDO controller calculated the details of a burn that would achieve the objectives with minimum use of propellant. This information was written on a PAD and read up to the lone crewman, ready to be entered into the computer under Program 30.

Richard Gordon was the first CMP to fire the spacecraft's big engine alone in lunar orbit. Rather than make the burn just before the LM returned, he carried it out the previous evening, at the end of the day they landed. "I realised at this time that it had been a real long day and I was tired and more prone to make mistakes. I certainly didn't want to be making mistakes during an SPS burn." Normally for any burn, two of the crewmen worked together through a checklist using the 'challenge and response' technique designed to ensure that no step was missed – a luxury the solo CMP did not have. Gordon's solution was to have mission control listen to him as he went through each step. Fortunately, unlike most SPS burns, his plane change burn occurred while he was in communication with Earth and had 14 minutes between acquisition of signal (AOS) and the actual burn.

"When I came around this time and had AOS, I chose to go to VOX operation and read the checklist as I performed it, to the ground so they could monitor exactly where I was, exactly what I was doing, and would be abreast of the status of the spacecraft at all times." VOX meant that his transmissions were controlled by a voice-operated switch. Each time the CMP spoke, his words were transmitted to Earth, and there was no need to operate a push-to-talk button. "It gave me the assurance that I was reading the checklist correctly, not leaving anything out. Now, I would think that the ground probably appreciated this. They knew exactly where I was in the checklist, what I was doing, and if I was behind and if I was ahead, so if any particular problem came up, they knew that I was with it or behind it." Without the weight of his two crewmates and their lunar module, the SPS burn felt much more sporty, as Gordon noted post-flight: "The acceleration, of course, is much more noticeable than with the LM docked."

CSM to the rescue
If all went well, the role of the CMP appeared minimal in the upcoming orbital ballet of rendezvous, but that was never really the case. It is true that the LM was always the active participant, as it was its responsibility to get off the Moon, into lunar orbit, then find, track and pull alongside the CSM. But the CMP had the role of rescuer in case the LM failed to reach the proper orbit. For this possibility, he had practised a wide range of scenarios where the CSM would become the active spacecraft and would hunt down an ailing LM that had somehow failed to execute the rendezvous.

WE HAVE LIFT-OFF... FROM THE MOON!

The various rescue plans for the CSM meant nothing if the LM could not get off the Moon and reach some kind of orbit. Should the ascent engine have underperformed for some reason and come up short on velocity, the surface crew would be doomed within an hour of lift-off. If it failed to ignite, they were doomed to expire on the surface. This was Michael Collins's private fear as Neil Armstrong and Buzz Aldrin prepared to make their ascent in the top half of *Eagle*. "When the instant of lift-off does arrive, I am like a nervous bride. I have been flying for 17 years, by myself and with others; I have skimmed the Greenland ice cap in December and the Mexican border in August; I have circled the Earth 44 times on board Gemini 10. But I have never sweated out any flight like I am sweating out the LM now. My secret terror for the last 6 months has been leaving them on the Moon and returning to Earth alone; now I am within minutes of finding out the truth of the matter. If they fail to rise from the surface, or crash back into it, I am not going to commit suicide; I am coming home, forthwith, but I will be a marked man for life and I know it."

When compared to the fuss and bother of a launch from Earth, with its enormous launch gantries, heavy concrete pads, ground support equipment and launch control facilities, it is almost amusing to consider the relative ease with which two Apollo crewmen tidied themselves up, set their spacecraft ready for launch and pressed a button to get themselves off the surface of another planet. The difference, of course, is that Earth is at the bottom of a very deep gravity well and every last item required for an Apollo voyage had to be lifted through a thick atmosphere and hurled towards the Moon. Such a feat required a vehicle of immense power and complexity, the Saturn V, and a cast of hundreds to send it on its way. The LM ascent stage, on the other hand, was a far simpler machine, as light as could be and it was launching from an airless world whose gravity was barely one-sixth that of Earth with only enough consumables for a few more hours of life support.

By the time the advanced Apollo missions got into their stride, NASA had gained enough confidence in the LM to partially power it down during the lunar stay, conserving battery power and permitting 3 days of exploration. In particular, the *primary guidance and navigation system* (PGNS) was turned off, and turning it back on involved a complete realignment of its guidance platform. As with platform alignments in space, the crew used the *alignment optical telescope* (AOT) mounted into the top of the LM to sight on a star. A major difference in the procedure came from the use of the direction of gravity as their second reference.

Earlier, the crew had temporarily depressurised the LM cabin to throw out any items not needed for the journey to orbit, especially the back packs that had kept them alive on the surface. They would keep their suits on until they returned to the CSM. Other equipment and samples had to be carefully stowed in predetermined positions around the cabin to ensure that the centre of gravity of the ascent stage remained as near to ideal as possible – the further it was from ideal, the more the RCS thrusters had to work during the ascent to maintain the stage's attitude.

If the pressure of time allowed, the surface crew would try to test their rendezvous radar on the CSM as the mothership passed over the landing site one orbit prior to lift-off. The rendezvous radar worked with a transponder on the CSM to provide range, range-rate and direction to its quarry. Its dish was mounted above the LM's front face and could move up and down or side to side as it tracked the CSM from a distance of up to 750 kilometres. At the same time, the CMP carried out a tracking program in his computer to help aim the 28-power sextant at the landing site. By taking marks on the LM centred in his viewfinder, he helped mission control to improve their reckoning of the LM's state vector – information that was loaded into the LM computer shortly before lift-off.

Mission control then read up a lift-off PAD to both the LM crew and the CMP that gave details of their rendezvous. On later missions, two PADs were sent covering two types of rendezvous – one as a fallback in case the other had to be aborted. With less than an hour to lift-off, the commander gave his RCS thrusters a check by firing them while still sitting on the surface. When Pete Conrad did this, he managed to blow over an umbrella-like dish antenna that he and Al Bean had deployed on the surface for the moonwalk television transmissions. Power was then switched away from batteries in the descent stage to a pair of batteries in the ascent stage. Flight control displays were set up for flight and the *abort guidance system* (AGS) was initialised to back up the PGNS for rendezvous guidance.

Proceeding on through the launch checklist, the surface crew donned their helmets and gloves. They were about to ignite the ascent stage's engine while it sat on top of the discarded descent stage which raised the possibility of the pressure wave from combustion compromising the LM hull. It was therefore wise to be fully suited for the ascent. Then with all checks completed and only a few minutes to lift-off, the crew could make their final preparation to leave the surface.

"Stand by. You ready to watch the APS pressurise?" Apollo 15's Dave Scott was checking to make sure that mission control was going to watch the vital signs from the ascent stage's propulsion system, the APS. Its tanks had remained unpressurised until this point.

"Okay, let's let her go," replied Ed Mitchell, the lift-off Capcom. It had become customary for the LMP from the previous mission to serve as Capcom for ascent as his awareness of what the LM crew were trying to do made him particularly suited to this role.

To pressurise the tanks, explosively actuated valves from two very-high-pressure helium tanks were operated to release the gas into the propellant tanks and bring them up to their working pressure. Mission control checked each tank in turn, for fuel and oxidiser, to ensure that, in case of any sign of a leak, lift-off could be carried out as soon as possible to minimise propellant loss. "Okay, here comes tank 1," announced Scott. "And we'll stand by for your call for tank 2."

"Roger," said Mitchell. After a brief pause for flight controllers to monitor tank 1's pressure, Mitchell gave the go-ahead for the second tank.

"Okay. Go with tank 2, looks good."

"Okay. Tank 2 coming now."

After another pause, Mitchell confirmed that all was well. "Looks good down here."

"Okay, thank you. Looks good up here," replied Scott.

"And, Dave, you're Go for the direct rendezvous. Both guidance systems look good; PGNS is your recommendation." Mitchell was letting Scott know that, of their two practised methods for rendezvous, the flight controllers recommended that they use the planned-for quick technique called direct rendezvous, and that, of their two guidance systems, they should rely on the primary.

"Roger. Go for direct on the PGNS."

"Okay, loud and clear, Dave, and you're Go for lift-off. And I assume you've taken your explorer hats off, and put on your pilot hats."

"Yes sir, we sure have. We're ready to do some flying," replied Scott.

"Standing by for one-minute," prompted Jim Irwin whose primary task was to look after the AGS and see that its knowledge of the ascent matched that of the PGNS. "Guidance steering is in," was his next call as he commanded the AGS to take its guidance information and generate steering commands for the RCS to use in case of an emergency. With a normal ascent, the guidance mode control switch would route steering commands only from the PGNS, blocking those from the AGS.

Preloaded with the data from the ascent PAD, the PGNS was nearly ready to ignite the engine. "Okay, Master Arm is On; I have two lights," called Scott, as he armed the pyrotechnic system that was about to sever the two halves of the LM, and saw an indication that the circuits were good.

"Average *g* is on. . ." The DSKY display had blanked to show that the PGNS was now calculating the average acceleration the LM would experience as it flew. In other words, it was now guiding the LM. It just had not ignited the engine yet. On the right side of the cabin, Irwin started a 16-mm movie camera looking out of the window to film the view of the ascent.

Scott continued with his steps prior to ignition.

"Abort stage." Pressing the 'abort stage' button caused the ascent and descent stages to separate, using explosive bolts to sever the four attachment points holding them together. At the same time, explosive charges drove guillotine blades through the bundles of wiring and plumbing to sever those connections also.

"Engine arm to 'ascent'." Arming the ascent engine allowed the engine controller to open the valves on the engine. Then at T−5 seconds, the DSKY displayed Verb 99,

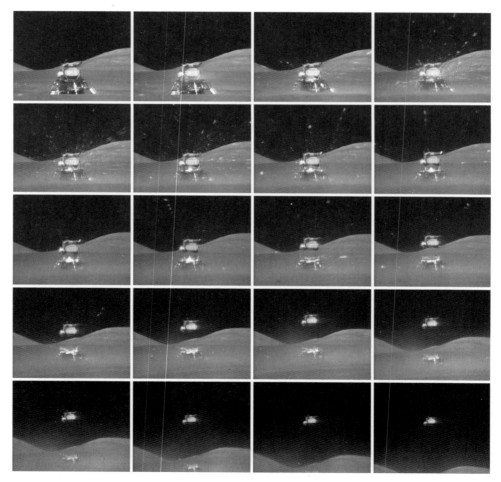

The lift-off of *Challenger*, Apollo 17's LM, from coverage by the rover TV camera.

which was its way of asking the crew if they wished it to proceed with engine ignition.

"99, Pro," intoned Scott, at which point he pressed the 'Proceed' button on the DSKY, essentially replying, "Yes, please."

Television viewers on Earth were given a ringside seat at the launch of the last three LM ascent stages. These missions included the *lunar roving vehicle* (LRV), a small fold-out electric car with its own television camera. Before entering the LM for the last time, the commander ensured that he parked his rover 100 metres east of the LM from where this miniature interplanetary outside broadcast station – which was remotely controlled from Earth via an independent radio link – could view the LM sitting on the surface. From this vantage point, it provided coverage of the lift-off itself, and the quiet, still and desolate scene that followed for as long as the rover's batteries and equipment continued to operate. On the last two missions, the surface crew referred to their rover's final resting place as the 'VIP site' – a reference to the stands at Kennedy Space Center in Florida from where *very important people* could view the Apollo launches.

When Apollo 17's ascent stage lifted off, Ed Fendell, the flight controller in Houston who operated the controls for the TV camera, managed to follow the early stages of *Challenger*'s ascent to orbit, despite a 3-second delay between his command to tilt and seeing the result on his monitor. It showed how the ascent stage went straight up for just 10 seconds – yawing a little as it did so to aim the vehicle towards the launch azimuth – then promptly pitched nose down by a little over 50 degrees in order to start adding horizontal speed. This was very different to a launch on Earth, where a streamlined rocket has to rise essentially vertically during the first few minutes to escape the bulk of the atmosphere before it can ramp up its horizontal speed to reach orbit. The lack of an atmosphere on the Moon allowed the LM to start to gain horizontal velocity almost as soon as it left the ground, permitting a more efficient flight profile.

As the LM pitched over, the crew gained a view of the landscape they had previously been exploring. As Aldrin related after the mission, they were also able to watch the after-effects of their lift-off. "I could see radiating out, many, many particles of Kapton and pieces of thermal coating from the descent stage. It seemed almost to be going out with a slow-motion type view. It didn't seem to be dropping much in the near vicinity of the LM. I'm sure many of them were. They seemed to be going enormous distances from the initial pyro firing and the ascent engine impinging upon the top of the descent stage."

"I observed one sizeable piece of the spacecraft flying along below us for a very long period of time after lift-off," noted Armstrong. "I saw it hit the ground below us somewhere between one and two minutes into the trajectory."

Aldrin was fascinated by the physics demonstration he was seeing: "It's very difficult to conceive of such lightweight particles like that just taking off without any resistance at all," he continued during his debrief. "It's easy to think back and say that they would do that. But it just seems so unnatural for such flimsy particles to keep moving at this constant velocity radially outward in every direction that I could see out the front window. I don't recall seeing any impact with the ground, but there were sizeable pieces."

Just behind the two crewmen in the centre of the cabin was the cylindrical cover of the ascent engine. Many have remarked on how close they were standing to a rocket engine. As he and Irwin flew along the meanders of Hadley Rille, Scott noted the sound from the engine that was audible through his helmet. "Both guidance systems are good, Dave," called Mitchell as the flight controllers closely watched the numbers coming up on the PGNS and the AGS.

"Okay, looks good up here," returned Scott. "It almost sounds like the wind whistling, doesn't it?"

Scott was impressed by the sound, and the ascent in general. "Truly amazing," he described decades later. "The LM launch and ascent were so quiet, especially when compared to Titans and Saturns! It was almost peaceful – some vehicle oscillation, periodic at a couple of degrees, and the periodic sound of a slight wind, pulsing at about 2 to 3 seconds in frequency. And, of course, the view of the Rille as we flew right along its course, face down. Just spectacular. Could not have been a better farewell. Most pleasant and certainly indelible."

As *Falcon* soared through the lunar sky, Scott noted the gentle wobble imparted on the vehicle by the periodic thrusting of the RCS jets. For simplicity, and to reduce the weight, the ascent engine was fixed. It could not aim its thrust anywhere but straight down along the spacecraft's x axis. As a result, the RCS had to do all the steering by turning the entire spacecraft and therefore aim the ascent engine in the right direction, which it did every 2 or 3 seconds, but using only the downward-facing thrusters. It had been realised that to fire the upward-facing thrusters did not make sense as they would be firing counter to the ascent engine.

This rise from the Moon was a critical event. If the APS engine were to underperform, which it never did, there was a real possibility that the LM would not achieve a stable orbit and instead would crash after less than one revolution. Therefore, during ascent, the crew watched the velocity and altitude readings from both of their computers and compared them to charts, looking for any deviations that might indicate a problem. One possibility for an underperforming ascent engine was to augment its thrust with the four RCS jets that were aimed in the same direction. Because the ascent stage was relatively light and the Moon's gravity relatively weak, the ascent engine's rated thrust was only 15.6 kilonewtons, about the same as the first jet engines introduced during World War II. Four thrusters could provide more than one-tenth of that at 1.8 kilonewtons total – a thrust that could make a difference in the later stages of a problematic ascent. With such emergency contingencies in mind, the LM's designers had arranged the RCS plumbing so that, if their own tanks ran dry, they could be supplied with propellant from the ascent engine's tanks.

Once the PGNS had determined that the ascent engine had added enough velocity, it commanded a shutdown. Immediately, the crew quizzed the computer on the size of the orbit they had achieved.

"PGNS says it's in a 40.6 by 8.9," reported Scott as soon as *Falcon* had entered orbit. The numbers showing on the DSKY represented the altitudes of the apolune and perilune respectively, given in nautical miles. Their orbit appeared to be 75.2 by 16.5 kilometres, which was only slightly lower than desired.

"Roger, we copy," replied Mitchell in mission control; then reassuringly said, "the guidance still looks good to us."

"Okay."

Within a minute, mission control had their orbit, as determined by radio tracking, to hand. "*Falcon*, Houston. We have you at a 42 by 9," announced Mitchell. "You're looking good."

"Okay. 42 by 9," confirmed Scott.

Although their tracking data put the orbit a little higher than *Falcon*'s at 77.8 by 16.7 kilometres, the trajectory experts were happy that the rendezvous could go ahead as planned.

RENDEZVOUS TECHNIQUES

Once NASA had accepted LOR as the Apollo mission mode, they had to work out how rendezvous, whether in Earth or in lunar orbit, should be accomplished. The problem is far from straightforward, and the solution did not spring forth from the mind of some brilliant engineer. Rather, it evolved from 1964 right through to the first landing and continued to evolve throughout the programme. The problems were many. Some of the major factors with which they had to contend were: how accurately would the engines perform?; how would a crewman know his speed and the speed of the target spacecraft?; what should the lighting be during the delicate docking manoeuvre?; what is the least amount of propellant required in the pursuing spacecraft?; how high should the target spacecraft be orbiting; and how long should a rendezvous take?

NASA first considered a *direct ascent* technique, but quickly dropped it. For the Gemini programme, the step-by-step approach of the *coelliptic rendezvous* was developed. Experience gained from that highly successful two-man spacecraft led to its refinement and adoption for Apollo rendezvous. During Apollo, as crews and engineers worked to stretch the system's capability, they devised the confusingly named *direct rendezvous* or *short rendezvous* as a way to gain more performance from the system.

Direct ascent

The obvious way to rendezvous was to launch off the Moon on a trajectory that directly intercepted the CSM using a single burn of the ascent engine. This was discarded for a range of reasons. The timing of the launch would require to be extremely accurate if the LM was to intercept a spacecraft passing by at 1.6 kilometres every second and, even with such split second accuracy, engineers knew that the expected variations in the thrust from the ascent engine would cause the LM to miss by gross margins. Additionally, the short duration of the approach gave little time to calculate and make corrections to the trajectory. Furthermore, the closing speed would be higher than the RCS thrusters could be expected to overcome and if the approach was missed, the LM would find itself in an orbit whose perilune was likely to be below the lunar surface – that is, they would rise away, arc back and crash onto the Moon. Direct ascent rendezvous was dangerous in many ways and on top of all that, it would be very difficult for the CSM to rescue a stricken LM.

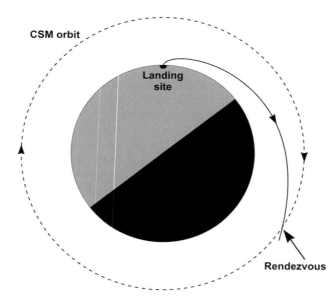

Diagram of the direct ascent technique.

In addressing these problems, engineers settled on a more elaborate technique that took a step-by-step approach, incrementally bringing the LM towards the CSM in stages that could be analysed and controlled.

Coelliptic rendezvous: the orbital ballet
To control the approach speed of the LM, NASA standardised how it would fly the final part of the rendezvous – what it termed the *terminal phase*. Theoretical studies and Gemini experience demonstrated that the best approach was to fly this terminal phase over the time that the CSM had travelled 130 degrees of its orbit, with approach speeds set out for every stage of this arc to allow the crew to keep control of the situation. Therefore, planners could choose where in the CSM's orbit they wanted the rendezvous to occur, taking lighting into account, and then work back 130 degrees to define the point where the terminal phase ought to begin, and therefore where the LM crew would execute the *terminal phase initiation* (TPI) burn. One huge advantage of this 130-degree approach was that as the LM rose to meet the CSM, the latter appeared to be stationary against the background stars, allowing the crew to visually check their progress. Because of the need to be able to see the stars clearly, most of the terminal phase was arranged to occur in the Moon's shadow. Additionally, opportunities were included during the approach for course corrections, based on data from their radar.

Continuing to work backwards, planners arranged for the LM to spend about 40 minutes in an orbit that was a constant 28 kilometres below the CSM's orbit. An important point to note is that this constant difference in height had to be maintained even if the CSM's orbit was elliptical. NASA used the term *constant delta height* (CDH) for this part of the rendezvous trajectory, and as the LM crew had to make a burn to shape their orbit to meet this condition, the manoeuvre was obviously known as the CDH burn. The purpose of this part of the flight was to give the crew time to track the CSM and calculate the burn that would be needed at TPI to complete the rendezvous. If the LM and CSM orbits leading up to the CDH burn were nearly circular and the errors were small, then it was possible to dispense with this manoeuvre.

The trajectory leading up to the CDH burn was essentially a circular orbit of 84 kilometres altitude which was entered by the *coelliptic sequence initiation* (CSI) burn, which was made half an orbit back from where the CDH burn would occur.

The only section that remains as we work backwards is the time from launch to the CSI burn. Around the time the CSM passed over the landing site, the LM ascent stage lifted off from the discarded descent stage. The ascent engine burned for about 7 minutes, ideally inserting it into an orbit with a perilune of 17 kilometres and an apolune of 84 kilometres. Half an orbit after insertion, the spacecraft had coasted to its apolune, from where the coelliptic sequence could begin with the CSI burn.

To summarise this sequence chronologically:

- After launch, the LM entered a 17- by 84-kilometre orbit.
- After half an orbit when it got to apolune, the crew made the CSI burn to circularise the orbit. They then began tracking the CSM.
- After another half orbit, they made the CDH burn, if required, to reshape the orbit and have the LM fly 28 kilometres below the CSM's orbit.
- During a 40-minute coast, further tracking determined the details of the burn that would take it into the terminal phase.
- The TPI burn placed the LM on an intercept trajectory that was, at least for a short period, essentially a transfer orbit. It raised the orbit's apolune slightly higher than the CSM's altitude so that it would intercept its target over 130 degrees of orbital travel.

Except for the initial ascent, all the burns were made with the RCS thrusters.

As the LM rose to meet the CSM during the terminal phase, the crew monitored their rate of closure using the PGNS and the AGS, searching for any hint that they might be deviating from their preferred trajectory – which was a straight line in terms of inertial space (this being indicated by the fact that they held the target fixed against the stars). The CSI plan included two opportunities to make mid-course correction burns. In the final stages of approach, the commander made repeated braking burns with his RCS thrusters to bring their closing speed to zero as the LM pulled up alongside the CSM and their crewmate within, thereby never reaching the notional apolune above the orbit of the CSM.

On Apollo 12, Pete Conrad, like all the other Apollo commanders, did most of the actual flying as he monitored *Intrepid*'s return to orbit by watching the PGNS and making burns based on its results. Meantime, to his right, Al Bean was never really given the chance to pilot anything, which was normal on an Apollo mission. Despite being the *lunar module pilot*, his role was more of a flight engineer/co-pilot, although, in extreme situations, he could take over using the controls that were provided at his

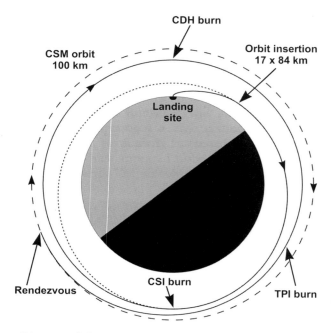

Diagram of the coelliptic sequence rendezvous technique.

station. His chief task was to operate the AGS in case this backup guidance system had to be brought in to control the spacecraft. It generated numbers that reflected its determination of their trajectory, which he compared to the answers coming from the PGNS. At any point in the rendezvous, usually after they completed an important step, he could update the AGS knowledge of where they were, with that from the PGNS – assuming, that is, that everyone was happy with the performance of the PGNS. The AGS would then continue to determine its independent trajectory from that point onwards. Bean found it to be quite exhausting: "After CSI, we realigned the AGS to the PGNS. Then I made all the AGS marks after that just as we'd planned to do, and got solutions that all compared very favourably. This shows that the AGS would do the job, would get solutions, which we, of course, suspected anyhow. But the whole point is that you don't want to use the AGS as the normal rendezvous mode. It requires that every two or three minutes, you make a lot of entries in the AGS. It requires that you point the spacecraft exactly at the command module, which takes time and effort. The LMP is working continually and isn't able to sit back and think through exactly what's going on in the rest of the spacecraft."

Bean wished the operation of the AGS could have been less manual. Of all the LM crewmen, this man, who was to become an accomplished artist, perhaps deserved more than others a little time to absorb the experience. During his debrief, he related how Conrad had been sensitive to his needs: "I continued to work to input the data into the AGS until the second mid-course when Pete said, 'Hey, why don't you quit working and sit back and enjoy the flight?' I got to thinking about it later and that was the first time I'd really looked out to see what was going on. The rest of the time I'd just been working my fanny off trying to get all those marks into the AGS, and that's not the way you want to fly a spacecraft."

Years later, he told how Conrad had offered him the controls during a pass around the far side of the Moon. While out of earshot of mission control, Bean experienced how the light spacecraft, with its main tanks nearly empty, responded keenly to every impulse from the thrusters. At last, a lunar module pilot had been allowed to pilot a lunar module.

The careful step-by-step methodology behind the coelliptic rendezvous took nearly two orbits to complete, but it gave the crews plenty of time to take optical and radar measurements of the angle and distance to their quarry, evaluate their progress, and calculate appropriate burns for each stage of the approach. It minimised the possibility that errors in the burns would place them on a dangerous orbit. It also permitted greater flexibility in case the CSM had to come to the LM's rescue. For this possibility, and as a backup, the CMP in the passive CSM was kept busy making his own determinations of their orbit in permanent readiness for a LM abort.

The coelliptic rendezvous used for Apollos 10, 11 and 12 took nearly 4 hours to execute – a significant amount of time in a spacecraft whose total working life was measured in hours. For the advanced missions that tried to fit a 6-hour moonwalk into the last surface day, the rendezvous was threatening to keep the crew from getting sleep for nearly 24 hours. During the hiatus imposed by the Apollo 13 incident, Scott and Irwin experimented in the simulators to see if they could shorten it to the benefit of their mission. The arrangement they devised, which removed an entire orbit and 2 hours from rendezvous, was implemented on Alan Shepard's Apollo 14 flight.

Direct rendezvous

Not to be confused with the earlier 'direct ascent' method, direct rendezvous (also known as *short rendezvous*) had the LM enter the terminal phase at the point where the CSI burn would normally occur. It relied on the confidence that had been gained in the spacecraft, radars and guidance systems over repeated flights. It also took advantage of the fact that although lift-off had to occur at exactly the right time, a missed launch would only require them to wait until the CSM came around again on its next orbit.

Rendezvous began with a launch and insertion into orbit that was identical to the coelliptic method. As they rose on the ascent engine's flame, both the crew and mission control analysed the numbers coming from the spacecraft's two computers, checking that its performance was within the range expected. On insertion into lunar orbit, mission control could advise them of which computer, in their opinion, had measured the ascent more accurately. The crew then knew which numbers to watch as they fired the RCS thrusters to compensate for deviations in the ascent engine's performance. If their ascent had not been accurate enough to support this direct technique, the crew had the option to complete the rendezvous using the longer but more forgiving coelliptic method.

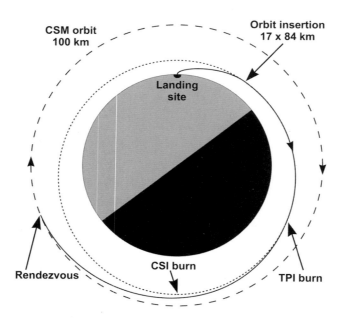

Diagram of the direct or short rendezvous technique.

Once established on their initial elliptic orbit, they had about 40 minutes during which – like musicians and their instruments in an orchestra – a flurry of tracking activity was struck up by all the players in the Apollo ensemble: the LM crew on their radar, their guidance computer and their backup computer with its own instruments; the CMP on his VHF transponder, his sextant and another computer; and mission control with tracking stations around the world chorusing on large computers in Houston. They all carefully, and repeatedly, measured the flights of two spacecraft hurtling around the Moon. Like a band rising to a perfectly harmonised chord, they each derived solutions for the upcoming TPI burn and compared them. If the commander could see that all the solutions, including his, were converging towards a common answer, then, with confidence that his own system was working well, he would choose the solution generated by his PGNS. Because the TPI burn was relatively large for a direct rendezvous – it had to turn their 17-kilometre perilune into a 113-kilometre apolune – it was made using the ascent engine. Any residual velocity that had to be made up could be achieved with the RCS afterwards.

On Apollo 15, Ed Mitchell let *Falcon*'s crew know that mission control was happy with everyone's work and that they should go ahead and burn their TPI manoeuvre. "*Falcon*; Houston. You're Go for an APS TPI. You have 180 feet [per second] available."

"Roger. Understand. Go for the APS TPI, thank you."

This was a measure of how tight the propellant margins were with the APS. Prior to lift-off, *Falcon*'s tanks had enough propellant to change their speed by 2,130 metres per second overall. Mitchell was telling them that, as far as mission control could tell, only 2.5 per cent of that capability remained, which was enough for a 6.5-second burn. In the event, their TPI burn needed to last only 2.6 seconds, and by using the ascent engine, they saved wear and tear on the RCS thrusters that might be needed in case of problems prior to docking with the CSM.

As was typical for Apollo, it was not considered enough to have the PGNS, the AGS, their crewmate in the CSM and people back on Earth all working to find a solution to the size and direction of the TPI burn. NASA's mentality for such a critical operation as rendezvous was to give the crew options wherever possible, so for a fifth attempt at the answer, the LM crew carried a set of charts with which, if everything else failed, they could derive a usable solution for TPI and reach the CSM safely. Scott explained how they worked: "In simple terms you needed range, range-rate, angle and time. The equations allowed you to draw a curve on a chart which was a nominal curve. At certain points, you would have a known range, range-rate and angle to the target. What you did on the charts was, at the specified time, to look at the range, range-rate and angle to the target and match that with the nominal. If it didn't match, you would change the range, range-rate or angle by cranking in a correction off another chart. You can lose communications with the ground; you can lose the PGNS and the AGS and still do the rendezvous because all you need is a watch and the COAS and the radar.

"A grease pencil on the window was fine too. The COAS goes out, you mark the window with a grease pencil. Works! That's the beauty of the equations. They were elegant and just beautiful because you could rendezvous with just nothing. But you had to practice a lot and you had to get the feel of it because you knew just about where you were and it would compute TPI and you do the burn and you are on your way. Unless you purposely screwed it up, you'd get there. I mean you had to make an effort to screw it up. It's beautiful. That's why we had all the confidence in this stuff. The confidence is based on the fact that it was set up right by these guys that wrote these very elegant equations that went into the computer – but they gave you a manual backup that you could do on a piece of paper."

The TPI burn usually occurred over the Moon's far side, out of communication with Earth. As much of the subsequent approach was also out of sight of Earth, the crew relied on regular measurements by both spacecraft of their separation distance, their rate of closure and their angle with respect to each other. Solutions for possible mid-course corrections were compared and burned with the RCS jets. Their progress was constantly cross-checked on charts, and the target viewed against the background of stars to check for any apparent movement.

BRAKING AND STATION-KEEPING

The final major manoeuvre of the rendezvous was braking. Since the TPI burn, the LM had been coasting on an intercept trajectory that was essentially part of an orbit. The apolune of that orbit was a kilometre or more higher than the altitude of the CSM and, without braking, the LM would have sailed by in front of its target.

Starting from a distance of nearly 3 kilometres, the commander executed a series of manoeuvres to reduce the closing speed of the two spacecraft. Each was pre-planned to occur at ever narrowing ranges to the CSM, and although his checklists included suggested approach speeds, the commander used his piloting instincts to achieve the actual braking thrust at each. As explained by John Young, when talking about his approach on Apollo 16, there were wider issues that dictated the approach speed. If the LM thrusters stopped working, could the CSM finish the job? The LM was light and its thrusters were very effective, but not so the heavy CSM, which was still loaded with propellant for the burn home.

"As opposed to the usual Kamikaze brake that I usually make, we kept it very conservative. We decided that we would always keep the braking within something that the command and service module could do. This means that, contrary to the braking gates that we use in the LM, you sort of have to lead them. In other words, at the range that you want to be at, you almost have to be at the braking velocity to give the command and service module a fighting chance in case it has to do it. I never had any doubt that we would do it all ourselves because that machine was working so beautifully. We just closed in and it was so good I wanted to do it again. It was really slick."

Buzz Aldrin was struck by the responsiveness of the lightweight LM. "Each time you hit the thrust controller," he explained, "the vehicle behaved as if somebody hit it with a sledge hammer, and you just moved. There is no doubt about the fact that the thrusters were firing. It was sporty; there's no doubt about it."

"It's a very light, dancing vehicle," agreed Armstrong.

On completion of a successful rendezvous, it was normal for the two vehicles to spend some time station-keeping – that is, floating next to each other – in order to give each a chance to inspect the other. For example, on Apollo 15, Scott and Irwin were asked to look at the SIM bay in the side of *Endeavour*'s service module. While Worden had been operating the cameras and instruments mounted in the bay, mission control had noticed that the output from a sensor was not as expected. It was designed to measure how rapidly the landscape below was passing, thereby letting the mechanics of the panoramic camera compensate for the image motion. Scott was being asked if he could see any obstruction in front of the sensor, which he could not. The problem lay in its optical design.

On Apollo 16, as *Orion* lifted off the Moon in front of the rover's television camera, controllers noticed that the skin at the rear of the ascent stage, the part that faced the camera, appeared to have been disrupted at launch. This unpressurised part of the LM housed much of its electronic systems, including the *electric control assemblies* (ECAs), which were part of the spacecraft's electrical supply system. They asked Ken Mattingly in the CSM *Casper* to describe what he saw as Young made *Orion* perform a pirouette in front of his camera.

"Okay, on back side, it looks like some of the thermal blanket around the ECAs on the back end there is pretty badly chewed up," radioed Mattingly. "A couple of panels are torn off. And some of the stripping in between, it looks like it was struck by something, but it looks like all the Mylar blankets underneath are still intact."

Mission control were keen to know the depth of the damage. Jim Irwin, Capcom

Orion, Apollo 16's LM, with disrupted thermal blankets over its rear.

for the rendezvous stage of this mission, enquired further. "Ken, can you observe whether it's possible for sunlight to directly impinge on portions of the spacecraft equipment?"

"No, sir," replied Mattingly. "It's not possible from the back; I can't tell about the bottom; but, on the back side, the Mylar blankets are still intact – it's only that outer covering that's broken." *Orion*'s damage did not prove to be a problem for the rest of its short life.

The LM approached the CSM with its windows facing its quarry. When originally envisaged, the LM was to have had two docking ports, the second being at the forward hatch. But in the drive to cut weight from the spacecraft, the heavy docking collar was dropped and replaced by a simple square hatch through which a suited crewman and his back pack could crawl on his way to the lunar surface. The remaining docking port was at the top of the ascent stage and there was a small window above the commander's head to enable him to view through the roof of the LM. Having lined up in front of the CSM, the commander had to pitch down until the docking apparatus of both spacecraft faced each other, essentially lining up their *x* axes. The LM was then rotated 60 degrees to line up the docking aids between the two spacecraft. From here, the CMP took over, bringing the spacecraft together and docking. The commander could carry out the docking, but to do so would have meant craning his head backwards uncomfortably. It was much easier for the commander to hold the LM steady while the CMP, who was seated comfortably looking through a rendezvous window, brought the CSM up to the small spacecraft.

When Armstrong was manoeuvring *Eagle* for docking, he decided to change the procedure, but soon wished he hadn't. He realised that if he were to pitch down at that point, the Sun would come beaming straight into his eyes. Therefore, he chose to

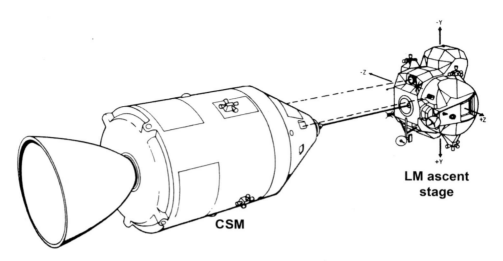

Docking alignment of the CSM and the LM ascent stage.

line up 60 degrees further around before he pitched down, thereby avoiding the Sun. Having done so, Collins asked him to rotate a little further to get the docking aids properly aligned.

"We complied and promptly manoeuvred the vehicle directly in the gimbal lock," related Armstrong after the flight. Having gone into gimbal lock, the PGNS was no longer able to hold the ascent stage stable. "I wasn't aware of it because I was looking out the top window. No doubt, we were firmly ensconced in gimbal lock. We had all the lights on." However, they had a backup system. "We just put it in AGS and completed the docking in AGS. This was just a goof on our part. We never should have arrived at the conclusion from any series of manoeuvres. However, that's how it happened. It wasn't significant in this case, but it certainly is never a desirable thing to do."

Unfortunately, holding the LM stable using the AGS had a side effect that caught Collins unaware once he had soft docked and moved to retract the docking probe for a hard dock. As the probe began to pull the light ascent stage towards the much heavier CSM, the AGS detected a change in attitude and furiously tried to compensate for it by firing the LM's thrusters. Collins didn't realise this and began his own attempt to correct the motions of the spacecraft relative to one another, but as the two spacecraft were flexibly joined at the capture latches, their motions were somewhat complex. "That was a funny one," he remarked directly afterwards. "I thought things were pretty steady. I went to 'retract' there, and that's when all hell broke loose. [The LM was] jerking around quite a bit during the retract cycle." In 8 seconds – the time it took the probe to retract – the problem disappeared as the two spacecraft became one.

Apollo 11's problems had worried engineers who looked at the dynamics of two vehicles joined by a flexible probe. Dick Gordon and Pete Conrad had no such worries bringing CSM *Yankee Clipper* and LM *Intrepid* together on Apollo 12. "It was a simple, easy task to perform," explained Gordon post-flight. "It could have been done in darkness as well as daylight with just as much ease. I don't think that the vehicles moved hardly at all at contact. There was certainly no noticeable motion, anyway."

Conrad concurred: "We came right in and stopped. I pitched over and did the yaw manoeuvre after Dick did his roll. We did the docking just the way we stated before. Dick came in and docked; I maintained attitude hold – tight dead band. As soon as he got his top latches barber poled, we went to Free. Neither spacecraft so much as moved a muscle, and we got a complete, good lock. He straightened out attitude with his translations thrusters and went to hard dock, and it pulled us right in there without either spacecraft deviating; bango! We had 12 latches."

When Eugene Cernan brought Apollo 17's ascent stage, *Challenger,* to rendezvous with the CSM *America* he thought the spacecraft was a fine sight to see.

"Okay. I've got you right out the overhead, Ron," called Cernan to his CMP Ron Evans. He had just pitched over to face the LM's drogue at the CSM's docking probe and the mirror-like surface of the command module looked resplendent in the sunshine. "Now I'm going to yaw."

"Okay, yaw her around," replied Evans as Cernan began to line up the two craft to get the docking aids aligned.

"Okay, here we go." Cernan was enjoying the responsive spacecraft he had under his fingertips. "What a super flying machine!"

"Still looks kind of tinny to me," mocked Evans.

"Command module looks just as good as the day they put it on the pad," said Cernan.

"And, you know, so does *Challenger*, by gosh," said Evans. "You're missing some of the pieces." The last time he had seen *Challenger*, it had a descent stage attached, one that still sits quietly on the Moon.

"Yes, one big piece we left behind."

When Evans tried docking with *Challenger*, he found the lightness of the LM took

Apollo 17's spacecraft station-keeping. CSM *America* and LM ascent stage *Challenger*.

a bit of getting used to. His approach speed was only 2 or 3 millimetres per second. "Coming in nice and slow; no problems," he informed his commander.

"Okay, you're looking good, babe," said Cernan encouragingly. "I got you on my COAS right up in the middle of the window. Looking good. Must be a couple of feet away."

"Stand by," warned Evans as the point where 16.3 tonnes of CSM would impact 2.3 tonnes of LM ascent stage whose tanks were nearly empty. However, Evans had brought the CSM in too slowly and the capture latches failed to engage on the inside lip of the drogue.

"Okay; I didn't get it. Let me plus-*x* it."

"Okay. You didn't get it," confirmed Cernan.

"Okay. Might have been a little bit slow. Stand by." Evans went to have another go but this time, he would drive the probe home by firing his thrusters to give the CSM a positive push in the plus-*x* direction.

"You got it! Capture!" Cernan had heard the three latches at the tip of the probe engage.

"Barber pole," called Evans, as he saw the indicators on his instrument panel change to show that they had latched. "Capture, go Free."

Evans's call for Cernan to 'go Free' meant that he wanted the LM to stop trying to hold its attitude. The lightweight spacecraft was at the end of the probe and any motion it had would be damped out by the probe's articulated tip.

"Crazy thing," muttered Evans as he waited for the CSM and LM to line up on the end of the probe.

Cernan wondered what the problem was: "Say again?"

"I get the right. . ." Evans laughed at the jittery LM. "And then it goes around the other way. I think you're bouncing around up there, too, you know."

"I know it. I'm just swinging free," replied Cernan.

"You're bouncing around more on the probe," said Evans. "See, I'm not moving at all."

To try to stabilise the situation, Evans suggested that Cernan allow the LM to hold its attitude again. Thruster jets began firing to pull the small spacecraft onto the attitude it had been programmed to keep. As it did so, it also applied a small torque to the CSM through the probe.

"Okay. I'm stable now," called Cernan once the LM's motions had damped out.

"Okay. Now let me come up to you."

"Okay, when you're happy, I'll go Free." Cernan once more stopped the LM from controlling its attitude. "Looking good now."

"Looking good, yes," confirmed Evans. "See that's what we needed. Okay. Why don't you go to Free, and we'll go to retract?"

"Okay," said Cernan. "I'm Free."

"Okay, retract. Here you come." The struts of the probe mechanism began to fold, bringing the two halves of the docking tunnel together. "Bang! I got two barber poles."

"You got what?" quizzed Cernan.

"Okay," laughed Evans. He had got the sense of the talkback indicators the wrong way round. "Two greys, I mean."

Cernan shared the humour. "That's better. Sounded good in here."

"Yes, sounded good in here," confirmed Evans.

"Okay, Houston," announced Cernan. "We're hard docked."

After the flight, Evans discussed the differences between this docking and his previous one when the LM was still attached to the S-IVB. "One of the noticeable differences between this docking and the docking with the S-IVB is the fact that the ascent stage did dance a lot more than the S-IVB did. The S-IVB is steady as a rock. The LM dead band would change attitude, and you'd try to follow it."

In view of the difficulties that Apollo 14 had experienced when Stu Roosa had tried to dock with the LM *Antares* while it was still on the S-IVB, his docking attempt in lunar orbit was approached with some apprehension by mission control. Before the lunar landing, Bruce McCandless at the Capcom console gave the crew a change to the procedures. "With respect to docking, again we anticipate normal operation. However, we'd like to add to the normal procedures, a LM plus-x thrust of 10 seconds, four-jet RCS, to facilitate or to give us just a little more of a warm feeling on the docking."

By having the LM thrusting towards the CSM at the same time as Roosa was docking seemed to be a manoeuvre neither Shepard nor Roosa was happy with. "We mutually agreed that it would be better to give it one go at least using the normal technique with no thrusting," explained Shepard after the flight. "That we did, and it worked fine."

"We really didn't see any advantage to that LM thrusting," added Roosa. "I didn't like that idea of the LM coming on with thrust. We didn't see where we had anything to lose by trying the normal docking method. If it didn't capture, then we'd try it." In the event, Roosa's docking went smoothly, without any hint of the troubles that had beset their earlier docking.

A LONG DAY

For their pioneering journey to the surface of the Moon, Armstrong and Aldrin made only a single foray onto the surface before attempting to get some sleep in the uncomfortable confines of the LM. The rendezvous and docking next day were therefore carried out by a crew that were hopefully rested to some extent. As each successive flight became more ambitious and the LM was trusted with a crew for longer periods, the rendezvous and docking day grew increasingly packed. At first, 4-hour, and eventually nearly 6-hour moonwalks were shoe-horned into the day. Then by the time 2 hours had been added for getting into a suit, plus time to prepare for lift-off, meals and the rendezvous itself, the day became especially long and intense.

For mission control, the excessive length of the crew's day became an issue when Scott and Irwin returned from their highly successful stay at Hadley Base near the eastern rim of the mighty Imbrium Basin. This was one of the very few times when the crew in an Apollo spacecraft and the people in mission control managed to get out of sync with one another, probably because managers in the *mission operations control room* (MOCR) were worried about their perception of the crew's tiredness in the wake of the Soyuz 11 tragedy only a month before the flight of Apollo 15.

With a successful docking completed, Worden pressurised the tunnel between *Endeavour* and *Falcon*, then removed the forward hatch and docking equipment to allow him to inspect the 12 docking latches. Meanwhile, Irwin copied down a P30 PAD from mission control for a burn that would eventually take the jettisoned LM out of lunar orbit to crash on the Moon.

Once the LM's overhead hatch had been removed, Worden sent the vacuum cleaner through the tunnel to help the LM crew to deal with the dust on their space suits. Scott and Irwin then began transferring all required items to the CSM, following a list in the flight plan that indicated where each item should be stored. The list included film magazines, rock and soil samples, food, used urine and faecal bags and one of the *oxygen purge system* (OPS) packages from the surface. The OPS, which had been mounted on top of one of the PLSS during the moonwalks, would be needed by Worden during the coast home to Earth, for his spacewalk to the SIM bay to retrieve film magazines from the cameras there. It contained a high-pressure oxygen bottle that provided emergency air to a suited crewman in case a leak opened up in his suit.

Items not required by *Endeavour* for the remainder of its mission, such as used lithium hydroxide canisters, a second OPS and the now-useless docking probe and drogue, were left in the LM to be jettisoned with it. In the light of the Soyuz 11 incident, this jettison was to occur with the crew fully suited up. Irwin was the last to leave *Falcon*'s cabin, closing its overhead hatch behind him. Once everyone was inside the command module, the forward hatch was installed and a check made for leaks. At this point, Scott had to deal with a slight pressure leak in his suit. "Okay, we are going to be a few minutes here. We got to put some LCG plugs in our suits and it's going to take probably about 10 or 15 minutes to get all that done."

This communication was the start of a confused episode which involved the checking of suit and hatch integrity. Scott's boss, Deke Slayton, came on to the communications loop, betraying management's sudden concern at the crew's deviation from the flight plan. Scott's problem with the plugs in his *liquid cooled garment* (LCG) was a minor remedy for a leak that was probably brought on by the wear and tear from the tenacious and abrasive lunar dust.

"Hey, one quick question. How come you guys need plugs for those suits?" asked Slayton.

"Well, because, apparently, the LCG connection on the inside won't hold an air seal," replied Scott. "So we're getting them taken care of with these extra little blue plugs we got that are airtight on the inside."

"Roger. We thought those plugs only were required when the LCG was not on. We're trying to crack that one for you down here, Dave. There's something screwy here."

"Okay. Well, we'll put these plugs in and run another pressure integrity check and see how it works."

"Roger."

Scott's subsequent successful suit integrity check put the crew slightly behind their timeline, but Slayton's intervention displayed the start of management's jitteriness about the crew and their tiredness when a slightly abnormal situation arose. Then, with only a few minutes to go before LM jettison, another pressure integrity problem became evident when Worden reported the pressure difference between the cabin and the tunnel.

"LM/CM delta-P is 2.5... 2.0, excuse me."

"Copy, 2.0," confirmed Bob Parker at the Capcom console.

The crew could use the tunnel vent valve to bleed air out of the tunnel between the two spacecraft. Had it been completely evacuated, this pressure reading, given in pounds per square inch (psi), would show between 5 and 6 psi, essentially the absolute cabin pressure. Their procedures called for the reading to be at least 3 psi prior to jettison. The fact that it was only 2 psi when it had earlier read 3 psi strongly suggested that air was entering the tunnel through either the LM hatch or the CM hatch. Compounding the jitters in the MOCR was the knowledge that, on the way to the Moon, Scott had misinterpreted the settings of the valve that both vented the tunnel and allowed the crew to monitor the pressure.

"Okay, the LM/CM delta-P doesn't look exactly right to us. What do you think?" asked Scott.

"We'd like to get another pound [per square inch of pressure] out of there," replied Parker. "We're showing about 3.5 in there." But mission control were not reading this directly, They had deduced this figure by subtracting the reading they had been given from the measured cabin pressure (5.5 − 2.0 = 3.5).

"Okay," said Scott, as he and his crew looked for answers. "We had a suspicion that possibly the LM overhead dump valve was open, and it might be." It was possible that Irwin had inadvertently left it open even a little when he left the LM. Scott tried venting the tunnel further. "It's up to about 2.3 now," he informed them.

The flight controllers in the MOCR discussed the readings with Scott a bit longer, before coming to a conclusion that was an extreme rarity in the history of flight control – a mistaken conclusion. Parker radioed up, "Dave, we think that the increase in the cabin pressure during the suit integrity check could have raised it from your side." However, adding more air to the cabin by inflating the suits for Scott's pressure test would have the opposite effect, increasing the pressure difference across the hatch. Then Parker let slip about how the ground and the spacecraft had got out of sync with each other. "Stand by, Dave; confusion reigns down here." In light of this confusion, mission control decided to hold off on the jettison, back out of the situation they were in, and have the crew disarm the pyrotechnic devices that were about to sever the LM. If the crew were to remove the hatch to inspect its seal, then an accidental detonation of the armed LM jettison explosives would be catastrophic.

Scott and his crew brought the tunnel back up to the same pressure as the cabin; they removed the hatch but found nothing untoward. In any case, it was perfectly possible that contamination to the seal, perhaps from lunar dust, could have been blown off as the hatch was removed. Now that they had an extra 2 hours before the next jettison attempt, mission control wanted to use the time to test the hatch seal thoroughly. Since the crew had reduced the pressure in the tunnel low enough to give a reading of 3.5 psi, Parker asked them to hold it there throughout their next far-side pass, and see if it had changed when they reappeared 45 minutes later. Scott and his crew were thinking about food and wanted to take their helmets and gloves off to eat: "I guess in that case, we'll probably break the suits down and then run another suit check before we see you around the corner."

"Okay, we'll buy that," replied Parker.

"It's about time for dinner," said Scott.

"I knew there was a reason."

By this time, it had been 18 hours since Scott and Irwin suited up for their gruelling work on the lunar surface. They had not eaten for 8 hours and had been sealed in their suits, with helmets and gloves, since before launch from the Moon 6½ hours earlier. The problems with their suit and hatch integrity were compounding their tiredness. They were hungry, and keen to get settled down to a much-needed meal break.

"Okay, we're about 3.2 [psi] now on the delta-P," reported Scott. "We'll leave LM [meaning tunnel] in Vent."

"Roger," replied Parker. "I understand; 3.2 and still venting."

The confusion was being compounded. The MOCR had asked for the tunnel pressure to be held around the far side but Scott now had the impression that he was to leave it venting. Then the MOCR worried whether the fully suited crew should remove their helmets and gloves to allow them to eat. Breaking open their suits would necessitate another check of their pressure integrity before LM jettison. Parker notified them of a compromise: "You are permitted to break the suits down, but do not do the suit integrity check until you come back around the other side; we can take another look at that tunnel." Another suit integrity check would pump more air into the cabin, affecting the reading on their pressure gauge.

Once the crew passed around the Moon, Parker quizzed them. "How did the hatch integrity check go?"

"Well, we've just had it in tunnel vent all the way around the back side as I think you suggested," replied Scott.

"Did you have a look at holding it in delta-P to see how it was holding on that?" queried Parker.

"No, we just left it in Tunnel Vent all the way around the back side," reported Scott. "That's what we'd thought you'd said to do. We can check it now."

By this time, Glynn Lunney, the flight director on this shift, was becoming somewhat frustrated at the difficulty his team were having in getting this crew put to bed. Parker called up, "15, why don't you bring it up to 3.5, and let us watch it for a while. I think we garbled something there."

The integrity check was successful and the crew proceeded with the jettison. It was timed to occur when the stack, which was holding its attitude constant with respect to the stars, had the LM facing away from the Moon, which only happened once per orbit. A guarded push-button sent a signal to the pyrotechnic circuits, detonating an explosive cord around the tunnel which cut its circumference cleanly.

"And, it's away clean, Houston," said Worden as the remaining air within the tunnel gave the LM a mild push away from the CSM, along with its tunnel and the disposed-of items inside.

"Roger, copy," empathised Parker. "Hope you let her go gently. She was a nice one."

"Oh, she was at that," agreed Worden.

But the trials of Apollo 15's rendezvous day were not over. The procedures called on the crew to make an RCS burn to put some more distance between them and the LM, details of which had been entered into the computer earlier. Scott was then to use P41 to execute this burn.

"Houston, 15," called Scott. "Question on the separation manoeuvre. Do you want us to burn residuals in P41, or just make 1-foot-per-second burn?"

"Roger, Dave," replied Parker. "Burn them in P41, please."

Scott looked at the DSKY and was not happy with what it was telling them. The size of the burn along the three orthogonal axes was displayed in front of him, and one of them was telling him that the burn would take them forwards, towards the very thing they were trying to avoid. Additionally, the lateness of the whole jettison procedure meant that it was difficult to keep a check on the LM. The discarded spacecraft was nearly in line of sight to the Sun.

"Houston, P41 says seven-tenths forward," pointed out Scott. "Yes, seven-tenths forward, seven-tenths up."

"Roger, Dave," confirmed Parker.

"And forward takes us right back to the LM," reminded Scott.

"Stand by, Dave," said Parker, the MOCR's only point of contact with the crew. "We're looking into that, of course."

"Okay. We got about a minute and 15 seconds or so."

"Roger."

Having pointed out the inconsistency to the MOCR, Scott continued with preparations for the burn, trusting that they would know what was best. After a pause, he announced, "Average g is on." The computer had begun to measure acceleration and was about to begin the burn.

"Ah, hold the burn, Dave."

"Okay, we'll hold the burn," said Scott.

The confusion between the MOCR and the spacecraft continued as each party began using differing terminology to describe where the LM was sited with respect to the CSM. Terms such as 'in front of', 'dead ahead' and 'trailing' can have multiple meanings in the three-dimensional regime of space. Therefore when mission control suggested that Scott should simply point towards the LM and fire the thrusters to move away from it, Parker compounded the confusion by saying, "We need you behind him and then a firing of retrograde." Unfortunately, the word 'retrograde' has a precise meaning in celestial mechanics: opposite the orbital motion. Since they were leading the LM around the Moon at this point, the instruction's strict meaning required that they manoeuvre the CSM to be trailing it, then slow down their orbital motion slightly to increase the separation, which was not what was intended. The MOCR eventually tightened up its language.

"Okay, Dave," called Parker. "How about 2-foot-per-second posigrade, as long as you're in front of him. Understand?"

"Okay; so that'll be a minus-x delta-v for 2 feet per second at our present attitude, right?" checked Scott.

"Roger. That affirm, Dave."

"Okay. We're all in the same frequency. We'll do that."

THE ROLE OF MISSION CONTROL

At first glance, this episode after Apollo 15's docking might appear to be a comedy of errors by both the crew and MOCR, yet it indicates how, in an environment that is extremely unforgiving, a safe and successful outcome was achieved. Scott knew that the separation burn was unsafe (probably due to the extra revolution around the Moon), brought it to the MOCR's attention and proceeded to carry on, trusting the people on the ground to assess the situation correctly.

This illustrates the close relationship between a crew and mission control. The people in Houston had a very high visibility into the spacecraft, its systems and its trajectory by virtue of telemetry, available computing power and the knowledge and experience of the entire team in the control centre; the crew had a high situational awareness by virtue of having their eyes and ears *in situ* so to speak. The two sides then worked together to fulfil the mission's objectives. This was an extension of the aviation model where the pilot in command of an aircraft works with air traffic control to ensure safe travel in what is a very unforgiving medium. In a sense, both are in collaborative control, linked in their common purpose by the air/ground communications loop. Rarely do the two get out of phase and when they do, it is usually down to the quality of communication on this loop.

Gerry Griffin, Apollo flight director and, later, Director of the Johnson Space Center.

Gerry Griffin, one of Apollo 15's flight directors, and later director of the Johnson Space Center, made this very point. "In aviation, pilots don't control what goes on in the airspace, they control their aircraft by a set of rules and by following instructions from the various control facilities who also operate under certain rules. For sure, the aircraft commander can take any action he or she deems necessary to safely operate the aircraft, including disobeying an instruction from an air traffic control centre, approach control, or a control tower. As soon as the aircraft commander takes that overriding step, he or she will have a lot of explaining to do when they get on the ground, and if they can't convince the powers-that-be that they took the proper course of action given the conditions, they won't be flying anymore, or at least, they won't be flying for a long while. It is no different in the American manned space flight environment.

"Like the aviation analogy, the commander in Mercury–Gemini–Apollo

MOCR, the mission operations control room during Apollo 12

controlled the spacecraft and could take any step he felt necessary to operate the spacecraft safely and to finish the task at hand in accordance with the flight plan and mission rules. Those of us in the mission control centre [MCC] understood that fully and agreed with it. But when any out-of-the-ordinary situation reached a 'safe harbour' or stopping point, the commander or crew was expected to (and always did) work closely with the MCC to proceed on with the mission. Often the 'next steps' were 'directive' in nature and emanated from MCC."

One of the important differences from the air traffic analogy is the visibility mission control has into so many of the spacecraft's systems. Air traffic control look at the movements of many aircraft all at once but cannot diagnose an impending technical problem in a single aircraft. Apollo's mission control, on the other hand, while having no other spacecraft to worry about, could see far more detail about the health of an Apollo spacecraft than the crew could, and could bring much more brainpower to any situation. Throughout an Apollo flight, there were many times when a decision from mission control was vital to the progression of the mission, typified by the 'Go/no-Go' call which became a media catchphrase of the MOCR, for example, before TLI, LOI and the final decision to land on the Moon (PDI), as Griffin explained:

"The MCC had to make sure the ground-based systems and the systems the crew couldn't see (for example, the S-IVB before TLI, or the command module before

Mission control at the moment of Apollo 15's lift-off from the Moon.

PDI) were ready. Then, we unequivocally told them that we were Go, or no-Go. If the MCC and the crew were Go, the crew was expected to carry out the 'next step'. Of course, similar to the aviation analogy, the commander or crew could hold off performing one of those milestone events even after we both had agreed it was Go if they didn't like something they saw. If they were right, so be it – good catch – but they had better be right."

The Mission Control Center evolved during the 1960s through the Mercury and Gemini programmes, beginning with Chris Kraft as the model for the flight director. He defined this role, and also that of mission control and the crew. Around him, the very best engineers and specialists were brought together, some in the MOCR, others in outlying rooms and buildings or at contractors' premises, able to coordinate and run a normal mission, and to react and troubleshoot an anomalous one.

Both the crews and mission control became media icons during Apollo. International TV coverage of the astronauts at their work was often interspersed with a wide-angle shot of the MOCR during periods when no pictures were available from the spacecraft. Images of serious-looking people in shirt and tie, seated at high-tech consoles where screens flickered and lights blinked, became part of the public mythology of American spaceflight. A generation later, the imagery of astronauts and mission control turns up in such movies as *Contact*, *Deep Impact* and, of necessity, in *Apollo 13*. But, as is often the case, this is an incomplete image. Gerry Griffin advised on the making of some of these movies and even took a cameo role in them as a flight controller. But he believes this public imagery needs to be put into perspective.

"The astronauts didn't run the Apollo programme, neither did the flight controllers, and neither of the two were totally responsible for the success of Apollo. The Apollo programme was run by a very capable bunch of guys-on-the-ground who managed the funding for, and the building of, the flight and ground hardware. These same guys also got the agency enough money to hire the best people in the world at NASA and its contractors to do the work – including astronauts and flight controllers. The MCC included all of these guys-on-the-ground, not just the flight controllers from the Flight Control Division at [the Manned Spacecraft Center, later renamed as the Johnson Space Center]. When a decision was made by the entire team on the ground it was always discussed with the crew for their input, adjusted if necessary, then implemented. While the astronauts and flight controllers got most of the visibility in Apollo, we both were actually very small, albeit very important, parts of the programme."

The most important lesson to take from how Apollo managed to operate so well was that it represented the epitome of teamwork. The commander and his crew have the situational awareness at the sharp end of the operation, while the personnel at mission control have a far wider knowledge of the context within which the flight is flown. Dave Scott commented on this in later years:

"Mission control doesn't have any control over the spacecraft, so it's 'mission advisory'. It's like air traffic control; they control the airspace but they don't control the airplane. They advise the airplane and the pilot is accountable for all of his actions and that's basically the way the system works. Who's in command and who's in control and who's advisory – it's a team kind of thing. Everybody has to work. You have to balance the situational awareness with the advice from MCC because they have much more data to look at so their advice is invaluable to the situational decision. But it's not a command. Some people in management and MCC would consider it a command but that's OK. The commander, in a situation, sometimes has to override the words that he gets from MCC in order to complete the objectives for which he's responsible."

Having crews that were mostly derived from military and test flying affected the melding of the crew/controller relationship. These were people who were used to fulfilling orders and getting the job done in association with controllers, yet able to cope at the sharp end of aircraft command in sometimes difficult situations, as Scott explained: "Another mindset of those of us who were flying during those days was that we had a lot of flight experience alone in airplanes where we had to make decisions and if you don't have that, then you probably have a more open mindset to MCC's instructions or advice. In other words, if you haven't been in these situations where you got bad advice or had to make decisions on your own in flight, then you would rely more totally on MCC because you don't have this experience of needing to do your own decisions on all the data."

We will leave it to Gerry Griffin to sum up why NASA's mission control worked so well: "Simply stated, it was the best flight operations team ever assembled. It was built on respect, trust and teamwork. The flight crews and flight controllers were a tight bunch who trusted each other to do the right thing. The only time it didn't work, and work extremely well, was Apollo 7; and even at that, the mission turned out to be a huge success."

EPITAPH FOR THE LUNAR MODULE

The Apollo lunar module has a special place in the hearts of those who study the Apollo programme. In every way, it was an extraordinary flying machine. Its systems were often at the very edge of what humans could wield at the time, from its advanced lightweight computer to the supercritical helium technology that pressurised its tanks. Its pared-down, minimalist form was often derided by the press as ungainly and spidery, like a bug. But its beauty derived not from any need to slip through a planet's atmosphere like aircraft do. The beauty of the LM was in its function: it took men to another world for the first time in the history of the human race, and did so in the spirit of exploration, as a weapon of peace in a battle for the minds of people.

The Apollo 17 descent stage left behind at Taurus-Littrow, filmed by the rover TV camera.

Even in its last act, it continued to add to our knowledge of the Moon, because in most cases it was commanded to impact the lunar surface in the name of science. Most of the Apollo crews left seismometers at the landing sites as well as other experiments scattered across the surface. When the LM ascent stage hit the surface at nearly 6,000 kilometres per hour, it sent shock waves through the interior of the Moon that were picked up by the emplaced instruments and radioed back to Earth, helping geologists to decode the internal structure of our natural satellite.

Each of the six descent stages that safely lowered their human cargo to the lunar surface are still sitting there. Each ended its useful life as a launch pad for the ascent stages, before beginning their wait for humans to return. If we never go back to the Moon, they will sit there silently, forever immobile except for the changes that come about every lunar day and night as they experience the fierce heat of the unfiltered Sun or the deep chill of space. Every so often, a tiny dust particle will fall at an extreme velocity and punch a tiny crater in one of them. Less often, a meteorite will impact somewhere in the distance, launch a sheet of ejecta across the landscape and coat a descent stage in a thin layer of finely pulverised rock. With a slowness that our minds can barely conceive, over terms measured in millions of years, the Apollo descent stages and all the other human artefacts we set across the Moon's surface in that golden age of exploration, will erode, sandblasted by the incessant rain of dust that still collects on all the worlds of the solar system. Simultaneously, they will be gradually covered with dust, scarred skeletons buried within the regolith until, perhaps 500 million years into the future, the only sign of our visit will be a few dusty mounds – like sandcastles on a beach that have been washed away by the tide.

That is, if we *never* return.

13

Heading for home

MISSION ACCOMPLISHED ... NEARLY

With their exploration to the lunar surface over, rock samples stowed and their orbital science programme completed, it was time to return to the home planet. At this point, the Apollo spacecraft consisted of just the CSM, the LM ascent stage having been jettisoned and, in some cases, made to crash on the Moon for the benefit of the seismometers emplaced by the crews.

Return to Earth was achieved by the last major firing of the SPS engine. This burn had terrified managers for years, and amply fed the hunger of newspaper and television journalists for riveting speculation about doomed astronauts marooned in their cocoon of failed technology around a forbidding, desolate planet while waiting for a time when their own exhalations would begin to asphyxiate them even as they heroically struggled to repair their flawed ship. The terror and hyperbole was driven by the knowledge that, while a failure to enter lunar orbit would have resulted in a return to Earth, failure of the burn to leave lunar orbit would, by all analyses, have led to the deaths of the crew. As no fail-safe system existed, the SPS had to be totally reliable.

TRANS-EARTH INJECTION

The NASA-ese term for the manoeuvre that brought the spacecraft out of lunar orbit and homeward to Earth was *trans-Earth injection* (TEI). In simple terms, it was very similar to the TLI manoeuvre that sent the crew moonward in the first place in that its task was to add more speed to the spacecraft in order to raise the high point of its orbit sufficiently to take it from one world to another. To achieve this, their orbital velocity had to be raised by nearly 1 kilometre per second. With only meagre thrust available from the RCS thrusters, the big engine on the service module was the only means of gaining so much speed.

As with the TLI burn, TEI was based on a Hohmann-type transfer. In the context of the Earth–Moon system, this meant that to reach Earth, the burn had to be carried out on the side opposite Earth. In other words, the TEI manoeuvre had to be carried out over the Moon's far side. The duration of the burn raised their near-side apolune towards Earth until a point was reached when their trajectory became open ended, or hyperbolic. It was then no longer an elliptical orbit but had become an S-shaped path that would allow them to fall to Earth.

As usual, timing was everything. Mission planners needed to arrange a welcoming committee, which included an aircraft carrier, to recover the spacecraft and crew. Although the command module was designed to land on water, it was not a boat. It wallowed sickeningly in even mild swells, and the nature of its precious cargo of crew, rocks and film, along with the interest of the world, ensured that the US government made every effort to organise an appropriate reception, courtesy of the US Navy, for when the spacecraft returned. However, as aircraft carriers and their convoys could not be moved around the Earth's oceans very quickly, a prime landing area was designated in the middle of the Pacific Ocean where the largest recovery force would be stationed. Smaller forces were kept on standby at other designated sites on the other major oceans.

When deciding on a trajectory for the coast home, the Retro flight controller had to weigh a number of constraining factors. If re-entry was to be successfully negotiated, then whichever trajectory from the Moon to the Earth was used, the CM had to arrive at the top of the atmosphere at a shallow angle of 6.5 ± 0.5 degrees – a condition that occurred more or less on the opposite side of the Earth from the Moon's position when the TEI burn occurred. The latitude of the splashdown site would be within Earth's tropical region for the majority of possible trajectories – i.e. between the tropics of Cancer and Capricorn – because it would be opposite the Moon at TEI and the Moon's orbit hardly strayed from the ecliptic, to which Earth's axis is inclined at 23.5 degrees. Other solutions were possible, but would have required too much propellant to achieve. The Apollo system worked on a propellant shoestring and planners could not be profligate with the stuff, which constrained the possible trajectories further.

An even narrower set of trajectories was selected by the 24-hour rotation of the Earth. Retro knew that the command module would fly about 2,000 kilometres from its point of atmospheric entry to its point of splashdown, and there was only one moment in each day when the revolving Earth brought the landing site and its ships to coincide with that point 2,000 kilometres downrange of the start of entry. He therefore had to decide whether he wanted the crew to make a faster return or to keep it leisurely – a decision made in view of the state of the consumables on board. The faster return used slightly more propellant but caught Earth one rotation early in case other consumables were low. Otherwise, a slower trajectory would allow extra time for more science if all other considerations allowed.

When to go

The right time to return from the Moon was dependent on the mission, the consumables available to the crew, and the status of the flight; that is, whether an emergency forced an early departure. As soon as they arrived in lunar orbit, and throughout their stay, the crews of all the missions were given abort PADs at regular intervals, lists of numbers giving instructions for a TEI manoeuvre that would allow them to make an early independent return to Earth. None of the missions ever needed to use these PADs.

The first flight to enter lunar orbit, Apollo 8, did not stay for long because, as a pioneering flight, it was not one of intense exploration. Rather, it was more of a 'grab and run' affair, orbiting for only 10 revolutions and 20 hours in the second Apollo CSM to fly, proving that it and its crew could achieve lunar orbit and still return home safely, with a little reconnaissance thrown in for good measure. Prior to loss of signal on each orbit, Frank Borman insisted that mission control give him an explicit Go to continue orbiting, otherwise he intended to use the contingency TEI data to fire up the SPS engine and send the spacecraft back to Earth. In the event, Apollo 8's CSM worked like a charm and there was no reason to come home early. Borman and his crew made a successful burn at the end of the tenth orbit around the far side to begin their long fall to Earth as planned.

Similarly, the lunar missions immediately following Apollo 8 did not stay around the Moon for long. Once the LM crew had returned from their exploration of the surface, the crews either headed for home soon after the lander's ascent stage had been jettisoned, or took a single night's rest in lunar orbit. This changed with the introduction of the J-missions. Having spent significant sums to extend the capability of the CSM and to pack a suite of scientific instruments into the side of the service module, NASA decided that the spacecraft could stay in orbit around the Moon for another full day after the LM had been jettisoned. The extra time particularly benefited Apollos 15 and 17. The northerly landing sites for these two flights required the CSM's orbit to be significantly tilted with respect to the lunar equator. This meant that the Moon's rotation brought new terrain into the realms of the spacecraft's sensors and cameras and allowed the sunrise terminator to crawl across the surface for another day, another 12 degrees of longitude, thereby bringing more landscape into view. The near-equatorial orbit of Apollo 16 offered little benefit from the extra day's stay and, in the event, the problem with *Casper*'s SPS engine gimbals led mission control to forego the extra day. The crews of the other two J-missions reported that the extra day in lunar orbit gave them time to wind down and rest after what had been an arduous expedition to the surface.

SUBSATELLITE

In an effort to get around the terribly short period of time that an Apollo CSM orbited the Moon, barely a week at most, scientists added a small, 35.6-kilogram subsatellite to the SIM bays of Apollos 15 and 16. This was ejected just before the crew headed home. Its function was to investigate the various particles and fields in the lunar environment. 'Particles and fields' is an expression used within the planetary science community for the investigation of planets and their environments whereby, rather than taking pictures of a planetary body, measurements are taken of the force fields, molecules and radiations that surround and interact with it. In the late 1990s, this work was continued by the Lunar Prospector probe.

The subsatellites added an extra complication to the mission's flight plans because the scientists did not want them to be placed into the CSM's normal orbit. Orbits around the Moon are inherently unstable. Given enough time, the influence of the mascons beneath the lunar surface and the tug of Earth's gravity will eventually cause an orbiting body to hit the surface. Apollo's subsatellite had no means of propulsion that would have helped it to compensate for these changes and had it been deployed from the CSM's normal orbit, its lifetime would have been measured in weeks. However, it was possible to pre-empt these changes by altering the CSM's orbit prior to deployment, thereby extending its life towards a year.

"I have the Shape SPS/G&N PAD, when you're ready for that," said Joe Allen. He was ready to read up the details of the burn that would shape Apollo 15's orbit in preparation for the subsatellite launch.

Jim Irwin usually took on the task of copying down the pads for this mission: "Okay, Joe. I'm ready on the Shape PAD." Occurring only two and half hours before TEI, the manoeuvre he copied down required only a 3-second burn of the SPS engine to raise their orbit's apolune and perilune from 121.1- by 96.7-kilometre values to 140.9 by 100.6 kilometres respectively.

The shaping burn went off successfully just before *Endeavour* went behind the Moon for the penultimate time. Then, around the far side, Worden executed 'Verb 49' in the computer, which instructed it to bring the spacecraft's attitude around to one that would place the long axis of the subsatellite perpendicular to the ecliptic and therefore perpendicular to the Sun. The launching mechanism was designed to spin the subsatellite as it was ejected from its receptacle in the SIM bay. This spin stabilised the small craft as it drifted away from the CSM, allowing the solar panels around its body to receive enough sunlight to power it.

When they came back around the nearside, the crew armed the pyrotechnics of the ejection mechanism as mission control watched by monitoring the spacecraft's telemetry. An hour and 20 minutes before TEI, Allen piped up: "*Endeavour*. We verify your SIM pyro bus arm, and your rates look good to us down here. Over."

"Okay," replied Scott. "We'll go Free."

As it was desirable for the spacecraft to be as still as possible for the deployment, time had been allowed for its rate of rotation to settle down within the half-degree dead band around the ideal launch attitude. Then, rather than having thrusters going off at the same time as the subsatellite departed, the control mode for attitude was switched to Free essentially disengaging the autopilot and allowing the spacecraft to drift. This was the first time that such a satellite ejection had occurred on a NASA spacecraft. "And we know one of you will be watching out the window," reminded Allen. "We're particularly interested if the spin of the satellite is sweeping out a cone or if it seems to be a fairly flat spin as it comes out." What Allen meant was that the satellite should be spinning around its long axis. It was important to the long-term future of the little spacecraft that this rotation was as even as possible as it departed.

There was still enough rotation in the CSM to take it out of the desired attitude by just a degree. "*Endeavour*, we're requesting you go back to Auto and do another 'Verb 49', please. We see you drifted off about a degree."

"In work," obliged Worden.

A suggestion then came from someone in mission control that the spacecraft should constantly correct its attitude until nearer the launch. "Okay, *Endeavour*," called Allen. "We're recommending that you go back to Free at launch minus one minute."

"Okay; Free at launch minus one minute," confirmed Irwin.

Mission control was still considering this one. Allen came on the air/ground a minute later with a revised procedure: "*Endeavour*, we've got a new update for the last instructions. Go Free at launch, please."

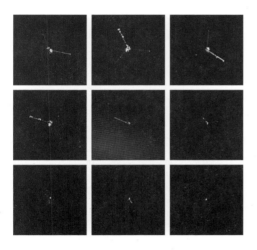

Apollo 15's subsatellite spins into the distance after deployment.

Scott took a turn to reply: "Roger; Free at launch."

By minimising the time spent Free they would reduce the scope for drifting off attitude.

Scott counted down the moments to launch: "Three, two, one. Launch. We have a barber pole."

The subsatellite and its deployment mechanism moved along a track, opening a door in the process. It then engaged a switch that fired the pyrotechnics to free it, which allowed a spring to force it away from the spacecraft. A pin engaged in a curving groove in a cylinder to impart a rotation to the subsatellite. Scott saw a talkback indicator go to its 'barber pole' state. Once launch was complete, the deployment mechanism was retracted, placing a grey flag in the indicator.

"And a grey," confirmed Scott. "Tally Ho!"

"Can you see much?" asked Allen.

"Oh, looks like it might be oscillating maybe 10 degrees at the most," said Scott as the long, hexagonal satellite drifted away, its three long, thin antennae sweeping out arcs in the sunlight. "A very pretty satellite out there. We get about two flashes per rev off each boom, and it seems to be rotating quite well. Very stable."

The Apollo 15 subsatellite worked well for 7 months before its telemetry failed. Apollo 16's fared less well because mission control had decided to save the SPS engine for the TEI manoeuvre and therefore cancelled the burn to shape their orbit. The subsatellite operated perfectly for 34 days before the changes in its orbit caused it to impact the surface somewhere around the far side. The main result from the Apollo subsatellites was a greater understanding of how the solar wind interacts with the Moon. The magnetometers on board each subsatellite also provided detailed information of the remnant magnetic field that some areas of the Moon exhibited.

Other tasks that had to be completed prior to the TEI burn on a J-mission included the retraction of instruments and paraphernalia that were projecting from the SIM bay. As the mapping camera was operated while extended out along a track to give the stellar camera a view to the side, the entire device was supposed to be retracted. However, this mechanism failed on Apollo 15. On Apollos 15 and 16, two instruments were operated on the end of 7-metre-long booms that could not withstand the load of an SPS engine burn. Although these booms were excluded from Apollo 17, it had two long antennae that projected out to either side of the service module, and these had also to be retracted. If any of these protuberances failed to retract, the crew had the option of jettisoning them, as was done when Apollo 16's mass spectrometer boom failed.

THE TEI PAD: A WORKED EXAMPLE

Charlie Duke had been Capcom on the White Team in mission control when Armstrong and Aldrin brought *Eagle* down onto Mare Tranquillitatis. He was Capcom again when *Columbia* was preparing to leave lunar orbit. "Apollo 11, Houston. Your friendly White Team has your coming-home information, if you're ready to copy. Over."

Aldrin was fulfilling the role of secretary: "Apollo 11. Ready to copy."

"Roger, Eleven," replied Duke as he prepared to send the mind-numbing sequence of numbers that crews accepted as the difference between getting home to the cool green hills of Earth, or staying in the Moon's embrace. He had two of these PADs to send. The first was for the burn they all hoped the crew would use at the end

P30 MANEUVER		
VEGA & DENEB	T E I - 3 0	PURPOSE
SET STARS	S P S/G & N	PROP/GUID
	+ 3 6 6 9 1	WT N47
R ALIGN 2 4 2	- 0 0 0.6 1	P TRIM N48
P ALIGN 1 7 2	+ 0 0 0.6 6	Y TRIM
Y ALIGN 0 1 2	+ 0 0 1 3 5	HRS GETI
	+ 0 0 0 2 3	MIN N33
	+ 0 4 1.5 6	SEC
ULLAGE 2 jets	+ 3 2 0 1.1	ΔVX N81
for	+ 0 6 8 1.8	ΔVY
16 seconds	- 0 2 6 5.0	ΔVZ
	X X X 1 8 1	R
	X X X 0 5 4	P
	X X X 0 1 4	Y
	+ N/A	HA N42
	+ 0 0 2 3.0	HP
	+ 3 2 8 3.6	ΔVT
HORIZON/WINDOW	X X X 2.2 8	BT
Horizon on	X 3 2 6 2.8	ΔVC
10-degree	X X X X 2 4	SXTS
@ Tig-2 min	+ 1 5 1.1 0	SFT
	+ 3 5.7 0 0	TRN
	X X X N/A	BSS
	X X N/A	SPA
	X X X N/A	SXP
OTHER Sextant	+ 0 1 1.0 3	LAT N61
star vis	- 1 7 2.3 7	LONG
after 134:50	+ 1 1 8 0.6	RTGO EMS
	+ 3 6 2 7 5	VIO
	1 9 5.0 4.5 2	GET 0.05G

APRIL 5, 1969

The PAD for Apollo 11's TEI manoeuvre.

of their thirtieth revolution around the Moon. The second was in case the SPS engine failed to light at the first opportunity, in the hope that it would light next time around.

"TEI-30," started Duke. "SPS/G&N: 36691, minus 061, plus 066, 135234156. Noun 81: 32 – correction – plus 32011, plus 06818, minus 02650 181 054 014. Apogee is N/A, perigee plus 00230 3286 – correction – 32836; burn time 228 32628 24 1511 357. Next three lines are N/A. Noun 61: plus 1103, minus 17237 11806 36275 1950452. Set stars are Deneb and Vega, 242 172 012. We'd like ullage from two jets for 16 seconds, and the horizon is on the 10-degree line at Tig minus 2 minutes; and your sextant star is visible after 134 plus 50. Stand by on your readback."

Aldrin wrote all this in the standard P30 form, and then read it back to Duke to ensure that he had copied it down correctly. They then repeated the process for the contingency PAD.

The flight controllers in the MOCR were polled by flight director Gene Kranz about whether, within their area of responsibility, they were happy for Apollo 11 to go ahead with the upcoming burn. When a unanimously positive response was gathered, Kranz directed Duke to inform the crew. "Apollo 11, Houston," called Duke. "You are Go for TEI." Eight minutes later, *Columbia* disappeared behind the Moon for the last time. In the following translation of this PAD, some details have been glossed over. Readers should consult the fuller explanation of the PAD for LOI given in Chapter 8.

TEI-30, SPS/G&N – As usual, the initial statement gave the purpose of the burn (to perform a trans-Earth injection manoeuvre), which propulsion system was to be used (the big rocket engine sticking out of the back end of the spacecraft) and the system that was to control it (the guidance and navigation system). The CSM was expected to weigh *36,691* pounds (16,643 kilograms) at ignition.

Prior to the burn, the engine nozzle was to be aimed to act through the spacecraft's calculated centre of gravity, in this case, *minus 0.61 degrees* and *plus 0.66 degrees*. This was only an initial setting to minimise attitude excursions at ignition. Once the engine was burning, the computer took control of the nozzle, swivelling it as necessary to keep it properly aimed while the spacecraft's centre of gravity shifted.

The nine-digit number – *135234156* – represented the ignition time. This was 135 hours, 23 minutes, 41.56 seconds into the mission.

For such an unwieldy collection of data, *Noun 81: plus 32011, plus 06818, minus 02650* was pretty simple, representing the change in velocity that the burn was expected to impart on the spacecraft, expressed in tenths of feet per second. As is normal in the spaceflight realm, the total velocity change was broken down into three orthogonal vectors given with respect to the local vertical/local horizontal frame of reference, and were entered into the computer under the name 'Noun 81'.

It is plain that the largest component of the burn was positive in the *x* axis, 3,201.1 feet per second (975.7 metres per second), which shows that the burn was largely along their direction of motion. There was also a substantial component, 681.8 feet per second (207.8 metres per second), that acted out of plane, the *y* axis, which pushed the spacecraft slightly south of their original orbital plane. The smallest component, 265 feet per second (80.8 metres per second), acted opposite the *z* axis which meant it acted away from the centre of the Moon.

The numbers *181, 054* and *014* represented the required attitude of the spacecraft. The figures are angles given with respect to the orientation of the guidance platform. It is interesting to note that these attitude numbers appear rather arbitrary – a fact that illustrates the development of Apollo's procedures. For all flights to the Moon, the burn to enter lunar orbit, LOI, was performed with the platform aligned to an orientation that coincided in some way with their expected attitude for the burn. This made the FDAI displays easier to interpret. For TEI on Apollo 11, the platform is still oriented according to the 'lift-off REFSMMAT'. In other words, the attitude angles given represent the attitude that the spacecraft should adopt for TEI as expressed relative to the orientation of *Eagle*'s landing site at the time of its lift-off from the surface.

Although later missions used coincident REFSMMATs for TEI in the same fashion as for LOI, the idea was not considered so important for the early missions in view of the fact that, at TEI, the spacecraft was increasing its speed, and thereby would be rising away from the surface and not be in danger of crashing.

Apogee is N/A, perigee plus 00230 gave the expected size of the orbit that resulted from the burn, stated in nautical miles. These were given with respect to Earth. Since the spacecraft was coming all the way from the Moon, the apogee figure would be meaningless. The figure of 23 nautical miles given for perigee represents about 43 kilometres and was really a theoretical figure. Any spacecraft that approaches Earth on an orbit with a 43-kilometre perigee is destined to enter the atmosphere, be slowed, and most likely burn up if not protected. This is a very good figure.

The total velocity change, delta-*vt*, of *32836* was to be imparted by the engine along the plus-*x* direction, given in tenths of feet per second. As such, it is really the vector sum of the three component velocities given earlier. It represents almost exactly a speed increase of 1 kilometre per second.

The number, *228*, was the expected duration of the burn: 2 minutes, 28 seconds. The crew would keep an eye on this and make sure that if the automatic systems failed to shut down the engine around this time, they would do it manually soon after.

The velocity change figure, known as delta-*vc*, of *32628* was very much like delta-*vt*, the main difference being that it was for the EMS digital display that provided a backup method of shutting down the engine. The EMS was a less sophisticated method of ending the burn as it could not account for the tail-off thrust that an engine has after shutdown, whereas this could be done with the primary system. Therefore, to account for this the controllers reduced the figure slightly.

The numbers *24, 1511* and *357* were to provide a check of their attitude. The star designated by the octal number 24 (Gienah, or Gamma Corvi) should be visible through the sextant when its shaft angle had been set to 151.1 degrees and its trunnion angle to 35.7 degrees.

At the start of Apollo operations, mission control standardised the software and associated forms for PADs like this one for P30, and it included two methods of checking their attitude. The remark that *the next three lines are N/A*, reflected the fact that the spacecraft's windows were facing the Moon, and therefore, the COAS could not be used to sight on a star.

Noun 61 in the computer held the latitude and longitude of the planned landing site on Earth in geodetic coordinates. Therefore *Noun 61; plus 1103, minus 17237* indicated that the target was in the mid-Pacific Ocean at 11.03°N, 172.37°W.

Given in tenths of a nautical mile, *11806* was the distance the command module was to travel between entering Earth's atmosphere and landing. It is equivalent to 2,186.4 kilometres. When it entered the atmosphere, the CM was expected to be travelling at *36,275* feet per second or slightly over 11 kilometres per second. Mission control expected that, upon entering the atmosphere, the crew and spacecraft would sense one-twentieth of 1 *g* at 195 hours, 4 minutes, 52 seconds mission elapsed time.

The crew's backup method of determining their attitude reference, should they lose the platform, required that they align the stars Deneb and Vega in the telescope eyepiece in a prescribed way. If they were to do this, their attitude would be given as: *242* degrees in roll, *172* degrees in pitch and *12* degrees in yaw.

The remainder of the PAD consisted of notes pertaining to the burn. An ullage burn prior to the TEI burn itself was required to settle the propellants to the bottom of the large tanks in the service module. The burn was to be made using two of the four rearward-facing RCS thrusters for 16 seconds. As a quick check prior to the burn, 2 minutes before ignition they should expect to see the Moon's horizon aligned with the 10-degree mark in the forward-facing rendezvous window. Finally, mission control were informing them that they could not make their check with the sextant too early because the star they were to use would not rise above the Moon's horizon until about half and hour before the burn.

COUNTING DOWN TO THE BURN

"What's the time?" asked Aldrin from *Columbia*'s right-hand couch. The crew of Apollo 11 had made their attitude checks prior to TEI, and were checking that the engine bell was swivelling on its gimbal correctly in response to steering commands. Preparations were going smoothly and there was a light mood in the cabin as their incredible flight began to look as if it might actually come off.

"We have 12 minutes to go," replied Collins, occupying the left couch.

Aldrin had been wondering what they should do once TEI was completed: "You going to pitch up after the burn?"

"Sounds like a good idea," agreed Collins. "Let's look at the Moon after the burn. That'll give us high-gain, right?"

"Check," concurred Aldrin. Since they needed the spacecraft's high-gain antenna to face Earth and it was positioned on the opposite side from their windows, it made sense to point down and watch the receding Moon.

"Okay, 10 minutes until Tig," called Armstrong. 'Tig' was the 'Time of ignition' and everything they did worked towards it being on time and as flawless as possible. As they were over the far side of the Moon, where it also happened to be lunar night, neither the Sun nor Earth was shining across the landscape, and the only way to see the Moon's position was by looking at a huge void where there were no stars. The spacecraft had to be travelling with its pointed-end forward if the engine at the rear was to accelerate them out of lunar orbit, and Collins was straining at the window for some kind of confirmation of this fact.

"I see a horizon," he laughed. "It looks like we are going forward."

"Shades of Gemini," reminded Armstrong.

"It is most important that we be going forward," stated Collins.

Aldrin began gently mocking his crewmate. "Let's see. The motors point this way and the gases escape that way, therefore imparting a thrust that-a-way." They all laughed.

This was a chance to pause and reflect during their preparations, and to look for the horizon that they were supposed to check in a few minutes.

"Beautiful looking horizon," said Armstrong. "It's hard to describe."

"God, it has an eerie look to it," added Aldrin. "It's not a horizon, it's just a band."

Collins and Aldrin could see directly forward through their rendezvous windows along the plus-*x* axis and towards the sunrise. Armstrong's view from the middle couch was limited to the hatch window just above his head.

"It was really eerie when it first came," said Armstrong as the Sun rose and the terminator came into view. "And the way the terminator is, you don't see the whole Moon at all."

"I know," said Collins. "I was looking at it upside down for a while."

"Yes, and then that scares you," added Armstrong, "because that says you're going retrograde, right? Well, let's see, if it's upside down, you're going backwards."

Collins brought them back to their checklist. "Alright, we're coming up on bus tie time; we've got a little over 6:50 until Tig."

The crew returned to the strict protocols of challenge and response, with Armstrong reading out a line from the checklist and Collins repeating it once he had carried out the instruction. Once they had dealt with the internal configuration of the spacecraft it was time for another external check.

"Two minutes to get our horizon check at 10 degrees." Armstrong had little option but to have his head in the checklist.

"Yes, and sneaking up on there, looks pretty darn good," said Aldrin. "Looks like we're darn near right." The spacecraft was holding a steady attitude with respect to the stars so, in a sense, the Moon appeared like a great, rounded hill and they were in a helicopter approaching the summit. Slowly, the Moon's horizon crept down Collins's window towards the 10-degree mark. Aldrin's window did not have that mark but he could infer it. "Okay, coming up on 2 minutes," he called, "and this damn horizon check is going to be, would you believe, perfect?"

"I hope so," said Armstrong.

"Fantastic," enthused Aldrin. "First time we ever got a perfect horizon check. Spent too many hours in the simulator looking for an unreal horizon. Alright, horizon check passes."

"Beautiful," agreed Collins, who armed one of the engine's control banks then proceeded with Armstrong through the final lines of the checklist.

"Okay, stand by for 35 seconds," announced Collins. "Mark it. DSKY blanks; EMS is in Normal." The guidance system had begun to measure their acceleration.

Aldrin came back. "Check."

"Coming up on 15 seconds," said Collins.

Armstrong readied himself at the computer keyboard for when the display would start flashing '99' at him, asking for permission to light the engine. "Okay, I'll get the 99."

"Okay," said Collins. "Stand by for ullage. Ullage."

"Got the ullage," reported Aldrin. Two rearward-facing thrusters lit up, gently pushing the spacecraft forward and bringing the weightless propellant to the bottom of the tanks as the crew counted down.

"Burn!" shouted Collins as the SPS engine lit. "A good one. Nice."

"I got two balls," called Aldrin.

Only two of the four ball valves on the propellant feed lines had been opened by the computer. Opening all four would bring the engine to its maximum thrust.

"Okay, here comes the other two," said Collins as he threw the switch to bring in the second control bank. "Man, that feels like g, doesn't it?"

When they had fired the SPS engine on arrival at the Moon, the tanks in the service module had been full and a fully fuelled LM was attached to their nose. Now the CSM was by itself and its tanks were only one-third full, giving the SPS the ability to accelerate the spacecraft towards 1 g.

Collins was closely monitoring the displays in front of him. "Pressures are good. Busy in steering, but it's holding right in there."

"How is it, Mike?" asked Aldrin from the right.

"It's really busy in roll," replied Collins, "but it's holding in its dead band. Looks like it's holding instead of plus or minus 5, more like plus or minus 8 [degrees]. It's possible that we have a roll-thruster problem, but if we have, it's taking it out. No point in worrying about it. Okay, coming up on 1 minute. Mark it, 1 minute. Chamber pressure's holding right on 100 psi."

"Looks good," agreed Aldrin.

Collins continued with his commentary. "Gimbals look good; total attitude looks good. Rates are damped out. Still a little busy."

There was no problem with the roll thruster, but the sloshing propellant could have a significant effect on the spacecraft's attitude which was corrected by the thrusters and the engine gimbals.

"Two minutes. Mark it," continued Collins. "When it hits the end of that roll dead band, it really comes crisply back." Collins was describing how well the computer was able to deal with the CSM's tendency to drift off in attitude.

"Okay, chamber pressure's falling off a little bit." Collins had one eye on the gauge that showed the pressure within the combustion chamber. "Now it's going back up; chamber pressure's oscillating just a tad."

Armstrong called out, "Ten seconds left."

"We don't care about the chamber pressure," said Collins. "Brace yourself. Standing by for engine off."

The 2 minutes 28 seconds that mission control had predicted for the burn came and went, but the engine was still firing.

"It should be shut down now," said Armstrong.

Collins queried him. "Okay?"

"Shutdown," called out Armstrong.

Collins stopped the engine at the same time as the computer. It had burned for 3.4 seconds longer than predicted because its thrust during the LOI burn had been slightly high and mission control had used that data when planning TEI. In the event, a slight change in mixture ratio lowered the thrust, making it burn longer to achieve the same change in velocity.

"Let's look at what we got," said Collins as they brought up the residual velocity components. "Beautiful," he commented, "x and z, 0.2." A burn that had changed their velocity by 1,000 metres per second was showing an error of only 6 centimetres per second.

"Beautiful burn," exulted Aldrin. "SPS, I love you; you are a jewel! Whoosh!"

As with the LOI burn, no one knew anything of this in the MOCR or anywhere else on planet Earth. Any communication with *Columbia* was blocked by a 3,476-kilometre ball of rock. What they did know in mission control, down to the second, were the times when the CSM would come back into view if the burn had worked, and if it had not. The increase in velocity would dramatically shorten how long it was out of sight.

AOS: acquisition of signal

Ed Mitchell, LMP on Apollo 14, once wrote, "Preparing for a burn is a serious business, and before each one, Stu [Roosa] would announce, 'It's sweaty palms time again, gentlemen'." The TEI burn was the one where mission control sweated more than usual, and that of Apollo 8 on Christmas Eve of 1968 was viewed with greater apprehension than any other, simply because it was the first. Its CSM was only the second Apollo spacecraft to have flown in space, and they had sent it and its living human cargo all the way around the Moon. While the engineers had complete confidence in the reliability of the SPS engine, there was always a deep fear that, somewhere in the system, human frailty would cause a problem. In the MOCR, a clock counted down to the moment when, if the burn had gone well, the spacecraft should come around the limb. The Earth station at Honeysuckle Creek in Australia was most favoured, and listened carefully for the slightest indication of the Unified S-band (USB) radio signal from the spacecraft.

The time for *acquisition of signal* (AOS) arrived, and almost immediately, engineers at Honeysuckle reported a USB signal coming from the spacecraft.

"Apollo 8, Houston," Capcom Ken Mattingly called out to the crew as the engineers in Australia worked to lock the great dish's receivers and transmitters onto the spacecraft.

"Apollo 8, Houston. Apollo 8, Houston," continued Mattingly.

"Apollo 8, Houston. Apollo 8, Houston."

"Houston, Apollo 8. Over," called Jim Lovell from the speeding spacecraft.

"Hello, Apollo 8. Loud and clear," replied Mattingly, speaking on behalf of all at mission control, all of them relieved that they had pulled off the most daring part of the flight.

"Roger," said Lovell. Then, with the holiday period in mind, "Please be informed, there is a Santa Claus."

"That's affirmative," agreed Mattingly. "You are the best ones to know."

Soon after CSM *Charlie Brown* appeared on its way home after TEI on Apollo 10, commander Tom Stafford, who had been an enthusiastic proponent of television from Apollo, turned the spacecraft around to aim their colour TV camera at the receding Moon. One of Stafford's impressions when seeing the entire ball of the Moon in one view was: "It's a good thing we came in backwards at night time where we couldn't see it, because if we came in from this angle, you'd really have to shut your eyes."

When *Columbia* similarly reappeared on time after Apollo 11's TEI burn, Duke was ready to quiz the crew.

"Hello Apollo 11. Houston. How did it go? Over."

Collins cheerily replied, "Time to open up the LRL doors, Charlie." The crew

The Moon's far side from Apollo 15 as it departed for Earth. Jenner is at the top with its central peak, and Vallis Schrödinger is the gash near the bottom.

were now officially in quarantine and were destined to spend most of the next three weeks isolated in the Lunar Receiving Laboratory in Houston.

"Roger," said Duke. "We got you coming home. It's well stocked."

Armstrong then read up the details of the burn followed by praise for their trusty engine. "That was a beautiful burn. They don't come any finer."

Dave Scott concurred with how well the SPS worked on Apollo 15: "What a smooth burn that one was. Just can't beat these rocket engines for travelling." On his mission, and all the J-missions, it was customary to adjust the spacecraft's attitude so that the mapping camera could photograph the retreating Moon, and perhaps image more of the polar regions which had been relatively poorly covered by the Lunar Orbiters. Each succeeding exposure showed the Moon receding further and further into the darkness of space.

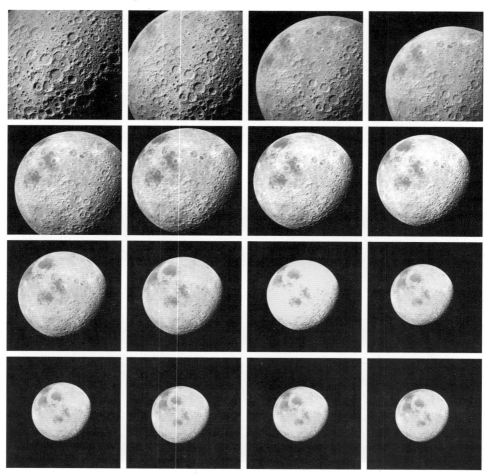

Apollo 16's view of the receding Moon taken by its mapping camera. At first, only the far side was visible, but gradually, the eastern mare came into view.

As Alan Bean watched it move away from *Yankee Clipper* on Apollo 12, he and his crewmates were struck by the unreality of their situation. "This Moon is just this white ball right out in the middle of a big black void, and there just doesn't seem to be any rhyme or reason why we are here, or why it's sitting out there. All the time we were in lunar orbit we were discussing this thing – how unreal it looked. And it is amazing to us to fly around it as it is. When you just think about going to the Moon, it is very, very unreal to be there. It's really getting small in a hurry. It's just sort of unreal to look outside. It is almost like a photograph moving away from you. It doesn't seem possible it can be a whole sphere that you were orbiting a couple of hours ago."

When it left Earth, the service module's tanks were loaded with 18.5 tonnes of propellant. By the time the CSM was on its way back to Earth, the majority of this had been used. What remained had been kept aside as a contingency in case the CSM had to make manoeuvres to rescue a stricken LM in lunar orbit. For the Apollo 8 flight, with no LM to transport to lunar orbit, the tanks were still a quarter full after TEI, while for Apollo 11, which did have a heavy LM, only an eighth remained. Not all of this remaining propellant was usable. By Apollo 17, the planners had become more knowledgeable about the spacecraft and its capabilities and felt confident to plan the mission such that, after TEI, only 4 per cent of usable propellant remained in its tanks.

THE LONG FALL TO EARTH

The coast back from the Moon could be something of an anticlimax, particularly during the early Moon flights. The main purpose of the mission had been achieved, most of the danger had been successfully negotiated, and if the crew and mission control could keep the CSM working well, a safe return was likely. This was a chance for the crew to rest a little, and an opportunity to reflect on their successes and, perhaps, some of the problems they had encountered. There would often be a TV show or two beamed to the masses, and an interplanetary press conference for the world's journalists. But everyone involved knew that danger could lie in the unguarded moment and at no time did the flight controllers drop their attention, even as the crew slept.

It would be a mistake to think that nothing happened on the way home, although duties were certainly much lighter. There was no lunar module to take up the surface crew's time and some of the housekeeping duties around the command module could be shared among all three crewmembers. Some flights were lucky enough to witness interesting astronomical events during their return; others had various small science and technology experiments that made use of the very rare and expensive time that NASA had people in space. The J-missions, in particular, had a heavier workload during their coast home because they had a bay full of science instruments in the service module, and while there was no Moon nearby for them to sense and sniff, they could be used for a little pathfinding astronomy.

Homeward activities

For the 3 days that the CSM fell to Earth, the crew kept up with the routine housekeeping chores that kept a multimillion-dollar machine purring along safely. Lithium hydroxide canisters were changed regularly to remove carbon dioxide from the air, the fuel cells were purged to remove contaminants from their reactive surfaces, and the spacecraft's general-purpose batteries were recharged after busy periods.

Crews would often indulge in a little Moon and Earth photography to use up the spare film in their magazines – there was, after all, no point returning it unexposed. However, midway between the Moon and Earth, neither world was particularly photogenic unless very long lenses were used, which they did not possess. Because of this, the Moon tended to be well photographed as they departed, and due to the timing and geometry of the solar system when the flights occurred, it was usually nearing its full phase. Conversely, Earth often appeared as an increasingly thin crescent that, for some flights, led to the spacecraft entering and then exiting Earth's shadow.

Eclipse

"We're getting a spectacular view at eclipse," said Dick Gordon as Apollo 12 approached Earth. "We're using the Sun filter for the G&N optics, looking through, and it's unbelievable." It was 4 hours before splashdown and he was astonished at the celestial spectacle that was unfolding through the hatch window as *Yankee Clipper* began to enter the shadow, and the limb of Earth gradually ate away at the Sun. To protect his eyes from the glare, he was using a strong filter normally used in the sextant.

"It's not quite a straight line, but it's certainly a large, large disk right now. Looks quite a bit different than when you see the Moon eclipse the Sun." The timing of this event had been known well in advance and the flight plan had it marked, but no one, not even the crew, had realised just what a feast for the eyes it would be. Now they were desperate to know what camera settings to use to try to capture the scene. Unfortunately, they had run out of colour film for their Hasselblad camera.

"Anybody down there know what we can set the camera at to use the Sun filter on it?" asked Al Bean. "To take a couple of shots of this eclipse right through it?"

"Stand by and we'll check," replied Paul Weitz, final Capcom for the mission.

"They'd better hustle," said Bean, seeing how quickly things were changing. Still the glare of the Sun was drowning out the scene that was to unfold. "You cannot see the Earth at all when you just shield your hand from the Sun and look where the Earth should be. It's not there at all."

Soon the accelerating spacecraft had moved completely into Earth's shadow. "Fantastic sight," called Bean. "What we see now is that the Sun is almost completely eclipsed, and what it's done is illuminated the entire atmosphere all the way around the Earth."

They were now about 60,000 kilometres from Earth and the planet was growing rapidly in their window, its limb glowing with the hues and tones of a 40,000-kilometre ring comprising the largest single sunset ever witnessed by humans. "It really looks pretty. You can't see the Earth. It's black, just like space."

Pete Conrad took up the commentary: "You can't see any features on it. All you can see is this sort of purple-blue, orange, some shades of violet, completely around the Earth. It has blues and pinks in it, but instead of being banded, it's segmented, which is very peculiar; I don't understand why. It may be the difference between over the landmasses and water or something."

"Roger, Pete. Understand," replied Weitz.

"About a quarter of the Earth is pure blue, and then it becomes pink to about 20 degrees of arc; and then it turns back to blue again. And it's blue all the way around the bottom to where it turns pink again, and then it turns blue again."

"It's a heck of a time to be without any 70-millimetre colour film, I'll tell you," bemoaned Bean, referring to the Hasselblad film. "But I know how to get it on a 16-millimetre camera."

The magazines for their movie camera were the only source of unexposed colour film left in the cabin. Bean continued his commentary.

"It looks like this is going to have an illuminated atmosphere, probably the whole time it's eclipsed. The Sun is set, but it's so close to the limb that that bright light is being channelled through the atmosphere, and so if you look at it with a naked eye you can't tell if the Sun is set yet. Through the smoked glass, you can see that it's no longer a disk there, but you just see a bright white line the diameter of the Sun."

Gordon was running out of words to describe the view: "This is really spectacular. Have you got any more adjectives for spectacular? I'd like to use some if you have."

"No. We'll put somebody to work on that, too," replied Weitz.

It is often said that when humans went to explore the Moon, what they really discovered was Earth. This was literally coming true for the crew of Apollo 12. Because the Sun had gone behind Earth, their eyes could adapt to the darkness and detail was becoming visible across the night-time hemisphere of Earth, illuminated by sunlight reflected from the Moon.

"This has got to be the most spectacular sight of the whole flight." Bean was also running short of adjectives. "Now that the Sun's behind the Earth, we can see clouds on the dark part of the Earth; and, of course, the Earth's still defined by this thin blue-and-red segmented band. It's a little bit thicker down where the Sun just set than it is at the other one, but it is really a fantastic sight. The clouds appear sort of pinkish grey, and they're scattered all the way around the Earth."

Gordon began to see further detail on Earth's dark face. "Say, Houston. It's very interesting. We can see lightning and the thunderstorms down there on the Earth. You can see it quite clearly, flashing from wherever we are."

"Yes. They look sort of just like fireflies down there blinking off and on," added Bean. They were now less than 50,000 kilometres out and approaching the height of the geostationary communications satellites.

"We're starting to look out for these synchronous satellites now," said Bean. "We've been looking ahead."

"Sure hate to run into one up here," added Conrad.

"Yes. It could ruin your day," agreed Weitz.

As Earth's sunset lightshow continued, the crew fished out their monocular to get a closer look.

"We're better night-adapted now," said Conrad, "and by golly, we can see India, and we can see the Red Sea, and we can see the Indian Ocean quite clearly. It's amazing how we can see, for that matter. We can see Burma and the clouds going around the coastline of Burma, and we can see Africa and the Gulf of Aqaba. We can also distinguish the lights of large towns with our naked eye, just barely, and by using the monocular, we can confirm that that's what we're seeing."

Conrad was getting into his stride.

"There's a couple of ripdoozer thunderstorms down there that are really, really letting go. There seems to be a weather system out there, and it's got thunderstorms all the way along it. Venus is just below the Earth, and we can see Venus quite clearly. This is really a sight to behold, to see it at night-time like this. And looking at the airglow with the monocular is – Boy, there is another sight now that is not like being in Earth orbit whatsoever. It's a bright red, next to the Earth, and then it's got a green band in it, and then it's got a blue band."

"Would you say these colour bands encircle the Earth now, Pete?" asked Weitz.

"Yes," replied Conrad. "But it's not the same all the way around. What I'm seeing is sunrise, really. This is about 40 degrees from the Sun, and there's a bright red band, and then a sort of a light green band that's very thin, and then a blue one which must be all of the atmosphere."

The crew of Apollo 12 were deeply struck by what they had seen and made a point about it after the flight. "We all were caught with our pants down," said Conrad during the debriefing. "We should have had good camera settings and film available for that because it was certainly a spectacular sight."

"I feel very strongly about this," added Gordon. "I think that someone, the crew as much as anyone, really dropped the ball on this. We knew this was going to occur before flight and we mentioned it. It was a very poorly handled phenomenon we all knew about before the flight."

The Apollo 15 crew witnessed a different type of eclipse during their return flight. It was not the spacecraft that entered Earth's shadow, it was the Moon. This was a lunar eclipse and it was visible across half of the world. However, unlike those on Earth who were watching from within the cone of the shadow, the crew of *Endeavour* had the benefit of a side-on view of the entire spectacle. While they coasted to Earth, the Moon continued in its orbit such that 2 days into the coast, they were substantially to one side of the Moon–Earth line. When the Moon passed into the shadow, they had a perspective on the event that has never been repeated.

When Earth's shadow crosses the Moon's disk, viewers on Earth can see the arc of our planet projected onto the lunar surface, which is classic proof that the world is round, familiar even to the ancient Greeks. But from *Endeavour*'s position, well off to the side, the shape of the Moon altered the apparent line of the Earth's shadow such that, at the start of the eclipse, the curve of the shadow was more than cancelled out. Two hours later, when the Moon exited the shadow, its shape reinforced the curve of the Earth and produced a very strong crescent effect.

Once the Moon had completely entered the umbra, it was no longer lit directly by the Sun. However, had Scott and Irwin been standing at Hadley Base at this time (and thankfully, they weren't), they could have looked up at the Earth and seen a similar awe-inspiring sight of 40,000 kilometres of sunset and sunrise all around the globe forming a ring of gold in the sky. Unfortunately, their rover's TV camera had long since stopped working after a circuit breaker in its power supply had opened in the heat of the lunar day. During that moment, shared by half a world and the occupants of *Endeavour*, this golden ring turned the eclipsed Moon a dark, copper-brown colour.

Irwin described what he could see: "Right now the Moon varies from a very pale orange to a good deep burnt orange on one side and a very gradual change. It certainly is pretty."

"Very good," replied Karl Henize, himself an astronomer as well as an astronaut. "It sounds like a beautiful view from up there. You've seen a lunar eclipse of the Moon twice as big as anyone else has ever seen such an eclipse."

"That was very interesting," said Irwin, "It'd be a great place for somebody like you to come up and use your trained eye to interpret all this and understand it."

"Sounds like it would be fun, someday," agreed Henize.

Independent navigation

On all return flights from the Moon, the CMP was kept busier than his crewmates, because of his role as the navigator. He regularly realigned the guidance platform to keep it oriented according to whatever REFSMMAT was in force at that point of the mission. He was also responsible for maintaining an autonomous ability to navigate the spacecraft to an accurate splashdown in the event of a loss of communications with Earth. All the way out to the Moon, he had kept his techniques and skills of cislunar navigation up to date with a series of practise sessions whereby his measurements of the angle between the Moon or Earth and a star could be processed by Program 23 to yield the spacecraft's state vector and provide a basis for calculating their trajectory. Readers are directed to Chapter 6 for a more detailed description.

From Apollo 14 onwards, NASA decided to simulate this 'no-communications' scenario by having the CMP maintain an entirely independent state vector. There were two areas of the computer's memory where the numbers relating to the state vector were kept: the CSM slot and the LM slot. During the coast home, mission control left the state vector in the CSM slot alone for the CMP to refine during his navigation exercises. The only time they touched it was to take account of any engine burns. They would then download it to Earth, bias it with the effect of the burn, and reinstate it for further use by the CMP. Of course, the crew were never expected to rely solely on their state vector. As a precaution, the ground's version was always kept in the LM slots, since there was no longer a LM attached.

As Apollo 15 hurtled home, its CMP Al Worden was continuing this practice. From the Capcom console, Bob Parker reported the results of Worden's P23, navigation sightings: "15, Houston. Looks like a good set of P23s again, Al. And your gamma, right now, on your vector, is 6.5." In the clipped, economical parlance of NASA's astronauts, what Parker was saying was that Worden's state vector, if calculated forward to re-entry at Earth, would result in the spacecraft meeting Earth's atmosphere at an angle of 6.5 degrees. This was the ideal value – a point not lost on Worden.

"It sounds like, after a while, we might get along without you, huh, Bob?" After all, this was the object of the exercise.

"No comment," returned Parker.

Worden continued to rub it in. "As a matter of fact, if you guys keep working on your ground [calculated] vectors, they might even converge to the onboard vectors pretty soon."

Clandestine science

Towards the end of the Apollo programme, an increasing amount of science was carried out by the crews during the flight between the worlds, most of which took place on the homeward leg. Some of this was a precursor to more extensive experimentation that would be carried out on Skylab, the space station that NASA was to launch after the Moon programme had been wound down.

Apollo 14 had a heavy schedule of inflight experiments that included: demonstrations of electrophoresis, heat flow and convection in a zero-*g* environment; how liquids behaved as they transferred between tanks; and a demonstration of the casting of composite materials in space. However, one of the experiments carried out on board *Kitty Hawk* was not on the flight plan.

Some observers have noted how, across the six crews who went to the surface, there seemed to be a divergence of personality types between the guy on the left of the lunar module and the guy on the right. The commander on the left was all businesslike, supremely focused and driven – traits that tended to be carried on into their time after Apollo. The guy on the right, while equally as competent and capable, displayed a tendency to have a more varied life once the mission was over. It is unclear whether the astronaut selection process managed to tease apart two different types of pilots from what was a very homogeneous pool, or whether the experience of the mission itself set the course of their future lives. The left-hand crewmen were all mission commanders, and after Apollo they generally went into business, management or similar professions. Among the right-hand crewmen, Schmitt, who was already a scientist, became a politician; Irwin and Duke became evangelists; and Bean took up a career as an artist. Buzz Aldrin had to struggle with depression and alcoholism in the years directly after Apollo, but later became an excellent ambassador for Apollo through his many TV appearances and public lectures.

The one remaining LMP in this list, Ed Mitchell, later professed a deep interest in states of being that were outside the physical – consciousness, spirituality and the paranormal. After Apollo, he founded an institute to fund scientific research into these matters, inspired by a "grand epiphany" that he experienced on the way home from the Moon, which he later described as "nothing short of an overwhelming sense of universal connectedness".

During the weeks leading up to the launch, Mitchell arranged a clandestine experiment with a few like-minded friends whereby they would test the ability of psychic forces to operate over long distances. On four occasions, twice during each leg of the journey, he concentrated on a sequence of Zener cards[1] while his

---

[1] Zener cards are familiar tools for paranormal researchers. Each card has one of five symbols; a circle, square, cross, star and wavy line.

crewmates were settling down to sleep. The participants on Earth had to determine the sequence. The press had a field day with the story when it was revealed a week after their return. However, Mitchell believes his study produced statistically significant results. After his flight, he founded the Institute of Noetic Sciences to continue research into the scientific investigation of the paranormal.

Lights in the eyes

On leaving the protection of Earth's magnetic field, many crews, beginning with Apollo 11, noticed occasional brief flashes appearing in their vision irrespective of whether their eyes were open or closed. The Apollo 14 crew made a basic study of the phenomenon after the cancellation of a mid-course correction manoeuvre that left them with time on their hands. The Apollo 15 crew had some time set aside specifically to further investigate the phenomenon whereby the crew would sit in various positions in the cabin wearing blindfolds for an hour.

"Okay, as far as my impressions," explained Scott at the end of their first experimental period, "I would say 90 per cent were of what I'd call a point source of light. And to give you an analogy, you might picture yourself sitting high in the stands of a darkened arena, and you look across at the other side and somebody shoots a flashbulb or something, and that would be what I'd call a typical flash of intensity 5 on a scale 1 to 5."

Worden added to Scott's description: "Most of the light flashes seem to be of the order of flashcubes or maybe starbursts that you've seen in the summertime. I saw very few streaks or radial paths of light. They all seem to be just point sources of light."

The next two missions took the study further by having one crewman wear a film-based particle detector while he described the flashes he saw. Though it was attributed to cosmic rays passing through the head and interacting with the human visual system, the results of Apollo's small-scale experiments were inconclusive. Long-term dedicated experiments on board the space stations Mir and the ISS showed that they could also be detected in Earth orbit.

The crews carried out other experiments, both scientific and technological, during their coast home. The sensors built into the SIM bays of the J-mission CSMs could no longer look at the Moon but opportunities were taken to aim them at selected objects in deep space. For example, just prior to Apollo 15, the Uhuru x-ray astronomy satellite had discovered a strong x-ray source called Cygnus X-1. The spacecraft's x-ray spectrometer was therefore brought to bear on it to help to characterise its emissions.

In-flight exercise

Although Apollo occurred in the first decade of manned space flight, doctors had already begun to test the body's reaction to weightlessness during the Gemini programme and had noticed how muscle tone and bone mass was lost after only a few days. Exercise was believed to be the key to mitigating these effects, although this was next to impossible in the cramped confines of a Gemini spacecraft, but the greater volume afforded by an Apollo cabin permitted some limited exercise, especially when the couches were folded away. Every Apollo flight therefore carried an 'Exer-genie' or 'Exergym' exerciser, a commercial gadget consisting of a rope with handles that passed through a cylinder. The resistance to pulling the rope could be adjusted.

"We all did a little bit of exercise almost every day," said Armstrong after his flight. "We used it for isometrics or callisthenics in place, or the Exer-genie. It got a little hot and stored a lot of heat, but it was acceptable."

Collins elaborated on how their little gadget was dealing with the heat from friction. "If you got a good workout on the Exer-genie, it got so hot that you couldn't really touch it."

As military test pilots for the most part, these men tended to take their exercise seriously in life outside NASA. Collins did daily runs, and Scott and Irwin often played handball. Armstrong was the exception when it came to exercising for its own sake. As strong, fit individuals, they felt the need to exercise hard, even using the spacecraft's structure, as the Apollo 12 crew related. "The thing we had for exercise," said Gordon, "other than just moving around using the struts and the flat areas in the LEB for doing pushups and armpulls or whatever you wanted to do, is the Exergym. We all used it on the way out a couple of times a day for maybe a half hour each time. I didn't use it at all coming back. Al didn't use it coming back because the Exergym rope was frayed. Pete was using it on the way back when he noticed that fibres were coming loose. So we elected not to use the exerciser at all on the way back."

Surface crews found that the demands of working on the lunar surface was a hard exercise in itself. The CMPs, on the other hand, needed as much extra workout time as they could get, as Worden did on Apollo 15. "The Exergym is good for keeping some muscle tone," he said after the flight, "but I found that there was just no way I could get a heart rate established and keep it going. I finally decided on a combination of two exercises. I used the Exergym a little bit, just to keep my shoulders and arms toned, and I ran in place. I took the centre couch out and wailed away with my legs, just like running in place as a matter of fact."

Crews regularly wore biomedical sensors on their skin that allowed the Surgeon in mission control to monitor their normal heart rate and breathing, and also while they were exercising. "I didn't say anything to the ground," continued Worden, "but the doctors watching the biomeds called up and said, 'Hey, you must be exercising. We can see your heart rate going up.' And they kept me advised of what my heart rate was. It worked out very nicely, I thought, because they could tell you that you're up to 130, going up to 140 (beats per minute). Then I would exercise a little bit harder, and true, even though I wasn't exerting any pressure on anything, just moving the mass of your legs around really gets your heart going.

"As a matter of fact, I thought I'd strained some muscles that I had never used before because I was just free wheeling my legs and wasn't exerting any pressure on anything. I found out that with the centre couch out, there's just almost the right amount of room. In fact, the same thing could be done up in the tunnel area. You don't need a whole lot of space."

"We strained against the struts, against the bulkhead, and against the straps," added Irwin. "This was kind of an isometric form of exercise. I think it's almost as good as the Exergym."

Ken Mattingly was not a huge fan of the exercise they had from a practical standpoint. "I just can't believe that the amount of exercise I had justified 30 minutes," he said after Apollo 16. "I really think I'd have been just as well off to just forget the whole thing."

When it came to the CSM, Mattingly was regarded as an expert and he felt that the spacecraft's *environmental control system* (ECS) might not handle the extra heat of someone who was really working out: "If you go out there and work up a sweat, really do exercise like you ought to, the ECS will not handle that kind of a load. The ECS is marginal. It's designed for three marshmallows laying there. It isn't designed for you to go out and do any exercise.

"The other thing I worried about was lying there and banging into things, because you can't do any reasonable exercise and maintain your body position."

Sometimes crewmen exercised so vigorously that the entire spacecraft felt it. "Bob, this is Jack," called Schmitt to Bob Overmyer at the Capcom position. "I'm going to try to get a little exercise. I'd be interested to know how high I can get my heart rate just fooling around up here."

"Okay, we'll keep you posted, Jack."

As Schmitt started exercising, Cernan noticed the CSM's barbecue roll was deviating. "I just figured out what happened on my PTC, here," he told Overmyer. "With his exercises, Jack is shaking all of *America* in all three axes."

"Roger. He finally got to 115 on the heart rate," said Overmyer.

"Yes, my rate needles are bouncing back and forth a half a degree," laughed Schmitt as he watched his movements show on the FDAI needles that indicated rate of rotation.

Even EECOM, watching the spacecraft's tanks, could see the effects.

"17, we've got a serious one here," joked Overmyer. "You might be interested. All that exercise banging around in there has destratified tank three O_2, so it stirred it all up good." The movement of the spacecraft had achieved the same effect that an internal fan had prior to Apollo 13's explosion. It had disturbed the unwanted separation of density layers in the tank.

"Yes, glad we brought him along then,'" returned Schmitt's colleagues. "We found some use for him."

Crossing the equigravisphere
Between the Moon and Earth, there came a point where the gravity of the approaching body became stronger than that of the receding body. When this point of gravitational equality was reached, it was customary for mission control, and especially those concerned with flight dynamics, to switch their frame of reference from one world to another. However, because the Moon itself was in motion around Earth, the numbers representing the spacecraft's speed and position appeared to jump. Journalists found it difficult to make sense of this change in the velocity figures being fed to them by the NASA public affairs people, and some got the impression that a 'barrier' was being crossed that would surely be felt by the crew.

Mike Collins later related how Phil Shaffer, one of the flight dynamics controllers in the MOCR struggled to explain the truth to reporters: "Never has the gulf between the non-technical journalist and the non-journalistic technician been more apparent. The harder Phil tried to dispel the notion, the more he convinced some of the reporters that the spacecraft actually would jiggle or jump as it passed into the lunar sphere. The rest of us smirked and tittered as poor Phil puffed and laboured, and thereafter we tried to discuss the lunar sphere of influence with Phil as often as we could, especially when outsiders were present."

As a homeward-bound Apollo 11 crossed the imaginary line between the gravitational spheres of influence of the two worlds, Capcom Bruce McCandless called the spacecraft to inform the crew: "Apollo 11, this is Houston. Stand by for a 'mark' leaving the lunar sphere of influence." He then indicated the moment's passing, "Mark. You're leaving the lunar sphere of influence. Over."

Collins saw a chance for some mischief. "Roger. Is Phil Shaffer down there?"

The FIDO console was being manned by Dave Reed rather than Shaffer. "Negative," said McCandless, "but we've got a highly qualified team on in his stead."

"Roger. I wanted to hear him explain it again to the press conference," teased Collins. "Tell him the spacecraft gave a little jump as it went through the [equigravisphere]."

"Okay. I'll pass it on to him. Thanks a lot," said McCandless, "and Dave Reed is sort of burying his head in his arms right now."

Crews continued to play with this confusion throughout the programme. As *Endeavour* headed home, Capcom Joe Allen let Apollo 15's crew know they had entered Earth's sphere of influence. "Be advised at my mark, you are leaving the sphere of lunar influence; and it's downhill from here on in... Mark!"

"Roger, Thank you, Joe," replied Scott. "That's nice to know."

"Did you notice anything there, Dave? Discontinuity in velocity or anything like that?" teased Allen.

"Well, Joe," returned Scott. "That's one of the mysteries that we'll probably have to keep to ourselves."

"I was afraid of that," replied Allen.

RCS consumable management

Although the Apollo spacecraft was a truly amazing machine for its time, it was, in many ways, extremely marginal. Only by the very careful husbanding of all the consumables it carried could a mission be completed. There was little room for error or excess. However, it was sometimes difficult to measure how much of a resource was being consumed. Hydrogen and oxygen were relatively easy. The tanks had sensors to directly measure quantity, the flow of these two elements to the fuel cells was well understood and the power produced was directly related to their consumption. If power was being produced as expected, then the amount of water available for cooling, food and drinking would be well known. Oxygen flow for the cabin air supply was also directly measured.

The propellant for the RCS thrusters presented a greater problem and illustrated some of the indirect techniques used by flight controllers to understand how much remained – for like so many systems on Apollo, the functioning of these little engines was crucial to the correct execution of the flight. Propellant quantity was not directly measured because this is always difficult to do in weightlessness.

Instead, controllers used every form of data available to them to make estimations of usage. The tanks contained the fluids within bladders to ensure that only liquid was expelled to the thrusters. As propellant was consumed, the space between the bladder and the tank walls was filled with helium that applied pressure for expulsion, and as this volume increased, the overall helium pressure reduced. Also, every thruster firing was telemetered to Earth, which allowed the usage for each quad cluster to be summed. However, techniques such as these gradually built up errors that became greatest towards the end of the mission, just when controllers wanted to know the quantities remaining most accurately.

Controllers made use of the fact that each quad cluster had a primary and a secondary pair of tanks – four tanks in all – and that the secondary pair constituted 39.5 per cent of the total available. Therefore, by switching across to the smaller tanks at some point, they knew *precisely* how much propellant remained available to that quad. In order to avoid running the primary tanks empty, this 'crossover' was carried out when the total remaining had been calculated to have reached 43 per cent. It gave them an accurate data point to work from as they kept track of the quantities for the remainder of the mission.

A WALK OUTSIDE: EVA

On the day after TEI, the command module pilot of the J-missions took centre stage. The cameras of the SIM bay had photographed their images onto long lengths of photographic film stored in large circular magazines, which were now sitting in the service module, itself to be discarded in a few days time when it would burn up and be destroyed in Earth's atmosphere. The film therefore had to be brought into the command module's cabin, the only part of the spacecraft that would survive re-entry. To bring it in, the CMP had to perform a spacewalk.

Extravehicular activity (EVA) is the name NASA gave to what everyone else calls walking in space. At the time of Apollo, it specifically referred to time spent in a space suit when the air pressure outside the suit could no longer sustain life. It was another of those essential techniques for Apollo that NASA had to learn during the Gemini programme.

Edward White, on Gemini 4, was the first NASA astronaut to leave his spacecraft. Part of his brief was political, as America wanted their spacewalking astronaut to stay outside longer than Alexei Leonov had done for the Soviets a few months earlier. White floated around on the end of his umbilical and gingerly tried various techniques for moving around outside a spacecraft. Apart from some exertion when getting back into the cramped cockpit, White made EVA appear easy.

When Eugene Cernan attempted to don a jet-powered back pack on Gemini 9, he was the first to attempt to do substantial work during EVA. Cernan quickly found how difficult it was to keep control of body position in a completely Newtonian environment. The slightest twist, push or turn against the spacecraft would send his mass flailing away from where he wanted to go. Soon, the stress of his exertions began to take a toll on him, and because the suit could not cope with the heat he was generating, his visor began to fog up on the inside. When he was exhausted, he was called back by his commander, Tom Stafford. Almost unable to see through his visor, he drew himself hand over hand along his umbilical back to the hatch. Re-entering the cabin proved to be even more terrifying, as the two crewmen, their suits stiff with the air pressure within, battled to get Cernan far enough down into his seat to be able to shut the door.

In light of what could have been a horrifying incident, NASA began to treat EVA very seriously indeed. During the final three flights of the Gemini programme, Mike Collins, Dick Gordon and Buzz Aldrin refined the techniques needed for safe operations outside a spacecraft. Handholds and foot restraints were added, a methodical approach was taken to all the movements needed for the EVA, and an underwater facility for training was developed.

For all the experience that was gained on Gemini, little actual EVA time was logged during the Apollo Moon programme in terms of a crewman floating outside the hatch of a weightless spacecraft. A lot of outside activity was logged on the Moon, but this was in a one-sixth *g* environment that the crews found very pleasant. During the Earth orbit operations on Apollo 9, Dave Scott and Rusty Schweickart had made tentative forays out of their CM and LM respectively: Scott just putting his head out of the CM hatch while Schweickart placed his feet in so-called 'golden slipper' foot restraints on the LM's porch for a test of the back packs the crews would wear on the Moon. From Apollo 10 to Apollo 14, no crewman left the CM hatch for an EVA, although all crews trained for the possibility that, in the event of a docking problem, they might have to transfer from the LM to the CM via an EVA through the side hatches of both vehicles. When space walking finally came to Apollo on the last three Moon flights, it was something special. Only Alfred Worden, Ken Mattingly and Ron Evans have the distinction of having performed an interplanetary EVA when they ventured outside the CSM to retrieve film magazines from the SIM bay.

Preparation for the EVA took a considerable amount of time because the spacecraft was packed with boxes of rock samples from the lunar surface. Also, three crewmen had to get suited up in the confined space of the CM, each methodically helping the other to check the integrity of his suit. Oxygen for all three men came from the spacecraft's suit circuit with a particularly long umbilical for the CMP to allow him to get to the SIM bay. This made for a cluttered cabin with gloves and helmets floating among loops of hoses while three astronauts clambered into cumbersome space suits, two of which were extremely dirty from 20 hours of work in the dust and dirt of the lunar regolith.

The CMP carried an additional emergency supply of oxygen from a package his crewmates had brought back from the Moon. The *oxygen purge system* (OPS) normally sat at the top of a crewman's PLSS back pack when used on the lunar surface. Its function there was to act as a standby in case of a failure in the suit. If a hole were to open up in the suit or a problem were to occur with his oxygen supply, the OPS could supply oxygen from a very high pressure tank that would give the crewman extra minutes to deal with the situation. Although the backpacks were jettisoned on the surface, the OPS were returned with the surface crew in case they had to support an EVA from the LM to the CSM. One of the OPS was transferred to the CSM to give their colleague an emergency supply during his EVA.

A television camera and a film movie camera were mounted on a pole so that, once the hatch door was fully open, the pole could be inserted into a receptacle in the door, raising the cameras high enough to film the EVA and give Houston a live view of its progress. The spacecraft's attitude was changed so that the Sun shone obliquely across the SIM bay, but did not shine directly into the cabin. All of its RCS thruster quads were then disabled, except for the one furthest from the SIM bay, so that minor manoeuvres could still be carried out while the CMP was outside.

When all the crewmembers were safely sealed into their suits, the air in the cabin was expelled to space by opening a valve in the main hatch. Then, once the internal pressure in the cabin had dropped to a very low level, the main hatch could be opened, venting the last wisps of gas. "Okay, Houston. The hatch is open." Cernan, now in command of his own mission, Apollo 17, and an EVA expert himself, kept a close eye on his two rookie crewmen, Jack Schmitt and Ron Evans. Schmitt's role on the EVA was to stand in the hatch and keep an eye on Evans, look after his umbilical and take the film magazines from him, passing them down to Cernan.

"Hey, there's the Earth, right up ahead," said Evans as he positioned himself in the hatch. "The crescent Earth."

"Okay, Ron. You've got a Go for egress," informed Cernan.

"Beautiful," replied Evans.

"Okay, and just take it slow," said Cernan, speaking from experience.

The door shielded the hatchway from the Sun. "Man, that Sun is bright," said Evans as he cleared the door. He was wearing a *lunar extravehicular visor assembly* (LEVA) that had been worn by one of his colleagues on the Moon and brought with them in the ascent stage.

"Pull down that visor, Ron. You're going to need it," advised Cernan.

"Yes."

"You're a long way from home. We don't want to lose you."

The LEVA went over the crewman's clear helmet to provide additional protection from the light and heat of the Sun, and as extra protection from micrometeorites. It included two visors that could be pulled down if needed; a clear visor for additional UV blocking; and a sun visor that was coated with an extremely thin layer of gold to reject both light and heat. This gold visor has become part of the astronaut's iconography, being seen in all the most famous images showing a man on the Moon.

On Apollo 16, it was Ken Mattingly who made the EVA to the SIM bay. "Okay. How about if I get rid of the jett bag first?" One of the first tasks was to throw out the trash. All the disposable items they could find were packed into one bag that was gently pushed into deep space, probably to enter Earth's atmosphere and burn up a few days later.

"Bye-bye, bag. Okay. Okay, I'll go out and get the TV."

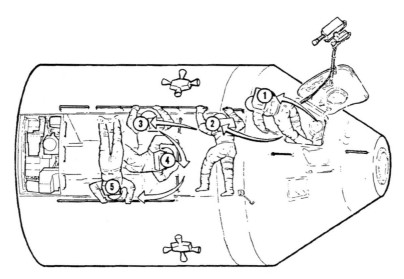

Diagram of the manoeuvres the CMP had to make to reach the SIM bay.

As Mattingly squinted in the Sun, he reminded Charlie Duke to bring down his visor too.

"Ooh! Charlie, you'll need the outer visor as soon as you get into the hatch." Mattingly manhandled the coils of his umbilical out of the hatch then placed the camera pole into its receptacle in the door. He then worked his way along the handles, hand over hand, to the SIM bay, inspecting the side of the service module as he went. The CMPs' training had helped them define that the best way to get to the bay was to move along the SM until hovering above the instruments, then use the handholds around the bay to get into the correct position for placing the feet into a restraint. Once there, Mattingly glanced towards where the spacecraft was pointed and caught sight of the Moon with most of its disk illuminated by the Sun.

"Oh, man. Man, the old Moon's out there. Okay, going after the pan camera. Okay, here comes the hard cover – gone." He threw the outer metallic cover of the pan camera cassette away then removed the soft, inner cover that had been velcroed in place, throwing it off into space. "Soft cover has gone. Okay, I'm going after the hook." He attached a tether to the magazine as the Sun beat down from his right making him glad he was wearing Young's LEVA. "Boy, that old visor of yours – that outer visor on the glare shield really comes in handy."

Mattingly continued removing the giant cassette. "The pip-pin is out, and I'm throwing it away. Okay, get my feet out. There's one. There's two. Okay." As soon as his feet came free, he involuntarily rotated as if he was doing a handstand on the spacecraft and had to pull himself back in with his hands. With the magazine tethered to his wrist, he manoeuvred across the module towards Duke in the hatch and passed the heavy object across for Duke to send it through to Young inside.

When Ron Evans got his opportunity to go outside his CSM *America* and retrieve

Ron Evans returning along the side of the Apollo 17 SM carrying the cassette from the mapping camera.

the film cassettes, no one could have been happier about it than he was. Throughout his EVA, he hummed and chatted with a boyish delight in what he was doing. Working away outside the spacecraft, he waved at the camera.

"We see you waving," informed Houston.

"Hey, this is great!" said Evans, his voice up an octave in the joy of being outside of the cramped cabin where he had been for over 10 days. "Talk about being a spaceman? This is it!"

Evans took a look at the damage the SM skin had sustained during the flight. "Okay. Beautiful! Hey, the paint on here – it's a silver paint and it's just got little blisters on it. You just kind of peel it off with your fingers." Then he described his position between the two worlds. "I can see the Moon back behind me! Beautiful!

The Moon is down there to the right – full Moon. And off to the left, just outside the hatch down here, is a crescent Earth." Looking at Earth, he noticed how the atmosphere scattered the sunlight towards the night side, extending the crescent. "But the crescent Earth is not like a crescent Moon. It's got kind of like horns, and the horns go all the way around, and it makes almost three-quarters of a circle."

Having manoeuvred into the correct position, he tried to settle into the golden slippers. "Okay, I'm having a little trouble, right now, just torquing down to get my foot in the foot restraint, for some reason. Okay, the right one's in. And the left one's in. Hey, pretty stable right here. Let go of both hands? See?"

Happy as he could be, he went after the radio sounder's cassette. "Okay, let's try the old cassette. We'll push down on it until it goes past centre. Ah-ha! I think that was more than [the expected] two pounds of force to come out, but it came out. And I've got the film."

He brought the cassette to Schmitt and then returned for the panoramic camera's film, all the time revelling in the experience.

"Houston, this is – Let's see, when you're EVA, they use your name, don't they?" He wasn't simply '17' now.

"Okay, Ron," humoured Houston. "Yes, sir, we'll use it, Ron."

"Houston, this is Ron, okay?" announced a gleeful Evans. "You hear me okay, I guess, huh?"

"Roger, Ron," replied Houston. "Read you loud and clear."

"Okay," laughed Evans. "Oh, this is great, I'll tell you!"

"Yes, we thought it was Mr. America." With a pun on the name of the CSM, Houston was gently mocking him, but in his happiness he took it in good heart.

"Well, it is. Something like that. Oh, boy! Beautiful Moon! Full Moon down there. I can see the engine bell sitting back here. That's a pretty good-sized thing, too. And, of course, the VHF antenna is still sticking out there."

Evans held up the panoramic camera's thermal cover for Houston to see. "Can you see that? The thing I'm holding up. It's the cover that's on the outside of the pan camera. It's a thermal cover, see, that covers up the cassette."

"Roger. Yes, we see it, Ron," confirmed Houston.

"Whooooee!" laughed Evans as he tossed the cover past the camera's field of view.

Houston noticed. "We just saw that cover."

Humming away to himself, Evans attached the magazine to his wrist and pulled it free.

"Out she comes. Nice and easy. This is a heavy son of a gun. Not heavy up here; it just has a lot of momentum to it. Once she starts pulling in one direction, it just takes a lot of force to stop it."

As he hand-walked his way along the handholds, he noted how the heavy object moved. "Hey, it's just kind of coming along with me. I'll just let her do that. Hey, she's just floating there. That's good. Nice and slow, because you don't want that thing banging around too much up there, I don't think. That's the way it ought to be done, isn't it?"

Evans passed the cassette to his colleagues and returned to the SIM bay for the mapping camera cassette. As he did, he found he was becoming used to the mechanics of getting around in space, and decided to go back down to the SIM bay, aiming his feet directly for the restraint. "You know, I'll just go backwards down there." He hummed away to himself as he shimmied down the spacecraft.

"That's an unorthodox way to enter the SIM bay, but it works. Once you get your feet in there, you almost feel like maybe they might come out, you know," he laughed. "So I'm not sure you really trust them. The right foot's in good and tight. Hello, Mom!"

"We see you, Ron. Looking great," called Houston. The MOCR were enjoying Evans' show as much as he was enjoying giving it. He then called to his children.

"Hello, Jan. Hi, Jon. How are you doing? Hi, Jaime. Let's see, I'm supposed to rest, though, aren't I? What would you like to know about the SIM bay? Looks great."

When compared to the light-hearted and longer EVAs by Mattingly and Evans on the later flights, Al Worden's foray to the SIM bay on Apollo 15 was a quick, efficient affair where, although he enjoyed the experience, he wasted little time on enjoying the view. However, as he started to bring the mapping camera's cassette towards the command module, he stopped for a moment to look towards his colleague standing in the hatch: "Jim, you look absolutely fantastic against that Moon back there. That is really a most unbelievable, remarkable thing." Worden had no camera with him to record this unique interplanetary view, but after they returned to Earth, artist Pierre Mion carefully reproduced the scene in a painting.

Pierre Mion's recreation of Al Worden's view towards Jim Irwin and the Moon.

When Worden had finished off by making an examination of the SIM bay on Houston's behalf, he and Irwin got back into the cabin, taking the camera pole with them and closing the hatch. As they waited for *Endeavour*'s cabin to repressurise, Scott mentioned about how quickly Worden had gone about the EVA. "You should have stayed longer."

Perhaps Scott was aware of how much time he had spent outside on the Moon's surface, and here was his colleague's chance to feel the exhilaration of EVA, yet he spent less than half an hour retrieving cassettes and inspecting equipment. But Worden, like so many crewmembers, brought an entirely businesslike attitude to his work. On one level, it would have been nice to have got the job done then spend a little time just enjoying the view and the experience. On the other hand, he was in a situation that had many possibilities for danger, where a technical problem could quickly develop into a life-threatening scenario.

The cabin was repressurised from a rapid repressurisation system consisting of three small oxygen tanks that had been topped up prior to the EVA and were now emptied into the spacecraft. Also, the oxygen inside the OPS tank added to the pressure. The next time the door was opened, the command module would be sitting on the waters of the Pacific Ocean.

14

Re-entry

A FIERY RETURN

Arguably the most audacious feature of an Apollo flight was to have the crew re-enter Earth's atmosphere in the manner that they did. In the final minutes of a mission, a lump of metal and plastic, three crewmen and a few dozen kilograms of moonrock, altogether weighing nearly 6 tonnes, came barrelling in from outer space as Earth's gravity hauled it in at speeds approaching 11 kilometres per second. As it entered, the air in front of the blunt end of the command module was brutally compressed in a shock wave, generating temperatures approaching 3,000°C. All that stood in the way of the crew being incinerated by this extraordinary heat was a coating of resin and fibreglass that NASA's engineers reckoned could withstand the punishment.

In truth, the heatshield that surrounded the Apollo command module was very conservatively engineered for two main reasons. When the spacecraft's design was frozen, engineers still had a poor knowledge of how the superheated air of re-entry would flow around the upper walls of the spacecraft, the part that did not bear the brunt of the heat, and they decided to cover almost the entire surface with the heatshield material. Additionally, the original specifications had required the shield to tolerate a much longer flight through the atmosphere, 6,500 kilometres, than was ever necessary. The command modules that returned from the Moon typically flew for only about 2,200 kilometres through the atmosphere, nearly halving the overall amount of heat the shield had to endure. In practice, although the heatshield took a lot of punishment across its curved aft section, much of its conical surface was barely singed by re-entry. Even the reflective Kapton tape that had been glued to the spacecraft's exterior for thermal control in space was usually found to be still adhering to much of the hull. On recovery, pieces of Kapton were occasionally peeled off by those in attendance and kept as souvenirs.

Heatshield: sacrificial surface

Heatshield designs for Apollo originated in the re-entry vehicles that were developed in the 1950s for nuclear warheads. These weapons were launched on ballistic arcs out into space by large rockets to increase their speed and minimise delivery times, but as their elaborate mechanisms had to negotiate the great temperatures generated by re-entry, they were protected inside a vehicle whose outer wall included some form of heatshield. Initially heat sinks were used, but development of this Cold War technology led to the use of ablative materials for warheads and this technique was used for many spacecraft heatshield designs, including Apollo, until the introduction of advanced ceramics such as those used in the Space Shuttle and the planetary probes of the 1990s and beyond. The ablative heatshield works by allowing itself to succumb to the enormous heat of re-entry. As it does so, it slowly chars and peels away, or *ablates* from the body of the shield, taking heat with it and revealing a fresh surface to repeat the ablative process. As long as the thickness of the shield is greater than the depth of erosion caused by re-entry, the heatshield will function properly.

The command module heatshield was made from shaped sections of steel honeycomb sandwich, which provided a substructure onto which a fibreglass honeycomb was bonded. There were over a third of a million cells in a complete CM heatshield, and each was carefully filled by hand with an epoxy resin using a specially designed squirt-gun. After curing and inspection, any imperfectly filled cells were carefully drilled out and refilled. The heatshield came in three sections: the thick aft shield took the brunt of re-entry's heat, the centre shield covered most of the CM's conical surface, and the forward shield or apex cover was wrapped around the upper cone of the hull where the parachutes were stored. Each was shaped on large lathes to the correct thickness and rechecked before being affixed around the internal structure of the command module.

Flying without wings

The first generation of manned spacecraft – for example, the American Mercury and the Soviet Vostok ships – were designed to re-enter the atmosphere in a purely ballistic fashion. Once they were set on their Earthward trajectory, they had no ability to change their flight path and steer towards a landing site. Later the Gemini and Apollo spacecraft, and the Russian Soyuz, could fly in a controlled manner and managed to do so without wings.

Although the Apollo command module had a symmetrical shape, its internal weight distribution set its centre-of-gravity towards the crew's feet. This was a deliberate arrangement in order to make it adopt an aerodynamically stable attitude that leaned one way as it ploughed through the atmosphere. Such a lopsided presentation to the hypersonic airflow turned the stubby spacecraft into a crude wing, giving it the ability to generate lift in a direction towards the crew's feet. Simply by performing a roll manoeuvre, the spacecraft could then aim this *lift vector* up or down, or side to side, allowing the re-entry to be flown in a controlled manner, usually by the computer.

Note that although it is always referred to as a lift vector, the vector is relative to the spacecraft and in use, the direction of the so-called 'lift' could be downwards. If the spacecraft was a little high in the re-entry corridor and was going to overshoot the landing site, the roll thrusters could fire to turn the spacecraft around to a heads-up attitude, aiming the lift vector towards Earth and forcing it into a lower flight path where the thicker atmosphere reduced its speed further. The meagre lift that such a poor wing could generate was amplified by the huge speed of re-entry to the extent that, for a few minutes, the spacecraft would typically fly around a constant 60-kilometres altitude and, in some cases, even manage to rise away from Earth.

The path to Earth

The path of an Apollo spacecraft from the Moon to the Earth began with the *trans-Earth injection* burn around the Moon's far side. This set the spacecraft on an S-shaped trajectory that was targeted so that, had the Earth been without atmosphere, the spacecraft would have looped around the planet and passed about 40 kilometres above the surface before returning to deep space on a very long elliptical orbit. Of course, the Earth does have an atmosphere and any spacecraft on a trajectory with a 40-kilometre perigee is bound to plough into its gases where the immense kinetic energy would be dissipated as heat. If the spacecraft went deeply enough into the atmosphere and lost enough energy, it would no longer have the momentum to return to space, and would instead be captured by Earth. The return trajectory of the Apollo spacecraft was designed to achieve this in a highly controlled manner.

A modification of this technique is commonly used by unmanned spacecraft as a means of arrival at other planets. The conventional technique slows to orbital velocity by consuming large quantities of propellant in a long burn. However, substantial weight savings in propellant can be made if the spacecraft carefully dips into the upper reaches of a planetary atmosphere, where it loses small increments of velocity. The initial insertion burn can then be much shorter and the resulting mass reduction will also reduce overall mission costs by enabling the spacecraft to be launched by a smaller, cheaper rocket.

Rising speed

The velocity of a homeward-bound Apollo spacecraft was quite low during much of its coast, dipping to a minimum of about 850 metres per second at the point where Earth's gravity overcame that of the Moon. As the spacecraft continued to approach, the increase in its velocity was painfully slow until the final few hours of the mission when Earth's increasing pull ramped it up markedly. For example, on a typical mission it would take over 2 days for the velocity to rise to half its highest value, yet it took less than 2 hours to make up the other half. This steep increase simply reflected the fact that the spacecraft was falling into a deep gravity well.

It was during the final few hours of the flight that mission control had their last opportunity to carefully track the spacecraft, refine their knowledge of its trajectory and have the crew adjust the approach velocity for a perfect entry. On some flights, guidance had been so good that this seventh planned opportunity for a midcourse correction had not been required, while on others, it was only a very minor firing of the RCS thrusters to correct for earlier unbalanced thrusting or the tiny thrust imparted by the venting of gases and liquids from the spacecraft.

Definitions: entry interface and the 0.05-*g* event

To aid their calculation of the spacecraft's entry trajectory, mission planners adopted an arbitrary height of 400,000 feet or 121.92 kilometres, at which the returning command module was deemed to have left space and begun re-entry. This was *entry interface*. The Retro flight controller's task was to shape their approach trajectory to ensure that when they reached this altitude, the flight path would form an angle to the horizontal of 6.5 degrees, with a leeway of about ±1 degree to help to cope with weather or unfavourable trajectory conditions.

If the targeted perigee was too low, the entry angle would be steeper than ideal, increasing the heat impulse the heatshield had to deal with and increasing the deceleration forces that the crew would have to endure. It would also tend to shorten the entry flight path, perhaps to the extent to which the CM's flight characteristics could not compensate, and would force a landing short of the planned point. In the extreme case, it would be lethal, either by excessive *g*-load or by incineration.

A higher than ideal perigee, and therefore shallower angle, would result in a longer entry path and lower *g*-forces, but this came with the danger that the spacecraft might fail to shed enough energy to enable it to be captured, would pass the perigee point, and would re-emerge from the atmosphere and coast out into space on a long elliptical orbit. Since the command module on its own had no means of propulsion and very limited supplies of power and oxygen, failure to be captured by Earth's atmosphere at the first attempt would be fatal for the crew.

Entry interface, while being handy for the trajectory analysts, was an entirely arbitrary point that had little to do with the real atmosphere and its properties. It was therefore of little use in the conduct of the re-entry itself because it did not take into account the variations that the outer atmosphere would present to the spacecraft. Some reference to a real, physical event was required to indicate that re-entry had truly commenced, thereby aiding its coordination and timing. NASA chose the moment when the tenuous gases of the upper atmosphere were exerting enough drag on the spacecraft to create a deceleration equivalent to 0.05 *g*. When the spacecraft's accelerometers detected this event, they signalled to the relevant instrumentation that re-entry was underway.

Most aspects of the entry were measured with respect to this 0.05-*g* event. For the sake of calculation prior to entry, just as for entry interface, it was taken to occur at an altitude of 90.66 kilometres. When it was actually reached, two important things began to happen: the computer began to fly the re-entry, and the *entry monitor system* (EMS; of which more later) began to monitor the progress of the flight path.

IN WE COME: ENTRY FROM START TO FINISH

The first operational sign that re-entry was approaching was a few hours out, when the crew stopped the spacecraft from slowly spinning on its long axis in the so-called barbecue mode for the final time. The time remaining in space no longer warranted the protection provided by this *passive thermal control* rotation. Once he had control of the spacecraft's attitude, the CMP had a final chance to practise his techniques of navigation, partly in case communications were lost and the spacecraft had to be brought in without help from Earth, but mostly to provide further data to engineers on Earth about the crew's ability to fly autonomously. Prior to his exercise, he carried out his penultimate platform realignment.

On those later advanced missions that carried a SIM bay in the service module, the crew powered it down for the last time before the final correction burn opportunity. As the film canisters had long since been extracted from the cameras, only a few instruments were still operating and, even then, they were only looking at deep space. Those that were mounted on the end of 7-metre-long booms were retracted except during the Apollo 15 mission when its booms were jettisoned – probably as an engineering test of that capability on their first outing.

In view of their impending splash in the middle of Earth's largest ocean, and with the possibility always present that a malfunction could take them well away from the recovery ships and force them to abandon the CM in a hurry, the crew donned life vests, known as Mae Wests. The name derived from World War II allied servicemen who noted the excessively curvaceous effect an inflated life vest had on its wearer and likened it to the figure of a famous bawdy film star of the pre-war era.

Entry communications

Much of the communication between Earth and the spacecraft during a flight was carried out using the S-band communication system, either through the highly directional high-gain antenna, soon to be discarded along with the service module, or through one of the four omnidirectional antennae placed around the command module's periphery. However, re-entry was a highly dynamic event, with the spacecraft travelling at high speed, relatively close to the ground and below the horizon of the major S-band stations. Also, as it entered, it would roll regularly from side to side to steer a course towards the recovery forces.

As the directional nature of S-band communications made it impractical for use during entry, the CM reverted to the shorter range VHF radio that had been used by earlier Earth-orbiting missions and was used for communication with the lunar module during operations around the Moon. This enabled them to talk to mission control via ARIA communications aircraft deployed on the ground track, and later directly to the recovery aircraft carrier and its associated helicopters. In preparation for this, the VHF communication system was powered up to enable it to be tested when the spacecraft came within range.

THE ENTRY PAD: A WORKED EXAMPLE

As was done before all major manoeuvres encountered during the flight, and with over 4 hours remaining to the landing, Capcom read up a PAD to the crew – a large list of numbers and notes that, in this case, defined the parameters of re-entry for the crew and the computer. This list included checks to be made of their attitude; and the times, angles and velocities to be expected at various points along their trajectory. Much of the information was to be fed into the computer and the EMS so that this equipment could be properly initialised prior to entry.

In April 1972, rookie astronaut and Capcom Henry Hartsfield made a call to *Casper*, the returning CSM of Apollo 16, commanded by John Young, to pass up a preliminary version of their re-entry details. They were only 4.5 hours away from splashdown yet they were still 63,000 kilometres out. "Apollo 16, Houston. Have an entry PAD for you."

"Okay. Go ahead with the PAD," replied Young.

Hartsfield then launched into the long, monotonous, yet precise string of digits and comments that would bring the crew safely to Earth. "Okay, MidPac; 000 153 000 2900632 267; minus 0071, minus 15618…" As with previous PADs, there was no punctuation. Confusion was only avoided by the pro forma sheet onto which the information was copied, along with the crew's experienced expectation of what each number was likely to be.

Hartsfield continued: "069 36196 650 10458 36276 2902332 0027 Noun 69 is N/A; 400 0202 0016 0333 0743; sextant star 25 1515 262; boresight N/A; lift vector UP. Use nonexit EMS; RET for 90K, 0606; RET mains, 0829; RET landing, 1321; constant-*g* entry, roll right; moonset, 2902026; EMS entry, reverse bank angle at 20,000 feet per second."

Young then read it all back to Hartsfield to check he had made no mistakes. This is what the PAD meant:

The planned landing area was in the mid-Pacific Ocean – *MidPac* – as distinct from the Atlantic or Indian Ocean. With the Earth making a complete revolution once every 24 hours, it was straightforward to target the spacecraft to land in any of these bodies of water, just by altering the timing by a few hours. NASA was very particular in ensuring that everyone knew what the planned landing site was.

By the time of the re-entry, the guidance platform would already be aligned with an appropriate orientation, so the next set of digits, three groups of three – *000 degrees, 153 degrees, 000 degrees* – defined the CM's attitude at the 0.05-*g* event with respect to that orientation. The careful choice of the platform's orientation is shown

LUNAR ENTRY

Note	M	I	D	P	A	C	AREA
Use non-exit EMS pattern.	x	x	x	0	0	0	R 0.05 G
	x	x	x	1	5	3	P 0.05 G
	x	x	x	0	0	0	Y 0.05 G
RET 90K is 06:06.	2 9	0	0	6	3	2	GET HOR CK
	x	x	x	2	6	7	P CK
	−	0	0	0	7	1	LAT N61
RET mains is 08:29.	−	1	5	6	1	8	LONG
	x	x	x	0	6	9	MAX G
	+	3	6	1	9	6	V_{400K} N60
	−	0	0	6	5	0	γ_{400K}
RET landing is 13:21.	+	1	0	4	5	8	RTGO EMS
	+	3	6	2	7	6	VIO
	2 9	0	2	3	3	2	RRT
Constant-g entry: roll right	x	x	0	0	2	7	RET 0.05 G
	+	0	0	N	/	A	DL MAX
	+	0	0	N	/	A	DL MIN N69
	+			N	/	A	VL MAX
	+			N	/	A	VL MIN
Moonset: 290:20:26.	x	x	x	4	0	0	DO
	x	x	0	2	0	2	RET V_{CIRC}
	x	x	0	0	1	6	RETBBO
EMS entry.	x	x	0	3	3	3	RETEBO
	x	x	0	7	4	3	RETDRO
	x	x	x	x	2	5	SXTS
Reverse bank angle at 20,000 feet.	+	1	5	1	5	0	SFT
	+	2	6	2	0	0	TRN
	x	x	x	N	/	A	BSS
	x	x		N	/	A	SPA
	x	x	x	N	/	A	SXP
	x	x	x	x	U	P	LIFT VECTOR

The PAD for Apollo 16's re-entry.

by the zero values for roll and yaw. The figure for pitch reflected the expected attitude the spacecraft would naturally adopt with its biased centre-of-gravity in their current heads-down attitude.

The next two items were related to the first of many checks of their attitude and trajectory. This check would be made at *290 hours 06 minutes 32 seconds* into the mission, 17 minutes prior to hitting the atmosphere. It did not require any fancy instruments. All that was required was for the crewman in the left couch, in this case CMP Ken Mattingly, to look out of the rendezvous window in front of him and see if Earth's horizon aligned with a set of angle marks inscribed on the window. The spacecraft's pitch angle at this time should be *267 degrees*. A leeway of ±5 degrees was allowed.

The next two items referred to the latitude and longitude of the planned point of splashdown. Apollo 16 was targeted to land *00.71 degrees south* of the equator and *156.18 degrees west*, a point about 2,200 kilometres south of Hawaii, near Christmas Island. In the event, it landed about 4.5 kilometres west of this point.

Even though the approach into the atmosphere was quite shallow, the crews had to sustain quite high deceleration forces as the CM rammed into the air. Most returning crews endured a peak force of about 6 *g*. The Apollo 16 crew were warned to expect a peak force of *06.9 g*. Records show that their deceleration peaked at 7.19 *g*, the highest for any Apollo crew.

When it reached entry interface, the arbitrary altitude where re-entry was said to begin, the spacecraft was expected to be at the extraordinary velocity of *36,196* feet per second or slightly over 11 kilometres per second (11.033 kilometres per second to be exact). At this point, Retro believed the flight path would form an angle of *6.50 degrees* to the horizontal which was considered ideal. Subsequent analysis showed that the flight path angle was actually 6.55 degrees, well within the ±1-degree tolerance allowed for re-entry.

The spacecraft was expected to travel *1,045.8* nautical miles from the time the 0.05-*g* switch was activated to its ocean landing, a distance of nearly 2,000 kilometres.

Another velocity value of *36,276* represented, in feet per second, how fast they believed the spacecraft would be travelling when the 0.05-*g* switch was activated. As well as going into the computer, this number and the previous item went into the EMS, which allowed them to choose to monitor either velocity to be lost or distance still to travel. Note that the value given here was slightly higher than that quoted for entry interface. This demonstrated that mission control expected the spacecraft to gather yet more speed between the arbitrary point of entry interface and the estimated 0.05-*g* event.

Mission control expected the spacecraft to reach entry interface at a time of *290:23:32* since launch. It was then expected that *27* seconds would elapse between entry interface and the 0.05-*g* switch being triggered. The actual time would depend on the local atmospheric conditions.

The next item concerned a computer entry, *Noun 69*, that was not applicable, or *N/A* to this PAD. As entry commenced, the computer ran Program 64 and its display was set to show the contents of Noun 74. This had three numbers derived from the primary guidance system which told the crew: (a) how much drag they were experiencing (i.e. the *g*-force re-entry was placing upon them), (b) their current inertial velocity, not taking into account the rotation of the Earth, and (c) the angle their flight path made with the horizon. If the entry profile required the spacecraft to skip out of the atmosphere for a time, the computer was programmed to move to Program 65, whereupon the display would show Noun 69, which again displayed drag and velocity, this time relating to the skip-out flight path. The PAD form had spaces in which mission control could advise the crew of the expected maximum and minimum values for drag and velocity for this phase of the entry, but on Apollo 16 these were not needed. Of all the spacecraft that returned from the Moon, only Apollo 11 had to deal with this skip-out condition to enable them to extend their flight path and avoid a storm.

During part of the entry, the spacecraft was flown in a trajectory that maintained a constant *g*-force. In all cases, this was set at *4.00 g*. As the spacecraft continued to slow, there came a point when its velocity was equal to that of an orbiting object. In other words, on reaching this speed, the spacecraft no longer had enough momentum to return to space on a long-duration elliptical orbit that would have threatened the crew. Also, since the spacecraft would be in the atmosphere already at this point, drag would continue to reduce its velocity, and a landing somewhere on Earth was assured. The next item in the PAD informed the crew that they were expected to reach this safe milestone *2 minutes 2 seconds* after entry interface.

In the first few minutes of re-entry, the extreme heat generated by the shock of compression ionised the air around them, creating a sheath of plasma that effectively blocked radio signals to and from the spacecraft. This period, known as blackout, was expected to begin at *00:16* or 16 seconds after entry interface and continue until *3 minutes 33 seconds* after entry interface.

Once the majority of speed had been lost, the spacecraft's *earth landing system* (ELS) converted the spacecraft from a 6-tonne lump falling through the atmosphere to a gently descending vehicle returning explorers from the Moon. The first part of this system was the drogue chutes which the Apollo 16 crew could expect to be deployed *7 minutes 43 seconds* after entry interface.

The Apollo 16 entry PAD continued with six further items that were all concerned with two methods of ensuring that the command module's attitude was correct just prior to re-entry. The first of these used the sextant to aim at a particular star. The second, not used on Apollo 16, did a similar thing using the COAS mounted in a window. Apollo 16's sextant star check said that 2 minutes prior to entry interface, the crew should expect to see *sextant star 25*, Acrux – which is the major star in the southern constellation Crux – through the sextant eyepiece when their sextant was aimed to a shaft angle of *151.5 degrees* and a trunnion angle of *26.2 degrees*.

The final entry on the form used for the PAD told the crew that the lift force generated by the shape of the hurtling spacecraft would be *'up'*, at least at entry interface. This was another way of saying that they should be in a 'feet-up, heads-down' attitude as they approach the atmosphere. This information was passed on to the computer by entering a '1' in the right place in its memory.

A number of additional comments were read to the crew at the end of the PAD. The first concerned the scroll pattern to be used to monitor the entry on the EMS. The appropriate pattern was one that was calibrated for the type of non-exiting re-entry they planned to make. In other words, since there was no intention to exit the atmosphere on a long, skipping re-entry, they should line up the scroll pattern at the start of the *nonexit EMS pattern.*

Next were three times, stated with respect to entry interface, for important milestones in the latter part of the flight. The first (*RET for 90K*) was for the command module's descent to an altitude of 90,000 feet, or 27.4 kilometres, which was expected *6 minutes 6 seconds* after entry interface. The spacecraft's three main parachutes (*RET mains*) were expected to be deployed *8 minutes 29 seconds* after entry interface while the entire re-entry, from entry interface to splashdown (*RET landing*) on the Pacific Ocean, was expected to take *13 minutes 21 seconds.*

During the *constant-g entry* phase of the flight, the spacecraft had to roll to aim the lift force it generated up or down to maintain a constant deceleration. Mission control included a note to say that if the crew needed to do this manually, perhaps through equipment failure, they should *roll right.*

As the crew returned from their lunar exploration, the view out of their windows afforded them a view of the Moon setting behind Earth's horizon. The precise time it did so was calculated to the second and mission control informed the crew they could expect *moonset* at *290:20:26* – that is, at 290 hours 20 minutes 26 seconds into the mission.

The final item concerned a detail of the re-entry in case the crew had to fly the profile manually. Manual re-entry was flown by following the cues provided by the EMS (*EMS entry*) with which the CMP controlled the *g*-forces as the spacecraft's velocity fell. Mission control's note was to reverse their angle of bank as their velocity passed 20,000 feet per second.

The sheer degree of detail involved in flying the Apollo spacecraft explains why NASA preferred highly proficient pilots as astronauts.

ENTRY REFSMMAT

With the entry PAD recorded, the guidance platform could be realigned to an orientation that was suitable for the entry. Around the time the PAD was being passed to the crew, flight controllers were granted direct uplink access to the onboard computer's memory to change the numbers that defined the REFSMMAT.

A brief recap of the REFSMMAT might now be appropriate. The computer's idea of the direction in which the spacecraft was pointed was always given with respect to the orientation of the stabilised platform inside the IMU. However, to make any sense, the platform had to be aligned to some known reference – one that was related to the universe around the spacecraft. The REFSMMAT numbers defined such an orientation in space to which the guidance platform could be aligned and the flight controllers could choose them arbitrarily.

For re-entry, an orientation was chosen that would help the crew to make sense of their 8-ball displays, essentially turning them into artificial horizons that would show attitude relative to the ground below. It was based on the point of entry interface, whereby the x axis was aligned along the azimuth of their flight path but parallel to the horizontal plane. The z axis was parallel to a vertical line at the point of entry interface. In other words, at entry interface, the z axis would be pointing towards the Earth's centre. By default, the y axis was aimed to the right of the flight

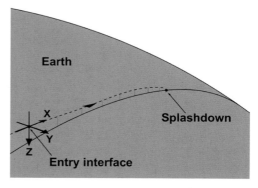

Diagram showing the orientation of the entry REFSMMAT.

path. The upshot of this arrangement was that at entry interface, with the spacecraft presenting the heatshield forward and the crew heads-down, the FDAI display would read 0 degrees for roll, 180 degrees for pitch and 0 degrees for yaw. In this way, the display was much easier to interpret.

It was usual throughout a flight that, when the orientation of the guidance platform had to be changed, it would be realigned twice. The first would be according to whatever orientation had been in use up to that point, which, prior to re-entry, was likely to be the PTC REFSMMAT. This was simply to determine how far the platform had drifted since its last realignment, to give engineers an additional 'data point' in their record of the mechanical characteristics of the IMU, in case this data had a bearing on subsequent flights. The second realignment swung the platform around to its new orientation as defined by the entry REFSMMAT.

FINAL FOUR HOURS

The crew spent the next few hours of their approach by making extensive checks of their electrical power, environmental and propulsion systems as well as their caution and warning system. If a final mid-course correction was required, this was the time to make it, and if a correction was necessary, some additional onboard navigation sightings were taken in case communications were lost in the final hours.

Before reaching the waters of the Pacific Ocean, a coordinated sequence of events had to occur in the correct order, including a number of explosive devices. These would separate the command and service modules before re-entry and operate the various subsystems of the ELS during the final drop through the denser layers of the atmosphere. This included the jettisoning of the forward heatshield to uncover the parachutes, and their subsequent deployment. These complex events were under the control of the *sequential events control system* (SECS), whose circuits had to be armed by the crew, but whose status could only be verified by mission control via telemetry. At this early stage, a check was made of these circuits by the crew temporarily arming them and asking the flight controllers to inspect them.

With an hour and a half remaining, the guidance platform was given its final realignment in accordance with the previously uploaded entry REFSMMAT. Additionally, and as a backup, the same alignment was passed to the spacecraft's secondary attitude reference, which consisted of the strapped-down gyroscopes and their associated electronics system, the *gyro display couplers* (GDCs). This just required a press of the 'GDC Align' button, and although this backup system was more prone to drift, if all went well the spacecraft would be in the water before it became an issue.

Seating for the crew put the command module pilot in the left seat as he had received most training for the re-entry procedures. None of the Apollo crews wore their pressure suits for re-entry after the Apollo 7 crew rebelled, citing their head colds as a reason not to have to wear the bulky garments. The CMP manoeuvred the spacecraft to an attitude that put the heatshield forward with the crew heads-down and looking back. It wasn't their final entry attitude; a further pitch-up would be required for that – a manoeuvre they would execute a few minutes before reaching entry interface. But in this attitude, they could make checks of their attitude control and trajectory, and it was a starting point for the jettisoning of the service module.

The first of these checks required that the sextant be aimed at an angle given in the PAD, with the expectation that, if their attitude was where it should be, a specified star would be visible in the instrument's narrow field of view. With that check made, the spacecraft's optics had performed their last task, and were swung to a shaft angle of 90 degrees and powered down. Earlier flights also included an additional check of attitude using the COAS – an optical sight, similar to a gun sight, mounted in one of the rendezvous windows. Again, with the sight mounted at specified angles, a named star was expected to be visible through the instrument.

Entry monitor system
The crew's next task was to put the *entry monitor system* (EMS) through a series of tests to verify that it could be trusted in its role, which was, as the name implied, to monitor the progress of the re-entry.

This bit of kit on the main display console came into its own in the final minutes of the mission, but its weight wasn't carried for 2 weeks without it having to work for its passage. NASA's engineers saved weight by having systems share their components where possible, so throughout the flight, the accelerometer within the EMS provided backup to those in the guidance platform whenever the effect of engine burns had to be confirmed. Its digital display was regularly pressed into providing the crew with extra information, but the full capabilities of its systems were utilised on re-entry.

It was not a single display; it was rather a specialised guidance and display system to present critical entry parameters to the crew, and it occupied a prominent position on the spacecraft's massive instrument panel directly in front of the left couch. Normally it allowed them to monitor the progress of an automatic re-entry through its independent measurement of velocity and g-forces. But if the main guidance system were to fail (which happily never happened), it would have yielded enough information to allow them to steer the spacecraft manually to an accurate and safe landing.

Among the switches and knobs on the EMS panel were three displays that covered various aspects of re-entry. The largest was a window behind which was a scrolling graph on a long Mylar tape, 8.75 centimetres wide. A scribe drew a line across the tape showing the progress of the re-entry. The

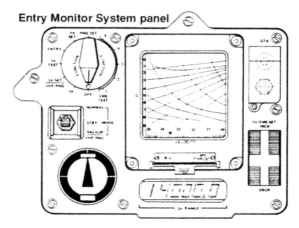

Entry Monitor System panel

Diagram of the front panel of the EMS.

axes of this graph were deceleration and velocity: in other words, the rate at which velocity was being lost – the deceleration – was plotted against how much still had to be lost. As their velocity reduced, the scroll moved to the left, its scribe leaving a trace to enable the CMP to visualise the trends. If, during the early stages of re-entry, the onset of *g*-force was too rapid, then the spacecraft was coming in too steeply and needed to roll around and try to fly higher in order to avoid flying through the thicker air for any length of time. Conversely, a low *g*-force while still at a high velocity could mean that the spacecraft was failing to lose enough energy and would need to dive more deeply into the atmosphere or risk sailing out into space on a long lethal orbit. The scroll was drawn with lines that represented limits of *g*-force and the distance that could be achieved during the entry to aid interpretation.

Below the scroll was a digital display that was discussed in earlier chapters owing to its use in previous stages of the flight. During re-entry, it displayed either the range in nautical miles to the splash point, or the current velocity. The initial values for both were entered into the EMS prior to re-entry.

The third display, the *roll stability indicator* (RSI), looked a little like a simplified artificial horizon, which is quite a good description. It consisted of a pointer on a circular display that told the CMP the direction in which the spacecraft's lift vector was aimed with respect to the Earth below, and was driven by the GDC and its gyros. Since the lift vector was always in the direction of the crew's feet, it essentially indicated whether they were flying feet-down or feet-up. Two indicator lamps were located at the top and bottom of the display which told the CMP which way round the lift vector should be aimed, up or down, to achieve the correct re-entry conditions. If he needed to fly the re-entry manually, he would roll the spacecraft to aim the pointer at whichever lamp was lit.

The panel had two other lamps; one to indicate when the SPS engine had been commanded to fire, the other to indicate the onset of 0.05 *g* at the start of re-entry. A knob allowed selection of the instrument's various functions, including access to five built-in tests that verified the unit's correct operation. These tests ensured that the lamps would trigger at the correct point, that the digital counter was operating, and that the scroll and its scribe were working properly. Two different patterns were printed on the scroll: one for a conventional re-entry, the other for an entry that would skip back into space for a time. The start of the scroll included several patterns for testing the scroll, whereby the scribe was expected to make a predefined series of motions.

Spacecraft condensation

Prior to re-entry, the crews noticed how the area around the forward hatch up in the CM's apex tended to cool and attract condensation from the atmosphere in the cabin.

"You know, I bet when we splash down out there," said Tom Stafford, "this cold water runs all out in that..."

"Bet you're right," interrupted John Young. "That's probably where all the water comes from."

"I bet there'll be water galore," said Stafford.

"Well, a lot of it's condensing up the hatch, too," said Young. "That's a good place for it; there ain't no wires up here. I don't give a shit if we get ice up here as long as there ain't no wiring up there. As long as we don't have to live up there."

"Good place to put your feet up," suggested Stafford.

"If I was designing the spacecraft," continued Young, "I'd make the bastard get the water out of it before it ever starts; but once it's designed, that's probably as good a place to have a water separator as anywhere."

"Did the other spacecraft notice water under there?" asked Stafford.

"I don't know if they ever noticed ice or not. We've got a lot of water up there now, a lot, a lot. Let me get my rag and go up in there and clean it out."

Small amounts of water were not a problem in the cabin's electrical system, partly as a result of the Apollo 1 fire. One of the changes made to the spacecraft was that all the electrics had to be hermetically sealed. When *Odyssey*, the Apollo 13 CM, re-entered, its wiring had been chilled for 4 days, gathering condensation that covered every surface, and upon re-entry large quantities of water rained down on the crew.

Keeping cool

Over the final hour of a mission, as the crew prepared for re-entry, most of the systems in the command module were powered up. Throughout the mission the heat generated by these systems had been absorbed by a water–glycol solution (not unlike that found in the radiator of an automobile) and lost by two large radiators on the side of the service module or, if required, the two evaporators in the command module.

However, by design, most of the elaborate systems for dissipating the spacecraft's excess heat floated away 15 minutes before entry, along with the rest of the discarded service module, so a special provision had to be made to manage the heat generated within the command module during the half hour between separation and splashdown. Shortly before separation, a 'chill-down' process was begun, where both the radiators and the primary and secondary water evaporators were turned on, cooling the water–glycol to around 5°C. This didn't cool the cabin, which remained at about 24°C, but it prepared the coolant to absorb large amounts of heat from the electronics. This took advantage of the fact that water has by far the highest heat capacity of the common liquids. Although the total amount of heat that could be absorbed by the coolant was still quite limited, it was sufficient to last from entry to splashdown.

The water–glycol solution within the command module was only used to cool the spacecraft's electronics. No attempt was made to actively cool the spacecraft's exterior during its fiery plunge through the atmosphere, the heatshield being more than adequate to protect the structure.

One system that did not require to be cooled, but to be heated, was the command module reaction control system and its thrusters. These RCS thrusters had been exposed to the cold of space or the heat of the Sun for up to 12 days. Heaters ensured that they were all warm enough before being operated for the first time.

LAST HOUR

As the mission entered its final hour, one chore for the astronaut in the right couch was to install a 16-millimetre movie camera in a bracket next to his rendezvous window. This would record the view from the window looking backwards along their glowing wake. The camera did not have a direct view, but rather was off to one side, looking into a small mirror for its view along their flight path.

In the meantime, a final few items were stowed away for the re-entry. These included the ORDEAL box, the COAS optical sight, the chlorine injector and gas separator of the water squirt gun. An important aspect of stowage for re-entry was to ensure that objects were not only well secured but that their weight, soon to rise more than six times their earthly weight, and their edges and points, did not strike a crew member or cause damage, especially to the aft hull. Additionally, items above the crew had to withstand the sudden shock of the spacecraft impacting the ocean surface.

With 50 minutes to go, tasks leading up to their meeting with entry interface were coming thick and fast. The heaters that were preheating the CM thrusters were switched off, and a check was made of the two batteries that would fire the pyrotechnic devices. If either battery indicated less than 35 volts, extra energy was taken from the main spacecraft supply to ensure operation. The CM's third battery was connected across both of the main power busses. This would become the spacecraft's primary electricity supply after the fuel cells were cut adrift with the service module.

A check was made to see that their backup attitude reference, the GDC, was not drifting excessively. If it was, two instruments that were relying on its output had to be treated as suspect; the right-hand FDAI and the RSI, the instrument that showed the direction of their lift vector; a key item on a manual re-entry.

Command module RCS

Having heated the command module's thrusters, the rest of its reaction control system could be primed, ready for use.

Throughout the mission, all small-scale manoeuvres were carried out using the RCS thrusters on the service module. The command module's RCS was a simpler system primarily because there was no need to perform translation manoeuvres. It controlled the command module as re-entry began, presenting it to the atmosphere in its naturally stable, aft-first attitude until aerodynamic forces took over. Then once the CM was in the atmosphere, it performed the roll manoeuvres that would steer the spacecraft to an accurate landing while simultaneously damping any excessive motions in the pitch and yaw axes. It comprised two entirely independent systems or 'rings' to provide complete redundancy, each of which had a fuel tank and an oxidiser tank mounted in the space around the periphery of the CM. These supplied propellants to six engines recessed into the outer hull of the spacecraft – a total of 12 engines. For the majority of the mission, these tanks remained unpressurised and the system maintained in an inert state.

Now as they neared re-entry, pyrotechnic squibs were detonated, opening up valves to feed pressurising gas from small high-pressure helium tanks to the fuel and oxidiser tanks. Like the RCS systems on the service and lunar modules, the tanks were not pressurised by simply pumping high-pressure gas into them; the helium did not come into contact with the propellant within. In a weightless environment, blobs of liquid in a simple tank are liable to float about with voids in between that could allow gas to enter the propellant lines to the engines. Instead, the propellant was isolated within a Teflon bladder inside the tank, while helium gas occupied the space around it, squeezing the bladder and forcing propellant through the feed lines to the thrusters. This technique prevented helium bubbles from entering the engines even when the propellant was weightless.

Last half hour

Timing their tasks up to and beyond re-entry was important to help the crew to coordinate their progress through an increasingly busy checklist. To this end, they set their digital event timer to count up to, and beyond the moment of entry interface.

Their next task was to prepare the EMS by setting it to the starting conditions for re-entry, as read up in the PAD. The CMP moved the scroll to the start of the relevant monitor pattern required for the upcoming re-entry, aligning the scribe to the expected velocity when the 0.05-g switch would be triggered. The total distance for re-entry was entered into the digital display at the bottom of the panel and the dial of the roll indicator was aligned to ensure that its reference matched the GDC and that it would accurately show whether the CM was oriented feet-up or feet-down.

Both rings of the command module's RCS were operated for a short period to check their proper operation. To achieve this, spacecraft attitude control was transferred to the CM and the thrusters on both rings were exercised. Once complete, attitude control was returned to the SM thrusters.

With just 25 minutes remaining before reaching entry interface, the crew began to prepare the service module for jettison. A valve was closed to cut off the supply of oxygen from the SM tanks, leaving the CM reliant on the contents of a small tank mounted in its periphery. One of the three fuel cells was shut down to force the batteries to take more of the load and help to warm them up. The crew switched off the service module's radio systems. Circuit breakers were pulled to remove power from heaters for the radiators, the dump nozzles and the potable water tank. Once all these small tasks had been completed, a check was made to ensure that the spacecraft was still in the correct attitude for their horizon check and CM/SM separation. They then started work with the computer.

Use of the computer was quite intensive during re-entry, especially since, if all was working well, it would be the computer that would fly the spacecraft all the way to deployment of the parachutes. Computer work began with Program 61 which started re-entry navigation by measuring the acceleration acting on the spacecraft. It also accepted relevant information from the PAD to allow subsequent programs to control the re-entry. This included their planned impact latitude and longitude and whether they would be entering heads up or down, information that went into Noun 61; their maximum deceleration, their velocity and flight path angle at entry interface went into Noun 60. They then checked the contents of Noun 63, which held their range from the 0.05-g point to the landing site, their velocity at the 0.05-g event and the total duration of re-entry.

When they were happy with the numbers to this point, they pressed 'Proceed' and the computer moved to Program 62 (P62) which took the crew through the jettisoning of the service module and placed the command module in the correct attitude for re-entry. First the CMP had to carry out a horizon check at 17 minutes to go. All he had to do was look out of his rendezvous window and see where Earth's receding horizon appeared with respect to a series of angle markings on the edge of the glass. It was expected that it would be coincident with a line drawn at the 31.7-degree mark. However, as this was dependent on exactly where the CMP placed his head, a tolerance of ± 5 degrees was allowed. If the horizon was outside these limits, the rules said that they should assume the G&N to be faulty and steer the ship manually. Apollo 12 CMP Dick Gordon couldn't even see the horizon, as he related after the mission:

"It was dark and I never was certain that there was a horizon out there," he told his debriefers. He was not concerned as they had already made so many attitude checks. "It really didn't make any difference. We had already checked the alignment. We were satisfied with the IMU. We had a boresight star. We had a sextant star check. We knew where we were, and the DAP [digital autopilot] was working properly. We were confident the whole time, and I didn't care whether I made that check or not."

His commander Pete Conrad pointed out the inconsistency in this approach. "We ought to change the rule, because we actually violated the rule."

"Well, we actually picked up the horizon check later on during the entry," pointed out Gordon. In fact, there was no real necessity for the check to be done 17 minutes prior to entry as the checklist included a graph. "You've got the chart of the Earth horizon angles versus time from entry interface and you can check that any time prior to entry interface. It's a nothing check, and you can either do it or not do it. I couldn't care less."

Bye bye, SM

After the horizon check, and a check of the VHF radio, the crew entered a code into P62 to tell the computer that they were about to lose the service module. The spacecraft was then yawed 45 degrees to the left to help the departing SM to avoid collision. Because the CM's thrusters could not impart translation motions, they could only cause rotations, the task of ensuring a sufficient separation distance was left to the SM.

Jettisoning the service module was an intricate task left almost entirely to automatic systems that not only severed the CM/SM cables and pipes safely, but also ensured that the SM was moved well away. However, the SM was the primary source of power, oxygen and cooling, and inadvertently separating the two modules any earlier in the flight would have had disastrous consequences for the crew. Therefore, as with most other events that occurred only once yet demanded the highest reliability, the SECS took care of disconnecting the umbilical lines between the two modules, cutting the ties that held them together and controlling the SM's evasive manoeuvres, all of which occurred in just a few seconds.

The process began when the CMP applied power to the logic circuits of the SECS and armed the pyrotechnic system, connecting dedicated batteries to their control circuits. After the arming sequence was complete, the flip of a switch began the separation sequence. As would be expected, this switch was guarded by a metal cover to avoid accidental operation. The SECS then assumed control.

A command was sent to a controller box in the service module. This started a timer to trigger the RCS jets on the SM, ready to move the now unwanted hardware away from the CM after separation. Many systems on board the SM remained active to support the separation process. In particular, two fuel cells continued to supply power for the jettison controller and the thrusters, and to fire the pyrotechnics that severed the steel ties holding the CM and SM together.

Electrical connections across the umbilical were carefully disconnected by an arrangement of cams and levers in the CM, powered by a small explosive charge that literally unplugged the cables between the two spacecraft before another pyrotechnic charge drove a guillotine through all the cables and plumbing that ran between them. Three strong tension ties that ran through the command module's heatshield were all that held the two modules together. On command from the SM's event controller, each was cut by two separate explosive charges allowing springs beneath each of six support pads to push the modules apart.

As the service module came free, its controller fired its jets both to pull it away from the command module and impart a spin that attempted to stabilise its motion. Originally those thrusters that were working to pull it away continued firing until depletion or failure. However, early Apollo crews discovered that despite these efforts to take the SM well away from the CM, the complex dynamics of the remaining propellant in the tanks caused the departing SM to turn around and approach the CM again.

During their debriefing, the Apollo 11 crew were asked if they saw their service module.

"Yes. It flew by us," said Mike Collins.

"It flew by to the right and a little above us, straight ahead," added Buzz Aldrin. "It was spinning up. It was first visible in window number four, then later in window number two, really spinning."

This problem was cured by shorter separation burns.

After the SM had gone, the crew quickly checked the pressures in their RCS tanks, safed the system that had fired the explosive devices and checked that their batteries still had enough power for the final leg of the mission. The CM was yawed back 45 degrees to face backwards along their flight path, and then pitched down to be oriented in the correct attitude to enter the atmosphere. At this point, Collins noted how the weak thrust from water vapour leaving the steam duct interfered with his attempts to yaw. The vapour came from the evaporator, now their only means of losing heat. "When I got a yaw rate started, the water boiler would fight me, the rate would reduce to near zero, and I would then have to make another input."

At this point, they were in a heads-down attitude with the lift vector up. With everything verified, the CMP pressed 'Proceed' on the DSKY, placing control of their attitude in the hands of the autopilot. Its display showed their impact coordinates and a check of their heads-up/down status at which point 'Proceed' was again pressed to pass control of the re-entry profile fully into the computer's hands.

HUMAN SHOOTING STAR: P63

"Well, men, we're getting close," said Frank Borman as Apollo 8 neared the planet.

"There's no turning back now," added Bill Anders.

Jim Lovell continued their obsession of stating the obvious. "Old mother Earth has us," he said.

As they waited for the first stage of the re-entry, the computer moved onto P63. This program was purely to initialise the upcoming sequence and begin calculating the re-entry parameters. It maintained their attitude and waited for the accelerometers to sense 0.05 g. Meanwhile, the crew had little to do but look out of their windows backwards along their flight path, which afforded them a view of the Moon setting behind Earth's bulk at a precisely known time. On Apollo 12, Pete Conrad became almost lyrical about the scene as *Yankee Clipper* coasted over the western Pacific.

"Hey, there's the horizon. Hot damn. Hello, world! Hey, you're going to get moonset right on the schnocker!"

"Yes," agreed Gordon.

"It's coming pretty fast," enthused Conrad. "We is flat smoking the biscuit. God damn! We're going! Whooee!"

"We're going 35,000 feet per second," said Gordon, keeping an eye on the DSKY as they edged towards 11 kilometres per second.

"We're hauling ass is right," said Bean. "Got some high clouds and some low clouds down there. Got a lot of ocean."

"You're going to have moonset pretty quick," said Conrad. Right on time, the Moon seemed to descend into the murk of Earth's atmosphere.

"Hey, that's something else. Look at that. I wish I had a picture of that."

"Where is it?" asked Bean.

"Right out the centre hatch," said Conrad. As he was occupying the centre couch, the hatch window gave him his view outside.

"Hey, Al, turn your camera on," called Gordon, knowing that Bean had the movie camera set up in the window. "Maybe you can get a picture of it for a couple of seconds."

"The camera's going this way, and that's up that way," replied Bean.

"Too far away, huh?" said Gordon.

After the flight, Conrad spoke of the impression the view left on him. "Moonset really was spectacular. It's too bad we didn't have a camera to photograph that. It was a full Moon; and it was exactly aligned in the yaw plane behind us. Just watching that thing settle behind a beautiful, lit daylight horizon, with clouds above the Pacific, was phenomenal."

The Apollo 15 crew had become too impressed with the view of the blue planet speeding by when the time for moonset came.

"Oh, man, are we moving, too!" said Al Worden. "Son of a gun! Sheeoo!"

"Yes, indeedy," said David Scott, who had made an Apollo re-entry before, albeit from a slower speed in Earth orbit. "You ought to be able to see it out the hatch window."

"Oh my, I sure can," said Worden. "Sure a lot of mountains down there. How about that!"

"Shit. I think that's Alaska out there. That would be right, wouldn't it?" said Irwin.

"Yes," said Worden. "Keep an eye out for the Moon."

"Yes, keep an eye out for the Moon," agreed Scott.

"We've done it. Oh, we've missed it." said Worden. "We were too busy watching the Earth."

"I'm not sure there's much you could do about it to correct it anyway," said Scott. Indeed there was nothing since the CM possessed no propulsion.

Being an arbitrary construct, entry interface passed with little more than a mention from the public affairs announcer. Of greater importance to the crew was when P63 sensed 0.05 g, about 30 seconds later, at which point it triggered the EMS to begin monitoring their entry. Its scroll began moving to the left as their velocity decreased, and its range/velocity display showed either how far across the ground they had still to fly or how much velocity they still had to lose. Simultaneously, P63 was terminated and the computer started running P64 to fly the initial part of the re-entry flight path. There was no fixed altitude at which 0.05 g occurred as it depended completely on their velocity, now 11 kilometres per second, the shape of the spacecraft and the local atmospheric conditions.

ENSURING CAPTURE: P64

Once a deceleration of 0.05 *g* was detected, the hard work of entry began. The spacecraft was in the tenuous but thickening atmosphere and there was no longer any need to hold it in a particular attitude as its inherent aerodynamic stability was dominant. Therefore P64's first task was to discontinue attitude hold and begin ensuring that any unwanted motions in the pitch and yaw axes were damped out. The three displays on the DSKY showed their roll angle as commanded by the guidance computer, their velocity and the *g*-forces associated with their deceleration. It was no coincidence that these values were duplicated on the EMS; both systems operated independently, and if one failed, the other could be used to complete the re-entry.

The primary task for P64 was to slow the spacecraft below orbital velocity, about 7.8 kilometres per second, thereby ensuring that it could not return to space on a long and lethal orbit of Earth. Within P64's regime, the deceleration loads quickly built up to a peak above 6 *g* while the program repeatedly tested their flight path, evaluating whether a safe re-entry trajectory had been achieved.

By this time, a substantial shock wave had developed just ahead of the spacecraft's aft heatshield as the CM's hull tore through the gases of the upper atmosphere, heating atoms of air instantaneously to temperatures similar to the Sun's visible surface. This intense heating was due to the atmosphere's gases undergoing extreme compression as the command module rammed into them, ionising them in the process and surrounding the spacecraft in a sheath of plasma that effectively blocked radio communication. For about 3 minutes of the initial re-entry, this radio 'blackout' meant that mission control had no visibility into the craft's systems and could do nothing except wait and see if all had gone well. The crew, meanwhile, unable to communicate, concentrated on monitoring their flight path, although on Apollo 14, CMP Stu Roosa reported that he could hear his Capcom "just fine". When Apollo 13 had to abort and return to Earth early, an unintended shallowing of their flight path caused blackout to last much longer than expected, raising the tension of an already dramatic situation. This radio-opaque plasma sheath is an inherent problem for all re-entering spacecraft but one that the Space Shuttle managed to circumvent by establishing communications through the rear of the sheath via a geostationary communications satellite.

"What is that?" said Anders on his first and only space re-entry. "Airglow?"

"That's right, you've never seen the airglow," said Lovell. Both he and Borman had re-entered on Gemini 7 and felt they knew what to expect. "Take a look at it."

"You can't get your pin without seeing the airglow," kidded Borman, referring to the gold astronaut pin he would receive after Apollo 8 landed.

"That's right," joked Lovell.

Anders laughed. "I see it, I see it. Let's see, is this where I'm supposed to ask how many *g*'s, Lovell?"

"That's right," answered the experienced spaceman, "you ask how many *g*'s."

There were no rookies on Apollo 10, but that did not inhibit their surprise at the spectacle of being inside a re-entry from lunar distances where much more kinetic energy was expressed.

"Here comes the glow, John," said Tom Stafford as they approached the 0.05-*g* event.

"Here it comes, babe," said Eugene Cernan.

"Shit, you'd better believe it," said Stafford. "Okay. Stand by for re-ent…" He interrupted himself. "Oh, look at that."

"Look at that," repeated Cernan. "God damn. God damn."

"Just looks like daytime," said Stafford, who then counted the *g*-forces building up. "Point two, point three, point four. We're trimming in good."

"Here comes some *g*'s, babe," said Young.

"Oh, you'd better believe here comes some *g*'s," said Stafford, "Here comes the water, too. Just sit back anyway." Water that had condensed around the cold apex of the cabin began dripping over them.

"Okay, there's 1 *g*," said Young. But the sudden onset of a deceleration equivalent to Earth's gravity seemed worse than it was to a crew that had been weightless for over a week.

"Shit!" cried Stafford. "You got to be kidding, José."

"It seems like about 10 [*g*]," estimated Cernan.

On board Apollo 8, even the 'veterans' Borman and Lovell were brought up short by a sight once described as like being inside a fluorescent tube. "God damn, this is going to be a real ride; hang on," called Borman as the light outside and the *g*-forces built up. "I've never seen it this bright before."

"Quite a ride, huh?" said Anders.

"Damndest thing I ever saw," agreed Borman. "Gemini was never like that, was it, Jim?"

"No, it was a little faster than this one," said Lovell, referring to the amount of time they were staying in the high-speed region of flight.

"I assure you I've never seen anything like it," said rookie Anders. "Cabin temperature's holding real good. Up one degree."

After the flight, Borman was upbeat about the experience. "The ionisation on these high-speed entries is fantastic. The whole spacecraft was lit up in an eerie iridescent light very similar to what you'd see in a science fiction movie. I remember looking over at Jim and Bill once, and they were sheathed in a white glow. It was really fantastic."

But this was no sci-fi movie. This was the real thing. The Apollo 11 crew were more descriptive of the sights that accompanied the onset of re-entry. "Along about 0.05 *g*, we started to get all these colours past the windows," said Collins at their post-flight debrief. "Around the edge of the plasma sheath, there are all varieties of colours – lavenders, lightish bluish greens, little touches of violet, and great variations mostly of blues and greens. The central core has variations on an orange–yellow theme. It's sort of a combination of all the colours of the rainbow really. The central part looks like you would imagine a burning material might look. Orangish, yellowish, whitish, and then completely surrounded by almost a rainbow of colours."

"I thought there was a surprisingly small amount of material coming off," added Aldrin.

"That's right; there didn't seem to be any chunks as there were on Gemini," said Collins.

"There was a small number of sparks going by," added Aldrin. "You could definitely see the flow pattern. Looking out the side window, you could get a very good indication of the angle of attack by the direction of motion of the particles. That didn't seem to change too much. When a thruster would fire, you could pick it up immediately, because it deflected the ion stream behind you."

Charlie Duke was surprised at how effective the thrusters were when he re-entered on Apollo 16. "When it decided to roll, boy, it just took off. You could see the horizon through the ionisation sheath, both out window five and the rendezvous window four."

He then spoke about detached Mylar strips he could see out his window. Considering the punishing temperatures being experienced on the opposite side of the spacecraft, it was remarkable that this plastic film could survive. "There was Mylar on window five that was flapping back and forth across the window that was there at touchdown. It had come up right at CM/SM sep. I had seen that strip fly by. When we started getting the g's it flopped up over the window, sort of stayed there and wiggled the whole time, which amazed me."

"Here's 2 g's," said Stafford. The deceleration was ramping up for CM *Charlie Brown*.

"Okay, baby; you keep flying it," Young urged the computer. "Three g's."

"There's 1 minute gone," said Stafford.

"Four g's," said Young.

"Five g's," they announced together.

On the g meter, they watched the deceleration peak at 6.2 g's.

"Hang on. It's getting better," said Cernan.

"It's going down," said Stafford. "We're starting to roll."

"Go, machine," said Young. "It's rolling good."

"Come on, baby; fly," urged Cernan.

"It's good. It knows just what it's doing," said Young as P64 flipped the spacecraft around to force it towards Earth.

"It's rolled lift vector down," observed Stafford.

"Go on. Keep that lift vector down," said Young. A spacecraft that was going down was one that would not fly back out into space.

"Ooh, only 3 g's," said Stafford. The pulse of g-force that went beyond 6 had been brutal.

"Oh, man," said Cernan. "That first one was a bitch."

As jet pilots, Apollo crews had learned how to breathe under such crushing conditions, tightening their chest muscles and taking short grunting breaths. After the peak g-load subsided, P64 continued flying the spacecraft to maintain a constant 4-g deceleration until it had determined their velocity had dropped below the speed required for orbital flight, and that there was no possibility of it exiting the atmosphere and entering orbit. It was going to land somewhere. When this condition was met, there were two possibilities for the rest of the re-entry.

To skip or not to skip

If the entry plan required the spacecraft to skip out of the atmosphere for a period, perhaps to extend the flight path as happened on Apollo 11, the computer moved on to P65 which controlled the ascending part of the skip-out trajectory. P66 then controlled their attitude during the period the spacecraft was outside the atmosphere. On the second re-entry, control was passed to P67. In most cases however, re-entry did not include a skip-out phase so P64 handed directly to P67.

In the case of Apollo 11, as they approached Earth on their 3-day coast, the weather in the prime recovery area looked increasingly poor so the decision was taken to maintain their Earthbound trajectory, but alter the re-entry flight path to include a skip-out, thereby extending their flight through the atmosphere from 2,200 kilometres to nearly 2,800 kilometres. "I wasn't very happy with that," said Collins at his debrief, "because the great majority of our practice and simulator work had been done on a 1,187 [2,200-km] target point. The few times we fooled around with long-range targets, the computer's performance and the ground's parameters seemed to be in disagreement. So, when they said 1,500 miles [2,800 kilometres], both Neil and I thought, 'Oh God, we're going to end up having a big argument about whether the computer is computer is Go or No-Go for a 1,500-mile entry.' Plus 1,500 miles is not nearly as compatible. It doesn't look quite the same on the EMS trace. If you had to take over, you'd be hard-pressed to come anywhere near the ship. For these reasons, I wasn't too happy about going 1,500 miles, but I cannot quarrel with the decision. The system is built that way and, if the weather is bad in the recovery area, I think it's probably advantageous to go 1,500 miles than to come down through a thunderstorm."

AIMING FOR THE SHIPS: P67

By the time P67 took over, the command module had slowed below the velocity required for orbit. The job then for P67 was to continue controlling the direction of the lift vector and the g-forces thus generated, rolling the spacecraft this way and that as required, to guide it to its planned impact point while the speed decreased to only 300 metres per second. As well as controlling how far the spacecraft would fly by aiming the lift vector up or down, P67 also compensated for whether the trajectory was taking the spacecraft to either side of the target. By rolling up to 15 degrees to either side, a useful amount of lift was aimed to the left or right without excessively affecting the lift in its up/down axis. During P67, the DSKY's display showed how much sideways angle they were steering and how far the computer reckoned their current impact point was from the ideal, both left/right and long/short.

"Here comes the water again on my feet," laughed Stafford on Apollo 10.

"What water?" asked Young.

"From the freaking tunnel! It's cold, John baby," said Stafford.

"Three g's," called Young.

"It's going to pulse the lift vector up," said Stafford.

"Four *g*'s. Going to go lift vector up," announced Young.

"We'll let her shoot, lift vector up," said Stafford, happy that the computer was doing its job.

"Go, baby. Just fly," cried Cernan.

"Okay, Houston, we're showing 6 miles short right now," called Stafford, "and we're coming on in; pulling about 4 *g*'s and this machine just flying like crazy. Boy, it's really going."

"Well, I'll tell you, this thing is beautiful," said Young in admiration for what the little module was capable of doing. The computer reckoned they were going to land 11 kilometres short, and had rolled the CM around to a feet-up, lift-up attitude to gain them more distance.

"And we're pulling about 3.5 *g*'s now. We're rolling right 60 degrees, and we're practically on top of the target. EMS is reading 21 miles to go. Okay, we're coming down. I guess we're about 150 K right now."

They were still 47 kilometres up but most of their horizontal speed was gone. Stafford began thinking about how to keep track of what was increasingly a vertical plummet.

"Steam pressure. Get the steam pressure," he called.

Before Apollo 8 flew, Bill Anders had come up with an idea to give the crews a backup means of determining how high they were, rather than just depending on their altimeter. They had a meter that indicated the pressure in the steam duct that led from the evaporator. Since its reading would begin to rise at an altitude of 90,000 feet or 27.4 kilometres, they could start a watch as soon as it came off the zero peg and check the timing of subsequent events from there, particularly the deployment of the parachutes. This was the reason mission control had included a timing for when they could expect 90,000 feet in the entry PAD. The technique worked well when Anders used it on his flight, but subsequent LMPs found it less reliable.

"The steam pressure peg was somewhere between 5 and 10 seconds late," explained Ed Mitchell during Apollo 14's debrief. "At 6:36 it still had not started to move up so I switched to secondary. It hadn't moved either, and I remarked about it to Al. About that time, it started to move." Mitchell was concerned that if relied upon, it could be misleading. "If we had to enter on that and go by times, I think we might have been in trouble."

Duke found that it was even later than predicted on Apollo 16. "The only thing that was off nominal was the steam pressure was 32 seconds late. I started watch on the time that steam pressure pegged. If we had to call the times based on that, we'd have been late."

Once the spacecraft's velocity had slowed to less than 300 metres per second, P67 changed the computer's display to show the range to splashdown and the current latitude and longitude of the spacecraft. By now they were essentially above the landing site, 20 kilometres up and falling more or less vertically. P67's final act was to inhibit further thruster firing by transferring spacecraft control to the SCS before the program was terminated by a press of the 'Proceed' button.

Plummet

At 18 kilometres altitude, the cabin pressure relief valve was set for entry. In this mode, the valve held the cabin pressure at its nominal value until the outside pressure rose to a slightly higher level, at which point outside air would begin to flow into the cabin. On the main display console in front of the CMP and commander was a small altimeter whose needle now responded to the rising air pressure outside, allowing the crew to use its information to check the progress of the descent.

In preparation for the intensive sequence of pyrotechnic events to come, the SECS was again armed, giving the crew the option of dealing with a possibly unstable plummeting spacecraft by manually deploying the drogue chutes early.

Ten kilometres up and falling, they switched on the logic system that would automatically trigger the components of the Earth landing system. It used timers and barometric switches to orchestrate the deployment of a series of parachutes and other events to bring the command module to a safe meeting with the ocean's surface. They also threw a switch to finally disable the RCS thrusters. Next, 7,300 metres up and descending at over 150 metres per second, a barometric switch operated to jettison the upper section of the conical heatshield, commonly referred to as the apex cover. Four gas-operated pistons pushed it off and a small parachute attached to it slowed it down to take it away from the descending command module. This revealed the main parachutes packed around the tunnel and two canisters containing the drogue chutes. As with all the automatic events about to occur over the next few minutes, a guarded pushbutton allowed the crew to deploy the apex cover should the automatic system fail.

Once the apex cover had enough time to clear, 1.6 seconds to be exact, two drogue chutes were fired away from the spacecraft by pyrotechnic mortars to ensure that they avoided the turbulent airflow directly above the plummeting spacecraft.

"Stand by for the drogues," called Young as *Charlie Brown* continued descending.

"Stand by. There went something," said Stafford.

"God damn!" cried Cernan. "There's the drogues! There they are, babe."

"God damn, we're on the drogues," affirmed Young. "Rock, rock, old baby; rock, rock. This son of a gun."

These parachutes were designed to reduce the CM's descent speed to 80 metres per second. By now, the crew expected to see their cabin pressure rise as the planet's air began to flow in from outside via the cabin pressure relief valve. If not, the crew could set the cabin pressure relief valve to its dump position.

"There wasn't much of a rotation as the drogue chutes deployed," explained Aldrin after his flight. "They seemed to oscillate around a good bit, but did not transmit much of this oscillation to the spacecraft. The spacecraft seemed to stay on a pretty steady course."

Breathing fumes

It was around this point in the descent that the last Apollo CM to enter space ran into problems. During their return from the first international link-up in Earth orbit, the Apollo–Soyuz Test Project, the crew failed to switch on the Earth landing system at the right time. This episode illustrates how quickly an otherwise nominal mission can be derailed by a small operational error. Vance Brand was flying in the left couch with Tom Stafford in command occupying the centre couch and working through the checklist with him. Somehow, they missed the step where the Earth landing system should have been powered and, all too quickly, they realised that the apex cover was still attached when it should have departed. Brand punched the button to manually jettison it, and did the same for the drogue chutes. Unfortunately, in the rush, the RCS jets were not disabled so when the drogue deployment caused the spacecraft to sway, the RCS jets began firing to damp out these motions. By this time, the cabin pressure relief valve had begun to admit air from outside and, as it did so, exhaust from the jets, including a fraction of unburnt propellant, entered the cabin where it irritated the skin and eyes of the crew and caused them to cough. After struggling through the rest of the descent and a hard landing that left the spacecraft upside-down, Stafford found Brand to be hanging in his straps unconscious, and struggled to get oxygen masks on his crewmates and gain control of the ship.

A crewman's favourite sight: red and white

With only 3,000 metres remaining, another barometric switch operated, firing mortars that deployed three pilot chutes into the smooth air stream. These pulled the three main parachutes out from their bays around the tunnel, which slowed the spacecraft's descent to just 8.5 metres per second. The three main chutes were a welcome sight to the crews and became familiar to the public as the impressive 25-metre red-and-white canopies that featured clearly on the television coverage of an Apollo's return to Earth. Both the main and drogue chutes were deployed in a reefed condition; that is, they were inhibited from inflating properly for the first 10 seconds by a line that ran around the edge of the canopy in order to reduce the mechanical shock of their deployment. A timed pyrotechnic device eventually cut the reefing line to allow the canopies to fully open.

"Going to free fall," called Conrad as the drogue chutes disappeared.

"There go the mains!" yelled Gordon when he saw them replaced by the three glorious main parachutes.

"Hang on," said Conrad. "We've got all three. A good show."

"They're not dereefed yet," warned Gordon. They couldn't slow enough until at least two canopies were fully inflated.

"There they go," said Bean. "They're dereefed."

"A couple of them are," said Gordon. "One of them isn't yet. There they go," as the last reefing cord let go. "Hello, Houston; Apollo 12," he yelled to mission control. "Three gorgeous, beautiful chutes, and we're at 8,000 feet on the way down in great shape.

When things are occurring rapidly around you, events can appear to happen in slow motion. Collins was watching the deployment of the parachutes intently. "It seemed to me there was quite a bit of delay before they dereefed. All three chutes were stable and all were reefed and they kept staying that way until I was just about the point where I was getting worried about whether they were ever going to dereef; then they did."

While the service module had been attached, spacecraft communications on the VHF system had used two scimitar antennae mounted in semi-circular housings on either side of the module. For VHF communication between the CM itself and the recovery forces, two small antennae stored beneath the apex cover popped up automatically soon after the main parachutes had been deployed. To use them, the crew had to manually switch the output of the VHF electronics across to the 'Recovery' position.

Engineers wisely allowed a generous safety margin by designing the main parachutes to enable the CM to land safely on only two inflated canopies. Their caution was justified when one of the canopies lowering *Endeavour*, the Apollo 15 CM to the

The Apollo 15 CM descends with one of its three main parachutes tangled.

ocean, failed to inflate and instead uselessly streamed beside its two functioning counterparts. The impact speed only rose from 8.5 to just less than 10 metres per second. Apollo 15's CMP Al Worden noted that all three chutes had inflated properly when first deployed so blame was put on the crew's next task, their propellant dump.

The propellant tanks for the RCS thrusters still contained much highly noxious propellant, especially hydrazine fuel, and those for the backup RCS ring were still full. As such hazardous substances could not be left on board when swimmers were about to clamber all over the spacecraft after splashdown, the excess propellant was dumped by firing all their thrusters until the tanks were depleted as the spacecraft descended on its three main parachutes. Before doing so, the crew closed the cabin pressure relief valve to prevent RCS fumes from entering the cabin, and instead, fed fresh oxygen from the spacecraft's purge tank into the cabin.

The timing of Apollo 8's arrival meant that it re-entered just before dawn over the recovery site, so when the RCS tanks started emptying as the spacecraft descended on its main parachutes, the crew were treated to a sight which, though spectacular, was somewhat worrying. "The ride on the mains was very smooth," said Borman afterwards, "and we could not, of course, see the mains because of the darkness until we started dumping the fuel. When we dumped the fuel, we got a good chute check, but there was so much fire and brimstone around those risers that we were really glad to see the fuel dump stop."

Once the RCS propellant tanks had been emptied, the system's plumbing was purged with helium gas to remove as much trace propellant as possible from the spacecraft.

At 1,000 metres altitude – with the RCS dump completed – the cabin pressure relief valve was set to its dump position, which allowed the cabin's air pressure to finally equalise with the outside atmosphere. It was finally closed 250 metres up, to prevent water entering the cabin at impact. For a short time, the spacecraft would be partially submerged when it hit the water and there was a good chance that it might be upside-down for a few minutes. The parachutes suspended the command module at an angle of 27.5 degrees to the horizontal with the main hatch facing upwards. This caused the hull to hit the water 'toe first', in a fashion that spread their final deceleration over the longest possible time. Also, the periphery of the CM structure was formed by shaped ribs. Those opposite the hatch, where the spacecraft would contact the water first, were designed to be crushable to help to reduce the force of impact. They were primarily intended for the undesirable contingency of a land impact but could deform to help to reduce the shock of a conventional sea landing.

SPLASHDOWN

Finally, after a journey lasting up to 13 days, and having taken men further from Earth than they would go for at least another two generations, Apollo's mission to the Moon ended with a hefty thump on the surface of the ocean. With luck, the spacecraft would catch the tip of the descending swell, softening its impact. Not so for the crew of Apollo 12. Luck went against them, and especially against the skull of LMP Al Bean when rough waves and bad timing created a very hard impact, as Conrad explained afterwards.

"We really hit flatter than a pancake, and it was a tremendous impact. Much greater than anything I'd experienced in Gemini. The

The moment of Apollo 15's splashdown.

16-millimetre camera, which was on the bracket, whistled off and clanked Al on the head to the tune of six stitches. It cold-cocked him, which is why we were in Stable II." In the water, the command module had two stable modes of floating – right-way up, known as 'Stable I', or upside-down, called 'Stable II', which left the crew hanging uncomfortably in their straps facing downwards. One of Bean's tasks was to close two circuit breakers mounted on his side, which let power through to the

Apollo 12's CM in its 'Stable II' attitude soon after landing.

pyrotechnic circuits, so that when Conrad threw a switch, the breakers would cut the main parachutes free from the spacecraft. However, as Bean had been temporarily knocked unconscious by the dislodged camera, the cutters were not fired and the capsule was pulled over.

"He was out to lunch for about 5 seconds," continued Conrad. "Dick was hollering for him to punch in the breakers, and in the meantime, I'd seen this thing whistle off out of the corner of my eye and [Bean] was blankly staring at the instrument panel. I was convinced he was dead over there in the right seat, but he wasn't, and finally got the breakers in. By that time, we'd gone Stable II, which was no big deal."

Apollo 8's CM also ended upside-down. When it hit in the dark, Borman got drenched with a few litres of sea water. "The one item that we were perhaps not expecting was the impact at touchdown," he explained afterwards. "There was a severe jolt and we got water in through the cabin repress valves even though they were closed. A good deal of water came in the cabin pressure relief valve." Distracted by the torrent of water that had entered the cabin, he did not release the chutes before they pulled the spacecraft over.

With the parachutes cut free, the SECS pyro system was safed for the last time. Beneath where the parachutes were packed, three float bags had been installed which the crew inflated with stored gas to upright an inverted spacecraft. Even if the spacecraft was floating upright, the bags were inflated in case a freak wave flipped it over.

There seemed to be an evens chance that the CM would end up in the 'Stable II' position. For Apollo 16, it took a bit longer to get it upright. "It may have taken us four or five minutes to upright," explained Young. "The centre bag apparently didn't fully inflate. It's supposed to be the one that inflates first. But the other two bags were certainly inflated. It uprighted just like normal."

"I felt a solid jolt," was Collins's recollection of the Apollo 11 impact. "It was a lot harder than I expected." Aldrin had tried to be ready to close the circuit breakers to allow Armstrong to release the chutes as quickly as possible, but the force of the impact foiled him. "It pitched me forward with a little bit of sideways rotation," he said. "I was standing by with my fingers quite close to the circuit breaker. The checklist fell, and the pen or pencil, whatever I had, dropped. It didn't seem as though there was any way of keeping your fingers on the circuit breakers."

Recovery

Once they had the spacecraft upright and stable, a dye was released into the water if required, to aid search and rescue, and the *post-landing vent* (PLV) could be opened to let fresh air in. Mindful of NASA's need to keep supposed lunar bugs at bay, Collins, while somewhat sceptical of the fear, tried his best not to leave the vent open. "The big item for us was that we not contaminate the world by leaving the post-landing vent open. We had that underlined and circled in our procedures to close that vent valve prior to popping the circuit breakers on panel 250. I'd like to say for the following crews that they pay

Jack Schmitt exits Apollo 17, helped by a Navy swimmer.

attention to that in their training. If you cut the power on panel 250 before you get the vent valve closed, in theory, the whole world gets contaminated, and everybody is mad at you."

Dick Gordon pointed out how this vent gave the Apollo 12 crew, floating on heavy seas, more minor problems. "The procedures say, of course, to open the PLV ducts. With that rough water out there, when we did, we just took water in through the intakes and that fan just blew it into the spacecraft. After a while, we got tired of getting wet so we just turned the PLV duct off. We just turned it off, and then when we got real warm again, I turned it back on just to let some more air in."

The crew released their restraints and began powering down the spacecraft while the recovery forces swung into action. A typical recovery force had five helicopters deployed from a US Navy aircraft carrier that was stationed at the spacecraft's aim point. As spacecraft crews and their support teams gradually improved their re-entry guidance and landing became more accurate, recovery planners began to worry that the CM might make a hard landing on the carrier itself, so for later missions, the carrier stationed itself a few kilometres to one side of the aim point. Each of the five helicopters had a specific task in the recovery. One was intended to photograph and later televise the splashdown from close quarters. Another had little more to do than be a radio relay between the CM, the helicopters and the ship. Two further helicopters had frogmen on board whose task was to drop into the sea and attach a flotation collar around the spacecraft that would both stabilise it and provide a platform for the exiting crewmen. They also recovered the detached parachutes if possible. The fifth helicopter carried a 'Billy Pugh' rescue basket with which it would pluck the three crewmen, one by one, off a life raft next to the spacecraft and into the helicopter to be taken to the ship.

Inside the spacecraft, the crew charged a gas-powered counterbalance for the main hatch in preparation for opening. After the Apollo 1 fire, the two-piece inward-opening hatch of the Block-I spacecraft was replaced with a single unified hatch that could quickly be opened outwards. A problem with this arrangement was that while sitting upright on Earth, the heavy door had to move against gravity so an ingenious counterbalance arrangement was added that was powered by compressed air bottles.

Saving the planet
For the first three lunar landing crews, the task of getting out of the CM and back to the ship was further complicated because, up to that time, no one really knew whether or not the Moon might be harbouring some exotic form of life that could threaten Earth's biosphere. NASA found itself in the unfortunate position of being unable to prove a negative when government advisers and exobiologists raised the question of possible lunar life. It did not matter that the Moon had already shown itself to be an incredibly hostile, dry, irradiated vacuum. Indeed, some pointed out that its surface had the makings of quite a good steriliser. In the event, what had begun as a small laboratory to handle the lunar samples, evolved into a hugely expensive facility surrounded by difficult procedures for the protection of the home planet.

Naturally, the precautions extended to the recovery process. NASA and the other interested parties considered the contamination question for some time before agreeing that the crew would spend 3 weeks in quarantine from their first exposure to lunar soil – this being longer than the incubation period for terrestrial bugs. The first few days were spent in the command module returning to Earth. Soon after splashdown, a frogman opened the spacecraft's hatch a little and threw in three coveralls and masks, then disinfected the surround of the hatch. In the cramped confinement of the spacecraft's cabin, and with Earth's gravity further reducing their room to move, the weak-muscled crew wrestled to get into these *biological isolation garments* (BIGs).

In the heat of the equatorial Pacific Ocean, Mike Collins found the BIGs to be dreadfully hot and uncomfortable, increasingly so as the long, drawn-out procedures for appearing to care for the safety of the world were acted out. "We put the BIGs on inside the spacecraft. We put them on in the lower equipment bay. Neil did first, then I did after him. Buzz put his on in the right-hand seat. We went out; Neil first, then me, and then Buzz. It's necessary, at least the way we had practised it, for us to help one another in sealing the BIGs around the head to make sure the zipper was fully closed." The BIGs were dropped after Apollo 11, with the 12 and 14 crews only being required to wear masks.

The team of frogmen brought a life raft up to the flotation collar around the spacecraft. Once again the door was opened and, one after the other, the crew were

The Apollo 11 crew, wearing their BIGs, sit in the life raft awaiting helicopter pickup.

helped over the flotation collar and into the life raft. The Apollo 11 crew, saddled with wearing BIGs, proceeded to douse each other with disinfectant. "We sprayed one another down inside the raft," said Collins during the crew's debriefing. "There was some confusion on the chemical agents. There were two bottles of chemical agents. One of them was Betadyne, which is a soap-sudsy iodine solution, and the other one was Sodium Hypochlorite, a clear chemical spray." Collins also wondered what was to stop an alien life form from getting washed into the fertile ocean.

One by one, all three were winched on board a helicopter via the 'Billy Pugh' net and flown to the recovery aircraft carrier. "The helicopter pilot was real good," said Collins. "You put one hand or foot anywhere near that basket, though, and they start pulling. They don't wait for you to get in and get all comfortable before they retract. Just like a fisherman, they felt a nibble on the end of that line, and he started cranking."

The short ride to the carrier tested the endurance of Armstrong, Aldrin and Collins inside their sealed garments. "Aboard the helicopter, we started storing heat. For the first time I became uncomfortably warm during the helicopter ride. This is the time when the crew is really starting to get uncomfortable. If the crew has to stay in that helicopter 15 or 20 minutes longer than we did, I guess the hood on the BIG would come off."

Armstrong agreed. "I think we were approaching the limit of how long you could expect people to stay in that garment."

One of the Apollo 14 crew is winched off the life raft in a 'Billy Pugh' net. Note the lack of inflated uprighting bags. The recovery team had arrived quickly before the crew had a chance to inflate them.

The Apollo 11 crew exit their helicopter completely enclosed in BIGs.

On reaching the ship, the Apollo 11 crew were not allowed to leave the helicopter. They had to wait while an elevator lowered it to the hangar deck where many of the crew awaited them, along with President Richard Nixon. Still cocooned in their BIGs, they strode across the deck from the aircraft and into the *mobile quarantine facility* (MQF) where they would stay until they reached NASA's expensive *lunar receiving laboratory* (LRL) in Houston. The MQF was carried to Hawaii, offloaded and driven to Hickham Field, loaded into a C-141 Starlifter and flown to Houston, offloaded and driven to the LRL where the remainder of the quarantine and debriefing was carried out.

When the first three crews to walk on the surface of the Moon failed to show any sign of illness, the entire quarantine procedure was dropped for Apollo 15 and subsequent flights.

The Apollo 12 crew on board the MQF. Pete Conrad, Richard Gordon and Alan Bean, who has a bandage over his right eye.

However, these flights had a particularly heavy workload and, on reflection, David Scott wished he could also have been quarantined to give his crew time to wind down. Recovery for non-quarantined crew was a much quicker and easier affair without the worry of planetary contamination weighing down the procedures.

Epilogue

APOLLO IN RETROSPECT

After Eugene Cernan and his crew stepped off their helicopter and Apollo's lunar programme began its recession into history, many commentators have tried to weigh up its position in history with arguments that range from Apollo as a shallow political stunt hatched from the hubris of America's political establishment, to it being the first step in the movement of our species off this planet into the wider cosmos. Perhaps it depends on whether the glass is seen as being half empty or half full.

Journalist William Hines of the *Chicago Sun Times* took the glass-half-empty approach when he characterised Apollo's quest for the Moon as being like the quest of a little dog he once watched as it stalked after his car, caught up with it as he stopped, and marked it territorially before walking away. In Hines's view, Apollo was no different. "We caught the Moon, we peed on it and we left."

Futurist and science-fiction writer Ray Bradbury had higher aspirations for the lunar programme's long-term meaning. In 1994, he said, "I'm willing to predict to you that 10,000 years from now, the people of the future will look back and say July 1969 was the greatest month and the greatest day in the history of mankind. It will never change because on that day, mankind freed itself from gravity. We've been clinging here on this planet for millions of years and hoping someday to reach the Moon. We dreamt about it when we were living in caves. And finally we broke free and the spirit of mankind soared into space on that night and it will never stop soaring."

As for myself, I am with Bradbury and his glass-half-full notions. In my perhaps naive optimism, I cannot help but see Apollo as having been a strange, mad but ultimately satisfying adventure of the human spirit. Whatever basal national posturing created it, or filthy pork-barrel politics spread its wealth around, I see in the people of Apollo a generation who rose above such narrow concerns to take one of the most powerful nations on Earth to the Moon and realise a dream that had haunted us since culture existed, and do it in a way that was laid bare to the world – mistakes as well.

As I studied Apollo, I was always impressed at the monumental dedication of the people associated with the programme; people who would gladly work 16- to 18-hour days, 6 or 7 days a week without the weight of totalitarian dictatorship ruling them; people who felt in their bones that Apollo contained a historic significance that transcended its genesis; people who thought that going to the Moon was just the greatest, coolest thing to have ever been involved with. I count myself as having been hugely blessed to have lived in an age when such dedication could do what it did. I rejoice that I grew to see a new form of bravery in the men who rode the rockets. This kind of heroism did not require a person to engage in the slaughter of fellow men and women for the sake of an ideal, but instead it required trust in the brilliance, hard work and imagination of hundreds of thousands of people who placed you at the top of a fantastic machine that could easily kill you, but on most occasions, did not. Rather, it took you on a voyage of momentous discovery.

In the wake of the first moonlanding, NASA commissioned film director Theo Kamecke to make a reflective documentary about Apollo 11's journey. While pondering on the dawn of the mission's launch day, the narrator asked, "In what age of man will the meaning of this morning be understood?". The short answer is: Probably not in this one. Detractors who ask why Apollo should have consumed so much of America's resources while poverty, disease and hatred exist in the world, are asking the wrong question. It is not in the nature of our species to resolve every problem before doing something creative, otherwise we would never have had impressionist art, theories of relativity or Egyptian pyramids.

Perhaps Apollo was really about going and seeing what is out there; and who, as a child, did not want to do that?

Glossary

Ablation
: The process whereby a substance is removed by charring and erosion under great heat. Used in Apollo heatshields.

AGS
: *Abort guidance system.* Pronounced 'aggs'. This was a simplified guidance system in the LM that was intended to guide the ascent stage back to a safe orbit should the primary guidance system fail.

ALSEP
: *Apollo lunar surface experiment package.* Scientific instruments deployed on the lunar surface by Apollos 12 and 14 through 17.

AOT
: *Alignment optical telescope.* The optical instrument used in the LM to allow its guidance platform to be aligned using the stars.

Apogee
: The highest point of an orbit around Earth. See also 'Perigee'.

Apolune
: The highest point of an orbit around the Moon. See also 'Perilune'.

APS
: *Auxiliary propulsion system.* Modules attached to the S-IVB to provide attitude control of the stage when the main engine was not running, and roll control when it was.

APS
: *Ascent propulsion system.* The single engine and its associated engineering that lofted the LM ascent stage off the Moon and into lunar orbit.

ARIA
: *Apollo range instrumentation aircraft.* EC-135 jets, based on the Boeing 707, used for Apollo communications where required and where there were no ground stations.

Attitude
: The direction a spacecraft is pointing at a particular moment in time, i.e. its orientation. Usually measured against some kind of reference orientation.

Azimuth
: In the context of launch from Earth, it is the heading, stated with respect to true north, that the launch vehicle flew from the launch pad. Apollo 11 was launched on a flight azimuth of 72 degrees.

BMAG
: *Body mounted attitude gyros.* A set of strapped-down gyros that formed the attitude reference for the SCS, the backup control system. Being strapped down meant that they measured rate of change of attitude rather than absolute attitude. The latter was derived from them electronically.

BPC
: *Boost protective cover.* A shroud attached to the launch escape

tower, but which covered the command module during ascent through the atmosphere.

CDH   *Constant delta height.* The second manoeuvre in the conventional (2-orbit) rendezvous sequence. It shaped the LM's trajectory to run a constant 28 kilometres below the CSM's orbit.

Cislunar space   The region of space between Earth and the Moon.

CM   *Command module.* The only part of the Apollo system that made the entire trip to the Moon and back again by virtue of its heatshield. It was where the crews were housed for most of the mission.

CMC   *Command module computer.* The computer system in the CSM which ran software called *Colossus.* The command module had two DSKYs to operate this machine.

CMP   *Command module pilot.* Crewman responsible for the operation of the CSM under the commander. He flew the spacecraft during docking, engine burns and re-entry.

COAS   *Crewman optical alignment sight.* An optical aid, rather like a gunsight, that provided a calibrated line of sight to a target.

Control   A console within the MOCR concerned with the hardware on the LM that dealt with guidance, navigation and control.

CSI   *Coelliptic sequence initiation.* The first manoeuvre in the conventional (2-orbit) rendezvous sequence. It placed the LM in an 84-kilometre circular orbit.

CSM   *Command and service module.* The unitary Apollo spacecraft right up until the time of re-entry.

DAP   *Digital autopilot.* A computer routine that maintained the spacecraft's attitude within the dead band around an ideal figure.

Dead band   The degree of tolerance around an ideal attitude within which the DAP did not try to actively correct any attitude error. The width of the dead band could be set to be either ½ degrees or 5 degrees from ideal, depending on how accurately the spacecraft needed to be pointed.

DSE   *Data storage equipment.* A multitrack digital and analogue recorder that stored a suite of engineering data from around the spacecraft as well as the voices of the crew.

DSKY   *Display and keyboard.* Pronounced 'diss-key'. The unit used to communicate with the spacecraft's computer.

ECS   *Environmental control system.* A collection of subsystems that took care of the spacecraft's temperature and air supply.

EDS   *Emergency detection system.* Sensor system that detected when the Saturn launch vehicle was flying outside predetermined limits. It could automatically initiate an abort or present enough information to the crew to allow them to initiate it.

ELS   *Earth landing system.* This was primarily the parachutes and their deployment systems that ensured a safe landing on the ocean.

Entry Interface	An arbitrary altitude of 400,000 feet or 121.92 kilometres at which NASA's trajectory experts deemed re-entry had begun for the sake of flight path calculations.
EVA	*Extravehicular activity.* The practice of leaving the pressurised confines of a spacecraft to go outside wearing a spacesuit.
Evaporator	A device for losing excess heat from the spacecraft through the evaporation of water.
FIDO	*Flight dynamics officer.* A console within the MOCR concerned with planning the CSM's trajectory to the Moon.
Free return	A trajectory to the Moon which includes the inherently safe option of returning to Earth without any propulsion.
Fuel cell	A device that reacted two replenishable chemicals together to produce electricity. On the Apollo spacecraft, hydrogen and oxygen were used.
GNC	*Guidance, navigation and control.* The process of determining where a spacecraft is, where you want it to go and how you get it there. It is also the term for one of the flight controller consoles in the MOCR concerned with the equipment in the command module for carrying out this function.
G&N	*Guidance and navigation.*
Guido	A console within the MOCR concerned with planning the space-craft's trajectory. Pronounced as 'guy-doe'.
Heliocentric	An orbit around the Sun, or one that is Sun-centred.
Hypergolic	A family of propellants that have the useful property of igniting spontaneously when brought into contact with each other. A ubiquitous example is hydrazine fuel and nitrogen tetroxide.
IMU	*Inertial measurement unit.* Attitude reference system consisting of a gyroscopically stabilised platform and a set of supporting nested gimbals.
Inertial	A mode of attitude control that maintains a fixed attitude with respect to the stars.
LET	*Launch escape tower.* A tower fitted to the top of the command module that carried a powerful solid rocket motor. In the event of a launch abort in Earth's atmosphere, it pulled the CM clear of a failing launch vehicle.
LGC	*Lunar-module guidance computer.* The computer system in the lunar module which ran software called *Luminary*.
LH_2	*Liquid hydrogen.* The fuel used in the S-II and S-IVB stages of the Saturn V.
LM	*Lunar module.* The two-stage landing craft used to take crewmen from lunar orbit to the surface, sustain them during their exploration and return them to the CSM. Pronounced as 'lem'.
LMP	*Lunar module pilot.* Second crewman in the lunar module. He did not actually pilot the LM but acted as a flight engineer and co-pilot, aiding the commander in the LM's operation.

LOR	*Lunar orbit rendezvous*. The name of the mode by which Apollo got to the Moon. It required that two spacecraft rendezvous in lunar orbit.
LOX	*Liquid oxygen*. Used as an oxidiser in all three Saturn stages. Pronounced as 'locks'.
Mare	The scientific name derived from Latin given to the smooth dark areas of the Moon, commonly called 'seas'. Pronounced as 'maa-ray'.
Maria	The plural of mare.
MOCR	*Mission operations control room*. Pronounced to rhyme with 'poker'. Often termed 'mission control', it was the hub of the flight control effort during a mission and was supported by various nearby rooms in the task.
NASA	*National Aeronautics and Space Administration*. The agency that was tasked with running the American space programme, including Apollo.
Noun	An expression referring to a particular register, or set of registers within the Apollo computer.
Orbital rate	A mode of attitude control that maintains a fixed attitude with respect to the ground, making the same side of the spacecraft always face the surface below.
OPS	*Oxygen purge system*. An emergency package of oxygen contained in a high-pressure bottle. It was carried on top of the back packs during lunar surface forays. The CMP also carried it while retrieving the film canisters during their return to Earth.
ORDEAL	*Orbital rate display, Earth and lunar*. An add-on box installed during flight that made the spacecraft's attitude displays show attitude with respect to the ground.
PAD	*Pre-advisory data*. A list of numbers and other information read by Capcom to the crew. Typically, this data pertained to an upcoming burn, an abort procedure or other manoeuvre that required precise numerical control. It was customary for the crew to read the PAD data back as a check.
Pericynthion	The lowest point of approach to the Moon of a body coasting in from beyond the Moon's sphere of influence.
Perigee	The lowest point of an orbit around Earth. See also 'Apogee'.
Perilune	The lowest point of an orbit around the Moon. See also 'Apolune'.
PGNS	*Primary guidance and navigation system*. Pronounced 'pings'. This was the LM's means of knowing where it was, and of getting to where it wanted to go. It was broadly similar to the computer, IMU and optical G&N system in the command module.
RCS	*Reaction control system*. A collection of small rocket engines arranged around a spacecraft to control its attitude and allow small translation manoeuvres.

REFSMMAT	*Reference to a stable member matrix.* A definition of an orientation in space according to which the stable member of an IMU (i.e. the platform) could be aligned.
Regolith	The surface layer of rubble and dust that is draped across the Moon's entire surface. It builds up over huge expanses of time to depths of tens of metres.
Retro	A console within the MOCR concerned with plotting possible trajectories for a return to Earth.
Retrograde	1. An orbit whose motion is in the opposite direction to the rotation of the body around which it is orbiting. 2. An engine burn whose thrust is counter to the motion of the spacecraft. Used to slow the spacecraft down.
RP-1	*Rocket propellant-1.* The type of highly refined kerosene (or paraffin) used as fuel in the first stage of the Saturn V.
RTCC	*Real-time computer complex.* A large room within the mission control centre in Houston filled with IBM 360 mainframe computers that supported the data processing needs of a flight.
SCS	*Stabilization and control system.* The command module's backup to the G&N system. It had its own gyroscopes for attitude reference, the BMAGs.
SECS	*Sequential event control system.* Automatic system for controlling the timing of complex and perhaps fast events.
S-IC	The first and most powerful stage of the Saturn V launch vehicle.
S-II	The second stage of the Saturn V launch vehicle.
SIM bay	*Scientific instrument module bay.* A package of scientific instruments and cameras built into the previously empty 'sector 1' of the service module.
S-IVB	The third stage of the Saturn V launch vehicle. It was also used as the second stage of the Saturn IB.
SLA	*Spacecraft/LM adapter.* Pronounced 'slaw'. A conical shroud below the service module that housed the lunar module throughout launch.
SM	*Service module.* A cylindrical section of the Apollo spacecraft that housed most of the consumables and propulsion systems.
TEI	*Trans-Earth injection.* A major rocket burn made to send a spacecraft on a trajectory to Earth.
TLI	*Translunar injection.* A major rocket burn made to send a spacecraft on a trajectory from Earth orbit to the Moon.
TPI	*Terminal phase initiation.* A manoeuvre that set the LM on a trajectory, known as the *terminal phase*, that would intercept the CSM across 130 degrees of orbital travel.
Ullage	Brewer's term for the part of a barrel not filled with liquid. In rocketry, an ullage burn settles liquid propellant to one end of its tank.
VAB	*Vehicle assembly building.* The 160-metre box-shaped structure at

the focus of Kennedy Space Center where the components of the Saturn V launch vehicle were stacked.

Verb   A numerical code interpreted by the Apollo computer as an instruction.

Further reading

As a topic, space history and the Apollo programme in particular are quite well represented in print and on the World Wide Web. Below is a list of books and web resources which are recommended for any reader wishing to delve further into the programme.

A Man on the Moon: The Voyages of the Apollo Astronauts, Andrew Chaikin. Viking Penguin Inc., 1994.

Angle of Attack: Harrison Storms and The Race to the Moon, Michael Gray. W.W. Norton & Co., 1992.

Apollo, Alan Bean. Greenwich Workshop Press, 1998.

Apollo, Charles Murray and Catherine Bly Cox. South Mountain Books, 2004. (Originally published by Simon & Schuster, 1989 as *Apollo: The Race to the Moon.*)

Apollo EECOM: Journey of a Lifetime, Sy Liebergot with David M. Harland. Apogee Books, 2003.

Apollo Expeditions to the Moon, Edited by Edgar M. Cortright. NASA SP-350, 1975.

Apollo: The Definitive Sourcebook, Richard W. Orloff and David M. Harland. Springer/Praxis, 2006.

Apollo: The Epic Journey to the Moon, David West Reynolds. Tehabi, 2002.

Apollo Image Gallery. Website where many of the photographs taken by the astronauts can be found. http://www.apolloarchive.com/apollo_gallery.html

The Apollo Lunar Surface Journal. Website detailing Apollo's exploration of the lunar surface. http://history.nasa.gov/alsj

The Apollo Flight Journal, Website detailing the Apollo flights. http://history.nasa.gov/afj

Before This Decade is Out, Glen E. Swanson. University Press of Florida, 2002.

Carrying the Fire, Michael Collins. Cooper Square Press, 2001. (Originally published in 1974.)

Chariots for Apollo: A History of Manned Lunar Spacecraft, James M. Grimwood and Loyd S. Swenson. NASA SP-4205, 1978. This book can be accessed online.

Chariots for Apollo: The Untold Story Behind the Race to the Moon, Charles R. Pellegrino and Joshua Stoff. Avon Science, 1985.

Countdown, Frank Borman with Robert J. Serling. Silver Arrow Books/William Morrow, 1988.

Deke!, Donald K. Slayton with Michael Cassutt. Tom Doherty Associates Inc., 1994.

Exploring the Moon: The Apollo Expeditions, David M. Harland. Springer/Praxis, Second Edition 2007.

Failure Is Not An Option, Gene Kranz. Simon & Schuster, 2000.

First Man: The Life of Neil Armstrong, James R. Hansen, Simon & Schuster, 2005.

The First Men on the Moon: The Story of Apollo 11, David M. Harland. Springer/Praxis, 2007.

First on the Moon, Gene Farmer and Dora Jane Hamblin. Little Brown & Co., 1970.

Flight: My Life in Mission Control, Chris Kraft. Dutton, 2001.

Full Moon, Michael Light. Alfred A. Knopf, 1999.

Genesis: The Story of Apollo 8, Robert Zimmerman. Dell Publishing, 1998.

Hello Earth: Greetings from Endeavour, Alfred M. Worden. Nash Publishing, 1974.

How NASA Learned to Fly in Space: An Exciting Account of the Gemini Missions. David M. Harland. Apogee, 2004.

The Last Man on the Moon, Eugene Cernan and Don Davis. St. Martin's Press, 1999.

Liftoff: The Story of America's Adventure in Space, Michael Collins. Aurum Press, 1988.

Lost Moon: The Perilous Voyage of Apollo 13, Jim Lovell and Jeffrey Kluger. Houghton Mifflin, 1994.

Lunar Exploration: Human Pioneers and Robotic Surveyors, Paulo Ulivi with David M. Harland. Springer/Praxis, 2004.

Lunar Impact: A History of Project Ranger, R. Cargill Hall. NASA SP-4210, 1977.

Men From Earth, Buzz Aldrin and Malcolm McConnell. Bantam Press, 1989.

Moondust: In Search of the Men Who Fell to Earth, Andrew Smith. Bloomsbury, 2005.

Moon Lander: How We Developed the Apollo Lunar Module, Thomas J. Kelly. Smithsonian, 2001.

Moonlandings, Reginald Turnill. Cambridge University Press, 2003.

Moonwalker, Charlie and Dotty Duke. Oliver Nelson, 1990.

Moonport: A History of Apollo Launch Facilities and Operations, Charles D. Benson and William Barnaby Faherty. NASA SP-4204, 1978. This is available online.

The Once and Future Moon, Paul D. Spudis. Smithsonian Institution Press, 1996.

On the Moon: The Apollo Journals, Grant Heiken and Eric Jones. Springer/Praxis, 2007.

On The Shoulders of Titans: A History of Project Gemini, Barton C. Hacker and James M. Grimwood. NASA SP-4203, 1977. This is available online.

Return to the Moon, Harrison H. Schmitt. Copernicus, 2006.

Rocket Man: Astronaut Pete Conrad's Incredible Ride to the Moon and Beyond, Nancy Conrad and Howard A. Klausner. New American Library, 2005.

The Partnership: A History of the Apollo-Soyuz Test Project, Edward Clinton Ezell and Linda Neuman Ezell. NASA SP-4209, 1978. This is available online.

The Right Stuff, Tom Wolfe. Jonathan Cape, 1980.

Saturn V, Alan Lawrie with Robert Godwin. Apogee, 2005.

Spacecraftfilms.com. Source of high quality and unedited DVD of all the film and television coverage of Apollo. http://www.spacecraftfilms.com

Stages to Saturn: A Technological History of the Apollo/Saturn Launch Vehicles, Roger E. Bilstein. NASA SP-4206, 1980. This is available online

This New Ocean: A History of Project Mercury, Loyd S. Swenson, James M. Grimwood and Charles C. Alexander. NASA SP-4201, 1966. This is available online.

To A Rocky Moon: A Geologist's History of Lunar Exploration, Don E. Wilhelms. University of Arizona Press, 1993.

Tracking Apollo to the Moon, Hamish Lindsay. Springer, 2001.

Two Sides of the Moon, David Scott and Alexei Leonov with Christine Toomey. Simon & Schuster, 2004.

The Unbroken Chain, Guenter Wendt and Russell Still. Apogee, 2001.

Virtual Apollo, Scott P. Sullivan, Apogee Books, 2002.

Virtual LM, Scott P Sullivan. Apogee, 2004.

The Way of the Explorer: An Apollo Astronaut's Journey Through the Material and Mystical Worlds, Dr. Edgar Mitchell with Dwight Williams. G.P. Putnam's Sons, 1996.

We Have Capture: Tom Stafford and the Space Race, Tom Stafford with Michael Cassutt. Smithsonian, 2002.

We Reach the Moon, John Noble Wilford. Bantam, 1969.

Where No Man Has Gone Before: A History of Apollo Lunar Exploration Missions, William David Compton. NASA SP-4214, 1989. This is available online.

Index

Printed in the United States of America

CROAGH PATRICK

The continued popularity of Croagh Patrick indicates a still persistent ineradicable instinct towards the divine on our part. This deeply spiritual mountain, with its dramatic contours, continues to provide a beacon of hope for many whose faith has been diminished by the rise of materialism and the omnipresent challenges of consumerism. The traditional details of its pilgrimage perfectly juxtapose the notions of suffering and redemption. The social dimension of the experience, particularly on Reek Sunday, disputes the pervasiveness of individualism and celebrates the notions of communality and belonging as an intrinsic part of our various spiritual journeys.

Archbishop Michael Neary

Standing stone at Annagh, near Croagh Patrick. The winter solstice aligns with this standing stone row and the ridge to the east of Croagh Patrick on the 21 December each year.

Harry Hughes lives in Westport, County Mayo. Educated at St Patrick's CBS, Westport, St Jarlath's College, Tuam and Hollings College, Manchester, he works in the family business and is married to Deirdre and they have five children.

He is chairman of the Croagh Patrick Archaeological Committee and chairman of the Croagh Patrick Famine Memorial Committee and is a member of the Croagh Patrick Millennium Park Committee. The Croagh Patrick Archaeological Committee organised the FÁS sponsored archaeological survey of Croagh Patrick and its environs. The survey team produced a detailed information brochure about Croagh Patrick (1998). The author is also a former chairman of the Clew Bay Archaeological Trail and Friends of Clew Bay.

HARRY HUGHES

CROAGH PATRICK

A PLACE OF PILGRIMAGE 🌀 A PLACE OF BEAUTY

THE O'BRIEN PRESS
DUBLIN

This revised and updated edition first published 2010
The O'Brien Press Ltd
12 Terenure Road East,
Dublin 6,
Ireland.
Tel: +353 1 4923333
Fax: +353 1 4922777
E-mail: books@obrien.ie
Website: www.obrien.ie

Text and some of the photographs originally published 1991.

ISBN 978-1-84717-198-6

British Library Cataloguing-in-Publication Data
A catalogue record for this title
is available from the British Library

1 2 3 4 5 6 7 8
10 11 12 13

Editing, typesetting and design: The O'Brien Press Ltd
Printed: Leo Paper Products Ltd.
The paper in this book is produced using pulp from managed forests.

PICTURE CREDITS
The majority of photographs are from the author's archive. Others courtesy of:
Gerry Bracken Estate, p28, p33 (main photograph); Des Clinton, p16 (top right),
p19 (top left), p21; Liam Lyons, pp2–3, p41, p66 (top), p72 (top), p75; Conor
McKeown, p13 (bottom), p15 (bottom), p19 (top right), p42 (bottom); Michael
McLaughlin, pp4–5, p22–3 (both), p34–5 (both), pp42–3; Paul Malone p54 (top);
The Board of Trinity College, Dublin, p36 (Book of Armagh); Lensman &
Associates, p67 (top and bottom right); National Museum of Ireland, p40 (The
Black Bell); Canadian Pacific Archives & Harry Hughes Collection, p56 (SS
Montclare); *Independent* Newspapers, p60, p61, p62 (top); *The Mayo News*, p47 (both).
COVER IMAGES: Front top & bottom middle, Harry Hughes; bottom left,
Michael McLaughlin; bottom right, Lensman & Associates. Back top left & right,,
Harry Hughes; bottom, Liam Lyons.
*The author and publisher have endeavoured to establish the origins of all the images used. If
any involuntary infringement of copyright has occurred, sincere apologies are offered and the
owners are requested to contact the publishers.*

ACKNOWLEDGEMENTS
The author and publisher wish to thank the following for proof-reading this book:
Fr Francis Mitchell, Sean Staunton, John Groden and Gerry Walsh.

Contents

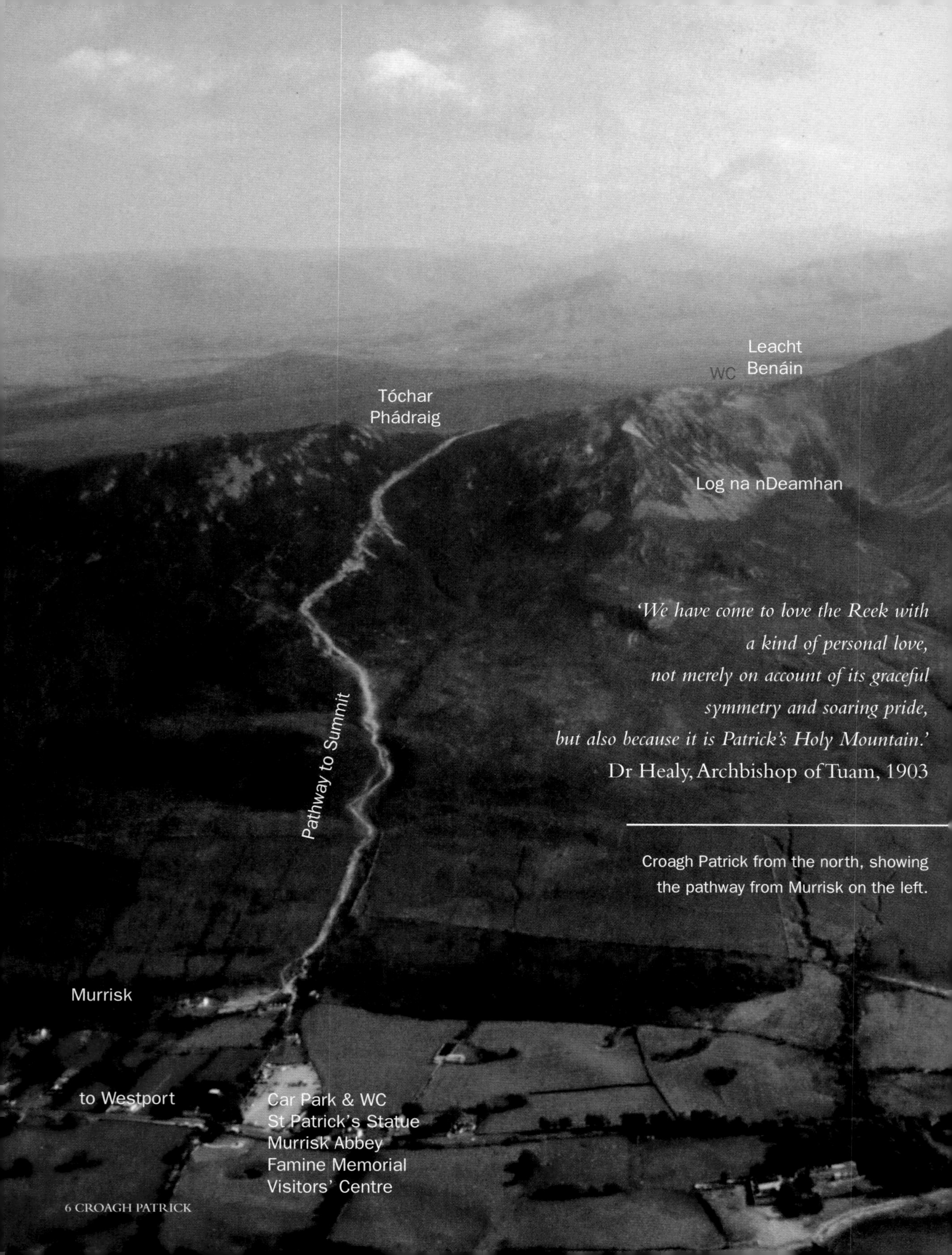

Leacht
WC Benáin

Tóchar
Phádraig

Log na nDeamhan

'We have come to love the Reek with
a kind of personal love,
not merely on account of its graceful
symmetry and soaring pride,
but also because it is Patrick's Holy Mountain.'
Dr Healy, Archbishop of Tuam, 1903

Croagh Patrick from the north, showing
the pathway from Murrisk on the left.

Pathway to Summit

Murrisk

to Westport

Car Park & WC
St Patrick's Statue
Murrisk Abbey
Famine Memorial
Visitors' Centre

Teampall Phádraig
Leaba Phádraig
St Patrick's Oratory

WC

Phádraig

Reilig Mhuire

Introduction

The holy mountain of Croagh Patrick is a special place of deep spiritual significance for Irish Christians. Its history, extensive archaeology and unique traditions attract national and international attention. It is Ireland's most climbed mountain.

The pilgrimage to Croagh Patrick is the oldest and most authentic pilgrimage in Ireland. Croagh Patrick has for fifteen centuries attracted multitudes to its slopes, for the remarkable annual pilgrimage.

The practice of climbing on the last Sunday in July has become a custom rooted in the native people. The champion of the revived pilgrimage, Archbishop of Tuam, Dr Healy, wrote that 'pilgrimages are for the purpose of visiting in a spirit of faith and penance holy places sanctified by the presence and by the labours of our Saviour and His saints. They are a natural outcome of Christian piety.'

A pilgrimage may be an act of simple devotion to beg God's grace for the pilgrims and their people, to help the soul through the threads of life to the heavenly home. It may be an act of supplication, praying for some benefit, spiritual or temporal. It may be an act of expiation, craving forgiveness for crime or wrong-doing. It may be an act of thanksgiving for a favour granted or a recovery from illness.

There is no doubt that climbing Croagh Patrick forms an event in one's life that is never forgotten.

The following chapters and photographs are intended to enlighten the reader and enhance their understanding and appreciation of the natural beauty, ancient history, legends and traditions, which abound at Ireland's oldest pilgrimage site, Croagh Patrick.

to Louisburgh

Glosh Patrick

Clew Bay Archaeological Trail

Clew Bay

Reilig Mhuire enclosure on the west side of the mountain. Jutting out to sea is Bertra beach, a rare example in Ireland of a tombolo (a bar of sand and shingle joining an island to the mainland).

'I caught sight … of the most beautiful view I ever saw in the world … The mountains were tumbled about in a thousand fantastic ways … but the bay, and the Reek, which sweeps down to the sea, and a hundred islands in it, were dressed up in gold and purple, and crimson with the cloudy west in a flame. … The islands in the bay … looked like so many dolphins and whales basking there … It forms an event in one's life to have seen that place, so beautiful.'
WM Thackeray, having travelled from Leenane in an uncomfortable sidecar in 1843.

CHAPTER 1

A Place of Beauty,
A Place of Pilgrimage

A Place of Beauty

Croagh Patrick, Ireland's Holy Mountain, has long been a place of wonderment and myth, history and archaeology. Today travellers visit in their thousands. The distinctive conical-shaped mountain is located about 8km (5m) from the picturesque town of Westport, County Mayo, in the extreme west of Ireland. Its peak soars majestically over the surrounding hills, rising to 765m (2,510ft) above sea level and quite often the top is hidden in the clouds. But on a clear day the view from the summit is spectacular. To the west stretches the broad expanse of the Atlantic Ocean and down below lies Clew Bay with its countless islands. Northwards lie the cliffs of Achill, with Blacksod Bay shimmering beyond. To the north-east is Nephin standing boldly alone. Southwards are the mountains of Connemara in every size and shape, with many silver lakes nestling in their bosoms.

A Place of Pilgrimage

Although a place of stunning natural beauty, it is not for its scenery or ruggedness that Croagh Patrick is famous. The mountain, colloquially called 'The Reek' (a variant of the word 'rick', ie a hayrick or haystack; the Irish word 'cruach' has a similar meaning) is renowned for its Patrician Pilgrimage in honour of Ireland's national saint, Saint Patrick, and has been a place of pilgrimage since St Patrick fasted there for forty days and nights in AD441.

On the last Sunday of July each year (known as Reek Sunday) its slopes are thronged with pilgrims,

Clew Bay

1

2

3

5

Log na nDeamhan

4

Tóchar Phádraig

Cosán Phádraig

Path from Murrisk to St Patrick's
Oratory on the summit of Croagh Patrick.

some barefooted, praying at the stations and climbing to the summit to attend Mass. Local people traditionally ascend the mountain on the previous Friday, Garland Friday. On Reek Sunday alone, over twenty thousand people flock to the pilgrimage. Throughout the summer months over one hundred thousand pilgrims and tourists visit Ireland's Holy Mountain.

MAP KEY

1. Murrisk Abbey
2. Famine Monument
3. Statue of St Patrick
4. First Station: Leacht Benáin
5. Second Station: The summit, the church and Leaba Phádraig (St Patrick's Bed)
(Not shown: The Third Station, Reilig Mhuire, which is down the western slope of the mountain.)

How to get to Croagh Patrick

Croagh Patrick is approximately 80km (50m) from Galway City and 265km (165m) from Dublin City. Westport is the nearest town, 8km (5m) from the mountain. Worldwide flights operate into Dublin airport and Shannon airport, 155km (96m) from Westport, provides access to and from the US. The nearest airport is Ireland West Airport, Knock 60km (37m) where flights connect to Dublin, Britain and Europe. Trains and buses run from Dublin and Galway to Westport. You can drive to the car park in the village of Murrisk, 8km (5m) west of Westport, but from there you must proceed on foot. A local bus service from Westport to Murrisk operates five times a day.

CROAGH PATRICK

The Climb

Croagh Patrick is Ireland's most climbed mountain. Visitors are advised to climb in the summer months (April–September).

The Ascent from Murrisk

Most visitors climb the mountain via the pilgrim path from the village of Murrisk, close to the medieval friary. This route is clearly signposted. Some pilgrims still prefer to climb at night, as was the tradition up until the 1970s, but most

arrive early in the morning. Many start their ascent from the car park at Murrisk. When you stand at the bottom of Croagh Patrick and gaze upwards, the climb appears as a winding, slowly rising pathway.

Along the path various traders sell religious goods and walking sticks; the latter are highly recommended, in particular for the descent.

After three hundred metres a set of steps signify the start of the climb proper and a number of religious groups vie for the pilgrims' attention with calls of the end is nigh and free tea and soft drinks.

Above: Facilities at Murrisk include a large car park, bicycle racks, information centre and good signage.
Left: Fr Patterson erected the statue of St Patrick, near the base of Croagh Patrick, in 1928, with money he collected for rebuilding St Mary's Church in Westport.

Further up the steps, is the statue of St Patrick, which was erected in 1928. It is not one of the traditional stations but for many it is the prayerful start of their journey to the summit and can be an ideal substitute for those who are unable to tackle the full climb. It is also a rendezvous for both people ascending and descending.

After St Patrick's statue, is a rough path spewed with many rocks. The going is easy enough especially in hiking boots. A small minority of pilgrims still climb in their bare feet, a feature which attracts the admiration of many visitors and the curiosity of international media. The tradition is based on the belief that they are walking on sacred ground and as such is a penitential exercise. There is also a tradition among travelling people to climb the Reek, bare from the waist up, even on the coldest days.

Above: Hugo from Northern Ireland carries the good news to fellow pilgrims. Left and right: Barefoot pilgrims brave the mountain.

The white statue of St Patrick soon falls away. It is a good idea to preserve energy on this section of the climb and to pace oneself for the final section. After approximately one hour and a distance of two and a half kilometres, the walker will have crossed the saddle to reach the first 'station' of Leacht Benáin, at the base of the cone. A traditional station is normally a recognisable site where a set number of prayers are recited. An outdoor station does not require clergy to be in attendance and it can be performed at any time. Here also is where pilgrims on the Tóchar Phádraig (Patrick's Causeway), the ancient pilgrim way from Ballintubber Abbey, join the path (*tóchar* denotes a track or causeway).

Main photograph: Pilgrim climbing Cosán Phádraig, with Lough Nacorra in the background.
Inset: The climb.

The steepest part of the climb now begins, after Leacht Benáin, on a pathway called Cosán Phádraig (Patrick's Path), a distance of 750m (2,461ft) to the summit. On the way up there are wonderful views of Clew Bay and on Cosán Phádraig itself there are uninterrupted views of the south of Croagh Patrick, including the beautiful lake of Lough Nacorra, into which the demon Corra was banished. To the north is Log na nDeamhan ('Hollow of the Demons'), where Saint Patrick reputedly banished all the snakes from Ireland. Underfoot, the jagged quartz rocks are often loose and require careful concentration.

It takes upwards of forty minutes from here to reach the summit and there is a great sense of achievement when one sees the little white chapel of St Patrick's Oratory, which was built in 1905. Here is the start of the second station, where pilgrims kneel and recite their prayers.

The views from the summit are spectacular, taking in Clew Bay, Clare Island and the many scattered smaller islands, stretching out into the Atlantic.

On the summit, on Reek Sunday, Mass is celebrated every half-hour from 8am to 2pm with a special Mass in Irish at 10am and the Archbishop of Tuam, Dr Michael Neary, celebrates the 10.30am Mass. Each year his sermon has a special theme, which receives widespread media interest. In 2008 he

Above: Dedication of St Patrick's Oratory, 30 July 1905.
Opposite left: Lough Nacorra on the south side of Croagh Patrick.
The summit is shaped like a human foot.
Below: Mass being celebrated on the summit by Archbishop Neary, in
July 2008.

celebrated the first live television broadcast of Mass from the summit of Croagh Patrick, a huge logistical exercise for the television company. In 2005 he unveiled a plaque over the door of St Patrick's Oratory to celebrate its centenary.

Pilgrims may attend Mass and receive the sacraments of Reconciliation and the Eucharist and many complete the second station by undertaking the rounds of the church and Leaba Phádraig (St Patrick's Bed). Over many years local families operated refreshment stalls on the summit. Today most pilgrims bring their own refreshment; only a few stalls still provide the indispensable sandwiches, cup of tea and hot soup especially in inclement weather.

Above left: Mass on the summit on Reek Sunday.
Above right and below: A good stick is a necessity, especially descending the mountain.

Descending

Going down the mountain is difficult and the walker needs to keep knees bent and a close eye on the loose scree underfoot. It is a good idea to zig zag your way slowly down the peak and use your sticks to take the strain from tired muscles.

The old traditional route is to descend on the west side. At the intersection between the ridge and the cone, the third and final station of Reilig Mhuire is situated. However, most pilgrims prefer to return on the same route they have climbed, so they can complete the third station at Leacht Benáin. The descent down Cosán Phádraig is precarious and may become more so, if one encounters a large crowd or over–energetic youths running down the mountain. The descent takes about one and a half hours. Pilgrims are weary but exhilarated.

Some pilgrims purchase a relic or memento of the day at the religious goods' stall and all leave in a very enlightened and positive frame of mind. Most Irish pilgrimages have a social dimension, both on the mountain and for some in Campbell's public house at Murrisk.

Above: Mr Gallagher from Pettigo, County Donegal, has operated a religious goods' stall every Reek Sunday for the last forty-five years.
Below: A selection of relics and mementoes.

Tips for Climbing 'The Reek'

Each year a number of emergencies occur on the mountainside. Bear in mind the following tips for a safer climb:

● The average climb to the summit takes two hours and the descent a further hour and a half.
● Wear proper footwear.
● Bring a waterproof jacket and spare layer of clothes.
● Bring something to eat and drink.
● Use a walking stick or pole (two can be very useful on the descent). Sticks can be bought or rented at Murrisk.
● Let someone know your plans.
● Dial 999/112 in case of an emergency or call Westport Garda Station Tel: 098 25555 and they will decide which service, if any, should be called out.

The organisation of the national pilgrimage is the responsibility of the parish of Westport, supported by a whole host of organisations from the Order of Malta and Mayo Mountain Rescue to the Garda Síochána who are all very visible during the day. The organisation at the summit is by stewards from the area, many local and visiting priests and the Guardian of Croagh Patrick, John Cummins. The numerous volunteers of the Murrisk Development Association provide the organisation at ground level.

The Stations

For first-time visitors, who may be unsure of what is involved, the 'stations' – penitential exercises – are fully explained on a signpost near St Patrick's statue at the foot of the Reek.

The performing of the stations is a very ancient custom that probably dates back to St Patrick's fast on the mountain for forty days in AD441, and the custom has been faithfully handed down by many generations. It was also not uncommon for the early Celtic monks to keep Lent in the same fashion as St Patrick on the Reek and they too would have encouraged penitential exercises. The stations have developed and changed over time and in the last 170 years have become less arduous.

There are three 'stations':

1 At the base of the cone or Leacht Benáin
2 On the summit
3 Reilig Mhuire, some distance down the western Lecanvey side of the mountain.

Left: Sign at St Patrick's statue which explains the stations of Croagh Patrick.

First Station: Leacht Benáin

The pilgrim walks seven times around the mound of stones, saying seven Our Fathers, seven Hail Marys and one Creed.

Second Station: The Summit

The pilgrim kneels and says seven Our Fathers, seven Hail Marys and one Creed.

The pilgrim prays near the chapel for the Pope's intentions.

The pilgrim walks fifteen times around the Chapel, saying fifteen Our Fathers, fifteen Hail Marys and one Creed.

The pilgrim walks seven times around Leaba Phádraig (St Patrick's Bed), saying seven Our Fathers, seven Hail Marys and one Creed.

Above left: Pilgrims 'doing the rounds' at the first station, Leacht Benáin.
Above right: Leaba Phádraig (St Patrick's Bed), part of the second station on the summit.
Right: Pilgrims kneel in front of St Patrick's Oratory.

The third and final station of Reilig Mhuire seen from the air. Three cairns of stones within an enclosure.

Third Station: Reilig Mhuire

The pilgrim walks seven times around each mound of stones, saying seven Our Fathers, seven Hail Marys and one Creed at each and finally goes around the whole enclosure of Reilig Mhuire seven times, praying.

It is not essential to have bare feet or to bare your knees when performing the stations, but many people still do. Its origin lies in the belief that people were walking on sacred ground. In a sermon in 1941, on the fifteen hundredth anniversary of St Patrick's vigil, Fr Angelus, who was making his thirty-fifth pilgrimage said:

'To each of us, as to Moses of old, the order may be spoken. "Take off your shoes from your feet, for the place whereon thou standest is holy ground".' Exodus Ch.3., v.5

Leacht Benáin

Leacht Benáin (or Bhionáin), the first station, at the base of the cone, consists of a small circular cairn. In 1838 records show that Bionnan, 'the widow's son', was believed buried on the Reek. In 1839 the station was called the 'Kid', a name based on the folklore of Meeniune being killed there. Leacht Benáin is also known as Leacht Mionnáin (*Mo* or *My* prefixed forms a name of affection) and is sometimes called the monument of Saint Benignus, a follower of Saint Patrick and later his successor in the See of Armagh. Records over the past hundred years have spelt his name as Beineán, Benín, Beannán, Mionnáin Benaín, Bionnan, Benignus, Bheineán, Meeniune, Bhionnáin and in English as Bennain or Benen.

The Summit and Leaba Phádraig

Today the pilgrim circles the modern chapel, hears Mass and receives Communion. In days gone by the pilgrims entered the ruins of the medieval chapel and left offerings such as a rag or a nail.

At the summit the pilgrim completes the second station by circling Leaba Phádraig which translates into English as 'Saint Patrick's Bed'. It is an area of ground the size of a bed, surrounded by metal railings, and located near the church. This is probably the site of the cavern church, which was in use up to 1905 and is the traditional site of the saint's nocturnal rest, during his forty nights on the Reek. It is also known as Patrick's Station. In the nineteenth century women seeking to have children or a blessing upon their children prayed at the saint's bed.

Reilig Mhuire

The third station, on the descent on the western slope, consists of three cairns of stones. The name Reilig Mhuire is taken to mean 'the Virgin's or Mary's Cemetery', or 'Mary's Station'. It is also called Garrái Mór, ('the Big Garden' or 'the Great Enclosure'), It has been suggested that Reilig Mhuire is a grave, possibly dedicated to the memory of a pagan goddess and took on a Christian name after Saint Patrick's visit.

Indulgence

Every pilgrim who ascends the mountain on St Patrick's Day or within the octave, or any time during the months of June, July, August and September, and prays in or near the chapel for the intentions of our Holy Father the Pope may gain a plenary indulgence on condition of going to Confession and Holy Communion on the summit or within the week.

Start of the second station.

Why do the Pilgrimage?

There are probably as many reasons for climbing Croagh Patrick on Reek Sunday and performing the penitential rites as there are pilgrims. While for most pilgrims there would be some spiritual, if not religious or Christian, impetus, for others it may be as simple, or profound, as the preservation of a long-standing tradition.

The pilgrimage and the stations as described in early accounts were for the preparation of marriage or important business. The pilgrimage has also been resorted to (many years ago) by women hoping to have children or seeking a blessing upon their children. It can also be performed as an act of gratitude.

In 1983 Fr Niall O'Brien, an Irish Columban missionary priest in the Philippines, was falsely accused and detained on charges of multiple murders. Fr O'Brien promised that, if he should return home safely to Ireland, he would perform the Croagh Patrick pilgrimage in thanksgiving, which he did on Reek Sunday 1984.

If you feel daunted at the thought of climbing Croagh Patrick, or have already climbed, bear a thought for the mountain guides who climb every day in July and August to open the oratory from 11am to 4pm for the benefit of pilgrims.

A family tradition.

Customs and Traditions

Many customs and traditions have grown around Reek Sunday. Up to recent years neighbouring people would not dig their new potatoes until the morning of Reek Sunday. The 'pattern' (celebration of an Irish saint's feast day) is no longer held after the pilgrimage but is held at the end of August. Up to the late 1800s the festivities in the pattern field of Murrisk were an integral part of the pilgrimage day. Many travel books of the nineteenth century give descriptions of the old pattern which was typical of those rural festivals, combining a religious and a festive dimension.

In 1838, the writer John O'Donovan found:

'There are several enclosures of stone not all dedicated to Saint Patrick or the purpose of Penance but rather to Bacchus and built for sheltering whiskey drinkers from the asperity of the weather and the fury of the Atlantic blasts on the day of the pattern, which is held on the 15 August on the road at the base of the Reek.'

The dates and rituals of Garland Friday, last Sunday of July (Reek Sunday) and the Feast of the Assumption (15 August) were important to our rural forefathers. Their origins are indeed ancient and have been faithfully handed down from generation to generation.

To gain a greater understanding of the customs, traditions and pilgrimage, it is necessary to take a walk through the history of the mountain.

Croagh Patrick and Clew Bay on a summer's evening.

CHAPTER 2

The History of Croagh Patrick

What's in a Name?

Long before St Patrick's visit in 441, the Reek was known by its ancient name of Cruachán Aigli. The area around the mountain was known in Irish as 'Aigli'. The village of Murrisk was referred to as 'Muiresc Aigli' with 'Muiresc' meaning 'Sea Swamp'. 'Cruach' in English is a variant of 'rick' or reek, or stacked-up hill and refers to the cone-shaped mountain.

Some translators took 'Aigli' to mean 'Eagle'. On foot of this interpretation, the coat of arms for Westport town incorporates an eagle and, in the nineteenth century, part of the ridge extending eastwards from the peak or Reek was still called Mount Eagle.

The name Cruach Phádraig started to gain prominence over Cruachán Aigli from the tenth to the thirteenth century. In the sixteenth century when many Irish placenames were given an Anglicised version, Cruach Phádraig became widely known as Croagh Patrick.

'And Patrick proceeded to Mons Aigli (Croagh Patrick),
intending to fast there for forty days and forty nights,
following the example of Moses, Elias, and Christ.'
Book of Armagh

Ancient Rituals

For thousands of years this pyramidal mountain has been a sacred place. When Saint Patrick visited Ireland he would have found a highly organised Celtic tradition of four festival holidays in the year: Samhain (November 1), Imbolg (February 1), Beltaine (May 1) and Lughnasa (August 1).

Pagans celebrated the harvest with the festival of Lughnasa, held in honour of the god Lugh who was an ancient pagan god of the Tuatha Dé Danann, a divine Irish race, and whose name is now encompassed in the Irish for August (Lughnasa). (*Nasa* means games or an assembly). This festival took place throughout the country, often in high places, such as Mount Brandon in County Kerry and Slieve Donard in County Down. Its tradition became absorbed into the new Christian beliefs. Locally the festival became known as Domhnach Chrom Dubh (Black Crom Sunday. Crom Dubh features in legend as a pagan god.), Garland Sunday, Garlic Sunday, the last Sunday of Summer, Domhnach na Cruaiche (Reek Sunday).

The ancient lore also recounts many stories about the defeat of paganism. St Patrick is credited with conquering many prominent pagan sites for Christianity and Croagh Patrick is one of the most important.

Cosmological Alignment

Croagh Patrick is also the centre of a number of cosmological alignments, which no doubt further enhanced the mountain's mythical and spiritual status in ancient times. The setting sun at certain important dates in the year aligns with the mountain. Thousands of years later St Patrick converted the Irish people to worshipping the Son of God rather that the deity of the Sun.

Sacred Equinox Journey

In recent years Anthony Murphy and Richard Moore wrote a book titled, *Island of the Setting Sun: In Search of Ireland's Ancient Astronomers*. Their theory is that Croagh Patrick is part of an ancient cosmological alignment, stretching 135m (217km) from the Hill of Slane, in the east, to Croagh Patrick in the west, linking some of the most sacred sites associated with St Patrick. The authors explore the idea that St Patrick followed a 'sacred equinox journey'. Using Google Earth, they found that the equinox line extends from Millmount, Drogheda, County Louth, to Slane and aligns west with Croagh Patrick. It includes the Cruachan Aí complex in Roscommon (home of legendary Queen Medb and inauguration and burial site of the ancient kings of

The winter solstice aligns with the standing stone row at Annagh every year on 21 December at 1.40pm.

Connacht) and follows the ancient pilgrim road of Tóchar Phádraig, which passes by the Rock of Boheh, mentioned below. They stated that 'evidence is emerging that significant archaeological sites dating from deep in prehistory are linked – not just through mythology, archaeology and cosmology – but through an arrangement of complex, and, in some cases, astonishing alignments.'

Rolling Sun

In 1987 Gerry Bracken discovered that while standing at the Rock of Boheh (St Patrick's Chair, National Monument), which is about 7km (just over 4m) from Croagh Patrick, that the setting sun, rather than disappear behind Croagh Patrick, actually rolls down the north slope of the mountain. This phenomenon lasts about twenty minutes and occurs on the 18 April and 24 August each year. These two dates, with 21 December, split the year into three equal parts and it is thought that they were used to celebrate sowing and harvesting seasons. The spectacle of the rolling sun in prehistoric times probably merited the inscription on the Boheh rock outcrop, depicting many cup-and-ring marks, making it one of the finest examples of Neolithic rock art in Ireland and Britain. The Boheh Rock is on the pilgrim route Tóchar Phádraig and is also one of the sites on the Clew Bay Archaeological Trail, www.clewbaytrail.com.

The archaeological complex at Annagh, near Murrisk, includes a standing stone row within an enclosure.

Winter Solstice

Less than a kilometre from Croagh Patrick is the ancient ritual site of Annagh, Killadangan, which has a standing stone row at its centre. This stone row aligns with the setting sun at 1.40pm on 21 December each year. The sun sets into a notch on the east-ridge of Croagh Patrick. The Murrisk Development Association organises a heritage and archaeology tour each year, which concludes with a visit to Annagh, to view the phenomenon of the sun alignment. On the same day as the rising sun is celebrated at Newgrange, the setting sun retires to its sacred celestial home at Croagh Patrick.

View of the summit from the west, showing the enclosure and the path leading to Lecanvey.

Inset: The archaeological excavation in 1995 exposed the enclosing wall, which is no longer visible.

Archaeology

All the archaeological evidence indicates that Croagh Patrick has been part of a huge ritual landscape for many years before St Patrick's sojourn on the mountain and the mountain's subsequent history and legends have further embellished its reputation as an ancient pilgrimage site.

As early as 1839 it was noted that on the northern slopes of Croagh Patrick one could see:

'a low wall, built of large, un-cemented stones evidently of the most ancient construction – a Cyclopean monument raised ages before the Roman Patrick ascended … built by that ancient people that have erected their solemn monuments in every land … the low wall which, I believe, has never been before noticed, a wall that has borne the Atlantic tempest of thousands of years.'

Caesar Otway, *A Tour in Connaught.*

The Croagh Patrick Archaeological Committee, founded in 1994, undertook to record any early human or building activity before and after St Patrick's visit to the mountain. A team of eight people, led by archaeologists Gerry Walsh and Michael Gibbons, climbed to the summit each day for eight weeks during July and August in 1994 and 1995.

A hill-top rampart enclosing the whole summit was discovered. A number of coloured glass beads were found. A glass specialist dated the dark blue and amber glass beads from the third century BC to the fourth century AD. This structure was on the summit before St Patrick's mission and probably indicates an enclosed ritual site.

The excavations also revealed a rectangular building measuring 7.76m by 5.52m (30ft by 18ft), probably an early Christian oratory

In 1994, the archaeological excavation unearthed a building near Leaba Phádraig (St Patrick's Bed).

An early photograph of the archaeological excavation shows the remains of the roof collapse, which filled the interior of an ancient building.

Door-post holes at the entrance to the building, similar to the Gallarus Oratory.

similar to the Gallarus Oratory in County Kerry. A sample of charcoal from the excavation was radiocarbon-dated from AD430 to AD890. These are significant dates, as we know St Patrick was on Croagh Patrick in the fifth century. This site has now been back-filled for protection and can no longer be viewed.

A second archaeological programme was undertaken from 1996 to 1998 under the direction of Louisburgh archaeologist, Leo Morahan. After three years of surveys many new archaeological sites and monuments were discovered and recorded in the orbit of Croagh Patrick.

The building discovered during the excavation is the same size as the Gallarus Oratory in Dingle, County Kerry.

Snow-covered summit clearly shows the outer enclosing wall and some of approximately thirty circular hut sites.
Inset: Archaeologists work on one of the hut sites which exist on the north side of the summit facing Clew Bay.

Myth and Legend

From the earliest time legends and myths have abounded in the area around Croagh Patrick, many of which are no longer passed on from generation to generation. Most of these legends concern St Patrick's visit to Croagh Patrick and portray him as a newcomer who enters the domain of the established lord (Crom Dubh) and seizes possession of the lord's wealth, his bull and corn, usually by miraculous power. The legends also include serpents that are portrayed as evil.

Crom Dubh (Black Crom), also known as Cormac Dubh, is traditionally a pagan god who lives near Croagh Patrick, owns a bull, a granary of corn and is ruler of the elements.

The conflict between Saint Patrick and Crom Dubh represents the conflict between the pagan gods and the Christian religion. The last Sunday of July is traditionally known as Domhnach Chrom Dubh and the last Friday is called Aoine Chrom Dubh, the day local people perform the pilgrimage.

The selected stories below are English summaries of recorded longer Irish versions contained in Máire Mac Neill's excellent book *The Festival of Lughnasa*. They are typical of the ancient tales, told by storytellers in days gone by, most of which are preserved by the Irish Folklore Commission at University College, Dublin.

Crom Dubh and Beef

In St Patrick's time a pagan named Crom Dubh lived near Croagh Patrick. He and Patrick were friends but he did not wish to become a Christian. Three times he sent his boy with a gift of a quarter of beef to Patrick, and each time Patrick said, Dia Graistias! This puzzled Crom Dubh when his boy reported it and finally enraged him. He summoned Patrick to his house, and Patrick said that he had thanked him, and, to prove it, asked to have three quarters of beef weighed against a piece of paper on which he wrote 'Dia Graistias' three times. The paper outweighed the beef. Crom Dubh and his people accepted the Faith and were baptised that same day, known since as Domhnach Chrom Dubh, the day of the pilgrimage to Croagh Patrick.

SOURCE: Béaloideas XXI 1951−1952

St Patrick and Demons

At the north base of the Cruach, or conical part of the mountain, there is a remarkable deep hollow called Log na nDeamhan (Hollow of the Demons), into which St Patrick is said to have driven the cacodemons who attacked him on the top of the Reek. He drove them into the ground by casting his black bell after them, and placed large rocks over their graves!

Near the south base of the Cruach there is a lough called Loch Nacorra into which the saint drove another demon called the Corra. Before Patrick's conflict with the demons, there was no lake here, but he drove Corra, one of the fiercest of them into this hollow with so much violence that he caused the lake to spring forth. This spirit remained a long time in this lake but at last he (she locally) flew out of the waters and went to Loch Derg in the North to annoy the pilgrims there.

SOURCE: J O'Donovan, 1838

Banishing Snakes

Jocelyn, a Scottish monk who visited Ireland in AD1185, stated, 'that Ireland since its first habitation had been pestered with a triple plague, namely, a great abundance of venomous reptiles, with myriads of demons visibly appearing and with multitude of magicians … The glorious apostle laboured by prayer and other exercises of devotion to deliver the island from the triple pestilence. Taking the Staff of Jesus in his hand he hurled the reptiles into Log na nDeamhan.'

As the pilgrim reaches Leacht Benáin (the first station) Log na nDeamhan (Hollow of the Demons) is seen on the north base of the Croagh Patrick, over a thousand feet below. Into this hole, and not into Clew Bay, as is frequently stated, St Patrick drove the evil spirits that tormented him with such violence that a lake burst up.

SOURCE: PL O'Madden,
Cruach Phádraig, 1929

Pilgrims climbing in the early morning light.

St Patrick's Mission

St Patrick started his missionary journey to Ireland in AD432. He was returning to a country where he had been held in captivity some years before. The purpose of his mission was to convert Ireland to Christianity. The Christian faith had already spread throughout the Roman Empire and it was the civilisation and armies of Rome that aided its advancement. Ireland was outside the Roman Empire and St Patrick had to journey without its military might.

Ireland, at the time, had many local tribal chieftains, six provincial kings and the Ard-Rí (High King) of Tara, King Laoghaire. It also had its own civilisation in the form of Brehon laws and the Druidic religion. In order to succeed in his mission St Patrick would have needed the friendship of the king and chieftains and the conversion of the druids.

Druids taught history, poetry and the love of nature. A prominent feature of Irish heathenism was the worship of the forces of nature. They worshipped the sun striding like a giant across the heavens on her daily course, the life-giving water rising mysteriously and clear from the darkness of the well, the fire whose devouring strength nothing can resist, the wind with its moods of tenderness and of terror. Some presence or spirit was felt to be moving in each of these natural forces. Altars in the open air were erected in their honour, idols were placed for adoration and the powers of nature were invoked to give sanction to the sworn word.

St Patrick's *Confession*, written by the saint himself, states:

'For that sun, which we see, by God's command rises daily for our sakes, but it will never reign, nor will its splendour endure; but all those who worship it shall go in misery to punishment. But we who believe in and worship Christ the true Sun, will never perish, nor will anyone who doeth His will, but he will abide forever, who reigneth with God the Father Almighty, and with the Holy Spirit before the ages now and for ever and ever. Amen.'

Druids, the protagonists of the ancient philosophy of life, were now confronted with the Gospel of Christ.

Left: Book of Armagh – Folio 32V. Written in Latin, the page contains the story of Saint Patrick's fast on Cruachán Aigli for forty days and nights.

Saint Patrick's Fast on Croagh Patrick
Book of Armagh & the *Tripartite Life of St. Patrick*

In the library of Trinity College Dublin is the venerable volume known as the Book of Armagh, which is a miniature library, containing the writings of various pens. The manuscript was collected and copied for the Armagh library by a scribe named Ferdomnach in the early ninth century. In this Book of Armagh there are three books which are of supreme importance as authorities for the life of St Patrick. There is St Patrick's *Confession*, written by the saint in his old age. There is a memoir by Tírechán, and a life written by Muirchu.

Tírechán a native of Connacht, wrote a memoir in Latin of St Patrick's travels and foundations, mainly in Connacht and Meath, some two hundred years after St Patrick's

death (*circa* AD670). Tírechán's book is the most authentic earliest proof of St Patrick's fast on Cruachán Aigli (Croagh Patrick).

The second important book with proof of St Patrick's fast on the Reek is the *Tripartite Life of St. Patrick*. Written in Irish, in about the tenth century, it is evident the scribe had access to a copy of the Book of Armagh. It contains some ancient material, but due to its miraculous nature, it should be considered carefully. The sheer volume of written references to pilgrimages on Croagh Patrick after the ninth century and Tírechán's account in the Book of Armagh leave us with no doubt that St Patrick did fast on Croagh Patrick.

Below: Sir William Petty's *Atlas of Ireland*, 1685, shows a church on the summit.

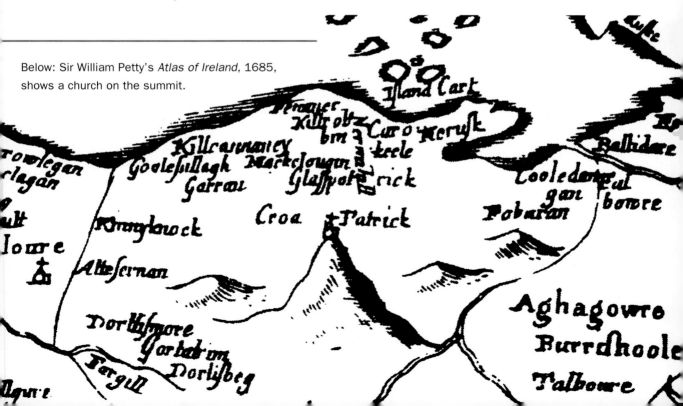

St Patrick's Fast

Just before Easter in AD441, on his missionary journey, St Patrick came to Aghagower, a village now on the pilgrim route, Tóchar Phádraig, east of Croagh Patrick. He was nearing the goal of his journey west, the Mount Sinai of Ireland. Tírechán's narrative in the Book of Armagh is of great importance:

'And Patrick proceeded to Mons Aigli (Croagh Patrick) intending to fast there for forty days and forty nights, following the example of Moses, Elias, and Christ. And his charioteer died at Muiresc Aigli (Murrisk), that is, the plain between the sea and Mons Aigli, and there Patrick buried his charioteer Totmáel, and gathered stones for his burial-place and said: "Let him be like this for ever and he will be visited by me in the last days." And Patrick proceeded to the summit of the mountain, climbing Cruachán Aigli and stayed there forty days and forty nights and the birds were troublesome to him and he could not see the face of the sky and land and sea. Because to all the holy men of Ireland, past, present and future, God said: "Climb O holy men, to the top of the mountain which towers above and is higher than all the mountains to the west of the sun in order to bless the people of Ireland," so that Patrick might see the fruit of his labours, because the choir of all the holy men of the Irish came to him to visit their father, and he established a church in Mag Humail (Oughaval).'

Ruins of Murrisk Augustinian Abbey.

Conflict over the Saint's Journey

'And Patrick proceeded to Mons Aigli'
This passage opens up an age-old debate, concerning St Patrick's route to the summit. The Book of Armagh describes St Patrick climbing the Reek after he buried his charioteer at Murrisk. We conclude from this he climbed from Murrisk. The scribe of the *Tripartite Life*, written two hunded years after the Book of Armagh, has St Patrick ascending from Aghagower.

The same conflict of evidence arises about St Patrick leaving the mountain. The Book of Armagh records he established a church at Mag Humail (Oughaval). The shortest distance to Oughaval from the Reek is via Murrisk. The *Tripartite Life* states Patrick went out to Aghagower after Lent on the Reek. Without doubt the ancient routes from Murrisk and Aghagower (Tóchar Phádraig) have been used by pilgrims for many years.

The Charioteer's Grave

'And his charioteer died at Muiresc Aigli (Murrisk)'
Saint Patrick's charioteer Totmáel (The Bald One) died at Murrisk and is buried there. In 1904, a great champion of the pilgrimage, Archbishop of Tuam, Dr Healy, put the site of Totmáel's grave in the graveyard at Glosh Patrick, at the foot of the mountain between Murrisk and Lecanvey. If this is correct, Glosh is indeed an honoured place because Patrick said, '... and he will be visited by me in the last days.' An elderly local resident from the Glosh area, Julia Grady, related to me that the legendary site of Totmáel's grave is now the McGirr family plot, which is on the left of the Glosh Patrick cemetery.

The Date of the Saint's Visit

'And Patrick proceeded to the summit.'
The *Tripartite Life* tells us St Patrick stayed on Cruachán Aigli (Croagh Patrick) from Shrove Saturday to Easter Saturday.

Pope Leo was consecrated Pope on 29 September AD440 and this news would have reached Patrick on the Reek in the West of Ireland the following year. St Patrick sent his nephew, Bishop Munis, to congratulate the new Pope and to give an account of his own mission. This too is set down in the *Tripartite Life*.

Another ancient text, the Annals of Ulster, records that 'Bishop Patrick was approved in the Catholic faith' in AD441.

These accounts date Patrick's visit to the Reek as Easter of AD441.

Snakes and Demons

'And the birds were troublesome to him.'
The *Tripartite Life* tells of how 'at the end of those forty days and forty nights the mountain was filled with black birds' and these demon birds attacked Patrick. To defeat them St Patrick strikes a bell, which St Brigid had given him, and finally he flings the bell at the birds, causing a piece to fall off in the process. With this victory he ensured that 'no demon came to the land of Erin after that.'

The traditional belief is that it was from the Reek that St Patrick drove all the poisonous reptiles and serpents into the sea. A steep precipice on the south side of the mountain is known as Lug na nDeamhan (Hollow of the Demons). Although there is no trace of this tradition in the Book of Armagh, Jocelyn, the Scottish monk who wrote a life of Saint Patrick in the twelfth century, maintains that the saint blessed the Reek, 'and from the Reek and all the land of Ireland, with all the men of Erin, no poisonous thing has appeared in Ireland.'

Clog Dubh Phádraig (Black Bell of St Patrick)

The Black Bell of St Patrick was a highly venerated relic on Croagh Patrick for many years. The bell, now in the possession of the National Museum, Dublin, is made from iron and dates from AD600–900. Down through the centuries the bell appears in many travellers' accounts.

In 1797, the French aristocrat Le Chevalier De Latocnaye described in his *Frenchman's Walk through Ireland* how:

'On the summit there is a little chapel at which Mass is celebrated on the Fête day and in it is a black bell, for which the inhabitants have a peculiar veneration. It is used as a thing to swear on in legal matters, and no one will dare to perjure himself on it. They have strange ideas on the subject of this bell, and believe that the devil will carry them off immediately if they dare to affirm on it anything that is not true.'

In 1838 John O'Donovan recorded a story by Hugh Geraghty, the *maor* ('steward') of the 'Clogdubh'. Hugh Geraghty told of how the bell was originally of white metal, but from constant pelting at the demons by the saint on the Reek, it became quite black.

The bell was later acquired for the Royal Irish Academy by Sir William Wilde (*circa* 1840) who tells us:

'It had long been in the possession of the Geraghty family, near Ballinrobe, who brought it every year to the pattern held on top of Croagh Patrick on Garland Sunday and where in the little oratory there the pious pilgrims were allowed to kiss it for a penny; and, if he had been affected by rheumatism pains, he might put it three times around his body for two pence.'

The money Hugh Geraghty received from Sir William Wilde was used to pay his passage to America.

The Clog Dubh is also known as 'Bearnán Bhríghde,' that is the 'gapped bell of Brigid' due to its broken state, and has also been referred to as 'Clog Geal' (Bright Bell).

The *Tripartite Life* clearly states that Patrick descended the mountain on Holy Saturday and returned to Aghagower where he celebrated the Easter festival with his friends, Senach the bishop, Mathona the Nun and Aengus. It is evident that the practice of doing this penance on the Reek started very soon after Patrick's visit.

The modern pilgrimage to Croach Patrick is largely due to the efforts of Dr Healy, Archbishop of Tuam in 1903, who revived the practice. He wrote:

'We have come to love the Reek with a kind of personal love, not merely on account of its graceful symmetry and soaring pride, but also because it is Patrick's Holy Mountain – the scene of his penance and of his passionate yearning and prayers for our fathers and us. It is to us, moreover, the symbol of Ireland's enduring faith.'

Inset: St Patrick's Oratory, built in
1905 and extended in the 1960s.
Below: Dr Michael Neary, Archbishop of
Tuam, Cardinal Sean Brady,
Archbishop of Armagh, and Primate
of All Ireland, and John Cummins,
Guardian of Croagh Patrick,
26 July 2006.

'… Teampall Phádraig … is sixteen feet long and eight
broad to the east end, where the stone altar is placed
and only five feet at the entrance.
Its east gable is eight and a half feet high.'

John O'Donovan, 1838

CHAPTER 3

Church Buildings and The Revival of the Pilgrimage

Teampall Phádraig

While on Croagh Patrick, Saint Patrick would have said Mass and tradition has it that he built a simple little chapel, later known as Teampall Phádraig, on the mountain. More than three hundred years after St Patrick had been on the Reek, we find reference to his little chapel as still existing on the summit. The Archbishop of Armagh was entitled to an annual revenue from every church that St Patrick had founded in Ireland. In 824 we find this tax being claimed from the Archbishop of Tuam for the little chapel on the Reek. In the course of time this primitive chapel fell into decay, and, as the Reek had continued to be a place of devotion, another was erected on its site.

In 1216, Felix O'Ruane, Archbishop of Tuam, appealed to Rome against the claim of Armagh for a tax on this church. Pope Honorius III decided that, as the chapel had been erected by the Archbishop of Tuam, no tribute could be claimed by the Archbishop of Armagh.

In 1432 Pope Eugene IV granted an indulgence to visiting penitents who gave alms for the repair of the chapel of Saint Patrick.

Ordnance Survey Maps of 1839 and 1920 show Temple Patrick close to Leaba Phádraig. Throughout the nineteenth century pilgrims entered the little chapel and knelt at the altar to pray.

In 1904, the *London Daily Chronicle* described the chapel set 'in a hollow like a little crater, close to the very summit. It has been roofed over lately with a few sheets of corrugated iron held down by piles of rocks.'

All this evidence clearly shows that there were a number of churches from the earliest time to 1904 before the new church was built.

The fully excavated building in 1994, which shows finely-built stone walls and a flagged entrance. This has been back-filled and can no longer be viewed.

Archaeological Excavation of the Oratory

The 1994 archaeological excavations on the mountain investigated an area located approximately 25m (82ft) west of the 1905 oratory. The remains of a building were uncovered. Charcoal taken from the site dates from AD430 to AD890. The building was orientated east/west and measured 7.76m by 5.52m (30ft by 18ft) externally. Evidence pointed to the fact that the walls were constructed in such a way as to have curved into a corbelled roof. From the outside the building would have looked like an upturned boat. The walls were built without the use of mortar, by carefully selecting stones and placing them together in an overlapping manner. The only surviving example of this type of boat–shaped building is Gallarus Oratory on the Dingle Peninsula in County Kerry.

Stephens & Clarke Temporary Chapel

The pilgrimage declined after a very severe famine in the 1840s. Rev John Stephens and Rev Michael Clarke, conscious of the great revival of all matters Irish, set about restoring the Croagh Patrick pilgrimage to its former glory. With the help of a number of local workmen, they proceeded to oversee the building of a temporary chapel of sheet iron and metal pillars in October 1882.

On the last Friday of July 1883, Fr Stephens, Fr Clarke and Fr Laurence O'Brien celebrated Mass for six hundred people. However Rev John Stephens' support for the Land League put him in disfavour with the civil authorities. He was also a critic of Archbishop McEvilly which led to his dismissal from the Archdiocese in 1886. This action halted the planned revival of the ancient pilgrimage and it was not until the advent of a new archbishop, in 1903, that the revival actually happened. Very little is known, or written, about the temporary church from 1882–1905.

However, photographs have survived of this remarkable little church and newspaper reports from 1904 state that Fr Michael McDonald celebrated the last Mass in the temporary church on 14 August 1904.

Teampall Phádraig (in foreground) in August 1904 before the new church was built in 1905.

Revival of Old Pilgrimage

Year 1903

Dr John Healy became Archbishop of Tuam in 1903. Fr Michael McDonald, Administrator in Westport, sought permission from Tuam to revive the celebration of Mass on the summit of Croagh Patrick. He could hardly have had a better ally, as Dr Healy had an intense interest in antiquarian subjects. He wrote *The Life and Writings of Saint Patrick*. Having obtained permission, Fr McDonald set about, with great zeal, arranging Mass for 16 August 1903. Special trains were organised for pilgrims by the midland Great Western Railway Company.

On the morning of 16 August, the weather was inclement. Fr McDonald rode up the mountain on a pony and then ascended Cosán Phádraig by foot. Mass was celebrated in Fr John Stephens' iron-clad church at midday by Fr McDonald and afterwards he gave an eloquent sermon apologising for Dr Healy's inability to attend and quoted the Archbishop:

'He says that if this holy mountain of ours were situated in any other country in Europe it would be made a place of national pilgrimage for the people of the country and he is determined as far as in him lies to make this holy mountain, henceforth a place of national pilgrimage.'

Year 1904

The organisation of the second national pilgrimage to Croagh Patrick fell again to Fr McDonald. A local committee arranged for special trains. The steam-packet companies plying between Westport, Sligo, and the Scottish and English ports brought many pilgrims. Several bands were booked to play sacred music.

On 14 August 1904, Dr Healy, Archbishop of Tuam, and Dr Lyster, Bishop of Achonry,

Archbishop of Tuam, Dr Healy, with Fr Canavan, addresses pilgrims on 14 August 1904.

climbed the Reek, but again the mountain gave no shelter from the weather. As in 1903 Fr McDonald celebrated Mass at midday in the little cavern-like church and afterwards the Archbishop stood on its roof to give a short address to the pilgrims standing in the rain:

'*Think of this mountain as the symbol of Ireland's enduring faith and of the constancy and success with which the Irish people faced the storms of persecution during many woeful centuries. It is therefore the fitting type of Irish faith and Ireland's nationhood which nothing has ever shaken and with God's blessing nothing can ever destroy.*'

Following the devotions on the mountain summit, the Archbishop wrote to Fr McDonald (see bottom left) and instructed him to erect a suitable church on top of the Reek.

Building an Elevated Church

Fr Michael McDonald set about the erection of a new oratory immediately after the 1904 pilgrimage and employed William H Byrne as architect and Walter Heneghan of Louisburgh as building contractor.

In a tent upon the windy summit lived Thomas Duffy, the carpenter, Charles O'Malley, the apprentice stone-mason, Walter Heneghan, the local contractor, and his fifteen-year-old son, Patrick, who once a day took messages up and down the mountain.

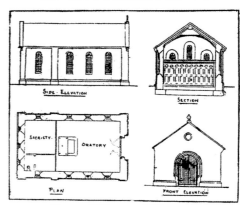

CROAGH PATRICK ORATORY.

SIDE ELEVATION · SECTION · SACRISTY · ORATORY · PLAN · FRONT ELEVATION

Ground Plan and Elevation.

During the early excavation of the site a skull and some bones were unearthed and the builders believed these to be the remains of Robert Binn, a hermit who had lived on Croagh Patrick in the 1830s. The bones were reburied at the east-end of the church. However, the Ordnance Survey of 1839 shows Robert Binn's grave 30m (98ft) east of the church, so it remains a mystery as to who it was that the builders found buried on the summit. (Robert Binn's association with the Reek, is explained in chapter 4.)

Over six months, the elements, in their various guises, assaulted the men working on the chapel, and Charles O'Malley recalled that they were nearly lost one night in a terrible storm. A heavy plank fell across Walter

Heneghan's legs and pinned him to the floor. Remarkably, however, there were three tourists on the summit, two of them from London, and all three were doctors. While they were not able to do much about the blue-black bruises, they could assure the builder that he had no broken bones.

All the materials used were local, and much of the work was undertaken at the bottom of the mountain, such as the making of the iron girders and the doors, the cutting and numbering of the timber. All the necessary materials, such as sand and cement, were drawn up the mountain on donkey or horse-back at a rate of five shillings per three hundredweight. Water was drawn from Garrái Mór (or Reilig Mhuire, the site of the third station) to the summit.

Charles O'Malley, when climbing the mountain in 1961 at over eighty years of age, recalled that he carried the six iron girders on his shoulders up Cosán Phádraig, each, when assembled, weighs three-hundredweight. Twelve local men were employed for the six months of construction, and their wages were a sovereign a week for skilled men and a half a crown for labourers, who daily trudged up and down the mountain. Patrick Heneghan said the wages were always paid in Campbell's public house at the foot of the Reek.

One of those who built this church was John Clarke of James's Street, Westport. He was a stepbrother of Charles O'Malley and daily cycled the 9½km (6m) to the foot of the

mountain before commencing his ascent. Other people involved were Tim Philbin, Austin Ruddy, Mr Bradley, Mr Joyce and Dan Gavin. No record has been kept of the additional workers involved.

The total cost of the building was about one hundred pounds and this was mainly collected from emigrants and subsequent pilgrimages. Mary Maher, a good friend of the Archbishop of Tuam, Dr Healy, and an ardent believer in the Croagh Patrick pilgrimage, subscribed five pounds. Cardinal Moran, when Bishop of Ossory, also subscribed five pounds. The following words are inscribed on a tablet over the door:

'*A.M.D.G / In Honorem S. Patricii / Aedificandum Curaverunt / Johannes Healy, Archiepiscopus Tuamensis / et / Michael McDonald Adm. Westport / M.D.C.C.C.C.V. / Archiectur Guil H. Byrne Opifex Wualt Heneghan.*'

Year 1905

Sunday 30 July 1905 witnessed an historic occasion on Croagh Patrick, as His Grace Dr Healy dedicated the newly-erected church of Saint Patrick. The now usual arrangements with the railway companies ensured a huge crowd, estimated at ten thousand pilgrims. With over twenty priests in attendance, Fr McDonald celebrated Mass at midday on the new altar, presented by the Convent of Mercy, Westport, and positioned at the front door.

The Archbishop then addressed the vast crowd from the front door of the new oratory and spoke about St Patrick's vigil on Cruachán Aigli, and about those who 'had always venerated the footsteps of St Patrick and … practised the fasting and prayer of which he (St Patrick) was himself so bright an example.' He concluded by thanking Fr McDonald and the contractor Walter Heneghan for their great work. He also welcomed Dean Phelan, representing Most Rev Dr Thomas Carr, who had sent a generous subscription. Dean Phelan, the Dean of Melbourne, then addressed the crowd and expressed his joy at being there and explained the plight and the faith of the Irish exiles in Australia.

For the rest of the summer's day many hundreds performed the stations and viewed the interior of the church. The Westport brass band played a number of airs before the dedication ceremony. A second pilgrimage was arranged for 15 August (Feast of the Assumption).

Opposite left: Two local guides open the oratory every day in July and August from 11am to 4pm. Pilgrims can sign the visitors' book in the oratory.
Above: The dedication of St Patrick's Oratory, 30 July 1905.

'Lough Derg represents the meditative, hermit-like quality in Ireland's faith, but Croagh Patrick is the glorious singing, laughing climb of an Ireland young in spirit and truth and enthusiastic in performance.'

Patrick Kavanagh, 28 July 1940

CHAPTER 4

Pilgrims and Visitors
to the Reek

A Beacon in the Irish Landscape

Croagh Patrick has for centuries acted as a beacon in the Irish landscape. Today over one hundred thousand pilgrims and visitors ascend the slopes of Ireland's Holy Mountain every year. A great many are pilgrims who perform the stations and other devotions particular to the pilgrimage. Others are hill walkers, archaeologists, nature lovers, people in the public eye, those on their own personal quest or those simply drawn by curiosity and the power of the Reek. For those who have made the trek down through the centuries, their encounter with the mountain forms a deep and lasting impression.

Pilgrims

Many octogenarians have taken part in the annual pilgrimage. In 1962, eighty-seven-year-old Patrick Gibbons of High Street, Westport, and eighty-six-year-old James Davis of Belclare, Westport, made the climb. John Kyne of Caherlistrane, County Galway, became known as the 'Father of the Reek' for his legendary sixty successive annual pilgrimage climbs. John Kyne used to cycle over 80km (about 50m) from Caherlistrane to the Reek, where he often served Mass for Fr Angelus.

Bríghid Uí Almhain from Terenure, Dublin, brought her four-month-old daughter, Justine Maelíosa, to the summit in 1988. Bringing young babies or children to the summit should be given the utmost consideration due to the precarious nature of the climb.

The mountain has been known to claim lives. As far back as 17 March AD1113, thirty pilgrims were killed when struck by lightning while on the peak.

Since the start of the recorded national pilgrimage in 1903, three deaths have been recorded. The first was a naked man found huddled into a small hollow on the mountain

Opposite top: An elderly couple assist each other on the mountain.
Opposite bottom left: A barefoot, bearded pilgrim close to the summit.
Opposite bottom right: Mountain runners at the start of an annual race. The winner normally completes the ascent and descent in forty-five minutes. Other groups organise events on Croagh Patrick to raise funds for charity.

Above: Archbishop of Tuam, Dr Michael Neary, receives the gifts during celebration of the first live television broadcast of Mass from the summit in 2008.
Left: Pilgrim with back-pack and crucifix.

in 1931. Garda Tom Hannon, based in Murrisk, brought the body down. 1955 recorded the first death during the pilgrimage when Michael Donoghue, aged twenty-seven, from Tillalaghton, Killoran, County Galway, fell forty feet and fractured his skull. The third death was that of nine-year-old Noretta Carey after falling on the mountain on the 16 July 1982. Other deaths have occurred since 1982, including that of forty-nine-year-old Joseph O'Reilly from County Meath, who is believed to have suffered a heart attack while attending Mass on the summit, on 15 August 2009.

Father Angelus O.F.M. (1875–1953)

'My acquaintance with Croagh Patrick goes back to the year 1906 – when I climbed it for the first time – and every year since, with only two exceptions, I have taken part in the pilgrimage. I know the mountain in all its varying moods. I have enjoyed its pleasures and endured its hardships.'

Fr Angelus, a legendary figure on Croagh Patrick, attended the national pilgrimage for forty-two years and was affectionately known as 'Fr Angelus of the Reek' and 'The Guardian of the Reek'. He was born in 1875 at Graiguenamanagh, County Kilkenny. Before he joined the Capuchin Order of St Francis he was Patrick Healy. In 1892 he was received into the Order and was professed on 4 October 1893. Fr Angelus spent most of his religious life as a member of the Church Street community, Dublin.

His great association with the Reek lasted from 1906 to 1949, during which he climbed forty-two times, missing two years, in 1919 due to railway stoppages and 1922 due to civil war.

Fr Angelus started the practice of writing an account of the pilgrimage each year in a book, now called the *Annals of Croagh Patrick* in St Mary's presbytery, Westport. In 1949, at the age of seventy-four, Fr Angelus did not climb and he apologetically wrote in the annals:

'I make a personal remark of regret at not being

Fr John Burke, Dr Joseph Walsh and Fr Angelus greet pilgrims in the 1950s.

able to ascend the mountain this year as I have done for the past forty-two years. Old age is telling and I feel like the old Augustinian Fr. Burke – who in his far off days wrote his "Farewell to the Reek".'

Fr Angelus was active in the Fr Matthew Temperance Movement and secured 5,000 pledges during the 1907 pilgrimage. He wrote a book about Croagh Patrick and his numerous visits to the Reek assured him of many friends in Westport, where he bade his final farewell in St Mary's Presbytery on 20 August 1953. He is buried in Dublin, and his missionary cross was presented after his death to the oratory on Croagh Patrick, where it is positioned over the altar. Fr Angelus Park housing estate, in Westport, is also dedicated to the 'Guardian of the Reek'.

Above: Children pray inside St Patrick's Oratory. Father Angelus's missionary cross is positioned over the altar.
Below: The Canadian Pacific SS *Montclare* ocean liner.

SS *Montclare*

1928 saw the start of a new era in the Croagh Patrick pilgrimage. William O'Dwyer, a native of Bohola and by then a successful attorney in America, came to Mayo, as a representative of the New York Mayo Men's Association, to discuss the possibility of bringing large parties of Irish exiles home as pilgrims, and landing in Clew Bay, at Inislyre, in the shadow of Croagh Patrick.

Following O'Dwyer's visit, Fr Patterson, Administrator of Westport, travelled to the US, to fundraise for the rebuilding St Mary's Church in Westport, and to promote the idea of the Croagh Patrick pilgrimage. He was welcomed by many Irish groups in America and his tour received widespread coverage in the newspapers back home.

Michael F Barrett, from Balla and President of the New York Mayo Men's Association, organised special pilgrimage packages with Cunard Liners. The shipping line chose Galway Bay, not Clew Bay, as their destination. The SS *Samaria* was the first Cunard liner to anchor in Galway Bay and the largest vessel to use the port up to that date.

John Graham, President of the Cleveland Ohio Mayo Men's Association, used his powers of persuasion with the Canadian Pacific line and Clew Bay saw the arrival of the liner, the SS *Montclare*.

On the evening of 26 July 1928, the town of Westport was lavishly decorated and large numbers of people waited at the Quay to welcome the first transatlantic liner ever to visit Clew Bay. The tender *Dún Aengus* brought the official welcoming committee to Clare Island, where the SS *Montclare* had anchored. One hundred passengers disembarked and landed at Westport late that night. The pilgrimage of 1928 was the biggest since the inception of the national pilgrimage. The pilgrims warmly greeted the many Americans. The visitors could view the newly-erected statue of Saint Patrick at the base of the Reek.

One of the many events organised was a garden fête and bazaar, held in the grounds of the Convent of the Sisters of Mercy, Westport. A large sweet cake of the SS *Montclare* was on display and the fête continued for three days.

The American pilgrimages took place for some years, but the SS *Montclare*, being the first, etched its own name into the history of the Croagh Patrick pilgrimage.

Dom Julian Stonor's Vigil for Peace

During the First World War many groups visited the Reek to pray against conscription which was being threatened.

October of 1943 saw the visit of Dom Julian Stonor (1909–1963), who was chaplain to the Irish Guards, a tank regiment in Britain. He had been with the Guards in Holland at Dunkirk and had barely escaped with his life. Each tank and car in the regiment received an Irish name and the name chosen for Fr Stonor's car was *Croagh Patrick*. Given two weeks' leave before the D-Day invasion, the thirty-two-year-old priest was determined to risk the ban on visiting Ireland so that he could make a pilgrimage to Croagh Patrick and pray for peace.

On Wednesday, 20 October 1943, the slender, six-foot figure of Fr Stonor climbed to the summit, bringing only what would be carried by a soldier on active service. This did not include a change of clothes or any food beyond some army biscuits.

The weather was wet and stormy and the idea of spending a week on the Reek so late in the season was considered madness. It was assumed he would not be able to complete his task. Fearing for his safety, the curate of nearby Lecanvey, Fr Diskin, sent a message up

At the foot of Croagh Patrick in the early twentieth century, before the statue of St Patrick was erected.

to him on Friday to come down to Lecanvey and celebrate Mass next morning for the nuns. Fr Stonor, believing his services were really needed, came down barefooted and celebrated Mass at the convent. Immediately afterwards, he ascended the mountain once again, and he remained there until Tuesday 26 October.

Fr Stonor recalled:

'It was almost impossible to stand outside the chapel, one could only creep on all fours, and sometimes it seemed possible that the whole cement chapel was going to be blown bodily off the mountain.'

Despite the inclement weather many people from the area trudged up the mountain each day to hear Mass and bring food. Owen Campbell, local publican, remembered that on the last day of Fr Stonor's vigil, his guide, Edward Groden, was the only person to climb, due to very severe weather. On reaching the summit, neither Edward Groden nor Fr Stonor had matches to light candles for Mass, so Edward Groden descended to collect some matches and ascended the mountain for the second time to attend Mass.

A Glorious, Singing, Laughing Climb

Down through the ages, artists and writers have been inspired by the mountain.

On 28 July 1940, as the Second World War was raging in Europe, Irish poet Patrick Kavanagh visited Croagh Patrick. The poet had opted to climb in the early hours of the morning.

'And so we wait in Westport while pilgrims by bus and train, on foot and on bicycles pass through on their way to the sacred hill. The night is calm, but through that calmness blow the freshening currents of deep spiritual intensity.

'At four o'clock I took a bus to the foot of the Reek … "Did you ever do it before?" is a question that is passed around. Croagh Patrick is more than a mountain of traditional pilgrimage; it is a symbol of that eternal hill over whose rough sides we must pilgrim in faith that the Light of the Holy Spirit

touches the summit. Croagh Patrick is not a place to which tourists may come in pursuit of pleasure. Tonight we seek joy. Pleasure can be bought with the coin of the realm, but joy can be bought only with the coin of the heart.

'Already as we begin our climb, the first faint touch of dawn is in the East … Clew Bay is coming to light and life. Up the pilgrim way, crowds are moving, many of them barefoot, but none of them down-hearted.

'Just around the next turn is the "cone" of Croagh Patrick, we are told … we struggle upward. Many of the pilgrims are fasting.'

As Patrick Kavanagh attained the summit he wrote:

'… while taking in a view of the Blacksod Bay, I can hear the hosts of pilgrims saying the rosary as they make the Stations. Masses are being celebrated

Night pilgrimage in 1963 which was changed to a daytime pilgrimage in 1974.

in the tiny chapel and all round the "cone" priests are hearing confessions. Croagh Patrick is a high peak of religion and scenic glory.

'As I turn my gaze round I see Clew Bay with its "island for every day in the year". There is Mulranny and Blacksod. And looking a bit to my left I see the little inland lakelets like silver coins counted in the green lap of Connacht …

'We are physically weary, spiritually exhilarated. Pilgrims are coming up and others going down. Now there is a slight change in the gaiety that was Westport last night. Something that is solemnity is here. And there is a sense of the dramatic.

'It is this sense of the dramatic which marks a difference between Croagh Patrick and Lough Derg. Lough Derg represents the meditative, hermit-like quality in Ireland's faith, but Croagh Patrick is the glorious singing, laughing climb of an Ireland young in spirit and truth and enthusiastic in performance.

'… Croagh Patrick was a great experience. I shall go there again.'

President Éamon de Valera

President Éamon de Valera climbed Croagh Patrick on Reek Sunday, 31 July 1932. He reached the summit at 7.30am and stood with the crowd before being recognised by some boy scouts. He was then brought inside the chapel where he was welcomed by Rev John Godfrey CC. President de Valera attended two Masses and served as acolyte at a third Mass celebrated by Rev Michael Fox from Buenos Aires. When pilgrims were receiving Holy Communion, the President's son held the paten (plate for the Eucharist) for the recipients.

President Éamon de Valera climbed the mountain on Reek Sunday 1932.

Scout assisting a pilgrim in 1932.
Below: 'Bob of the Reek' cave. This is not on the pilgrim route and is inaccessible to pilgrims.

Robert Binn (Bob of The Reek)

On the summit of Croagh Patrick is the grave of Robert Binn, affectionately known as 'Bob of the Reek', a legend in his own time. A cheerful jocose man, he lived on the summit for fourteen years in the early nineteenth century. A guide in 1839 had this to say about the bearded hermit:

'*Bob was the boy for doing penance or* turas *(pilgrimage), for others and he used, day after day, to be coming up here, and going the rounds here on his bare feet, and then upon his two bare knees, for any poor sinner who either was unable from want of health or other means, of coming themselves to the Reek.'*

And in winter he is described as living :

'*amongst the neighbours, ay, with the gentle folk themselves, and a merrier, pleasanter, happier companion there was not in the whole country round.'*

Bob expressed a wish to be buried on the

summit of his mountain and left money in a local public house, so that young men from the district who carried his body to the top were provided with drinks. It is traditionally believed that Bob was a flax comber from Northern Ireland.

The Ordnance Survey map, first drawn in 1839, accurately positioned Bob's grave just to the south where Cosán Phádraig meets the summit.

Left: Fr Micheál Mac Gréil SJ and Owen Campbell outside Campbell's public house. Below: Crowds of pilgrims gather outside Campbell's public house in the late nineteenth century.

Owen Campbell

Owen Campbell operated the public house and de-facto interpretative centre for more than sixty years. His family provided hospitality for many generations to visiting pilgrims. Born in 1934, Owen always gave pilgrims a *Ceád Míle Fáilte* at his unique establishment. His great knowledge of local history and love of the pilgrimage practices were generously shared with pilgrims in his hostelry. He actively campaigned against the proposed gold mining on Croagh Patrick and was enthusiastic about the archaeological excavations in 1994 and 1995. The Croagh Patrick publican and historian died in 2009 and is buried in Murrisk Abbey cemetery near his beloved Croagh Patrick.

The 'Guardians of Croagh Patrick'

To build and maintain a church on the summit of a mountain requires skilled craftsmen and their exceptional work and dedication has been honoured by the Archbishops of Tuam since 1905.

In 1974 Most Rev Dr Joseph Cunnane, former Archbishop of Tuam, presented the 'Benemerenti' medal and scroll to Michael Kelly and Austin Gannon. In addition to being in charge of the oratory and chief steward since 1924, Austin Gannon also oversaw its reconstruction from 1962 to 1965. Over the three years Austin, along with Martin (Jack) Grady and George Gill, lived on top of the Reek from May to September.

Very Rev Tom Cummins presented the three builders and Michael Kelly with special gold medals in 1965, before rededicating the church with its two new wings and afterwards said: 'the church was as solid as the mountain on which it stood.' Medals were also presented to Joe Gavin, Martin (Batley) Grady, Eamonn Gill, and John Kindergan who climbed each summer's day from 1962 to 1965.

Michael Kelly attended to the provision of lighting and a public address system. He also stayed on the mountain, marshalling the thousands of people waiting to receive Holy Communion during the annual pilgrimage. Power for the lighting was supplied by heavy-duty car batteries, which had to be carried to the top before the provision of a mobile generator. This service is no longer required as the pilgrimage is held in daylight.

The current Guardian of the Reek is local man John Cummins, who started working with Austin Gannon in 1968. He climbs the mountain an average of sixty times per year. He was also presented with 'Benemerenti' medal and scroll for his dedication to Croagh Patrick by Dr Michael Neary in 2005.

John Cummins, Guardian of Croagh Patrick, receives the Benemerenti medal from Archbishop Dr Michael Neary with Fr Denis Carney in 2005.

Names and Legacies to Remember

One pilgrimage night back in 1907, a special train was speeding through Galway county when the driver was signalled to halt at Tuam. There the sacred vessels for the celebration of Mass on the summit of Croagh Patrick were collected. The driver, Joe Wickham, will always be remembered. As he drove his train towards Croagh Patrick that night an idea formed in his mind. He would raise funds among his colleagues on the railway for a chalice, ciborium, monstrance and Mass-bell. His fellow workers did not fail him and today these beautiful sacred vessels and the little Mass-bell with the simple inscription 'presented by the Room-Dwellers of Wellington Street' stand in Croagh Patrick Oratory as a fitting memorial to a fine Dublin man.

In 1961 a chalice was presented to the oratory by Michael J Gibbons, who in 1909 had left Mullagh, near Louisburgh, for the USA, where he became an insurance broker. On his death he was a fourth-degree member of the Knights of Columbanus, whose members presented his family with a chalice and paten (or plate for the Eucharist) inscribed: 'In your charity please pray for Sir Knight Patrick J. Gibbons.' His family in turn presented the chalice to Most Rev Dr Joseph Walsh for use in the oratory.

In 1939 Owen O'Malley of the British Diplomatic Corps and his wife Mary (the writer Ann Bridge), presented a gift of a pyx (or container for the consecrated bread of the Eucharist) for use in the oratory and in St Patrick's Church in Lecanvey. The pyx of hand-wrought silver, lined with gold, has five pieces of glass mosaic from the apse of the Basilica of the Creed of Nicea set into the lid.

Gold Seekers

In the 1980s Burmin Exploration Company discovered gold-bearing veins in the Silurian quartzite rock of Croagh Patrick and it is estimated the quartz veins could produce 700,000 tons of ore. The announcement of this discovery and the implications for the area unleashed a massive public outcry, from many groups, against its extraction. The campaign attracted the attention of the world media and reached its climax at the General Election of 1989.

During the 1989 pilgrimage, a marquee was erected with an exhibition of photographs depicting the effects of mining in other areas. The residents collected signatures for many weeks and presented these to local politicians. Five international television crews were there for one of the largest pilgrimages in recent years. Most Rev Dr Joseph Cassidy came out against mining, stating:

'*Croagh Patrick does not merely occupy space. It straddles history. For Irish Christians it is our*

foundation mountain, the mountain where our Father in faith fasted and prayed. It symbolises the religious aspirations of our people and their upward journey to God. Digging into the Reek is not just digging into a mountain. It is digging deep into history and into the religious sensibilities of our people.'

On Saturday, 11 May 1990, the then Minister for Energy, Robert Molloy, made the decision not to renew Burmin's exploration licence. The reason the minister gave was 'the unique importance of the pilgrim site, which is part of our national culture and religious heritage.' This announcement was widely welcomed.

In 1989 environmentalist David Bellamy addressed a large public meeting opposed to gold mining in the Croagh Patrick area. The meeting was organised by the Mayo Environmental Group.

The first recorded wedding on the Reek took place during the national pilgrimage on Sunday, 28 July 1907. Mary Gavaghan married James Kirby. Approximately ten weddings have taken place in St Patrick's Oratory since. This photograph from 1907 probably includes the wedding party.

Her Serene Highness Princess Grace and her husband Prince Rainier of Monaco visited Croagh Patrick on 21 June 1961. They were warmly welcomed in Westport and were received by the Archbishop of Tuam, Most Rev Dr Walsh, who presented the couple with a medal specially struck for the Patrician year of 1961. With the world media watching, Princess Grace blessed herself with holy water from the font at the base of St Patrick's statue.

Above: The official opening of Murrisk Millennium Peace Park by Minister Seamus Brennan, TD, Chairman of the National Millennium Committee. It was blessed by Monsignor Dominick Grealy, representing the Archbishop of Tuam, Dr Michael Neary, and Canon Gary Hastings. The park is the centrepiece of the Christian celebration of the Millennium in Ireland and is the site of the National Famine Memorial. Chairman of the Murrisk Development Association John Groden assists the Minister, 13 July 2001.

Below: Westport remains a charming town to this day.

Clew Bay, Westport (100 years ago). Co. Mayo.

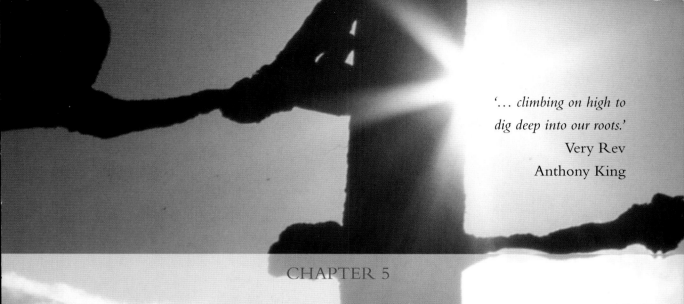

*'… climbing on high to
dig deep into our roots.'*
Very Rev
Anthony King

CHAPTER 5

Places to Visit

Croagh Patrick rises up out of the coastal heart of County Mayo on Ireland's western Atlantic shore. The county is the third largest in the country and offers the visitor a wealth of sightseeing and activities. From the great fjord of Killary Harbour to Delphi, Achill Island and Blacksod Bay and northwards to the Céide Fields, the landscape is one of rugged beauty, providing spectacular walks and climbs, unspoilt sandy beaches, fruitful fishing lakes, tempting golf courses and numerous sites steeped in a deep and ancient history.

The Céide Fields, a system of Neolithic walled fields, are to be found preserved in the remote bog wilderness of north Mayo. The visitor centre there explains this evidence of very early farming. Clew Bay, at the foot of Croagh Patrick, was home to the sixteenth-century pirate and chieftain, Granuaile (Grace O'Malley), and her castle can be seen rising up out of the waters on Clare Island. The towns of Cong, Louisburgh and Westport, among others, all have their attractions and their stories to tell.

While at Croagh Patrick many people avail of the opportunity to visit the newly-erected shrine dedicated to Our Lady of Medjugorje, adjacent to the car park in Murrisk. At the foot of Croagh Patrick is the National Famine Memorial, situated in the Millennium Park. Another fifty metres nearer the shore of Clew Bay is the ruined historic Augustinian Abbey of Murrisk. All of these sites are incorporated into the Clew Bay Archaeological Trail, which extends from Westport to Louisburgh and Clare Island (www.clewbaytrail.com).

For the pilgrim, or those interested in ancient history, there are further journeys which can be made close by Croagh Patrick.

Top left: The apparitions of Our Lady, *the Gospa*, in Medjugorje, have inspired this shrine. It is believed she blessed the statue on Christmas Day 2006, during her apparition to the visionary Vicka Ivanković-Mijatovic.

Left, below and previous page: President Mary Robinson unveiled the National Famine Memorial on 20 July 1997. The sculpture by John Behan depicts a 'Coffin Ship' with skeleton bodies and commemorates the anniversary of the Irish Famine in the 1840s, when the population declined from eight to four million. The monument is the largest bronze sculpture in Ireland. A similar sculpture was unveiled in November 2000, outside the United Nations building in New York, representing those immigrants who survived the famine and journey to America.

Tóchar Phádraig

Tóchar Phádraig (Patrick's Causeway) is a very ancient pilgrim way, extending from Leacht Benáin on Croagh Patrick to Ballintubber Abbey, and its existence predates Saint Patrick's visit to the Reek. It is possible that this old route leads from Cruachán (Rathcroghan), an ancient seat of the Kings of Connacht, near Boyle in County Roscommon. Along this causeway which runs in a straight line due east and west, many churches, abbeys and settlements were established, most of which lie in ruins today. The Rock of Boheh, the site of the Rolling Sun phenomena, is part of the *tóchar*.

This route was not only used by Saint Patrick when visiting the village of Aghagower and Croagh Patrick, but has also been travelled by countless pilgrims in St Patrick's footsteps. The traditions of this pilgrim way are so strong that many fields and rocks along its way bear witness by their names and stories to its ancient history. The Ordnance Survey map of 1839 shows portions of this causeway in existence, but the progress of cultivation, land clearance and road building have taken a heavy toll.

In 1988 and 1989 Fr Frank Fahey undertook the monumental task of re-opening Tóchar Phádraig once more for pilgrims. This involved agreeing access to land across the Tóchar with sixty-seven land owners and publishing a book called *Tóchar Phádraig* which explains in detail the monuments, stories and folklore along its route.

Today, Fr Frank Fahey and his guides walk pilgrims along this 32-kilometre (20-mile) pilgrim route from Ballintubber to Croagh Patrick, which takes about twelve hours to complete and brings one from Ballintubber, Triangle, Aghagower and Boheh to Croagh Patrick.

Ballintubber Abbey

Ballintubber Abbey was founded in 1216 by King Cathal O'Conor. It is believed to be the only church in Ireland still in daily use that was founded by an Irish king. Built for the Canons Regular of St Augustine, it stands beside a fifth-century monastic site associated with St Patrick.

Known as 'the abbey that refused to die', Ballintubber has remained a place of worship, despite years of continuous attacks and religious repression. In 1653 Oliver Cromwell's army set fire to the abbey.

Restored in recent years, the abbey is a place of spirituality and has become renowned for its retreats and is a much sought after location for weddings. Pilgrims set out from Ballintubber on the ancient pilgrim route, Tóchar Phádraig, to Croagh Patrick.

Left: Ballintubber Abbey, founded 1216.
Below left: Ruined church at Glosh Patrick near the reputed burial site of St Patrick's charioteer Totmáel.
Below right: Fr Paddy Gill, with local residents, after reciting the rosary and blessing the graves at Glosh Patrick, November 2009.

Glosh Patrick

The first mention of Murrisk in history is by Bishop Tírechán in the Book of Armagh, *circa* AD670, as the place where St Patrick's charioteer, Totmáel, died and was buried by the saint. Glosh Patrick graveyard, at the foot of the Reek, is thought to be the site of Totmáel's Grave, probably the first Christian to be buried there. In 1929 stations were recorded as being performed at the Holy Well of Glosh Patrick. The small ruined church at Glosh Patrick is the probable site of Bishop Rodan's church, which is mentioned, in the *Tripartite Life of Saint Patrick*.

Elderly local resident Julia Grady recalled that as a child she performed stations in Glosh Patrick at the holy well with her mother and that the site of St Patrick's henchman's (charioteer) grave is now the McGirr family grave on the left at the entrance. She recalled a controversy in the 1930s when a large standing stone with Ogham writing was removed from Glosh Patrick graveyard and used in the construction of a local bridge. Many island people from Clew Bay are buried here and traditionally seven boats accompany the coffin from the island to Glosh Patrick.

Murrisk, Murrisk Abbey

The village of Murrisk has long been the threshold of the Croagh Patrick pilgrimage. In 1457 Pope Callistus III wrote a letter granting 'permission to Hugh O'Malley, Augustinian friar of the House of Corpus Christi at Banada to establish a church and friary, for Augustinian friars in the half quarter of Murrisk in the diocese of Tuam, on land granted by Thady O'Malley, Chief of his Nation.' It is possible that Fr Hugh O'Malley from County Sligo was a relative of the O'Malley chieftains.

The abbey was just over one hundred years in existence when in 1578 the lands belonging to the abbey were leased to James Garvey, brother to John Garvey, the Church of Ireland Archbishop of Armagh. Very little is known about the circumstances of the friars from 1570 to the early 1800s when the abbey finally ceased to function. During the 230 years the friars suffered persecution and one friar, namely Fr Myles Prendergast, had to spend many years on the run in the area of Clifden. Although the friars may not have always been in residence, there is evidence that they stayed in the area and administered to their flock.

A chalice, now in Tuam, has the following inscription: 'Pray for the souls of Theobald, Lord Viscount Mayo and his wife Meave ní Cnochoure who had me made for the monastery of Murrisk in the year of our Lord 1635.' Theobald was a son of the legendary pirate queen Granuaile, whose ancestors gave the original land to the monastery.

A Fr Philip Staunton appears to have been the last monk in Murrisk and later died in Ballintubber.

The abbey, now in ruins and under the supervision of the Office of Public Works, is worth visiting. The abbey is L-shaped, in two parts, consisting of the church on the south

The ruined Augustinian abbey of Murrisk, near the Millennium Park which includes the National Famine Memorial.

and domestic buildings attached to the choir wall and running northwards from it, which also contain the chapter room and sacristy. A striking feature is a fine five-light window on the east wall of the church and the embattled parapet which crowns the south wall.

Kilgeever

Up to recent years, many pilgrims to Croagh Patrick would conclude the Reek pilgrimage by doing the stations at Kilgeever, 10km (6m) west of Croagh Patrick.

In 1838, John O'Donovan recorded the church at Kilgeever as 'Cill a Ghaobhair (Dha Ghaobhair)' which was understood to mean 'The Church of St Geever'. O'Donovan tells us that St Geever was believed to have been a Scotsman. The writer visited the old church of Kilgeever and found its holy well, but discovered that the well was not called after Saint Geever but after the 'Great Lord of the Sabbath ("Tobar Rí an Domhnaigh").' He noted that many pilgrims visited the holy well, especially on Sundays, and, in particular, on the 15 July. The pattern, which had been held at the well, was at that time taking place in Louisburgh.

The old church of Kilgeever was built in the Gothic style around the thirteenth or fourteenth century. Since John O'Donovan's visit, the key date for the pilgrimage has been changed to 15 August, a traditional church holiday.

Station at Kilgeever

The traditional station begins with a circle about the blessed well while the pilgrims form their intention. Then, kneeling opposite the well, say seven Our Fathers, seven Hail Marys and one Creed. Then circle the well seven times, praying, and kneel again to repeat seven Our Fathers, seven Hail Marys and one Creed. Now walk to the three flagstones south of the well, kneel and say five Our Fathers, five Hail Marys and one Creed.

At St Patrick's Rock kneel and say three Our Fathers, three Hail Marys and one Creed. Then, entering the Abbey from the east, say seven Our Fathers, seven Hail Marys and one Creed for the dead.

Walk back by the stream towards the blessed well, and complete the station by circling three times in honour of the blessed Trinity. Custom has embellished these exercises. It is customary to count the rounds of the well by picking seven stones and dropping one at each round. Returning to the well, it is usual to walk in the water if the station is for a living person. Pilgrims pray, before leaving, for Henry Murphy of Castlebar, who had the cross erected over the well.

Eileen O'Grady and Sean Kerrigan performing a station at the holy well near Kilgeever Abbey.

Aghagower

Aghagower, lying 8km (5m) east of the Reek, was the village Saint Patrick stayed in before ascending the soaring peak and is indeed an ancient sacred place. Saint Patrick came to Achad Fobuir which means 'Field of the Spring' and is now corrupted into Aghagower. Tírechán gives a brief account of Saint Patrick's visit to Aghagower in the Book of Armagh, written *circa* AD670, and the village is also mentioned in *The Tripartite Life of Saint Patrick*, *circa* AD900.

The remains of the round tower and the ruins of an ancient church attest to the antiquity of Aghagower. To the west of the tower and at the base of a tree is Leaba Phádraig (Patrick's Bed), at which pilgrims commenced the station of Aghagower which was at one time considered a necessary supplement to the stations of the Reek.

At the east of the tower, outside the graveyard is the enclosed holy well called Dabhach Phádraig (Patrick's Vat) and across the road is Tobar na nDeachan (the 'Well of the Deacons'). Here also is the ruined church of Teampall na bhFiacal ('Church of the Teeth'), reputed to be Patrick's original church and a convent founded by Mathona, sister of Senachus, who was made a bishop by St Patrick and further on is Leacht Tomalltach, a very ancient burial monument.

There is a small Sheela-na-gig (a medieval stone figure of a naked woman) embedded into the stonework in the front of the wall of the holy well, across the road from the public bar. It is a tiny figure and due to the rough stone and arrangement of lichen growth, it is difficult to find and harder still to photograph unless the light is just right.

In the modern parish church of Aghagower is a mosaic of Saint Patrick baptising a person on his way to the Reek. (The mosaic was created by John Crean, Roscommon).

The ruined church at Aghagower with its leaning round tower is a very impressive Patrician site and is the half-way stop on the Tóchar Phádraig pilgrimage.

Caher Island

Lying offshore of Inishturk in the direction of Clare Island is the uninhabited and blessed island of Caher. Known in Irish as Oileán na Cathrach ('Island of the City'), Cathair na Naomh ('City of the Saints') and Cathair Phádraig ('City of St Patrick').

Traditionally people came here on pilgrimage immediately following the last Sunday of July and many people believed the station of the Reek was not finished until a visit to Caher was made. The approach to the island is treacherous and only local seamen in the calmest weather can land safely.

In the nineteenth century the writer John O'Donovan found a very rich tradition associated with St Patrick's visit to Caher island:

'*A kind of cloghaun, or road, is shown under the waves leading from this blessed island in the direction of the Reek. It is called Boher na Neeve, (via Sanctorum) because it was passed by St Patrick, by his Charioteer Bionnon, the widow's son (who was buried on the Reek), by Saint Bridget and other saints who were along with the Apostle.*'

The island contains a small hermitage site which consists of an outer rectangular wall, within which there is a tiny primitive church called Teampall na Naomh by some and Teampall Phádraig by others. Outside the east side of the church is a decorated slab over the grave of the founder saint known as Leaba Phádraig (Patrick's Bed) and O'Donovan recorded in 1838 the prayer said at this station. '*Mo leabaidh is cearchuill chruaidh, Mairg a Chríost a chuaidh na seilbh*' ('My hard bed and pillow, wretched for him, O Christ, who took possession of it').

Beside this grave is a large square altar, or

The islanders of nearby Inisturk island organise a pilgrimage to Caher Island annually, on 15 August.

leacht, which contains a slab, sculptured with a cross and two dolphins, although very difficult to distinguish due to its poor state. Also on this altar is a large water-worn pumice stone. TW Rolleston visited Caher in 1900 and wrote:

'that to carry away any object from the island is regarded as "not right". In recent times, it is said that one visitor attempted to remove a large piece of pumice stone about the size of a football, which lies on one of the leachts, but an accident which happened to his boat on the homeward journey convinced him that he was transgressing a sacred prohibition and he returned, and replaced the stone.'

Inside the church is a large conglomerate stone (Cursing Stone) called 'Leac na Naomh' ('Flag of the Saints'). The stone was used by people who had been wronged and after fasting, praying and visiting the island to turn around Leac na Naomh, a misfortune would happen the wrongdoer. Within the rectangular, walled area and outside are fourteen *leacht* (stations) all with slabs inscribed with splayed crosses.

On the north-west side of Caher, there is a holy well called 'Tobar Muire' (the 'Well of St Mary, Ever Virgin'), where pilgrims also prayed. The island was believed to possess two properties: soil and sand from the island can kill rats, and any person suffering from epilepsy can be cured by sleeping for a few minutes inside the church or on Leaba Phádraig.

In the nineteenth century, O'Donovan recorded that 'when the boatmen are passing by this island they always take off their hats and say:

'''*Umhlúighmid do Dhia mhór na n-uile chúmhachta agus do Phádraig míorbhuilteach.*''

("We bow, submit or make reverence to the great God of all powers and to St Patrick the wonder-worker.").'

BIBLIOGRAPHY AND SOURCES

Angelus, Rev Fr, (1949), *The Croagh Patrick Pilgrimage*, (Catholic Truth Society).

Ballintubber Abbey, (1989), *Tóchar Phádraig*, Ballintubber Abbey Publication.

Barrow, John, (1836), *A Tour Round Ireland*, John Murray, London.

Bieler, Ludwig, (1979), *The Patrician Texts in the Book of Armagh*, Dublin Inst. for Adv. Studies.

Carey, PF, (1995), *Croagh Patrick – The Mount Sinai of Ireland*, Irish Messenger.

D'Alton, The Right Rev Monsignor, (1928), *History of the Archdiocese of Tuam*, Phoenix Publishing Co., Dublin.

De La Tocnaye, Le Chevalier, (1796), *A Frenchman's Walk Through Ireland*, McCaw, Stevenson & Urr Ltd., Belfast.

Freeman, Martin A, (1983), *The Annals of Connaught*, Dublin Inst. for Adv. Studies.

Healy, Most Rev Dr John, (1905), *The Life and Writings of St. Patrick*, MH Gill & Son Ltd., Dublin.

Hughes, Harry, (1991), *Croagh Patrick – An Ancient Mountain Pilgrimage*, Westport.

Hughes, Harry, (2005), *Croagh Patrick – Ireland's Holy Mountain*, Croagh Patrick Archaeological Committee, Westport.

Knox, Hubert Thomas, (1904), *Notes on the Diocese of Tuam*, Hodges, Figgis & Co., Dublin.

Logan, Patrick, (1980), *The Holy Wells of Ireland*. Colin Smythe Ltd., England.

MacAirt, Sean and Mac Niocaill, Gearóid, (1983), *The Annals of Ulster*, Dublin Inst. for Adv. Studies.

MacDonnell, Aeneas, (1820), *The Hermit of Glenconella*, G Cowie & Co., London.

MacNeill, Máire, (1962), *The Festival of Lughnasa*, Comhairle Bhéaloideas Éireann.

Miller, Liam, (1983), *Postage Stamps of Ireland 1922–1982*.

Morahan, Leo, (2001), *Croagh Patrick, County Mayo – Archaeology, Landscape and People*, Croagh Patrick Archaeological Committee, Westport.

Murphy, Anthony and Moore, Richard, (2008), *Island of the Setting Sun: In Search of Ireland's Ancient Astronomers*, The Liffey Press, Dublin.

O'Donovan, John, (1838), *Ordnance Survey Letters* – Vol. 1, Part 3.

O'Donovan, John, (1990), *Annals of Ireland by the Four Masters*, De Búrca Rare Books.

O'Lochlainn, Colm, (1961), *Cruach Phádraig – Ireland's Holy Mountain*, Three Candles, Dublin.

O'Madden, Patrick L, (1929), *Cruach Phádraig – St Patrick's Holy Mountain*, Three Candles, Dublin.

O'Móráin, Pádraig, (1957), *500 Years in the History of Murrisk Abbey*, Mayo News.

Otway, Caesar, (1839), *A Tour in Connaught*, William Curry, Jun. & Co.

Rollerston, TW, (1900), *The Church of St. Patrick on Caher Island*, Royal Irish Academy, Dublin.

Stokes, Whitley, (1887), *Tripartite Life of St. Patrick*, Hodges, Figgis & Co., Dublin.

Thackeray, William Mackepeace, (1843), *The Irish Sketch Book*, Smith, Elder & Co., London.

Wilde, Sir William R, (1872), *Lough Corrib*, McGlashan & Gill, Dublin.

Young, Derek, (1977), *Guide to the Currency of Ireland*, Stagecast Publications, Dublin.

NEWSPAPERS AND PERIODICALS

Irish Builder, The Word, The Catholic Bulletin, The Irish Monthly, The Downside Review, Visitors' Book in St Mary's Presbytery, Westport, *Journal of the Westport Historical Society. Mayo News, Connaught Telegraph, Irish Press, Irish Independent, Irish Times.*